Krajewski Ritzman Malhotra
Lee · Larry · Manoj

Administração de Produção e Operações

8ª edição

Administração de Produção e Operações

8ª edição

LEE J. KRAJEWSKI
Notre Dame University

LARRY P. RITSMAN
Professor Emérito The Ohio State University e Boston College

MANOJ K. MALHOTRA
University of South Carolina

TRADUÇÃO
Lucio Brasil Ramos Fernandes
Mirian Santos Ribeiro de Oliveira

REVISÃO TÉCNICA
André Luís de C. M. Duarte
Professor de Gestão de Operações do IBMEC – São Paulo

Susana C. Farias Pereira
Professora de Gestão de Operações da FGV-EAESP

© 2009 by Pearson Education do Brasil

Todos os direitos reservados. Nenhuma parte desta publicação poderá ser reproduzida ou transmitida de nenhum modo ou por algum outro meio, eletrônico ou mecânico, incluindo fotocópia, gravação ou qualquer outro tipo de sistema de armazenamento e transmissão de informação, sem prévia autorização, por escrito, da Pearson Education do Brasil.

Diretor editorial: Roger Trimer
Gerente editorial: Sabrina Cairo
Supervisor de produção editorial: Marcelo Françozo
Editora: Arlete Sousa
Preparação: João Tomás de Camargo Silva
Revisão: Rodrigo Zimmermann e Daniela Medeiros
Capa: Rafael Mazzo
Projeto gráfico e diagramação: Globaltec Artes Gráficas

Dados Internacionais de Catalogação na Publicação (CIP)
(Câmara Brasileira do Livro, SP, Brasil)

Krajewski, Lee J.
    Administração de produção e operações / Lee Krajewski, Larry Ritzman e Manoj Malhotra ; tradução Mirian Santos Ribeiro de Oliveira ; revisão técnica André Luís de Castro Moura Duarte e Susana Carla Farias Pereira. -- São Paulo : Pearson Prentice Hall, 2009.

    Título original: Operations management.
    8. ed. norte-americana.
    Bibliografia.
    ISBN 978-85-7605-172-5

    1. Administração da produção I. Ritzman, Larry.
II. Malhotra, Manoj. III. Título.

08-07514   CDD-658.5

Índice para catálogo sistemático:
1. Administração de produção e operações : Empresas 658.5

Direitos exclusivos cedidos à
Pearson Education do Brasil Ltda.,
uma empresa do grupo Pearson Education
Avenida Santa Marina, 1193
CEP 05036-001 - São Paulo - SP - Brasil
Fone: 11 2178-8609 e 11 2178-8653
pearsonuniversidades@pearson.com

Dedicado com amor a nossas famílias.

Judie Krajewski
Gary
Lori e Dan; Aubrey, Madeline e Amelia
Carrie e Jon; Jordanne e Alaina
Selena e Jeff
Virginia e Jerry
Virginia e Larry

Barbara Ritzman
Karen e Matt; Kristin e Alayna
Lisa e Todd; Cody, Cole, Taylor e Clayton
Kathryn e Paul
Mildred e Ray

Maya Malhotra
Vivek, Pooja e Neha
Santosh e Ramesh Malhotra
Indra e Prem Malhotra; Neeti e Deeksha
Sadhana Malhotra
Leela e Mukund Dabholkar
Aruna e Harsha Dabholkar; Aditee
Mangala e Pradeep Gandhi; Priya e Medha

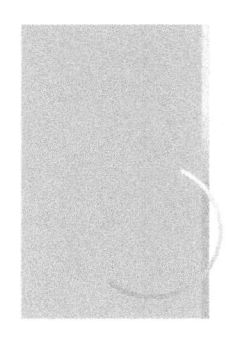

Sumário

Prefácio xiii

PARTE 1 USANDO OPERAÇÕES PARA COMPETIR 1

CAPÍTULO 1 Operações como Arma Competitiva 2

FedEx 2
Administração de Operações na Organização 2
Uma Visão de Processo 3
Agregando Valor: a Cadeia de Valor 6
A Administração de Operações como um Conjunto de Decisões 7

Prática Gerencial 1.1
Inovação Operacional é uma Arma Competitiva na Progressive Insurance 8
Tendências na Administração de Operações 9
Lidando com os Desafios da Administração de Operações 13

Prática Gerencial 1.2
Operações de Alta Tecnologia Ajudam a Reciclar Equipamentos de Alta Tecnologia 14

Desafio Gerencial
Operações como Arma Competitiva na Starwood 16
    Questões para Discussão 17
    Problemas 17
    Referências Selecionadas 18
    Caso *Tok&Stok: inovação no varejo de móveis 19*

SUPLEMENTO A Tomada de Decisões 20

Análise do Ponto de Equilíbrio 20
Matriz de Preferências 22
Teoria da Decisão 24
    Problemas 31
    Referências Selecionadas 34

CAPÍTULO 2 Estratégia de Operações 36

A Starbucks 36
Estratégia de Operações por Toda a Organização 37
Desenvolvendo uma Estratégia de Operações Orientada para o Cliente 38
Prioridades e Competências Competitivas 41

Prática Gerencial 2.1
Usando Operações para Obter Lucro na Costco 42

Prática Gerencial 2.2
Construindo Porta-aviões sob Encomenda 44
Desenvolvimento de Novo Produto ou Serviço 46
Estratégia de Operações como um Padrão de Decisões 50
    Questões para Discussão 52
    Caso *A entrada da Gol no mercado aéreo brasileiro 54*
    Referências Selecionadas 55

CAPÍTULO 3 Administração de Projetos 58

Bechtel Group, Inc. 58
Administração de Projetos por Toda a Organização 59
Definição e Organização de Projetos 60

Prática Gerencial 3.1
Equipes Virtuais Globais na Baxter International 62
Planejamento de Projetos 63

Desafio Gerencial
Gerenciamento de Projeto no Hotel Phoenician 71

Prática Gerencial 3.2

    Projeto Big Dig de Boston Apresenta Muitos Desafios 77

    Cadeia Crítica 81

    Monitoramento e Controle de Projetos 82

        Questões para Discussão 89

        Problemas 89

        Caso *Implantação da gestão de imagens na Unimed Vitória* 96

        Referências Selecionadas 97

PARTE 2   Administrando Processos 98

CAPÍTULO 4   Estratégia de Processo 99

A Duke Power 99

    Estratégia de Processo por toda a Organização 100

    Estratégia de Processo 100

    Principais Decisões de Processo 101

    Estrutura do Processos em Serviços 102

Prática Gerencial 4.1

    Processos de *Front Office* e de *Back Office* no Ritz-Carlton 107

    Estrutura do processo na manufatura 107

    Envolvimento do Cliente 111

    Flexibilidade de Recursos 112

    Intensidade de Capital 113

Prática Gerencial 4.2

    Automação Flexível na R. R. Donnelley 115

    Ajuste Estratégico 116

    Estratégias para Mudar 118

        Questões para Discussão 120

        Problemas 120

        Caso *Beleza Natural — um salão de beleza inovador* 121

        Referências Selecionadas 121

CAPÍTULO 5   Análise de Processos 124

    Omgeo 124

    Análise de Processos por toda a Organização 125

    Uma Abordagem Sistemática 125

    Documentando o Processo 127

Prática Gerencial 5.1

    Avaliando o Desempenho no McDonald's 128

    Avaliando o Desempenho 132

Desafio Gerencial

    Análise de Processos na Starwood 133

    Data Snooping 137

    Redesenhando o Processo 139

Prática Gerencial 5.2

    Redesenhando Processos no Baptist Memorial Hospital 140

    Administrando Processos 141

        Questões para Discussão 145

        Problemas 146

        Caso *O caso Brasilata* 152

        Referências Selecionadas 153

SUPLEMENTO B   Simulação 154

    Razões para Usar Simulação 154

    O Processo de Simulação 155

    Simulação em Computador 159

        Problemas 164

        Referências Selecionadas 167

CAPÍTULO 6   Desempenho e Qualidade do Processo 169

Crowne Plaza Christchurch 169

    Desempenho e Qualidade do Processo por toda a Organização 169

    Custos de Desempenho e Qualidade do Processo Insatisfatórios 170

    Gestão da Qualidade Total 171

    Controle Estatístico do Processo 175

Prática Gerencial 6.1

    TQM e CEP Ajudam a ADM Cocoa a Manter um Negócio Doce 177

Prática Gerencial 6.2

    Medidas de Qualidade no Ramo de Serviços de Saúde 178

    Métodos de Controle Estatístico do Processo 181

    Capabilidade do Processo 185

    Seis Sigmas 190

Prática Gerencial 6.3

    Aplicando o Processo Seis Sigmas no Scottsdale Healthcare's Osborn Hospital 192

    Padrões de Documentação de Qualidade Internacional 193

Desafio Gerencial

    Desempenho e Qualidade do Processo na Starwood 194

Prêmio Nacional de Qualidade Malcolm Baldrige 195
  Questões para Discussão 198
  Problemas 199
  Caso *Melhoria de processos e a satisfação do cliente 207*
  Referências Selecionadas 208

CAPÍTULO 7 Administração das Restrições 210

Eastern Financial Florida Credit Union 210
  Administrando Restrições em toda a Organização 211
  A Teoria das Restrições 212
  Identificação e Administração de Gargalos 214

Prática Gerencial 7.1
  Usando Princípios da TOC, a Bal Seal Engineering Lucrou 215

Prática Gerencial 7.2
  Administração das Restrições no Sistema de Saúde 218
  Planejamento de Capacidade a Longo Prazo 221

Prática Gerencial 7.3
  Economias de Escala em Funcionamento 223
  Estratégias de Momento e Tamanho do Incremento da Capacidade 224
  Uma Abordagem Sistemática das Decisões de Capacidade a Longo Prazo 225
  Ferramentas para o Planejamento da Capacidade 229
    Questões para Discussão 233
    Problemas 233
    Caso *Juan Uribe Ensino Afetivo 240*
    Referências Selecionadas 241

SUPLEMENTO C Filas de Espera 242

Por que se Formam Filas de Espera 242
Usos da Teoria das Filas de Espera 243
Estrutura dos Problemas das Filas de Espera 243
Distribuições de Probabilidade 245
Usando Modelos das Fila de Espera para Analisar Operações 247
Áreas de Decisão para a Gerência 252
  Problemas 254
  Referências Selecionadas 256

CAPÍTULO 8 Layout de Processo 258

RiverTown Crossings 258
  Administrando o Layout dos Processos por Toda a Organização 259
  Planejamento de Layout 259

Prática Gerencial 8.1
  Varejistas Combinam Layouts com Estratégias 260
  Questões Estratégicas 261
  Criando Layouts Híbridos 263
  Projetando Layouts por Processo 265
  Projetando Layouts por Produto 271

Prática Gerencial 8.2
  Transição do Layout Tradicional para os *Activities Settings* na ABB 272
    Questões para Discussão 278
    Problemas 278
    Caso *Projeto de layout: o escritório regional de uma construtora de edifícios residenciais 283*
    Referências Selecionadas 284

CAPÍTULO 9 Sistemas de Produção Enxuta 287

Sistemas de Produção da Toyota 287
Sistemas de Produção Enxuta por toda a Organização 288
Características dos Sistemas de Produção Enxuta para Serviços e Manufaturas 289
Melhoria Contínua Usando uma Abordagem de Sistemas de Produção Enxuta 294

Prática Gerencial 9.1
  Sistemas de Produção Enxuta na New Balance Athletic Shoe Company 295
  O Sistema Kanban 295
  Mapeamento do Fluxo de Valor 298

Prática Gerencial 9.2
  Sistemas de Produção Enxuta no University of Pittsburgh Medical Center em Shadyside 299
  Benefícios Operacionais e Questões de Implementação 300

Prática Gerencial 9.3
  Implementando Princípios de Fabricação na Cessna 203

Questões para Discussão 305
Problemas 305
Caso *O sistema de produção enxuta da Volkswagen* 307
Referências Selecionadas 308

PARTE 3 Administrando Cadeias de Valor 309

CAPÍTULO 10 Estratégia de Cadeia de Suprimentos 310

Dell Inc. 310

Estratégia de Cadeias de Suprimentos por toda a Organização 311

Cadeias de Suprimentos para Serviços e Manufatura 312

Prática Gerencial 10.1

Excelência da Cadeia de Suprimentos na 7-Eleven do Japão 313

Medidas de Desempenho da Cadeia de Suprimentos 315

Dinâmica da Cadeia de Suprimentos 318

O Processo de Relacionamento com o Cliente 321

O Processo de Atendimento de Pedido 322

Prática Gerencial 10.2

Reposição Contínua na Campbell Soup Company 325

Processo de Relacionamento com o Fornecedor 326

Estratégias de Cadeia de Suprimentos 330

Desafio Gerencial

Estratégia de Cadeia de Suprimentos na Starwood 331

Prática Gerencial 10.3

Uma Cadeia de Suprimentos Responsiva Ajuda um Varejista de Roupas Europeu a Agradar os Clientes 333

Prática Gerencial 10.4

Personalização em Massa na Lands' End 336

Prática Gerencial 10.5

A HCL Corporation Fornece Processos de Serviço em Cadeias de Valor Virtuais 341

Questões para Discussão 343
Problemas 343
Caso *O consórcio modular: caso Volkswagen Resende* 345
Referências Selecionadas 347

CAPÍTULO 11 Localização 349

Bavarian Motor Works (BMW) 349

Decisões de Localização por toda a Organização 350

Fatores que Afetam as Decisões de Localização 351

Prática Gerencial 11.1

Mudando a Divisão de Energia da General Electric para um Novo Local 352

Sistemas de Informação Geográfica e Decisões de Localização 354

Prática Gerencial 11.2

Como as Cadeias de *Fast-Food* Usam o GIS para Selecionar Localizações 355

Prática Gerencial 11.3

Desafios de Localização na Starbucks 356

Entre Ampliação no Mesmo Local, uma Nova Localização ou Mudança para Outro Local 356

Localizando uma Instalação Única 360

Localizando uma Instalação Dentro de uma Rede de Instalações 364

Questões para Discussão 374
Problemas 374
Caso *Papaiz: uma transferência de planta para a Bahia* 381
Referências Selecionadas 382

CAPÍTULO 12 Administração de Estoques 384

Gerenciamento de Estoques no Wal-Mart 384

Administração de Estoque por toda a Organização 385

Conceitos Básicos de Estoque 385

Prática Gerencial 12.1

Melhorando o Serviço ao Cliente Mediante Gerenciamento de Estoque na Amazon.com 389

Lote Econômico de Compra 391

Sistemas de Controle de Estoque 395

Prática Gerencial 12.2

Implementando um Sistema de Revisão Periódica de Estoque na Hewlett-Packard 405

Questões para Discussão 413
Problemas 413
Caso *Complexo Industrial Automotivo de Gravataí* 419
Referências Selecionadas 421

SUPLEMENTO D Modelos Especiais de Estoque 422

Reposição Não-instantânea 422
Descontos por Quantidade 423
Decisões de um Período 427
  Problemas 431
  Referências Selecionadas 433

CAPÍTULO 13 Previsão de Demanda 435

Unilever 435
  Previsões por toda a Organização 436
  Padrões de Demanda 437
  Projetando o Sistema de Previsões 437
  Métodos Qualitativos de Avaliação 439

Prática Gerencial 13.1
  Wal-Mart Usa CPFR e a Internet para Melhorar o Desempenho das Previsões 440
  Métodos Causais: Regressão Linear 441
  Método de Série Temporal 442
  Escolhendo um Método de Série Temporal 451
  Usando Várias Técnicas 457
  Juntando Tudo: a Previsão como um Processo 458
    Questões para Discussão 463
    Problemas 464
    Caso A indústria automobilística brasileira 471
    Referências Selecionadas 473

CAPÍTULO 14 Planejamento de Vendas e Operações 475

Whirlpool Corporation 475
  Planejamento de Vendas e Operações por toda a Organização 476
  A Finalidade dos Planos de Vendas e Operações 476
  O Contexto das Decisões 478

Prática Gerencial 14.1
  Estratégia de Força de Trabalho e o Compromisso com Funcionários 483
  Planejamento de Vendas e Operações como um Processo 483
  Ferramentas de Apoio à Decisão 485

Desafio Gerencial
  Planejamento de Vendas e Operações na Starwood 486

  Considerações Gerenciais 494
    Questões para Discussão 497
    Problemas 498
    Caso Planejamento de vendas e operações em uma indústria de laticínios 502
    Referências Selecionadas 504

SUPLEMENTO E Programação Linear 505

Conceitos Básicos 505
Análise Gráfica 508
Análise de Sensibilidade 513
Solução no Computador 514
Aplicações 516
  Questão para Discussão 518
  Problemas 518
  Referências Selecionadas 523

CAPÍTULO 15 Planejamento de Recursos 526

Starwood 526
  Planejamento de Recursos por toda a Organização 527
  Sistemas Integrados de Gestão 527
  Sistemas de Planejamento e Controle para Fabricantes 529

Prática Gerencial 15.1
  ERP na VF Corporation 530
  Planejamento de Necessidades de Materiais 532
  Sistema Tambor-Pulmão-Corda 548
  Planejamento de Recursos para Fornecedores de Serviços 549

Prática Gerencial 15.2
  O Sistema Tambor-Pulmão-Corda no Centro de Manutenção da Marinha dos Estados Unidos 549
    Questões para Discussão 556
    Problemas 556
    Caso Sabó e a implementação do ERP da SAP 565
    Referências Selecionadas 566

CAPÍTULO 16 Programação 568

Air New Zealand 568
  Programação por toda a Organização 569
  Programando Processos de Serviços e Fabricação 569

xii Administração de produção e operações

Programando a Demanda de Clientes 572
Programando Funcionários 572
Programação de Operações 575

Prática Gerencial 16.1
Programar Funcionários para Centrais de Atendimento 576

Prática Gerencial 16.2
Seqüenciamento de Carros na Fábrica da Nissan em Sunderland 587
Questões para Discussão 591

Problemas 591
Caso *Planejamento e controle da produção para linhas de produtos customizados na Imprensa Oficial do Estado de Minas Gerais 596*
Referências Selecionadas 598

Apêndice 1 **Distribuição Normal** 599
Apêndice 2 **Tabela de Números Aleatórios** 600
Créditos de Fotos 601
Índice Remissivo 603

Prefácio

Nesta oitava edição de *Administração de produção e operações*, de Lee Krajewski, Larry Ritzman e Manoj Malhotra, destacamos:

Capítulo 7 — "Administração das restrições": discute a teoria das restrições, explica como identificar e administrar gargalos e apresenta técnicas de seleção de mix de produtos baseada em gargalo.

Capítulo 9 — "Sistemas de produção enxuta": inclui exemplos de prática gerencial destacadas em seções especiais e vincula os sistemas de produção enxuta aos métodos *poka-yoke*, ao conceito de Cinco S e ao mapeamento do fluxo de valor. Essas abordagens ajudam a interligar os primeiros nove capítulos do livro e reforçam a noção de ver as operações a partir de uma perspectiva de administração de processo, que depois faz uma transição para a administração de cadeias de valor na Parte 3.

Capítulo 11 — "Localização": está orientado para a prática com forte foco na tomada de decisão. Traz inovações, como métodos de localização baseados em sistemas de informação geográfica (GIS — *geografic information system*).

Nesta obra, os dois temas dominantes — processos e cadeias de valor — são abordados com especial atenção para fornecedores de serviços. O início de cada capítulo apresenta uma figura-chave e um texto que abordam como o assunto central de cada capítulo dialoga com os demais apresentados no livro e também como se relaciona com processos, com cadeias de valor e com as várias áreas funcionais da empresa.

O livro está dividido em três partes:

Parte 1 — Usando operações para competir
- Capítulo 1 — "Operações como arma competitiva": mostra a China e a Índia como dois notáveis países que afetam a competição global e traz o primeiro dos seis Desafios Administrativos.
- Capítulo 2 — "Estratégias de operações": apresenta uma seção sobre ganhadores de pedidos e qualificadores, além de um exemplo de como preencher a lacuna do desempenho usando estratégia de operações. Além disso, realça a discussão do risco de projeto e aborda o desenvolvimento de novo serviço ou produto.

Parte 2 — Administrando processos
- Capítulo 4 — "Estratégia de processo": identifica as questões estratégicas do projeto de processos e descreve como incorporar estratégia em processos.
- Capítulo 5 — "Análise de processos": otimiza as apresentações de fluxogramas e descreve os vários indicadores que podem ser medidos.
- Capítulo 6 — "Desempenho e qualidade do processo": descreve as medidas de qualidade na indústria da saúde e expande a discussão sobre o processo seis sigmas.
- Capítulo 7 — "Administração das restrições": apresenta os princípios da teoria das restrições e mostra como eles podem ser explorados para administrar gargalos.
- Capítulo 8 — "Layout de processo": demonstra o controle das atividades nos escritórios e otimiza a discussão sobre o balanceamento de linhas de montagem.
- Capítulo 9 — "Sistemas de produção enxuta": conecta métodos *poka-yoke*, conceito de Cinco S e mapeamento do fluxo de valor à abordagem da produção enxuta.

Parte 3 — Administrando cadeias de valor
- Capítulo 10 — "Estratégia de cadeia de suprimentos": apresenta matérias detalhadas sobre customização em massa, cadeias de suprimentos, terceirização local e global e cadeias virtuais de suprimentos enxutas.
- Capítulo 11 — "Localização": aborda GIS baseado no MS MapPoint2004 para a tomada de decisão de localização no mundo real.
- Capítulo 12 — "Administração de estoques": discute o conceito de custo do capital relativo à manutenção de estoques.
- Capítulo 13 — "Previsões": descreve o processo de previsão e mostra o novo software POM for Windows com análise de regressão.
- Capítulo 14 — "Planejamento de vendas e operações": mostra como equilibrar suprimento com demanda, além de simplificar as estratégias de planejamento puro.
- Capítulo 15 — "Planejamento de recursos": apresenta o sistema tambor-pulmão-corda e sistemas de produção enxuta como parte do portfólio de sistemas de planejamento de recursos.
- Capítulo 16 — "Programação": apresenta Práticas Gerenciais que tratam de abordagens atuais de agendamento em organizações de serviços e fabricação.

EDIÇÃO BRASILEIRA

Nesta edição brasileira, ao final de cada capítulo professores e estudantes encontram um caso real de uma empresa nacional com questões práticas sobre o assunto. Destacamos alguns deles:
- A entrada da Gol no mercado aéreo brasileiro.
- Juan Uribe Ensino Afetivo.
- O consórcio modular: caso Volkswagen Resende.
- Complexo Industrial Automotivo de Gravataí.

MATERIAL DE APOIO

Na Sala Virtual deste livro (sv.pearson.com.br), professores e estudantes têm acesso a diversos materiais adicionais que facilitam tanto a exposição das aulas como o processo de aprendizagem.

PARA PROFESSORES

• Manual de soluções (em inglês): esse material contém soluções para a maioria dos exercícios do livro.

• Apresentações em PowerPoint: os arquivos contêm os principais pontos abordados na obra.

Esses materiais são de uso exclusivo dos professores e estão protegidos por senha. Para ter acesso a eles, os professores que adotam o livro devem entrar em contato com seu representante Pearson ou enviar um e-mail para universitarios@pearson.com.

PARA ESTUDANTES

• Capítulos complementares (em inglês), exercícios adicionais elaborados especialmente para testar o conhecimento do estudante e outros materiais de apoio.

AGRADECIMENTOS

Agradecemos a várias pessoas da equipe de publicação da Prentice Hall. Os que estiveram mais envolvidos no projeto e aos quais dedicamos a maior admiração são Mark Pfaltzgraff, editor executivo de ciências da decisão, que supervisionou o projeto geral; Bárbara Witmer, assistente editorial, que trabalhou com o manuscrito até a fase de produção; Nancy Welcher, gerente de desenvolvimento de projeto de mídia, que dirigiu a produção do material do estudante e a gestão do curso e os recursos do Companion Website; Melissa Feimer, editora de produção, que nos manteve dentro dos prazos e ajudou a construir o livro como produto final; Janet Slowik, diretora de arte, que desenvolveu o projeto para o livro; Amy Ray, que harmonizou perfeitamente as vozes de três autores em uma só; Debbie Clare, gerente executiva de marketing; Joanna Sabella, assistente de marketing, cuja compreensão de marketing e esforços promocionais fazem todo o trabalho da equipe de edição valer a pena; e Richard Bretan e Avik Karmaker, que ajudaram a tornar possíveis nossos suplementos de mídia enquanto coordenavam esses projetos durante o processo de produção. Annie Puciloski contribuiu com sua habilidade para verificar a exatidão do texto, do Manual de Soluções e dos arquivos de testes. Expressamos nossa gratidão também a Pedro Reyes, da Baylor University, por escrever o Manual de Recursos do Professor; Lew Hofmann, do College of New Jersey, pela criação do material de PowerPoint; Geoff Willis, da Central Oklahoma University, que revisou os arquivos de testes e o Guia de Estudo On-line; a Don Knox, da Wayland Baptist University, por revisar o Manual de Soluções do Professor. Este ano temos vários acréscimos a nossa biblioteca de vídeo e por isso devemos um agradecimento especial a Beverly Amer e suas colegas da Aspenleaf Productions, Inc., como também ao pessoal da Starwood Hotels, Inc., que permitiu que apresentássemos seus belos hotéis nos nossos novos segmentos. Agradecemos especialmente as criações de Howard Wiss, que atualizou o material de software Active Models e OM Explorer e que tornou disponível o POM for Windows em uma nova versão.

Agradecemos ainda a nossos colegas de outras universidades, que nos ofereceram orientações extremamente úteis para nossas revisões. Para esta edição, são eles:

Robert H. Burgess
  Georgia Institute of Technology
Karen C. Eboch
  Bowling Green State University
Mike Godfrey
  University of Winsconsin, Oshkosh
Marilyn Helms
  Dalton State University
Vijay R. Kannan
  Utah State University
Dennis Krumwiede
  Idaho State University
Ajay K. Mishra
  State University of New York
Ken Paetsch
  Cleveland State University
Taeho Park
  San Jose State University
Madeleine E. Pullman
  Colorado State University
Gyula Vastag
  Indiana University-Purdue University, Indianapolis
Rohit Verma
  University of Utah

Créditos para Larry Meille, do Boston College, por suas contribuições para os Exercícios de Internet. Os casos de Brooke Saladin continuam a contribuir para que os professores despertem interesse e emoção em suas aulas.

Da University of Notre Dame, queremos agradecer a Deb Coch por sua pesquisa na Internet e ajuda na preparação dos arquivos. Da mesma forma, Jerry Wei, Dave Hartvigsen, Hojung Shin, Sarv Devaraj e Jennifer Ryan – todos da Notre Dame – foram fontes permanentes de encorajamento e idéias para melhoria. Patrick Philipoom, da University of South Carolina, contribuiu enormemente com muitas das idéias e vídeos relacionados com GIS do Capítulo 11. Daniel Steele, também da University of South Carolina, atuou como uma grande caixa de ressonância e também como amigo durante todo este processo. Os estudantes de doutorado Alan Mackelprang e Jeff Smith, da University of South Carolina, também forneceram valiosas informações.

Finalmente, agradecemos a nossas famílias por não nos abandonar durante os dias de reclusão, mesmo quando o tempo estava perfeito para pescar ou jogar golfe.

Nossas mulheres, Judie, Barb e Maya, proporcionaram o amor, a estabilidade, o encorajamento e o senso de humor que eram necessários quando estávamos trabalhando nesta oitava edição.

PARTE 1

Usando operações para competir

OBJETIVOS DE APRENDIZAGEM

Depois de ler este capítulo, você será capaz de:

1. Definir as decisões que são tomadas pelos gerentes de operações.

2. Identificar as tendências e os desafios da administração de operações.

3. Descrever as operações em termos de entradas (inputs), processos, saídas (outputs), fluxos de informações, fornecedores e clientes.

4. Descrever as operações como funções paralelas a finanças, contabilidade, marketing, sistemas de informações e recursos humanos.

5. Explicar como as operações podem ser usadas como arma competitiva.

Um funcionário da FedEx faz o escaneamento de um pacote para ser expedido via terrestre. Como a Internet facilita o envio de documentos de uma para outra instantaneamente, a FedEx está agora se concentrando mais neste tipo de serviço.

Capítulo 1

Operações como arma competitiva

FedEx

A FedEx é uma empresa de serviços de entregas com receita de 26 bilhões de dólares que prospera baseada em velocidade e confiabilidade. Ela entrega 5,5 milhões de encomendas por dia. Pelo fato de 60 por cento das encomendas serem transportadas por avião, a FedEx pode cobrar preços elevados pelos serviços. Durante 25 anos, as empresas tradicionalmente têm escolhido a FedEx em virtude da pontualidade de suas entregas e de sua superioridade tecnológica para monitorar as encomendas. No entanto, a Internet mudou as coisas drasticamente. Muitas empresas usam processos complexos, baseados na Web, projetados para eliminar grande parte da imprevisibilidade de suas operações, comunicando-se diretamente com clientes e fornecedores. A entrega instantânea de documentos via e-mail, a utilização de frotas de caminhões de baixo custo, aviões com tarifas baixas e mesmo navios transoceânicos podem, agora, acompanhar a carga pela Internet.

Esses progressos tecnológicos têm diminuído a demanda pelos serviços tradicionais da FedEx. O potencial de crescimento depende agora do transporte terrestre, atualmente dominado pela United Parcel Service (UPS). Essa demanda é alimentada por empresas que atuam na Internet, como a Amazon.com, que se apóiam em transporte terrestre para entregar as encomendas diretamente na porta do cliente, e pelas vastas redes de fornecimento entre empresas criadas por sistemas de compras baseados na Web. Para continuar sendo competitiva, a FedEx criou dois novos serviços: o FedEx Ground e o FedEx Home Delivery. O FedEx Ground se concentra em entregas de empresa para empresa por meio de uma companhia transportadora recém-adquirida, ao passo que o FedEx Home Delivery está voltado para entregas em residências. Agora os objetivos são operações de custo reduzido e entregas confiáveis — uma mudança em relação aos objetivos anteriores das operações que enfatizavam a velocidade. Além disso, a FedEx investiu 100 milhões de dólares em processos que irão coordenar o fluxo de bens. Por exemplo, a Cisco exige que seus fornecedores entreguem componentes dentro de um curto período de tempo para montagem do produto final. A FedEx apóia-se em sua habilidade para administrar operações para competir com sucesso em um ambiente dinâmico.

Fonte: Brian O'Reilly, "They've got mail!", *Fortune*, 7 fev. 2000, p. 101-112. Disponível em: <www.fedex.com>. 2004.

Ajudar você a entender como fazer de operações uma arma competitiva é o objetivo primordial deste livro. A administração de operações lida com processos — aquelas atividades fundamentais que as organizações realizam no trabalho para atingir seus objetivos — para produzir bens e serviços que as pessoas usam todos os dias. Um **processo** é qualquer atividade ou grupo de atividades que toma um ou mais insumos (inputs), transforma-os e fornece um ou mais resultados (outputs) a seus clientes. Por exemplo, a FedEx precisa receber pacotes dos clientes, classificá-los por destino, levá-los até o destino por meio de transporte aéreo ou terrestre, monitorar o andamento e cobrar o cliente pelo serviço. As mudanças na FedEx constituem um exemplo de projeto de processos para operações competitivas. Importantes processos novos, criados para os serviços de entrega por terra, envolveram a coordenação de processos de todas as áreas da empresa. Ao selecionar as técnicas e estratégias apropriadas, os administradores podem projetar processos que dão vantagem competitiva às empresas.

ADMINISTRAÇÃO DE OPERAÇÕES NA ORGANIZAÇÃO

A expressão **administração de operações** refere-se ao projeto, direção e controle dos processos que transformam insumos em serviços e produtos, tanto para os clientes internos quanto para os externos. De modo geral, a administração de operações está presente em todos os departamentos de uma empresa porque esses departamentos executam muitos processos. Se você deseja administrar um departamento ou um determinado processo em sua área de atuação, ou ainda, se quer apenas entender como o processo do qual faz parte se adapta à estrutura geral da empresa, é necessário entender os princípios da administração de operações. De acordo com essa perspectiva, somos todos, de alguma maneira, gestores de operações.

A Figura 1.1 mostra as operações como uma das várias funções dentro de uma organização. Cada função se especializa por ter suas próprias áreas de conhecimento e habilidades, responsabilidades primordiais, processos e domínios de decisão. Independentemente de como as linhas são traçadas, os departamentos e funções estão sempre vinculados por meio de processos. Conseqüentemente, os gerentes de operações precisam construir e manter relacionamentos sólidos tanto dentro quanto fora da organização. Com muita freqüência, os gerentes permitem que existam várias barreiras entre as diversas áreas funcionais e departamentos da empresa. Trabalhos ou tarefas movem-se seqüencialmente do marketing para a engenharia e para o departamento de operações, muitas vezes resultando em tomadas de decisão lentas ou insatisfatórias, pois cada departamento baseia suas decisões em sua própria perspectiva limitada, não nos objetivos gerais da organização.

A coordenação interfuncional é essencial para a administração efetiva. Pense em como outras áreas funcionais interagem com operações. Talvez a conexão mais forte seja com a função de marketing, que determina a necessidade de novos serviços e produtos e a demanda pelos já existentes, e se concentra na satisfação do cliente. Os gerentes de operações devem reunir recursos humanos e de capital para fazer frente às exigências que satisfazem o cliente. Marketing e vendas fazem promessas de entrega que dependem da capacidade das operações do momento. Previsões de demanda de marketing orientam o gerente de operações no planejamento do ritmo produtivo e da capacidade de produção.

O gerente de operações precisa, também, de informações sobre as funções financeiras e de contabilidade para entender seu desempenho atual. As medidas financeiras ajudam o gerente de operações a avaliar os custos de mão-de-obra, os benefícios de novas tecnologias a longo prazo e as melhorias de qualidade. A contabilidade pode ajudá-lo a monitorar os sinais vitais do sistema de produção com vários métodos de acompanhamento. O financeiro influencia decisões sobre o investimento de capital da empresa em novas tecnologias, reprojeto de layout, expansão de capacidade e até níveis de estoque. De modo semelhante, a área de recursos humanos interage com a de operações para contratar e treinar trabalhadores, e ainda ajuda nas mudanças relacionadas a novos processos e projetos de trabalho. A engenharia pode também ter grande impacto sobre operações: ao projetar novos serviços ou produtos, ela precisa considerar as alternativas técnicas e assegurar que os projetos não criem especificações custosas ou que excedam as competências da empresa.

Líderes empresariais e governamentais cada vez mais reconhecem a importância do envolvimento da organização inteira na tomada de decisões estratégicas. As operações desempenham um importante papel no enfrentamento da competição global. A competição estrangeira e a explosão de novas tecnologias aumentam a percepção de que uma firma compete não somente oferecendo novos serviços e produtos, marketing criativo e finanças habilidosas, mas também por meio de suas competências excepcionais em operações e na administração dos processos essenciais. Uma organização que oferece serviços e produtos de alto nível a preços mais baixos é uma concorrente formidável.

UMA VISÃO DE PROCESSO

Você pode se perguntar por que escolhemos ver os processos como a unidade de análise, em vez de departamentos ou até mesmo a empresa. A razão é que a visão de processo oferece um quadro muito mais relevante da maneira como as empresas realmente trabalham. Normalmente os departamentos têm seus próprios objetivos, recursos com capacidade para atingir esses objetivos e gerentes e funcionários responsáveis por seu desempenho. Alguns processos, como faturamento, podem estar totalmente contidos em um departamento — a contabilidade, neste caso.

No entanto, o conceito de processo pode ser muito mais amplo. Um processo pode ter seu próprio conjunto de objetivos, envolver um fluxo de trabalho que cruze fronteiras departamentais e necessitar de recursos de vários departamentos. O desenvolvimento de produtos, por exemplo, pode abranger a coordenação entre engenharia, marketing e operações. Neste livro, serão apresentados exemplos de empresas que descobriram que podem usar seus processos para obter vantagem competitiva. Você verá que o segredo do sucesso de muitas organizações é uma ampla compreensão de como funcionam seus processos.

COMO FUNCIONAM OS PROCESSOS

Uma organização é tão eficaz quanto seus processos. Vamos examinar o que acontece em uma agência de propaganda: suponha que um cliente entre em contato com seu executivo de contas (EC) para falar da necessidade de um anúncio para o próximo campeonato de futebol. O EC colhe as informações pertinentes e as passa para as equipes de criação e de planejamento, que preparam um layout do anúncio e um plano de exposição de mídia aceitável para o cliente. Ele também fornece as informações para o departamento de contabilidade, que prepara uma conta a fim de providenciar o faturamento. A equipe de criação passa o layout para uma equipe de produção, que prepara o layout final para publicação e o entrega para os pontos de divulgação da mídia de acordo com a agenda desenvolvida pela equipe de mídia e aprovada pelo cliente. As equipes de projeto, de mídia e de produção enviam o relatório de suas horas de trabalho que podem ser cobradas e os itens de despesas para o departamento de conta-

Figura 1.1 Administração de operações como uma função

bilidade, que prepara uma fatura a ser aprovada pelo EC e depois enviada ao cliente para ser paga.

A Figura 1.2 mostra uma visão de processo da agência de propaganda em dois níveis. A caixa de contorno externa representa a agência de propaganda como um processo agregado. Vista sob essa perspectiva, a agência precisa de insumos de fontes externas e produz os resultados, que são os anúncios para cliente externos. Os insumos de fontes externas são os recursos usados pelos processos da agência de propaganda e incluem funcionários, gerentes, dinheiro, equipamento, instalações, materiais, serviços, terreno e energia. O resultado é o anúncio do campeonato para o cliente. Entretanto, dentro da caixa podemos observar uma visão de processo mais detalhada: o processo de interface do cliente inclui o EC e suas interações com o cliente. O processo de projeto e planejamento da publicidade cria o anúncio e planeja sua exibição durante o campeonato e subseqüentes apresentações. O processo de produção contrata os atores e atrizes, prepara o set de produção e os acessórios, coordena as agendas de todos os envolvidos na produção do anúncio, filma o conteúdo, prepara um vídeo e entrega o comercial para os distribuidores de mídia em tempo. As setas do diagrama indicam informações e fluxos de trabalho entre os processos juntamente com o feedback sobre o desempenho.

Cada processo possui insumos (inputs) e resultados ou produtos (outputs). No nível do processo, podemos ver que os insumos poderiam ser ou os recursos de fontes externas mencionados anteriormente ou muito específicos para as tarefas do processo recebido de outros processos. Por exemplo, o processo de projeto e planejamento da publicidade recebe informações detalhadas sobre os requisitos da propaganda do processo de interface do cliente e o processo de produção recebe o layout da propaganda e o plano de mídia do processo de projeto e planejamento de publicidade. As horas a pagar para a produção da publicidade são o resultado do processo de produção e uma fatura completa para o cliente é o resultado do processo de contabilidade. Entre os processos primários e de suporte, o resultado de um processo é o insumo de outro. Como conseqüência, as falhas de desempenho em um processo podem influenciar significativamente nos outros.

PROCESSOS E SUBPROCESSOS

Nossa visão de processo da agência é útil; entretanto, mesmo nesse nível de detalhe, podemos não ter um quadro suficientemente claro do que está acontecendo. Se eliminarmos algumas camadas, poderemos contemplar o processo de projeto e planejamento da propaganda. A Figura 1.3 mostra que há dois processos distintos que caminham paralelamente. O processo de criação do projeto se inicia com um pedido de trabalho feito pelo EC, no qual o diretor de criação do projeto se baseia para montar a equipe. O pedido de trabalho inclui o objetivo da propaganda, a mensagem geral, as informações que dão apoio às alegações e o público-alvo. A equipe de projeto propõe vários projetos, obtém feedback do EC, prepara um projeto final, recebe feedback do cliente por meio do processo de interface do cliente e revisa o projeto conforme necessário. Esse processo consiste em seu próprio conjunto de insumos e resultados, separado do processo de planejamento de mídia. O pedido de trabalho para o processo de planejamento de mídia, que inclui as informações contidas no pedido de trabalho do diretor de criação do projeto, acrescido de informações sobre o tamanho da propaganda e a duração pretendida de campanha, vai para o diretor de mídia, que seleciona um planejador que prepara vários planos, obtém feedback do EC, prepara um plano final, submete à análise do cliente e revisa o plano conforme a necessidade.

Qualquer processo, como o projeto de propaganda e o de planejamento, pode ser dividido em **subprocessos**, que por sua vez podem ser divididos ainda mais. Por exemplo, 'preparar um projeto de propaganda' é um subprocesso dentro do processo de criação do projeto. Separar uma parte de um processo de outra pode ser útil

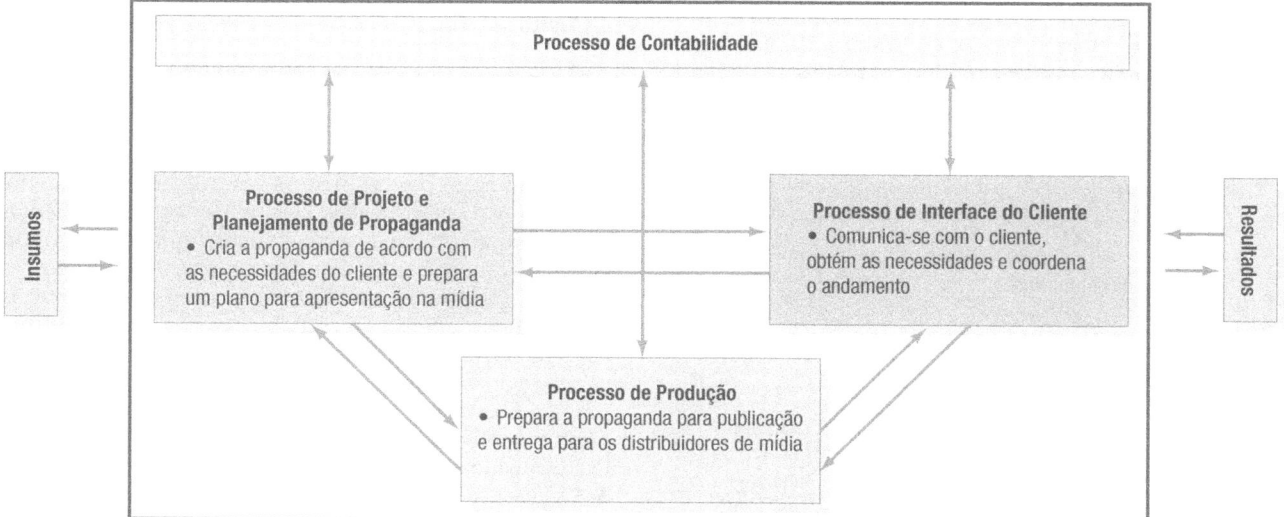

Figura 1.2 Visão do processo de uma agência de propaganda

por vários motivos. Uma pessoa ou um departamento pode ser incapaz de realizar todas as partes do processo, ou partes diferentes podem exigir habilidades diferentes. As qualificações necessárias para a criação e o projeto são muito diferentes daquelas exigidas por um planejamento de mídia eficaz; uma parte do processo oferece serviços que necessitam de considerável contato com o cliente, o que exige atitudes e habilidades especiais dos funcionários, ao passo que outra parte fica oculta para o cliente. Finalmente, algumas partes do processo podem ser projetadas para trabalhos de rotina, ao passo que outras podem ser constituídas para trabalho personalizado. O conceito de subprocessos reforça a necessidade de se entender a interconexão de atividades dentro de uma empresa e a natureza dos insumos e resultados de cada processo.

INTER-RELACIONAMENTOS ENTRE CLIENTES E FORNECEDORES

Os processos fornecem resultados ou saídas (outputs) — muitas vezes os resultados são serviços, na forma de informações — aos clientes. Cada processo e pessoa de uma organização tem seus clientes. Alguns são **clientes externos**, que podem ser usuários finais ou intermediários (como fabricantes, instituições financeiras ou varejistas) e que compram os produtos ou serviços da empresa. O cliente da agência é um cliente externo. Outros são **clientes internos**, que podem ser funcionários ou processos que dependem dos insumos de outros para poder realizar seu trabalho. O processo de produção é um cliente interno do projeto de propaganda e do processo de planejamento.

Da mesma maneira, todos os processos e todas as pessoas de uma organização dependem de fornecedores. Os **fornecedores externos** podem ser outras empresas ou indivíduos que fornecem recursos, serviços, produtos e materiais para as necessidades de curto e longo prazos. Para ter sustentação ao longo do tempo, a agência de propaganda precisa de empréstimos bancários, materiais de escritório, equipamentos de informática, softwares e novos funcionários. Os processos também têm **fornecedores internos** que podem ou não ser funcionários ou processos que fornecem informações ou materiais importantes. Na agência de propaganda, o processo de projeto e planejamento fornece um projeto de propaganda e um plano de mídia ao processo de produção.

PROCESSOS DE SERVIÇO E MANUFATURA

Os dois principais tipos de processos são: serviço e manufatura. Os processos de serviço permeiam o mundo dos negócios. As estatísticas dos principais países industrializados do mundo indicam que mais de 80 por cento dos empregos são da área de serviços. Os processos de serviços têm um lugar de destaque em nossa discussão sobre administração de operações. Os processos de manufatura também são importantes, pois, sem eles, os produtos dos quais usufruímos diariamente não existiriam. Além disso, a fabricação dá origem a oportunidades de serviço.

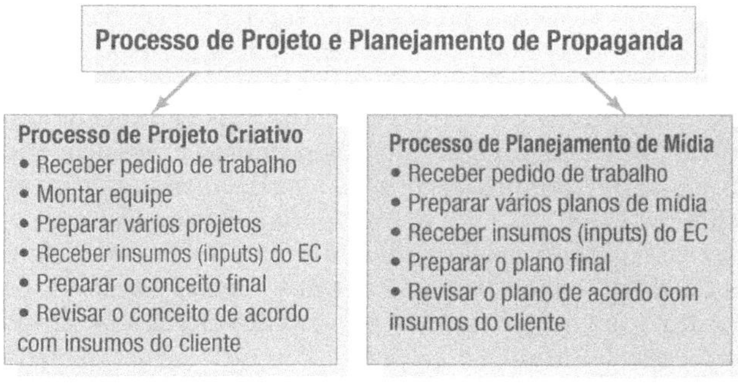

Processo de Projeto e Planejamento de Propaganda

Processo de Projeto Criativo
- Receber pedido de trabalho
- Montar equipe
- Preparar vários projetos
- Receber insumos (inputs) do EC
- Preparar o conceito final
- Revisar o conceito de acordo com insumos do cliente

Processo de Planejamento de Mídia
- Receber pedido de trabalho
- Preparar vários planos de mídia
- Receber insumos (inputs) do EC
- Preparar o plano final
- Revisar o plano de acordo com insumos do cliente

Figura 1.3 Processos e subprocessos

Diferenças Por que fazemos distinção entre processos de serviço e processos de manufatura? A resposta está no âmago do projeto de processos competitivos. As duas diferenças principais são: (1) a natureza de seu resultado e (2) o grau de contato com o cliente.

Os processos de manufatura convertem matéria-prima em bens que possuem forma física e que chamamos de produtos. Por exemplo, uma linha de montagem produz um carro esporte 350 Z e um alfaiate produz um traje para a prateleira de uma sofisticada loja de vestuário. Os processos de transformação modificam os materiais em uma ou mais das seguintes dimensões:

1. Propriedades físicas
2. Forma
3. Dimensão fixa
4. Acabamento de superfície
5. União de peças e materiais

Os resultados dos processos de manufatura podem ser produzidos, armazenados e transportados de modo a antecipar uma futura demanda.

Se um processo não está mudando as propriedades dos materiais em pelo menos uma das cinco dimensões, ele é considerado um processo de serviço (ou de não-manufatura). Os processos de serviço tendem a produzir resultados intangíveis e perecíveis. Por exemplo, o resultado do financiamento de automóveis de um banco seria um empréstimo para compra de carro e um resultado do processo de atendimento de pedido pelo correio seria a entrega de sua carta. Os resultados dos processos de serviços não podem ser mantidos em estoque de bens acabados, com o objetivo de isolar o processo das demandas erráticas dos clientes.

Outra diferença importante entre processos de serviço e de manufatura é o grau de contato com o cliente. Os clientes podem ter papel ativo no próprio processo, como no caso de compras em um supermercado, ou podem estar em contato íntimo com o provedor de serviços para comunicar necessidades específicas, como no caso de uma clínica médica. Os processos de manufatura tendem a ter menos contato com o cliente. Por exemplo, atualmente, as máquinas de lavar roupa são produzidas de acordo com as previsões de venda do comércio varejista. O processo requer poucas informações dos consumidores finais (você e eu), exceto indiretamente por meio de pesquisas de mercado e grupos de foco (*focus groups*) de mercado.

A diferença entre processos de serviço e de manufatura com base no contato com o cliente não é perfeita. Alguns processos de serviços possuem subprocessos com menos contato com o cliente. Os escritórios centrais de um provedor de seguros em que os produtos e políticas são projetados e produzidos podem ter pouco contato com os clientes. Contrasta com isso suas filiais, nas quais os agentes de seguro lidam diretamente com o público e tendem a ter muito contato com os clientes. Alguns processos de manufatura exigem muito contato com os clientes, como é o caso da produção de peças de motor exclusivas para um modelo específico de automóvel. O ponto importante é que os gerentes reconheçam o grau necessário de contato com clientes ao projetarem seus processos.

Semelhanças No nível da empresa, os provedores de serviços não oferecem apenas serviços e os fabricantes não oferecem apenas produtos. Clientes de restaurantes esperam bom serviço e boa comida. Um cliente que compra novos computadores espera um bom produto, além de uma boa garantia, manutenção, substituição e serviços financeiros.

Além disso, embora os processos de serviço não utilizem estoques de bens acabados, eles estocam seus insumos. Por exemplo, hospitais precisam manter estoques de suprimentos médicos e materiais necessários para atividades cotidianas. Por outro lado, alguns processos de manufatura não estocam insumos próprios porque são muito dispendiosos. Assim seria no caso de produtos personalizados de baixo volume (por exemplo, roupas feitas por alfaiates) ou produtos de ciclo de vida curto (por exemplo, jornais diários).

Quando se observa o que está sendo feito no nível do processo, é muito mais fácil ver se o *processo* está fornecendo um serviço ou produto. Mas essa clareza é perdida quando a empresa inteira é classificada como uma manufatura ou um provedor de serviços, porque muitas vezes ela realiza ambos os tipos de processos. Por exemplo, o processo de cozinhar a refeição no McDonald's é um processo de manufatura, porque ele muda as propriedades físicas da matéria-prima (dimensão 1), como no processo de montar o hambúrguer com o pão (dimensão 5). Entretanto, a maioria dos outros processos visíveis ou invisíveis para os clientes do McDonald's são processos de serviço. Você pode discutir se devemos chamar toda a organização McDonald's de provedora de serviço ou de manufatura, ao passo que as classificações em nível de processo são muito menos ambíguas.

AGREGANDO VALOR: A CADEIA DE VALOR

A maioria dos serviços ou produtos é produzida por meio de uma série de atividades empresariais inter-relacionadas. Nossa visão de processo de uma empresa é útil para entender como os serviços ou produtos são produzidos e por que a coordenação interfuncional é importante, mas não lança nenhuma luz sobre os benefícios estratégicos dos processos. O *insight* estratégico que falta é que os processos devem agregar valor para os clientes. O trabalho cumulativo dos processos de uma empresa é uma **cadeia de valor**, que é a série de processos inter-relacionados que produz um serviço ou produto para a satisfação dos clientes. Cada atividade de um processo deve agregar valor às atividades precedentes; o desperdício e os custos desnecessários devem ser eliminados.

O conceito de cadeia de valor reforça o vínculo entre processos e desempenho, o que inclui os processos internos de uma empresa e também os de seus clientes e fornecedores externos. Uma necessidade registrada por um cliente interno ou externo dá início a uma cadeia de valor. Essas necessidades podem ser de dois tipos: solicitações de trabalho imediato (como a solicitação de trabalho do EC da agência de propaganda para o diretor do processo de criação do projeto) ou previsões de necessidades futuras. Muitas dessas necessidades podem estar presentes em qualquer processo a qualquer momento, resultando em um complicado desafio de administração. O conceito de cadeia de valor também focaliza a atenção em seus tipos de processos. Por exemplo, um **processo essencial** (*core process*) é uma cadeia de atividades que entrega valor a clientes externos. Os gerentes desses processos e seus funcionários interagem com clientes externos e constroem relacionamentos com eles, desenvolvem novos serviços e produtos, interagem com fornecedores externos e produzem o serviço ou o produto para o cliente externo. Temos como exemplos o processo de reservas em um hotel, o projeto de um novo carro para uma montadora e a venda pela Web de varejistas on-line, como a Amazon.com. Os **processos de apoio** provêem recursos e insumos vitais aos processos essenciais e são vitais para a gestão da empresa. Alguns exemplos são a preparação do orçamento, o recrutamento e a programação da produção.

PROCESSOS ESSENCIAIS

A Figura 1.4 mostra os vínculos entre os processos essenciais e de apoio de uma empresa e seus clientes e fornecedores externos. Neste texto nos concentraremos em quatro processos essenciais:

1. *Processo de relacionamento com o cliente,* algumas vezes chamado de *gestão de relacionamento com o cliente*: os funcionários envolvidos no **processo de relacionamento com o cliente** identificam, atraem e constroem relacionamentos com clientes externos e facilitam para os clientes a elaboração de pedidos. As funções tradicionais, como marketing e vendas, podem ser parte desse processo. O processo de interface do cliente da agência de propaganda é um exemplo disso.

2. *Processo de desenvolvimento de um novo serviço ou produto*: os funcionários que trabalham no **processo de desenvolvimento de um novo serviço ou produto** projetam e desenvolvem novos serviços ou produtos, que podem ser desenvolvidos de acordo com especificações dos clientes externos ou concebidos a partir de insumos recebidos do mercado em geral. Um exemplo disso seria o processo de projeto e planejamento de propaganda para a agência.

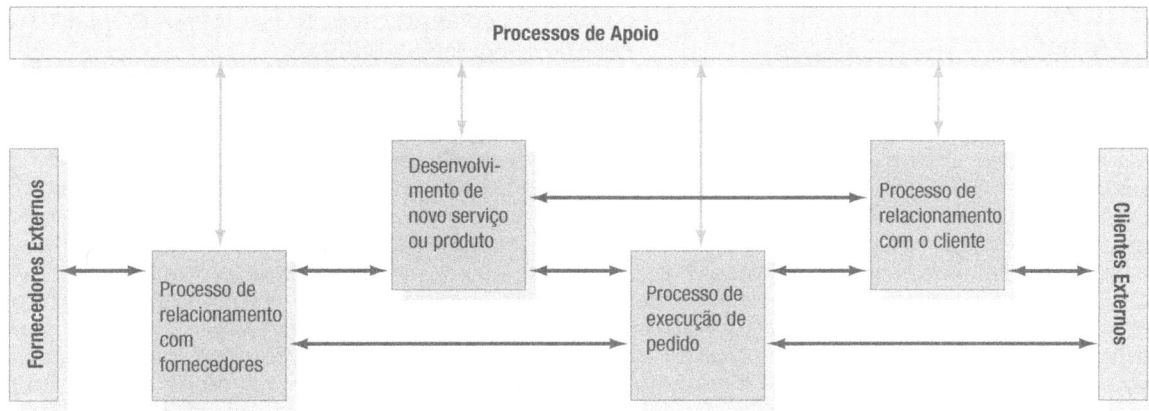

Figura 1.4 Elos da cadeia de valor, mostrando os fluxos de trabalho e informações

3. *Processo de execução de pedido*: **o processo de execução de pedido** inclui as atividades necessárias para produzir e entregar o serviço ou produto ao cliente externo. Como exemplo, temos o processo de produção da agência de propaganda.

4. *Processo de relacionamento com fornecedores*: os funcionários que trabalham no **processo de relacionamento com fornecedores** selecionam os fornecedores de serviços, matérias-primas e informações e facilitam o fluxo eficiente e em tempo hábil desses itens dentro da empresa. Por exemplo, negociar preços justos, agendar entregas no prazo e obter idéias e *insights* de fornecedores críticos são apenas algumas maneiras de criar valor.

O conceito de processos essenciais é discutido mais adiante no Capítulo 2, "Estratégias de operações". Naturalmente, cada um dos processos essenciais possui subprocessos dentro dele. Exploraremos alguns desses processos em capítulos posteriores.

PROCESSOS DE APOIO

As empresas têm também muitos processos de apoio. Usamos como exemplo a contabilidade (na verdade, preparação de faturas) na agência de propaganda. Os processos de apoio oferecem recursos, capacidades e outros insumos importantes que permitem que os processos essenciais funcionem. A Tabela 1.1 fornece alguns exemplos de processos de apoio.

AGREGANDO VALOR COM PROCESSOS

Examinar os processos da perspectiva do valor que acrescentam é uma parte importante da agenda do gerente bem-sucedido. A seção Prática Gerencial 1.1 mostra como a inovação da cadeia de valor pode fazer grande diferença em uma indústria de baixo crescimento.

A ADMINISTRAÇÃO DE OPERAÇÕES COMO UM CONJUNTO DE DECISÕES

As operações servem como excelente plano de carreira para cargos da alta administração em muitas empresas. A razão disso é que gerentes de operações são responsáveis por decisões-chave que afetam o sucesso da organização. Nas empresas de manufatura, o chefe de operações normalmente possui o título de COO (*Chief Operations Officer*

TABELA 1.1 Exemplos de Processos de Apoio

Aquisição de capital	A provisão de recursos financeiros para que a organização realize seu trabalho e execute sua estratégia.
Orçamento	O processo de decidir a maneira como os fundos serão aplicados durante um período de tempo.
Recrutamento e contratação	A aquisição de pessoal para fazer o trabalho da organização.
Avaliação e compensação	A avaliação e o pagamento do pessoal para o trabalho e o valor que eles acrescentam à empresa.
Apoio e desenvolvimento de recursos humanos	A preparação de pessoal para suas tarefas atuais e habilidades e conhecimentos necessários futuramente.
Conformidade com as normas	Os processos que asseguram que a empresa está cumprindo todas as leis e obrigações legais.
Sistemas de informações	O movimento e processamento de dados e informações para acelerar as operações e decisões da empresa.
Gerenciamento empresarial e funcional	Os sistemas e atividades que fornecem orientação estratégica e asseguram a execução efetiva do trabalho da empresa.

Fonte: Peter S. Pande, Robert P. Neuman e Roland R. Cavanagh, *The six sigma way,* New York: McGraw-Hill, 2000, p. 161.

PRÁTICA GERENCIAL 1.1 — INOVAÇÃO OPERACIONAL É UMA ARMA COMPETITIVA NA PROGRESSIVE INSURANCE

A Progressive Insurance, uma seguradora de automóveis que começou a funcionar em 1937, realizou aproximadamente 1,3 bilhão de dólares em vendas em 1991. Em 2004, realizou mais de 11 bilhões de dólares. Como ela conseguiu consumar essa impressionante taxa de crescimento em uma indústria com cem anos de idade e que tradicionalmente cresce junto com o produto interno bruto, que certamente não teve essa taxa de crescimento? Você poderia pensar que a Progressive diversificou-se criando novos negócios ou que ela procurou vendas em mercados globais. O crescimento em vendas poderia ter sido gerado por meio de campanhas de marketing agressivas ou por preços reduzidos que cortam por baixo as margens de lucro. Nenhuma dessas táticas é o segredo da Progressive. Na verdade, as margens de lucro estão bem saudáveis. Uma medida de desempenho financeiro fundamental na indústria de seguros é a 'taxa combinada' (*combined ratio*), que é o desembolso com despesas mais indenizações dividido pelos prêmios. Uma seguradora de automóveis típica tem uma razão de 102 por cento, o que significa perda de 2 por cento em suas atividades de seguros que devem ser cobertas por sua renda de investimentos. Entretanto, a Progressive tem uma taxa de 96 por cento.

Então como a empresa conseguiu isso? A resposta é simples, apesar da implementação ser desafiante: oferecer preços baixos e serviços melhores por meio de inovação operacional. Isto é, proporcionar mais valor aos clientes mudando drasticamente a maneira como o trabalho é feito. *Inovação operacional* significa criar processos inteiramente novos para fazer o trabalho. Por exemplo, a Progressive reinventou o processamento dos pedidos de indenização para baixar os custos e aumentar a satisfação do cliente e sua retenção. O site da Progressive dedicado a agências, ForAgentsOnly.com (FAO), permite que os agentes acessem os pagamentos de maneira rápida, fácil e segura; permite que vejam informações sobre apólices, cobrança e pedidos de indenização; e enviem informações de cotação diretamente para os clientes por e-mail. Os clientes são estimulados a acessar o site para realizar tarefas rotineiras, como mudança de endereço ou consultas simples de cobrança. Além disso, uma cadeia de valor denominada *Immediate Response Claims Handling* permite que o cliente faça contato telefônico com um representante da Progressive 24 horas por dia. O representante envia imediatamente um inspetor de seguros para verificar o veículo danificado. O inspetor vai até o local do acidente dirigindo uma van de pedido de indenização móvel, examina o veículo, prepara uma estimativa de danos no local e preenche um cheque ali mesmo, quando possível (uma mudança no processo de atendimento do pedido). Atualmente são necessárias apenas nove horas para completar o ciclo, comparado com sete a dez dias antes das mudanças.

As inovações operacionais nos processos de relacionamento com clientes-atendimento de pedido para o processamento de pedidos de indenização produziram vários benefícios. Primeiro, os reclamantes receberam o serviço mais rápido com menos confusão, o que ajudou a conservá-los como clientes. Segundo, o tempo reduzido do ciclo diminuiu significativamente os custos; os custos de armazenamento de um veículo danificado e fornecimento de um carro de aluguel às vezes podem superar o lucro esperado do seguro para um período de seis meses. Esses custos se tornam significantes quando se percebe que a empresa processa mais de 10.000 pedidos de indenização por dia. Terceiro, o novo projeto de cadeia de valor requer menos pessoal para lidar com o pedido de indenização, o que reduz os custos operacionais. Finalmente, as inovações operacionais da Progressive melhoraram sua capacidade de detectar fraudes ao chegar ao local do acidente rapidamente e ajudaram a reduzir os desembolsos porque os reclamantes muitas vezes aceitam quantia menor se o pagamento é feito rapidamente e sem confusões. A Progressive Insurance achou uma maneira de se diferenciar em uma indústria de baixo crescimento sem comprometer a rentabilidade e realizou essa façanha com inovações operacionais.

Fonte: Michael Hammer, "Deep change: how operational innovation can transform your company", *Harvard Business Review*, abr. 2004, p. 85-93. Disponível em: <pressroom.progressive.com>, 2005.

— diretor de operações) ou vice-presidente de manufatura (ou produção, ou fabricação, ou operações). O título correspondente em uma organização de serviços poderia ser COO ou vice-presidente (ou diretor) de operações. Quem se reporta ao chefe de operações são os gerentes de departamentos, como o de atendimento ao cliente, controle de produção e estoque, controle de qualidade e avaliação etc.

A tomada de decisão é um aspecto essencial de toda atividade administrativa, inclusive da administração de operações. Embora os pormenores de cada situação possam ser diferentes, a tomada de decisão geralmente envolve as mesmas etapas básicas: (1) reconhecer e definir claramente o problema, (2) coletar as informações necessárias para analisar possíveis alternativas, (3) escolher a alternativa mais atraente e (4) implementar a alternativa escolhida. Algumas decisões são estratégicas, ao passo que outras são táticas. As decisões estratégicas são menos estruturadas e têm conseqüências a longo prazo; as decisões táticas são mais estruturadas, rotineiras, repetitivas e têm conseqüências a curto prazo. Entretanto, o que distingue os gerentes de operações são os tipos de decisões que tomam ou das quais participam.

Neste texto cobrimos as principais decisões que os gerentes de operações colocam em prática. No nível estratégico, esses gerentes estão envolvidos no desenvolvimento de novas capacidades e na manutenção das já existentes para melhor servir os clientes externos da empresa.

Os gerentes de operações projetam novos processos que possuem implicações estratégicas e estão profundamente envolvidos no desenvolvimento e na organização de cadeias de valor que vinculam fornecedores e clientes externos aos processos internos da empresa. Muitas vezes eles são responsáveis por medidas de desempenho básicas, como custo e qualidade. Essas decisões têm impacto estratégico porque afetam os processos que a empresa usa para conseguir uma vantagem sobre a concorrência.

Entretanto, grandes decisões estratégicas não chegam a lugar nenhum se as decisões táticas que as apóiam estiverem erradas. Gerentes de operações também estão envolvidos em decisões táticas, incluindo melhoramento de processos e medição de desempenho, projetos de gerência e planejamento, criação de planos de produção e de pessoal, gestão de estoques e agendamento de recursos. Ao longo do texto você encontrará muitos exemplos dessas decisões e as implicações de tomá-las. Também aprenderá sobre as ferramentas de tomada de decisão que os gerentes usam para reconhecer e definir o problema e, então, escolher a melhor solução.

FERRAMENTAS PARA TOMADA DE DECISÃO

O site de apoio do livro contém um conjunto único de ferramentas para tomada de decisão que chamamos de OM Explorer. Esse pacote contém 41 poderosas rotinas de computador baseadas no Excel para solucionar problemas freqüentemente encontrados na prática. A Figura 1.5 ilustra o menu suspenso e a maneira de acessar os solucionadores. O OM Explorer tem também 63 tutoriais que oferecem treinamento para todas as técnicas analíticas difíceis do texto e podem ser acessados a partir do menu suspenso.

O site contém também o POM for Windows, um extenso conjunto de ferramentas úteis para a tomada de decisão de modo a completar seu arsenal para solucionar problemas de operações, muitos Active Models (planilhas elaboradas para ajudar você a aprender mais sobre importantes técnicas de tomada de decisão), um pacote de simulação baseado em planilha denominado SimQuick e o Extend, uma poderosa ferramenta de simulação.

APOIO AOS OBJETIVOS DA EMPRESA

As decisões do gerente de operações devem refletir a estratégia da empresa. Planos, políticas ou diretrizes e ações devem estar vinculados aos de outras áreas funcionais para apoiar as metas e objetivos da companhia. Esses vínculos são facilitados quando se assume uma visão de processo. Não obstante você deseje ser um gerente de operações ou apenas queira usar os princípios da administração de operações para ser um gerente mais eficaz, lembre-se de que a administração eficaz de pessoas, capital, informações e matérias-primas é crítica para o sucesso de qualquer processo e qualquer cadeia de valor.

Enquanto você estuda a administração de operações, tenha dois princípios em mente:

1. cada parte de uma organização, não apenas a função de operações, deve projetar e operar processos que são parte de uma cadeia de valor que lida com questões de qualidade, tecnologia e pessoal;
2. cada parte de uma organização tem sua própria identidade, contudo está vinculada a operações.

TENDÊNCIAS NA ADMINISTRAÇÃO DE OPERAÇÕES

Diversas tendências estão atualmente tendo um grande impacto sobre a administração de operações: melhoria da produtividade, competição global, rápida mudança tecnológica, questões éticas, diversidade de mão-de-obra e questões ambientais. Nesta seção examinamos essas tendências e seus desafios para os gerentes de operações.

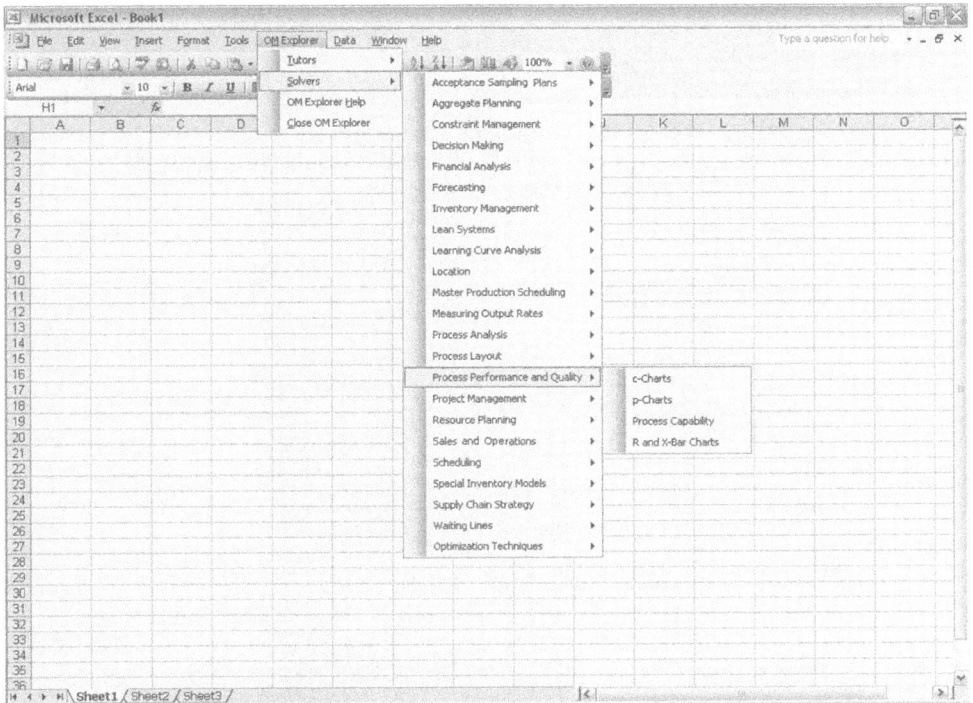

Figura 1.5 Menu do OM Explorer

MELHORIA DA PRODUTIVIDADE

A produtividade é uma medida básica do desempenho para economias, indústrias, empresas e processos. **Produtividade** é o valor dos resultados (serviços e produtos) produzidos dividido pelo valor dos insumos (salários, custo de equipamentos e coisas semelhantes) usados:

$$\text{produtividade} = \frac{\text{produtos e serviços (output)}}{\text{insumos (input)}}$$

É interessante, e até surpreendente, comparar a melhoria da produtividade nos setores de serviços e de manufatura. Nos Estados Unidos, os empregos no setor de serviços cresceram rapidamente, ultrapassando o setor de manufatura, mas os ganhos de produtividade do setor de serviços foram bem menores. Se o crescimento da produtividade no setor de serviços se estagnar, isso também ocorrerá no padrão de vida geral, independentemente do lugar do mundo onde você resida. Outros grandes países industriais, como o Japão e a Alemanha, viveram o mesmo problema. No entanto, estão aparecendo sinais de melhoria. O surto de investimentos através de fronteiras nacionais pode simular ganhos de produtividade, expondo as empresas à maior concorrência. O aumento de investimentos em tecnologia da informação por provedores de serviços também aumentará a produtividade.

Medindo a produtividade Como gerente, de que modo você mede a produtividade de seus processos? Existem muitos meios disponíveis para você realizar essas medições. Por exemplo, o valor do resultado pode ser medido pelo que o cliente paga ou simplesmente pela quantidade de horas trabalhadas.

Normalmente os gerentes escolhem várias medidas razoáveis e monitoram as tendências para localizar áreas que precisam de melhorias. Por exemplo, um gerente de uma companhia de seguros poderia medir a produtividade do escritório de acordo com o número de apólices de seguro processadas por funcionário em uma semana. Um gerente de uma empresa de tapetes poderia medir a produtividade dos instaladores com base na quantidade de metros quadrados de carpete instalada por hora. Ambas as avaliações refletem a *produtividade da mão-de-obra*, que é uma medida da produção por pessoa ou hora trabalhada. Avaliações semelhantes podem ser usadas para a *produtividade das máquinas*, em que o denominador é o número de máquinas. Também é possível computar simultaneamente diversos insumos. A *produtividade multifatorial* é um índice da produção obtida pelo emprego de mais de um dos recursos usados na produção. Por exemplo, ela pode ser o valor do produto dividido pela soma de mão-de-obra, materiais e custos fixos. (Veja o Exemplo 1.1.)

O papel da administração A maneira como os processos são administrados tem um papel importante na melhoria da produtividade. Os gerentes devem examinar a produtividade do nível da cadeia de valor, uma vez que é o desempenho coletivo dos processos individuais que faz a diferença. O desafio é aumentar o valor do resultado em relação ao custo dos insumos. Se os processos podem gerar resultados em maior quantidade ou melhor qualidade usando a mesma

---

Cálculos de produtividade — EXEMPLO 1.1

Calcule a produtividade das seguintes operações:

a. Três funcionários processam 600 apólices de seguro em uma semana. Eles trabalham oito horas por dia, cinco dias por semana.

b. Uma equipe de trabalhadores produz 400 unidades de um produto que é avaliado por seu custo padrão de 10 dólares cada (antes da remarcação resultante de outras despesas e do lucro). O departamento de contabilidade relata que, para esse trabalho, os custos reais são de 400 dólares de mão-de-obra, 1.000 dólares de materiais e 300 dólares de custos fixos.

SOLUÇÃO

a. $\text{produtividade de mão-de-obra} = \dfrac{\text{apólices processadas}}{\text{horas de trabalho}}$

$= \dfrac{600 \text{ apólices}}{(3 \text{ funcionários})(40 \text{ horas/funcionário})} = 5 \text{ apólices/hora}$

b. $\text{produtividade geral} = \dfrac{\text{quantidade e custo padrão}}{\text{custo da mão-de-obra} + \text{custo do material} + \text{custo de despesas fixas}}$

$= \dfrac{(400 \text{ unidades})(\$10/\text{unidade})}{\$400 + \$1.000 + \$300} = \dfrac{\$4.000}{\$1.700} = 2,35$

Ponto de decisão Essas medidas devem ser comparadas com os níveis de desempenho em períodos anteriores e com metas futuras. Se não corresponderem às expectativas, o processo deverá ser investigado à procura de oportunidades de melhoria.

quantidade de insumos, a produtividade aumenta. Se podem manter o mesmo nível de resultado e reduzir o uso de recursos, a produtividade também aumenta.

COMPETIÇÃO GLOBAL

Atualmente as empresas aceitam o fato de que, para prosperar, precisam considerar os clientes, os fornecedores, a localização das instalações e os concorrentes em termos globais. Nos dias atuais, a maioria dos produtos é formada por materiais e serviços de todas as partes do mundo. Sua camisa Polo Gap é costurada em Honduras com tecido cortado nos Estados Unidos. Sentado na platéia de um cinema Cineplex (canadense), você come com prazer uma barra de chocolate Nestlé (suíça) enquanto assiste a um filme da Columbia Pictures (japonês). Cinco desenvolvimentos incentivaram a necessidade de estratégias globais seguras: (1) melhoria das tecnologias de transporte e comunicações, (2) abrandamento das regulamentações sobre instituições financeiras, (3) aumento da demanda por serviços e bens importados, (4) redução das quotas de importação e de outras barreiras para o comércio internacional e (5) vantagens do custo comparativo.

Melhoria das tecnologias de transporte e comunicações

Os aperfeiçoamentos na tecnologia da informação e nos transportes derrubam as barreiras de tempo e espaço entre países. O transporte aéreo pode levar mercadorias rapidamente de Kansas City para Nova York, ou de Osaka, no Japão, para Kansas City, nos Estados Unidos. A tecnologia de telecomunicações (voz e dados) incluindo e-mail, aparelhos de fax, a Internet e acordos para telefone sem tarifas permite que os estabelecimentos sirvam áreas maiores de mercado e que as empresas centralizem algumas operações e dêem apoio a filiais localizadas perto dos clientes. Essa tecnologia também permite que os gerentes de todo o mundo comuniquem-se entre si mais rapidamente, aumentando as oportunidades de cooperação e coordenação.

Abrandamento das regulamentações sobre instituições financeiras

Durante os anos 1980, as agências reguladoras de atividades bancárias nos Estados Unidos removeram o teto das taxas de juros, o que permitiu aos bancos atraírem mais investidores estrangeiros oferecendo taxas mais altas. Ao mesmo tempo, os bancos estrangeiros removeram barreiras para a entrada. Como resultado, os sistemas financeiros do mundo ficaram mais abertos e ficou mais fácil para as empresas localizar os lugares onde capital, suprimentos e recursos são os mais baratos.

Aumento da demanda por serviços e bens importados

À medida que as barreiras políticas para o comércio internacional se desintegram, a penetração de mercado das grandes economias aumenta. Os serviços e mercadorias importadas agora são equivalentes a cerca de 13 por cento do produto total nos Estados Unidos e 14 por cento no Japão, valores consideravelmente maiores que nas décadas anteriores. As empresas descobriram que podem aumentar sua atuação nos mercados localizando suas instalações de produção em países estrangeiros, pois isso lhes confere uma presença local e reduz a aversão dos clientes na compra de produtos importados. Por exemplo, a Elasticos Selectos, uma empresa de produtos elásticos estabelecida na Cidade do México, construiu uma fábrica nos Estados Unidos, para conseguir, principalmente, clientes que exigem o rótulo 'made in USA'.

Redução das quotas de importação e de outras barreiras para o comércio internacional

A produção de serviços ou mercadorias no lugar onde moram os clientes contorna as quotas e outras barreiras comerciais criadas para restringir as importações. Os blocos econômicos regionais, como a União Européia (EU — *European Union*) e o Tratado de Livre Comércio da América do Norte (Nafta — *North America Free Trade Agreement*) também tornam mais fácil o comércio entre nações, como faz o Acordo Geral de Tarifas e Comércio (Gatt — *General Agreement on Tariffs and Trade*), um acordo mundial para corte de tarifas. O Ato de relações comerciais entre Estados Unidos e China de 2000 ajudou a restaurar as relações comerciais normais entre esses dois países. Os mercados japonês e chinês estão muito mais abertos a estrangeiros que no passado, criando uma explosão de oportunidades de parceria que era impensável apenas dez anos atrás. Por fim, a Organização Mundial do Comércio (OMC ou WTO — *World Trade Organization*) facilita o livre comércio. Criada em 1995, depois de pesadas negociações sobre novas regras de comércio entre 123 nações, a OMC tem poderes para ouvir disputas comerciais e para determinar regras de vinculação. As metas da OMC são o livre comércio, mercados abertos e irrestrito fluxo de capital.

Vantagens do custo comparativo

Os salários para habilidades comparáveis podem variar drasticamente por todo o mundo. Recentemente, a China e a Índia tornaram-se fontes de mão-de-obra de baixo custo, porém qualificada.[1] Por exemplo, na China um gerente de projetos com sete anos de experiência receberia menos de um terço do que um gerente com experiência semelhante nos Estados Unidos. Tanto as empresas de serviços como as industriais podem economizar até 30 por cento ou 50 por cento em custos de mão-de-obra alocando suas instalações nesses países. No final dos anos 1990, as empresas passaram a instalar suas unidades de manufatura na China para evitar barreiras de tarifas altas, para conseguir uma posição segura em um mercado imenso ou para obter mão-de-obra barata para produzir produtos de baixa tecnologia, apesar das dúvidas sobre a qualidade da força de trabalho e das condições precárias dos sistemas de rodovias e ferrovias. Entretanto, atualmente, as novas fábricas da China, como as da zona industrial de Pudong, em Xangai, fabricam produtos sofisticados de alta qualidade e muito valorizados. A força de trabalho da China não é somente muito grande e barata, ela é educada e disciplinada.

Entre os anos 2000 e 2003, empresas estrangeiras abriram 60.000 novas fábricas na China. Até 55 por cento das mercadorias que os Estados Unidos importam da China agora vêm de empresas estrangeiras com operações naquele país. Essas empresas incluem fábricas de aparelhos telefônicos, como a Nokia e a Motorola, em-

---

[1] Para informações adicionais sobre questões globais envolvendo Índia e China, ver Neil King Jr., "A whole new world", *Wall Street Journal*, 27 set. 2004, e Bill Powell, "It's all made in China now", *Fortune*, 4 mar. 2002, p. 121-128.

Entre os anos 2000 e 2003, empresas estrangeiras abriram 60.000 novas fábricas na China, onde os custos de mão-de-obra são baixos e a força de trabalho é constituída de pessoas educadas e disciplinadas.

presas de computadores, como a IBM, e praticamente todas as grandes marcas de calçados e roupas. Muitos outros grandes fabricantes estão lá também. As implicações para a competição são enormes. Empresas que não têm operações na China estão encontrando dificuldade para competir na base de preços baixos com empresas estabelecidas lá. Essas empresas estão encontrando outros meios de competir, como velocidade para comercializar e pequenos lotes de produção.

A Índia é para os serviços o que a China é para a manufatura. Da mesma maneira que acontece com as empresas fabricantes, o custo da mão-de-obra é um fator preponderante. Um programador na Índia pode ganhar um sexto do salário de um programador nos Estados Unidos, com experiência e competência comparáveis. As empresas de software indianas sofisticaram seus aplicativos e oferecem uma grande vantagem de custo. A indústria de serviços de computação também foi afetada. Para continuar competitiva, em três anos a Electronic Data Systems aumentou o número de funcionários na Índia em quase dez vezes. As operações de retaguarda (*backoffice*) são afetadas pelas mesmas razões. Muitas empresas estão usando companhias indianas para as atividades de contabilidade e escrituração, preparação de devolução de impostos e processamento de pedidos de indenização de seguros. Muitas empresas de tecnologia, como a Intel e a Microsoft, estão abrindo operações significativas de pesquisa e desenvolvimento (P&D) na Índia.

Desvantagens da globalização Naturalmente, as operações em outros países podem ter também desvantagens. Uma empresa pode ter de abandonar a tecnologia proprietária se transferir uma parte de sua fabricação de componentes para fornecedores estrangeiros ou se os fornecedores precisarem da tecnologia de empresa para alcançar a qualidade desejada e as metas de custos. Pode também haver riscos políticos. Cada nação pode exercer sua soberania sobre as pessoas e propriedades que estão dentro de suas fronteiras. O caso extremo é a nacionalização, na qual um governo pode tomar posse dos ativos (bens) de uma empresa sem pagar uma compensação. Além disso, uma empresa pode indispor clientes em seu lugar de origem se o trabalho for perdido para operações estrangeiras.

A qualificação dos funcionários pode ser inferior em países estrangeiros, exigindo treinamento adicional. As empresas sul-coreanas transferiram grande parte de sua produção de calçados esportivos para a Indonésia, e a China, onde os salários são baixos, fabrica, ainda mais, calçados para caminhada e patins na Coréia do Sul, em virtude da maior qualificação exigida. Além disso, quando as operações de uma empresa são espalhadas, os tempos de resposta aos clientes podem ser maiores. Conexões interfuncionais eficazes também podem ser mais difíceis. Essas questões são discutidas mais detalhadamente no Capítulo 10, "Estratégia de cadeia de suprimentos", porque devem ser consideradas quando se tomam decisões sobre terceirização.

A forte concorrência global afeta as indústrias em todos os lugares. Por exemplo, os industriais norte-americanos sofreram queda de vendas nos mercados interno e internacional de aço, utensílios e bens residenciais duráveis, maquinaria e produtos químicos. Com o valor do comércio mundial de serviços atingindo agora mais de 1,5 trilhão de dólares por ano, os serviços bancários, serviços jurídicos, processamento de dados, empresas aéreas e serviços de consultoria estão começando a sofrer muitas das mesmas pressões internacionais. Os blocos econômicos regionais, como a União Européia e o Tratado de Livre Comércio da América do Norte (Nafta), mudam ainda mais o quadro competitivo, tanto em serviços quanto em manufatura. Independentemente de qual região do mundo você more, se decidir encarar a competição internacional, seu maior desafio será produzir serviços ou produtos que possam competir em um mercado global e criar os processos adequados para apoiá-los.

RÁPIDA MUDANÇA TECNOLÓGICA

A aceleração da *mudança tecnológica* afeta o projeto de novos serviços e produtos e os processos da empresa. Muitas oportunidades novas surgem dos avanços na tecnologia da computação, como robôs e várias formas de tecnologia da informação. O comércio eletrônico (*e-commerce*) está mudando drasticamente os processos de compra e venda. Somente as empresas dos Estados Unidos gastam bilhões de dólares por ano em tecnologia da informação. A Internet fornece uma ferramenta vital que liga as empresas interna e externamente a seus clientes, parceiros estratégicos e principais fornecedores. A taxa explosiva de oportunidades tecnológicas oferece enorme potencial, mas também muitos desafios. Como a nova tecnologia pode ser usada para obter maior vantagem? Como os processos devem ser reprojetados? A introdução de qualquer tecnologia nova implica riscos e as atitudes dos funcionários dependem da maneira como a mudança é administrada. As escolhas certas e a administração efetiva da tecnologia podem proporcionar uma vantagem competitiva à empresa.

QUESTÕES ÉTICAS, DE DIVERSIDADE DE MÃO-DE-OBRA E AMBIENTAIS

As empresas estão enfrentando, atualmente, mais dilemas éticos que em qualquer momento do passado, intensificados por uma crescente presença global e pela rápida mudança tecnológica. À medida que elas localizam novas operações e adquirem mais fornecedores e clientes em outros países, potenciais dilemas éticos surgem quando os negócios podem ser conduzidos sob regras diferentes. Alguns países são mais sensíveis que outros a diversões opulentas, conflitos de interesses, subornos, discriminação de minorias e mulheres, pobreza, salário mínimo, locais de trabalho inseguros e direitos trabalhistas. Os gerentes precisam decidir se devem projetar e operar processos que fazem mais que apenas satisfazer os padrões locais. Além disso, a mudança tecnológica levanta debates sobre proteção de dados e privacidade dos clientes. Em um mundo dominado pela eletrônica, as empresas estão geograficamente longe de seus clientes, portanto, uma reputação de confiança deve ser ainda mais importante.

No passado, muitas pessoas viam os problemas ambientais, como lixo tóxico, água potável contaminada, qualidade do ar e aquecimento global, como problemas de qualidade de vida. Hoje muitos encaram esses problemas como questões de sobrevivência. As nações industrializadas enfrentam uma responsabilidade especial porque a soma de suas populações, que representa apenas 25 por cento da população mundial, consomem 70 por cento de todos os recursos. Apenas sete nações, incluindo Estados Unidos e Japão, produzem quase metade de todos os gases do efeito estufa. Os Estados Unidos e alguns países europeus gastam atualmente dois por cento de seu Produto Interno Bruto com proteção ambiental. A seção Prática Gerencial 1.2 mostra como uma empresa criou um negócio de reciclagem bem-sucedido ao projetar uma cadeia de valor de alta tecnologia.

O desafio é claro: questões éticas, de diversidade de mão-de-obra e ambientais estão se tornando parte do trabalho cotidiano dos gerentes. Ao projetar e operar processos, eles devem levar em conta a integridade, o respeito pela pessoa e a satisfação do cliente, juntamente com as medidas de desempenho mais convencionais, como produtividade, qualidade, custo e lucro.

LIDANDO COM OS DESAFIOS DA ADMINISTRAÇÃO DE OPERAÇÕES

De que maneira as empresas podem enfrentar seus desafios atuais e futuros? Uma maneira é encarar os desafios como oportunidades para melhorar os processos e cadeias de valor existentes ou criar novos processos inovadores. A administração de processos e cadeias de valor vai além de projetá-los; ela exige a capacidade de assegurar que atinjam seus objetivos. As empresas devem administrar seus processos e cadeias de valor de maneira a maximizar sua competitividade nos mercados a que servem. Nós compartilhamos essa filosofia de administração de operações, como é ilustrado na Figura 1.6. Usamos essa figura no início de cada capítulo para mostrar como o tópico do capítulo se adapta à nossa filosofia de administração das operações.

A figura mostra que todas as decisões efetivas de operações derivam de uma sólida estratégia de operações.

Conseqüentemente, nosso texto tem três partes importantes: "Usando operações para competir", "Administrando processos" e "Administrando cadeias de valor". O fluxo dos tópicos reflete nossa abordagem que visa, em primeiro lugar, a entender como as operações de uma empresa podem ajudar a criar uma base sólida para a competitividade, antes de lidar com as decisões essenciais de projeto de processo que apoiarão suas estratégias. Cada parte começa com uma discussão de estratégia para apoiar as decisões naquela par-

As empresas líderes acham que a diversidade da mão-de-obra pode propiciar um fórum de perspectivas e soluções únicas.

USANDO OPERAÇÕES PARA COMPETIR

Operações como arma competitiva
Estratégia de operações
Administração de projetos

ADMINISTRANDO PROCESSOS

Estratégia de processo
Análise de processos
Desempenho e qualidade do processo
Administração das restrições
Layout do processo
Sistemas de produção enxuta

ADMINISTRANDO CADEIAS DE VALOR

Estratégia de cadeia de suprimentos
Localização
Administração de estoques
Previsão de demanda
Planejamento de vendas e operações
Planejamento de recursos
Programação

Figura 1.6 Administrando processos e cadeias de valor

PRÁTICA GERENCIAL 1.2 — OPERAÇÕES DE ALTA TECNOLOGIA AJUDAM A RECICLAR EQUIPAMENTOS DE ALTA TECNOLOGIA

Alguma vez você se perguntou o que acontece com seu velho computador quando compra um novo? Você pode doá-lo à loja em que comprou o novo ou simplesmente jogá-lo no lixo doméstico (ou no reciclável). 27 por cento dos computadores 'aposentados' nos Estados Unidos são jogados fora em aterros sanitários, enquanto somente 13 por cento são reciclados. Os computadores velhos contêm componentes eletrônicos com materiais que podem ser reciclados. Entretanto, eles também têm toxinas que penetram no solo se esses componentes não forem processados: chumbo e cádmio em circuitos impressos, óxido de chumbo e bário em tubos de raios catódicos (CRTs) de monitores e televisores, mercúrio em interruptores e telas planas e retardadores de fogo em circuitos impressos e gabinetes plásticos.

Muitos processadores de reciclagem estão localizados em países em desenvolvimento e são normalmente de baixa tecnologia. Os materiais recicláveis são coletados e processados. Os trabalhadores, que normalmente não usam equipamentos de proteção, freqüentemente lançam os produtos químicos que são liberados durante o processamento em córregos e rios das proximidades. Outros materiais não processados são deixados nos depósitos de lixo, permitindo o vazamento de toxinas. Esse descaso pelo ambiente motivou uma reação nos países desenvolvidos. A União Européia aprovou uma lei exigindo que os fabricantes de equipamentos eletrônicos recuperem e reciclem 75 por cento dos produtos que são vendidos dentro da União. Alguns estados dos Estados Unidos baniram o lixo eletrônico dos aterros sanitários e pensa-se em responsabilizar as indústrias pelo controle do lixo eletrônico.

A crescente necessidade de ser ambientalmente responsável na indústria de equipamentos eletrônicos proporcionou uma oportunidade única para prestar um serviço tanto aos fabricantes quanto aos países nos quais eles fazem negócios. A Citiraya Industries Ltda. uma empresa sediada em Cingapura, tem participação de 70 por cento no mercado corporativo de partes eletrônicas inutilizadas. A razão para essa grande participação no mercado é que a Citiraya criou uma cadeia de valor que inclui processos de alta tecnologia e um sistema sofisticado de acompanhamento que permite aos fabricantes provar sua conformidade com as leis ambientais.

A cadeia de valor da reciclagem da Citiraya começa com seus centros de coleta em 11 países, incluindo a China, a Índia e o Reino Unido. Esses centros enviam o lixo eletrônico a sua principal instalação de processamento em Cingapura. Trabalhadores equipados com botas pesadas, luvas e máscaras com filtros usam cortadoras para quebrar chips de circuito integrado, que são levados a uma fornalha projetada para derreter plásticos especiais. Em outra seção, os operários usam produtos químicos para extrair substâncias como ouro, cobre e resinas plásticas. O ar expelido pela indústria e também a água descarregada no sistema de esgotos da cidade são analisados por dispositivos de monitoramento. Nas instalações existem 60 câmeras que permitem que os clientes testemunhem a destruição dos produtos pela Internet. A cadeia de valor desenvolvida pela Citiraya recicla 90 por cento dos produtos que as indústrias enviam para ela, enquanto seus concorrentes recuperam somente 65 por cento. Fica claro que operações favoráveis ao meio ambiente podem constituir um nicho competitivo.

Fonte: Cris Prystay, "Recycling 'e-waste'", *Wall Street Journal*, 23 set. 2004. Disponível em: <www.citiraya.co.uk>, 2005.

---

te. Uma vez que esteja claro como as empresas projetam e melhoram os processos e como os implementam, examinamos o projeto e a operação das cadeias de valor que vinculam os processos, sejam eles internos ou externos em relação à empresa. O desempenho das cadeias de valor determina os resultados da empresa, o que inclui os serviços ou produtos que ela produz, os resultados financeiros e o feedback dos clientes da empresa. Esses resultados, que são considerados no plano estratégico da empresa, são discutidos no decorrer do livro.

PARTE 1: USANDO OPERAÇÕES PARA COMPETIR

No restante desta parte, continuaremos a discussão dos processos e cadeias de valor que iniciamos neste capítulo, apresentando o quadro geral do que é a estratégia de operações e como ela se alia à estratégia corporativa da empresa. Apresentamos um esquema que vincula as características de operação dos processos em todos os níveis às estratégias e objetivos da empresa, definindo assim a maneira como os processos agregam valor a serviços ou produtos. Uma *estratégia de operações* é o meio pelo qual empresas desenvolvem as capacidades para competir no mercado com sucesso. Por exemplo, a BMW leva a sério a estratégia de operações. Esta montadora alemã está usando a Internet para permitir que os clientes façam pedidos personalizados de carros sem destruir a eficiência da linha de produção. Os compradores podem escolher entre 350 variações do modelo, 500 opções, 90 cores de exterior e 170 acabamentos de interior. Os revendedores encaminham o pedido do cliente e em cinco segundos recebem a resposta com uma data de entrega; normalmente a entrega ocorre 12 dias depois. Se o carro deve ir para os Estados Unidos, são acrescentados mais 12 dias ao prazo. Para realizar essa façanha, a BMW revisou completamente toda sua cadeia de valor; de suas vendas aos seus fornecedores. Ela criou um nicho de mercado que é difícil para os concorrentes se igualarem.[2]

Concluímos esta parte com uma discussão sobre os métodos e ferramentas da administração de projetos. A administração de projetos é uma abordagem efetiva da implementação da estratégia de operações por meio da introdução de novos serviços e produtos, assim como quaisquer mudanças dos processos ou cadeias de valor de uma empresa.

---

[2] Ver "Web smart 50", *BusinessWeek*, 24 nov. 2003, p. 82-106 e veja os exemplos mencionados nesta seção, além de muitos outros que demonstram o uso da Internet para melhorar os processos das empresas. (N.T.)

PARTE 2: ADMINISTRANDO PROCESSOS

Nesta parte, concentramo-nos em analisar os processos e como eles podem ser melhorados para atingir as metas da estratégia de operações. Começamos com os aspectos estratégicos do projeto de processos e depois apresentamos uma abordagem sistemática da análise do processo em seis etapas: (1) identificar a oportunidade, (2) definir o escopo, (3) documentar o processo, (4) avaliar o desempenho, (5) projetar novamente o processo e (6) implementar as mudanças. Cada capítulo desta parte lida com algum aspecto desta abordagem. Discutimos as ferramentas que ajudam os gerentes a analisar processos e revelamos os métodos que as empresas usam para medir o desempenho e a qualidade dos processos. Esses métodos estabelecem o alicerce de programas como o Seis Sigma (*Six Sigma*) e a gestão da qualidade total.

Determinar a melhor capacidade de processo com eficaz administração das restrições, projetar o layout apropriado das atividades do processo e tornar os processos 'enxutos' (*lean*), eliminando atividades que não acrescentam valor, e, ao mesmo tempo, melhorar as que o fazem, são também decisões vitais na redefinição dos processos. As atividades envolvidas na administração de processos são essenciais para proporcionar à empresa benefícios significativos — por exemplo, a HIP Health Plan of New York, que submeteu seu sistema de processamento de reivindicações a uma completa reengenharia para permitir que seus 1,1 milhão de associados vissem as reivindicações e renovações de receitas on-line. Os médicos podem usar o sistema para autorizar tomografias computadorizadas (*CAT scans*) e consultas com especialistas. A administração eficaz de seus processos proporciona à HIP Health Plan of New York uma economia anual de dez milhões de dólares em processamento de reivindicações.

PARTE 3: ADMINISTRANDO CADEIAS DE VALOR

A administração de cadeias de valor é baseada em administração de processo e estratégia de operações. Na Parte 2, concentramo-nos nos processos individuais. Entretanto, o foco da Parte 3 é nas cadeias de valor que abrangem processos, tanto internos quanto externos à empresa, e nas ferramentas que aprimoram sua execução. Começamos esta parte com um exame das dimensões estratégicas dos projetos de cadeias de suprimentos e como as decisões mais importantes, como a terceirização e a localização do estoque, afetam o desempenho. Em seguida, apresentamos capítulos sobre seis atividades básicas de planejamento que são úteis para a operação efetiva das cadeias de valores: (1) localização, (2) administração de estoque, (3) previsão, (4) planejamento de vendas e operações, (5) planejamento de recursos e (6) programação de prazos.

É importante notar que a efetiva operação de uma cadeia de valor é tão importante quanto seu projeto. A Yellow Transportation, Inc. descobriu essa importância quando redesenhou completamente seus processos agregados de planejamento e programação para cortar custos em sua cadeia de valor. Todos os dias, essa empresa de 2,6 bilhões de dólares recebe 60.000 pedidos pela Internet e pelas suas centrais de atendimento. O novo processo de planejamento determina com detalhes quantos motoristas a empresa precisará durante os quatro turnos em cada um de seus terminais no dia seguinte. Aos motoristas desnecessários é dito para tirarem o dia de folga — sem pagamento — o que é uma façanha impressionante, considerando que o processo abrange 19.300 caminhoneiros, 8.250 caminhões e 335 instalações espalhadas por todo os Estados Unidos. Os pedidos variam de 15 por cento a 20 por cento de segunda a sexta-feira; essa capacidade de combinar os recursos com as necessidades economiza em milhões de dólares por ano em custos operacionais. Quem disse que a administração de operações não faz diferença?

Os tópicos deste livro o ajudarão a vencer os desafios de operações independente da trajetória de carreira que você escolha. Concluímos este capítulo com um desafio gerencial enfrentado por gerentes de hotéis da Starwood. Os organizadores de eventos trazem negócios significativos para os hotéis todos os anos. Entretanto, os processos de planejamento destes eventos eram discordantes entre as propriedades da empresa por todo o mundo, o que frustrava os organizadores de eventos que precisavam preparar encontros em locais diferentes.

EQUAÇÃO-CHAVE

1. Produtividade é a relação entre resultado (output) e insumos (input):

$$\text{Produtividade} = \frac{\text{produtos e serviços (output)}}{\text{insumos (input)}}$$

PALAVRAS-CHAVE

administração de operações
cadeia de valor
clientes externos
clientes internos
fornecedores externos
fornecedores internos
processo
processo de apoio
processo de desenvolvimento de um novo serviço ou produto
processo de execução de pedido
processo de relacionamento com fornecedores
processo de relacionamento com o cliente
processo essencial
produtividade
subprocessos

PROBLEMA RESOLVIDO 1

A taxa de ensino para o aluno da Boehring University é de cem dólares por hora/crédito (*credit hour*)[3] por semestre. O Estado complementa a renda da escola com

---

[3] *Credit hour* são créditos acadêmicos. Foi traduzido como 'hora/crédito' e, nos Estados Unidos, significa um crédito em uma escola ou faculdade, normalmente representando uma hora de aula por semana durante um semestre. (N.T)

16 Administração de produção e operações

DESAFIO GERENCIAL

OPERAÇÕES COMO ARMA COMPETITIVA NA STARWOOD

A Starwood é uma das maiores empresas hoteleiras do mundo que possui, administra e franqueia acima de 750 propriedades em mais de 80 países. As marcas dos hotéis que possui são The Luxury Collection, St. Regis, Sheraton, Westin, Four Points e W Hotels. Seus hotéis aparecem com regularidade nas listas dos mais importantes em todo o mundo. Em qualquer noite, as pessoas hospedadas no hotel podem estar viajando por lazer, viajando a negócios, independentemente ou fazendo parte em um congresso ou convenção.

Quando pessoas se hospedam em uma propriedade da Starwood para uma reunião ou convenção, habitualmente a preparação é feita por um organizador de eventos. Ele trabalha para providenciar locais para reuniões, salões de refeições, alojamentos e eventos para os participantes. Antes de 2002, as propriedades individuais da empresa tinham suas próprias abordagens para o planejamento de convenções. No entanto, um programa coordenado e coerente interno ou atingindo todas as marcas tornou mais fácil para os organizadores de eventos fazer negócios com a Starwood. Por exemplo, o trabalho com a papelada necessária para confirmar os detalhes do programa, os aposentos e as necessidades de alimentação e bebidas eram diferentes em diferentes propriedades e marcas. Alguns hotéis tinham diagramas do espaço de reunião ao passo que outros não. A tecnologia disponível para as salas de reunião variava muito e um contato com o hotel nem sempre estava disponível imediatamente durante o evento, caso houvesse necessidade.

Reconhecendo que os futuros crescimento e sucesso da Starwood dependiam muito de seu relacionamento com os organizadores de eventos, a empresa realizou um grupo focal para obter informações sobre suas necessidades e expectativas. Surgiu uma prioridade que se tornou clara: a consistência do processo de planejamento dos eventos, quer o evento se realizasse no Sheraton New York, quer se realizasse no Westing Kierland, em Fênix, ou no W. Hotel Lakeshore Chicago. Esse programa podia criar consistência abrangendo todas as marcas e gerar lealdade e aumento de renda dos organizadores de eventos que dirigem grandes volumes de negócios anualmente para as propriedades Starwood.

Como resultado dos encontros, a Starwood criou o programa Starwood Preferred Planner. Todas as propriedades hoteleiras têm agora o mesmo trabalho com a papelada para o processo de planejamento de eventos e podem compartilhar esse trabalho eletronicamente entre todas as propriedades e marcas. Os contratos foram padronizados e outros padrões foram criados para reconhecer e recompensar os organizadores VIP mais freqüentes. Para cada encontro é designado um *Star Meeting Concierge*, cuja única responsabilidade é antecipar e satisfazer qualquer necessidade do organizador durante o evento. Agora, no check-in, são fornecidos telefones com rádio da Nextel para o organizador de eventos, sem custo adicional, para que eles tenham acesso ao *concierge* durante as 24 horas do dia.

Para medir o desempenho do novo processo, a Starwood estabeleceu metas internas elevadas para os pontos dados nas pesquisas aos organizadores depois de terminados os eventos. Por exemplo, nas marcas Luxury Collection e St. Regis, os pontos individuais para reuniões devem ficar entre 4,55 e 5. Nos hotéis Westin e W Hotels, os pontos devem ficar acima de 4,35 na escala de cinco pontos. A pontuação nas propriedades Sheraton deve exceder 4,30 e os hotéis Four Points têm meta de 4,25 na mesma escala. Como as expectativas são diferentes para uma reunião de um só dia em um local do aeroporto (não levada a efeito no St. Regis ou no Luxury Collection) e outra de vários dias num resort, as metas refletem essas expectativas.

Desafios gerenciais da Starwood

1. Quais são os principais insumos (inputs) e resultados (outputs) associados ao novo processo de planejamento de reuniões da Starwood?
2. De que forma o processo de planejamento de reuniões na Starwood interage com os seguintes processos básicos em seus hotéis?
    a. Relacionamento com o cliente (interno e externo).
    b. Desenvolvimento de um novo serviço ou produto.
    c. Atendimento de pedido.
    d. Relacionamento com fornecedores.

Em 2002, a Starwood padronizou seus processos de operação de tal forma que podia medir, melhorar e, finalmente, crescer seus negócios de convenções. Para cada reunião é designado um *Star Meeting Concierge*, que trabalha em estreita colaboração com os organizadores de eventos.

um valor igual à despesa de instrução do estudante, dólar por dólar. O tamanho médio de uma classe para um curso típico de três créditos é de 50 alunos. O custo da mão-de-obra é de 4.000 dólares por aula, o de material é de 20 dólares por aluno por classe e as despesas fixas são de 25.000 dólares por aula.

a. Qual é a razão da produtividade *multifatorial* para esse processo de curso?

b. Se os professores trabalham em média 14 horas por semana durante 16 semanas para cada aula de três créditos com 50 alunos, qual é a razão de produtividade da *mão-de-obra*?

SOLUÇÃO

a. A produtividade multifatorial é o quociente do valor do produto sobre o valor dos recursos de input (insumos).

$$\text{valor do produto} = \frac{\left(\dfrac{50 \text{ alunos}}{\text{aula}}\right)\left(\dfrac{3 \text{ horas/crédito}}{\text{aluno}}\right)}{\left(\dfrac{\$ 100 \text{ taxa de ensino} + \$ 100 \text{ apoio do estado}}{\text{horas/crédito}}\right)}$$

$$= \$ 30.000/\text{aula}$$

$$\text{valor dos insumos (inputs)} = \text{Mão-de-obra} + \text{Materiais} + \text{Custos fixos}$$

$$= \$ 4.000 + (\$ 20/\text{aluno} \times 50 \text{ alunos/aula}) + \$ 25.000$$

$$= \$ 30.000/\text{aula}$$

$$\frac{\text{produtividade}}{\text{geral}} = \frac{\text{output}}{\text{input}} = \frac{\$ 30.000/\text{aula}}{\$ 30.000/\text{aula}} = 1,00$$

b. A produtividade de mão-de-obra é o quociente do valor do produto sobre as horas de trabalho. O valor do produto é o mesmo que na parte (a), ou 30.000/aula, portanto

$$\text{horas de trabalho do input} = \left(\dfrac{14 \text{ horas}}{\text{semana}}\right)\left(\dfrac{16 \text{ semanas}}{\text{aula}}\right)$$

$$= 224 \text{ horas/aula}$$

$$\text{produtividade da mão-de-obra} = \frac{\text{output}}{\text{input}} = \frac{\$ 30.000/\text{aula}}{224 \text{ horas/aula}}$$

$$= \$ 133,93/\text{hora}$$

PROBLEMA RESOLVIDO 2

Natalie Attire confecciona roupas da moda. Durante uma determinada semana, os funcionários trabalharam 360 horas para produzir um lote de 132 peças de roupa das quais 52 eram 'secundárias' (o que significa que tinham imperfeições). As secundárias são vendidas por 90 dólares cada na Attire's Factory Outlet Store. As outras 80 peças de vestuário são vendidas por 200 dólares cada. Qual é a relação de produtividade de *mão-de-obra* desse processo de fabricação?

SOLUÇÃO

$$\text{valor do produto} = (52 \text{ defeituosos} \times \$ 90/\text{defeituoso})$$
$$+ (80 \text{ peças de vestuário} \times \$ 200/\text{peça})$$
$$= \$ 20.680$$

$$\text{horas de trabalho do input} = 360 \text{ horas}$$

$$\frac{\text{produtividade da}}{\text{mão-de-obra}} = \frac{\text{output}}{\text{input}} = \frac{\$ 20.680}{360 \text{ horas}}$$

$$= \$ 57,44 \text{ em vendas por hora}$$

QUESTÕES PARA DISCUSSÃO

1. Considere seu último (ou atual) emprego.
   a. Que atividades você exercia?
   b. Quem eram seus clientes (internos e externos) e como você interagia com eles?
   c. Como você podia medir o valor que estava agregando ao cliente ao exercer suas atividades?
   d. Seu cargo era exercido em contabilidade, finanças, recursos humanos, sistemas de gestão de informações, marketing, operações ou outro? Explique.

2. Faça uma lista de possíveis finais para esta frase: "A responsabilidade de uma empresa é..." (por exemplo, "*...ganhar dinheiro*" ou "*...proporcionar assistência médica a seus funcionários*"). Faça uma lista das responsabilidades que você apoiaria e uma das que não apoiaria. Forme um pequeno grupo e compare sua lista com as dos outros. Discuta as questões e tente chegar a um consenso. Eis uma questão alternativa para discussão: "A responsabilidade de um aluno é...".

3. As corporações multinacionais são formadas para fazer frente à competição global. Embora elas operem em vários países, os trabalhadores não têm sindicatos internacionais. Alguns líderes de sindicato afirmam que as multinacionais estão em posição de jogar suas próprias instalações umas contra as outras para obter concessões da mão-de-obra. Que responsabilidade as multinacionais têm com relação aos países que as hospedam? Aos funcionários? Aos consumidores? Aos acionistas? Você daria apoio a cláusulas de tratados de comércio internacional para lidar com esse problema? Forme um pequeno grupo e compare seu ponto de vista com os das outras pessoas. Discuta as questões e tente chegar a um consenso.

PROBLEMAS

Softwares, como o OM Explorer, o Active Models, e o POM for Windows, estarão disponíveis no site do livro. Verifique com seu professor a melhor maneira de usá-los. Em muitos casos, o professor quer que você entenda como fazer os cálculos manualmente. Quando muito, o software pode oferecer uma verificação de seus cálculos. Quando os cálculos são muito complexos e o objetivo é interpretar os resultados na tomada de decisões, o software substitui completamente os cálculos manuais. O software pode ser também um valioso recurso depois de você ter completado o curso.

1. (Veja o Problema Resolvido 1.) O treinador Bjourn Toulouse levou o Big Red Herrings a várias temporadas desapontadoras de futebol americano. Somente um melhor recrutamento poderá fazer o Big Red Herrings recuperar a forma. Por causa do estado atual do programa, é improvável que os fãs da Boehring University suportem os aumentos de preço dos ingressos, que já custam 192 dólares. A melhoria no recrutamento irá aumentar os custos fixos de 25.000 para 30.000 dólares por aula. O plano de orçamento da universidade é cobrir os custos de recrutamento, aumentando o tamanho médio das classes para 75 alunos. O custo da

mão-de-obra aumentará para 6.500 dólares por curso de três créditos. Os custos de materiais são de aproximadamente 25 dólares por aluno para cada curso de três créditos. A taxa de ensino será de 200 dólares por crédito de semestre, que é igualado pelo suplemento do estado de 100 dólares por crédito por semestre.

a. Qual é a relação de produtividade? Quando comparada com o resultado do problema resolvido 1, a produtividade aumentou ou diminuiu para o processo de curso?

b. Se os professores trabalham em média 20 horas por semana durante 16 semanas para cada classe de três créditos de 75 alunos, qual é a relação de produtividade de *mão-de-obra*?

2. A Lavanderia Suds and Duds lavou e passou as seguintes quantidades de camisas por semana.

Semana	Equipe de trabalho	Horas totais	Camisas
1	Sud e Dud	24	68
2	Sud e Jud	46	130
3	Sud, Dud, e Jud	62	152
4	Sud, Dud, e Jud	51	125
5	Dud e Jud	45	131

a. Calcule a relação de produtividade de *mão-de-obra* para cada semana.

b. Explique o padrão de produtividade de mão-de-obra que é mostrado por meio dos dados.

3. Os CD Players, ou tocadores de CD, são produzidos por meio de um processo de linha de montagem automatizada. O custo padrão do aparelho é de 150 dólares por unidade (30 de mão-de-obra, 70 de materiais e 50 de custos fixos). O preço de venda é de 300 dólares por unidade.

a. Para conseguir uma melhoria de dez por cento na produtividade multifatorial por meio da redução somente do custo dos materiais, qual deve ser a porcentagem de redução desse custo?

b. Para conseguir uma melhoria de dez por cento na produtividade multifatorial por meio da redução somente do custo da mão-de-obra, qual deve ser a porcentagem de redução desse custo?

c. Para conseguir uma melhoria de dez por cento na produtividade multifatorial por meio da redução somente dos custos fixos, qual deve ser a porcentagem de redução desses custos?

4. O resultado de um processo está valorizado em 100 dólares por unidade. O custo da mão-de-obra é de 50 dólares por hora, incluindo benefícios. O departamento de contabilidade forneceu as seguintes informações sobre o processo nas últimas quatro semanas:

	1ª semana	2ª semana	3ª semana	4ª semana
Unidades produzidas	1.124	1.310	1.092	981
Mão-de-obra ($)	12.735	14.842	10.603	9.526
Material ($)	21.041	24.523	20.442	18.364
Custos fixos ($)	8.992	10.480	8.736	7.848

a. Use a relação de produtividade multifatorial para ver se as recentes melhorias do processo tiveram algum efeito e, se teve, quando esse efeito pôde ser notado.

b. A produtividade da mão-de-obra mudou? Use a relação de produtividade da mão-de-obra para fundamentar a sua resposta.

PROBLEMA AVANÇADO

5. Uma empresa denominada Big Black Bird Company (BBBC) recebeu um grande pedido para confecção de uniformes militares especiais, forrados com plástico, que serão usados em uma operação militar urgente. Trabalhando nos dois turnos normais de 40 horas, o processo de produção da BBBC habitualmente produz 2.500 uniformes por semana ao custo padrão de 120 dólares cada um. Setenta funcionários trabalham no primeiro turno e 30 no segundo. O valor do contrato é de 200 dólares por uniforme, mas como há necessidade urgente, a BBBC está autorizada a trabalhar dia e noite seis dias por semana. Quando cada um dos dois turnos é de 72 horas por semana, a produção é aumentada para 4.000 uniformes por semana, mas a um custo de 144 dólares cada.

a. A relação de produtividade aumentou, diminuiu ou permaneceu a mesma? Se mudou, qual foi a porcentagem da mudança?

b. A relação da produtividade de mão-de-obra aumentou, diminuiu ou permaneceu a mesma? Se mudou, qual foi a porcentagem da mudança?

c. O lucro semanal aumentou, diminuiu ou permaneceu o mesmo?

REFERÊNCIAS SELECIONADAS

BOWEN, David E.; RICHARD B. Chase; THOMAS G. Cummings, and Associates. *Service management effectiveness*. São Francisco: Jossey-Bass, 1990.

BUCHHOLZ, Rogene A. "Corporate responsibility and the good society: from economics to ecology.", *Business Horizons*, jul-ago. 1991, p. 19-31.

COLLIER, David A. *The service quality solution*. Milwaukee: ASQC Quality Press e Burr Ridge, IL: Irwin Professional Publishing, 1994.

GREEN, Heather. "The web smart 50.", *Business Week*, 24 nov. 2003, p. 82-106.

HAYES, Robert H.; e GARY P. Pisano. "Beyond world-class: the new manufacturing strategy." *Harvard Business Review*, jan. – fev. de 1994, p. 77-86.

HESKETT, James L., W. Earl Sasser Jr., e Christopher Hart. *Service Breakthroughs: Changing the Rules of the Game*. Nova York: Free Press, 1990.

"The Horizontal Corporation" *Business Week*, 20 dez. 1993, p. 76–81.

Kaplan, ROBERT S., e David P. Norton. *Balanced Scoreboard*. Boston, MA: Harvard Business School Press, 1997.

King Jr., Neil. "A Whole New World." *Wall Street Journal*, 27 set. 2004.

CASO

Tok&Stok: inovação no varejo de móveis

Em fevereiro de 1978, na cidade de São Paulo, surgiu, na avenida São Gabriel, a primeira loja da Tok&Stok, um varejo de móveis inovador para o Brasil. Ainda hoje, são poucas as lojas de móveis que oferecem variedade em pronta entrega. O próprio nome da empresa retrata sua proposta de aliar design ("Tok") com a disponibilidade de estoques ("Stok"), para retirada imediata.

A Tok&Stok é uma empresa de sucesso que conta hoje com 26 lojas espalhadas por todo o Brasil, e emprega mais de dois mil funcionários em 18 cidades brasileiras. A empresa comercializa mais de um milhão de unidades de produtos por mês, fornecidos por cerca de 600 fornecedores nacionais e internacionais.

A agilidade no lançamento de novos produtos é uma característica da Tok&Stok, que atualmente possui uma variedade de nove mil itens expostos em suas prateleiras. Seus produtos aliam exclusividade de design, modernidade e praticidade. Mais de oito produtos novos são lançados por dia e, para que isso aconteça, além de contar com um time de profissionais que desenvolvem seus próprios produtos, a empresa estabelece parcerias com empresas estrangeiras de design e com destacados designers brasileiros.

Dentro do conceito de 'pronta retirada', é importante que o desenvolvimento de novos produtos contemple questões como a praticidade de transporte e a facilidade de montagem pelo próprio cliente. As embalagens também merecem atenção especial e, por isso, são desenvolvidas com o princípio de fácil transportabilidade que acaba proporcionando ganhos de transporte e armazenagem para toda a cadeia de valor, do fabricante até o cliente.

A Tok&Stok também oferece o serviço de transporte e montagem dos produtos na residência do cliente. Para isso, ela tem um preço diferenciado, identificado em todas as etiquetas dos produtos como 'preço casa' e 'preço loja').

Além de ser inovadora em seus produtos, a empresa conta com operações inovadoras. As lojas são normalmente simples, amplas e possuem o conceito do auto-serviço. Um cliente pode andar por ela sem qualquer interferência de vendedores. No entanto, se houver necessidade, o cliente pode se dirigir a uma central de atendimento e requisitar um vendedor para sanar dúvidas e auxiliá-lo em suas compras.

Os produtos ficam expostos, normalmente, em 'ambientes montados', com a intenção de mostrar como ficariam na casa do cliente. Isso facilita a visualização da peça dentro de um ambiente modular cuidadosamente montado e incentivam a compra de outros produtos, uma vez que o cliente pode observar, por exemplo, que determinada poltrona fica muito bem ao lado do móvel de TV, objeto inicial de sua compra.

Cada produto possui uma etiqueta indicando suas dimensões, preço, materiais, cores e características, elementos necessários para que os consumidores tomem decisões de compra com autonomia e segurança. Além disso, catálogos com ilustrações e informações técnicas dos produtos encontram-se à disposição nas lojas, o que pode ser consultado no site da companhia (www.tokstok.com.br).

A Tok&Stok também pensa na comodidade e no lazer de seus clientes. Algumas lojas contam com o Baby Stok, um espaço para os pais deixarem seus filhos sob os cuidados de supervisores enquanto fazem suas compras, e o Café Design, onde os clientes podem comer um lanche ou tomar um café em peças assinadas e vendidas pela própria loja.

QUESTÕES

1. Como o projeto e a gestão de operações da Tok&Stok difere das operações das lojas tradicionais de móveis? Faça uma análise dos processos essenciais para a empresa.
2. Como você avalia a produtividade da Tok&Stok quando comparada com uma loja de móveis tradicional?
3. Quais os maiores desafios em administrar operações como as da Tok&Stok?

Caso desenvolvido pelo professor André Luís de Castro Moura Duarte, do Ibmec São Paulo, baseado em informações disponíveis no site da empresa (www.tokstok.com.br).

PANDE, Peter S.; ROBERT P. Neuman; ROLAND R. Cavanagh. *The Six Sigma Way*. Nova York: McGraw-Hill, 2000.

PORTER, Michael. *Competitive Advantage*. Nova York: The Free Press, 1987.

POST, James E. "Managing As If the Earth Mattered." *Business Horizons*, jul. – ago. de 1991, p. 32–38.

POWELL, Bill. "It's All Made em China Now." *Fortune*, 4 mar. de 2002, p. 121–128.

ROACH, Stephen S. "Services Under Siege—The Restructuring Imperative." *Harvard Business Review*, set.– out. de 1991, p. 82–91.

RUMMLER, Geary A.; ALAN P. Brache. *Improving Performance*. São Francisco: Jossey-Bass, 1995.

SCHMENNER, Roger W. *Service Operations Management*. Englewood Cliffs, NJ: Prentice Hall, 1995.

SKINNER, Wickham. "Manufacturing—Missing Link in Corporate Strategy." *Harvard Business Review*, maio – jun. de 1969, p. 136–145.

"Time for a Reality Check in Asia." *Business Week*, 2 dez. de 1996, p. 58–66.

VAN BIEMA, Michael; BRUCE Greenwald. "Managing Our Way to Higher Service-Sector Productivity." *Harvard Business Review*, jul.– ago. de 1997, p. 87–95.

WOMACK, James P.; DANIEL T. Jones; DANIEL Roos. *The Machine That Changed the World*. Nova York: HarperPerennial, 1991.

SUPLEMENTO A

Tomada de decisões

OBJETIVOS DE APRENDIZAGEM

Depois de ler este suplemento, você será capaz de:

1. Explicar a análise do ponto de equilíbrio usando os métodos gráfico e algébrico.
2. Definir uma matriz de preferências.
3. Identificar as regras de decisão utilizando os critérios Maximin, Maximax, de Laplace, do Mínimo Arrependimento e do Valor Esperado.
4. Explicar como construir uma tabela de compensação.
5. Descrever como desenhar e analisar uma árvore de decisão.

Os gerentes de operações tomam muitas decisões à medida que gerenciam processos e cadeias de valor. Embora os detalhes específicos de cada situação possam variar, a tomada de decisões geralmente envolve os mesmos passos básicos: (1) reconhecer o problema e defini-lo com clareza, (2) coletar as informações necessárias para analisar as alternativas possíveis e (3) escolher e implementar a alternativa mais factível.

Às vezes, basta pensar bastante dentro de uma sala silenciosa. Outras vezes, é preciso depender de procedimentos mais formais. Apresentamos aqui quatro desses procedimentos formais: análise do ponto de equilíbrio, a matriz de preferências, a teoria da decisão e a árvore de decisão.

- A análise do ponto de equilíbrio ajuda o gerente a identificar quanta mudança de volume ou demanda são necessárias antes que uma segunda alternativa se torne melhor que a primeira.
- A matriz de preferências ajuda o gerente a lidar com vários critérios que não podem ser avaliados com uma única medição de mérito, como lucro total ou custo.
- A teoria da decisão ajuda o gerente a escolher a melhor alternativa quando os resultados são incertos.
- Uma árvore de decisão ajuda o gerente quando as decisões são tomadas em seqüência; quando a melhor decisão de hoje depende das decisões e eventos de amanhã.

ANÁLISE DO PONTO DE EQUILÍBRIO

Para avaliar uma idéia para um novo serviço ou produto ou o desempenho de um já existente, é útil determinar o volume de vendas em que o serviço ou produto se equilibra. A **quantidade de equilíbrio** é o volume no qual o total de receita é igual ao total de custos. O emprego dessa técnica é conhecido com **análise do ponto de equilíbrio**, que pode também ser usada para comparar processos, encontrando o volume no qual dois processos diferentes têm custos totais iguais.

AVALIANDO SERVIÇOS OU PRODUTOS

Começamos com a primeira finalidade: avaliar o potencial de lucro de um serviço ou produto, novo ou já existente. Essa técnica ajuda o gerente a responder perguntas como:

- O volume de vendas previsto para o serviço ou produto é suficiente para chegar a um equilíbrio (não auferir lucro nem sofrer prejuízo)?
- Tomando por base os preços atuais e as previsões de vendas, quão baixo deve ser o custo variável por unidade para equilibrar as finanças?
- Quão baixo deve ser o custo fixo para equilibrar as finanças?
- Como os níveis de preços afetam o volume do ponto de equilíbrio?

A análise do ponto de equilíbrio é baseada na suposição de que todos os custos relacionados com a produção de um determinado serviço ou produto pode ser dividido em duas categorias: custos variáveis e custos fixos.

O **custo variável**, representado por *c*, é a parte do custo total que varia diretamente com o volume do resultado (output): os custos por unidade de matérias-primas, mão-de-obra e, normalmente, uma fração das despesas gerais. Se o número de clientes servidos ou unidades produzidas por ano for igual a Q, o custo variável total será = cQ. O **custo fixo**, F, é a parte do custo total que permanece constante, independentemente das mudanças dos níveis do resultado: o custo anual para alugar ou comprar novos equipamentos e instalações (incluindo depreciação, juros, impostos e seguro); salários; utilidades e partes do orçamento de vendas e propaganda. Assim, o custo total para produzir um serviço ou bem é igual aos custos fixos mais custos variáveis multiplicado pelo volume, ou

$$\text{custo total} = F + cQ$$

O custo variável por unidade é presumido como sendo o mesmo, não importando quão grande seja Q, e assim o custo total é linear. Se presumirmos que todas as unidades produzidas sejam vendidas, a renda total anual será igual à renda por unidade vendida, p, multiplicada pela quantidade vendida, ou

$$\text{receita total} = pQ$$

Se fizermos a renda total igual ao custo total, obteremos o ponto de equilíbrio. Veja:

$$pQ = F + cQ$$
$$(p-c)Q = F$$
$$Q = \frac{F}{p-c}.$$

Podemos também encontrar esse ponto de equilíbrio graficamente. Como ambos os custos e receitas são relações lineares, a quantidade de equilíbrio é onde a linha da renda total cruza a linha de custo total.

A análise de ponto de equilíbrio não pode informar a um gerente se é necessário buscar uma idéia para um novo serviço ou produto ou abandonar uma linha existente. A técnica só pode mostrar o que é provável que aconteça para várias previsões de custos e volume de vendas. Para avaliar várias questões 'e se', usamos uma abordagem denominada **análise de sensibilidade**, uma técnica que permite mudar sistematicamente os parâmetros de um modelo para determinar os efeitos dessas mudanças. O conceito pode ser aplicado mais tarde a outras técnicas, como a programação linear. Aqui avaliamos a sensibilidade do lucro total a diferentes estratégias de fixação de preços, previsões de volume ou estimativas de custo.

AVALIANDO PROCESSOS

Freqüentemente devem ser feitas escolhas entre dois processos ou entre a realização de um processo interno e comprar serviços ou materiais de terceiros. Nesses casos, presumimos que a decisão não afeta a receita. O gerente deve estudar todos os custos e vantagens de cada abordagem. Em vez de encontrar a quantidade na qual os custos totais se igualam às receitas totais, o analista encontra a quantidade para a qual os custos totais para duas alternativas são os mesmos. Para a decisão de 'fazer ou comprar', é a quantidade para a qual o custo total de 'comprar' é igual ao custo total de 'fazer'. Façamos F_b igual aos custos fixos (por ano) da opção comprar, F_m igual ao custo fixo da opção fazer, c_b igual ao custo variável (por unidade) da opção comprar e c_m igual ao custo variável da opção fazer. Assim, o custo total de comprar é $F_b + c_b Q$ e o custo total de fazer é

Encontrando a quantidade de equilíbrio — EXEMPLO A.1

Um hospital está avaliando a possibilidade de oferecer um novo procedimento ao custo de 200 dólares por paciente. O custo fixo por ano seria de 100.000 dólares e o total de custos variáveis de 100 dólares por paciente. Qual é o ponto de equilíbrio para esse serviço? Use os dois métodos, o algébrico e o gráfico, para obter a resposta.

SOLUÇÃO
A fórmula para a quantidade de equilíbrio produz

$$Q = \frac{F}{p-c} = \frac{100.000}{200-100} = 1.000 \text{ pacientes}$$

Para resolver graficamente, marcamos duas linhas: uma para custos e outra para rendas. Dois pontos determinam uma linha, portanto começamos calculando custos e rendas para dois níveis diferentes de resultados. A tabela a seguir mostra os resultados para $Q = 0$ e $Q = 2.000$. Selecionamos zero como o primeiro ponto em virtude da facilidade de assinalar a renda total (0) e o custo total (F). Mas também poderíamos ter usado dois níveis de resultados razoavelmente espaçados.

Quantidade (pacientes) (Q)	Total de custos anuais ($) (100.000 + 100 Q)	Total da receita anual ($) (200$Q$)
0	100.000	0
2.000	300.000	400.000

Agora podemos traçar a linha de custo passando por dois pontos (0, 100.000) e (2.000, 300.000). A linha de renda passa por (0, 0) e (2.000, 400.000). Como é ilustrado na Figura A.1, essas duas linhas se intersectam em 1.000 pacientes, a quantidade de equilíbrio.

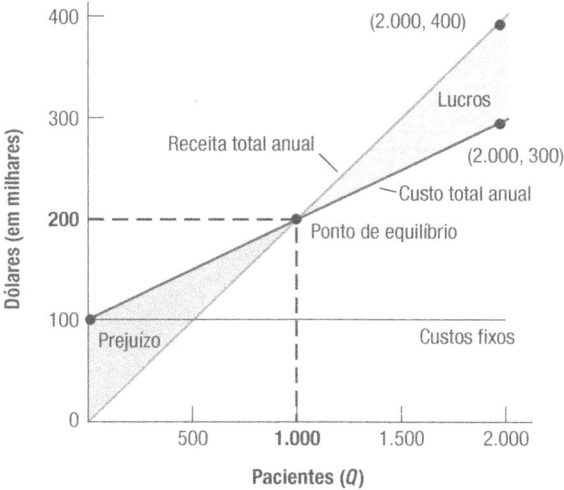

Figura A.1 Método gráfico da análise do ponto de equilíbrio

Ponto de decisão A direção espera que o número de pacientes que precisam do novo procedimento ultrapassará a quantidade de equilíbrio de 1.000 pacientes, mas antes quer saber o quanto a decisão é sensível aos níveis de demanda antes de fazer uma escolha final.

EXEMPLO A.2

Análise de sensibilidade das previsões de vendas

Se a previsão de vendas mais pessimista para o serviço proposto na Figura A.1 fosse 1.500 pacientes, qual seria a contribuição total do procedimento para o lucro e as despesas gerais por ano?

SOLUÇÃO
O gráfico mostra que até mesmo a previsão mais pessimista fica acima do volume de equilíbrio, o que é encorajador. A contribuição total do produto, encontrada pela subtração dos custos totais das receitas totais, é

$$pQ - (F + cQ) = 200(1.500) - [100.000 + 100(1.500)] = \$\ 50.000$$

Ponto de decisão Mesmo com a previsão pessimista, o novo procedimento contribui com 50.000 dólares por ano. Depois de ter a proposta avaliada pelo método de valor atual, a direção optou por incluir o novo procedimento nos serviços do hospital.

$F_m + c_m Q$. Para encontrar a quantidade de equilíbrio, fazemos as duas funções iguais e resolvemos para Q:

$$F_b + c_b Q = F_m + c_m Q$$
$$Q = \frac{F_m - F_b}{c_b - c_m}$$

A opção fazer deve ser considerada, ignorando fatores qualitativos, somente se seus custos variáveis forem mais baixos que os da opção comprar. A razão é que os custos fixos para fazer o serviço ou produto são normalmente mais altos que os custos fixos de comprar. Sob essas circunstâncias, a opção comprar será melhor se os volumes de produção forem menores que a quantidade de equilíbrio. Além dessa quantidade, a opção fazer torna-se a melhor.

MATRIZ DE PREFERÊNCIAS

Freqüentemente as decisões devem ser tomadas em situações em que diversos critérios não podem ser mesclados de maneira natural em uma única medida (como o dólar). Por exemplo, um gerente que precisa decidir em qual de duas cidades será localizada uma nova instalação da fábrica deveria considerar fatores de qualidade de vida que não podem ser quantificados, como atitude do trabalhador em relação ao trabalho e à recepção da comunidade nas duas cidades. Esses importantes fatores não podem ser ignorados. A **matriz de preferências** é uma tabela que permite ao gerente classificar uma alternativa de acordo com vários critérios de desempenho. Os critérios podem receber pontos em qualquer escala, como de 1 (pior possível) a 10 (melhor possível), ou de 0 a 1, desde que a mesma escala seja aplicada a todas as alternativas que estão sendo comparadas. Cada pontuação é pesada de acordo com sua importância percebida, e o total desses pesos normalmente é igual a 100. A pontuação total é a soma das pontuações ponderadas (peso x pontos) para todos os critérios. O gerente pode comparar os graus das alternativas entre si ou com um limite predeterminado.

EXEMPLO A.3

Análise do ponto de equilíbrio para decisões de fazer ou comprar

O gerente de uma lanchonete *fast-food* que vende hambúrgueres passou a oferecer saladas no cardápio. Para qualquer das duas novas opções, o preço para o cliente será o mesmo. A opção fazer é instalar um bufê de saladas com vegetais, frutas e molhos e deixar o cliente montar sua salada. O bufê de saladas teria de ser alugado e seria contratado um funcionário em regime de meio período. O gerente estima custos fixos de 12.000 dólares e custos variáveis de 1,5 dólar por salada. A opção comprar é ter saladas já montadas disponíveis para a venda. Elas seriam compradas de um fornecedor local a dois dólares cada. A oferta de saladas pré-montadas exigirá a instalação e a operação de um sistema de refrigeração adicional, com custo fixo anual de 2.400 dólares. O gerente espera vender 25.000 saladas por ano. Qual é a quantidade de equilíbrio?

SOLUÇÃO

A fórmula para a quantidade de equilíbrio resulta em

$$Q = \frac{F_m - F_b}{c_b - c_m}$$

$$= \frac{12.000 - 2.400}{2,0 - 1,5} = 19.200 \text{ saladas}$$

A Figura A.2 mostra a solução utilizando-se o *Break-Even Analysis* Solver do OM Explorer. A quantidade de equilíbrio é 19.200 saladas. Como a previsão de venda de 25.000 saladas excede essa quantidade, a opção fazer é a preferida. A opção comprar seria melhor somente se o restaurante esperasse vender menos de 19.200 saladas.

	Processo 1	Processo 2
Custos fixos (F)	$ 12.000	$ 2.400
Custos variáveis (c)	$ 1,50	$ 2,00
Demanda esperada	25.000	
Quantidade de equilíbrio	19.200	

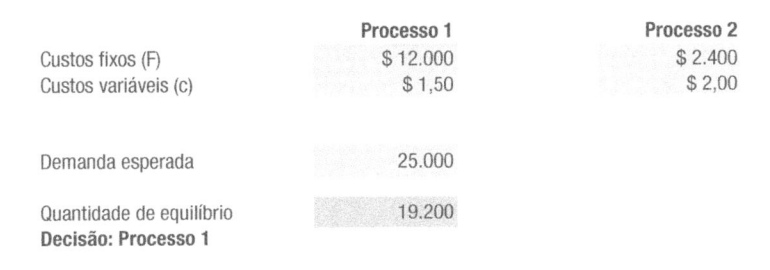

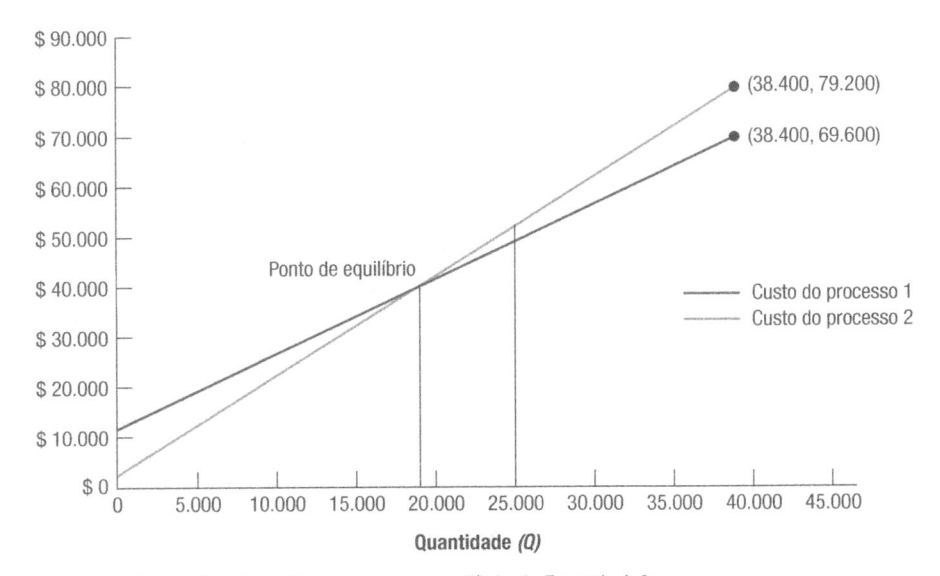

Decisão: Processo 1

Figura A.2 Gráfico de análise do ponto de equilíbrio do Exemplo A.3

Ponto de decisão A direção escolheu a opção fazer, depois de considerar outros fatores qualitativos, como as preferências dos clientes e a incerteza da demanda. Um fator decisivo foi que a previsão de venda de 25.000 saladas está bem acima da quantidade de equilíbrio de 19.200 saladas.

EXEMPLO A.4 — Avaliando uma alternativa com a matriz de preferências

A tabela a seguir mostra os critérios de desempenho, pesos e pontuações (1 = o pior, 10 = o melhor) de um produto novo: um condicionador de ar com armazenamento térmico. Se a direção quiser apresentar apenas um produto novo e a pontuação total mais alta de qualquer das outras idéias de produto for 800, a empresa deverá procurar fabricar o condicionador de ar?

Critério de desempenho	Peso (A)	Pontuação (B)	Pontuação ponderada (A × B)
Potencial de mercado	30	8	240
Margem de lucro por unidade	20	10	200
Compatibilidade de operações	20	6	120
Vantagem competitiva	15	10	150
Requisito de investimento	10	2	20
Risco do projeto	5	4	20
		Pontuação ponderada =	750

SOLUÇÃO

Como a soma das pontuações ponderadas é 750, ela fica abaixo da pontuação de 800 de outro produto. Este resultado é confirmado pelo fornecido pelo *Preference Matrix* Solver do OM Explorer, ilustrado na Figura A.3.

Inserir um critério	Adicionar um critério	Remover um critério

Critério de desempenho	Peso (A)	Pontuação (B)	Pontuação ponderada (A × B)
Potencial de mercado	30	8	240
Margem de lucro por unidade	20	10	200
Compatibilidade de operações	20	6	120
Vantagem competitiva	15	10	150
Requisito de investimento	10	2	20
Risco do projeto	5	4	20
Pontuação ponderada final			= 750

Figura A.3 Solucionador de matriz de preferências para o Exemplo A.4

Ponto de decisão A direção deve abandonar a idéia do condicionador de ar com armazenamento térmico. Uma outra idéia de produto novo é melhor, considerando os critérios múltiplos, e que a gerência queria lançar somente um produto de cada vez.

Nem todos os gerentes sentem-se à vontade com a técnica de matriz de preferências. Ela exige que o gerente estabeleça pesos para critérios antes de examinar as alternativas, embora os pesos adequados possam não ser prontamente visíveis. Talvez somente depois de ver as pontuações de várias alternativas o gerente possa decidir o que é importante e o que não é. Como uma baixa pontuação em um critério pode ser compensada ou superada por uma alta pontuação em outro, o método da matriz de preferências também pode fazer com que os gerentes ignorem sinais importantes. No Exemplo A.4, o investimento exigido para o condicionador de ar poderia exceder a capacidade financeira da empresa. Nesse caso, o gerente nem mesmo deve considerar a alternativa, não importando se a pontuação é muito alta ou não.

TEORIA DA DECISÃO

A teoria da decisão é uma abordagem geral da tomada de decisões quando os resultados vinculados às alternativas muitas vezes são duvidosos. Ela ajuda os gerentes de operações a tomar decisões sobre processo, capacidade, localização e estoque porque essas decisões se referem a um futuro incerto. A teoria da decisão também pode ser usada pelos gerentes em outras áreas funcionais. Com ela, um gerente faz escolhas usando o processo a seguir:

1. Faça uma relação das *alternativas* viáveis. Uma alternativa que deve sempre ser considerada como base para referência é não fazer nada. Um pressuposto básico é que o número de alternativas é finito. Por exemplo, ao decidir onde instalar uma nova loja de varejo em uma determinada região da cidade, um gerente poderia teoricamente levar em conta todas as coordenadas do mapa da cidade. Na realidade, porém, ele deve limitar as escolhas a um número razoável.

2. Faça uma relação dos *eventos* (às vezes denominados *eventos de oportunidade* ou *estados da natureza*) que têm impacto sobre o resultado da escolha, mas não estão sob controle do gerente. Por exemplo, a demanda experi-

mentada pela nova instalação pode ser baixa ou alta, dependendo não somente da localização ser conveniente para muitos clientes, mas também do que a concorrência faz e das tendências gerais do varejo. Depois, agrupe os eventos em categorias razoáveis, por exemplo, suponha que a média de vendas por dia possa estar entre 1 e 500. Em vez de ter 500 eventos, o gerente poderia representar a demanda com apenas três eventos: 100 vendas/dia, 300 vendas/dia ou 500 vendas/dia. Os eventos devem ser mutuamente excludentes, o que significa que não podem se sobrepor e que cubram todas as eventualidades.

3. Calcule o *payoff* (resultado final, que pode ser lucro total ou custo total) de cada evento. Normalmente o payoff pode ser o lucro total ou o custo total. Esses resultados podem ser inseridos em uma **tabela de payoff**, que mostra a quantia referente a cada alternativa, se houver ocorrência de cada evento possível. Para três alternativas e quatro eventos, a tabela teria 12 payoffs (3 x 4). Se ocorrerem distorções significativas pelo fato de o valor temporal do dinheiro não ter sido reconhecido, os payoffs devem ser expressos em termos do valor presente ou da taxa interna de retorno. Para diversos critérios com fatores qualitativos importantes, use o método de pontuações ponderadas de uma matriz de preferências como payoffs.

4. Faça uma estimativa da probabilidade de cada evento, usando dados anteriores, opiniões de executivos ou outros métodos de previsão. Enuncie-a como *probabilidade*, assegurando-se de que as probabilidades somem 1. Se o passado for considerado um bom indicador do futuro, desenvolva estimativas de probabilidade com base em seus dados.

5. Selecione uma *regra de decisão* para avaliar as alternativas, tal como escolher a alternativa com o mais baixo custo esperado. A regra escolhida depende da quantidade de informações que o gerente tem sobre as probabilidades de evento e a atitude do gerente diante do risco.

Usando esse processo, examinamos as decisões sob três situações diferentes: certeza, incerteza e risco.

TOMADA DE DECISÃO COM CERTEZA

A situação mais simples é quando o gerente sabe qual evento ocorrerá. Nesse caso, a regra para a decisão é escolher a alternativa com o melhor payoff para o evento conhecido. A melhor alternativa é o payoff mais alto, se eles forem expressos como lucros. Se forem expressos como custos, a melhor alternativa é o payoff mais baixo.

TOMADA DE DECISÃO COM INCERTEZA

Aqui presumimos que o gerente pode fazer uma relação dos possíveis eventos, mas não pode estimar suas probabilidades. Talvez a falta de uma experiência anterior torne difícil para a empresa estimar probabilidades. Nessa situação, o gerente pode usar uma das quatro regras de decisão:

1. *Maximin*: escolher a alternativa que é 'a melhor das piores'. Esta regra é para o *pessimista*, que antecipa o pior caso para cada alternativa.
2. *Maximax*: escolher a alternativa que é 'a melhor das melhores'. Esta regra é para o *otimista*, que tem grandes expectativas e prefere arriscar tudo num esforço grande.
3. *Laplace*: escolher a alternativa com o melhor *payoff ponderado*. Para encontrar e ponderar o payoff, atribua igual importância (ou, como alternativa, igual probabilidade) a cada evento. Se houver n eventos, a importância (ou probabilidade) de cada um será $1/n$, de modo que sua soma seja 1. Esta regra é para o *realista*.

Decisões com certeza — EXEMPLO A.5

Um gerente está tentando decidir se deve construir uma nova instalação pequena ou grande. A decisão depende muito da demanda futura que deverá servir, que poderá ser baixa ou alta. Ele conhece com certeza os payoffs que resultarão em cada alternativa, mostrados na tabela a seguir. Os payoffs (em milhares de dólares) são os valores atuais de receitas futuras menos os custos para cada alternativa em cada evento.

	Possível demanda futura	
Alternativa	**Baixa**	**Alta**
Instalação pequena	200	270
Instalação grande	160	800
Não fazer nada	0	0

Qual é a melhor escolha se a demanda futura for baixa?

SOLUÇÃO

Neste exemplo, a melhor escolha é a que tem o payoff mais alto. Se o gerente souber que a demanda futura será baixa, a empresa deverá construir instalações pequenas e usufruir de um payoff de 200.000 dólares. A instalação grande tem payoff de apenas 160.000 dólares. A alternativa não fazer nada é dominada pelas outras, isto é, o resultado de uma alternativa não é melhor que o de outra para cada evento. Como a alternativa não fazer nada está controlada, o gerente não dá mais atenção a ela.

Ponto de decisão Se a gerência realmente souber qual será a demanda no futuro, construirá a instalação pequena, se a demanda for pequena, e a grande, se ela for alta. Se a demanda for incerta, deverão ser consideradas outras regras de decisão.

EXEMPLO A.6 — Decisões com incerteza

Considere novamente a matriz de payoff do Exemplo A.5. Qual é a melhor alternativa para cada regra de decisão?

SOLUÇÃO

a. *Maximin*. O pior payoff de uma alternativa é o número *mais baixo* em sua coluna da matriz de payoffs, porque os payoffs são lucros. Os piores payoffs (em milhares de dólares) são

Alternativa	Pior payoff
Instalação pequena	200
Instalação grande	160

O melhor desses piores números é 200.000 dólares, portanto o pessimista construiria uma instalação pequena.

b. *Maximax*. O melhor payoff de uma alternativa (em milhares de dólares) é o *maior* número em sua matriz de payoffs, ou

Alternativa	Melhor payoff
Instalação pequena	270
Instalação grande	800

O melhor desses números é 800.000 dólares, portanto o otimista construiria uma instalação grande.

c. *Laplace*. Tendo dois eventos, atribuímos a cada um a probabilidade de 0,5. Assim, os payoffs ponderados (em milhares de dólares) são

Alternativa	Payoff ponderado
Instalação pequena	0,5(200) + 0,5(270) = **235**
Instalação grande	0,5(160) + 0,5(800) = **480**

O melhor desses payoffs ponderados é 480.000 dólares, portanto o realista construiria uma instalação grande.

d. *Arrependimento Minimax*. Se a demanda revelar-se baixa, a melhor alternativa será uma instalação pequena e seu arrependimento é 0 (ou 200 − 200). Se for construído uma instalação grande quando a demanda se apresenta baixa, o arrependimento é 40 (ou 200 − 160).

	Arrependimento		
Alternativa	Baixa demanda	Alta demanda	Máximo arrependimento
Instalação pequena	200 − 200 = **0**	800 − 270 = **530**	530
Instalação grande	200 − 160 = **40**	800 − 800 = **0**	40

A coluna da direita mostra o pior arrependimento para cada alternativa. Para minimizar o máximo arrependimento, escolha uma instalação grande. O maior arrependimento está associado a possuir apenas um pequeno estabelecimento e a demanda ser alta.

Ponto de decisão O pessimista escolheria a instalação pequena. O realista, o otimista e o gerente que escolhessem minimizar o máximo arrependimento construiriam uma instalação grande.

4. *Arrependimento Minimax*: escolher a alternativa com o melhor 'pior arrependimento'. Calcular uma tabela de arrependimentos (ou perdas de oportunidade), na qual as linhas representam as alternativas e as colunas representam os eventos. Um arrependimento é a diferença entre um determinado payoff e o melhor payoff da mesma coluna. Para um evento, ela mostra quanto é perdido ao selecionar uma alternativa para aquela que é melhor para esse evento. O arrependimento pode ser por lucro perdido ou aumento de custo, dependendo da situação.

TOMADA DE DECISÃO COM RISCO

Aqui presumimos que o gerente pode relacionar os eventos e estimar suas probabilidades. Ele tem menos informações que com a tomada de decisão com certeza, porém mais informações que com a decisão com incerteza. Para esta situação intermediária, é amplamente empregada a regra de decisão de *valor esperado*. O valor esperado de uma alternativa é encontrado ponderando-se cada payoff com a probabilidade associada a ele e depois adicionando os pontos do payoff ponderado. A alternativa com o melhor valor esperado (lucros mais altos e custos mais baixos) é a escolhida.

Esta regra é muito parecida com a regra de decisão de Laplace, exceto pelo fato de que os eventos não são mais presumidos, e sim igualmente prováveis (ou igualmente importantes). O valor esperado é o que o payoff *médio* seria se a decisão pudesse ser repetida diversas vezes. Naturalmente a regra de decisão de valor esperado pode ter como conseqüência um mau resultado se ocorrerem os eventos errados. Entretanto, ela dá os melhores resultados se for aplicada consistentemente durante um longo período de tempo. A regra não deve ser usada se o gerente estiver interessado em evitar riscos.

Decisões em risco — EXEMPLO A.7

Considere, mais uma vez, a matriz de payoffs do Exemplo A.5. Para a regra de decisão de valor esperado, qual é a melhor alternativa se a probabilidade de baixa demanda for estimada em 0,4 e a de alta demanda em 0,6?

SOLUÇÃO
O valor esperado para cada alternativa é

Alternativa	Valor esperado
Instalação pequena	0,4(200) + 0,6(270) = **242**
Instalação grande	0,4(160) + 0,6(800) = **544**

Ponto de decisão A administração escolheria uma instalação grande se usasse essa regra de decisão de valor esperado, porque ela proporciona os melhores resultados a longo prazo, se for consistentemente aplicada ao longo do tempo.

ÁRVORES DE DECISÃO

O método da árvore de decisão (*decision tree*) é uma abordagem geral com ampla gama de decisões de gestão de operações, como planejamento de produto, análise de processo, capacidade de processo e localização. Ela é particularmente valiosa para avaliar alternativas diferentes de expansão da capacidade quando a demanda é incerta e estão envolvidas decisões seqüenciais. Por exemplo, uma empresa pode ampliar suas instalações, em 2007, apenas para descobrir, em 2010, que a demanda é muito mais alta que foi previsto. Nesse caso, pode ser necessária uma segunda decisão para determinar se deve ampliar mais uma vez ou construir uma segunda instalação.

Uma **árvore de decisão** é um modelo esquemático de alternativas disponíveis para o tomador de decisões, juntamente com suas possíveis conseqüências. O nome tem origem na aparência do modelo, semelhante a uma árvore. Ele consiste em uma quantidade de *nós* quadrados que representam os pontos de decisão, dos quais saem *ramos* (que devem ser lidos da esquerda para a direita), que representam as alternativas. Os ramos que saem dos *nós* circulares representam os eventos. A probabilidade de cada evento $P(E)$ é mostrada acima de cada ramo. As probabilidades de todos os ramos que saem de um nó de evento devem somar 1. O payoff condicional, que é o payoff de cada possível combinação alternativa-evento, é mostrada no final de cada combinação. Os payoffs são dados somente no início, antes da análise começar, para os pontos terminais de cada combinação de alternativa-evento. Na Figura A.4, por exemplo, o payoff 1 é o resultado financeiro que o gerente espera se a alternativa 1 for escolhida e então o evento 1 ocorrer. Nenhum payoff pode ser associado ainda com qualquer ramificação mais para a esquerda, como a alternativa 1 como um todo, porque ela é seguida por um evento e não é um ponto terminal. Muitas vezes, os payoffs são expressos como o valor atual do lucro líquido. Se as receitas não forem afetadas pela decisão, o payoff será representado por custos líquidos.

Depois de desenhar uma árvore de decisão, nós a resolvemos trabalhando da direita para a esquerda, calculando o *payoff esperado* para cada nó, como segue:

1. Para um nó de evento, multiplicamos o payoff de cada ramo de evento pela probabilidade do evento. Adicionamos esses produtos para obter o payoff esperado do nó do evento.

2. Para um nó de decisão, tomamos a alternativa que tem o melhor payoff esperado. Se uma alternativa levar a um nó de evento, seu payoff será igual ao payoff esperado daquele evento (já calculado). Nós 'cortamos' ou 'aparamos' os ramos não escolhidos marcando duas linhas curtas através deles. O payoff esperado do nó de decisão é o que está associado com o único ramo restante que não foi aparado.

Continuamos com esse processo até que o nó de decisão da extrema esquerda seja alcançado. O ramo não aparado que se estende a partir desse nó é a melhor alternativa a ser perseguida. Se estiverem envolvidas decisões de múltiplos estágios, precisaremos aguardar os eventos subseqüentes, antes de decidir o que deve ser feito em seguida. Se forem obtidas novas estimativas de probabilidade ou payoff, repetiremos o processo.

Vários softwares estão disponíveis para o desenho de árvores de decisão. O PowerPoint pode ser usado para isso, embora não tenha a capacidade de analisar a árvore. Ferramentas mais completas, além do OM Explorer, são encontradas no site da SmartDraw (www.smartdraw.com). Há também a ferramenta de análise de decisão PrecisionTree, da Palisade Corporation (www.palisade.com/html/ptree.html) e a TreePlan (www.treeplan.com/treeplan.htm).

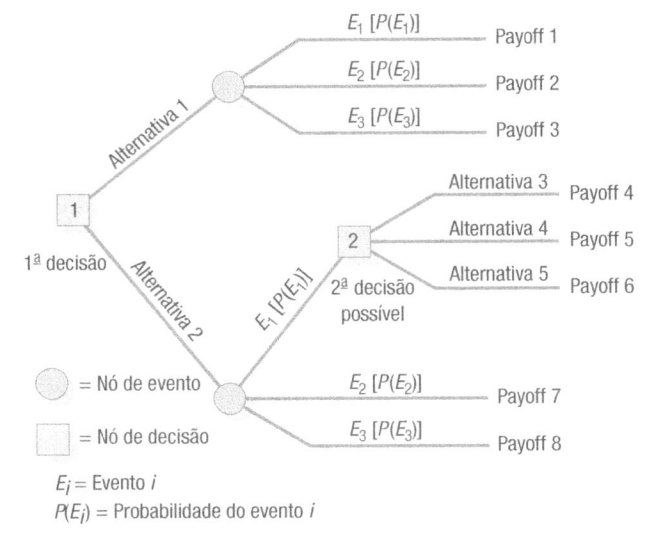

Figura A.4 Um modelo de árvore de decisão

EXEMPLO A.8 — Analisando uma árvore de decisão

Um varejista precisa decidir se deve construir uma instalação pequena ou grande em um nova região. A demanda no local pode ser alta ou baixa, com probabilidades estimadas em 0,4 e 0,6, respectivamente. Se for construída uma instalação pequena e a demanda for alta, o gerente poderá escolher não ampliar (payoff = 223.000 dólares) ou ampliar (payoff = 270.000 dólares). Se for construída uma instalação pequena e a demanda for baixa, não haverá razão para ampliar e o payoff será de 200.000 dólares. Se for construída uma instalação grande e a demanda for baixa, a escolha será não fazer nada (40.000 dólares) ou estimular a demanda por meio de propaganda local. A resposta à propaganda pode ser modesta ou relativamente grande, com probabilidades estimadas em 0,3 e 0,7, respectivamente. Se for modesta, o payoff é estimado em apenas 20.000 dólares; o payoff crescerá para 220.000 dólares se a resposta for relativamente grande. Finalmente, se for construída uma instalação grande e a demanda for alta, o payoff será de 800.000 dólares.

Desenhe uma árvore de decisão e depois analise-a para determinar o payoff esperado para cada decisão e nó de evento. Qual alternativa (construir uma instalação pequena ou grande) tem o mais alto payoff esperado?

SOLUÇÃO

A árvore de decisão da Figura A.5 mostra a probabilidade do evento e o payoff para cada uma das combinações alternativa evento. A primeira decisão é se deve ser construída uma instalação pequena ou grande. Seu nó é mostrado, em primeiro lugar, à esquerda, porque é a decisão que o varejista deve tomar agora. O segundo nó de decisão (ampliar em data posterior) só é alcançada se for construída uma instalação pequena e a demanda se mostrar alta. Finalmente, o terceiro ponto de decisão (se deve fazer propaganda) só será alcançado se o varejista construir uma instalação grande e a demanda for baixa.

A análise da árvore de decisão começa com o cálculo dos payoffs esperados, da direita para a esquerda, do evento e dos nós de decisão, mostrada na Figura A.5.

1. O payoff esperado para o nó de evento que lida com a propaganda é 160 ou a soma de cada payoff de evento ponderado por sua probabilidade [0,3(20) + 0,7(220)].
2. O payoff esperado para o nó de decisão 3 é 160 porque *fazer propaganda* (160) é melhor que *não fazer nada* (40). Suprima a alternativa *não fazer nada*.
3. O payoff para o nó de decisão 2 é 270 porque *ampliar* (270) é melhor que *não ampliar* (223). Suprima *não ampliar*.
4. O payoff esperado para o nó de evento que lida com a demanda, presumindo-se que seja construída uma instalação pequena, é 242 [ou 0.4(200) + 0,6(270)].
5. O payoff esperado para o nó de evento que lida com a demanda, presumindo-se que seja construída uma instalação grande, é 544 [ou 0.4(160) + 0,6(800)].
6. O payoff esperado para o nó de decisão 1 é 544 porque o payoff esperado da instalação grande é o maior. Suprima *instalação pequena*.

Ponto de decisão O varejista deve construir a instalação grande. Essa decisão inicial é a única tomada neste momento. Depois de saber se a demanda real é baixa ou alta, serão tomadas outras decisões.

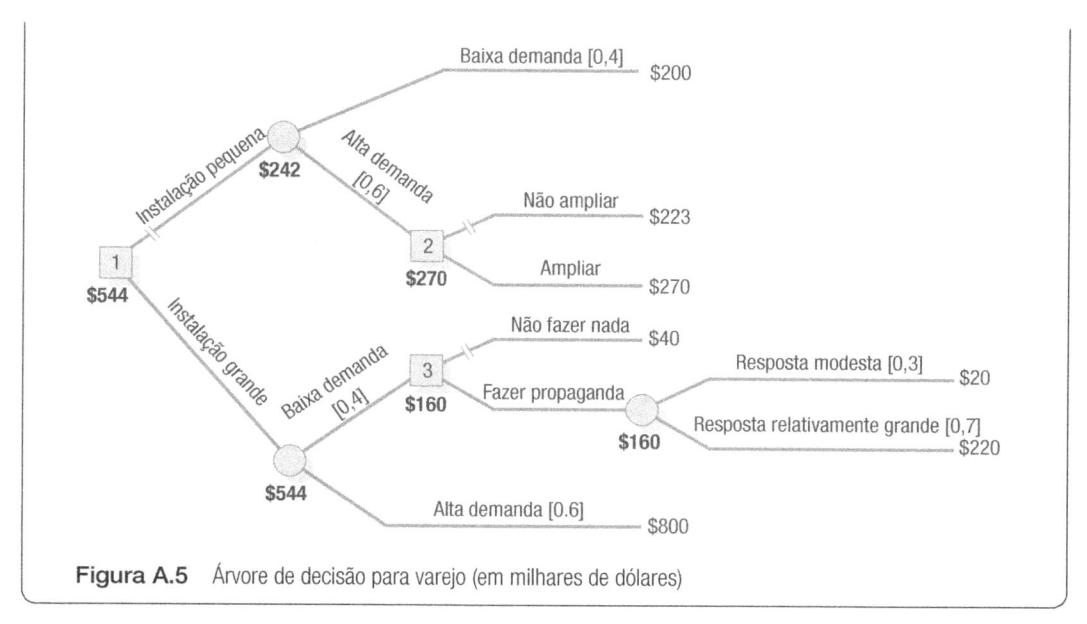

Figura A.5 Árvore de decisão para varejo (em milhares de dólares)

EQUAÇÕES-CHAVE

1. Volume de equilíbrio:

$$Q = \frac{F}{p - c}$$

2. Avaliando processos, quantidade da indiferença entre fazer ou comprar:

$$Q = \frac{F_m - F_b}{c_b - c_m}$$

PALAVRAS-CHAVE

análise de sensibilidade
análise do ponto de equilíbrio
árvore de decisão
custo fixo
custo variável
matriz de preferências
quantidade de equilíbrio
tabela de payoff
teoria da decisão

PROBLEMA RESOLVIDO 1

A proprietária de uma pequena indústria patenteou um novo dispositivo para lavar pratos e limpar pias de cozinha. Antes de tentar comercializar o engenho e acrescentá-lo a sua linha de produtos, ela deseja ter uma segurança razoável de que vai ter sucesso. Os custos variáveis são estimados em sete dólares por unidade produzida e vendida. Os custos fixos são de cerca de 56.000 dólares por ano.

a. Se o preço de venda for fixado em 25 dólares, quantas unidades devem ser produzidas e vendidas para atingir o ponto de equilíbrio? Use os métodos algébrico e gráfico.

b. Se o preço for reduzido para 15 dólares, a previsão de vendas para o primeiro ano é de 10.000 unidades. Com essa estratégia de preço, qual seria a contribuição total do produto para os lucros do primeiro ano?

SOLUÇÃO

a. Começando com o método algébrico, obtemos

$$Q = \frac{F}{p - c} = \frac{56.000}{25 - 7}$$
$$= 3.111 \text{ unidades}$$

Usando o método gráfico, mostrado na Figura A.6, primeiro desenhamos duas linhas:

Receita total $= 25Q$

Custo total $= 56.000 + 7Q$

As duas linhas se intersectam em $Q = 3.111$ unidades, a quantidade de equilíbrio.

b. Contribuição do lucro total = receita total − custo total

$$= pQ - (F + cQ)$$
$$= 15(10.000) - [56.000 + 7(+10.000)]$$
$$= \$ 24.000$$

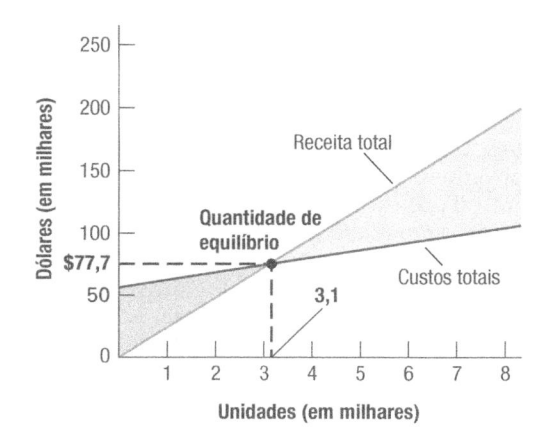

Figura A.6

PROBLEMA RESOLVIDO 2

A Binford Tool Company está avaliando três idéias para um novo produto, A, B e C. As restrições de recursos só permitem que uma delas seja comercializada. Os critérios de desempenho e sua classificação, em uma escala de 1 (pior) a 10 (melhor), são mostrados na tabela a seguir. Os gerentes da Binford dão pesos iguais aos critérios de desempenho. Qual é a melhor alternativa indicada pelo método de matriz de preferências?

	Classificação		
Critério de desempenho	Produto A	Produto B	Produto C
1. Incerteza da demanda e risco do projeto	3	9	2
2. Similaridade com produtos existentes	7	8	6
3. Retorno sobre o investimento (ROI) esperado	10	4	8
4. Compatibilidade com processos atuais de fabricação	4	7	6
5. Vantagem competitiva	4	6	5

SOLUÇÃO

Cada um dos cinco critérios recebe um peso de 1/5 ou 0,20.

Produto	Cálculo	Pontuação total
A	(0,20 × 3) + (0,20 × 7) + (0,20 × 10) + (0,20 × 4) + (0,20 × 4)	= 5,6
B	(0,20 × 9) + (0,20 × 8) + (0,20 × 4) + (0,20 × 7) + (0,20 × 6)	= 6,8
C	(0,20 × 2) + (0,20 × 6) + (0,20 × 8) + (0,20 × 6) + (0,20 × 5)	= 5,4

A melhor escolha é o produto B. Os produtos A e C estão bem atrás em termos de pontuação total ponderada.

PROBLEMA RESOLVIDO 3

Adele Weiss dirige a floricultura do *campus*. As flores devem ser encomendadas de seu fornecedor no México com três dias de antecedência. Embora o dia dos namorados esteja se aproximando depressa, quase todas as vendas são de última hora; compras por impulso. As vendas antecipadas são tão poucas que Weiss não tem como estimar a probabilidade de demanda, se será baixa (25 dúzias), média (60 dúzias) ou alta (130 dúzias) para rosas vermelhas no grande dia. Ela compra rosas por 15 dólares a dúzia e vende por 40 dólares. Prepare uma tabela de payoff. Qual decisão é indicada por cada um dos critérios de decisão seguintes?

a. Maximin
b. Maximax
c. Laplace
d. Arrependimento Minimax

SOLUÇÃO

A tabela de payoff deste problema é a seguinte:

	Demanda de rosas vermelhas		
Alternativa	Baixa (25 dúzias)	Média (60 dúzias)	Alta (130 dúzias)
Pedir 25 dúzias	$ 625	$ 625	$ 625
Pedir 60 dúzias	$ 100	$ 1.500	$ 1.500
Pedir 130 dúzias	($ 950)	$ 450	$ 3.250
Não fazer nada	$ 0	$ 0	$ 0

a. De acordo com o critério Maximin, Weiss deve pedir 25 dúzias, porque a demanda é baixa. Seu lucro será de 625 dólares, o melhor dos piores payoffs.

b. De acordo com o critério Maximax, Weiss deve pedir 130 dúzias. O maior payoff possível, que é 3.250 dólares, está associado ao maior pedido.

c. De acordo com o critério de Laplace, Weiss deve pedir 60 dúzias. Payoffs igualmente ponderados para pedir 25, 60 e 130 dúzias são cerca de 625, 1.033 e 917 dólares, respectivamente.

d. De acordo com o critério de Arrependimento Minimax, Weiss deve pedir 130 dúzias. O arrependimento máximo de pedir 25 dúzias ocorrerá se a demanda for alta: 3.250 − 625 = 2.625 dólares. O arrependimento máximo de pedir 60 dúzias ocorrerá se a demanda for alta: 3.250 − 1.500 = 1.750 dólares. O arrependimento máximo de pedir 130 dúzias ocorrerá se a demanda for baixa: 625 − (−950) = 1.575 dólares.

PROBLEMA RESOLVIDO 4

A estação de esqui White Valley Ski Resort está planejando a instalação de um teleférico em seu novo resort. A administração está tentando determinar se serão necessários um ou dois teleféricos; cada um deles pode transportar 250 pessoas por dia. Normalmente, a temporada de esqui ocorre durante 14 semanas entre dezembro e abril, durante o qual o teleférico funcionaria sete dias por semana. O primeiro funcionará com 90 por cento da capacidade se as condições econômicas forem ruins, e a probabilidade disso acontecer é cerca de 0,3. Em temporadas normais, o teleférico será utilizado com 100 por cento da capacidade e o excesso de pessoas utilizará 50 por cento do segundo teleférico. A probabilidade de haver tempos normais é de 0,5. Finalmente, se as temporadas forem realmente boas, cuja probabilidade é 0,2, a utilização do segundo teleférico aumentará para 90 por cento. O custo anual equivalente para instalar um novo teleférico, reconhecendo o valor temporal do dinheiro e a vida econômica do teleférico, é 50.000 dólares. O custo de instalação de dois teleféricos é somente 90.000 dólares, se ambos forem comprados ao mesmo tempo. Se forem usados, cada teleférico custa 200.000 dólares para ser operado, independentemente de sua taxa de utilização ser baixa ou alta. Os bilhetes para o teleférico custam 20 dólares por cliente por dia.

A estação de esqui deve comprar um ou dois teleféricos?

SOLUÇÃO

A árvore de decisão é mostrada na Figura A.7. O payoff ($ 000) para cada ramo alternativa evento é mostrado na tabela a seguir. A receita total de um teleférico operando a 100 por cento de sua capacidade é de 490.000 dólares (ou 250 clientes x 98 dias x 20 dólares/cliente-dia).

Alternativa	Condição econômica	Cálculo do payoff (Receita – Custo)
Um teleférico	Temporadas ruins	0,9(490) – (50 + 200) = 191
	Temporadas normais	1,0(490) – (50 + 200) = 240
	Temporadas boas	1,0(490) – (50 + 200) = 240
Dois teleféricos	Temporadas ruins	0,9(490) – (90 + 200) = 151
	Temporadas normais	1,5(490) – (90 + 400) = 245
	Temporadas boas	1,9(490) – (90 + 400) = 441

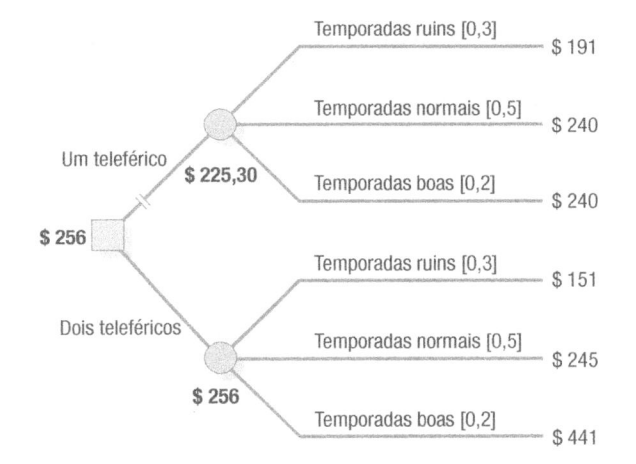

Figura A.7

PROBLEMAS

No site de apoio deste livro oferecemos alguns softwares, como OM Explorer, o Active Models e o POM for Windows. Verifique com seu professor a melhor maneira de utilizá-los. Em muitos casos, o professor desejará que você entenda como fazer os cálculos à mão. No máximo, o software oferece a possibilidade de verificação de seus cálculos. Quando os cálculos são especialmente complexos e o objetivo é interpretar os resultados na tomada de decisões, o software substitui completamente os cálculos manuais. Esse tipo de ferramenta pode ser um recurso valioso, principalmente depois de você concluir o seu curso e ingressar no mercado de trabalho.

ANÁLISE DO PONTO DE EQUILÍBRIO

1. Mary Williams, proprietária da Williams Products, está avaliando a possibilidade de apresentar uma nova linha de produtos. Depois de pensar no processo de produção e nos custos da matéria-prima e de novos equipamentos, ela estima os custos variáveis de cada unidade produzida e vendida em seis dólares, e os custos fixos em 60.000 dólares por ano.
   a. Se o preço de venda for estabelecido em 18 dólares cada, quantas unidades devem ser produzidas e vendidas para Williams conseguir o equilíbrio? Use o método gráfico e também o algébrico para obter a resposta.
   b. Williams acredita que venderá 10.000 unidades no primeiro ano, se o preço de venda for de 14 dólares cada. Qual seria a contribuição total desse novo produto para o lucro do primeiro ano?
   c. Se o preço de venda for 12,50 dólares, Williams estima que as vendas no primeiro ano aumentariam para 15.000 unidades. Qual estratégia de preços (14,00 ou 12,50 dólares) resultaria em maior contribuição total para os lucros?
   d. Que outras considerações seriam decisivas para a decisão final sobre fabricar e comercializar o novo produto?

2. Um produto da Jennings Company tinha razoável volume de vendas, mas sua contribuição para o lucro era decepcionante. No ano passado, foram produzidas e vendidas 17.500 unidades. O preço de venda é 22 dólares por unidade, c é 18 dólares e F é 80.000 dólares.
   a. Qual é a quantidade de equilíbrio desse produto? Use os métodos gráfico e algébrico para obter a resposta.
   b. A Jennings está estudando maneiras de estimular o volume de vendas ou diminuir os custos variáveis. A direção da empresa acredita que as vendas podem aumentar em 30 por cento ou que c pode ser reduzido para 85 por cento do nível atual. Qual alternativa resulta em maior contribuição para o lucro, presumindo-se que o custo de implementação é o mesmo para qualquer uma? (*Dica*: calcule o lucro das duas alternativas e identifique a que proporciona o maior lucro.)
   c. Qual é a alteração da porcentagem do lucro por unidade resultante de cada alternativa da parte (b)?

3. Um serviço interativo de televisão transmitido pela Internet tem custo de 10 dólares por mês e pode ser vendido por 15 dólares. Se uma área tiver potencial para 15.000 clientes, qual será o máximo que uma empresa poderá gastar em custos fixos por ano para adquirir e manter os equipamentos?

4. Um restaurante está planejando incluir trutas frescas em seu cardápio. O cliente teria a opção de pescar sua própria truta em uma simulação de pesca no riacho de uma montanha ou simplesmente pedir ao garçom para pegar a truta para ele. A opção de pesca no riacho exigiria 10.600 dólares por ano em custos fixos. Os custos variáveis são estimados em 6,70 dólares por

truta. A empresa quer chegar ao equilíbrio financeiro se forem vendidas 800 trutas por ano. Qual deve ser o preço desse novo item do cardápio?

5. A Gabriel Manufacturing precisa implementar um processo de fabricação que reduza a quantidade de emissão de subprodutos tóxicos. Foram identificados dois processos que oferecem o mesmo nível de redução. Sobre o primeiro, incidiriam 300.000 dólares em custos fixos e 600 dólares por unidade de custos variáveis. O segundo processo incorreria em custos fixos de 120.000 dólares e custos variáveis de 900 dólares por unidade.
   a. Qual seria a quantidade de equilíbrio além da qual o primeiro processo seria mais atrativo?
   b. Qual será a diferença de custo total se forem produzidas 800 unidades?

6. Um serviço de *clipping* de notícias está planejando uma modernização em seus serviços. Em vez de recortar manualmente as notícias de jornais e revistas e fotocopiar aquelas que interessam a seus clientes e enviá-las por correio, os funcionários dariam entrada em um banco de dados eletrônico com as matérias das publicações de maior circulação. Cada novo exemplar seria pesquisado em busca de palavras-chave, como o nome da empresa de um cliente, os nomes dos concorrentes, o tipo de empresa e os produtos, serviços e funcionários. Quando houvesse combinações, os clientes interessados seriam instantaneamente avisados pela Internet. Se a matéria for interessante, será transmitida eletronicamente, de maneira que o cliente, muitas vezes, a terá e poderá preparar comentários para entrevistas de acompanhamento antes de a publicação chegar às ruas. O processo manual tem custos fixos de 400.00 dólares por ano e custos variáveis de 6,20 dólares por recorte enviado. O preço cobrado do cliente é de oito dólares por recorte. O processo computadorizado tem custos fixos de 1.300.000 dólares por ano e custos variáveis de 2,25 dólares por matéria transmitida eletronicamente ao cliente.
   a. Se for cobrado o mesmo preço por qualquer um dos processos, qual seria o volume anual além do qual o processo automatizado será mais atraente?
   b. O volume atual de negócios é de 225.000 recortes por ano. Muitas das matérias enviadas pelo processo atual não são de interesse do cliente e são cópias da mesma matéria que aparece em várias publicações. O serviço de *clipping* acredita que melhorando o serviço e baixando o preço para quatro dólares por matéria, a modernização aumentará o volume para 900.000 matérias transmitidas por ano. Esse serviço deve ou não se modernizar?
   c. Se o aumento previsto nos negócios for demasiadamente otimista, com qual volume o novo processo conseguirá o equilíbrio?

7. A Hahn Manufacturing compra um componente fundamental para um de seus produtos de um fornecedor local. O preço de compra atual é de 1.500 dólares por unidade. Os esforços para padronizar as partes tiveram sucesso ao ponto desse mesmo componente poder, agora, ser usado em cinco produtos diferentes. O consumo anual do componente deve aumentar de 150 para 750 unidades. A direção da empresa quer saber se está na hora de fabricar o componente internamente, em vez de continuar comprando do fornecedor. Os custos fixos aumentariam cerca de 40.000 dólares por ano para novos equipamentos e ferramentas que seriam necessários. O custo da matéria-prima e despesas gerais variáveis seriam de cerca de 1.100 dólares por unidade e os custos de mão-de-obra seriam de 300 dólares por unidade produzida.
   a. A Hahn deve produzir, em vez de comprar?
   b. Qual é a quantidade de equilíbrio?
   c. Que outras considerações poderiam ser importantes?

8. A Techno Corporation fabrica um item com custos variáveis de cinco dólares por unidade. Os custos fixos anuais da fabricação são de 140.000 dólares. O preço de venda atual do item é de dez dólares por unidade e o volume de vendas anual é de 30.000 unidades.
   a. A Techno pode melhorar substancialmente a qualidade do item instalando novos equipamentos com acréscimo de 60.000 dólares nos custos fixos anuais. Os custos variáveis por unidade aumentariam um dólar, mas, como poderia ser vendida maior quantidade do produto com melhor qualidade, o volume anual de vendas aumentaria para 50.000 unidades. A Techno deve comprar os novos equipamentos e manter o preço atual do item? Por que sim ou por que não?
   b. Por outro lado, a Techno poderia aumentar o preço de venda para 11 dólares por unidade. Entretanto, o volume de vendas por ano seria limitado a 45.000 unidades. A Techno deve comprar os novos equipamentos e aumentar o preço do item? Por que sim ou por que não?

9. A Tri-County Generation and Transmission Association é uma cooperativa sem fins lucrativos que fornece eletricidade a clientes localizados em zonas rurais. Com base em uma previsão falha de demanda de longo prazo, a Tri-County construiu um sistema de geração e distribuição superdimensionado. Agora, ela tem muito mais capacidade do que precisa para atender seus clientes. Os custos fixos, a maior parte serviço da dívida de investimentos em instalações e equipamentos, são de 82,5 milhões de dólares por ano. Os custos variáveis, a maior parte representada por custos de combustível fóssil, são de 25 dólares por megawatt-hora (MWh, ou milhões de watts de potência usada por hora). O novo encarregado da previsão de demanda preparou uma previsão a curto prazo para ser usada nos processo de orçamento do próximo ano. A previsão requer que os clientes da Tri-County consumam um milhão de MWh de energia no próximo ano.
   a. Quanto a Tri-County precisará cobrar de seus clientes por MWh para conseguir equilíbrio financeiro no próximo ano?
   b. Os clientes da Tri-County rejeitam esse preço e economizam energia. Somente 95 por cento da previsão de demanda se realiza. Qual é o superávit ou a perda sofrida por essa organização sem fins lucrativos?

10. Terremotos, seca, incêndios, escassez econômica, enchentes e uma epidemia de repórteres de televisão causaram um êxodo da City of Angels para Boulder, Colorado. O súbito aumento da demanda está forçando a capacidade do sistema de eletricidade de Boulder. As alternativas do governo de Boulder ficaram reduzidas a comprar 150.000 MWh de energia elétrica da Tri-County G&T ao preço de 75 dólares por MWh ou reformar e recomissionar a estação de força da Pearl Street no centro da cidade. Os custos fixos desse projeto são de 10 milhões de dólares por ano e os custos variáveis, de 35 dólares por MWh. A cidade de Boulder deve construir ou comprar?

11. A Tri-County G&T vende 150.000 MWh de eletricidade por ano para Boulder a 75 dólares por MWh. Tem custos fixos de 82,5 milhões de dólares por ano e custos variáveis de 25 dólares por MWh. Se a empresa tiver 1.000.000 de MWh de demanda de seus clientes (não incluindo Boulder) quanto terá que cobrar para equilibrar as finanças?

MATRIZ DE PREFERÊNCIAS

12. A Forsite Company está examinando três idéias para novos serviços. As restrições de recursos só permitem que uma delas seja comercializada no momento atual. As estimativas a seguir foram feitas para os cinco critérios de desempenho que a direção acredita serem os mais importantes.

Critério de desempenho	Classificação		
	Serviço A	Serviço B	Serviço C
Investimento exigido em equipamentos essenciais	0,6	0,8	0,3
Retorno sobre o investimento (ROI) esperado	0,7	0,3	0,9
Compatibilidade com as habilidades atuais da força de trabalho	0,4	0,7	0,5
Vantagem competitiva	1,0	0,4	0,6
Compatibilidade com as exigências da EPA	0,2	1,0	0,5

a. Calcule uma pontuação total ponderada para cada alternativa. Use a matriz de preferências e atribua pesos iguais a todos os critérios de desempenho. Qual é a melhor alternativa? Qual é a pior?

b. Suponha que ao ROI esperado é dado duas vezes o peso atribuído a cada um dos demais critérios. (A soma dos pesos deve permanecer a mesma como na parte [a].) Essa modificação afeta a classificação dos três serviços possíveis?

13. Você é encarregado de analisar cinco idéias para produtos novos e recebeu as informações mostradas na Tabela A.1 (1 = pior, 10 = melhor). A gerência decidiu que os critérios 2 e 3 são igualmente importantes e que os critérios 1 e 4 são quatro vezes mais importantes que o critério 2. Somente dois produtos novos podem ser lançados e um produto pode ser introduzido somente se sua pontuação exceder 70 por cento do máximo possível de pontos. Quais idéias de produtos você recomenda?

14. A Accel Express, Inc. coletou as informações seguintes sobre onde localizar um armazém (1 = fraco, 10 = excelente):

Fator de localização	Peso do fator	Pontuação da localização	
		A	B
Custos de construção	10	8	5
Utilidades disponíveis	10	7	7
Serviços empresariais	10	4	7
Custo do terreno	20	7	4
Qualidade de vida	20	4	8
Transportes	30	7	6

a. Qual local, A ou B, deve ser escolhido com base na pontuação total ponderada?

b. Se os fatores fossem igualmente ponderados, a escolha seria diferente?

TEORIA DA DECISÃO E ÁRVORE DE DECISÃO

15. A Build-Rite Construction ganhou publicidade favorável com o aparecimento de convidados em um programa de televisão pública[1] sobre benfeitorias domésticas. As decisões da programação da televisão pública parecem ser imprevisíveis, portanto a Build-Rite não pode avaliar a probabilidade dos benefícios contínuos de seu relacionamento com o programa. A demanda por benfeitorias domésticas no próximo ano poderá ser baixa

---
[1] A Televisão de acesso público (*public-access television*) nos Estados Unidos é uma forma de mídia do cidadão, semelhante aos canais comunitários do Canadá, e à televisão comunitária na Austrália e a outros modelos de mídia criados por cidadãos privados. (N. T.)

TABELA A.1 Análise de Idéias para Novos Produtos

Critério de desempenho	Classificação				
	Produto A	Produto B	Produto C	Produto D	Produto E
Compatibilidade com a fabricação atual	8	7	3	6	9
Retorno sobre o investimento (ROI) esperado	3	8	4	7	7
Compatibilidade com as habilidades atuais da força de trabalho	9	5	7	6	5
Margem de lucro por unidade	7	6	9	2	7

ou alta, mas a Build-Rite precisa decidir agora se deve contratar mais funcionários, não fazer nada ou desenvolver subcontratos com outros empreiteiros. A empresa desenvolveu a seguinte tabela de payoff:

Alternativa	Demanda de benfeitorias domésticas		
	Baixa	Moderada	Alta
Contratar	($ 250.000)	$ 100.000	$ 625.000
Subcontratar	$ 100.000	$ 150.000	$ 415.000
Não fazer nada	$ 50.000	$ 80.000	$ 300.000

De acordo com cada um dos critérios a seguir, qual alternativa é a melhor?
a. Maximin
b. Maximax
c. Laplace
d. Arrependimento Minimax

16. Analise a árvore de decisão da Figura A.8. Qual é o payoff esperado para a melhor alternativa? Primeiro, certifique-se de pressupor as probabilidades que estão faltando.

17. Um gerente está tentando decidir se deve comprar uma ou duas máquinas. Se for comprada apenas uma e houver excesso de demanda, a segunda máquina poderá ser adquirida mais tarde. Entretanto, algumas vendas serão perdidas porque o tempo de espera para produzir esse tipo de máquina é de seis meses. Além disso, o custo por máquina será mais baixo se as duas forem compradas ao mesmo tempo. A probabilidade de baixa demanda é estimada em 0,20. O valor líquido atual depois dos impostos dos benefícios de adquirir as duas máquinas juntas é 90.000 dólares, se a demanda for baixa, e 180.000 dólares, se for alta.

Se for comprada uma máquina e a demanda for baixa, o valor líquido atual será 120.000 dólares. Se a demanda for alta, o gerente terá três opções. Não fazer nada tem um valor atual líquido de 120.000 dólares; subcontratar, 160.000 dólares; e comprar a segunda máquina, 140.000 dólares.

a. Desenhe uma árvore de decisão para esse problema.
b. Quantas máquinas a empresa deve comprar inicialmente? Qual é o payoff esperado para essa alternativa?

18. Um gerente precisa decidir se deve construir uma instalação pequena, média ou grande. A demanda pode ser baixa, média ou alta, com probabilidades estimadas em 0,25, 0,40 e 0,35, respectivamente.

Espera-se que uma instalação pequena ganhe um valor presente líquido depois dos impostos de 18.000 dólares se a demanda for baixa. Se for média, espera-se que a instalação pequena ganhe 75.000 dólares; ela pode ser ampliada para tamanho médio para ganhar 60.000 dólares ou tamanho grande para ganhar 125.000 dólares.

Espera-se que a instalação de tamanho médio perca cerca de 25.000 dólares se a demanda for baixa e ganhe 140.000 dólares, se for média. Se a demanda for alta, a instalação média poderá ganhar um valor presente líquido de 150.000 dólares; ela pode ser expandida para tamanho grande para um payoff líquido de 145.000 dólares.

Se for construída uma instalação grande e a demanda for alta, os ganhos esperados podem ser de 220.000 dólares. Se a demanda for média, o valor presente esperado é de 125.000 dólares; se a demanda for baixa, o esperado é que a instalação perca 60.000 dólares.

a. Desenhe uma árvore de decisão para este problema.
b. O que a direção deve fazer para alcançar o payoff esperado mais alto?

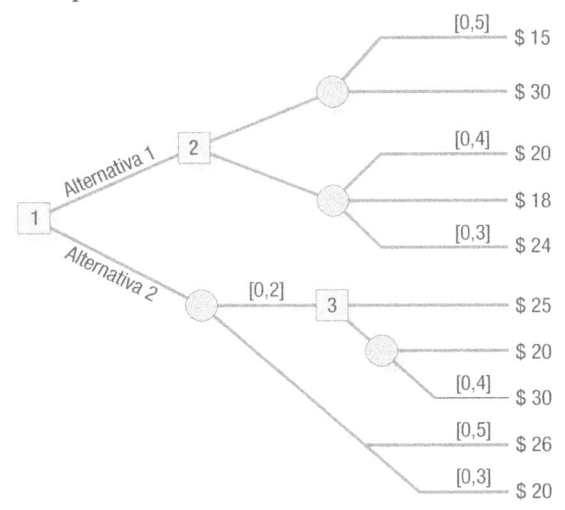

Figura A.8

Árvore de decisão com as seguintes ramificações:
- Alternativa 1 → nó 2:
  - [0,5] → $ 15
  - → $ 30
  - [0,4] → $ 20
  - → $ 18
  - [0,3] → $ 24
- Alternativa 2 → [0,2] → nó 3:
  - → $ 25
  - → $ 20
  - [0,4] → $ 30
  - [0,5] → $ 26
  - [0,3] → $ 20

19. Uma indústria atingiu sua capacidade plena. A empresa precisa construir uma segunda planta, pequena ou grande, em um local próximo. A demanda tem probabilidade de ser alta ou baixa. A probabilidade de baixa demanda é 0,3. Se a demanda for baixa, a planta grande terá um valor presente de cinco milhões de dólares, e a pequena, de oito milhões de dólares. Se a demanda for alta, a planta grande será paga com um valor presente de 18 milhões de dólares e a pequena apresentará um valor de apenas 10 milhões. Entretanto a planta pequena pode ser ampliada depois, se a demanda se tornar alta, para um valor presente de 14 milhões de dólares.

a. Desenhe uma árvore de decisão para este problema.
b. O que a direção deve fazer para alcançar o payoff esperado mais alto?

20. Benjamin Moses, engenheiro-chefe da Offshore Chemicals, Inc., precisa decidir se deve construir uma planta de processamento com base em uma tecnologia experimental. Se a nova planta funcionar, a empresa realizará um lucro líquido de 20 milhões de dólares. Se falhar, ela perderá 10 milhões. O melhor palpite de Benjamin é que há 40 por cento de chance de que a nova planta funcionará.

Qual decisão Benjamin Moses deve tomar?

▬ REFERÊNCIAS SELECIONADAS ▬

BONINI, Charles P., HAUSMAN Warren H. e BIERMAN Harold, Jr. *Quantitative analysis for management*. Burr Ridge Parkway, IL: Irwin/McGraw-Hill, 1996.

CLEMEN, Robert T. *Making hard decisions: An introduction to decision analysis*. Boston: PWS-Kent, 1991.

2

OBJETIVOS DE APRENDIZAGEM

Depois de ler este capítulo, você será capaz de:

1. Definir uma estratégia de operações.

2. Identificar as nove diferentes prioridades competitivas usadas em estratégias de operações.

3. Listar as etapas do novo processo de desenvolvimento do serviço ou produto.

4. Descrever o papel da estratégia de operações como fonte de força competitiva em um mercado global.

5. Explicar como se pode ligar a estratégia de marketing à estratégia de operações por meio das prioridades competitivas.

6. Explicar como um padrão de decisões sobre processos e cadeia de valor é usado para desenvolver as competências para atingir as prioridades competitivas.

Um cliente escolhe músicas para gravar em um CD enquanto outro pede um café na Starbucks em Santa Mônica, Califórnia.

Capítulo 2
Estratégia de operações

A STARBUCKS

Quer tomar um café? Quer algo especial, como um expresso ou um *cappuccino*? Então talvez devamos ir ao Starbucks, como fazem milhões de outras pessoas. Quem poderia imaginar que alguém pudesse transformar um produto trivial como um café em um luxuoso produto de consumo? O empresário Howard Schultz fez isso 15 anos atrás, quando comprou uma cadeia de 17 lojas em Seattle e a transformou em sucesso mundial. Em 2005, a rede possuía 9.571 pontos de venda em 28 países. O crescimento médio do lucro alcançou fenomenais 30 por cento ao ano. Ao que tudo indica, alguma coisa especial está acontecendo.

Qual é o segredo desse desempenho extraordinário? Muito dele tem a ver com a estratégia de serviço da Starbucks. Pense no que você recebe quando compra na Starbucks. Certamente você tem a opção de escolher entre cafés exóticos, *lattes*, *cappuccino* ou expresso. Você pode, também, comprar um sanduíche, uma sobremesa, um CD de seu artista favorito ou até um pacote de café para uma ocasião especial. Para acelerar o serviço, você pode optar por uma máquina automática de café expresso ou um cartão pré-pago da Starbucks. Em algumas lojas, você pode até usar o serviço Starbucks Express, que usa tecnologia de banda larga da internet a fim de oferecer um serviço mais veloz. Os clientes podem pedir e pagar bebidas e doces por telefone ou no site da Starbucks, e o pedido estará disponível para ser retirado. Em cerca de 1.200 pontos de venda nos Estados Unidos e na Europa, você pode acessar a Internet enquanto saboreia seu java (café da ilha de Java). Também tem o ambiente luxuoso, ou 'hip' (como dizem alguns clientes), que estimula a conversa e a socialização, além do serviço atencioso do quadro de 'baristas'.

A estratégia da Starbucks vai além dos serviços e produtos oferecidos aos clientes. A empresa gosta de agrupar lojas em um bom mercado para aumentar a renda total e a participação nesse mercado, porque é mais barato administrar lojas localizadas próximas umas das outras. Por exemplo, há uma loja Starbucks para cada 9.400 pessoas em Seattle. Os 62 quilômetros quadrados de Manhattan abrigam 124 lojas Starbucks, cerca de uma loja para cada 12.000 pessoas. A Starbucks é capaz de projetar e abrir uma nova loja em 16 semanas ou menos e recuperar o investimento inicial em três anos.

Embora o modelo de negócios da Starbucks tenha tido sucesso, ele enfrenta alguns desafios. Por exemplo, para manter seu crescimento em um mercado doméstico saturado, ela depende de mercados internacionais. A expansão global oferece riscos, e o menor deles não é a baixa lucratividade por loja. A maior parte das lojas internacionais são operadas por sócios, o que reduz a participação da Starbucks nos lucros.

Além disso, o perfil dos clientes está mudando. O sucesso da cadeia foi amplamente construído sobre os *baby boomers*.[1] Uma nova geração de jovens clientes em potencial é mais avessa ao poder e à imagem da marca Starbucks e é indiferente à imagem de sofisticados bebedores de café com leite e admiradores de rock estridente. Café a três dólares por xícara não é uma grande atração e isso faz com que eles se sintam indesejados nas lojas da Starbucks, onde as únicas pessoas que são como eles estão atrás do balcão. O modelo de negócios depende também de empregar muitos trabalhadores com salários baixos. Mantê-los felizes é o segredo do sucesso dos serviços oferecidos nas lojas Starbucks — um desafio importante em um ambiente que tradicionalmente oferece salários baixos em longas e árduas horas de trabalho.

Muitas das inovações que a Starbucks está fazendo em lojas selecionadas são projetadas para atrair a nova geração de clientes. As empresas de sucesso precisam avaliar constantemente suas estratégias e atualizar os produtos e serviços que oferecem para refletir as mudanças na faixa demográfica e nos desejos dos clientes.

Fonte: Stanley Holmes, "Planet Starbucks", *Business Week*, 9 set. 2002, p. 100-110. Disponível em: <www.starbucks.com>, 2004.

---

[1] Geração de indivíduos que nasceram após a geração da década de 1960 (Guerra do Vietnã). Pesquisas indicaram um alto índice de natalidade nesse período, como resultado do retorno dos combatentes de guerra a seus lares. (N. T.)

O impressionante crescimento da Starbucks é um bom exemplo de estratégia de operações orientada para o cliente. Seus processos essenciais concentram-se em atividades críticas, que vão da aquisição de grãos de café selecionados ao fornecimento de uma variedade de bens e serviços para satisfazer os clientes. Os desafios gerenciais aumentam à medida que os clientes desejam mudanças, exigindo que os gerentes repensem a estratégia que, historicamente, os levou ao sucesso e redesenhem os processos para apoiar a nova direção.

Neste capítulo, tratamos da **estratégia de operações**, que especifica a maneira como as operações implementam a estratégia corporativa e ajudam a construir uma empresa orientada para o cliente. A estratégia de operações liga decisões de operações a longo e a curto prazos à estratégia corporativa e desenvolve as capacidades que a empresa precisa para ser competitiva. Como veremos em todo este livro, ela é a essência do gerenciamento de processos e cadeias de valor. Os processos internos de uma empresa são apenas blocos de construção: eles precisam ser organizados para finalmente serem eficazes em um ambiente competitivo. A estratégia de operações é o fulcro que une esses processos para formar cadeias de valor que se estendem para além das paredes da empresa, abrangendo fornecedores e clientes.

Nenhuma empresa entende tanto do valor da estratégia de operações quanto a Dell, Inc. À medida que o computador pessoal (PC) tornou-se mais um objeto de utilidade, a Dell entendeu que os clientes queriam um produto confiável, barato e que fosse entregue em um prazo curto. Como se pode conseguir entrega rápida sem gerar montanhas de estoques esperando pelo próximo pedido? Se você tem grandes estoques, como pode manter os custos baixos? A resposta da Dell foi recriar seus processos de relacionamento com o cliente, atendimento de pedidos e relacionamento com fornecedores para se tornar uma cadeia de valor integrada e ágil.

Na fábrica da Dell em Nashville, os pedidos on-line vão diretamente para robôs da linha de montagem, que encontram todas as peças para montar um PC customizado, de acordo com o pedido do cliente. O sistema instala o software automaticamente nos discos rígidos e testa as máquinas antes que outro grupo de robôs os coloque nas embalagens para serem embarcadas. Tal façanha não poderia ser realizada sem que fossem refeitos os processos de relacionamento com o cliente (especialmente o subprocesso de recebimento de pedido) e o processo de relacionamento com fornecedores (especialmente os processos logísticos que permitem uma íntima coordenação da entrada de componentes e a saída de entregas para clientes). Preços, pacotes promocionais, características do produto e coisas semelhantes podem dar a uma empresa uma vantagem a curto prazo, mas são as operações da empresa que propiciam uma vantagem a longo prazo, porque elas são difíceis de copiar, como a Dell — e a Starbucks — descobriram.

USANDO OPERAÇÕES PARA COMPETIR

Operações como arma competitiva
Estratégia de operações
Administração de projetos

ADMINISTRANDO PROCESSOS

Estratégia de processo
Análise de processos
Desempenho e qualidade do processo
Administração das restrições
Layout do processo
Sistemas de produção enxuta

ADMINISTRANDO CADEIAS DE VALOR

Estratégia de cadeia de suprimentos
Localização
Administração de estoques
Previsão de demanda
Planejamento de vendas e operações
Planejamento de recursos
Programação

ESTRATÉGIA DE OPERAÇÕES POR TODA A ORGANIZAÇÃO

Durante a implementação da estratégia de operações, é necessário que haja uma contínua interação interfuncional. Por exemplo, o gerente de operações da Starbucks precisa de informações do marketing para determinar a capacidade que deve ser planejada para uma nova loja, e deve trabalhar com o financeiro em relação aos prazos e aos investimentos necessários para ela. Ao identificar as competências operacionais necessárias para o futuro, os gerentes de operações devem trabalhar muito próximos aos gerentes de outras áreas funcionais.

A estratégia corporativa vê a organização como um sistema de partes ou áreas funcionais interconectadas, cada uma funcionando em harmonia com as outras para atingir os objetivos desejados. A estratégia de operações, que apóia a estratégia corporativa, também precisa estar muito próxima às áreas funcionais. Uma área-chave é a de *sistemas de informação gerencial*, que projeta os sistemas que provêem dados de mercado e informações da concorrência em um ambiente global. A estratégia de operações especifica a estratégia geral de serviço ou fabricação e envolve um padrão de decisões que afetam os processos, sistemas e procedimentos da empresa. Conseqüentemente, quando o marketing quer criar um novo serviço ou produto, deve-se coordenar com operações para assegurar que a empresa possua capacidade para apoiar o novo empreendimento. O lançamento de novos serviços ou produtos sem a devida capacidade para produzi-los pode resultar em um desempenho muito fraco.

Com freqüência, são necessários novos investimentos para sustentar novos empreendimentos ou para aprimorar as operações existentes. Uma estratégia de operações que requer investimentos em novos equipamentos e outros suportes financeiros para melhorias deve ser coordenada com finanças. Além disso, a área de finanças está interessada na estratégia de operações porque esta última afeta a capacidade de a empresa gerar receitas e, conseqüentemente, contribuir para o seu desempenho.

Invariavelmente as estratégias de operações envolvem o projeto de novos processos ou o redesenho dos já existentes. A engenharia trabalha com operações para desenvolver projetos que satisfaçam as prioridades competitivas apropriadas e ela também se envolve profundamente no projeto de novos serviços e produtos; e deve fazer isso levando em consideração a competência da empresa para produzi-los.

DESENVOLVENDO UMA ESTRATÉGIA DE OPERAÇÕES ORIENTADA PARA O CLIENTE

O desenvolvimento de uma estratégia de operações orientada para o cliente começa com uma *estratégia corporativa*, que coordena os objetivos gerais da empresa com seus processos essenciais (veja a Figura 2.1). Ela determina os mercados que a empresa atenderá e as reações que as mudanças no ambiente terão, fornece os recursos para desenvolver as competências e os processos essenciais da empresa e identifica a estratégia que será empregada nos mercados internacionais. Com base na estratégia corporativa, uma *análise de mercado* categoriza os clientes da empresa, identifica suas necessidades e avalia as forças dos concorrentes. Essas informações são usadas para desenvolver as *prioridades competitivas*, as quais ajudam os gerentes a desenvolver serviços ou produtos e processos necessários para tornar a empresa competitiva no mercado. As prioridades competitivas são importantes para o projeto de novos serviços ou produtos, para os processos de produção e entrega e para a estratégia de operações que desenvolverá as competências da empresa para satisfazê-los. O desenvolvimento da estratégia de operações de uma empresa é um processo contínuo porque as competências da empresa para fazer frente às prioridades competitivas devem ser periodicamente verificadas e qualquer falha de desempenho deve ser considerada na estratégia de operações. Mais adiante, neste capítulo, discutiremos a análise de mercado e as prioridades competitivas com mais detalhes.

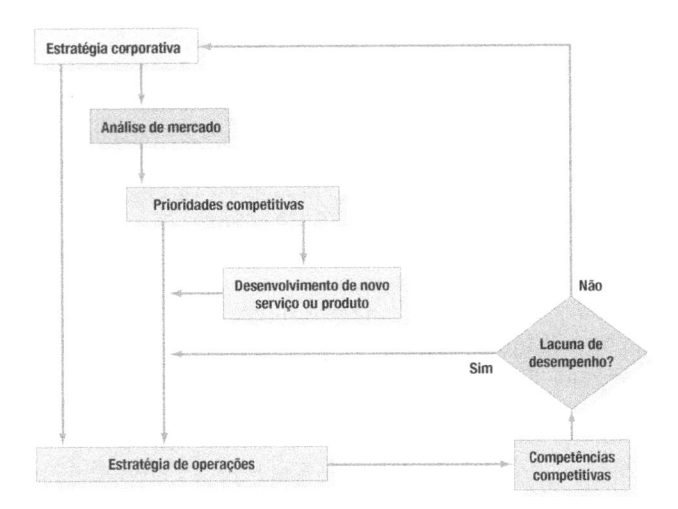

Figura 2.1 Prioridades competitivas: ligação entre estratégia corporativa e estratégia de operações

ESTRATÉGIA CORPORATIVA

A estratégia corporativa oferece uma direção geral que serve de estrutura para a realização de todas as funções da organização. Ela especifica em qual negócio ou negócios a empresa investirá, identifica novas oportunidades e ameaças do ambiente e define os objetivos de crescimento.

O desenvolvimento de uma estratégia corporativa envolve três considerações: (1) efetuar controles e ajustes em função de mudanças no ambiente empresarial, (2) identificar e desenvolver as capacitações essenciais da empresa e (3) desenvolver os processos essenciais da empresa.

Investigação do ambiente O ambiente empresarial externo, no qual uma empresa concorre, muda continuamente e a organização precisa se adaptar a essas mudanças. A adaptação começa com a *investigação do ambiente*, processo pelo qual os gerentes monitoram as tendências do ambiente, seja na indústria, seja no mercado ou na sociedade, em busca de oportunidades ou ameaças potenciais. Um motivo decisivo para realizar a investigação do ambiente é manter-se à frente da concorrência. Os concorrentes podem ganhar vantagem ao ampliar as linhas de serviços ou produtos, melhorar a qualidade ou diminuir os custos. Novos competidores que oferecem substitutos para o serviço ou produto de uma empresa podem ameaçar a continuidade da lucratividade. Outras preocupações ambientais importantes incluem tendências econômicas, mudanças tecnológicas, condições políticas, mudanças sociais (como as atitudes em relação ao trabalho) e a disponibilidade de recursos vitais. Por exemplo, as montadoras de automóveis reconhecem que a diminuição das reservas de petróleo exigirá o uso de combustíveis alternativos. Por conseqüência, elas têm desenvolvido protótipos de carros que utilizam hidrogênio ou eletricidade para substituir a gasolina como combustível.

Competências essenciais Uma boa habilidade gerencial por si só não é suficiente para enfrentar as mudanças ambientais. As empresas alcançam sucesso ao obter vantagem daquilo que fazem particularmente bem, isto é, explorar seus pontos fortes exclusivos. As **competências essenciais** ou competências centrais são os recursos e pontos fortes exclusivos que a gerência de uma organização considera ao formular estratégias. Elas refletem o conhecimento coletivo da organização, principalmente de como coordenar processos e integrar tecnologias. Essas competências incluem o seguinte:

1. *Equipe de trabalho*: uma equipe de trabalho bem treinada e flexível permite que as organizações respondam às necessidades do mercado em tempo hábil. Essa competência é especialmente importante nas empresas de serviços, nas quais os clientes entram em contato direto com os funcionários.

2. *Instalações*: possuir instalações bem localizadas (escritórios, lojas e fábricas) é uma vantagem primordial por causa do longo tempo necessário para a construção de novas instalações. Além disso, instalações flexíveis, que podem lidar com uma variedade de serviços ou produtos para diferentes níveis de volume, proporcionam uma vantagem competitiva.

3. Know-how *mercadológico e financeiro*: uma organização que consegue atrair facilmente capital pela venda de ações, comercializar e distribuir seus serviços ou produtos ou diferenciá-los de similares no mercado possui uma vantagem competitiva.

4. *Sistemas e tecnologia*: as organizações especializadas em sistemas de informação terão vantagem competitiva em mercados que produzem um alto volume de informações, como o setor bancário. O domínio de tecnologias e aplicações da Internet, como os sistemas *business-to-consumer* (B2C) e *business-to-business* (B2B) é particularmente vantajoso. Possuir a patente de uma nova tecnologia também é uma grande vantagem.

Processos essenciais As competências essenciais de uma empresa devem determinar seus processos essenciais. No Capítulo 1, "Operações como arma competitiva", vimos quatro processos essenciais: relacionamento com o cliente, desenvolvimento de novo serviço ou produto, atendimento de pedido e relacionamento com fornecedores. Muitas empresas possuem os quatro processos. Muitas outras se concentram em um subconjunto deles para poder combinar melhor suas competências essenciais. No setor de jornais, por exemplo, esses quatro processos já estiveram estreitamente integrados.

Normalmente um jornal atraía seus próprios clientes — tanto leitores quanto patrocinadores (relacionamento com o cliente). Ele desenvolvia a maior parte de seu produto — as notícias impressas em suas páginas (desenvolvimento de novo serviço ou produto) e administrava seus próprios processos de produção, entrega e suprimentos (atendimento de pedidos e relacionamento com fornecedores). Muitas empresas desse setor achavam difícil ser boas (eficientes) em todos os quatro processos e ainda competitivas. Hoje, boa parte do produto típico de um jornal é terceirizado para agências de notícias, colunistas sindicalizados e editores de encartes de revistas especializadas. Além disso, muitos jornais não realizam mais o processo de atendimento de pedido, deixando os processos que empregam intensivamente o capital, como impressão e entrega, para empresas especializadas. Toda essa terceirização permite que os jornais se concentrem no processo de relacionamento com o cliente (ajudando a ligar leitores a anunciantes) e em uma parte do processo de desenvolvimento de novos serviços ou produtos (editar o jornal diário e desenvolver artigos de interesse local).

Situação semelhante ocorre no setor bancário, principalmente na área de cartões de crédito. As empresas se especializam em procurar clientes e manter relacionamento com eles. Por exemplo, o programa de cartão de crédito da American Airlines se estende e consegue uma afinidade especial com clientes por meio de seu banco de dados de marketing. Empresas especializadas em cartões de crédito, como a CapitalOne, concentram-se em inovações de serviço criando programas com novas características e preços. Finalmente, muitas empresas estão assumindo o processo de atendimento de pedidos administrando o processamento de transações com cartões de crédito e as centrais de atendimento. O ponto importante é que todas as empresas precisam avaliar suas competências essenciais e optar por se concentrar nos processos que proporcionam a maior força competitiva.

ESTRATÉGIAS GLOBAIS

Atualmente, a identificação de oportunidades e ameaças exige uma perspectiva global. Uma estratégia global pode incluir a compra de serviços ou peças no exterior, o combate a ameaças de concorrentes estrangeiros ou o planejamento dos modos de entrada nos mercados que estão além das fronteiras nacionais tradicionais. Embora seja necessário proteger-se contra ameaças de concorrentes globais, as empresas deveriam também buscar ativamente a penetração em mercados estrangeiros. Duas estratégias globais eficazes são: as alianças estratégicas e a localização no exterior.

Alianças estratégicas Uma maneira de uma empresa ingressar em mercados estrangeiros é criar uma *aliança estratégica*. Aliança estratégica é um acordo com outra empresa que pode assumir uma de três formas. Uma forma de aliança estratégica é o *esforço colaborativo*, que surge, muitas vezes, quando uma empresa possui competências essenciais das quais uma outra necessita, mas não está disposta (ou é incapaz) de desenvolvê-las. Esses acordos surgem comumente das relações entre comprador e fornecedor.

Uma outra forma de aliança estratégica é a *joint venture*, por meio da qual duas empresas concordam em produzir conjuntamente um produto ou serviço. Essa abordagem muitas vezes é utilizada pelas empresas para obter acesso a mercados estrangeiros. Por exemplo, para poder atuar no grande mercado chinês, a GM e a VW desenvolveram *joint ventures* com a Shangai Automotive Indutry Corp. ou SAIC.[2] Esse parceiro chinês é uma grande montadora de automóveis que produz mais de 600.000 carros juntamente com a GM e a VW.

Finalmente, o *licenciamento da tecnologia* é a terceira forma de aliança estratégica por meio da qual uma empresa licencia a outra seus métodos de produção ou de serviços. As licenças podem ser usadas para obter acesso a mercados estrangeiros.

Localização no exterior Outra maneira de ingressar nos mercados globais consiste em sediar as operações em um país estrangeiro. No entanto, os gerentes precisam reconhecer que ações que dão certo em seu país de origem podem não gerar bons resultados em outros. O ambiente econômico e político ou as necessidades dos clientes podem ser significativamente diferentes. Por exemplo, o McDonald's é conhecido pela consistência de seus produtos — um Big Mac possui praticamente as mesmas características e sabor em qualquer lugar do mundo. Entretanto, uma rede de restaurantes de propriedade de uma família, a Jollibee Foods Corporation, tornou-se a principal rede de *fast-food* nas Filipinas. A Jollibee atende à preferência local por sabores doces e picantes, que ela incorporou no preparo de frango frito, espaguete e hambúrgueres. O ponto forte da Jollibee é seu conhecimento das preferências locais, e ela afirma que seu hambúrguer é semelhante ao que um filipino prepararia em casa. O McDonald's reagiu introduzindo seu próprio hambúrguer condimentado no estilo filipino, porém a concorrência é acirrada. A experiência do McDonald's demonstra que, para que sejam bem-sucedidas, as estratégias corporativas precisam levar em conta costumes, preferências e condições econômicas em outros países.

A decisão de expandir-se internacionalmente é fundamental para o projeto de cadeias de valor porque afeta o fluxo de materiais, informações e funcionários na sustentação dos processos essenciais da empresa. Veja o Capítulo 10, "Estratégia de cadeia de suprimentos" e o Capítulo 11, "Localização", para obter mais detalhes sobre essas e outras implicações.

ANÁLISE DE MERCADO

Um elemento-chave para o sucesso na formulação de uma estratégia de operações orientada para o cliente, tanto para empresas de serviços quanto para indústrias, é entender *o que* o cliente deseja e *como entregar* o que ele deseja. A *análise de mercado*, primeiramente, classifica os clientes da empresa em segmentos de mercado e depois identifica as necessidades de cada segmento. Nesta seção, examinamos o processo de análise de mercado e definimos e discutimos os conceitos de segmentação de mercado e avaliação das necessidades.

Segmentação de mercado A *segmentação de mercado* é o processo de identificação de grupos de clientes com pontos em comum suficientes para garantir o projeto e o fornecimento de serviços ou produtos que o grupo deseja e necessita. Para identificar segmentos de mercado, o analista precisa determinar as características que diferenciam claramente cada segmento. A empresa pode então criar um programa de marketing consistente e uma estratégia operacional eficaz para apoiá-lo. Por exemplo, a Gap, Inc., uma grande fornecedora de roupas informais, tem como público-alvo adolescentes e jovens adultos, para suas lojas GapKids, os pais ou responsáveis por crianças de até 12 anos de idade. No passado, os gerentes encaravam os clientes como um mercado de massa homogêneo. Agora eles percebem que dois clientes podem usar o mesmo produto por motivos diferentes. Identificar os fatores-chave de cada segmento de mercado é o ponto de partida para a concepção de uma estratégia de operações orientada para o cliente.

Avaliação das necessidades O segundo passo da análise de mercado consiste em fazer uma *avaliação das necessidades*, que identifica as necessidades de cada segmento e avalia com que eficiência os concorrentes estão atendendo essas necessidades. Cada segmento de mercado possui necessidades que podem ser relacionadas ao serviço ou produto e a sua cadeia de valor. As necessidades de mercado, que deveriam incluir os atributos e as características tangíveis e intangíveis dos serviços e dos produtos que os clientes desejam, podem ser agrupadas como segue:

- *Necessidades de serviço ou produto*: atributos do serviço ou produto, como preço, qualidade e grau de personalização.

- *Necessidades do sistema de entregas*: atributos dos processos e dos sistemas de apoio e recursos necessários para a entrega do serviço ou produto, como disponibilidade, conveniência, cortesia, segurança, precisão, confiabilidade, rapidez e confiabilidade de entrega.

- *Necessidades de volume*: atributos da demanda para o serviço ou produto, como grande ou pequeno volume, grau de variabilidade e de previsibilidade do volume.

- *Outras necessidades*: outros atributos, como reputação e número de anos em atividade, suporte técnico pós-venda, habilidade para investir nos mercados financeiros internacionais e serviços jurídicos competentes.

Uma vez feita essa avaliação, a empresa pode incorporar as necessidades dos clientes ao projeto do serviço

---

[2] Alex Taylor, "Shanghai auto wants to be the world's next great car company", *Fotune*, 4 out. 2004, p. 103-110. (N. T.)

ou produto e da cadeia de valor que deverá fornecê-lo. Discutiremos essas necessidades de mercado mais adiante, quando explorarmos o desenvolvimento de novos serviços ou produtos.

PRIORIDADES E COMPETÊNCIAS COMPETITIVAS

Uma estratégia de operações orientada para o cliente requer um esforço interfuncional de todas as áreas da empresa para compreender as necessidades dos clientes externos e especificar as competências operacionais que a empresa precisa para superar seus concorrentes. Essa estratégia trata também das necessidades dos clientes internos, porque o desempenho geral da empresa depende do desempenho de seus processos centrais e de apoio. As **prioridades competitivas** são as dimensões operacionais críticas que um processo ou cadeia de valor deve possuir para satisfazer clientes internos ou externos, tanto no presente quanto no futuro.

Enfatizamos nove dimensões competitivas amplas, que podem ser divididas em quatro grupos:

Custo	1. Operações de baixo custo
Qualidade	2. Qualidade superior
	3. Qualidade consistente
Tempo	4. Rapidez da entrega
	5. Entrega no prazo
	6. Velocidade de desenvolvimento
Flexibilidade	7. Personalização
	8. Variedade
	9. Flexibilidade de volume

As prioridades competitivas são planejadas para os processos e para as cadeias de valor criadas a partir delas. Elas são habilidades que devem estar presentes para manter ou construir a participação no mercado ou para permitir que outros processos internos tenham sucesso. Nem todas as nove dimensões são críticas para um determinado processo; a gerência seleciona as que são mais importantes. As **competências competitivas** são as dimensões custo, qualidade, tempo e flexibilidade que um processo ou cadeia de valor realmente possui e é capaz de entregar. Quando a competência não tem uma prioridade anexada, a direção deve encontrar meios para preencher a lacuna ou então rever a prioridade. Mais adiante, neste capítulo, temos mais a dizer sobre o preenchimento do *gap*.

Uma empresa é composta por muitos processos que precisam ser coordenados como uma cadeia de valor para proporcionar ao cliente externo o resultado geral desejável. Para ligar à estratégia corporativa, a gerência designa prioridades competitivas selecionadas para cada processo (e a cadeia de valor criada a partir delas) que sejam consistentes com as necessidades tanto dos clientes externos quanto dos internos. A gerência comunica, dessa forma, o nível de importância que atribui a certas capacidades para cada cadeia de valor ou processo.

CUSTO

A redução de preços pode aumentar a demanda por serviços ou produtos, mas também reduz as margens de lucro, se o produto ou serviço não puder ser produzido com custo menor. As **operações de baixo custo** prestam um serviço ou fabricam um produto com o menor custo possível que satisfaça os clientes externos ou internos do processo ou cadeia de valor. Para reduzir custos, os processos devem ser projetados e operados de modo a torná-los eficientes, usando rigorosa análise de processos que abrange equipe de trabalho, métodos, refugo ou retrabalho, custos fixos e outros fatores para baixar o custo por unidade do serviço ou produto. Muitas vezes, a redução dos custos exige um processo completamente novo, que pode exigir novos investimentos e novas instalações ou tecnologias. A seção Prática Gerencial 2.1 mostra como a Costco usa a prioridade de operações de baixo custo (juntamente com outras prioridades competitivas) para obter vantagem estratégica.

QUALIDADES

Qualidade é uma dimensão de um serviço ou produto que é definida pelos clientes. Duas importantes prioridades competitivas lidam com a qualidade: qualidade superior e qualidade consistente.

Qualidade superior **Qualidade superior** é prestar um excelente serviço ou fornecer um excelente produto. Essa prioridade pode exigir um alto nível de contato com o cliente e altos níveis de assistência, cortesia e disponibilidade dos prestadores de um processo de serviço. Por outro lado, ela pode requerer um processo de fabricação do produto com características excepcionais, baixas tolerâncias e maior durabilidade. Os processos que fornecem qualidade superior precisam ser projetados de acordo com requisitos mais exigentes. Por exemplo, tanto o Club Med quanto um hotel sem recursos supérfluos oferecem quarto, cama e banheiro para seus hóspedes. Entretanto, os processos do Club Med (os resorts com tudo incluído: diversão, jantar, recreação e processos hoteleiros) têm requisitos muito mais exigentes para o serviço prestado ao cliente que o hotel sem supérfluos. No caso da Ferrari e da Isuzu, ambas fornecem veículos que podem levar você de um lugar para outro; no entanto, a diferença do passeio salta aos olhos. Alguém contestaria a afirmação de que os processos da Ferrari precisam lidar com características superiores de produto e requisitos mais exigentes?

> **PRÁTICA GERENCIAL 2.1 USANDO OPERAÇÕES PARA OBTER LUCRO NA COSTCO**
>
> Está procurando ofertas de produtos que variam desde melancias até pianos de cauda para crianças? Uma empresa que atende a essas necessidades é a Costco, uma atacadista norte-americana com 446 lojas que geram receita anual de 47 bilhões de dólares. Seu concorrente mais próximo é o Sam's Club, da Wal-Mart, cujas 170 lojas a mais geram 13 bilhões de dólares a menos em receita anual. Clientes individuais e corporativos pagam a Costco de 45 a 100 dólares por ano para se tornarem membros e ter o privilégio de comprar mercadorias básicas em grande quantidade e outros itens selecionados com grandes descontos.
>
> O que faz a Costco ter tanto sucesso? Ela vincula as necessidades de seus clientes às suas operações, desenvolvendo uma estratégia de operações que apóia seu conceito de varejo. As prioridades competitivas da Costco são custos operacionais baixos, qualidade e flexibilidade. Uma visita a uma das lojas da Costco mostrará como essas prioridades competitivas se manifestam.
>
> **Operações de baixo custo**
> Os preços baixos da Costco são possíveis porque os processos são projetados para ser eficientes. A loja é, na verdade, um armazém. Os produtos são empilhados em *palets* com pouca sinalização. Novos produtos podem substituir os velhos facilmente. Além disso, os gerentes da Costco são negociadores difíceis e pressionam os preços dos fornecedores porque compram em grande quantidade. É esperado que os fornecedores alterem os turnos da fábrica para produzir pacotes montados especialmente, que são maiores, porém, mais baratos por unidade. As margens de lucro da Costco são baixas, mas os lucros anuais são elevados por causa do grande volume.
>
> **Qualidade**
> Os clientes não estão procurando atendimento, mas sim um alto valor. Além dos preços baixos, a Costco reforça tudo o que vende com uma garantia de devolução de qualquer produto a qualquer momento. Os clientes confiam na Costco, que teve um índice de renovação de 86 por cento de seus associados — o maior no setor. Para apoiar a necessidade de alto valor, as operações precisam assegurar que os produtos sejam de alta qualidade e não apresentem defeitos quando expostos na loja.
>
> **Flexibilidade**
> Um dos principais aspectos das operações da Costco é o fato de ela manter em uma loja típica somente 4.000 itens cuidadosamente selecionados, ao passo que um supermercado da rede Wal-Mart mantém 125.000 itens. No entanto, os itens mudam freqüentemente para proporcionar aos clientes que retornam um elemento 'surpresa' na experiência de compra. Os processos precisam ser flexíveis para comportar um arranjo físico dinâmico da loja. Além disso, a cadeia de suprimentos precisa ser administrada com cuidado, porque os produtos estão mudando constantemente.
>
> *Fonte*: "Inside the cult of Costco", *Fortune*, 6 set. 1999, p. 184-190; Disponível em: <www.hoovers.com>, 2004; <www.costco.com>, 2004; e <www.samsclub.com>, 2004.

Qualidade consistente Qualidade consistente é produzir serviços ou produtos que satisfaçam as especificações do projeto de maneira consistente. Os clientes externos querem serviços ou produtos que satisfaçam sistematicamente as especificações que eles contrataram, esperavam ou viram anunciadas. Por exemplo, os clientes de bancos esperam que o processo de contas bancárias não cometa erros quando registra as transações. Os clientes de uma fundição esperam que a peça fundida obedeça as tolerâncias de comprimento, diâmetro e acabamento da superfície. Os clientes internos também querem consistência nos produtos de fornecedores internos ou externos. O departamento pessoal precisa da quantidade correta de horas que cada funcionário de cada um dos outros departamentos trabalhou e o departamento de compras precisa de materiais de qualidade consistente dos fornecedores. Para concorrer com base na qualidade consistente, os gerentes precisam projetar e controlar processos para reduzir os erros.

TEMPO

Conforme diz o provérbio, 'tempo é dinheiro'. Algumas empresas realizam negócios com a 'velocidade da Internet', ao passo que outras prosperam cumprindo sistematicamente os prazos de entrega. Três prioridades competitivas relacionam-se ao tempo: rapidez da entrega, entrega pontual e velocidade de desenvolvimento.

Rapidez da entrega Rapidez da entrega é atender prontamente o pedido de um cliente. A rapidez da entrega muitas vezes é medida pelo tempo decorrido entre o recebimento do pedido de um cliente e seu atendimento, freqüentemente chamado de **tempo de espera**. A rapidez da entrega pode ser aumentada pela redução dos tempos de espera. Um tempo de espera aceitável pode ser de minutos para uma ambulância, horas para um relatório do departamento jurídico, várias semanas para uma cirurgia programada e um ano para uma máquina complexa fabricada sob encomenda. Uma maneira de reduzir os tempos de espera é ter capacidade de produção ociosa. Os processos de fabricação, às vezes, têm outra maneira, que é o armazenamento de produtos.

Entrega pontual Entrega pontual (ou pontualidade) é o cumprimento dos prazos de entrega. Por exemplo, uma empresa aérea pode medir a entrega pontual como a porcentagem de vôos que chegam ao portão dentro de 15 minutos da hora de chegada programada. Os fabricantes podem avaliar a entrega pontual como a porcentagem dos pedidos dos clientes despachados na data prometida, sendo 95 por cento freqüentemente considerada a meta. A entrega pontual é importante para muitos processos, principalmente os processos *just-in-time* (dentro do prazo, na hora certa), em que os insumos são necessários em momentos específicos (veja o Capítulo 9, "Sistemas de produção enxuta").

Velocidade de desenvolvimento A **velocidade de desenvolvimento** é a rapidez com a qual a empresa introduz um novo serviço ou produto. Ela é medida pelo tempo decorrido entre o surgimento da idéia até o projeto final e a introdução do serviço ou produto. Alcançar uma alta velocidade de desenvolvimento requer um alto nível de coordenação interfuncional. Às vezes, fornecedores externos críticos são chamados para participar do processo. Lançar o novo serviço ou produto no mercado, em primeiro lugar, proporciona à empresa uma vantagem na competição difícil de ultrapassar e pode envolver conexões internacionais. Por exemplo, a Limited pode ter a idéia de um novo suéter, desenhá-lo, mandar o desenho para Hong Kong, onde ele é produzido, enviá-lo de volta para os Estados Unidos e colocá-lo nas prateleiras das lojas em menos de 25 semanas.

Concorrência baseada no tempo Muitas empresas se concentram nas prioridades competitivas de rapidez de entrega e de desenvolvimento de seus processos, uma estratégia denominada **concorrência baseada no tempo**. Para implementar essa estratégia, os gerentes definem cuidadosamente os passos e o tempo necessários para prestar um serviço ou produzir um produto e depois analisam criticamente cada passo para determinar se é possível economizar tempo sem prejudicar a qualidade. Na Parte 2, "Administração de processos", fornecemos a estrutura e as ferramentas para analisar processos com a finalidade de melhorar o desempenho para qualquer uma das prioridades competitivas, inclusive as que estão relacionadas com tempo.

FLEXIBILIDADE

Flexibilidade é uma característica dos processos de uma empresa que permite que ela reaja com rapidez e eficiência às necessidades do cliente. Alguns processos necessitam de um ou mais dos seguintes tipos de flexibilidade: personalização, variedade e flexibilidade de volume.

Personalização **Personalização** é a satisfação das necessidades específicas de cada cliente, mediante a modificação dos projetos de serviços ou produtos. Por exemplo, o projeto de propaganda e planejamento em uma agência deve ser capaz de corresponder às necessidades das propagandas (ou dos anúncios) dos clientes, quando as solicitações podem ir desde um comercial para vender caixas de areia para gatos, mostrando um bando de felinos perambulando, até uma campanha de serviço público para informar sobre os perigos de ser fumante passivo.

Normalmente a personalização, ou 'customização', ou adaptação ao gosto, ou necessidades pessoais, pressupõe que o serviço ou produto é de baixo volume. Entretanto, algumas exceções podem ser feitas a essa generalização. Por exemplo, o projeto de um frasco plástico personalizado para um fabricante de xampu pode ser produzido em grandes volumes até que o desenho do frasco seja mudado. Não obstante, os processos com a prioridade de personalização devem ser capazes de funcionar em íntima conexão (proximidade) com seus clientes (externos ou internos) e então dedicar seus recursos a necessidades exclusivas dos seus clientes. A seção Prática Gerencial 2.2 mostra como a necessidade de altos graus de adaptação dos processos de uma empresa envolve modificações causadas por alterações no projeto dos produtos e longos tempos de espera.

Variedade **Variedade** é a capacidade de lidar com uma ampla gama de serviços ou produtos com eficiência. A variedade difere da personalização, uma vez que os serviços ou produtos não são necessariamente exclusivos para clientes específicos e podem ter demandas repetitivas. Por exemplo, a Amazon.com tem um processo de relacionamento com o cliente que permite que eles acessem os milhares de serviços e produtos pela Internet. Um processo de fabricação que produz uma diversidade de partes de mesas, cadeiras e armários tem uma prioridade de variedade. Os processos com prioridade de variedade devem se concentrar nas necessidades dos clientes internos e externos e mudar o foco com eficiência entre uma variedade de serviços ou produtos predefinidos.

Flexibilidade de volume **Flexibilidade de volume** é a habilidade para acelerar ou desacelerar a taxa de produção de serviços ou produtos rapidamente para poder lidar com grandes flutuações da demanda. A flexibilidade de volume muitas vezes dá apoio a outras prioridades competitivas, como a rapidez da entrega ou a velocidade de desenvolvimento. A necessidade dessa prioridade é impulsionada pela severidade na freqüência das flutuações da demanda. Por exemplo, o intervalo de tempo entre picos de demanda pode ser de horas, como as oscilações da demanda em uma grande agência de correio onde são necessários processos para receber, classificar e despachar correspondências para várias filiais em locais diferentes, de meses, como ocorre com os processos nos resorts de esqui ou os processos usados na fabricação de fertilizantes para gramados, ou de anos, como das campanhas políticas ou construção de habitações.

GANHADORES DE PEDIDOS E QUALIFICADORES

As prioridades competitivas se concentram no que as operações podem fazer para ajudar uma empresa a ser mais competitiva. Outra maneira útil de examinar a habilidade da empresa para ser bem-sucedida no mercado é identificar os ganhadores de pedidos. **Ganhador de pedido** é um critério que os clientes usam para diferenciar os serviços ou produtos de uma empresa dos de outra.[3] Os ganhadores de pedidos podem incluir preço (que é sustentado por operações de baixo custo) e a maioria das dimensões de qualidade, tempo e flexibilidade já discutidas. No entanto, os ganhadores de pedidos também incluem critérios que não estão diretamente relacionados com as operações da empresa, como atendimento pós-venda (Há contratos de serviço de manutenção disponíveis? Existe

---
[3] Terry Hill, *Manufacturing strategy: text and cases*, 3. ed. Burr Ridge, IL: Irwin/McGraw-Hill, 2000. (N. T.)

PRÁTICA GERENCIAL 2.2 CONSTRUINDO PORTA-AVIÕES SOB ENCOMENDA

Sem dúvida, o produto mais desafiador e mais difícil de fabricar é um porta-aviões movido a energia nuclear. Pense na mais nova inclusão à classe de porta-aviões Nimitz da Marinha norte-americana, o USS Ronald Reagan, que mede 320 metros da proa à popa, tem 4,5 acres de convés superior, pode avançar pelo oceano a mais de 35 milhas por hora e tem capacidade de levar 85 aeronaves. Cada navio da classe Nimitz (atualmente são nove) custa mais de quatro bilhões de dólares e envolve 47.000 toneladas de aço, com até quatro polegadas de espessura, soldadas com precisão, mais de um milhão de peças diferentes, 900 milhas de fios e cabos, cerca de 40 milhões de horas de trabalho de operários qualificados, milhares de engenheiros e mais de sete anos para construir. Esse produto exige enorme habilidade e coordenação tecnológicas e processos eficientes e com baixos volumes.

O único produtor do mundo que constrói porta-aviões inteiros, nucleares ou não, é a Northrup Grumman Newport News, situada às margens do Rio James, na Virginia. O estaleiro possui 550 acres de galpões, guindastes, docas secas e píeres, e emprega 17.800 funcionários, muitos dos quais de famílias que trabalharam na doca durante gerações. Durante anos, a Newport News criou processos com alto grau de flexibilidade para se adaptar às mudanças dos projetos de porta-aviões. Cada um deles, que difere significativamente dos anteriores em desenho, tem toneladas de equipamentos especializados e abriga compartimentos de munições e reatores nucleares, deve proporcionar alojamentos para 6.000 pessoas e fornecer mais de 18.000 refeições por dia.

As mudanças de projeto podem ser drásticas. Por exemplo, os dois anos de planejamento para a construção do Reagan resultaram em 1.362 modificações importantes em relação a seu predecessor, incluindo uma nova proa e a expansão da torre de controle de vôo. A necessidade de flexibilidade exigiu que a Newport News reprojetasse seus processos. Os primeiros porta-aviões da classe Nimitz eram, em grande parte, construídos à mão em doca seca por artífices habilidosos. Canos, dutos e cabos só eram colocados depois que grandes seções da superestrutura já tinham sido construídas. As seções mais importantes do Reagan foram projetadas em computador por meio de um software de desenho em 3D, construídas com imensos módulos pré-montados dentro de fábricas, levados ao local da construção e içados para seus lugares. O software evitou o uso de maquetes porque o projetista podia simular o uso de vários compartimentos ou a operação de equipamentos com manequins gerados por computador.

O longo tempo de processamento necessário para a construção de um porta-aviões também cria problemas para a Newport News. Por exemplo, uma das primeiras tarefas do programa de construção é fazer os pedidos de equipamentos que têm longo tempo de espera, como os componentes principais do reator nuclear. Contudo, depois de sete anos, o equipamento pode estar ultrapassado. É preciso fazer modificações na superestrutura do porta-aviões para acomodar as novas especificações. Os processos devem ser capazes de lidar com essas mudanças.

Um recurso muito importante para a operação de fabricação centrada na produção personalizada, ou customizada, é a equipe de trabalho, que deve ser altamente qualificada. Enquanto 2.700 funcionários podem ter trabalhado no Reagan em um certo momento, os indivíduos e as tarefas mudaram ao longo do tempo. No início, havia muito trabalho para soldadores, mas perto do final havia maior demanda de pintores. Soldadores podem manejar um pincel, porém os pintores normalmente não conseguem operar um maçarico. A Newport News conseguiu obter um contrato de trabalho flexível com a United Steelworkers e é a única contratante responsável pela restauração de toda a frota de porta-aviões nucleares. Essas duas vantagens ajudaram a mitigar o problema.

O USS Ronald Reagan foi comissionado em 12 de julho de 2003, 8,5 anos depois de o contrato ser outorgado.

Fonte: Philip Siekman, "Build to order: one aircraft carrier", *Fortune*, 22 jul. 2002, p. 180(B)-180(J). Disponível em: <www.nn.northropgrumman.com>, 2005; <http://united-states-navy.com>, 2005.

uma política de devolução?); assistência técnica (Que tipo de ajuda eu posso ter se algo der errado? Qual é o nível de conhecimento dos técnicos?) e reputação (Há quanto tempo essa empresa está no mercado? Outros clientes estão satisfeitos com o serviço ou produto dela?). Pode ser necessário um bom desempenho em um subconjunto dos critérios ganhadores de pedido, cortando caminho através dos critérios operacionais e não operacionais para fazer uma venda.

Os ganhadores de pedidos têm origem nas considerações que os clientes usam ao decidir de qual empresa devem comprar um serviço ou produto. Às vezes, os clientes exigem certo nível de desempenho comprovado, antes mesmo de considerar um serviço ou produto. Nesses casos, um ganhador de pedido torna-se um **qualificador de pedido**, que é um requisito para fazer negócios em um determinado segmento de mercado. O cumprimento do critério qualificador de pedido não assegura o sucesso competitivo; ele apenas posiciona a empresa para competir no mercado. Do ponto de vista de operações, é importante entender quais prioridades competitivas são as qualificadoras de pedidos para o projeto e administração de processos e cadeias de valor.

Ganhadores e qualificadores de pedidos são, freqüentemente, usados em licitações. Por exemplo, antes de um comprador considerar uma oferta, pode ser exigido dos fornecedores que documentem sua capacidade de proporcionar qualidade consistente; medida pela adesão às especificações do projeto do serviço ou componente que estão fornecendo (qualificador de pedido). O comprador seleciona o fornecedor com base nos preços baixos e em sua reputação (ganhadores de pedidos).

USANDO AS PRIORIDADES COMPETITIVAS: O EXEMPLO DE UMA COMPANHIA AÉREA

As prioridades competitivas constituem uma ferramenta útil na tradução dos objetivos da estratégia corporativa para o nível dos processos reais. A palavra-chave aqui é *prioridades* porque essas são as metas que as operações da empresa devem atingir para vencer não somente nos negócios atuais, mas também nos futuros. As prioridades competitivas apropriadas que refletem as necessidades dos clientes internos devem também ser designadas para os processos essenciais e de apoio.

Para melhor entender a maneira como as empresas usam as prioridades competitivas, vamos examinar uma grande companhia aérea. Levaremos em conta dois segmentos de mercado: passageiros de primeira classe e passageiros da classe econômica. Os serviços essenciais para ambos os segmentos de mercado são emissão da passagem e escolha do assento, manuseio da bagagem e transporte até o destino do cliente. Os serviços periféricos são muito diferentes. Uma avaliação das necessidades dos dois segmentos de mercado revelaria que os passageiros de primeira classe precisam de salas de espera separadas no aeroporto (salas vip); tratamento preferencial no check-in, no embarque e no desembarque; poltronas mais confortáveis; refeições e bebidas melhores; mais atenção pessoal (comissários de bordo que tratam os clientes pelo nome); serviço mais freqüente dos comissários; alto nível de cortesia e baixo volume (contribuindo para aumentar a sensação de que são especiais). Os passageiros da classe econômica, por sua vez, estão satisfeitos com serviços padronizados (sem surpresas), comissários de bordo atenciosos e preços baixos. Os dois segmentos de mercado esperam que a empresa aérea cumpra os horários. Conseqüentemente, podemos dizer que as prioridades competitivas do segmento de primeira classe são *qualidade superior* e *entrega pontual*, ao passo que para o segmento da classe econômica são *operações de baixo custo*, *qualidade consistente* e *entrega pontual*.

A empresa aérea sabe quais de suas competências coletivas devem ser consideradas empresa, mas como comunicar isso para cada um de seus processos essenciais? Vamos nos concentrar nos processos essenciais: relacionamento com o cliente, desenvolvimento de novos serviços ou produtos, atendimento de pedidos e relacionamento com fornecedores. São atribuídas prioridades competitivas a cada processo essencial para realizar o serviço necessário para proporcionar a completa satisfação do cliente. A seguir estão algumas possíveis atribuições, apenas para dar uma idéia de como isso funciona.

Uma das prioridades competitivas das companhias aéreas é a entrega pontual (pontualidade) dos seus serviços. Um aspecto crucial é a capacidade de consertar e manter as aeronaves rapidamente para evitar atrasos.

Relacionamento com o cliente Este processo envolve muito contato com os clientes em várias atividades, como emissão de passagens (tanto eletronicamente quanto por telefone), no serviço de elite (vip) na sala de espera e no embarque. As prioridades competitivas possíveis incluem:

- *Qualidade superior*: altos níveis de contato com o cliente e serviço vip na sala de espera para passageiros de primeira classe.
- *Qualidade consistente*: as informações e os serviços não podem ter falhas.
- *Rapidez de entrega*: os clientes querem informações imediatas sobre horários de vôo e sobre compra e emissão de passagens.
- *Variedade*: o processo deve ser capaz de lidar com as necessidades de serviço de todos os segmentos de mercado e programas promocionais, como serviços para passageiros freqüentes.

Desenvolvimento de novo serviço Para uma empresa ficar à frente da concorrência, ela deve desenvolver novos serviços continuamente. Esses serviços podem ser excursões a balneários de férias, novas rotas ou um novo serviço de jantar. As prioridades competitivas poderiam incluir:

- *Velocidade de desenvolvimento*: é importante chegar ao mercado rapidamente para se antecipar à concorrência.
- *Personalização*: o processo deve ser capaz de criar serviços exclusivos.
- *Qualidade superior*: os novos serviços devem ser projetados com muito cuidado, porque o futuro da companhia aérea depende deles.

Atendimento de pedido Este processo é responsável pela prestação do serviço de modo que satisfaça o cliente. É um processo muito grande em uma companhia aérea, que envolve agendamento, operações de portão de embarque, manutenção, serviço de bordo, operações de piloto e manuseio de bagagens. Ele engloba muitos subprocessos e muitas prioridades competitivas, que poderiam incluir:

- *Operações de baixo custo*: as companhias aéreas competem entre si por preço e devem manter os custos sob controle.
- *Qualidade superior*: os serviços prestados aos passageiros da primeira classe devem ser excelentes. Em grande parte, esses serviços envolvem comissários de bordo bem treinados e experientes, além de refeições e bebidas de boa qualidade.
- *Qualidade consistente*: uma vez que o nível de qualidade é estabelecido, é importante que ele seja sempre alcançado e mantido.
- *Entrega pontual*: a empresa aérea esforça-se para chegar ao destino na hora certa; caso contrário, os passageiros podem perder conexões com outros vôos.
- *Variedade*: é necessário que haja operações de manutenção para vários modelos de aeronaves.

Relacionamento com fornecedores Este processo é responsável pela aquisição de todos os insumos que a companhia aérea necessita para funcionar, desde recursos humanos até bens de capital. As prioridades competitivas poderiam incluir:

- *Operações de baixo custo*: o custo de aquisição dos insumos deve ser mantido em um nível mínimo para permitir que sejam estabelecidos preços competitivos.
- *Qualidade consistente*: a qualidade dos insumos deve atender às especificações exigidas. Além disso, as informações fornecidas aos fornecedores devem ser precisas.
- *Entrega pontual*: os insumos devem ser entregues de acordo com uma programação rígida, especialmente as refeições.
- *Variedade*: devem ser adquiridos muitos insumos diferentes, incluindo itens de manutenção, refeições e bebidas e até a própria aeronave.
- *Flexibilidade de volume*: o processo deve ser capaz de lidar eficientemente com as variações de quantidades de suprimentos.

DESENVOLVIMENTO DE NOVO SERVIÇO OU PRODUTO

As prioridades competitivas ajudam os gerentes a desenvolver os serviços e produtos que os clientes desejam e que são essenciais para a sobrevivência da empresa a longo prazo. Os tempos mudam, as pessoas mudam, as tecnologias mudam e, portanto, os serviços e os produtos também mudam. *Novo* refere-se tanto a serviços ou produtos completamente novos quanto a mudanças significativas nos serviços ou produtos já existentes. O processo de desenvolvimento de um novo serviço ou produto, muitas vezes, é um processo essencial em uma empresa. À medida que discutirmos a natureza e importância do processo de desenvolvimento de um novo serviço ou produto, ocasionalmente, vamos nos referir aos serviços ou produtos de uma empresa como suas 'ofertas'. Começamos com as várias estratégias que as empresas usam para competir com as novas ofertas.

ESTRATÉGIAS DE DESENVOLVIMENTO

As empresas usam diversos meios para proporcionar aos clientes valores que vão além de preço baixo e boa qualidade. Aqui estão várias estratégias que demonstraram seu sucesso:

- *Variedade de produtos*: a Amazon.com e a Wal-Mart (em vendas no varejo), a Dell (em computadores), a Honda (em motocicletas) e a Campbell (em sopas) são apenas algumas empresas que estabeleceram seus nichos, em parte, por meio da variedade de produtos. Essa estratégia requer processos que tenham flexibilidade para oferecer uma ampla gama de ofertas sem comprometer o custo, a qualidade ou a velocidade.
- *Projeto*: em leilões na Web, a eBay; em vendas no varejo, a Saks Fifth Avenue; em roupas, a Ralph Lauren; em móveis, as Sickley; e em equipamentos eletrônicos, a Kenwood. Esses são exemplos de empresas que usam o projeto como vantagem competitiva sobre a concorrência. Apelo estético, segurança, facilidade de uso e de manutenção e características do serviço ou produto distinguem os serviços ou produtos de uma empresa dos de suas concorrentes. Competir com base no projeto muitas vezes requer maior ênfase na qualidade superior e na velocidade do desenvolvimento para assegurar que a empresa fique à frente da concorrência.
- *Inovação*: empresas que competem com ofertas inovadoras devem ter competência para desenvolver novas tecnologias e traduzi-las em novos produtos. Cirurgias LASIK (correção visual a laser), tomografias computadorizadas virtuais (*virtual CAT scans*), computadores de mão, telefones celulares, sistemas de posicionamento global (GPS) e câmeras digitais são exemplos de ofertas inovadoras que abriram novos mercados. A inovação exige pesquisa e desenvolvimento significativos e a capacidade para colocar as novas ofertas no mercado rapidamente. Com serviços

ou produtos inovadores, a empresa 'pioneira' muitas vezes consegue uma grande vantagem competitiva.

- *Serviço*: as indústrias podem ganhar pedidos prestando serviços com valor agregado para complementar seus produtos, como serviços de financiamento, contratos de manutenção, consultoria e entregas. A Dell, por exemplo, ajuda os clientes a projetar sua infra-estrutura de informações. As montadoras de automóveis consideram as revendedoras autorizadas como parte do processo total que começa com a montagem de um automóvel e termina com sua entrega ao consumidor final. Por meio das concessionárias, as montadoras oferecem assistência para escolha do produto e serviços de entrega, financiamento, consertos em garantia e manutenção. A experiência total do cliente inclui a sensação de conforto que permanece depois do negócio realizado, a qual é afetada pela prestabilidade e cortesia do vendedor, pelo ambiente do *showroom* e pela atenção pessoal recebida antes, durante e depois da compra.

As estratégias de desenvolvimento vão além da especificação de variedade, projeto, inovação ou serviço. As empresas precisam também definir sua posição no mercado em relação às suas concorrentes e o tipo de relacionamento que deseja estabelecer com seus clientes. As decisões de posicionamento no mercado implicam optar por ser *líder* (a primeira a apresentar um serviço ou produto consistente com um impulso de inovação), *de meio-termo* (esperar até que as líderes introduzam um serviço ou produto) ou *retardatária* (esperar e ver se a idéia de serviço ou produto se estabelece no mercado). A decisão de posição no mercado determina quando a empresa iniciará o processo de desenvolvimento do serviço ou produto.

As decisões de relacionamento com o cliente, em seu extremo, implicam escolher entre construir parcerias a longo prazo com os clientes ou ter uma relação comercial a cada transação, do tipo encontro por encontro. Os relacionamentos a longo prazo envolvem serviços ou produtos específicos para um determinado cliente, ao passo que o relacionamento encontro por encontro envolve serviços ou produtos com apelo para uma ampla faixa de clientes. A decisão sobre o relacionamento com o cliente determina a natureza das ofertas da empresa.

DEFINIÇÃO DE SERVIÇO OU PRODUTO

Novos serviços ou produtos são importantes para qualquer economia desenvolvida, especialmente os serviços, dado que mais da metade do PIB das economias desenvolvidas é resultante do setor de serviços. Globalização, avanços tecnológicos e mudança das exigências dos clientes aumentam a necessidade das empresas competirem com um conjunto de novas ofertas de serviços e produtos cada vez mais amplo. A oferta de novos serviços e produtos proporciona os seguintes benefícios:

- aumenta a lucratividade das ofertas existentes;
- atrai novos clientes para a empresa;
- aumenta a fidelidade dos clientes já existentes;
- abre mercados de oportunidade.

Novos serviços e produtos criam as bases do crescimento futuro no ambiente dinâmico de negócios que as empresas enfrentam atualmente.

Pacote de serviços Um dos aspectos mais difíceis da gestão de um processo de serviço é definir o que ele proporciona a seus clientes. Lembre-se da última vez em que você teve uma experiência agradável em um hotel. Qual era a aparência do edifício, do saguão e de seu quarto? A refeição que você pediu ao serviço de quarto era saborosa e de boa quantidade? O hotel tinha piscina, restaurante e *concierge* (zelador de hóspede)? Foi fácil estacionar? O mensageiro era simpático e fornecia informações corretas?

Sua experiência no hotel foi um conjunto de bens e serviços proporcionados (entregues) pelos muitos processos do hotel. Chamamos isso de **pacote de serviços** e consiste em quatro características a seguir:

1. *Instalações de apoio*: os recursos físicos que devem estar prontos e disponíveis antes que o serviço possa ser oferecido são conhecidos como instalações de apoio. O edifício do hotel, o saguão e seu quarto devem ser considerados como instalações de apoio. Outros exemplos seriam um ônibus, uma quadra poliesportiva e um cinema. Essas instalações incluem tijolos e argamassa (por exemplo, edifícios e quartos), máquinas e equipamentos e recursos humanos.

2. *Bens facilitadores*: os materiais adquiridos ou consumidos pelo cliente ou os itens fornecidos por ele para receber um serviço são conhecidos como bens facilitadores. A refeição que você pediu no serviço de quarto é um bem facilitador. Outros exemplos incluem, por exemplo, suas próprias raquetes, que são usadas em uma partida de tênis, pipoca e sal no cinema e seus registros de impostos para o contador. Esses itens não constituem o serviço, porém são necessários para sua prestação.

3. *Serviços explícitos*: os benefícios que são prontamente observáveis pelos sentidos e consistem em características essenciais do serviço são conhecidos como serviços explícitos. Os serviços explícitos que você recebeu do serviço de quarto incluíram o preparo do alimento pelo *chef* e a entrega da refeição em seu quarto pelo mensageiro. Nadar na piscina, saborear uma refeição bem preparada no restaurante e obter conselhos do *concierge* sobre excursões também são exemplos de serviços explícitos no hotel. Outros serviços explícitos seriam a entrega de um pacote em sua casa, a lavagem do carro e a preparação do portfólio da pensão anual livre de taxas.

4. *Serviços implícitos*: os benefícios psicológicos que o cliente pode sentir apenas ligeiramente ou características não-essenciais do serviço são conhecidos como serviços implícitos. Um mensageiro atencioso pode proporcionar uma sensação de calor humano e conforto, e apenas ficar sentado no saguão do hotel absorvendo o charme do ambiente luxuoso pode dar uma sensação de bem-estar. Outros exemplos incluem o uso de um sistema de marcação de consultas de um consultório

médico (integridade e controle); um estacionamento bem iluminado (segurança); entretenimento enquanto se espera em uma fila, como ocorre na Disney World (para fazer as demoras parecerem menores).

O projeto do pacote de serviços requer uma análise cuidadosa das necessidades do cliente e uma boa compreensão das prioridades competitivas. Compare o pacote de serviços do hotel em que você se hospedou com o de um hotel popular, que tem fachada de estuque e saguão pequeno, sem serviço de quarto, piscina nem mensageiros. O hotel popular é atrativo para hóspedes que querem qualidade consistente e preços baixos, ao passo que o de classe alta é atrativo para hóspedes que querem qualidade superior e variedade de serviços. O pacote de serviços do hotel popular é muito menos complexo do que o hotel de classe alta. Em cada caso, os processos devem ser criados tendo em mente o pacote de serviços e as prioridades competitivas.

Desdobramento da função qualidade Um quesito essencial a se considerar na definição de serviços e produtos são as necessidades e desejos do cliente. Ele pode ser usado para definir novos serviços e produtos ou aprimorar os já existentes. Uma técnica usada por indústrias e algumas empresas prestadoras de serviços para melhorar as ofertas existentes é o **desdobramento da função qualidade** (*QFD — Quality Function Deployment*). Esse processo é um meio para traduzir as exigências do cliente em requisitos técnicos apropriados para cada estágio do desenvolvimento e produção do serviço ou produto. A Bridgestone Tire e a Mitsubishi Heavy Industries deram origem ao QFD no final da década de 1960 e no começo de 1970, quando usaram diagramas que levavam em conta as exigências dos clientes no processo de projeto do produto. Em 1978, Yoji Akao e Shigeru Mizuno publicaram o primeiro trabalho sobre esse assunto, mostrando como as considerações de projeto poderiam ser 'desdobradas' para cada elemento da concorrência. Desde então, mais de 200 empresas nos Estados Unidos têm usado essa abordagem, inclusive a Digital Equipment, Texas Instruments, Hewlett-Packard, AT&T, ITT, Ford, Chrysler, General Motors, Procter & Gamble, Polaroid e Deere & Company.

A abordagem do QFD procura respostas para as seis perguntas a seguir:

1. *Opinião do cliente*: o que nossos clientes precisam e desejam?
2. *Análise competitiva*: como nossos clientes avaliam nosso desempenho quando comparado ao desempenho de nossos concorrentes?
3. *Opinião do engenheiro*: quais medidas técnicas relacionam-se às necessidades de nossos clientes?
4. *Correlações*: quais são as relações entre a opinião do cliente e a opinião do engenheiro?
5. *Comparação técnica*: de que modo o desempenho de nosso serviço ou produto se compara ao de nossos concorrentes?
6. *Trade-offs*: quais são os *trade-offs* técnicos potenciais?

A análise competitiva proporciona um ponto de partida para a análise dos modos de obter uma vantagem competitiva. Em seguida, é preciso especificar os relacionamentos entre as necessidades do cliente e os atributos de engenharia. Finalmente, os planejadores precisam compreender que, ao melhorar uma medida de desempenho, podem prejudicar outra.

A abordagem do QFD fornece uma maneira de estabelecer metas e discutir seus efeitos sobre a qualidade. A engenharia usa os dados para se concentrar nas características de projeto de um serviço ou produto. O marketing usa essas informações para determinar as estratégias de marketing. As operações as usam para identificar os processos considerados críticos para melhorar a qualidade da forma que é percebida pelo cliente. Como resultado, o QFD encoraja a comunicação interfuncional com o propósito de melhorar a qualidade dos serviços e produtos.

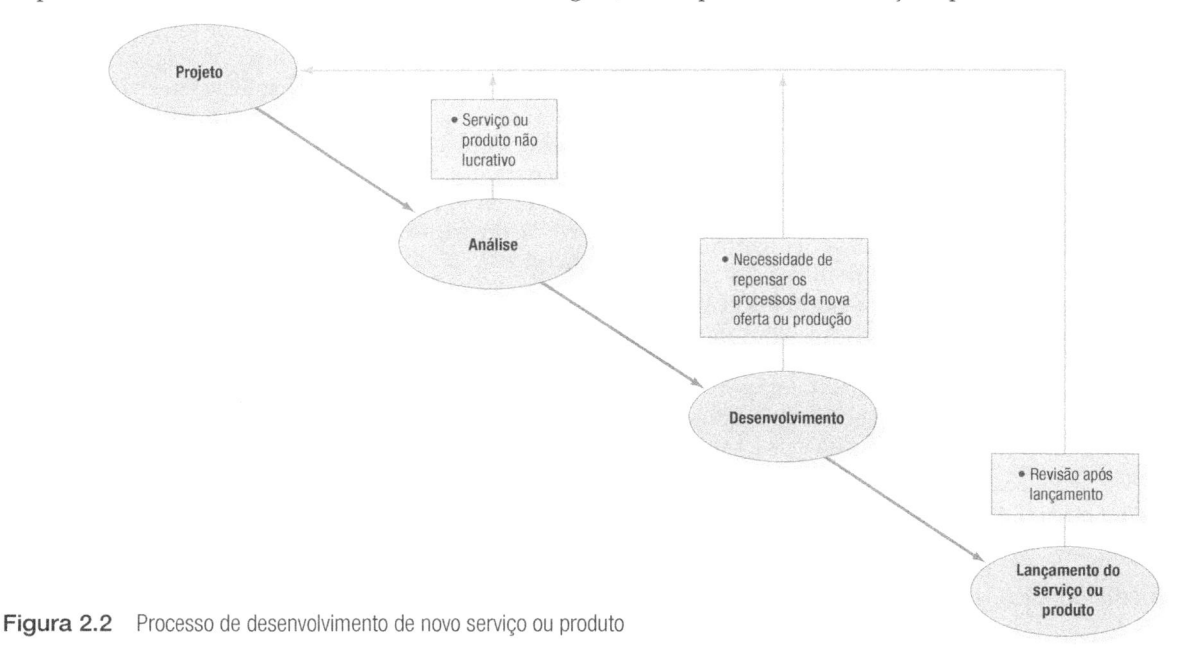

Figura 2.2 Processo de desenvolvimento de novo serviço ou produto

PROCESSO DE DESENVOLVIMENTO

O processo de desenvolvimento de um novo serviço ou produto começa com considerações sobre a estratégia de desenvolvimento e termina com o lançamento da nova oferta. A Figura 2.2 mostra os quatro estágios do processo.

Projeto O estágio denominado *projeto* é crítico porque vincula a criação de novos serviços ou produtos à estratégia corporativa da empresa. Como já observamos, a estratégia corporativa especifica os objetivos a longo prazo e os mercados nos quais a empresa deseja competir. Dentro dessa estrutura, a estratégia de desenvolvimento especifica o rumo que a empresa deseja tomar com suas ofertas de serviços ou produtos. Idéias para novas ofertas são geradas e analisadas quanto à viabilidade e valor. Para serviços, essas idéias especificam a maneira como os clientes entram em contato ou têm acesso ao provedor de serviços, aos benefícios e resultados dos serviços para o cliente, ao valor do serviço e ao modo como ele será prestado. Um pacote de serviços específico é, então, formulado para a melhor idéia, as prioridades competitivas são definidas para os processos, e a maneira pela qual o pacote será entregue é proposta e verificada quanto à viabilidade. Teremos mais a dizer sobre como o serviço é prestado quando tratarmos do tópico sobre o projeto do processo de serviço no Capítulo 4, "Estratégia de processo".

Para produtos industrializados, as idéias novas incluem uma especificação da arquitetura do produto, que pode ser modular ou integrada. Na arquitetura modular, o produto é fabricado a partir de uma montagem de diferentes componentes. Uma grande variedade de produtos pode ser montada rapidamente usando-se os mesmos componentes padronizados. Essa abordagem apóia as prioridades competitivas da variedade de produtos e rapidez de entrega; entretanto, pode resultar em baixo desempenho do produto em virtude da pressão para usar componentes já existentes em novos produtos. Além disso, esses projetos podem ser facilmente copiados pelos concorrentes. Com a arquitetura integrada, as funções do produto são realizadas por alguns poucos componentes projetados especificamente para ele. As estruturas integradas de produto muitas vezes resultam em maior desempenho do produto e não podem ser facilmente imitadas. O tempo de projeto, porém, é longo e a capacidade para produzir uma variedade de produtos é limitada.

A idéia mais promissora de um novo produto é selecionada para receber maior atenção, o que inclui fazer diagramação, fornecer especificações para as dimensões de desempenho do produto e investigar sua possibilidade de fabricação e seu custo. Nesse estágio, as empresas empregam o input de seus engenheiros de produção em uma atividade denominada *projeto para fabricação*. Embora os detalhes específicos do produto e os processos ainda não tenham sido desenvolvidos, essa interação de projetistas e engenheiros de fabricação pode evitar erros dispendiosos.

Análise Este segundo estágio, a *análise*, envolve uma revisão crítica da nova oferta e da maneira como ela será produzida para assegurar que se ajuste à estratégia corporativa, seja compatível com os padrões normativos, apresente um risco aceitável de mercado e satisfaça as necessidades dos clientes pretendidos. Os recursos necessários para a nova oferta devem ser examinados do ponto de vista das competências essenciais da empresa e da necessidade de adquirir recursos adicionais ou de realizar parcerias estratégicas com outras empresas. Se a análise revelar que a nova oferta tem bom potencial de mercado e que a empresa tem competência (ou pode adquiri-la), é concedida autorização para prosseguir para o próximo estágio.

Desenvolvimento O terceiro estágio, chamado *desenvolvimento*, traz mais especificidade à nova oferta. As prioridades competitivas requeridas são usadas como inputs para o projeto (ou reprojeto) dos processos necessários para a produção e entrega da nova oferta. Os processos são analisados; cada atividade é projetada para satisfazer as prioridades competitivas necessárias e para agregar valor ao serviço ou produto. Uma vez que a oferta é especificada e os processos são projetados, o plano de marketing é definido. Finalmente, o pessoal é treinado e alguns lotes-piloto são produzidos a fim de que se resolvam pequenos problemas de produção. Nesse estágio do processo de desenvolvimento é possível que surjam alguns problemas inesperados, obrigando a empresa a uma reconsideração do serviço ou produto ou dos processos necessários para produzi-los.

Por exemplo, um novo pacote de serviços para uma companhia pode requerer que seja incluída uma nova rota de South Bend, Indiana, para Columbus, Ohio, às 17 horas nos dias úteis. Ela deve ser realizada com um Boeing 737 em virtude do espaço e conforto que esse avião oferece. Mas suponha que a frota de 737 da companhia já esteja sendo usada em sua capacidade total, e mudar os horários afetaria uma rede inteira de vôos e horários. O novo vôo poderia ser oferecido se a empresa contratasse um provedor regional que use aeronaves menores em viagens freqüentes. O conforto dos passageiros e os custos da prestação do serviço seriam afetados. Uma alteração dessa magnitude no pacote de serviços e nos processos requeridos para fornecê-lo exigiria uma análise mais detalhada.

Para evitar os altos custos decorrentes de incompatibilidades entre o projeto de uma nova oferta de serviço ou produto e a capacidade dos processos necessários para produzi-la, muitas empresas se envolvem em um conceito denominado **engenharia simultânea**, que faz engenheiros de produto e de processo, pessoal de marketing, compradores, especialistas em informação e em qualidade e fornecedores trabalharem em estreita colaboração para projetar um serviço ou produto, em que os processos atenderão às expectativas dos clientes. Por exemplo, a Ford Motor Company atribui total responsabilidade por cada novo produto a um gerente de programa que forma uma equipe de produto, a qual representa cada área relevante da organização. Cada departamento pode manifestar preocupações ou antecipar problemas em tempo para alterar o produto ou os processos de fabricação. As mudanças são muito mais simples e menos dispendiosas neste estágio. De qualquer modo, problemas com o projeto do produto ou com a competência para entregá-lo podem ser descobertos nesta fase. O projeto do produto pode ser descartado ou completamente repensado.

Lançamento do serviço ou produto O estágio final, o *lançamento do serviço ou produto*, envolve a coordenação de muitos processos. Devem ser iniciadas promoções da nova oferta; o pessoal de vendas deve ser treinado; os processos de distribuição devem ser ativados e serviços ou produtos antigos que a nova oferta substituirá devem ser retirados. Uma tensão especial recai sobre os processos necessários para produzir a oferta durante um período chamado de *crescimento* (*ramp-up*), quando o processo de produção deve ter o volume aumentado para satisfazer às demandas, enquanto enfrenta problemas de qualidade e modificações de última hora no projeto.

O CEO da Apple, Steve Jobs, reúne a equipe de vendas durante o lançamento pela Apple Computer de sua loja de música on-line e do iPod. As músicas disponíveis para download no site custam 99 centavos de dólar cada uma.

As prioridades competitivas podem mudar ao longo do tempo. Por exemplo, pense em um produto padronizado de grande volume, como uma impressora de mesa a jato de tinta. Nos estágios iniciais do período de crescimento, quando as impressoras acabaram de entrar no mercado de massa, os processos de fabricação precisavam de qualidade consistente, rapidez de entrega e flexibilidade de volume. Nos estágios posteriores ao crescimento, quando a demanda estava alta, as prioridades competitivas tornaram-se custo das operações, qualidade consistente e entrega pontual. Uma revisão após o lançamento compara as prioridades competitivas dos processos a suas competências competitivas e pode sinalizar uma necessidade de repensar a idéia original do produto. A revisão também recebe informações dos clientes, que divulgam suas experiências e podem sugerir idéias para novas ofertas.

ESTRATÉGIA DE OPERAÇÕES COMO UM PADRÃO DE DECISÕES

A estratégia de operações traduz os planos de serviço ou produto e as prioridades competitivas para cada segmento de mercado, em decisões que afetam as cadeias de valor que apóiam esses segmentos. A Figura 2.3 mostra como a estratégia corporativa proporciona a proteção para decisões importantes da gerência de operações, cujo gerente deve selecionar uma estratégia de serviço ou fabricação para cada processo da cadeia de valor. Essa estratégia determina como os processos da empresa são organizados para lidar com volume e variedade de serviços ou produtos para cada segmento específico de mercado. Essa escolha inicial dá início a uma série de outras decisões que governam o projeto dos processos, sistemas e procedimentos que apóiam a estratégia de operações. Essas decisões não são estáticas; elas devem ser constantemente reavaliadas de acordo com a dinâmica do mercado. Neste livro, discutiremos essas decisões mais detalhadamente.

De uma perspectiva estratégica, os gerentes de operações são responsáveis pela tomada de decisões que asseguram que a empresa tenha capacitação para lidar com as prioridades competitivas de segmentos de mercado novos e já existentes, à medida que eles evoluem. Além disso, em razão das diferenças nas competências essenciais, segmentos de mercados servidos e grau de integração com a Web, o padrão de decisões de uma organização pode ser diferente do padrão de outra, mesmo que ambas estejam no mesmo setor. Cada processo deve ser analisado do ponto de vista dos clientes que a empresa serve, sejam eles externos ou internos.

As decisões da administração de operações contribuem para o desenvolvimento da habilidade que a empresa deve ter para competir com sucesso no mercado. Uma vez que os gerentes determinem as prioridades competitivas para um processo, é necessário avaliar as *competências competitivas* do processo. Qualquer *gap* entre uma prioridade competitiva e a competência para alcançá-la deve ser fechado por uma estratégia de operações eficaz.

Desenvolver competências e preencher lacunas é o propósito da estratégia de operações. Para demonstrar como isso funciona, suponha que a gerência da divisão de cartões de crédito de um banco decidiu embarcar em uma campanha de marketing para aumentar seus negócios de modo significativo, e ao mesmo tempo manter os custos baixos. Um processo-chave nessa divisão é o faturamento. A divisão recebe as transações de crédito dos comerciantes, paga os comerciantes, elabora e envia as faturas para os donos dos cartões e processa os pagamentos. É esperado que o novo esforço de marketing aumente significativamente o volume de faturas e pagamentos. Ao avaliar as competências que o processo deve ter para servir os clientes do banco e para vencer os desafios da nova campanha de marketing, a gerência determinou as seguintes prioridades competitivas para o processo de faturamento e pagamento:

- *Operações de baixo custo*: é importante manter os custos baixos ao processar as faturas, porque as margens de lucro são estreitas.
- *Qualidade consistente*: o processo deve, de maneira consistente, produzir faturas, fazer pagamentos aos comerciantes e registrar os pagamentos dos donos de cartões de crédito com exatidão.
- *Rapidez de entrega*: os comerciantes querem ser pagos rapidamente pelas compras a crédito.
- *Flexibilidade de volume*: é esperado que a campanha de marketing resulte em um maior número de transações num período de tempo mais curto.

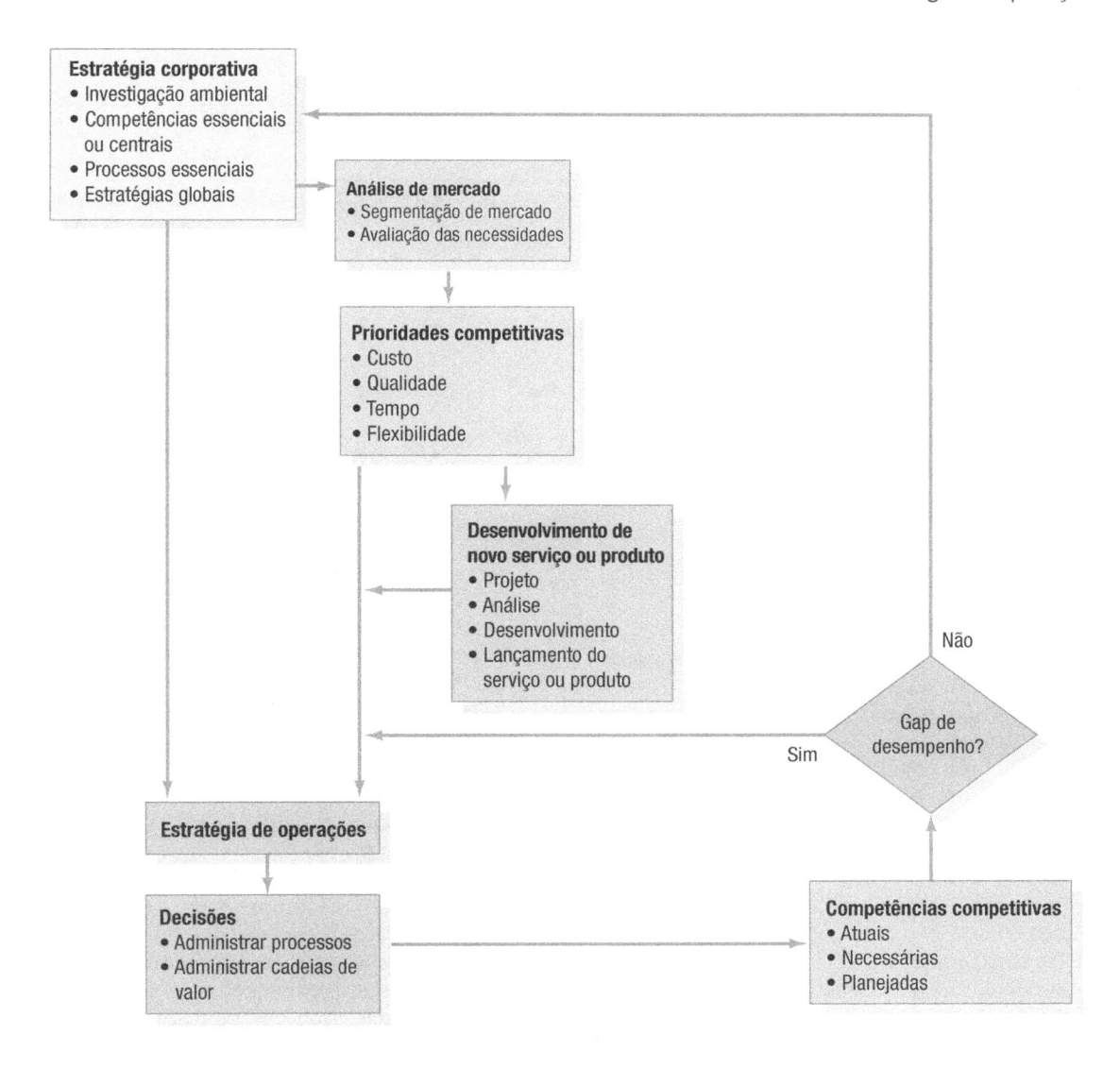

Figura 2.3 Conexão entre estratégia corporativa e decisões importantes da gerência de operações

A gerência presumiu que os clientes evitariam negociar com um banco que não conseguisse processar faturas ou realizar pagamentos com exatidão. Por conseqüência, a qualidade consistente é um qualificador de pedido desse processo.

O processo de faturamento está à altura do desafio competitivo? A Tabela 2.1 mostra como combinar competências com prioridades e descobrir qualquer *gap* na estratégia de operações da divisão de cartões de crédito. O processo de avaliação de uma estratégia de operações começa com a identificação de boas medidas para cada prioridade. Quanto mais quantitativas forem as medidas, melhor. São coletados dados para cada medição para determinar as competências atuais do processo. Os *gaps* são identificados pela comparação de cada competência com as metas estabelecidas pela gerência para cada medida e lacunas inaceitáveis são fechadas por meio de ações apropriadas.

A divisão de cartões de crédito apresenta grandes lacunas na competência do processo para gerar operações de baixo custo. A solução da gerência é reprojetar o processo de modo a reduzir os custos, mas sem prejudicar as outras prioridades competitivas. Da mesma maneira, para a flexibilidade do volume, a gerência percebeu que um alto nível de utilização não possibilita o processamento dos aumentos repentinos de volume mantendo a mesma velocidade ou rapidez de entrega. As ações recomendadas ajudarão a construir uma competência para satisfazer demandas mais voláteis.

Para fazer com que as prioridades funcionem, é preciso saber como melhorar as competências para reduzir os *gaps*. Os capítulos da Parte 2 fornecem as ferramentas para avaliar o desempenho, determinar a competência de um processo e reprojetar processos para preencher os *gaps*. A Parte 3 mostra como projetar cadeias de valores e como atingir as necessidades dos clientes que elas servem.

TABELA 2.1 Avaliação da estratégia de operações dos processos de faturamento e pagamento

Prioridade competitiva	Medida	Competência	*Gap*	Ação
Operações de baixo custo	• Custo por fatura	• $ 0,0813	• A meta é $ 0,06	• Eliminar microfilmagem e arquivamento de faturas
	• Postagem semanal	• $ 17.000	• A meta é $ 14.000	• Desenvolver processo baseado na Web para enviar faturas
Qualidade consistente	• Porcentagem de erros nas informações da fatura	• 0,90%	• Aceitável	• Nenhuma ação
	• Porcentagem de erros na postagem de pagamentos	• 0,74%	• Aceitável	• Nenhuma ação
Rapidez de entrega	• Prazo de execução para processar pagamentos de comerciantes	• 48 horas	• Aceitável	• Nenhuma ação
Flexibilidade de volume	• Utilização	• 98%	• Alta demais para suportar aumento rápido de volume	• Contratar funcionários temporários
				• Melhorar os métodos de trabalho

PALAVRAS-CHAVE

competências competitivas
competências essenciais
concorrência baseada no tempo
desdobramento da função qualidade (QFD)
engenharia simultânea
entrega pontual
estratégia de operações
flexibilidade de volume
ganhador de pedido
operações de baixo custo
pacote de serviços
personalização
prioridades competitivas
qualidade consistente
qualidade superior
qualificador de pedido
rapidez de entrega
tempo de espera
variedade
velocidade de desenvolvimento

QUESTÕES PARA DISCUSSÃO

1. O crescimento exponencial do desenvolvimento das tecnologias da informação encorajou o nascimento de muitas empresas 'pontocom'. A Internet permitiu que essas empresas alcançassem os clientes de maneira eficaz. Considere a Amazon.com, cujo site recebe milhões de acessos diariamente e coloca os clientes em contato com mais de 18 milhões de serviços e produtos. Quais são as prioridades competitivas da Amazon.com e em que sua estratégia de operações deve se concentrar?

2. Um hospital local declara seu compromisso de *atender* em menos de 15 minutos os pacientes que chegam à unidade de emergência e que nunca deixará de prestar atendimento a pacientes que precisam ser hospitalizados e receber cuidados médicos. Quais são as implicações que esse compromisso tem com as decisões da gerência de operações estratégicas (por exemplo, decisões relacionadas com a capacidade e a equipe de trabalho)?

3. A FedEx construiu sua reputação com a promessa da entrega rápida e confiável de itens despachados por via aérea de uma empresa para outra. Suas vantagens iniciais incluíam o acompanhamento mundial dos embarques usando tecnologia da Web, cujo avanço permitiu aos concorrentes um aprimoramento de suas operações de acompanhamento dos pedidos. Além disso, o advento das empresas 'pontocom' força o aumento das entregas por transporte terrestre. Explique de que maneira essa mudança do ambiente poderia afetar a estratégia de operações da FedEx, especialmente com relação a UPS, que tem um forte domínio sobre o negócio de entregas terrestres de empresa para empresa.

4. A compreensão do pacote de serviços permite que a gerência identifique maneiras de conseguir vantagem competitiva no mercado. O que você considera como componentes do pacote de serviços na provisão dos seguintes serviços?
    a. Uma apólice de seguros de automóvel.
    b. Serviço odontológico para colocar uma coroa.
    c. Um vôo de empresa aérea.

5. Suponha que você estivesse realizando uma análise de mercado para um novo livro didático sobre administração da tecnologia. O que você precisaria saber para reconhecer um segmento de mercado? Como você faria uma avaliação de necessidades? Qual deveria ser o conjunto de serviços e produtos?

6. Embora as nove prioridades competitivas discutidas no capítulo sejam relevantes para o sucesso de uma

empresa no mercado, explique por que uma empresa não deve necessariamente se destacar em todas elas. O que determina a escolha das prioridades competitivas que uma empresa deve enfatizar?

7. Uma decisão estratégica importante é escolher quais processos são essenciais para a posição competitiva de uma empresa. Por exemplo, a Nike, empresa famosa por seus tênis, concentra-se nos processos de relacionamento com o cliente, desenvolvimento de novos produtos e relacionamento com fornecedores, e deixa o processo de atendimento de pedido para outros. A Edmonds, uma empresa que fabrica sapatos de alta qualidade, considera todos os quatro processos como processos essenciais. Quais considerações você faria ao determinar que processos devem ser centrais para sua indústria?

8. Um restaurante local de *fast-food* processa os pedidos de vários clientes de uma só vez. Os caminhos das atendentes se cruzam, às vezes quase provocando colisões, enquanto elas fazem caminhos diferentes para atender aos pedidos. Se um cliente pede uma combinação especial de ingredientes para seu hambúrguer, terá de esperar muito mais tempo enquanto o pedido especial é preparado. Como você modificaria as operações do restaurante para conseguir vantagem competitiva? Como a demanda aumenta na hora do almoço, a flexibilidade de volume é uma prioridade competitiva no negócio de *fast-food*. Como você conseguiria flexibilidade de volume?

9. A sra. Kathryn Shoemaker inaugurou o Grandmother's Chicken Restaurant em Middlesburg cinco anos atrás. O restaurante tem uma receita exclusiva de frango 'do jeito que a vovó fazia'. O lugar é aconchegante, com serviço descontraído e amistoso. Nos últimos dois anos, os negócios correram bem, tanto para o almoço quanto para o jantar, e os clientes normalmente esperam cerca de 15 minutos para serem servidos, apesar das queixas em relação à demora do serviço terem aumentado. Atualmente a sra. Kathryn está pensando se deve ampliar as instalações atuais ou abrir um restaurante igual em Uniontown, cidade vizinha que está crescendo rapidamente.
   a. Que tipo de planejamento estratégico a sra. Kathryn deve fazer?
   b. Que forças ambientais poderiam estar em ação em Middleburg e em Uniontown que a sra. Kathryn deveria levar em consideração?
   c. Quais são as possíveis competências características do restaurante Grandmother's?

10. Por 20 anos, a Russell's Pharmacy esteve estabelecida na praça principal de River City, a única cidade num raio de 20 milhas. A economia da cidade é dominada pela agricultura e geralmente sobe e desce com o preço do milho, mas a Russell's Pharmacy desfruta de um negócio estável. Jim Russel tem um relacionamento amigável e informal com a cidade toda. Ele presta um serviço amistoso e preciso; ouve pacientemente as queixas sobre a saúde e conhece o histórico familiar de todos. Ele mantém um estoque de medicamentos necessários para os clientes regulares, mas, às vezes, precisa de um dia de prazo para aviar uma receita nova. Entretanto, ele não consegue adquirir medicamentos com os mesmos preços baixos que as grandes cadeias de farmácias conseguem. Há problemas lá mesmo, em River City. Vários edifícios ao redor da praça da cidade estão abandonados ou são usados como depósito de carros velhos. A cidade está mostrando sinais de que está agonizando juntamente com a fazenda familiar. Vinte milhas correnteza acima, situada em uma grande ilha no meio do rio, está a florescente cidade de Large Island. Russel está pensando em se mudar para o Conestoga Mall, em Large Island.
    a. Que tipo de planejamento estratégico Russel deve fazer?
    b. Que forças ambientais poderiam estar em ação, as quais Russel deveria levar em consideração?
    c. Quais são as possíveis competências essenciais da Russell's Pharmacy?

11. A Wild West, Inc. é uma companhia telefônica regional que herdou aproximadamente 100.000 funcionários e 50.000 aposentados da AT&T. A empresa tem uma nova missão: diversificar-se. Para isso, é necessário um esforço de dez anos para entrar nos mercados de serviços financeiro, imobiliário, de televisão a cabo, de compras sem sair de casa, de entretenimento e de comunicações por celulares — e, ainda, competir com outras empresas de telefonia. A Wild West planeja prestar serviços de comunicações por celular e fibras óticas em mercados que já contam com concorrentes estabelecidos, como o Reino Unido, e em mercados com essencialmente nenhuma concorrência, como a Rússia e os países do antigo Bloco Oriental.
    a. Que tipo de planejamento estratégico a Wild West deve fazer? A opção 'não fazer nada' é viável? Se a missão da Wild West parece muito ampla, quais negócios você reduziria em primeiro lugar?
    b. Que forças ambientais poderiam estar em ação, as quais a Wild West deveria levar em consideração?
    c. Quais são as possíveis competências essenciais da Wild West? Que fraquezas ela deve evitar ou abrandar?

12. Você está prestes a escolher um banco para abrir uma conta corrente e fazer investimentos. Vários bancos de sua cidade oferecem serviços competitivos e os mesmos rendimentos. Identifique a natureza do pacote de serviços que orientaria sua escolha.

13. Você está planejando um negócio de entrega de mantimentos. Pela Internet, sua empresa oferecerá alimentos básicos e congelados em uma grande área metropolitana e, então, os entregará dentro de um período de tempo definido pelo cliente. Você pretende se associar a duas grandes lojas de alimentos da região. Quais devem ser suas prioridades competitivas e quais competências você quer desenvolver nas operações?

CASO: A entrada da Gol no mercado aéreo brasileiro

Na década de 1990, o mercado aéreo doméstico brasileiro era dividido entre quatro empresas de aviação: Varig, TAM, Vasp e Transbrasil.

O ano de 1998 ficou marcado como um ano negro para a aviação do país: uma grande 'guerra de tarifas' reduziu a rentabilidade de todas essas empresas, o que gerou sérios prejuízos e reduziu a ocupação nos vôos para taxas inferiores a 60 por cento — taxa considerada necessária para garantir a rentabilidade de uma empresa de transporte aéreo.

No início de 1999, as já fragilizadas companhias aéreas brasileiras sofreram um duro golpe com a desvalorização cambial, que reduziu a demanda por viagens internacionais e domésticas e causou um efeito negativo sobre os custos que são, em grande parte, atrelados a moeda norte-americana, assim como as dívidas e contratos de *leasing* das empresas. As companhias aéreas se reestruturam, organizaram-se internamente e entraram em uma nova dinâmica de mercado.

O ano 2000 foi um ano de equilíbrio na viação aérea nacional, com a Varig e Tam liderando o mercado voltado para o transporte de executivos e a Vasp e a Transbrasil procurando se manter em operação no mercado doméstico nacional, mais sensível a preço. Ainda nesse ano, o mercado reencontrou o equilíbrio, e as empresas procuraram não entrar em confronto direto, principalmente quando o assunto era a disputa por preços.

Em 2001, a Gol chegou ao mercado.

Dentro desse panorama competitivo, por iniciativa do Grupo Áurea — maior grupo de transporte rodoviário brasileiro — a Gol Transportes Aéreos Ltda. foi fundada com o propósito de atuar no mercado de transportes aéreos com uma nova forma de operação intitulada internacionalmente *low cost, low fare* (custo baixo, tarifa baixa). Um grupo de executivos foi contratado e iniciou-se uma expedição para visitar as principais empresas desse segmento, como as norte-americanas Southwest e Jet Blue, a inglesa EasyJet e a irlandesa Ryanair. Foram feitos diagnósticos sobre o mercado, sobre os custos e sobre os objetivos, além de simulações em relação ao tamanho ideal para a nova empresa. Isso deu origem a um perfil baseado nos melhores *benchmarkings* internacionais.

Em 15 de janeiro de 2001, a Gol realizou seu vôo inaugural de Brasília a São Paulo, com o intuito de entrar no mercado aéreo brasileiro para agregar demanda e trazer para o transporte aéreo o passageiro sensível ao preço, como microempresários e profissionais liberais, o que tornaria o transporte aéreo viável para as classes média e baixa, que prefeririam outros meios de transporte a aviação regular.

Cinco fatores impulsionaram a entrada da Gol no mercado aéreo brasileiro naquele momento: (1) o crescimento do PIB e, conseqüentemente, na demanda demanda; (2) o perfil dos passageiros transportados (em 2001, 31 milhões de passagens foram vendidas a seis milhões de usuários); (3) o comportamento do consumidor, que percebeu que a compra de uma passagem é racional, levando em consideração a conveniência para comprá-la, seus preços e horário e a percepção de que a marca não é preponderante na escolha; (4) a concorrência economicamente frágil; e (5) o aumento crescente dos preços do combustível, forçava as empresas a buscarem mais eficiência.

O MODELO DE NEGÓCIOS DA GOL

Para entrar com sucesso no segmento de mercado pretendido, a Gol desenvolveu um modelo de negócios inovador para obter uma posição competitiva perante as empresas do setor com o modelo tradicional.

Em relação às aeronaves, a Gol optou por uma frota-padrão, com aeronaves que têm um consumo de combustível 11 por cento menor que as similares utilizadas por outras companhias: o Boeing 737–700 e o Boeing 737-800, conhecidos por serem de uma nova geração, com um modelo moderno e mais econômico. (A diferença entre os modelos 700 e 800 é o tamanho da aeronave; a tripulação é a mesma). Trata-se de um modelo de aeronave que possui um computador de bordo que identifica problemas para a manutenção, como o não-balanceamento do motor. O sistema indica onde está o problema com precisão e facilita o trabalho da equipe de manutenção, apesar de, em princípio, a frota ser nova e de não haver necessidade de adquirir e manter um hangar para revisão nem de empregar capital em estoque de peças. Além disso, é possível manter uma equipe de mecânicos e pilotos unificada. Ainda em relação à manutenção, esse modelo de avião permite a chamada manutenção faseada, aquela que ocorre aos poucos e não necessita de grandes paradas. Os modelos de aeronaves mais antigos utilizam a tradicional manutenção por blocos, em que os aviões ficam parados algumas horas por dia.

Quanto ao serviço de bordo, ele é simplificado: não são fornecidas refeições quentes nem variedade de bebidas. A princípio, isso pode parecer um custo pouco relevante na composição da tarifa. Leve, então, em consideração que, para a refeição chegar ao avião, é necessário uma equipe de funcionários responsável pela compra, recebimento, estocagem e transporte dos alimentos, e o avião deve ser equipado com uma série de aparelhos destinados ao armazenamento e ao preparo dessas refeições e que ocupam o lugar de 12 assentos por aeronave. Pensando dessa maneira, torna-se evidente que a simplificação do serviço de bordo tem impacto significativo sobre os custos da empresa, que vão além da redução do próprio custo de servir refeições quentes. Além disso, com esse tipo de serviço, os funcionários da limpeza terão mais trabalho a ser executado, o que faz com que avião fique mais tempo parado e aumente o tempo médio de vôo. Se analisarmos, ainda, que cada aeronave faz, em média, dez trechos por dia, imagine esse processo será multiplicado por dez. É importante ressaltar que a falta de serviço de bordo é prejudicial para trechos de vôo mais longos. Imagine, por exemplo, um passageiro que embarca em Porto Alegre pela manhã e que vai até Recife, onde desembarca apenas no final da tarde, passar o dia com refrigerante, suco e barra de cereal.

Um elemento fundamental do modelo comercial da Gol é a utilização de um sistema de vendas que não ocorre por meio de reservas, como nas companhias tradicionais. A comercialização das passagens é realizada aos usuários com baixa intermediação de agentes de viagens, o que reduz muito seu custo de comercialização. Ainda, é preciso considerar que a maior parte das vendas são feitas pela Internet ou pelo telefone (o que faz com que o custo da ligação fique por conta do usuário, uma vez que a empresa não dispõe de um serviço 0800, e sim 0300).

No quesito custos com funcionários, no início das operações, eles eram 50 por cento menores que o custo médio do setor, uma vez que o número de funcionários por avião era bem menor que o das outras companhias, além de a Gol não oferecer benefícios, como planos de assistência médica, nem carros para os diretores. A empresa opera com 94 funcionários, enquanto a média do setor é de 150 funcionários por aeronave. Segundo a legislação aérea, são necessários, por aeronave, um comandante, um co-piloto e quatro comissários (um comissário por porta). No entanto, o número de funcionários da não-tripulação é bem menor que o da concorrência: 55 contra 111, segundo dados de 2003.

Uma decisão estratégica da área de recursos humanos no início da operação foi empregar tripulantes com mais idade, disponibilizados pela VASP no mercado de trabalho, uma vez que, com uma tripulação mais experiente, o seguro do avião tem valor mais baixo. Outra decisão da área foi contratar pessoas jovens, para as equipe de terra e administrativa, quando a experiência não era um grande diferencial. Isso reduz o custo de pessoal.

Já em relação à informatização, a empresa optou por um alto grau, que está presente em todos os seus processos de trabalho, desde a comercialização de passagens até a entrega da escala da tripulação, que é feita não só por meios manuais, mas também eletrônicos.

Inicialmente, um elemento importante foi a decisão de não operar rotas internacionais, concentrando-se somente em rotas locais curtas nos eixos Rio de Janeiro — São Paulo e Brasília — Belo Horizonte, que concentram 70 por cento do trafego aéreo. Quando começou sua operação internacional, a Gol a tratou com uma 'extensão de suas rotas domésticas'. Pelos fatores já descritos neste estudo de caso mais a escolha das rotas, os aviões ficam menos tempo parados, o que significa que estarão voando mais. A concorrência voa, em média, 11,5 horas por dia por avião e a Gol utiliza seus aviões em torno de 14 horas médias por dia.

O tempo de permanência em solo entre etapas dos aviões da Gol é de 20 minutos em aeroportos pequenos e de 30 minutos em aeroportos grandes contra um tempo médio estimado pela empresa de 35 a 45 minutos de tempo de parada dos concorrentes.

Com o passar do tempo, a Gol desenvolveu uma alta capacidade de precificação de seus assentos (*yield management*). Para conseguir uma boa gestão da receita, a empresa é capaz de classificar as preferências dos consumidores por determinados atributos, cria tarifas diferenciadas e evita erosão (a venda de bilhete por tarifa promocional a passageiro que viajaria pela tarifa normal). A companhia consegue discriminar preços e não preencher, com baixas tarifas, assentos de passageiros dispostos a pagar mais. E não pára por aí: ela acompanha em tempo real a disponibilidade de assentos nos vôos em cada categoria tarifária, o que lhe assegura o controle de reservas disponíveis aos passageiros lhe possibilita estabelecer, assim, barreiras entre os níveis tarifários.

QUESTÕES

1. Quais são as prioridades competitivas e competências da estratégia de operações da Gol?
2. Quais são as decisões sobre processos e cadeia de valor que a Gol utiliza para desenvolver as competências e atingir as prioridades competitivas?
3. Você acha que a Gol tem mantido esse modelo até os dias atuais? A TAM tem conseguido imitar esse modelo?

Caso elaborado pelo professor Marcelo P. Binder baseado em Marcelo P. Binder, "Discussão do modelo porteriano através de críticas, teoria dos recursos e o caso Gol". Dissertação de mestrado entregue à EAESP/FGV, São Paulo, 2003; Marcelo P. Binder, "Recursos e competências sob turbulência: estudo longitudinal de três empresas aéreas brasileiras". Tese de doutorado entregue à EAESP/FGV, São Paulo, 2006.

REFERÊNCIAS SELECIONADAS

BERRY, W. L., BOZARTH C., HILL T. e KLOMPMAKER J. E. "Factory focus: segmenting markets from an operations perspective". *Journal of Operations Management*, vol. 10, n. 3, 1991, p. 363-387.

BLACKBURN, Joseph. *Time-based competition: the next battle-ground in american manufacturing.* Homewood, IL: Business One-Irwin, 1991.

COLLIER, David A. *The service quality solution.* Milwaukee: ASQC Quality Press e Burr Ridge, IL: Irwin Professional Publishing, 1994.

FITZSIMMONS, James A.; FITZSIMMONS, Mona. *Service management for competitive advantage*. Nova York: McGraw-Hill, 2001.

GILMORE, James H.; B. Joseph Pine II. "The four faces of mass customization". *Harvard Business Review*, vol. 75, n. 1, 1997, p. 91-101.

GOLDSTEIN, Susan Meyer, ROBERT Johnson, DUFFY, Joann, RAO, Jay. "The service concept: the missing link in service design research?", *Journal of Operations Management*, vol. 20, 2002, p. 121-134.

HAMMER, Michael e STANTON, Steven. "How process enterprises really work", *Harvard Business Review*, nov./dez. 1999, p. 108-120.

HAYES, Robert H. e PISANO, G. P. "Manufacturing strategy: at the intersection of two paradigm shifts", *Production and Operations Management*, vol. 5, n. 1, 1996, p. 25-41.

HAYES, Robert H., PISANO, Gary P. , UPTON, David M. e WHEELWRIGHT, Steven C. *Operations, strategy e technology: pursuing the competitive edge*. Nova York: Wiley, 2004.

HEIM, Gregory R. e SINHA, Kingshuk K. "Service process configurations in electronic retailing: a taxonomic analysis of Electronic Food Retailers", *Production and Operations Management*, vol. 11, n. 1, primavera de 2002, p. 54-74.

HESKETT, James L. e SCHLESENGER, Leonard A. "The service-driven service company", *Harvard Business Review*, set./out. 1991, p. 71–81.

HILL, Terry. *Manufacturing strategy: text and cases*, 3. ed. Homewood, IL: Irwin/McGraw-Hill, 2000.

JACK, Eric P. e POWERS Thomas L. "Volume flexible strategies in health services: a research framework", *Production and Operations Management*, vol. 13, n. 3, 2004, p. 230-244.

KELLOGG, Deborah L. e NIE, Winter. "A framework for strategic service management." *Journal of Operations Management*, vol. 13, 1995, p. 323-337.

MENOR, Larry J., TATIKONDA, Mohan V. e SAMPSON, Scott E. "New service development: areas for exploitation and exploration", *Journal of Operations Management*, vol. 20, 2002, p. 135-157.

O'REILLY, Brian. "They've got mail!" *Fortune*, 7 fev. 2000, p. 101-112.

PRAHALAD, C. K. e RAMASWAMY, Venkatram. "Co-opting customer competence", *Harvard Business Review*, jan./fev. 2000, p. 79-87.

RAYPORT, Jeffrey F. e JAWORSKI, Bernard J. "Best face forward", *Harvard Business Review*, vol. 82, n. 12, 2003, p. 47-58.

ROTH, Aleda V. e VELDE, Marjolijn van der. "Operations as marketing: a competitive service strategy", *Journal of Operations Management*, vol. 10, n. 3, 1993, p. 303-328.

SAFIZADEH, M. H., RITZMAN L. P., SHARMA, D. e WOOD C. "An empirical analysis of the product–process matrix", *Management Science*, vol. 42, n. 11, 1996, p. 1576-1591.

SKINNER, Wickham. "Manufacturing strategy on the 's' curve", *Production and Operations Management*, vol. 5, n. 1, 1996, p. 3-14.

STALK, George, Jr., EVANS P. e SCHULMAN, P. E. "Competing on capabilities: the new rules of corporate strategy", *Harvard Business Review*, mar./abr. 1992, p. 57–69.

VICKERY, S. K., DROGE C. e MARKLAND R. E. "Production competence and business strategy: do they affect business performance?", *Decision Sciences*, vol. 24, n. 2, 1993, p. 435-456.

WARD, Peter T. e DURAY, Rebecca. "Manufacturing strategy in context: environment, competitive strategy and manufacturing strategy", *Journal of Operations Management*, vol. 18, 2000, p. 123-138.

WARD, Peter T., BICKFORD, Deborah J. e LEONG G. Keong. "Configurations of manufacturing strategy, business strategy, environment and structure", *Journal of Management*, vol. 22, n. 4, 1996, p. 597-626.

WHEELWRIGHT, Steven C. e BOWEN. H. Kent . "The challenge of manufacturing advantage", *Production and Operations Management*, vol. 5, n. 1, 1996, p. 59-77.

WOMACK, J. P., JONES, D. T. e ROOS, D. *The machine that changed the world*. Nova York: Rawson Associates, 1990.

3

OBJETIVOS DE APRENDIZAGEM

Depois de ler este capítulo, você será capaz de:

1. Conceituar as principais atividades ligadas a definição, organização, planejamento, monitoramento e controle de projetos.

2. Identificar a seqüência de atividades críticas que determinam a duração de um projeto.

3. Definir as opções disponíveis para os gerentes de projetos para atenuar os problemas de recursos.

4. Fazer um diagrama de precedência da rede de atividades inter-relacionadas de um projeto.

5. Descrever as considerações que os gerentes devem fazer sobre a avaliação dos riscos de um projeto e calcular a probabilidade de concluir um projeto no prazo.

6. Explicar a maneira de se estabelecer um cronograma de projeto com custo mínimo.

Funcionários da Bechtel trabalham na construção de uma fábrica de semicondutores em Tianjin, na China, onde a Bechtel foi a primeira empresa norte-americana a ter permissão para construir.

Capítulo 3

Administração de projetos

BECHTEL GROUP, INC.

A Bechtel Group, Inc. é uma empresa construtora com faturamento de 16 bilhões de dólares ao ano, especializada em grandes projetos. Em seu ramo há mais de um século, a venerável empresa liderou o consórcio de seis empresas que construíram a Hoove Dam no início de século XX e, desde então, tem construído um grande número de sistemas de ferrovias, refinarias, aeroportos e usinas elétricas. A Bechtel liderou a reconstrução da infra-estrutura de gás e petróleo do Kuwait depois da operação Tempestade no Deserto e tornou-se a primeira empresa norte-americana a ter permissão para construir na China. Isso permitiu que ela trabalhasse com a Motorola em vários projetos, inclusive na construção de um complexo industrial de 650 milhões de dólares em Tianjin para a produção de semicondutores de última geração.

Os clientes da Bechtel a escolhem em virtude de sua habilidade para entregar os projetos no prazo. Também a escolhem por causa de sua capacidade de entrega rápida. Por exemplo, a usina nuclear Kewaunee, em Wisconsin, precisava substituir seus dois geradores de vapor, o que é um problema comum, resultante do envelhecimento das usinas nucleares. A equipe da Bechtel cortou os domos dos dois geradores, restaurou-os, trouxe novos conjuntos da parte de baixo e soldou tudo em apenas 71 dias, minimizando assim o tempo que a Kewaunee ficaria fora de serviço. Muitos clientes da Bechtel desejam construir instalações no país todo ou no mundo inteiro com prazo de espera curto e não têm tempo para lidar com empreiteiras locais. A Bechtel satisfaz suas necessidades.

Para cada grande projeto que assume, a Bechtel precisa organizar uma equipe de projetos e fornecer a ela os sistemas de informações e os recursos de apoio, tendo em mente a entrega dentro do prazo e prazo de entrega curto. Em razão da complexidade de muitos projetos em andamento com necessidades diversas, as equipes devem ser flexíveis para reagir a mudanças nos prazos e nas exigências. A comunicação é uma questão importante; são necessários cinco dias em média para que um papel do escritório da Bechtel em Cingapura chegue a um projeto na Tailândia. O trabalho com papéis, desde solicitações rotineiras de informações até desenhos detalhados de arquitetura, pode sofrer atrasos desnecessários quando devem ser copiados e transmitidos por fax e enviados pelo correio, atrasando, dessa maneira, as decisões e aumentando a duração de um projeto.

A Bechtel iniciou um sistema de comunicações baseado na Web que oferece acesso a informações de projeto eletronicamente. Os membros da equipe de projetos podem acompanhar prazos, relatórios de execução, desenhos e mensagens em um site sem depender de fax. As decisões sobre várias questões podem ser tomadas rapidamente, reforçando assim as prioridades competitivas da Bechtel.

Fonte: The Bechtel Report 2003; Bechtel Global Report 2002. Disponível em: <www.bechtel.com>, 2005.

Empresas como a Bechtel são peritas em gerenciar projetos. Elas dominam a capacidade de programar atividades e monitorar o andamento de acordo com rígidos critérios de tempo, custo e desempenho. Um **projeto** é um conjunto inter-relacionado de atividades com pontos de partida e de chegada definidos, que resulta em um produto único para uma alocação específica de recursos.

Os projetos são comuns tanto na vida das pessoas como no mundo dos negócios. Planejar casamentos, reformar banheiros, escrever trabalhos escolares e organizar festas-surpresa são exemplos de pequenos projetos do cotidiano. Realizar auditorias na empresa, planejar fusões, criar campanhas de propaganda, reorganizar processos de engenharia, desenvolver novos serviços ou produtos e estabelecer alianças estratégicas são exemplos de grandes projetos de negócios.

Os três objetivos principais de qualquer projeto são: (1) concluir o projeto no prazo ou antes dele; (2) não estourar o orçamento; e (3) obedecer às especificações para a satisfação do cliente. Quando precisamos empreender projetos que envolvam alguma incerteza, não faz mal algum ter flexibilidade em relação à disponibilidade de recursos, prazo final e orçamento. Portanto, os projetos podem ser complexos e representar um desafio para sua administração.

Muitas vezes, projetos podem cruzar linhas organizacionais porque precisam das habilidades de vários profissionais e organizações. Além disso, cada projeto é único, mesmo que seja rotineiro, e exige novas combinações de habilidades e recursos em seu processo. Por exemplo, projetos para abrir uma nova filial, instalar novos computadores em um departamento ou desenvolver uma promoção de vendas podem ser iniciados várias vezes em um ano. Cada projeto pode ter sido executado muitas vezes antes; entretanto, surgirão diferenças em cada replicação. As incertezas, como o advento de novas tecnologias ou as atividades dos concorrentes, podem mudar o caráter dos projetos e exigir contramedidas em resposta. Ou seja, os projetos são temporários, porque o pessoal, os materiais e as instalações são organizados para terminá-los dentro de um período de tempo especificado; depois são desmobilizados.

Os projetos podem ser usados para implementar mudanças de processos ou de cadeias de valor. Por exemplo, aqueles que envolvem a implementação das principais tecnologias da informação podem afetar todos os processos básicos e de apoio de uma empresa, como também os processos de alguns de seus fornecedores e clientes. Como tal, os projetos são ferramentas úteis para a melhoria dos processos e das cadeias de valor.

USANDO OPERAÇÕES PARA COMPETIR
↓
Operações como arma competitiva
Estratégia de operações
Administração de projetos

ADMINISTRANDO PROCESSOS
↓
Estratégia de processo
Análise de processos
Desempenho e qualidade do processo
Administração das restrições
Layout do processo
Sistemas de produção enxuta

ADMINISTRANDO CADEIAS DE VALOR
↓
Estratégia de cadeia de suprimentos
Localização
Administração de estoques
Previsão de demanda
Planejamento de vendas e operações
Planejamento de recursos
Programação

ADMINISTRAÇÃO DE PROJETOS POR TODA A ORGANIZAÇÃO

O emprego de projetos para fazer mudanças em processos e cadeias de valor está difundido por todos os tipos de organizações e áreas. Muitas vezes, os gerentes colaboram com colegas de outros departamentos em iniciativas estratégicas e também no trabalho com projetos menores dentro de seus próprios departamentos.

USANDO PROJETOS PARA IMPLEMENTAR A ESTRATÉGIA DE OPERAÇÕES

Considere uma empresa de serviços financeiros que estava perdendo clientes para seus principais concorrentes. Depois de um exame cuidadoso da situação, a alta direção recomendou ao conselho que a empresa melhorasse seus serviços reduzindo os erros dos relatórios gerados, aumentando a variedade de relatórios oferecidos aos clientes e acelerando a prestação dos serviços. A estratégia, chamada de Iniciativa de Serviço ao Cliente (*Customer Service Initiative*), prentendia conquistar clientes por meio da prestação de serviços melhores e mais rápidos que seus concorrentes. O novo chefe do departamento de serviços recebeu a tarefa de desenvolver os novos relatórios, e os outros chefes de departamento receberam ordens de encontrar maneiras de reduzir os erros dos relatórios e o tempo de desenvolvimento dos relatórios dos clientes dentro do campo de ação de seus respectivos departamentos. Depois de dois anos, a Iniciativa de Serviço ao Cliente foi abandonada.

Motivos do fracasso Por que a iniciativa falhou? As iniciativas estratégicas tendem a se dissipar à medida que são implementadas por gerentes de linha e pelo *staff* por causa da inércia da organização em implementar mudanças estratégicas.[1] A implementação de iniciativas estratégicas pode ser comprometida porque cada departamento avalia seu próprio meio de contribuir para a estratégia, que muitas vezes é incremental, quando é necessária uma mudança mais arriscada e radical da maneira como o departamento trabalha. Essa mudança exige que os gerentes concebam e aceitem novas práticas, o que é difícil de fazer porque as práticas atuais foram desenvolvidas ao longo do tempo e refletem a maneira como a organização atua no momento. A empresa de serviços financeiros descobriu que distribuir as responsabilidades pela implementação de uma estratégia entre os departamentos tem muita probabilidade de resultar em fracasso.

Implementação da estratégia de operações Qual é a melhor maneira de implementar a estratégia de operações? O desafio é gerenciar as mudanças de processos e de cadeias de valor necessárias fora da burocracia, dos procedimentos e das normas organizacionais tradicio-

---
[1] Para mais informações sobre o tópico desta seção, veja o artigo de Sergio Pellegrinelli e Cliff Bowman, "Implementing strategy through projects", *Long Range Planning*, vol. 27, n. 4, p. 125-132, 1994. (N. T.)

nais. O **gerenciamento de projetos**, uma abordagem sistemática e sincronizada para definição, organização, planejamento, monitoramento e controle de projetos, é uma maneira de superar esse desafio. No decorrer deste capítulo, veremos que o gerenciamento de projetos oferece uma metodologia imparcial para planejar e empreender as atividades necessárias para a implementação da iniciativa estratégica. As equipes interfuncionais são organizadas, as responsabilidades são atribuídas, as programações, desenvolvidas e os controles, estabelecidos; tudo isso pode ajudar a superar os problemas de dissipação.

Os projetos e a aplicação do gerenciamento de projetos facilitam a implementação da estratégia de operações. Entretanto, o poder dessa abordagem vai além do foco sobre um projeto. As iniciativas da estratégia de operações muitas vezes exigem a coordenação de muitos projetos interdependentes. No exemplo dos serviços financeiros, a Iniciativa do Serviço ao Cliente poderia ter projetos para (1) determinar o que a concorrência oferece com relatórios financeiros; (2) desenhar e desenvolver novos serviços de relatórios; (3) analisar, redesenhar e implementar mudanças no processo de criação de relatórios para reduzir erros e melhorar a velocidade de entrega; e (4) desenvolver e implementar uma nova interface na Web para alcançar novos clientes e facilitar a entrega dos relatórios.

Essa coleção de projetos é denominada **programa**, isto é, um conjunto de projetos interdependentes com propósito estratégico comum. À medida que novas propostas são apresentadas, a gerência deve avaliar sua adequação às operações atuais e iniciativas em andamento e ter meios de priorizá-las, porque os recursos financeiros para projetos muitas vezes são limitados.[2]

INTERAÇÃO INTERFUNCIONAL

Embora um projeto possa estar sob a direção geral de um único departamento, outros departamentos provavelmente estarão envolvidos no projeto. Por exemplo, imagine um projeto de sistemas de informação com a finalidade de desenvolver uma base de dados de clientes de um banco. Muitos dos clientes do banco são grandes corporações que exigem serviços que englobam vários departamentos do banco. Como nenhum departamento sabe exatamente quais serviços os clientes corporativos recebem dos outros, o projeto consolidaria as informações sobre os clientes corporativos vindas de muitas áreas do banco em uma só base de dados, e a partir dessas informações, os serviços corporativos do banco poderiam ser projetados não somente para servir melhor os clientes, mas também para proporcionar uma base de avaliação dos preços que o banco pratica. O marketing está interessado em conhecer todos os serviços que um cliente recebe de forma a poder vender outros serviços dos quais o cliente pode não estar ciente. O financeiro está interessado na maneira como um cliente pode ser lucrativo para o banco e se os serviços prestados têm o preço apropriado. A equipe de projetos, liderada pelo departamento de sistemas de informação, deve consistir em representantes dos departamentos de marketing e finanças, que têm interesse direto nos clientes corporativos. Todos os departamentos de uma empresa se beneficiam com práticas eficientes de gerenciamento de projetos, mesmo que eles permaneçam dentro da esfera de ação de um único departamento.

DEFINIÇÃO E ORGANIZAÇÃO DE PROJETOS

Projetos bem-sucedidos começam com uma definição clara do escopo, dos objetivos e das tarefas. Também é importante o entendimento claro de sua organização e como o pessoal trabalhará em conjunto para concluir o projeto. Nesta seção veremos as três atividades consideradas importantes nesta fase inicial do planejamento e gerenciamento de projetos: (1) definir o escopo e os objetivos; (2) selecionar o gerente e a equipe do projeto; (3) selecionar a estrutura organizacional.

DEFINIÇÃO DO ESCOPO E DOS OBJETIVOS DE UM PROJETO

Uma declaração completa do escopo, intervalo de tempo e recursos alocados é essencial para o gerenciamento de um projeto. Essa declaração muitas vezes é denominada *declaração do objetivo do projeto*. O escopo fornece uma declaração sucinta dos objetivos do projeto e captura a essência dos resultados desejados na forma de componentes (*deliverables*) mais importantes, que são os resultados concretos do projeto. Esses componentes tornam-se o foco da atenção da direção durante a vida do projeto. Por exemplo, suponha que uma empresa deseje fazer a reengenharia de seu processo de faturamento. Os principais componentes do projeto poderiam incluir uma lista de todos os processos afetados tanto na empresa quanto em entidades externas a ela; o redesenho do processo de faturamento; um plano de implementação; um plano para *staff* e um novo processo de faturamento totalmente operacional. Cada um dos componentes exige atividades para consegui-lo; portanto, é importante evitar muitas mudanças do escopo do projeto quando ele já estiver em andamento.

As mudanças no escopo de um projeto inevitavelmente aumentam os custos e os atrasos. Por exemplo, acrescentar um requisito para recomendar um software de comércio eletrônico ao projeto de reengenharia, depois que ele já foi iniciado, poderia exigir uma nova análise das mudanças recomendadas para os processos internos já existentes, além de um consultor para recomendar um software. Uma alteração desse tipo não só atrasa o término de um projeto, mas também aumenta os recursos necessários para concluí-lo. Coletivamente, as mudanças no escopo são chamadas, pejorativamente de *scope creep* e, em quantidade suficiente, são as principais causas do fracasso em projetos.

---

[2] Esta abordagem é chamada de *processo de portfólio de projeto*. Veja Samuel J. Mantel, Jr., Jack R. Meredith, Scott M. Shafer, e Margaret M. Sutton, *Project management in practice*, 2. ed. Nova York: John Wiley & Sons, 2005, p. 26-30. (N. T.)

A alocação do tempo de um projeto deve ser a mais específica possível. Por exemplo, 'no primeiro trimestre de 2008' é vago para a maioria dos objetivos. Algumas pessoas poderiam interpretar como início e outras como fim. Embora a alocação do tempo deva ser considerada somente como meta nesse estágio inicial do plano de projeto, ela deve ser muito mais específica, como 'o projeto de reengenharia do processo de faturamento deve ser terminado em 1º de janeiro de 2008'.

Embora seja difícil especificar a alocação de recursos para um projeto nos estágios iniciais do planejamento, é importante para o gerenciamento dos projetos. A alocação pode ser expressa como uma cifra em dólares ou o equivalente ao tempo total do pessoal. Por exemplo, no projeto de reengenharia do processo de faturamento, os recursos alocados poderiam ser de 250.000 dólares. Evite declarações como 'com os recursos disponíveis' porque são muito vagas e sugerem que há recursos suficientes para terminar o projeto, quando pode não haver. Uma declaração específica de recursos alocados torna possível ajustes no escopo do projeto à medida que ele progride.

SELECIONANDO O GERENTE E A EQUIPE DO PROJETO

Uma vez que o projeto é selecionado, um gerente deve ser escolhido. As qualidades de um bom gerente devem refletir as funções que ele deve exercer.

- *Facilitador:* o gerente de projeto, muitas vezes, precisa resolver conflitos entre pessoas ou departamentos para assegurar que o projeto tenha os recursos adequados para a tarefa a ser realizada. Ajuda se ele estiver ciente de um 'quadro geral' da estrutura e ainda for um bom negociador. Gerentes de projeto bem-sucedidos têm uma visão sistêmica, que abrange a integração do projeto, seus recursos e seus componentes com a empresa como um todo. Os bons gerentes de projeto demonstram capacidade de *liderança* de maneira que os membros da equipe e os chefes de departamento trabalhem juntos para a conclusão do projeto como um todo, em vez de otimizar suas próprias partes do projeto.

- *Comunicador*: o gerente de projeto é responsável por ele perante a alta direção e outras partes interessadas no projeto (*stakeholders*). O andamento do projeto e a solicitação de recursos adicionais devem ser comunicados com clareza. Além disso, o gerente deve se comunicar com a equipe do projeto para conseguir o melhor desempenho. Os bons gerentes são *confiáveis* do ponto de vista do conhecimento técnico e administrativo. Também é útil se o gerente conhecer a fundo a política organizacional e também ser consciente dos conflitos interpessoais entre os membros da equipe.

- *Tomador de decisões*: o gerente de projeto deve organizar as reuniões da equipe, especificar a maneira como ela tomará decisões e determinar a natureza e o *timing* dos relatórios para a alta direção. As decisões podem ser tomadas por consenso, por maioria ou pelo gerente de projeto. Bons gerentes são sensíveis à maneira como a equipe obtém o melhor desempenho e estão prontos para tomar decisões difíceis, caso seja necessário.

A escolha da equipe do projeto é tão importante quanto a escolha do gerente. Diversas características devem ser consideradas:

- *Competência técnica*: os membros da equipe devem ter a competência técnica exigida para as tarefas que lhes serão atribuídas.

- *Sensibilidade*: todos os membros da equipe devem ser sensíveis aos conflitos interpessoais que podem surgir. Os membros seniores devem ser politicamente sensíveis para ajudar a amenizar os problemas com a alta direção.

- *Dedicação*: os membros da equipe devem se sentir à vontade para resolver problemas do projeto que possam se espalhar para áreas fora de sua competência imediata. Também devem se dedicar a terminar o projeto, em vez de manter uma programação de trabalho confortável. Projetos mais importantes podem exigir esforço extra para manter os prazos.

ESTRUTURA ORGANIZACIONAL

O relacionamento do gerente de projeto com a equipe é determinado pela estrutura organizacional da empresa. Cada um dos três tipos de estrutura organizacional tem suas próprias implicações sobre o gerenciamento do projeto.

- *Funcional*: o projeto é alocado em uma área funcional específica, presumivelmente a que tem maior interesse nele. A ajuda de pessoal de outras áreas funcionais pode ser negociada pelo gerente do projeto. Entretanto, a dependência de outros departamentos deixa o gerente com controle mínimo sobre o *timing* do projeto, porque esses departamentos podem atribuir baixa prioridade para ele. Não obstante, o uso dos recursos de dentro do departamento é maximizado porque os membros da equipe que não trabalham no projeto podem ser designados para outro projeto do mesmo departamento.

- *Projeto puro*: os membros da equipe trabalham exclusivamente para o gerente em um determinado projeto. Essa estrutura é particularmente eficaz para grandes projetos em que há serviço suficiente para cada membro da equipe trabalhar em tempo integral. Embora essa estrutura simplifique as linhas de autoridade para o gerente do projeto, para projetos pequenos ela poderia resultar em significativa duplicação de recursos por áreas funcionais. Normalmente os projetos pequenos não têm trabalho suficiente para manter todos os membros da equipe ocupados o tempo todo. Seria melhor para a empresa se esses membros pudessem trabalhar em outros projetos para preencher seu tempo livre.

- *Matricial*: a estrutura matricial é um compromisso entre as estruturas funcional e de projeto puro. Todos os gerentes dos projetos da empresa se reportam a um 'gerente de programa' que coordena os recursos e necessidades tecnológicas por intermédio dos limites funcionais. A estrutura matricial permite que cada área funcional mantenha controle sobre quem trabalha em um determinado projeto e a tecnologia que é usada. Os membros da equipe nunca são deslocados de seus departamentos, como pode acontecer na estrutura de projeto puro. A maior parte dos problemas de duplicação de recursos é eliminada. Entretanto, os membros das equipes se subordinam a dois chefes: o gerente de projeto e o gerente de departamento. O gerente de projeto tem controle sobre as atividades que o membro da equipe exerce; o gerente de departamento tem controle sobre as avaliações de desempenho e os salários. Para resolver esses conflitos de 'linha de autoridade' é preciso um gerente de programa de grande firmeza.

A Prática gerencial 3.1 mostra que a definição e a organização de projetos assumem importância crítica quando se lida com equipes globais.

PRÁTICA GERENCIAL 3.1 EQUIPES VIRTUAIS GLOBAIS NA BAXTER INTERNATIONAL

A Baxter International é uma empresa de oito bilhões de dólares que produz serviços e produtos para o setor de saúde em instalações, localizada em 22 países. Ela produz milhares de serviços e produtos, como cursos on-line para educação continuada para uma ampla variedade de profissionais da saúde, produtos e tecnologias para hemocentros, serviços de transfusão, serviços de terapia intravenosa e vacinas para doenças infecciosas severas. No entanto, um produto proporcionou um meio de a Baxter aprender algumas coisas interessantes sobre a administração de projetos.

O BaxHealth é um pacote de software produzido pela Baxter e usado por empresas para administrar suas iniciativas ambientais, de saúde e de segurança. Quando a direção decidiu desenvolver a nova geração do software, foi atribuída à equipe de desenvolvimento de software a tarefa de criar um produto de qualidade superior, com o menor custo possível, e colocar o produto no mercado a prazo muito curto. A equipe normalmente teria capacidade de entregar o projeto em tempo hábil e dentro do orçamento. Entretanto, uma fusão recente havia sobrecarregado o desenvolvimento do software. Pouco tempo depois de começado o projeto da BaxHealth, ficou claro que a equipe não poderia entregá-lo no prazo.

Em uma iniciativa audaciosa, a equipe decidiu pedir ajuda de uma empresa de desenvolvimento de software da Índia. Agora, parte da equipe de projeto estava em Deerfled, Illinois, e parte em Bangalore, na Índia. Foram tomadas medidas para transformar as duas equipes internacionais em uma única equipe de alto desempenho.

- Estabelecer planejamento em todos os níveis do projeto e não somente no nível de agregação.
- Estabelecer os processos que fomentariam comunicações abertas e consistentes entre membros da equipe de maneira a minimizar preconceitos e acusações.
- Definir um processo rigoroso de desenvolvimento, estabelecendo disciplina e provendo liderança durante todo o projeto, de maneira a assegurar que os mesmos procedimentos de planejamento e administração fossem empregados por toda parte.
- Estabelecer objetivos claros e mensuráveis para a equipe e para os indivíduos.
- Desenvolver um plano integrado de projeto e cronograma que reflita todas as demandas de tempo exigidas dos membros da equipe, mesmo para os de fora do projeto BaxHealth.

As comunicações tornaram-se um elemento crítico do sucesso do projeto. Tinham de ser levadas em consideração as diferenças de idioma, fuso horário, cultura e regulamentos internacionais. Toda semana a equipe de gerenciamento do projeto comunicava o *status* do projeto em relação aos objetivos, riscos e andamento a todos os membros da equipe. E-mail, fax, páginas da Web e o telefone tinham que satisfazer as necessidades de comunicação. Em muitos aspectos, os membros do projeto BaxHealth formavam uma equipe virtual. O pacote de software BaxHealth foi reestruturado e lançado em 18 meses, o que estava dentro do prazo. A Baxter aprendeu que o gerenciamento de equipes virtuais globais de projeto exige sólidos princípios de gerenciamento de projetos, excelente comunicação com toda a equipe global e um acordo para todos seguirem o mesmo processo. A abordagem exige paciência e responsabilidade pessoal de todos os membros da equipe. Não obstante, depois do projeto concluído, a Baxter examinou o processo de desenvolvimento do produto para fazer melhorias. Por exemplo, a equipe aprendeu que teria sido melhor fazer a equipe de desenvolvimento de Bangalore trabalhar com a equipe de Deerfield em Illinois nos estágios iniciais do projeto, de forma a reduzir o tempo necessário para se conseguir um espírito de 'uma só equipe'. Muitas outras melhorias foram identificadas e serão incorporadas em futuros projetos de desenvolvimento.

Fonte: Robert J. Seguy, Mary Ann Latko, Jay Balma e Errol Jones, "Virtual global teaming: Baxter International builds a successful model", *Target*, segundo trimestre de 2002, p. 23-31. Disponível em: <www.baxter.com>, 2003.

PLANEJAMENTO DE PROJETOS

Depois que um projeto é definido e organizado, a equipe deve formular um plano que identifique as tarefas específicas a serem realizadas e um cronograma para a sua realização. O planejamento de projeto compreende cinco passos: (1) definir a Estrutura de Divisão do Trabalho – EDT *(Work Breakdown Structure – WBS)*;[3] (2) fazer um diagrama da rede; (3) desenvolver o cronograma; (4) analisar os *trade-offs* custo–tempo; e (5) avaliar os riscos.

DEFINIÇÃO DA ESTRUTURA DE DIVISÃO DO TRABALHO (EDT)

A **Estrutura de Divisão do Trabalho – EDT** é uma declaração de todo o trabalho que deve ser concluído. Talvez o mais importante contribuinte isolado para o atraso seja a negligência com o trabalho pertinente à conclusão bem-sucedida do projeto. O gerente do projeto precisa trabalhar estreitamente ligado à equipe para identificar todas as tarefas do trabalho. Normalmente, no processo de acumular tarefas do trabalho, a equipe cria uma hierarquia para a sua divisão. Os principais componentes do trabalho são divididos em tarefas menores pela equipe. A Figura 3.1 mostra uma EDT para o começo de uma nova empresa. As atividades do nível 1 são componentes do trabalho principal que podem ser divididas em tarefas menores. Por exemplo, 'prosseguir com o plano de início' pode ser dividido em três tarefas de nível 2 e 'estabelecer a estrutura da empresa' pode ser dividido em cinco tarefas de nível 3. É fácil concluir que a EDT total para começar uma nova empresa pode incluir mais de cem tarefas. Não importando qual seja o projeto, deve-se ter o cuidado de incluir todas as tarefas importantes na EDT para evitar atrasos no projeto. Muitas vezes, tarefas necessárias, como planejar o projeto, obter aprovação de gerência em vários estágios, realizar testes-piloto de novos serviços ou produtos e preparar relatórios finais, são negligenciadas.

Atividade é a menor unidade de trabalho que consome tempo e recursos, e que o gerente de projeto pode programar e controlar. Cada atividade da EDT deve ter um 'proprietário' que é responsável pela execução do trabalho. A *propriedade da tarefa* evita confusão na execução das atividades e atribui responsabilidade para a conclusão em tempo hábil. A equipe deve ter um procedimento definido para atribuir tarefas a seus membros, que pode ser do tipo democrático (consenso da equipe) ou autocrático (atribuído pelo gerente de projeto).

CRIANDO UM DIAGRAMA DA REDE

Os métodos de planejamento de rede podem ajudar os gerentes a monitorar e controlar projetos. Esses métodos tratam um projeto como um conjunto de atividades inter-relacionadas que podem ser visualmente exibidas em um **diagrama de rede**, que consiste de nós (círculos) e arcos (setas) que representam as relações entre as ati-

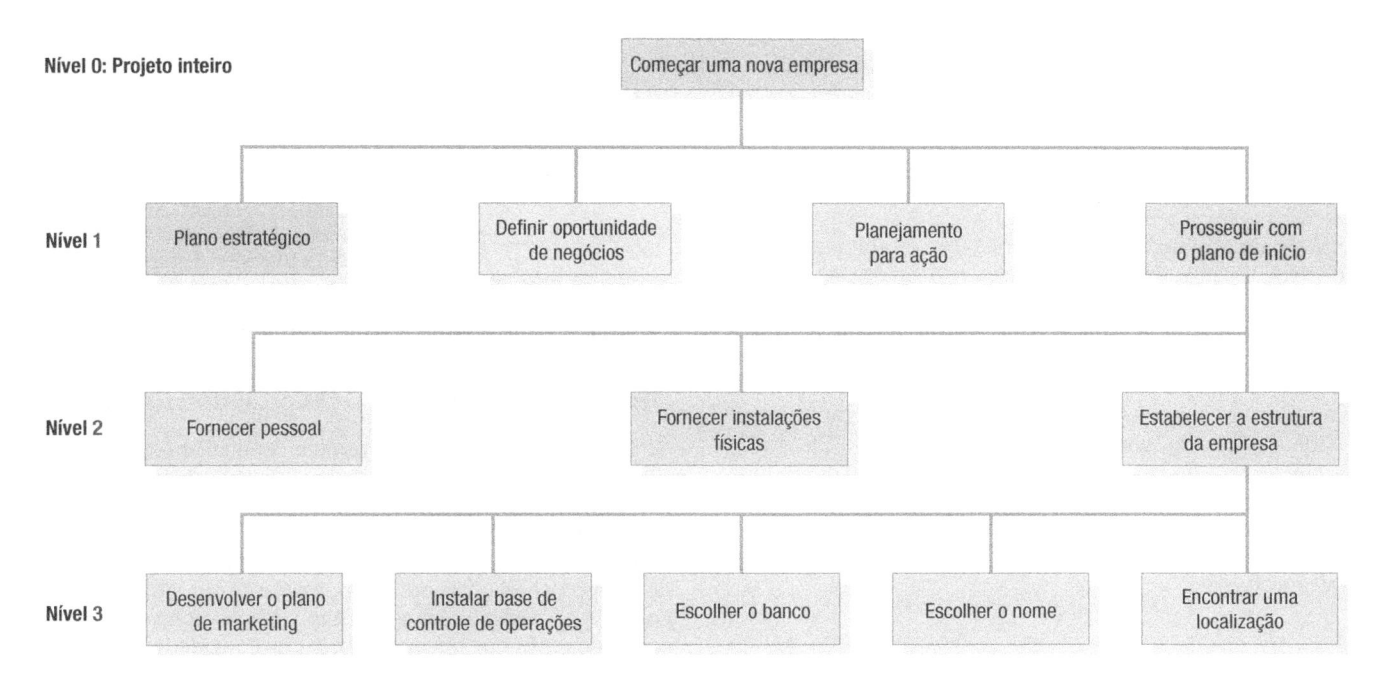

Fonte: Resumido do modelo para nova empresa MS Project 2000.
Figura 3.1 Estrutura de Divisão do Trabalho para uma nova empresa

---

[3] *Work Breakdown Structure* (WBS) conhecido também como EAT (Estrutura Analítica do Trabalho) é uma ferramenta de decomposição do trabalho do projeto em partes manejáveis. (N. T.)

vidades. Os métodos de planejamento de rede foram desenvolvidos nos anos 1950. O **PERT** (*Program Evaluation and Review Technique* – **técnica de avaliação e revisão de programa**) foi criado para o projeto do míssil Polaris da Marinha norte-americana, que envolveu 3.000 contratados e fornecedores. O **CPM** (*Critical Path Method* – **método do caminho crítico**) foi desenvolvido como meio de programar períodos de inatividade para realizar manutenção em instalações de processamento de substâncias químicas. Embora as versões iniciais do PERT e CPM fossem diferentes em seu tratamento das estimativas do tempo de atividade, hoje as diferenças entre ambos são pequenas. Para a finalidade da nossa discussão, nos referimos a eles coletivamente como PERT/CPM. Esses métodos oferecem vários benefícios aos gerentes de projeto, incluindo os seguintes:

1. considerar projetos como redes obriga as equipes de projeto a identificar e organizar os dados necessários e identificar os inter-relacionamentos entre as atividades. Esse processo oferece também um fórum para que gerentes de áreas funcionais diferentes discutam a natureza das diversas atividades e sua necessidade de recursos;

2. as redes permitem que os gerentes calculem o tempo de conclusão dos projetos, uma vantagem que pode ser útil para planejar outros eventos e para conduzir negociações contratuais com clientes e fornecedores;

3. os relatórios destacam as atividades decisivas para a conclusão dos projetos dentro do prazo estabelecido. Também destacam as atividades que podem ser atrasadas sem afetar as datas de término, liberando, assim, os recursos para as atividades mais críticas;

4. os métodos de rede permitem que os gerentes de projeto analisem as implicações de tempo e custo dos *trade-offs* de recursos.

Estabelecendo relações de precedência A diagramação do projeto como uma rede exige o estabelecimento de relações entre as atividades. Uma **relação de precedência** determina uma seqüência de atividades empreendidas; ela especifica que uma atividade não pode ser iniciada antes que outra tenha terminado. Por exemplo, os folhetos que anunciam uma conferência para executivos devem primeiramente ser desenhados pelo comitê de programa (atividade A) antes de serem impressos (atividade B). Em outras palavras, a atividade A deve *preceder* a atividade B. Para grandes projetos, essa tarefa é essencial, porque relações de precedência incorretas resultam em atrasos dispendiosos. As relações de precedência são representadas por um diagrama de rede.

Usando a abordagem AON A abordagem que usamos neste texto é chamada de AON (*activity-on-node* – **atividade em nó**), na qual os nós representam atividades e os arcos, as relações de precedência entre elas, que exigem que uma atividade não comece antes que todas as precedentes tenham sido concluídas. Devem ser usadas algumas convenções de diagrama para as redes AON. Nos casos de várias atividades sem precedentes, é usual mostrá-las emanando de um nó comum, denominado *início* (*start*). Para várias atividades sem sucessores, é usual mostrá-las conectadas a um nó denominado *final* (*finish*). A Figura 3.2 mostra como fazer o diagrama de várias relações de atividades encontradas comumente.

AON	Relacionamentos entre atividades
S → T → U	S precede T que precede U.
S → U, T → U	S e T devem ser concluídas antes de U poder ser iniciada.
S → T, S → U	T e U não podem começar até que S seja concluída.
S → U, S → V, T → U, T → V	U e V não podem começar antes que S e T sejam concluídas.
S → U, T → U, T → V	U não pode começar antes de S e T serem concluídas; V não pode começar antes de T ser concluída.
S → T → V, S → U, T → U	T e U não podem começar antes de S ser concluída e V não pode começar antes de T e U serem concluídas.

Figura 3.2 Diagrama das relações entre as atividades

DESENVOLVIMENTO DO CRONOGRAMA

Em seguida, a equipe de projeto deve fazer estimativas para as atividades. Quando o mesmo tipo de atividade já foi exercido muitas vezes antes, as estimativas de tempo estão aptas para ter um grau relativamente elevado de exatidão. Podem ser usados vários meios para obter as estimativas de tempo nesse ambiente. Primeiramente, podem ser usados métodos estatísticos se a equipe de projeto tiver acesso aos dados sobre os tempos efetivos das atividades do passado (veja o Suplemento H, "Medindo as taxas de resultados"). Segundo, se os tempos das atividades melhorarem com a quantidade de replicações, as datas poderão ser estimadas usando modelos de curva de aprendizado (veja o Suplemento G, "Análise das curvas de aprendizado", no site de apoio do livro). Finalmente, as datas das atividades

Criando o diagrama de um projeto para um hospital

EXEMPLO 3.1

O Hospital St. Adolf é um hospital privado que começou a servir a comunidade 30 anos atrás. Judy Kramer, diretora-executiva do conselho do St. Adolf, iniciou uma avaliação estratégica dos serviços do hospital a fim de identificar os hiatos em sua capacidade de prover serviços de qualidade superior. O estudo revelou uma falha na capacidade do hospital de prestar serviços no nível exigido pela comunidade, especialmente por causa da falta de espaço para leitos e instalações de laboratório pequenas e ineficientes. Era impossível, porém, expandir o hospital no local em que estava.

A fim de melhor servir ao público em Benjamin County, o conselho do Hospital St. Adolf decidiu mudar de Christofer para Northville. A mudança consistirá em construir um novo hospital e torná-lo operacional.

Judy Kramer precisa se preparar para uma audiência, marcada para a próxima semana, com o Central Ohio Hospital Board (COHB) a respeito do projeto proposto. A audiência tratará das questões específicas do projeto total, incluindo as estimativas de custo e tempo para sua conclusão.

Com a ajuda de sua equipe, Kramer desenvolveu uma EDT consistindo em 11 atividades principais de projeto. Foi atribuída a cada membro da equipe a responsabilidade por certas atividades, com Kramer assumindo a responsabilidade geral, como gerente do projeto. A equipe especificou também as atividades precedentes (as atividades que devem ser concluídas antes que uma determinada atividade comece) para cada atividade, como é mostrado na tabela a seguir:

Atividade	Descrição	Precedente imediata	Responsabilidade
A	Selecionar o pessoal administrativo e o corpo clínico.	—	Johnson
B	Escolher o local e fazer a inspeção.	—	Taylor
C	Selecionar os equipamentos.	A	Adams
D	Preparar os planos finais de construção e layout.	B	Taylor
E	Transportar materiais para o local.	B	Burton
F	Entrevistar candidatos e preencher os cargos de enfermagem, pessoal de apoio, manutenção e segurança.	A	Johnson
G	Adquirir e receber novos equipamentos.	C	Adams
H	Construir o hospital.	D	Taylor
I	Desenvolver um sistema de informações.	A	Simmons
J	Instalar os equipamentos.	E, G, H	Adams
K	Treinar enfermeiras e pessoal de apoio.	F, I, J	Johnson

Desenhe o diagrama de rede para o projeto do hospital.

SOLUÇÃO

O diagrama de rede do projeto do hospital, baseado nas 11 atividades de Kramer e suas relações de precedência, é mostrado na Figura 3.3. Ele representa as atividades como círculos, com setas indicando a seqüência na qual elas devem ser realizadas. As atividades A e B partem do nó *início* porque não têm precedentes imediatas. As setas que conectam a atividade A às atividades C, F e I indicam que as três precisam que a atividade A seja concluída antes de poderem começar. De modo semelhante, a atividade B deve ser concluída antes que as atividades D e E possam começar, e assim por diante. A atividade K é conectada com o nó *final* porque nenhuma atividade se segue a ela. Os nós de início e fim não representam atividades reais. Eles apenas fornecem pontos de começo e fim para a rede.

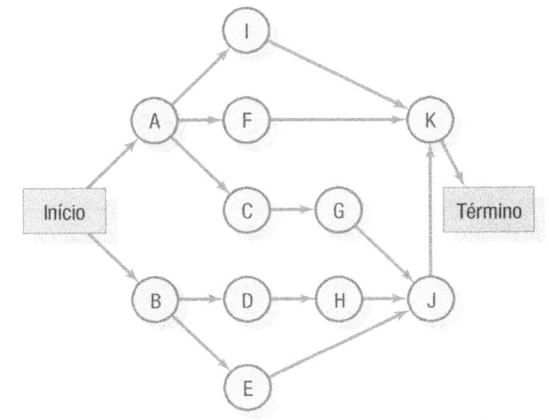

Figura 3.3 Diagrama de rede do projeto do Hospital St. Adolf

exercidas pela primeira vez são, muitas vezes, calculadas usando opiniões de gerentes com base em experiências anteriores semelhantes (veja o Capítulo 13, "Previsão de demanda"). Se as estimativas envolverem um alto grau de incerteza, poderão ser usadas distribuições de probabilidades para as datas das atividades. Mais adiante, quando tratarmos das avaliações de risco, discutiremos duas abordagens para incorporar a incerteza em redes de projetos. Por ora, presumimos que as datas das atividades são conhecidas com certeza. A Figura 3.4 mostra o tempo calculado em semanas para cada atividade do projeto do Hospital St. Adolf.

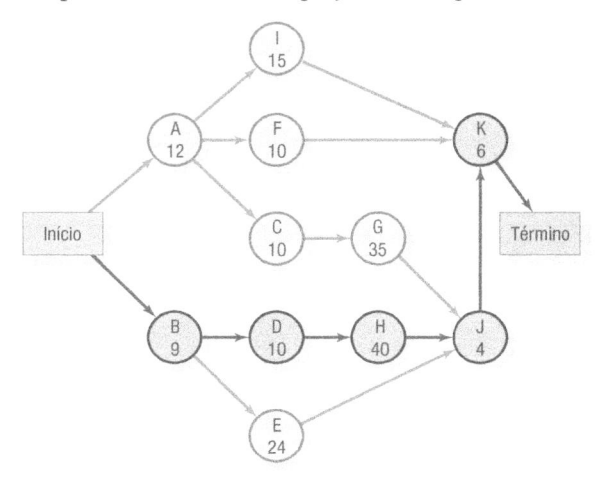

Figura 3.4 Rede mostrando os tempos das atividades para o projeto do Hospital St. Adolf

Um aspecto decisivo da gestão de projeto é o cálculo da duração total do projeto. Se cada atividade para a mudança do hospital fosse exercida em seqüência, com o trabalho prosseguindo com somente uma atividade por vez, o tempo de duração total seria igual à soma dos tempos de todas as atividades, ou 175 semanas. No entanto, a Figura 3.4 indica que algumas atividades podem ser exercidas simultaneamente, desde que sejam dados os recursos adequados. Chamamos de **caminho** cada seqüência de atividades entre o início e o término do projeto. A rede que descreve o projeto de mudança do hospital tem cinco caminhos: A–I–K, A–F–K, A–C–G–J–K, B–D–H–J–K, e B–E–J–K. O **caminho crítico** é a seqüência de atividades entre o início e o fim de um projeto que leva o maior tempo para ser concluída. Assim, as atividades ao longo do caminho crítico determinam o tempo de duração total do projeto, isto é, se uma das atividades do caminho crítico ficar atrasada, o projeto inteiro será atrasado. Os tempos estimados para os caminhos da rede do projeto do hospital são os seguintes:

Caminho	Tempo estimado (semanas)
A–I–K	33
A–F–K	28
A–C–G–J–K	67
B–D–H–J–K	69
B–E–J–K	43

Para a seqüência de atividades B–D–H–J–K, foi estimado um prazo de 69 semanas para conclusão. Pelo fato de ser a mais longa, ela constitui o caminho crítico e é mostrada em destaque na Figura 3.4.

Como o caminho crítico define o tempo de duração total do projeto, Judy Kramer e a equipe de projeto deveriam se concentrar nessas atividades. Os projetos, porém, podem ter mais de um caminho crítico. Se a atividade A, C ou G ficasse atrasada duas semanas, a seqüência A–C–G–J–K se tornaria um segundo caminho crítico. Portanto, a equipe deve estar ciente de que os atrasos das atividades que não estão no caminho crítico podem causar atrasos no projeto inteiro.

Encontrar o caminho crítico manualmente, da maneira como foi mostrado, é fácil para projetos pequenos; porém, para projetos grandes, deve-se usar computadores. Eles calculam a folga e preparam relatórios periódicos, permitindo que os gerentes monitorem o andamento. A **folga de atividade** é o período máximo de tempo que uma atividade pode ser atrasada sem atrasar o projeto inteiro. As atividades do caminho crítico têm folga zero. O monitoramento constante do progresso das atividades com pouca ou nenhuma folga permite aos gerentes identificar atividades que precisam ser apressadas para manter o projeto dentro do prazo. A folga da atividade é calculada a partir de quatro datas para cada uma delas: (1) Primeira Data de Início (PDI) (earliest start time — ES); (2) Primeira Data de Término (PDT) (earliest finish time — EF); (3) Última Data de Início (UDI) (latest start time — LS); e (4) Última Data de Término (UDT) (latest finish time — LF).

Primeira data de início e Primeira data de término
Esses horários são obtidos da seguinte forma:

1. **A primeira data de término (PDT)** de uma atividade é igual à sua PDI mais sua duração estimada, t, ou PDT = PDI + t.
2. **A primeira data de início (PDI)** de uma atividade é a PDT da atividade imediatamente precedente. Para atividades com mais de uma atividade precedente, o PDI é a data mais tardia de término das atividades precedentes.

Para calcular a duração do projeto inteiro, determinamos o PDT da última atividade do caminho crítico.

Última data de início e última data de término
Para obter as últimas datas de início e de término, devemos trabalhar de trás para a frente, a partir do nó final. Começamos fazendo a UDT do projeto igual à PDT da última atividade do caminho crítico.

1. A **última data de término (UDT)** de uma atividade é a UDI da atividade que se segue imediatamente. Para atividades com mais de uma atividade que se segue, a UDT é a mais recente das UDIs daquelas atividades.
2. A **última data de início (UDI)** de uma atividade é igual à UDT menos sua duração estimada, t, ou UDI = UDT − t.

Calculando as datas de início e término das atividades

EXEMPLO 3.2

Calcule as datas de PDI, PDT, UDI, e UDT de cada atividade. Qual atividade Kramer deve iniciar imediatamente? A Figura 3.4 contém os tempos das atividades.

SOLUÇÃO
Para calcular as primeiras datas de início e término, começamos no nó de início no tempo zero. Como as atividades A e B não têm precedentes, as datas de PDI para essas atividades também são zero. As PDT dessas atividades são

$$PDT_A = 0 + 12 = 12 \text{ e } PDT_B = 0 + 9 = 9$$

Como a **primeira data de início** das atividades I, F e C é a **primeira data de início** da atividade A,

$$PDI_I = 12, PDI_F = 12, \text{ e } PDI_C = 12$$

De modo semelhante,

$$PDI_D = 9 \text{ e } PDI_E = 9$$

Depois de inserir esses valores de PDI no diagrama de rede (veja a Figura 3.5), determinamos os tempos de **primeira data de início** para as atividades I, F, C, D e E:

$$PDT_I = 12 + 15 = 27, PDT_F = 12 + 10 = 22, PDT_C = 12 + 10 = 22$$
$$PDT_D = 9 + 10 = 19 \text{ e } PDT_E = 9 + 24 = 33$$

A **primeira data de início** da atividade G é o tempo mais atrasado da PDT de todas as atividades imediatamente precedentes. Assim,

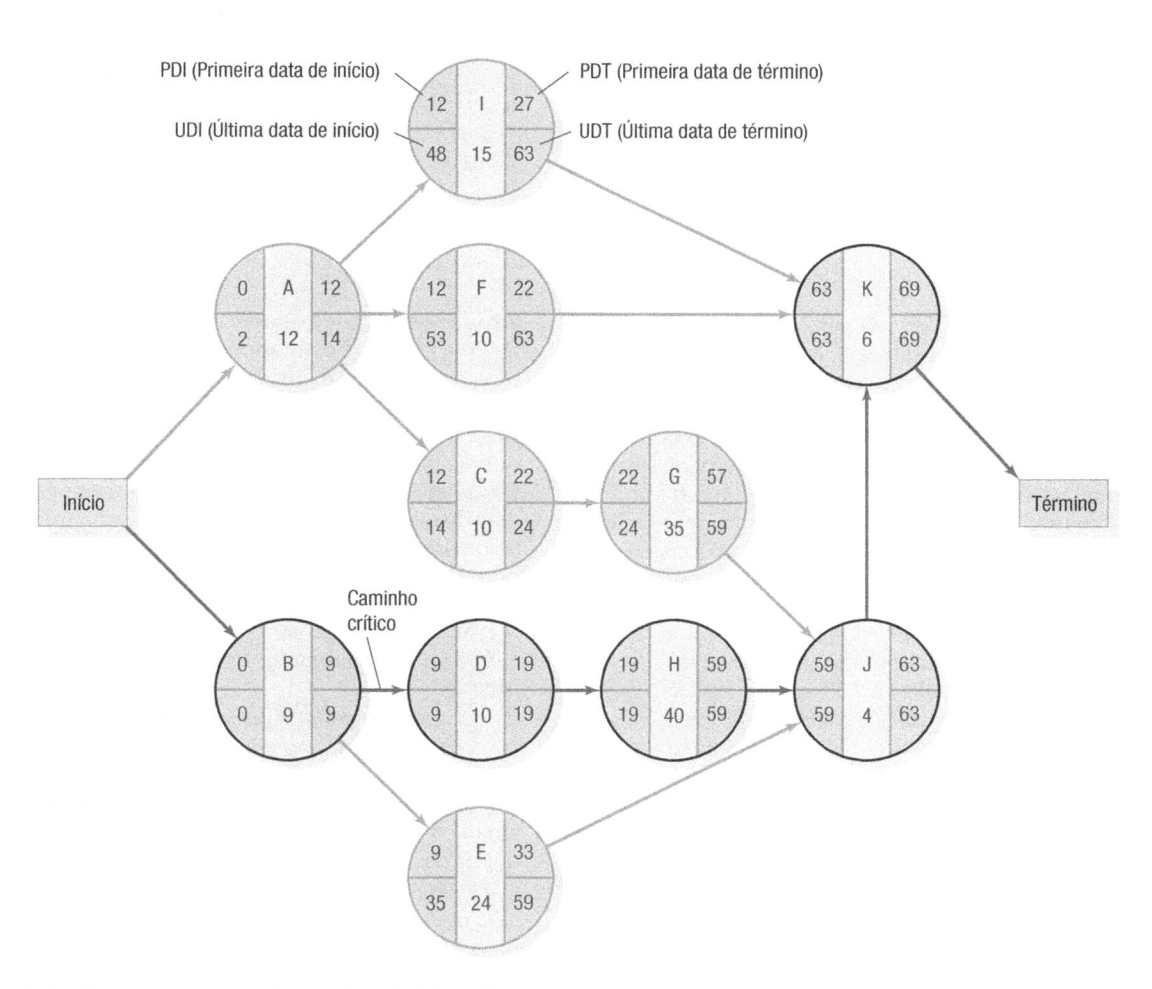

$$\begin{aligned} PDI_G &= PDT_C \\ &= 22 \\ PDT_G &= PDI_G + t \\ &= 22 + 35 \\ &= 57 \end{aligned} \qquad \begin{aligned} PDI_H &= PDT_D \\ &= 19 \\ PDT_H &= PDI_H + t \\ &= 19 + 40 \\ &= 59 \end{aligned}$$

Figura 3.5 Diagrama de rede mostrando datas de início e término

Agora a equipe de projeto pode determinar a primeira data que qualquer atividade pode ser iniciada. Como a atividade J tem vários precedentes, a primeira data que essa atividade pode começar é a mais tardia das PDTs de qualquer de suas atividades precedentes: PDT_G, PDT_H, PDT_E. Assim, $PDT_J = 59 + 4 = 63$. De modo semelhante, $PDI_K = 63$ e $PDT_K = 63 + 6 = 69$. Como a atividade K é a última do caminho crítico, a primeira data de término do projeto é na semana 69. As primeiras datas de início e de término de todas as atividades são mostradas na Figura 3.5.

Para calcular as últimas datas de início e término, começamos estabelecendo a última data de término para a atividade K como a semana 69, que é a primeira data de término, como determinado na Figura 3.5. Assim, a última data do início da atividade K é

$$UDI_K = UDT_K - t = 69 - 6 = 63$$

Se a atividade K deve iniciar antes da semana 63, todas as suas precedentes devem terminar antes daquela data. Portanto,

$$UDT_I = 63, UDT_F = 63 \text{ e } UDT_J = 63$$

As UDIs para essas atividades são mostradas na Figura 3.5 como

$$UDI_I = 63 - 15 = 48, UDI_F = 63 - 10 = 53 \text{ e } UDI_J = 63 - 4 = 59$$

Depois de obter UDI_J, podemos calcular as últimas datas de início para as precedentes imediatas da atividade J:

$$UDI_G = 59 - 35 = 24, UDI_H = 59 - 40 = 19 \text{ e } UDI_E = 59 - 24 = 35$$

De modo semelhante, podemos calcular agora as últimas datas de início das atividades C e D:

$$UDI_C = 24 - 10 = 14 \text{ e } UDI_D = 19 - 10 = 9$$

A atividade A tem mais de uma atividade imediata: I, F, e C. A data mais adiantada das últimas datas de início é 14 para a atividade C. Assim,

$$UDI_A = 14 - 12 = 2$$

De maneira similar, a atividade B tem duas atividades imediatas, D e E. Como a data mais adiantada dessas últimas datas de início é 9,

$$UDI_B = 9 - 9 = 0$$

Ponto de decisão As primeiras ou últimas datas de início podem ser usadas para desenvolver um cronograma de projeto. Por exemplo, Kramer deveria iniciar a atividade B imediatamente, porque a última data de início é 0. Do contrário, o projeto não terminará na semana 69. Quando a UDI é maior que a PDI de uma atividade, essa atividade poderá ser programada para qualquer data entre PDI e UDI. Esse é o caso da atividade E, que poderia ser programada para iniciar a qualquer momento entre as semanas 9 e 35, dependendo da disponibilidade de recursos. As primeiras e as últimas datas de início e término de todas as atividades são mostradas na Figura 3.5.

Cronograma do projeto O gerente do projeto, muitas vezes com a ajuda de um software, cria seu cronograma sobrepondo suas atividades, com seus relacionamentos de precedência e estimativas de tempo de duração, em uma linha de tempo. O diagrama resultante é denominado **gráfico de Gantt**. A Figura 3.6 mostra um gráfico de Gantt para o projeto do Hospital St. Adolf criado com o Microsoft Project, um software muito usado para o gerenciamento de projetos. O caminho crítico é indicado em preto. O gráfico mostra claramente quais atividades podem ser executadas simultaneamente e quando devem ser iniciadas. Provavelmente você notou que o número de dias entre as datas de início e término de uma atividade é maior que a duração esperada em semanas. O motivo disso é que a configuração padrão do Microsoft Project considera os sábados e domingos como dias de folga. A Figura 3.6 mostra também as programações mais adiantadas de início do projeto. Tanto a prioridade do calendário quanto a do cronograma podem ser modificadas conforme necessário. Os gráficos de Gantt são populares porque são intuitivos e fáceis de construir.

Folga de atividade Informações sobre folgas podem ser úteis, porque ressaltam as atividades que precisam de atenção especial. Sob esse aspecto, a folga de uma atividade é a quantidade de desvio da data programada que pode ser tolerada, antes que todo o projeto fique atrasado. As atividades no caminho crítico não possuem folga. A folga de atividade é reduzida quando a duração do tempo estimado de uma atividade é ultrapassada ou quando a data de início programada para a atividade precisa ser atrasada em razão de problemas envolvendo a disponibilidade de recursos. Por exemplo, estima-se que a atividade G no projeto do hospital tenha duas semanas de folga. Suponha que os pedidos dos novos equipamentos sejam feitos na semana 22, a primeira data de início da atividade. Se o fornecedor informar à equipe do projeto de que ele terá um atraso de duas semanas no prazo normal de entrega, a duração da atividade será de 37 semanas, consumindo toda a folga e tornando a atividade G crítica. A gerência precisa acompanhar cuidadosamente a entrega dos equipamentos para evitar o atraso de todo o projeto.

Às vezes, os gerentes podem manipular a folga para superar problemas de cronograma. As informações sobre as folgas ajudam a equipe de projeto a tomar decisões sobre a redistribuição de recursos. Quando os recursos podem ser usados em diferentes atividades de um projeto, eles podem ser tirados de atividades com folga e direcionados para as atividades que estão atrasadas, até que a folga seja consumida.

Há dois tipos de folga de atividades. A **folga total** de uma atividade é uma função do desempenho das atividades que conduzem a ela. Pode ser calculada de duas maneiras para qualquer atividade:

$$S = UDI - PDI \text{ ou } S = UDT - PDT$$

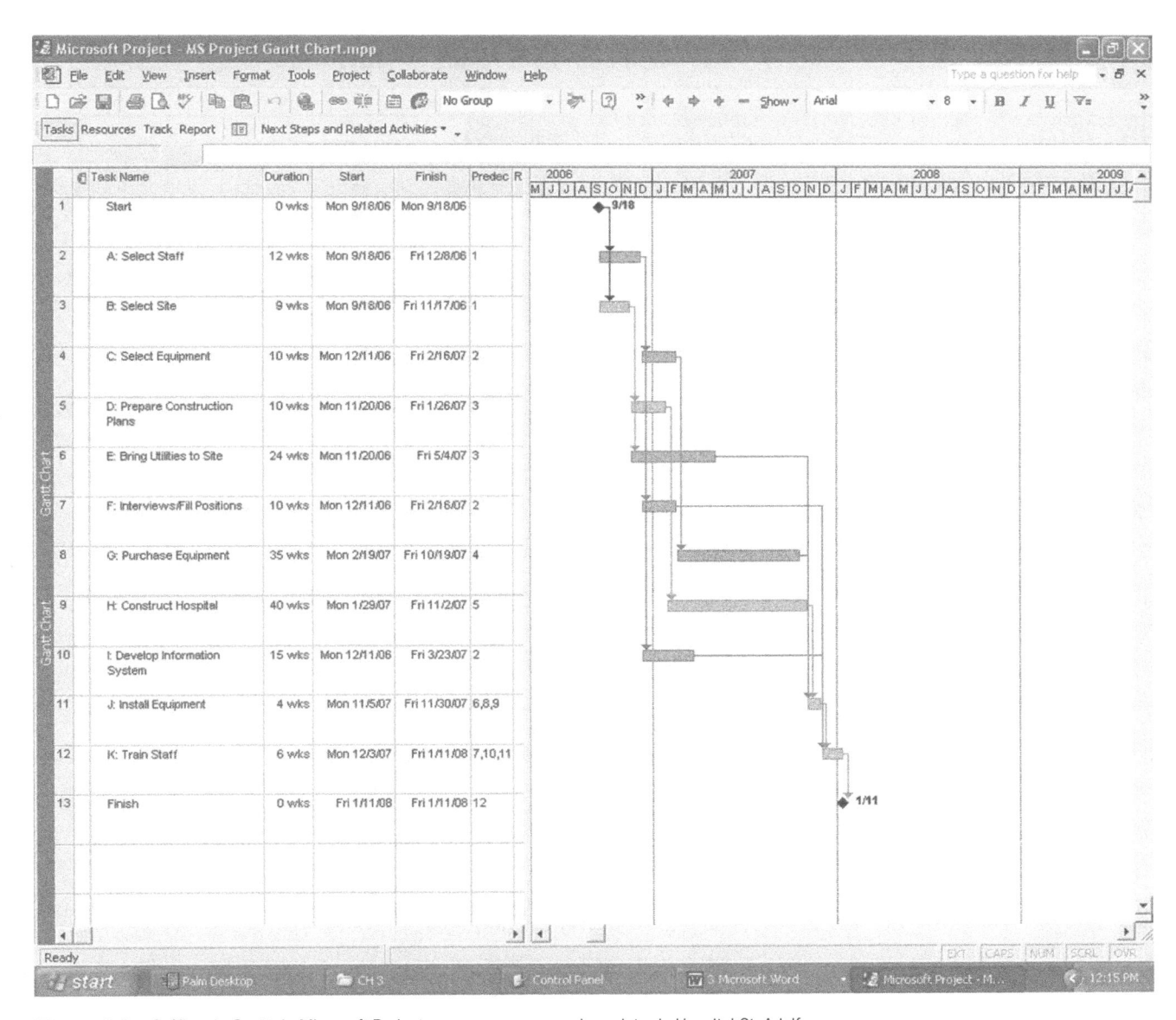

Figura 3.6 Gráfico de Gantt do Microsoft Project para o cronograma de projeto do Hospital St. Adolf

Folga livre é o período em que a primeira data de término de uma atividade pode ser atrasada sem atrasar a primeira data de início de qualquer atividade que a segue imediatamente. Para demonstrar o cálculo da folga livre, veja a Figura 3.5. Note que a atividade A tem uma primeira data de início de 12 semanas e uma folga total de duas. Agora examine as três atividades imediatamente seguintes a A. Todas elas têm as primeiras datas de início de 12 semanas. Se a atividade A tiver qualquer atraso, ela forçará uma mudança nas primeiras datas de início das três atividades seguintes, mesmo que ainda tenha folga total. A atividade A não tem folga livre. Em contraposição, veja a atividade G. Ela também tem duas semanas de folga total. No entanto, sua primeira data de término de 57 semanas é menor que a primeira data de início de sua única atividade seguinte, J, em 59 semanas. Por conseqüência, G tem duas semanas de folga livre. Ela pode ter até duas semanas de atraso sem afetar os programas de início mais adiantados de qualquer outra atividade. A diferença entre os dois tipos de folga é importante para a tomada de decisões a respeito da alocação de recursos. Se uma atividade tiver folga total, mas não tiver folga livre, qualquer desvio de sua data de início afetará a folga de outras atividades. Contudo, a data de início de uma atividade com folga livre pode ser atrasada sem afetar os cronogramas de outras atividades.

| EXEMPLO 3.3 | Calculando a folga de atividade |

Calcule a folga das atividades do projeto do Hospital St. Adolf. Use os dados fornecidos na Figura 3.5.

SOLUÇÃO

A Tabela do Microsoft Project a seguir mostra a folga total e a folga livre para cada atividade. A Figura 3.7 mostra que as atividades B, D, H, J e K não têm folga porque estão em um caminho crítico.

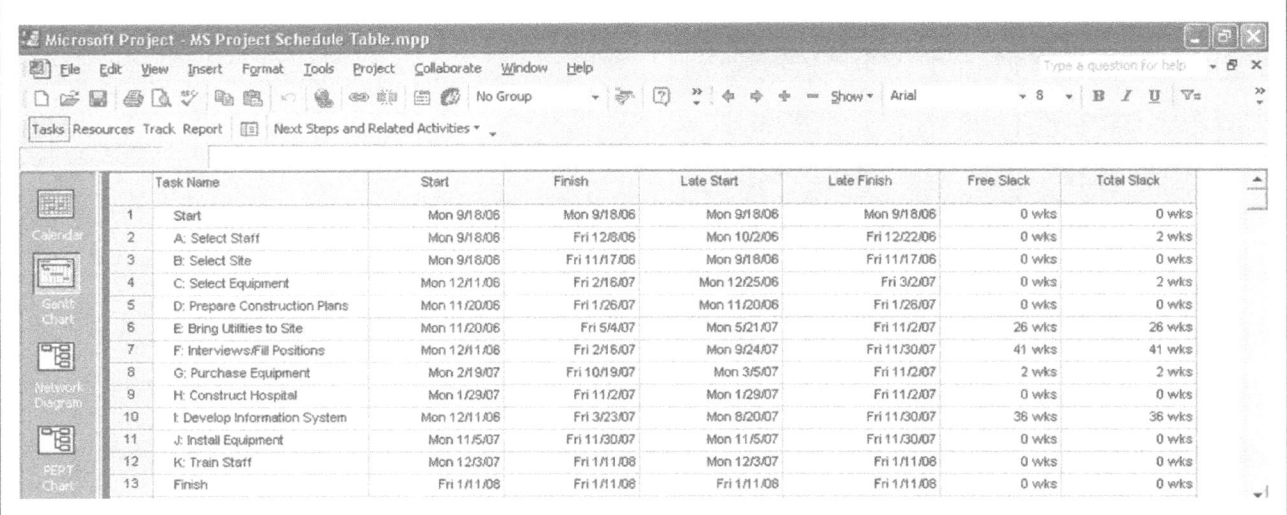

#	Task Name	Start	Finish	Late Start	Late Finish	Free Slack	Total Slack
1	Start	Mon 9/18/06	Mon 9/18/06	Mon 9/18/06	Mon 9/18/06	0 wks	0 wks
2	A: Select Staff	Mon 9/18/06	Fri 12/8/06	Mon 10/2/06	Fri 12/22/06	0 wks	2 wks
3	B: Select Site	Mon 9/18/06	Fri 11/17/06	Mon 9/18/06	Fri 11/17/06	0 wks	0 wks
4	C: Select Equipment	Mon 12/11/06	Fri 2/16/07	Mon 12/25/06	Fri 3/2/07	0 wks	2 wks
5	D: Prepare Construction Plans	Mon 11/20/06	Fri 1/26/07	Mon 11/20/06	Fri 1/26/07	0 wks	0 wks
6	E: Bring Utilities to Site	Mon 11/20/06	Fri 5/4/07	Mon 5/21/07	Fri 11/2/07	26 wks	26 wks
7	F: Interviews/Fill Positions	Mon 12/11/06	Fri 2/16/07	Mon 9/24/07	Fri 11/30/07	41 wks	41 wks
8	G: Purchase Equipment	Mon 2/19/07	Fri 10/19/07	Mon 3/5/07	Fri 11/2/07	2 wks	2 wks
9	H: Construct Hospital	Mon 1/29/07	Fri 11/2/07	Mon 1/29/07	Fri 11/2/07	0 wks	0 wks
10	I: Develop Information System	Mon 12/11/06	Fri 3/23/07	Mon 8/20/07	Fri 11/30/07	36 wks	36 wks
11	J: Install Equipment	Mon 11/5/07	Fri 11/30/07	Mon 11/5/07	Fri 11/30/07	0 wks	0 wks
12	K: Train Staff	Mon 12/3/07	Fri 1/11/08	Mon 12/3/07	Fri 1/11/08	0 wks	0 wks
13	Finish	Fri 1/11/08	Fri 1/11/08	Fri 1/11/08	Fri 1/11/08	0 wks	0 wks

Figura 3.7 Cronograma mostrando as folgas de atividade do projeto do Hospital St. Adolf

O site de apoio oferece informações complementares sobre os gráficos de Gantt e seu uso no Hospital St. Adolf.

Ponto de decisão A folga total em uma atividade depende do desempenho das atividades que conduzem a ela. Se a equipe de projeto decidir programar a atividade A para começar na semana 2 em vez de imediatamente, a folga total para as atividades C e G seria zero. Assim, a folga total é compartilhada entre todas as atividades de um determinado caminho. A tabela mostra também que várias atividades têm folga livre. Por exemplo, a atividade G tem duas semanas de folga livre. Se o cronograma prosseguir como foi planejado até a semana 22, quando a atividade G está programada para começar, e o fornecedor do equipamento pedir mais duas semanas de prazo para a entrega, a equipe de projeto saberá que o atraso não afetará o cronograma das outras atividades. Entretanto, a atividade G estaria no caminho crítico.

Agora que discutimos os fundamentos do gerenciamento de projetos, chegou o momento de testar sua compreensão do que aprendeu. O que a gerência da The Phoenician deve fazer no Desafio gerencial a seguir para enfrentar os desafios do programa de planejamento e renovação?

ANALISANDO OS *TRADE-OFFS* ENTRE CUSTO E TEMPO

Manter os custos em níveis aceitáveis é quase sempre tão importante quanto cumprir as datas programadas. Nesta seção, discutiremos o emprego dos métodos PERT/CPM para obter cronogramas com custo mínimo.

A realidade da gestão de projetos é que sempre existem compromissos entre custo e tempo. Por exemplo, um projeto pode ser terminado mais cedo que o programado mediante a contratação de mais funcionários ou de turnos extras. Essas ações poderiam ser vantajosas se concluir o projeto mais cedo resultar em mais economia ou receita maior. Os *custos totais do projeto* são a soma dos custos diretos, indiretos e penalidades. Esses custos são dependentes ou do tempo de atividade ou do tempo para terminar o projeto. Os *custos diretos* incluem mão-de-obra, materiais e quaisquer outros custos diretamente relacionados com as atividades do projeto. Os gerentes podem encurtar o tempo de atividades individuais usando recursos diretos adicionais, como horas extras, pessoal ou equipamento. Os *custos indiretos* incluem administração, depreciação, custos financeiros e outros custos variáveis que podem ser evitados com a redução do tempo total do projeto: quanto menor a duração do projeto, menores serão os custos indiretos. Finalmente, um projeto pode incorrer em custos de penalidades, caso o projeto se estenda para além de certa data, ao passo que um bônus pode ser proporcionado por conclusão antecipada. Desta maneira, um gerente de projeto pode considerar *quebrar,* ou acelerar, algumas atividades para reduzir o tempo de conclusão do projeto e seus custos totais.

DESAFIO GERENCIAL — GERENCIAMENTO DE PROJETO NO HOTEL PHOENICIAN

O Hotel Phoenician, localizado em Phoenix, Arizona, é parte da Luxury Collection da Starwood e seu único *resort* com classificação AAA Cinco Diamantes no Sudoeste dos Estados Unidos. Os termos sofisticação, elegância e excelência apenas descrevem o começo da experiência do hóspede no hotel, que pode jantar em um dos nove restaurantes, relaxar ao lado da piscina, jogar tênis, jogar golfe com 27 buracos em três campos de nove buracos, ou relaxar com uma variedade de tratamentos reconfortantes em um spa nos 2.000 metros quadrados do 'Espaço de Bem-Estar'.

Recentemente, o Phoenician iniciou um programa de 38 milhões de dólares para a renovação do spa e do campo de golfe. Os programas de golfe e spa do resort historicamente têm obtido alta pontuação nas pesquisas sobre o setor ao longo dos anos, mas o ambiente estava mudando. A prova dessa mudança podia ser vista no crescimento explosivo de novos campos de golfe e spas na região sudoeste. Apenas em Phoenix existem mais de 275 campos de golfe e o Sudoeste ostenta a maior concentração de novos spas de luxo que qualquer outro lugar. As instalações do Phoenician, embora de classe internacional e altamente qualificadas, tinham mais de 15 anos. O *status* de cinco diamantes recentemente conferido ao hotel renovou a ênfase para elevar todos os processos e serviços da propriedade a esse nível.

A decisão de renovar o campo de golfe e o spa não era uma questão de decidir *se* os projetos deveriam ser empreendidos, mas *a que nível* eles deveriam ser realizados. As considerações mais importantes centravam-se em (1) construir instalações básicas ou comprometer-se com instalações luxuosas; (2) ter reputação nacional ou internacional; e (3) desenvolver pacotes criativos das novas instalações para atrair hóspedes fiéis, por exemplo, por meio de um programa de associados semelhante ao de um clube de campo para spa e golfe. Esse programa seria limitado a cerca de 600 associados para spa/golfe, com uma taxa única de 65.000 dólares cada.

A alta direção da empresa considerou três opções para o spa 'Espaço de Bem-Estar': (1) o espaço já existente no centro do resort poderia ser renovado. Essa opção exigiria a transferência do spa para outra parte do resort e ofereceria tratamentos limitados durante esse tempo, com isso reduzindo significativamente a renda do spa; (2) o terreno irregular localizado atrás do resort poderia ser cavado para criar uma instalação montanhosa com amplas vistas. Esta opção significava o fechamento de um dos edifícios do hotel, que continha 60 quartos e suítes, durante o período de construção. O spa existente, porém, podia continuar aberto; (3) uma estrutura de estacionamento localizada na propriedade do hotel poderia ser usada, causando o menor impacto sobre a renda. A primeira opção foi vista como uma posição a curto prazo, enquanto as duas restantes foram vistas como tendo potencial a longo prazo.

Outras discussões foram centradas no tipo de spa a ser construído. A recente aquisição da marca Bliss de spa pela W Hotels de Starwood era uma opção, que oferecia uma atmosfera amena e agradável, típica de *day spas*. A segunda opção era continuar como spa de resort holístico com ênfase na saúde e recuperação. A terceira opção era tornar-se um spa de destino (*destination spa*) com programas dedicados de estada de hóspedes e de duração de uma semana. Os *day spas* estão na categoria que apresenta o mais rápido crescimento, com poucos spas de destino.

A equipe de gestão do Phoenician, com a ajuda do Starwood Field Operations e escritórios corporativos, preparou uma extensa análise dos pontos fortes e fracos e das oportunidades e ameaças para entender melhor o ambiente. O resultado dessa análise foi usado pela equipe para identificar o conjunto de atividades necessário para cada opção. O grupo corporativo de projeto e construção (*Corporate Design and Construction Group*) desenvolveu planos de arquitetura e engenharia, bem como a estrutura de divisão do trabalho (*Work Breakdown Structure* – WBS) e os diagramas mostrando o caminho crítico para as possíveis opções de projeto. A WBS, os tempos de atividade e as relações de precedência de atividade são mostrados na tabela a seguir.

Quando o Phoenician, um hotel de luxo em Phoenix, Arizona, procurou reformular suas instalações de spa, sua equipe de gestão criou uma estrutura de divisão do trabalho para comparar diferentes opções de projeto e escolher a melhor.

Estrutura de divisão do trabalho	Tempo das atividades (dias)	Relações de precedência das atividades
Conceito do projeto		
A. Reunião de início	2	
B. Criação das especificações do spa	30	A
Investigações geotécnicas		
C. Caracterizações preliminares do local	10	B
D. Investigação subterrânea	10	C
E. Testes de laboratório	5	D
F. Avaliação dos riscos geológicos	10	E
Desenvolvimento do projeto		
G. Projetos iniciais	70	B
H. Plano preliminar de cumprimento do zoneamento	15	C, G
I. Projetos finais	18	H
J. Aprovação dos projetos pelo proprietário	5	I
Estimativas de documentação e custo		
K. Documentação da construção e pacote de paisagismo	80	F, I
L. Obtenção de estimativas e propostas do empreiteiro	90	J, K
Decisão		
M. Aprovação pelo proprietário de um dos três projetos	60	L

Desafios gerenciais na escolha de uma alternativa de spa

1. Coordenar os departamentos em um grande projeto é sempre um desafio. Quais departamentos dentro da organização Starwood tiveram atuação adequada em cada uma das seguintes atividades relacionadas com projetos?
   a. Definição e organização do projeto.
   b. Planejamento do projeto.
   c. Monitoração e controle do projeto.

2. Muitas vezes, os tomadores de decisão de projeto não dependem unicamente de obstáculos financeiros, como retorno sobre investimento ou taxas internas de retorno, mas colocam muito peso em fatores intangíveis. Quais são os fatores intangíveis proeminentes ligados à seleção de uma das três opções para o spa?

3. O *timing* é sempre um desafio na gestão de projetos. Construa um diagrama de rede para o processo de seleção do spa. Em quanto tempo a direção poderá tomar uma decisão sobre o spa?

Custo de aceleração (cost to crash[4]) Para avaliar o benefício de acelerar determinadas atividades, de uma perspectiva de custo ou de cronograma, o gerente de projeto precisa conhecer os tempos e custos a seguir.

1. O **tempo normal (TN)** é o tempo necessário para concluir uma atividade sob condições normais.
2. O **custo normal (CN)** é o custo da atividade associada ao tempo normal.
3. O **tempo de aceleração (TA)** é o tempo mais curto possível para concluir uma atividade.
4. O **custo de aceleração (CA)** é o custo da atividade associada ao tempo de aceleração.

Nossa análise de custo é baseada na suposição de que os custos diretos aumentam linearmente à medida que o tempo da atividade é reduzido em relação a seu tempo normal. Essa suposição implica que, para cada semana em que o tempo de atividade é reduzido, os custos diretos aumentam proporcionalmente. Por exemplo, suponha que o tempo normal da atividade C no projeto do Hospital St. Adolf seja de dez semanas e está associado a um custo direto de 4.000 dólares. Se, ao acelerar a atividade C, pudermos reduzir o tempo para apenas 5 semanas a um custo de aceleração de 7.000 dólares, a redução de tempo líquida será de 5 semanas a um aumento do custo líquido de 3.000 dólares. Presumimos que acelerar a atividade C custa $ 3.000/5 = $ 600 por semana, assumindo custos marginais lineares como ilustrados na Figura 3.8. Assim, se a atividade C fosse acelerada em 2 semanas (neste caso, seu tempo fosse reduzido de 10 para 8 semanas), os custos diretos estimados seriam de $ 4.000 + $ 2($ 600) = $ 5.200. Para qualquer atividade, o custo para acelerá-la em uma semana seria

$$\text{custo de aceleração por período} = \frac{CA - CN}{TN - TA}$$

A Tabela 3.1 contém o custo direto e os dados de tempo, assim como os custos de aceleração por semana para as atividades do projeto do hospital.

TABELA 3.1 Custo direto e dados de tempo para o projeto do Hospital St. Adolf

Atividade	Tempo normal (TN)	Custo normal (CN)	Tempo de aceleração (TA)	Custo de aceleração (CA)	Máxima redução de tempo (semanas)	Custo da aceleração por semana
A	12	$ 12.000	11	$ 13.000	1	$ 1.000
B	9	50.000	7	64.000	2	7.000
C	10	4.000	5	7.000	5	600
D	10	16.000	8	20.000	2	2.000
E	24	120.000	14	200.000	10	8.000
F	10	10.000	6	16.000	4	1.500
G	35	500.000	25	530.000	10	3.000
H	40	1.200.000	35	1.260.000	5	12.000
I	15	40.000	10	52.500	5	2.500
J	4	10.000	1	13.000	3	1.000
K	6	30.000	5	34.000	1	4.000
Totais		$ 1.992.000		$ 2.209.500		

---

[4] *Crash*, nesta acepção, significa 'marcado por um esforço concentrado e efetivado no mais curto intervalo de tempo possível, especialmente em condições de emergência'. Não há uma palavra equivalente em português, exceto uma aproximação com 'aceleração'.

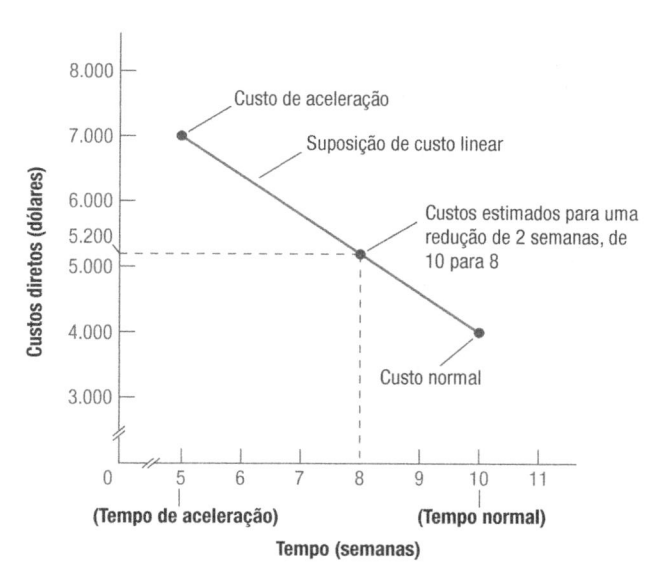

Figura 3.8 Relações custo tempo na análise de custo

Minimizando os custos O objetivo da análise de custos é determinar qual a programação de projeto que minimiza seus custos totais. Suponha que os custos indiretos sejam de 8.000 dólares por semana. Suponha também que, após a semana 65, o Central Hospital Board imponha ao St. Adolf uma penalidade ao custo de 20.000 dólares por semana, se o hospital não estiver operando totalmente. Com um tempo de conclusão do caminho crítico de 69 semanas, o hospital enfrenta custos potencialmente grandes, a menos que o cronograma seja alterado. Para cada semana que o projeto é encurtado — até a semana 65 — o hospital economiza 8.000 dólares em custos indiretos.

A mínima duração possível do projeto pode ser encontrada usando os tempos de aceleração de cada atividade com o objetivo de fazer o cronograma. No entanto, o custo desse cronograma pode ser proibitivo. Os gerentes de projeto têm enorme interesse em minimizar os custos de seus projetos, de modo que os orçamentos não sejam excedidos. Ao determinar o **cronograma do custo mínimo**, começamos com um cronograma de tempo normal e atividades aceleradas ao longo do caminho crítico, cujo comprimento é igual à duração do projeto. Queremos determinar quanto podemos acrescentar em custos de aceleração sem exceder a economia em custos indiretos e penalidades. O procedimento consiste nos seguintes passos:

Passo 1: determinar o(s) caminho(s) crítico(s) do projeto.

Passo 2: encontrar a(s) atividade(s) do(s) caminho(s) crítico(s) que têm o menor custo de aceleração por semana.

Passo 3: reduzir o tempo dessa atividade até que (1) ela não possa ser reduzida ainda mais; (2) outro caminho torne-se crítico; ou (3) o aumento dos custos diretos exceda as economias que resultam do encurtamento do projeto. Se mais de um caminho for crítico, pode ser preciso reduzir o tempo de uma atividade em todos os caminhos simultaneamente.

Passo 4: repita o procedimento até que o aumento dos custos indiretos seja maior que a economia realizada pelo encurtamento do projeto.

Encontre um cronograma de custo mínimo — EXEMPLO 3.4

Determine o cronograma de custo mínimo para o projeto do Hospital St. Adolf. Use as informações fornecidas na Tabela 3.1 e na Figura 3.5.

SOLUÇÃO

O período de tempo previsto para a conclusão do projeto é de 69 semanas. Os custos do projeto para esse cronograma são de 1.992.000 dólares em custos diretos, 69($ 8.000) = $ 552.000 em custos indiretos e (69 − 65) ($ 20.000) = $ 80.000 em custos das penalidades, para custos totais do projeto de 2.624.000 dólares. Os cinco caminhos da rede são os seguintes tempos normais.

A–I–K:	33 semanas
A–F–K:	28 semanas
A–C–G–J–K:	67 semanas
B–D–H–J–K:	69 semanas
B–E–J–K:	43 semanas

Nossa análise pode ser simplificada se pudermos eliminar alguns caminhos que não precisam de análise mais detalhada, ou seja, que não são críticos. Se todas as atividades em A–C–G–J–K fossem aceleradas, a duração do caminho seria de 47 semanas. A aceleração de todas as atividades em B–D–H–J–K resulta em uma duração de 56 semanas. Como os tempos *normais* de A–I–K, A–F–K, e B–E–J–K são menores que os tempos mínimos dos dois outros caminhos, podemos desprezar esses três caminhos; eles nunca serão críticos, não importando a aceleração que seja feita.

Estágio 1

Passo 1: o caminho crítico é B–D–H–J–K.

Passo 2: a atividade mais barata para ser acelerada por semana é J a 1.000 dólares, o que é muito menos que a economia em custos indiretos e penalidades de 28.000 dólares por semana.

Passo 3: acelerar a atividade J pelo seu limite de três semanas porque o caminho crítico permanece inalterado. Os novos tempos esperados para o caminho são:

A–C–G–J–K: 64 semanas e B–D–H–J–K: 66 semanas

A economia líquida é 3($ 28.000) − 3($1.000) = $ 81.000. O custo total do projeto agora é de $ 2.624.000 − $ 81.000 = $ 2.543.000.

Estágio 2
Passo 1: o caminho crítico ainda é B–D–H–J–K.

Passo 2: a atividade mais barata para ser acelerada por semana agora é D a 2.000 dólares.

Passo 3: acelerar D em duas semanas. A primeira semana de redução da atividade D economiza 28.000 dólares porque elimina uma semana de custos de penalidades e também de custos indiretos. A aceleração de D por uma segunda semana economiza somente 8.000 dólares em custos indiretos porque, depois da semana 65, não haverá mais custos de penalidades. Essa economia ainda excede o custo da aceleração de D em duas semanas. Os tempos atualizados dos caminhos são:

A–C–G–J–K: 64 semanas e B–D–H–J–K: 64 semanas

A economia líquida é de $ 28.000 + $ 8.000 − 2($ 2.000) = $ 32.000. O custo total do projeto agora é de $ 2.543.000 − $ 32.000 = $ 2.511.000.

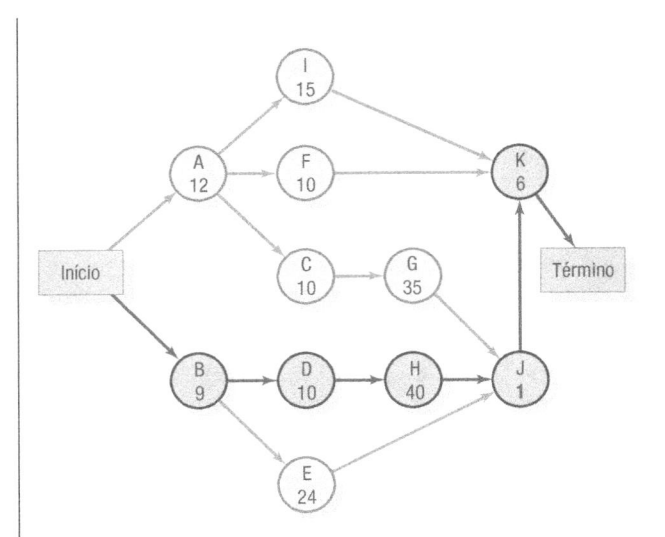

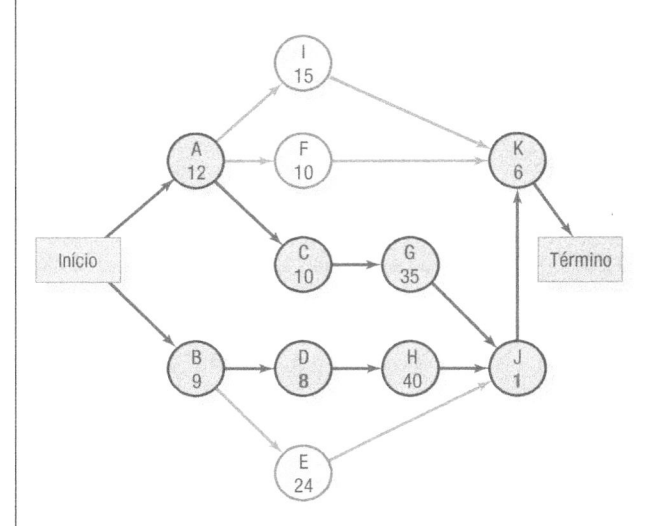

Estágio 3
Passo 1: depois de acelerar D, agora temos dois caminhos críticos. Ambos devem ser encurtados para realizar qualquer economia nos custos indiretos do projeto. Se um for encurtado e outro não, a duração do projeto permanecerá inalterada.

Passo 2: nossas alternativas são acelerar uma das seguintes combinações de atividades — (A, B); (A, H); (C, B); (C, H); (G, B); (G, H) — ou acelerar a atividade K, que está em dois caminhos críticos (J já foi acelerada). Levamos em conta somente as alternativas para as quais o custo da aceleração é menor que a economia potencial de 8.000 dólares por semana. As únicas alternativas viáveis são (C, B) a um custo de 7.600 dólares por semana, e K a 4.000 dólares por semana. Escolhemos acelerar a alternativa K.

Passo 3: aceleramos a atividade K o máximo possível — uma redução de uma semana — porque ela está em ambos os caminhos críticos. Os tempos atualizados do caminho são os seguintes:

A–C–G–J–K: 63 semanas e B–D–H–J–K: 63 semanas

A economia líquida é de $ 8.000 − $ 4.000 = $ 4.000. Os custos totais do projeto são de $ 2.511.000 − $ 4.000 = $ 2.507.000.

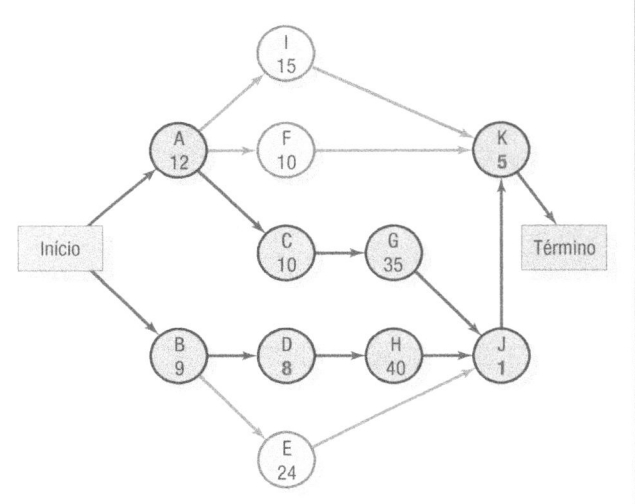

Estágio 4
Passo 1: os caminhos críticos são B–D–H–J–K e A–C–G–J–K.

Passo 2: a única alternativa viável neste estágio é acelerar as atividades B e C simultaneamente a um custo de 7.600 dólares por semana. Essa quantia ainda é menor que a economia de 8.000 dólares por semana.

Passo 3: acelerar as atividades B e C em duas semanas, que é o limite para a atividade B. Os tempos de caminhos atualizados são:

A–C–G–J–K: 61 semanas e B–D–H–J–K: 61 semanas

A economia líquida é de 2($ 8.000) − 2($ 7.600) = $ 800. Os custos totais do projeto são $ 2.507.000 − $ 800 = $ 2.506.200.

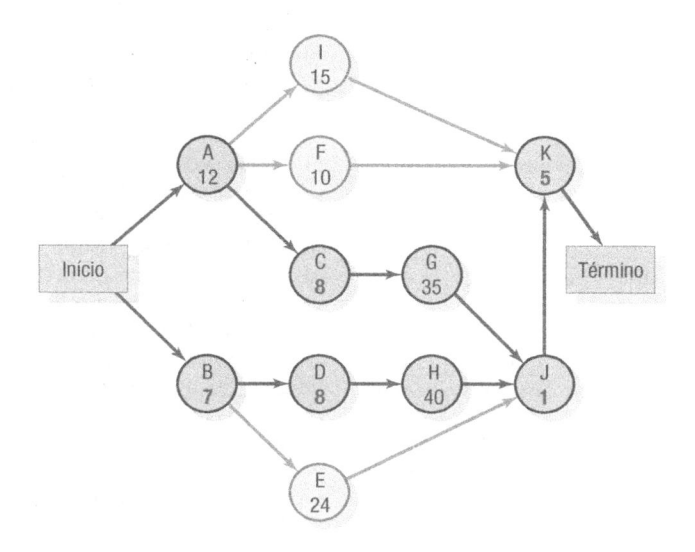

A tabela a seguir apresenta um resumo da análise.

Estágio	Atividade acelerada	Redução de tempo (semanas)	Caminho(s) crítico(s) resultante(s)	Duração do projeto (semanas)	Custos diretos do projeto, última tentativa (000)	Custo de aceleração adicionado (000)	Total de custos indiretos (000)	Total de custos de penalidades (000)	Total de custos do projeto (000)
0	—	—	BDHJK	69	1.992,0	—	552,0	80,0	2.624,0
1	J	3	BDHJK	66	1.992,0	3,0	528,0	20,0	2.543,0
2	D	2	BDHJK	64	1.995,0	4,0	512,0	0,0	2.511,0
			ACGJK						
3	K	1	BDHJK	63	1.999,0	4,0	504,0	0,0	2.507,0
			ACGJK						
4	B,C	2	BDHJK	61	2.003,0	15,2	488,0	0,0	2.506,2
			ACGJK						

Ponto de decisão Como os custos de aceleração excedem os custos indiretos semanais, qualquer outra combinação de atividades resultará em um aumento líquido dos custos totais do projeto. O cronograma de custo mínimo é de 61 semanas, com custo total de 2.506.200 dólares. Para obter esse cronograma, a equipe de projeto precisa acelerar as atividades B, D, J e K até o limite e a atividade C em 8 semanas. As outras atividades permanecem com seus tempos normais. Esse cronograma custa 117.00 dólares a menos que o cronograma com o tempo normal.

AVALIANDO OS RISCOS

Risco é uma medida da probabilidade e das conseqüências de não atingir o objetivo definido de um projeto. O risco envolve a noção de incerteza, à medida que se relaciona com os custos e com o tempo do projeto. Muitas vezes, as equipes de projeto têm de lidar com incertezas causadas por carência de mão-de-obra, clima, atrasos de fornecimento ou de resultados de testes críticos. Uma responsabilidade importante do gerente no início de um projeto é desenvolver um **plano de gerenciamento de riscos**. Os membros da equipe devem ter oportunidade para descrever os riscos que têm maior possibilidade de afetar o sucesso do projeto e recomendar maneiras de contorná-los, redefinindo as atividades principais ou desenvolvendo planos de contingência, caso ocorram problemas. Um bom plano de gerenciamento de riscos deverá quantificar os riscos e prever seu impacto sobre o projeto. Para cada risco, a conseqüência pode ser aceitável ou inaceitável, dependendo do nível de tolerância a riscos do gerente do projeto. Os riscos de projeto podem ser agrupados em quatro categorias: ajuste estratégico (*strategic fit*), atributos de serviço–produto, competência da equipe de projeto e operações.

Ajuste estratégico Os projetos devem ser cuidadosamente avaliados segundo uma perspectiva estratégica. Independentemente do tamanho do projeto, ele deve ter um objetivo que apóie as metas estratégicas da empresa. Se a conexão com a estratégia geral não estiver clara, o projeto corre o risco dos recursos financeiros não serem suficientes para as necessidades, à medida que as prioridades são deslocadas ao longo do tempo. O uso do conceito de *programa* de projeto, discutido anteriormente, é útil para demonstrar a importância estratégica de um conjunto de projetos menores.

Atributos de serviço produto Se o projeto envolver o lançamento de um serviço ou produto, haverá o *risco de mercado*, partindo da concorrência. A presença desse risco pressiona a análise de mercado e as projeções de demanda que se tornam a base da decisão de prosseguir com o projeto. O *risco tecnológico* pode surgir de avanços tecnológicos que forem realizados depois do projeto ser iniciado e tornar obsoleta a tecnologia escolhida para o serviço ou produto. Esse risco é preponderante na indústria de telecomunicações, em que a tecnologia de telefones celulares, por exemplo, está mudando rapidamente. O perigo é que um produto em desenvolvimento pode ser superado por uma nova tecnologia desenvolvida por um concorrente. O *risco legal*, como processos por responsabilidade ou legislação ambiental, pode exigir mudanças no projeto de serviços ou produtos depois de iniciado seu desenvolvimento.

Competência da equipe de projeto Os riscos estão associados também à própria equipe de projeto. Já discutimos a seleção do gerente e da equipe, e algumas das considerações que devem ser feitas. Escolhas inadequadas podem comprometer a conclusão de um projeto. Outros fatores que afetam os riscos dos projetos segundo a perspectiva da competência da equipe incluem o *tamanho do projeto*, em relação ao qual a equipe (ou a empresa) já tenha trabalhado antes e medido em termos de valor do orçamento; a *complexidade do projeto*, relativa ao número de entidades diferentes (internas e externas) que devem ser coordenadas; e a *experiência tecnológica*, relativa a tecnologias necessárias para projetar um serviço ou produto, ou para implementar o projeto.

Operações Os riscos associados a operações são afetados pela *exatidão das informações*, em relação à integridade do cronograma da divisão do trabalho, a todos os dados necessários para avaliar o andamento, aos tempos de conclusão das atividades e aos custos; a *comunicação*, em relação ao tempo oportuno de divulgação dos relatórios sobre o andamento do projeto e às ações e aos problemas que precisam ser resolvidos para as partes interessadas no projeto e membros da equipe; e a *conclusão e tempos da atividade*, em relação ao desafio de gerenciar o projeto com incerteza sobre as estimativas de tempo das atividades.

Esses riscos devem ser identificados e os mais significativos devem ter planos de contingência, no caso de alguma coisa dar errado. Quanto mais arriscado for um projeto, maior a probabilidade de enfrentar dificuldades, como mostra a Prática Gerencial 3.2.

As redes PERT/CPM podem ser usadas para quantificar os riscos associados ao tempo do projeto. Muitas vezes, a incerteza vinculada a uma atividade pode se refletir no tempo de duração dessa atividade. Por exemplo, uma atividade de desenvolvimento de um novo produto pode ser o desenvolvimento da competência tecnológica para fabricá-lo, uma atividade que pode durar de oito meses a um ano. Para incorporar a incerteza ao modelo de rede, podem ser usadas duas abordagens para o cálculo das distribuições de probabilidade dos tempos das atividades: simulação em computador e análise estatística. Com a simulação, o tempo de cada atividade é escolhido aleatoriamente a partir de sua distribuição de probabilidades (veja o Suplemento B, "Simulação"). O caminho crítico da rede é determinado e a data de conclusão do projeto é calculada. O procedimento é repetido muitas vezes, resultando em uma distribuição de probabilidades para a data de conclusão.

A abordagem da análise estatística exige que os tempos de atividade sejam declarados de acordo com três estimativas razoáveis:

1. O **tempo otimista** (a) é o tempo mais curto no qual uma atividade pode ser concluída se tudo correr excepcionalmente bem.
2. O **tempo mais provável** (m) é o tempo provável necessário para a realização de uma atividade.
3. O **tempo pessimista** (b) é o tempo mais longo estimado necessário para realizar uma atividade.

Ainda nesta seção, discutiremos a maneira de calcular a estatística de tempo das atividades usando essas três estimativas de tempo e de analisar o risco do projeto usando probabilidades.

Calculando estatísticas de tempo Com três estimativas de tempo (otimista, mais provável e pessimista), o gerente de projeto tem informações suficientes para calcular a probabilidade de uma atividade a ser concluída dentro do cronograma. Para fazer isso, ele precisa, primeiramente, calcular a média e a variância de uma distribuição de probabilidade para cada atividade. No PERT/CPM, cada tempo de atividade é tratado como se fosse uma variável aleatória derivada de uma distribuição beta de probabilidades. Essa distribuição pode ter várias formas, permitindo que a estimativa de tempo mais provável (m) fique em qualquer lugar entre as estimativas de tempo pessimista (b) e otimista (a). A estimativa de tempo mais provável é o *modo* da distribuição beta ou o tempo com a maior probabilidade de ocorrência. Essa condição não é possível com distribuição normal, que é simétrica porque exige que o modo seja eqüidistante dos pontos terminais da distribuição. A Figura 3.9 mostra a diferença entre as duas distribuições.

São necessárias duas suposições básicas: (1) supomos que a, m e b podem ser calculados com exatidão. Seria melhor considerar as estimativas como valores que definem um período de tempo razoável para a duração da atividade, negociado entre o gerente de projeto e os membros da equipe responsáveis pelas atividades; (2) presumimos que o desvio-padrão do tempo da atividade

PRÁTICA GERENCIAL 3.2 — PROJETO BIG DIG DE BOSTON APRESENTA MUITOS DESAFIOS

A cidade de Boston, Massachusetts, possui muitas atrações dignas de aplausos: a equipe campeã mundial de beisebol Boston Red Sox, o Freedom Trail, que retrata muitos edifícios históricos e vistas dos anos 1600, e o mais ambicioso projeto de infra-estrutura rodoviária já empreendido nos Estados Unidos. A antiga rodovia elevada de seis faixas que atravessa o centro da cidade foi projetada para 75.000 carros por dia, mas foi obrigada a acomodar cerca de 200.000 carros por dia. A estrada ficava congestionada durante dez horas por dia e estimava-se que esse tempo aumentasse para 16 horas por dia em 2010. Isso custava aos moradores da região e às empresas 500 milhões de dólares por ano em acidentes, combustível e despesas de entregas atrasadas.

Para solucionar o problema de tráfego, seria preciso mais que acrescentar algumas faixas à rodovia já existente, que foi construída em 1953 e cuja superestrutura elevada estava se deteriorando rapidamente. Em vez de consertar a velha rodovia, foi tomada a decisão de construir uma rodovia subterrânea com oito a dez faixas diretamente abaixo da rodovia que já existia, culminando no extremo norte da cidade em duas pontes com 14 faixas que cruzariam o rio Charles. No extremo sul, foi construído um túnel de quatro faixas sob a estrada South Boston e o Porto de Boston para o Aeroporto Logan, o que não deixava dúvidas sobre o motivo de a obra ter ganhado o apelido de 'Big Dig' (grande escavação); o projeto abrange 12,5 quilômetros de rodovia com metade dela em túneis sob uma grande cidade e um porto!

Para ter uma perspectiva do tamanho e complexidade desse projeto, ele exigiu 3,8 milhões de jardas cúbicas de concreto, o suficiente para cobrir 2.350 acres (ou 9,5 milhões de metros quadrados) com espessura de 1 pé. Foram escavados mais de 16 milhões de jardas cúbicas de terra, quantidade suficiente para encher 16 vezes o estádio de futebol americano England Patriots. O empreendimento exigiu 109 contratos de construção envolvendo muitas das maiores empresas da Nova Inglaterra. Foram empregados mais de 5.000 trabalhadores nesse pico. Para controlar o tráfego quando o projeto estivesse concluído, foi instalado o sistema altamente avançado Smart Highways, que incluía 1.400 *loop detectors* para medir a intensidade do tráfego e identificar padrões, 430 câmeras de televisão, 130 tabuletas eletrônicas para mensagens e 300 sinais de controle e detectores de monóxido de carbono. Para aumentar a complexidade, a cidade tinha que continuar aberta para negócios durante a construção; a capacidade de tráfego tinha de ser mantida e as empresas e os moradores locais tinham que continuar acessíveis. O trabalho tinha que prosseguir, evitando túneis de metrô e canalizações subterrâneas de vapor. O planejamento para o projeto começou em 1983, a construção em 1991 e em 2005 quase todo o projeto estava concluído, exceto pelo trabalho de reparos.

O projeto teve sucesso? A resposta depende de para quem é feita a pergunta. Os residentes de Boston têm uma rede muito mais eficiente de transporte que permitirá o crescimento futuro por muitos anos. O empreendimento tornou o centro de Boston muito mais agradável esteticamente, com 150 acres de excelentes terrenos, liberados com a demolição do antigo sistema rodoviário, que podem ser usados para eventos culturais, locais de reunião e parques. No entanto, segundo a perspectiva da gerência de projeto, ele deixou de cumprir três objetivos de qualquer projeto: atendimento ao prazo estipulado, respeito ao orçamento e cumprimento das especificações. O Big Dig atrasou cinco anos (originalmente programado para ser terminado em 1998), custou mais de 10 bilhões de dólares acima do orçamento (originalmente projetado para ser cerca de quatro bilhões de dólares atuais)

Muita controvérsia cerca o 'Big Dig', um grandioso túnel com rodovias construído sob a cidade de Boston e o Porto de Boston. Na ocasião em que ele foi terminado, estava com o orçamento estourado, atrasado e não obedecia às especificações, em parte porque, até então, ninguém jamais havia empreendido um projeto tão complexo.

e exigiu reparos significativos de vazamentos pouco tempo depois que os túneis foram abertos. Como o empreendimento foi financiado com dinheiro dos contribuintes, não é de admirar que ele está sujeito a muitos debates e controvérsias.

Por que esse projeto teve problemas? O Big Dig é um exemplo de projeto arriscado, não por causa da incerteza em relação à sua finalização, mas porque era imensamente grande e complexo. Ele foi chamado de um dos mais complexos e controversos projetos de engenharia da história da humanidade, rivalizando apenas com o Canal do Panamá, o Túnel do Canal da Mancha e o oleoduto Trans-Alaska. O projeto incluía dois grandes túneis e o maior sistema de ventilação do mundo, quatro grandes trevos rodoviários, o cruzamento do Rio Charles com duas pontes de 14 faixas, o sistema de gerenciamento de tráfego mais avançado do mundo e o desenvolvimento de parques e espaços abertos. Os gerentes de projeto fizeram muitas reuniões com agências ambientais e concessionárias, grupos comunitários, empresas e líderes políticos para obter um consenso sobre como ele seria construído. Como resultado de reuniões como essas, o escopo do projeto foi modificado ao longo do tempo, apresentando, por fim, diversas mudanças. De uma perspectiva operacional, a maioria das empresas de construção envolvida nunca tinha feito nada com esse tamanho e escopo antes, e todas tinham dificuldade para fornecer boas estimativas de tempo para sua parte do projeto. Os atrasos e os estouros de orçamento foram inevitáveis. Além disso, foi difícil conseguir qualidade porque muitas empreiteiras estavam envolvidas em um projeto tão complexo. Projetos desse tamanho e complexidade são inerentemente arriscados; os planos de contingência devem cobrir os contratempos mais prováveis. Problemas de cronograma e orçamento não são incomuns; porém o trabalho dos gerentes de projeto é administrar os riscos e minimizar os desvios.

Fonte: Disponível em <www.massturnpike.com/bigdig/updates>, 2005; Seth Stern, "$14.6 billion later, Boston's Big Dig wraps up", *Christian Science Monitor.* 19 Dez. 2003; "The Big Dig, Boston, MA, USA", disponível em <www.roadtraffic-technology.com>, 2005; "Big Dig tunnel is riddled with leaks", *Associated Press,* disponível em <http://abcnews.go.com>, 19 nov. 2004; Michael Roth, "Boston digs the Big Dig", *Rental Equipment Register* (1 nov. 2000), disponível em <http://rermag.com/ar>, 2005.

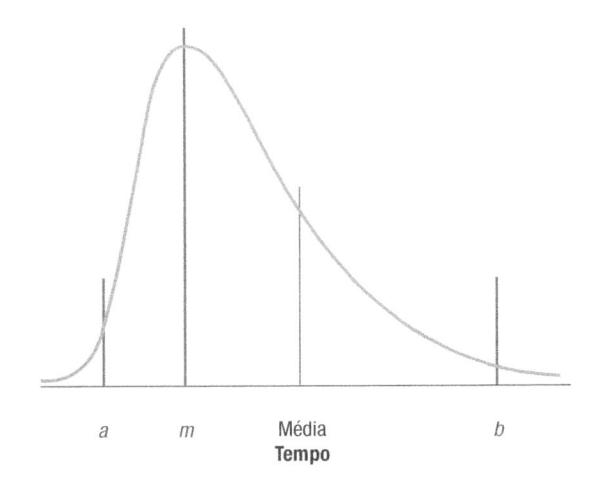

(a) Distribuição beta: o tempo mais provável (*m*) tem a maior probabilidade e pode ser colocado em qualquer lugar entre os tempos otimista (*a*) e pessimista (*b*).

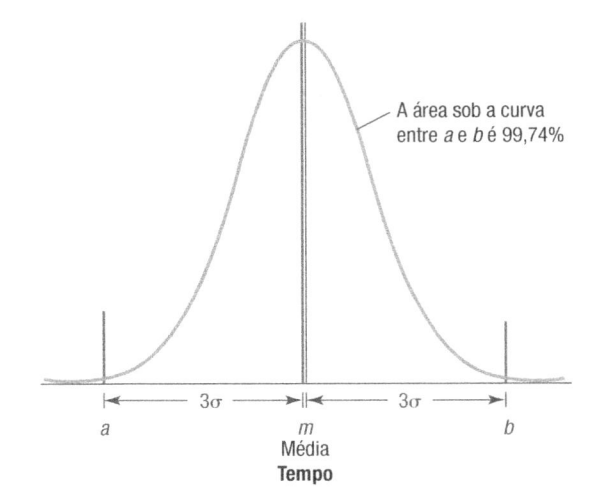

(b) Distribuição normal: os tempos médio e mais provável devem ser os mesmos. Se *a* e *b* forem escolhidos para estarem separados por 6σ, haverá uma chance de 99,74 por cento do tempo real da atividade ficar entre eles.

Figura 3.9 Diferenças entre as distribuições beta e normal para análise do projeto

é um sexto da faixa $b - a$. Assim, a chance de que os tempos reais da atividade fiquem entre a e b é elevada. Por que essa suposição faz sentido? Se o tempo da atividade seguisse a distribuição normal, seis desvios-padrão cobririam aproximadamente 99,74 % da distribuição.

Mesmo com essas hipóteses, a derivação da média e da variância da distribuição de probabilidade de cada atividade é complexa. Essas derivações mostram que a média da distribuição beta pode ser calculada usando-se a seguinte média ponderada das três estimativas de tempo:

$$t_e = \frac{a + 4m + b}{6}$$

Note que o tempo mais provável tem quatro vezes o peso das estimativas pessimista e otimista.

A variância da distribuição beta de cada atividade é

$$\sigma^2 = \left(\frac{b - a}{6}\right)^2$$

A variância, que é o quadrado do desvio-padrão, aumenta à medida que a diferença entre b e a aumenta. Esse resultado implica que quanto menos certa uma pessoa estiver ao calcular o tempo real de uma atividade, maior será a variância.

EXEMPLO 3.5 — **Calculando médias e variâncias**

Suponha que a equipe de projeto tenha chegado às seguintes estimativas de tempo para a atividade B (escolha do local e levantamento) do projeto do Hospital St. Adolf:

$a = 7$ semanas, $m = 8$ semanas, e $b = 15$ semanas

a. Calcule o tempo previsto para a atividade B e a variância.
b. Calcule o tempo e variância previstos para as outras atividades do projeto.

SOLUÇÃO
a. O tempo previsto para a atividade B é

$$t_e = \frac{7 + 4(8) + 15}{6} = \frac{54}{6} = 9 \text{ semanas}$$

Note que o tempo previsto (9 semanas) não é igual ao tempo mais provável (8 semanas) para essa atividade. Esses tempos serão os mesmos somente quando o tempo mais provável estiver eqüidistante dos tempos otimista e pessimista. Calculamos a variância da atividade B como

$$\sigma^2 = \left(\frac{15 - 7}{6}\right)^2 = \left(\frac{8}{6}\right)^2 = 1,78$$

b. A tabela seguinte mostra os tempos esperados das atividades e as variâncias para as atividades listadas na descrição do projeto.

	Estimativas de tempo (semanas)			Estatísticas da atividade	
Atividade	Otimista (*a*)	Mais provável (*m*)	Pessimista (*b*)	Tempo previsto (t_e)	Variância (σ^2)
A	11	12	13	12	0,11
B	7	8	15	9	1,78
C	5	10	15	10	2,78
D	8	9	16	10	1,78
E	14	25	30	24	7,11
F	6	9	18	10	4,00
G	25	36	41	35	7,11
H	35	40	45	40	2,78
I	10	13	28	15	9,00
J	1	2	15	4	5,44
K	5	6	7	6	0,11

Ponto de decisão A equipe de projeto deve observar que a maior incerteza está no tempo calculado para a atividade I, seguida das estimativas para as atividades E e G. Essas atividades devem ser analisadas quanto à fonte de incertezas e devem ser tomadas medidas para reduzir a variância nos cálculos de tempo. Por exemplo, se a atividade I, desenvolver um sistema de informações, pode requerer o emprego de uma empresa de consultoria. A disponibilidade dessa empresa para o período de tempo programado para a atividade I pode estar sob questionamento por causa de outros compromissos da empresa. Para reduzir o risco de atraso no projeto, a equipe poderia explorar a disponibilidade de outras empresas de reputação ou reduzir os requisitos do sistema de informações e ela mesma se encarregar de grande parte da atividade.

Analisando as probabilidades Como as estimativas de tempo para as atividades envolvem incerteza, os gerentes de projeto estão interessados em determinar a probabilidade de respeitar os prazos finais. Para desenvolver a distribuição de probabilidades para o tempo de conclusão do projeto, presumimos que a duração de uma atividade não depende da duração de qualquer outra. Essa hipótese nos habilita calcular a média e a variância da distribuição de probabilidades da duração do projeto inteiro, somando os tempos de duração e variâncias das atividades ao longo do caminho crítico. Contudo, se duas atividades que possam ser realizadas ao mesmo tempo forem atribuídas a um grupo de trabalho, os tempos serão interdependentes. Além disso, se outros caminhos da rede tiverem pouca folga, um deles poderia se tornar o caminho crítico antes de o projeto ser concluído. Nesse caso, devemos calcular uma distribuição de probabilidades para esses caminhos.

Em razão da suposição de que os tempos de duração da atividade são variáveis aleatórias independentes, podemos utilizar o teorema do limite central, que estabelece que a soma de um grupo de variáveis independentes, distribuídas de maneira idêntica e aleatórias, aproxima-se de uma distribuição normal à medida que o número de variáveis aleatórias aumenta. A média da distribuição normal é a soma dos tempos esperados das atividades no caminho. No caso do caminho crítico, é o tempo de término mais adiantado esperado para o projeto:

$T_E = \Sigma$ (tempos esperados das atividades no caminho crítico) = média da distribuição normal

De modo semelhante, em virtude da suposição da independência do tempo de atividade, usamos a soma das variâncias das atividades ao longo do caminho como a variância da distribuição de tempo daquele caminho, isto é, para o caminho crítico,

$\sigma^2 = \Sigma$ (variâncias das atividades do caminho crítico)

Para analisar as probabilidades de terminar um projeto em uma data específica, utilizando a distribuição normal, usamos a fórmula da transformação-*z*:

$$z = \frac{T - T_E}{\sqrt{\sigma^2}}$$

onde

T = data de entrega do projeto

Dado o valor de *z*, usamos o Apêndice "Distribuição Normal" para encontrar a probabilidade de que o projeto estará terminado no tempo *T*, ou mais cedo. Uma suposição implícita nessa abordagem é que nenhum outro caminho se tornará crítico durante o período de tempo do projeto.

O procedimento para avaliar a probabilidade de concluir qualquer atividade de um projeto em uma data específica é semelhante ao já discutido. No entanto, em vez do caminho crítico, usaríamos o caminho de tempo mais longo das atividades do nó de início ao nó da atividade em questão.

Caminhos quase críticos (near-critical paths)

A duração de um projeto é uma função de seu caminho crítico. Contudo, os caminhos que têm quase a mesma duração que o caminho crítico podem se transformar em caminhos críticos ao longo da vida do projeto. Na prática, no início do projeto, os gerentes normalmente não sabem com certeza quais são os tempos das atividades, e podem nunca saber qual caminho era o crítico até que os tempos de atividades reais sejam conhecidos ao término do projeto. Não obstante, essa incerteza não reduz a utilidade da identificação da probabilidade de um caminho ou outro fazer com que um projeto exceda o tempo previsto para a conclusão; é de grande ajuda identificar as atividades que precisam de maior atenção da gerência. Para avaliar as chances de caminhos quase críticos atrasarem a conclusão do projeto, podemos nos concentrar nos caminhos mais longos da rede do projeto, tendo em mente que tanto a duração quanto a variância ao longo do caminho devem ser consideradas. Caminhos mais curtos com alta variância podem ter exatamente a mesma possibilidade de atrasar o projeto que caminhos mais longos com menor variância. Podemos, então, calcular a probabilidade de cada caminho ultrapassar o tempo previsto de conclusão do projeto. Essa abordagem é demonstrada por meio de análise estatística no Exemplo 3.6. Como alternativa, pode ser usada uma simulação para calcular as probabilidades. A vantagem da simulação é que não se fica restrito ao uso da distribuição beta para os tempos das atividades. Além disso, atividade ou dependências de caminho, como pontos de decisão que poderiam envolver grupos diferentes de atividades para serem empreendidas, podem ser incorporadas em um modelo de simulação muito mais fácil do que com o método da análise estatística. Felizmente, não importando a abordagem utilizada, raramente é necessário avaliar cada caminho da rede. Em redes grandes, muitos caminhos têm duração curta e baixa variância, o que torna improvável que eles afetem a duração do projeto.

EXEMPLO 3.6 — Calculando a probabilidade de concluir um projeto em uma determinada data

Calcule a probabilidade de o Hospital St. Adolf estar funcionando em 72 semanas, usando (a) o caminho crítico e (b) o caminho A–C–G–J–K.

O Active Model 3.3, disponível no site de apoio do livro, traz exemplos adicionais da análise de probabilidade do projeto do Hospital St. Adolf.

SOLUÇÃO

a. O caminho crítico B–D–H–J–K tem duração de 69 semanas. Na tabela do Exemplo 3.5, obtemos a variância do caminho B–D–H–J–K: $\sigma^2 = 1{,}78 + 1{,}78 + 2{,}78 + 5{,}44 + 0{,}11 = 11{,}89$. Em seguida, calcule o valor z:

$$z = \frac{72-69}{\sqrt{11{,}89}} = \frac{3}{3{,}45} = 0{,}87$$

Usando o Apêndice "Distribuição Normal", na coluna da esquerda descemos até o valor 0,8 e então vamos transversalmente até chegarmos à coluna 0,07, que mostra um valor tabular de 0,8078. Por conseguinte, descobrimos que há uma probabilidade de cerca de 0,81 da duração do caminho B–D–H–J–K não ser maior que 72 semanas. Como esse é o caminho crítico, existe uma probabilidade de 19 % de o projeto levar mais de 72 semanas. Essa probabilidade é mostrada graficamente na Figura 3.10.

b. Da tabela do Exemplo 3.5 determinamos que a soma dos tempos de atividade no caminho A–C–G–J–K é 67 semanas e que $\sigma^2 = 0{,}11 + 2{,}78 + 7{,}11 + 5{,}44 + 0{,}11 = 15{,}55$. O valor z é:

$$z = \frac{72-67}{\sqrt{15{,}55}} = \frac{5}{3{,}94} = 1{,}27$$

Há uma probabilidade de cerca de 0,90 da duração do caminho A–C–G–J–K não ser maior que 72 semanas.

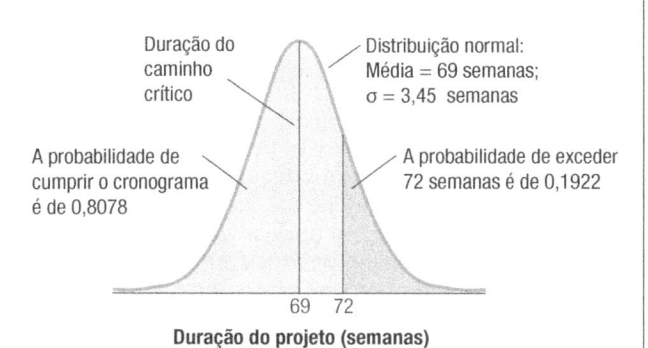

Figura 3.10 Probabilidade de concluir o projeto do Hospital St. Adolf dentro do cronograma

Ponto de decisão A equipe de projeto deve estar ciente de que há 10 % de chance do caminho A–C–G–J–K causar um atraso no projeto. Embora a probabilidade não seja muito alta para esse caminho, as atividades A, C e G merecem ser observadas durante as primeiras 57 semanas do projeto para assegurar que não mais de duas semanas de desvio ocorra nos cronogramas. Essa atenção é especialmente importante para a atividade G, que tem grande variância de tempo.

CADEIA CRÍTICA

Os compromissos entre custo e tempo e as incertezas do projeto são dois problemas importantes que os gerentes de projeto devem tratar, porém a disponibilidade de recursos é um fator essencial que conduz o custo e o desempenho para as datas de entrega prometidas. Os recursos humanos, em particular, trazem uma dimensão comportamental ao gerenciamento de projetos que afeta os cronogramas e o desempenho. Eliyahu Goldratt, em seu livro *Cadeia crítica* (1979), trata do problema dos recursos restritos e como os gerentes de projeto podem superar os problemas comuns de desempenho insatisfatório do projeto.[5]

PROBLEMAS RELACIONADOS COM RECURSOS

Goldratt identifica seis problemas relacionados a limitações de recursos e comportamento humano que não são tratados adequadamente pelas técnicas tradicionais de gerenciamento de projetos.

1. *Estimativas excessivas de duração das atividades*: quando perguntadas quanto tempo sua atividade levará, a maioria das pessoas responderá com uma estimativa que lhes dá grande chance de atender. O problema é que cada atividade tem um amortecedor interno que a gerência não percebe até depois dela ser concluída.

2. *Mentalidade de última hora*: os funcionários tendem a esperar até o último momento para iniciar o trabalho necessário à conclusão de uma atividade. Parece familiar? Goldratt chama essa mentalidade de *síndrome do estudante*, uma analogia aos estudantes que esperam até o final do semestre para fazer seu trabalho de conclusão de curso. A síndrome do estudante, associada às estimativas de tempo excessivas, fazem com que os projetos levem mais tempo do que deveriam.

3. *Falha da entrega adiantada*: mesmo que o trabalho seja terminado antes da data final, muitas vezes ele não é passado para a próxima atividade até chegar a data programada. Muitas razões possíveis explicam o motivo dos funcionários não gostarem de terminar mais cedo, incluindo não conseguirem cobrar por todo o tempo programado para o projeto ou gastar mais tempo para verificar se tudo está em ordem. O problema é que o tempo de folga é consumido e os atrasos de conclusão de algumas atividades não são contrabalançados com términos adiantados em outro lugar. O projeto todo escapa do cronograma e fica atrasado.

4. *Fusões de caminhos*: ocorre uma fusão de caminhos quando dois ou mais caminhos de atividade se combinam em um determinado nó de uma rede de projeto. Suponha que dois caminhos convergem para o nó 10, que dá início a outra série de atividades. Todos os caminhos de trabalho que se fundem devem ser concluídos antes que as atividades que iniciam com o nó 10 possam começar. A fusão reduz qualquer desenvolvimento de folga nos caminhos porque o caminho com atraso maior domina o cronograma das atividades no nó 10. As fusões de caminhos constituem outra fonte de atraso do projeto.

5. *Multitarefas*: os gerentes raramente têm a felicidade de trabalhar com somente um projeto de cada vez. A maioria deles divide seu tempo entre vários projetos em andamento. A multitarefa é o desempenho de várias atividades de projeto simultaneamente. Intuitivamente, a multitarefa é encarada como uma maneira de manter todos os projetos avançando. Que gerente quer ser culpado pelo atraso de um projeto porque não está trabalhando nele? No entanto, a multitarefa pode realmente contribuir para o atraso do projeto. Suponha que um gerente esteja envolvido em quatro projetos e que cada um deles ocupará um dia de seu tempo se ele lhe dedicar toda a atenção. Pense em um desses projetos. Com a multitarefa, a estimativa de tempo do gerente para essa atividade seria de quatro dias, em vez de um dia, para responder pela multitarefa. Se o gerente tivesse se concentrado naquela atividade por um dia, o projeto poderia ter avançado, em vez de esperar pelos três dias adicionais. Nesse exemplo, a duração dos quatro projetos aumenta por causa da multitarefa.

6. *Perda de foco*: os projetos podem também ser atrasados quando o gerente perde o foco, o que pode acontecer se o caminho crítico mudar freqüentemente. Os métodos padronizados de programar projetos permitem que o caminho crítico mude à medida que os tempos reais de atividade se desviem dos tempos calculados.

O MÉTODO DA CADEIA CRÍTICA

A abordagem, ou método, da cadeia crítica lida com esses seis problemas, melhorando as estimativas de tempo das atividades, redefinindo o conceito de caminho crítico para incluir recursos, incorporando os *time buffers* (pulmões de tempo) à estrutura de divisão do trabalho do projeto, programando atividades de acordo com o último cronograma de início e controlando os aspectos comportamentais do projeto.

Estimativas de tempo A abordagem da cadeia crítica pede que quem calcula o tempo primeiramente forneça uma estimativa de 'baixo risco' para a atividade do projeto, que seria semelhante à estimativa 'pessimista' de tempo (*b*) que usamos anteriormente em nossa análise das estimativas de tempo. Em seguida, é solicitada a estimativa de tempo 'mais provável' (*m*), presumindo que tudo aconteceu conforme esperado e que foi possível dedicar 100% do tempo, uma vez que a atividade tivesse começado. Use as estimativas de tempo *mais provável* para construir o plano de projeto de cadeia crítica e use a diferença (*b* − *m*) para desenvolver os *time buffers* do projeto.

---

[5] A *cadeia crítica* aplica uma abordagem denominada Teoria das restrições (*theory of constraints* – TOC) à administração de projetos. Tratamos da TOC no Capítulo 6, quando discutimos a questão dos gargalos nos processos. Veja também o artigo informativo de Larry P. Leach, "Critical chain project management improves project performance", *Project Management Journal*, jun. 1999, p. 39-51. (N. T.)

Cadeia crítica Goldratt definiu a **cadeia crítica** como a seqüência de eventos dependentes que impede o projeto de ser concluído em um intervalo mais curto e reconhece as dependências tanto de recursos quanto de atividades. A identificação da cadeia crítica exige boas estimativas de tempo de atividade, além da destinação de recursos para as atividades. Durante essa análise, os recursos que são sobrecarregados podem ser identificados. As restrições de recursos mais freqüentes são de pessoal; porém podem também ser de limitações físicas ou diretrizes (*policies*). A cadeia crítica amplia o conceito do caminho crítico reconhecendo as limitações de recursos e fornece o foco para a aplicação dos *time buffers* de projeto.

Buffers Uma vez que a cadeia crítica e todos os caminhos que a alimentam são identificados, os *time buffers* podem ser adicionados à rede para proteger a cadeia crítica. A diferença de estimativas de tempos de atividade $(b-m)$ pode ser usada para desenvolver *feeder buffers* no ponto em que cada caminho de feeder (*feeder path*) faz interface com a cadeia crítica. Da mesma forma, no final da cadeia crítica pode ser adicionado um *buffer* de projeto. Os *time buffers* podem ser tratados como 'atividades' na rede de projeto. A vantagem desta abordagem é que os *time buffers*, que são uma acumulação da folga ao longo de um caminho, estão localizados em lugares isolados da rede, em vez de em atividades individuais como folga de atividade. A gerência pode se concentrar nesses *time buffers* para monitorar o andamento do projeto.

Últimos cronogramas de início Usar últimos cronogramas de início tem a vantagem de retardar o desembolso de dinheiro do projeto e reconhecer a síndrome do estudante no planejamento de projetos. Os *feeder buffers* e o tempo de projeto proporcionam a proteção que os gerentes precisam para evitar os atrasos por causa de atividades que tomam mais tempo que os tempos calculados como mais prováveis.

Controle do projeto Gerentes que usam o método da cadeia crítica devem controlar os aspectos comportamentais de seus projetos. Primeiramente, os gerentes devem procurar minimizar a prática de multitarefa, porque ela afeta as estimativas dos tempos de atividade e podem atrasar os projetos. O gerente deve desenvolver um ambiente em que o comportamento orientado para datas seja eliminado, isto é, os funcionários não devem ser criticados por excederem o tempo se iniciaram a atividade dentro do programado, trabalharam 100% nela, e passaram o resultado tão logo esteve pronto. Os *buffers* de projeto devem cobrir o tempo excedente. Depois, os gerentes devem se concentrar na administração do *feeder* e *buffers* de projeto periodicamente. A direção pode estabelecer níveis críticos de *buffer* que, quando são alcançados, iniciam uma ação para remediar qualquer problema. Finalmente, acrescentar mais projetos indiscriminadamente ao portfólio pode causar problemas. Os projetos devem ser acrescentados e programados com base na carga imposta aos recursos críticos.

MONITORAMENTO E CONTROLE DE PROJETOS

Uma vez que o planejamento do projeto esteja terminado, o desafio passa a ser a manutenção do projeto dentro do cronograma e do orçamento de recursos alocados. Nesta seção, discutimos a maneira como devem ser monitorados o *status* do projeto e a utilização dos recursos. Além disso, identificamos as características dos softwares de gerenciamento de projetos que são úteis para monitorar e controlar os projetos.

MONITORANDO O *STATUS* DO PROJETO

Um bom sistema de acompanhamento ajuda a equipe de projeto a realizar seus objetivos. Muitas vezes, a própria tarefa de monitorar o andamento do projeto motiva a equipe à medida que ela vê os benefícios de seus esforços de planejamento darem resultado. Também focaliza a atenção nas decisões que devem ser tomadas à medida que o projeto se desenrola. Os sistemas de acompanhamento eficazes coletam informações sobre três tópicos: problemas pendentes, riscos e *status* do cronograma.

Problemas pendentes e riscos Um dos deveres do gerente de projeto é assegurar-se de que os problemas que foram levantados durante o projeto sejam realmente resolvidos em tempo. O sistema de acompanhamento deve lembrar ao gerente as datas de vencimento dos problemas pendentes e quem foi responsável por acompanhar sua solução. Da mesma maneira, deve fornecer o *status* de cada risco de atrasos do projeto especificado no plano de gerenciamento de riscos, de forma que a equipe possa revisá-los em cada reunião. O gerente de projeto deve também inserir novos problemas ou riscos no sistema à medida que surgirem. Para ser eficaz, o sistema de acompanhamento exige que os membros da equipe atualizem periodicamente as informações a respeito de suas respectivas responsabilidades. Embora o sistema de acompanhamento possa ser computadorizado, também pode ser simples como o emprego de e-mail, correio de voz ou reuniões para comunicar as informações necessárias.

Status do cronograma Até o projeto mais bem preparado pode dar errado. O monitoramento do tempo de folga do cronograma do projeto pode ajudar o gerente a controlar as atividades ao longo do caminho crítico. Suponha que no projeto do Hospital St. Adolf, a atividade A seja concluída em 16 semanas, em vez das 12 semanas previstas, e que a atividade B leve 10 semanas, em vez das 9 semanas previstas. A Tabela 3.2 mostra como esses atrasos afetam os tempos de folga a partir da décima sexta semana do projeto. As atividades A e B não são mostradas porque já foram terminadas.

TABELA 3.2 Cálculos das folgas depois de as atividades A e B terminarem

Atividade	Duração	Primeiro início	Último início	Folga
C	10	16	14	−2
G	35	26	24	−2
J	4	61	59	−2
K	6	65	63	−2
D	10	10	9	−1
H	40	20	19	−1
E	24	10	35	25
I	15	16	48	32
F	10	16	53	37

A folga negativa ocorre quando as hipóteses usadas para calcular a folga planejada não são válidas. As atividades C, G, J e K, que dependem do término em tempo hábil das atividades A e B, mostram folga negativa porque foram empurradas para além de suas últimas datas de início planejadas. As atividades no alto da Tabela 3.2 são mais críticas que as da parte mais baixa porque são as que estão mais atrasadas em relação ao cronograma e afetam o tempo de conclusão do projeto inteiro. Para cumprir o esquema original de término na semana 69, o gerente de projeto deve tentar conseguir duas semanas de tempo em algum lugar ao longo do caminho C–G–J–K. Além do mais, uma semana terá de ser compensada ao longo do caminho D–H. Se esse tempo for produzido, o resultado será dois caminhos críticos: C–G–J–K e D–H–J–K. Muitos gerentes de projeto trabalham com programas de computador para elaborar cronogramas que geram relatórios de folgas, como o mostrado na Tabela 3.2.

MONITORAMENTO DE RECURSOS DO PROJETO

Os princípios da cadeia crítica mostraram que os recursos alocados a um projeto são consumidos a uma taxa irregular, que é uma função dos tempos estimados para as atividades do projeto. Os projetos possuem um *ciclo de vida* que consiste de quatro fases principais: (1) definição e organização; (2) planejamento; (3) execução; e (4) encerramento. A Figura 3.11 mostra que cada uma das quatro fases requer diferentes compromissos de recursos.

Já discutimos as atividades associadas às fases de definição e organização e planejamento do projeto. A fase que consome mais recursos é a *fase de execução*, durante a qual os gerentes focalizam as atividades que dizem respeito aos componentes do projeto (*deliverables*). O cronograma do projeto torna-se muito importante porque mostra quando cada recurso dedicado a uma dada atividade será necessário. O monitoramento do andamento das atividades durante todo o projeto é importante para evitar uma possível sobrecarga de recursos. Surgem problemas quando um determinado recurso, como uma equipe de construção ou um especialista do *staff*, é necessário em várias atividades com cronogramas superpostos. Os gerentes de projeto têm várias opções para minimizar os problemas de recursos, incluindo os seguintes:

- *Nivelamento de recursos*: é a tentativa de reduzir os picos e vales das necessidades de recursos, deslocando os cronogramas das atividades conflitantes entre sua primeira e última data de início. Alguns softwares, como o Microsoft Project, possuem algoritmos que movem as atividades para evitar a violação das restrições de recursos. No entanto, se uma atividade deve ser atrasada para além de sua última data de início, a data de conclusão do projeto total será atrasada, a menos que as atividades do caminho crítico possam ser reduzidas para compensar. As técnicas de aceleração (*crashing*) ou as abordagens de *buffering* que discutimos anteriormente poderiam ajudar a recolocar o projeto em dia, mas deve ser considerada a possibilidade de haver custos adicionais.

- *Alocação de recursos*: é a destinação de recursos para as atividades mais importantes. Os pacotes de software para gerenciamento de projetos mais comuns têm algumas regras de prioridade que podem ser usadas para decidir para qual atividade um recurso crítico deve ser programado quando surgem conflitos. Por exemplo, para todas as atividades que requerem um dado recurso, destinar esse recurso para a que tiver a primeira data de início. Outras regras de prioridade estão disponíveis, como a de 'última data de início' (*latest start time*), que é recomendado por Eliyahu Goldratt para reconhecer a síndrome de estudante. O gerente de projeto pode também transferir funcionários para outras tarefas mesmo que eles não tenham sido inicialmente designados para elas. Um relatório de folgas, como o da Tabela 3.2, identifica prováveis candidatos para o deslocamento de recursos. A eficiência, porém, pode ser comprometida se os

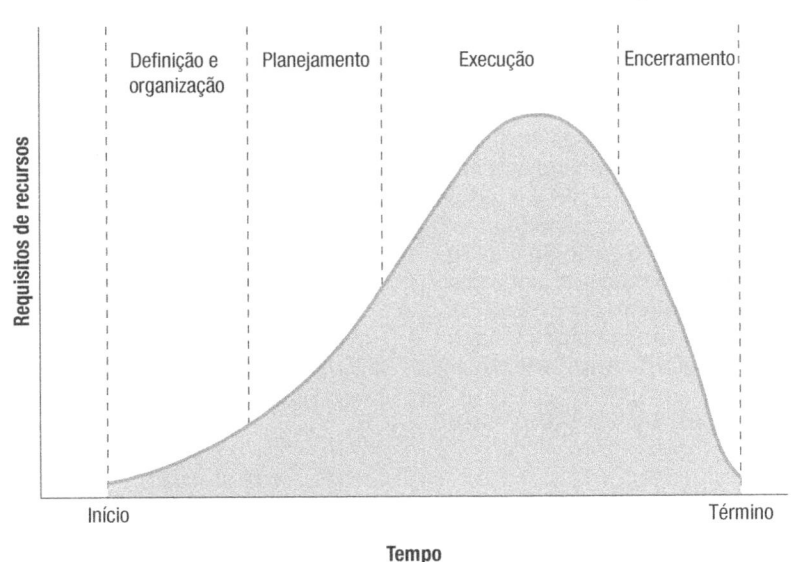

Figura 3.11 Ciclo de vida do projeto

funcionários transferidos não tiverem todas as habilidades necessárias para atender às suas novas obrigações.

- *Aquisição de recursos*: é o acréscimo de recursos àqueles que estão sobrecarregados para manter o cronograma de uma atividade. Obviamente esta tática é restringida pelo orçamento do projeto.

CONTROLANDO PROJETOS

Os gerentes de projeto têm a responsabilidade de responder pelo emprego efetivo dos recursos da empresa além de administrar as atividades para atingir os objetivos de tempo e qualidade do projeto. Os patrimônios da empresa incluem os bens físicos, recursos humanos e recursos financeiros. Os bens físicos são controlados pela manutenção periódica das máquinas e equipamentos de modo que uma falha não atrase o projeto. As mercadorias de estoque devem ser recebidas, armazenadas para uso futuro e reabastecidas. Os gerentes de projeto são responsáveis também pelo desenvolvimento dos recursos humanos. Os projetos proporcionam um ambiente rico para desenvolver futuros líderes; gerentes de projeto podem tirar vantagem da situação designando aos membros das equipes tarefas importantes que ajudem em seu desenvolvimento gerencial. E, por último, mas não menos importante, os gerentes de projetos devem controlar os gastos dos recursos financeiros da empresa. A maioria dos softwares de gerenciamento de projetos contém relatórios de contabilidade e de orçamentos, controle de investimento de capital e relatórios de fluxo de caixa. Os desvios do plano do projeto, muitas vezes chamados de variâncias, devem ser relatados periodicamente e analisados quanto a suas causas.

Gerentes de projeto podem exercer controle sobre a realização dos objetivos de tempo e qualidade do projeto monitorando seu *status* e recursos, como já foi discutido. Um andamento inaceitável do projeto pode desencadear decisões sobre nivelamento, alocação ou aquisição. Um ponto-chave é saber quando agir. Podem ser usadas três medidas para orientar os gerentes de projeto.[6] *Valor adquirido* (*earned value* — EV) de um projeto é o custo orçado do trabalho realmente concluído até a presente data. Ele é calculado multiplicando o custo orçado de cada atividade por sua porcentagem de conclusão e somando todas as atividades do projeto. *Custo real* (*actual cost* — AC) é o custo real do trabalho realizado até a presente data. Finalmente, *custo planejado* (*planned cost* — PC) é o custo orçado do trabalho que foi programado para ser concluído até a data estabelecida no plano original do projeto. Essas medidas podem ser usadas para calcular dois índices para avaliar o andamento do projeto a partir de uma determinada data:

índice de desempenho do custo (*cost performance index* — CPI) = EV/AC

índice de desempenho de cronograma (*schedule performance index* — SPI) = EV/PC

O CPI informa a maneira como as despesas reais do projeto se relacionam com seu orçamento original. O SPI informa se o andamento das várias atividades do projeto estão adiantadas ou atrasadas em relação ao planejado. O valor crítico de cada índice é 1. Valores menores que 1 são indesejáveis e, se for suficientemente baixo, desencadeará uma ação.

Por exemplo, suponha que até hoje seu projeto tenha EV = $ 14.000, AC = $ 20.000, e = $ 19.000. Conseqüentemente,

CPI = $ 14.000/$ 20.000 = 0,70

SPI = $ 14.000/$ 19.000 = 0,74

Os índices lhe dizem que você gastou mais que o plano original do projeto permitia e, pela quantia que gastou até agora, não progrediu muito no cronograma do projeto. Essa revelação faria você reexaminar suas decisões sobre recursos, para ver por que o cronograma não foi cumprido, e rever o histórico de despesas, para saber por que os custos do projeto estão superando os custos planejados até agora.

Monitorar e controlar projetos são atividades contínuas ao longo de toda a fase de execução do ciclo de vida do projeto. O **encerramento** do projeto, porém, é uma atividade que muitos gerentes esquecem de incluir em sua consideração sobre o emprego dos recursos. O objetivo dessa fase final do ciclo de vida do projeto é escrever os relatórios finais e concluir os componentes restantes. No entanto, um aspecto importante dessa fase é compilar as recomendações da equipe para melhorar o processo do projeto do qual eles fizeram parte. Muitos membros de equipe serão designados para outros projetos, nos quais poderão aplicar o que aprenderam.

EQUAÇÃO-CHAVE

1. Tempos de início e término:

    PDI = max (tempos PDT de todas as atividades que precedem imediatamente a atividade)

    PDT = PDI + t

    UDI = UDT – t

    UDT = min (tempos UDI de todas as atividades que seguem imediatamente a atividade)

2. Folga de atividade:

    S = UDI – PDI ou S = UDT – PDT

---

[6] Para mais informações sobre o controle dos projetos, veja Samuel J. Mantel et al., *Project management in practice*, 2. ed. Hoboken, NJ: John Wiley & Sons, 2005. (N. T.)

3. Custos do projeto:

$$\begin{array}{c}\text{custo de}\\\text{aceleração}\\\text{por unidade}\\\text{de tempo}\end{array} = \frac{\text{custo de aceleração} - \text{custo normal}}{\text{tempo normal} - \text{tempo de aceleração}} = \frac{CA - CN}{TN - TA}$$

4. Estatísticas do tempo da atividade:

$$t_e = \frac{a + 4m + b}{6} \text{ (Tempo esperado da atividade)}$$

$$\sigma^2 = \left(\frac{b-a}{6}\right)^2 \text{ (Variância)}$$

5. Fórmula da transformação-z:

$$z = \frac{T - T_E}{\sqrt{\sigma^2}}$$

onde

T = Data de vencimento do projeto

T_E = (tempo esperado da atividade no caminho crítico) = média da distribuição normal

σ^2 = Σ(variâncias das atividades do caminho crítico)

PALAVRAS-CHAVE

Atividade
Atividade em nó (*activity on node* — AON)
Cadeia crítica
Caminho
Caminho crítico
Cronograma de custo mínimo
Custo de aceleração – CA (*crash cost*)
Custo normal – CN (*normal cost*)
Diagrama de rede
Encerramento (*close out*)
Estrutura de Divisão do Trabalho (*Work Breakdown Structure* — WBS)
Folga de atividade
Folga livre
Folga total
Gerenciamento de projeto
Gráfico de Gantt
Método do caminho crítico (*critical path method* – CPM)
Plano de gerenciamento de riscos
Primeira data de início — PDI (*earliest start time* — ES)
Primeira data de término — PDT (*earliest finish time* — EF)
Programa
Projeto
Relação de precedência
Técnica de avaliação e revisão de programa (*program evaluation and review technique* — PERT)
Tempo de aceleração — TA (*crash time*)
Tempo mais provável
Tempo normal — TN (*normal time*)
Tempo otimista
Tempo pessimista
Última data de início — UDI (*latest start time* — LS)
Última data de término — UDT (*latest finish time* — LF)

PROBLEMA RESOLVIDO 1

Sua empresa acaba de receber de um bom cliente um pedido para fabricar um motor elétrico especialmente projetado. O contrato estabelece que, começando no trigésimo dia a partir de agora, sua empresa será multada em 100 dólares por dia até que o trabalho esteja terminado. Os custos indiretos do projeto correspondem a 200 dólares por dia. Os dados dos custos diretos e relações de precedência de atividade são fornecidos na Tabela 3.3.

a. Desenhe o diagrama da rede do projeto.
b. Qual a data de conclusão que você recomendaria?

TABELA 3.3 Dados do projeto do motor elétrico

Atividade	Tempo normal (dias)	Custo normal (dólares)	Tempo de aceleração (dias)	Custo da aceleração (dólares)	Precedente(s) imediata(s)
A	4	1.000	3	1.300	Nenhum
B	7	1.400	4	2.000	Nenhum
C	5	2.000	4	2.700	Nenhum
D	6	1.200	5	1.400	A
E	3	900	2	1.100	B
F	11	2.500	6	3.750	C
G	4	800	3	1.450	D, E
H	3	300	1	500	F, G

SOLUÇÃO

a. O diagrama da rede desse procedimento, incluindo os tempos normais de atividade, é mostrado na Figura 3.12. Ao construir um diagrama de rede, tenha em mente os seguintes critérios:

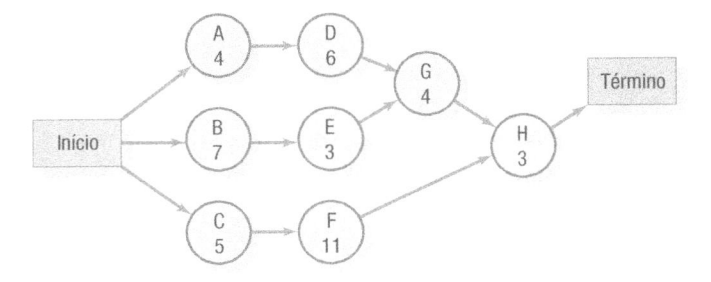

Figura 3.12 Diagrama de rede do projeto do motor elétrico

1. sempre tenha nós de início e término;
2. tente evitar o cruzamento de caminhos para manter o diagrama simples;
3. use somente uma seta para conectar diretamente dois nós;
4. coloque as atividades que não têm precedentes no lado esquerdo e aponte as setas da esquerda para a direita;
5. esteja preparado para revisar o diagrama várias vezes antes de produzir um diagrama correto e 'desatravancado'.

b. Com essas durações de atividades, o projeto será concluído em 19 dias e incorrerá em uma penalidade de 700 dólares. A determinação de uma boa data de conclusão exige o uso do procedimento do cronograma de custo mínimo. Usando os dados fornecidos na Tabela 3.3, você pode determinar a máxima redução de tempo de aceleração e custo de aceleração por dia para cada atividade. Por exemplo, para a atividade A

tempo máximo de aceleração = Tempo normal – tempo de aceleração (dias) = 4 – 3 = 1 dia

$$\text{custo de aceleração por dia} = \frac{\text{custo de aceleração} - \text{custo normal}}{\text{tempo normal} - \text{tempo de aceleração}} =$$

$$\frac{CA - CN}{TN - TA} = \frac{\$1.300 - \$1.000}{4 \text{ dias} - 3 \text{ dias}} = \$300$$

Atividade	Custo da aceleração por dia (dólares)	Máxima redução de tempo (dias)
A	300	1
B	200	3
C	700	1
D	200	1
E	200	1
F	250	5
G	650	1
H	100	2

A Tabela 3.4 resume a análise, a duração e o custo total do projeto. O caminho crítico é C–F–H em 19 dias, que é o caminho mais longo da rede. Dessas atividades, a que sai mais barata para acelerar é H, com custo extra de apenas 100 dólares por dia. Fazendo isso são economizados $ 200 + $ 100 = $ 300 por dia em custos indiretos e penalidades. Se você acelerar essa atividade em dois dias (o máximo), a duração dos caminhos passará a ser

A–D–G–H: 15 dias, B–E–G–H: 15 dias, e C–F–H: 17 dias

O caminho crítico ainda é C–F–H. A próxima atividade crítica que custa menos para acelerar é a F, a 250 dólares por dia. Você pode acelerar F somente dois dias porque, a essa altura, terá três caminhos críticos. Reduções posteriores na duração do projeto exigirão a aceleração simultânea de mais de uma atividade (D, E e F). O custo para fazer isso é de 650 dólares e supera a economia de 300 dólares. Portanto, você deve parar. Note que todas as atividades são críticas. Os custos do projeto são minimizados quando a data de conclusão

TABELA 3.4 Análise do custo do projeto

Estágio	Atividade acelerada	Redução de tempo (dias)	Caminho(s) crítico(s) resultante(s)	Duração do projeto (dias)	Custos diretos do projeto, última tentativa	Custo da aceleração acrescentado	Total de custos indiretos	Total de custos de penalidades	Total de custos do projeto
0	—	—	C–F–H	19	$ 10.100	—	$ 3.800	$ 700	$ 14.600
1	H	2	C–F–H	17	$ 10.100	$ 200	$ 3.400	$ 500	$ 14.200
2	F	2	A–D–G–H B–E–G–H C–F–H	15	$ 10.300	$ 500	$ 3.000	$ 300	$ 14.100

é o 15º dia. Entretanto, alguns custos de 'boa vontade' (*goodwill*) podem ser relacionados com o desapontamento de um cliente que deseja a entrega em 12 dias.

PROBLEMA RESOLVIDO 2

Um gerente de projeto de publicidade desenvolveu o diagrama de rede mostrado na Figura 3.13 para uma campanha de propaganda. Além disso, ele obteve as informações de tempo de cada atividade, como é mostrado na tabela a seguir:

	Estimativas de Tempo (semanas)			
Atividade	Otimista	Mais provável	Pessimista	Precedente(s) imediata(s)
A	1	4	7	—
B	2	6	7	—
C	3	3	6	B
D	6	13	14	A
E	3	6	12	A, C
F	6	8	16	B
G	1	5	6	E, F

a. Calcule o tempo e a variância para cada atividade.

b. Calcule as folgas das atividades e determine o caminho crítico usando os tempos presumidos para as atividades.

c. Qual é a probabilidade de se concluir o projeto dentro de 23 semanas?

SOLUÇÃO

a. O tempo e a variância esperados para cada atividade são calculados como segue:

$$t_e = \frac{a + 4m + b}{6}$$

Atividade	Tempo esperado (semanas)	Variância
A	4,0	1,00
B	5,5	0,69
C	3,5	0,25
D	12,0	1,78
E	6,5	2,25
F	9,0	2,78
G	4,5	0,69

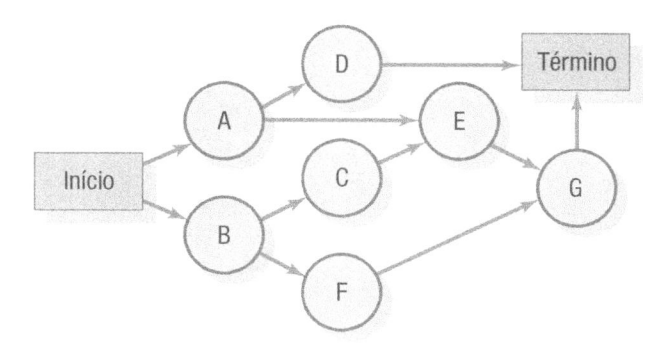

Figura 3.13 Diagrama de rede para um projeto de propaganda

b. Precisamos calcular a primeira e a última data de início e de término para cada atividade. Começando com as atividades A e B, prosseguimos do começo da rede e avançamos para o final, calculando as primeiras datas de início e término:

Atividade	Primeiro início (semanas)	Primeiro término (semanas)
A	0,0	0 + 4,0 = 4,0
B	0,0	0 + 5,5 = 5,5
C	5,5	5,5 + 3,5 = 9,0
D	4,0	4,0 + 12,0 = 16,0
E	9,0	9,0 + 6,5 = 15,5
F	5,5	5,5 + 9,0 = 14,5
G	15,5	15,5 + 4,5 = 20,0

Com base nos tempos esperados, o primeiro término do projeto é na semana 20, quando a atividade G tiver sido concluída. Usando essa data como meta, podemos trabalhar para trás através da rede, calculando as últimas datas de início e término (mostradas graficamente na Figura 3.14):

Atividade	Último início (semanas)	Último término (semanas)
G	15,5	20,0
F	6,5	15,5
E	9,0	15,5
D	8,0	20,0
C	5,5	9,0
B	0,0	5,5
A	4,0	8,0

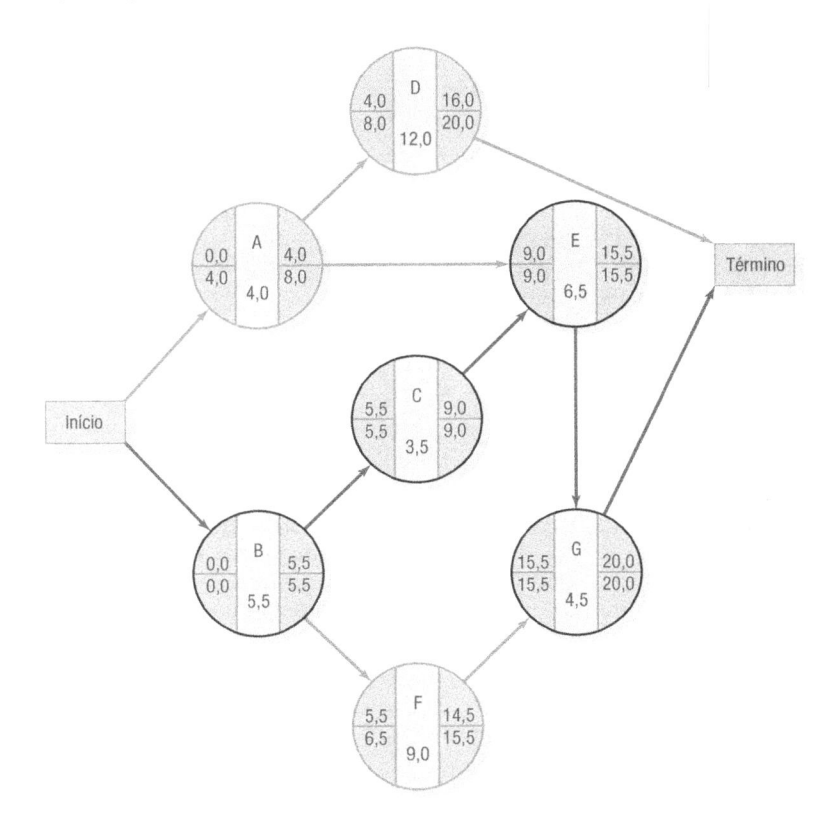

Figura 3.14 Diagrama de rede com todas as estimativas de tempo necessárias para calcular a folga

Agora calculamos as folgas das atividades e determinamos quais delas estão no caminho crítico:

Atividade	Início		Término		Folga total	Folga livre	Caminho crítico
	Primeiro	Último	Primeiro	Último			
A	0,0	4,0	4,0	8,0	4,0	0,0	Não
B	0,0	0,0	5,5	5,5	0,0	0,0	Sim
C	5,5	5,5	9,0	9,0	0,0	0,0	Sim
D	4,0	8,0	16,0	20,0	4,0	4,0	Não
E	9,0	9,0	15,5	15,5	0,0	0,0	Sim
F	5,5	6,5	14,5	15,5	1,0	1,0	Não
G	15,5	15,5	20,0	20,0	0,0	0,0	Sim

Os caminhos e seus tempos e variâncias totais esperados são:

Caminho	Tempo total esperado (semanas)	Variância total
A–D	4 + 12 = 16	1,00 + 1,78 = 2,78
A–E–G	4 + 6,5 + 4,5 = 15	1,00 + 2,25 + 0,69 = 3,94
B–C–E–G	5,5 + 3,5 + 6,5 + 4,5 = 20	0,69 + 0,25 + 2,25 + 0,69 = 3,88
B–F–G	5,5 + 9 + 4,5 = 19	0,69 + 2,78 + 0,69 = 4,16

O caminho crítico é B–C–E–G, com tempo total esperado de 20 semanas. Contudo, o caminho B–F–G é de 19 semanas e tem grande variância.

c. Primeiro calculamos o valor z:

$$z = \frac{T - T_E}{\sqrt{\sigma^2}} = \frac{23 - 20}{\sqrt{3,88}} = 1,52$$

Usando o Apêndice "Distribuição Normal", descobrimos que a probabilidade de concluir o projeto em 23 semanas ou menos é de 0,9357. Como a duração do caminho B–F–G é próxima da do caminho crítico, e tem grande variância, ele pode muito bem se tornar o caminho crítico durante o projeto.

QUESTÕES PARA DISCUSSÃO

1. Um de nossos colegas comentou que os softwares são a solução definitiva para o sucesso do gerenciamento de projetos. Como você argumentaria essa colocação?

2. Quando um projeto grande é mal gerenciado, ele logo vira notícia. Forme um grupo de discussão e identifique as penalidades relacionadas a um projeto mal administrado, que você tenha experimentado ou que tenha visto em alguma publicação recente. Identifique a causa do problema, como cálculos incorretos de tempo, mudança de escopo, atividades não planejadas ou inadequadamente seqüenciadas, recursos inadequados ou relações insatisfatórias entre gerência e trabalho.

3. Descreva um projeto do qual você participou. Quais atividades estiveram presentes e como estavam interrelacionadas? Como você avaliaria o gerente do projeto? Como você fundamenta sua avaliação?

PROBLEMAS

Softwares como o OM Explorer, o Active Models, e o POM for Windows são fornecidos no site de apoio deste livro. Verifique com seu professor a melhor maneira de utilizá-lo. Em muitos casos, o professor quer que você entenda como fazer os cálculos manualmente. Quando muito, o software faz uma verificação de seus cálculos. Quando os cálculos são particularmente complexos e o objetivo é interpretar os resultados ao tomar as decisões, o software substitui inteiramente os cálculos manuais. Ele também pode ser um recurso valioso depois de você concluir o curso.

1. Considere os dados a seguir para um projeto.

Atividade	Tempo da atividade (dias)	Precedente(s) imediata(s)
A	2	—
B	4	A
C	5	A
D	2	B
E	1	B
F	8	B, C
G	3	D, E
H	5	F
I	4	F
J	7	G, H, I

a. Desenhe o diagrama de rede.
b. Calcule o caminho crítico do projeto.
c. Quanto de folga total existe nas atividades G, H, e I?
d. Quanto de folga livre existe nas atividades G, H, e I?

2. As seguintes informações sobre um projeto são conhecidas.

Atividade	Tempo da atividade (dias)	Precedente(s) imediata(s)
A	7	—
B	2	A
C	4	A
D	4	B, C
E	4	D
F	3	E
G	5	E

a. Desenhe o diagrama de rede do projeto.
b. Determine o caminho crítico e a duração do projeto.
c. Calcule a folga livre para cada atividade.

3. Um projeto tem os seguintes relacionamentos de precedência e tempos de atividade.

Atividade	Tempo da atividade (semanas)	Precedente(s) imediata(s)
A	4	—
B	10	—
C	5	A
D	15	B, C
E	12	B
F	4	D
G	8	E
H	7	F, G

a. Desenhe o diagrama de rede.
b. Calcule a folga total de cada atividade. Quais atividades estão no caminho crítico?

4. As seguintes informações sobre um projeto estão disponíveis.

Atividade	Tempo de atividade (dias)	Precedente(s) imediata(s)
A	3	—
B	4	—
C	5	—
D	4	—
E	7	A
F	2	B, C, D
G	4	E, F
H	6	F
I	4	G
J	3	G
K	3	H

a. Desenhe o diagrama de rede.
b. Encontre o caminho crítico.

5. As seguintes informações foram reunidas para um projeto.

Atividade	Tempo da atividade (semanas)	Precedente(s) imediata(s)
A	4	—
B	7	A
C	9	B
D	3	B
E	14	D
F	10	C, D
G	11	F, E

a. Desenhe o diagrama de rede.
b. Calcule a folga total para cada atividade e determine o caminho crítico. Quanto tempo o projeto levará para ser concluído?
c. Qual é a folga total das atividades D e E?

6. Considere as seguintes informações de projeto.

Atividade	Tempo da atividade (semanas)	Precedente(s) imediata(s)
A	4	—
B	3	—
C	5	—
D	3	A, B
E	6	B
F	4	D, C
G	8	E, C
H	12	F, G

a. Desenhe o diagrama de rede do projeto.
b. Especifique o caminho crítico.
c. Calcule a folga total das atividades A e D.
d. O que acontece com a folga total de D se A levar cinco semanas?
e. Qual atividade tem a folga mais livre?

7. Barbara Gordon, a gerente de projeto da Web Ventures, Inc., compilou uma tabela que mostra estimativas de tempo para cada uma das atividades de fabricação da empresa para um projeto, incluindo a otimista, mais provável e pessimista.

a. Calcule o tempo esperado, t_e, para cada atividade.
b. Calcule a variância, σ^2, para cada atividade.

Atividade	Otimista	Mais provável	Pessimista
A	3	8	19
B	12	15	18
C	2	6	16
D	4	9	20
E	1	4	7

8. Recentemente você foi designado para gerenciar um projeto para sua empresa. Você construiu um diagrama de rede representando as várias atividades do projeto (Veja a figura 3.15). Além disso, você pediu à sua equipe para calcular quanto tempo se poderia esperar que cada uma das atividades ocupasse. As respostas são mostradas na tabela seguinte:

	Estimativas de tempo (dias)		
Atividade	Otimista	Mais provável	Pessimista
A	5	8	11
B	4	8	11
C	5	6	7
D	2	4	6
E	4	7	10

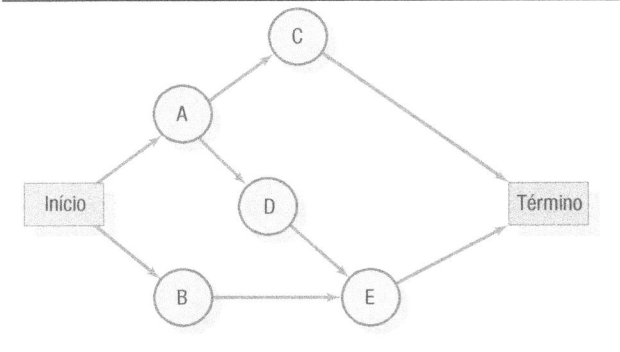

Figura 3.15 Diagrama de rede de seu projeto

a. Qual é o tempo esperado para a conclusão do projeto?
b. Qual é a probabilidade do projeto ser concluído em 21 dias?
c. Qual é a probabilidade do projeto ser concluído em 17 dias?

9. No problema resolvido 2, calcule a probabilidade do caminho não-crítico B–F–G durar mais de 20 semanas.

   Dica: Subtraia de 1 a probabilidade de B–F–G levar 20 semanas ou menos.

10. Considere os dados seguintes para um projeto que nunca foi tentado antes por sua empresa.

Atividade	Tempo esperado de (semanas)	Precedente(s) imediata(s)
A	5	—
B	3	—
C	2	A
D	5	B
E	4	C, D
F	7	D

    a. Desenhe o diagrama de rede para esse projeto.
    b. Identifique o caminho crítico e calcule a duração do projeto.
    c. Calcule a folga total para cada atividade.

11. O diretor de educação continuada da Bluebird University acaba de aprovar o planejamento para um seminário de treinamento em vendas. Sua assistente administrativa identificou as várias atividades que devem ser realizadas e suas relações entre si, como é mostrado na Tabela 3.5.

    Em virtude da incerteza no planejamento do novo curso, a assistente forneceu também as seguintes estimativas de tempo para cada atividade.

	Estimativas de tempo (dias)		
Atividade	Otimista	Mais provável	Pessimista
A	5	7	8
B	6	8	12
C	3	4	5
D	11	17	25
E	8	10	12
F	3	4	5
G	4	8	9
H	5	7	9
I	8	11	17
J	4	4	4

TABELA 3.5 Atividades para o seminário de treinamento em vendas

Atividade	Descrição	Precedente(s) imediata(s)
A	Criar o folheto e fazer o anúncio do curso	—
B	Identificar professores	—
C	Preparar resumo detalhado do curso	—
D	Enviar folhetos e inscrições de alunos	A
E	Enviar inscrições de professores	B
F	Selecionar professores para o curso	C, E
G	Aceitar alunos	D
H	Selecionar textos para o curso	F
I	Pedir e receber textos	G, H
J	Preparar a sala para as aulas	G

O diretor quer realizar o seminário depois de 47 dias úteis a partir de agora. Qual é a probabilidade de que tudo esteja pronto em tempo?

12. A Tabela 3.6 contém informações sobre um projeto. Encurte o projeto em três semanas, encontrando o cronograma de custo mínimo. Suponha que os custos indiretos do projeto e os custos das penalidades sejam desprezíveis. Identifique as atividades para acelerar enquanto minimiza os custos adicionais de aceleração.

TABELA 3.6 Dados de atividades e custo do projeto

Atividade	Tempo normal (semanas)	Tempo de aceleração (semanas)	Custo da aceleração (dólares por semana)	Precedente(s) imediata(s)
A	7	6	200	Nenhuma
B	12	9	250	Nenhuma
C	7	6	250	A
D	6	5	300	A
E	1	1	—	B
F	1	1	—	C, D
G	3	1	200	D, E
H	3	2	350	F
I	2	2	—	G

13. A Tabela 3.7 fornece informações sobre um projeto. Os custos indiretos correspondem a 250 dólares por dia. A empresa incorrerá em penalidade de 100 dólares por dia para cada dia que o projeto durar depois do 14º dia.

    a. Qual será a duração do projeto se forem usados somente tempos normais?
    b. Qual é o cronograma de custo mínimo?
    c. Qual é o caminho crítico para o cronograma de custo mínimo?

    TABELA 3.7 Dados de atividades e custo do projeto

Atividade	Tempo normal (dias)	Custo normal (dólares)	Tempo de aceleração (dias)	Custo da aceleração (dólares)	Precedente(s) imediata(s)
A	5	1.000	4	1.200	—
B	5	800	3	2.000	—
C	2	600	1	900	A, B
D	3	1.500	2	2.000	B
E	5	900	3	1.200	C, D
F	2	1.300	1	1.400	E
G	3	900	3	900	E
H	5	500	3	900	G

14. Você é o gerente de um projeto para a melhoria de um processo de faturamento de sua firma. A Tabela 3.8 contém os dados que precisará para realizar uma análise de custo do projeto. Os custos indiretos são de 1.600 dólares por semana, e os custos das penalidades, de 1.200 dólares por semana depois da semana 12.

    a. Qual é o cronograma de custo mínimo desse projeto?
    b. Qual é a diferença de custos totais do projeto entre a primeira data de conclusão, usando tempos 'normais' e o cronograma de custo mínimo que você encontrou na parte (a)?

15. A Tabela 3.9 contém dados para a instalação de novos equipamentos em um processo de fabricação nas instalações de seu cliente e sua empresa é responsável pelo projeto. Os custos indiretos são de 10.000 dólares por semana, e o custo das penalidades, de 10.000 dólares por semana, será devido para cada semana de atraso do projeto além da semana 9.

    a. Qual é a menor duração desse projeto, independentemente do custo?
    b. Qual é o custo mínimo total associado à conclusão do projeto em 12 semanas?
    c. Qual é o tempo total do cronograma de custo mínimo?

16. Jason Ritz, gerente distrital da Gumfull Foods, Inc., está encarregado de abrir uma nova loja de *fast-food* na faculdade da cidade de Clarity. Sua maior preocupação é a contratação de um gerente e de um quadro de cozinheiros, montadores e dispensadores de hambúrgueres. Ele precisa também coordenar a renovação de um edifício que pertencia a um varejista de produtos para bichos de estimação. Ele colheu os dados mostrados na Tabela 3.10.

    A alta direção disse a Ritz que a nova loja deve ser aberta o mais cedo possível. Cada semana que o projeto puder ser encurtado resultará em economia para a empresa de 1.200 dólares em custos de aluguel. Ritz pensou em como poupar tempo durante o projeto e propôs duas possibilidades. Uma era empregar a Arctic, Inc., uma agência de empregos local para encontrar alguns bons candidatos para a posição de gerente. Essa abordagem pouparia três semanas na atividade A e custaria à Gumfull Foods 2.500 dólares. A outra era aumentar o número de funcionários para encurtar o tempo da atividade B em duas semanas a um custo adicional de 2.700 dólares.

    Ajude Jason Ritz respondendo às seguintes perguntas:

    a. Espera-se que o projeto dure quanto tempo?
    b. Suponha que Ritz tenha uma meta pessoal de concluir o projeto em 14 semanas. Qual é a probabilidade de conseguir isso?
    c. Que despesas adicionais devem ser realizadas para reduzir a duração do projeto? Use o tempo esperado para cada atividade como se fosse o certo.

TABELA 3.8 Dados para o processo de faturamento

Atividade	Precedente(s) imediata(s)	Tempo normal	Tempo de aceleração	Custo normal	Custo da aceleração
A	—	4	1	5.000	8.000
B	—	5	3	8.000	10.000
C	A	1	1	4.000	4.000
D	B	6	3	6.000	12.000
E	B, C	7	6	4.000	7.000
F	D	7	6	4.000	7.000

TABELA 3.9 Dados para o projeto de instalação de equipamentos

Atividade	Precedente(s) imediata(s)	Tempo normal	Tempo de aceleração	Custo normal	Custo de aceleração
A	—	3 semanas	2 semanas	7.000	10.000
B	—	1	1	3.000	3.000
C	A	4	2	12.000	40.000
D	B	2	1	12.000	28.000
E	C	1	1	8.000	8.000
F	D, E	4	2	5.000	15.000
G	E	2	1	9.000	18.000

CAPÍTULO 3 • Administração de projetos

TABELA 3.10 Dados para o projeto da loja de *fast-food*

			Tempo (semanas)		
Atividade	Descrição	Precedente(s) Imediata(s)	a	m	b
A	Entrevistas na faculdade para um novo gerente	—	2	4	6
B	Renovar edifício	—	5	8	11
C	Colocar anúncio para funcionários e entrevistar candidatos	—	7	9	17
D	Visitas dos candidatos a gerente	A	1	2	3
E	Comprar equipamentos para nova loja e instalá-los	B	2	4	12
F	Verificar referências dos candidatos a funcionários e fazer seleção final	C	4	4	4
G	Verificar referências do novo gerente e fazer a seleção final	D	1	1	1
H	Fazer reuniões de orientação e cuidar da papelada da folha de pagamento	E, F, G	2	2	2

17. O diagrama da Figura 3.16 foi desenvolvido para um projeto que você está gerenciando. Suponha que você está interessado em encontrar maneiras de acelerar o projeto com o mínimo de custo adicional. Determine o cronograma para concluir o projeto em 25 dias com custo mínimo. Os custos das penalidades e de despesas indiretas são desprezíveis. Os dados de tempo e custo de cada atividade são mostrados na Tabela 3.11.

18. Paul Silver, proprietário da Sculptures International, acaba de iniciar um novo projeto de arte. Os dados seguintes estão disponíveis para o projeto.

Atividade	Tempo da atividade (dias)	Precedente(s) imediata(s)
A	4	—
B	1	—
C	3	A
D	2	B
E	3	C, D

a. Desenhe o diagrama de rede do projeto.
b. Determine o caminho crítico e a duração do projeto.
c. Qual é a folga total de cada atividade?

19. A oficina Reliable Garage está terminando a produção do *kit* do carro J2000. Os dados seguintes são disponíveis para o projeto.

Atividade	Tempo da atividade (dias)	Precedente(s) imediata(s)
A	2	—
B	6	A
C	4	B
D	5	C
E	7	C
F	5	C
G	5	F
H	3	D, E, G

TABELA 3.11 Dados de atividades e custo do projeto

	Normal		Acelerada	
Atividade	Tempo (dias)	Custo (dólares)	Tempo (dias)	Custo (dólares)
A	12	1.300	11	1.900
B	13	1.050	9	1.500
C	18	3.000	16	4.500
D	9	2.000	5	3.000
E	12	650	10	1.100
F	8	700	7	1.050
G	8	1.550	6	1.950
H	2	600	1	800
I	4	2.200	2	4.000

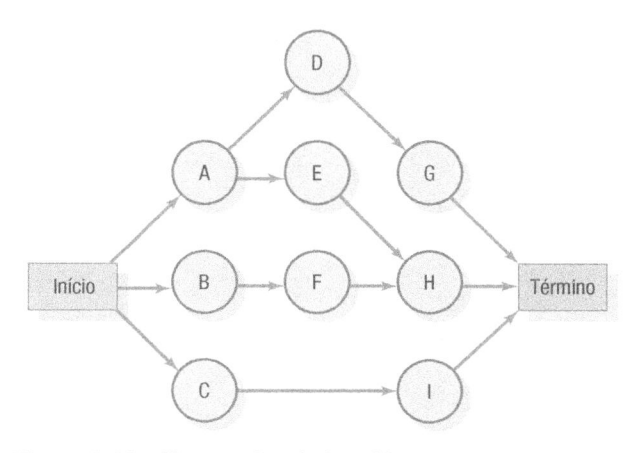

Figura 3.16 Diagrama de rede do problema 17

a. Desenhe o diagrama de rede do projeto.

b. Determine o caminho crítico e a duração do projeto.

c. Qual é a folga total de cada atividade?

20. As informações a seguir dizem respeito a um novo projeto que sua empresa está empreendendo.

Atividade	Tempo da atividade (dias)	Precedente(s) imediata(s)
A	10	—
B	11	—
C	9	A, B
D	5	A, B
E	8	A, B
F	13	C, E
G	5	C, D
H	10	G
I	6	F, G
J	9	E, H
K	11	I, J

a. Desenhe o diagrama de rede desse projeto.

b. Determine o caminho crítico e a data de término do projeto.

PROBLEMAS AVANÇADOS

21. O gerente de projetos da Good Public Relations colheu os dados mostrados na Tabela 3.12 para uma nova campanha publicitária.

    a. Qual é a duração provável do projeto?

    b. Qual é a probabilidade do projeto durar mais de 38 semanas?

    c. Considere o caminho A–E–G–H–J. Qual é a probabilidade desse caminho ultrapassar a duração esperada do projeto?

22. A construtora Michaelson Construction constrói casas. Crie uma rede que mostre as relações de precedência das atividades relacionadas na Tabela 3.13.

23. Fronc é um organizador de casamentos. Beatrice Wright e William Bach pediram a Fronc para ajudá-los a organizar seu casamento. Crie uma rede que mostre as relações de precedência das atividades listadas na Tabela 3.14.

24. As informações da Tabela 3.15 sobre um grande projeto estão disponíveis.

    a. Determine o caminho crítico e a data esperada de conclusão do projeto.

    b. Plote o custo total do projeto, começando no dia 1 até a data esperada para a conclusão, supondo as primeiras datas de início para cada atividade. Compare o resultado com uma plotagem semelhante para as últimas datas de início. Quais as implicações que o diferencial de tempo tem sobre os fluxos de caixa e o cronograma do projeto?

TABELA 3.12 Dados das atividades do projeto de propaganda

Atividade	Estimativas de tempo (dias)			Precedente(s) imediata(s)
	Otimista	Mais provável	Pessimista	
A	8	10	12	—
B	5	8	17	—
C	7	8	9	—
D	1	2	3	B
E	8	10	12	A, C
F	5	6	7	D, E
G	1	3	5	D, E
H	2	5	8	F, G
I	2	4	6	G
J	4	5	8	H
K	2	2	2	H

TABELA 3.13 Atividades da Michaelson Construction

Atividade	Descrição	Atividade	Descrição
Início			
A	Instalação de aparelhos	M	Encanamentos
B	Permissão para construir	N	Pintura externa
C	Carpetes e pisos	O	Pintura interna
D	Paredes secas	P	Telhado
E	Fiação elétrica	Q	Parte lateral
F	Alicerces	R	Acabamento final da madeira
G	Madeiramento	S	Revestimento dos pisos de calçadas, entrada lateral, porão e garagem
H	Aquecimento e ar-condicionado	T	Portas
I	Isolamento	U	Janelas
J	Armários de cozinha e banheiro	V	Equipar banheiros
K	Dispositivos de iluminação	W	Sistema de irrigação de gramado
L	Ocupação da casa	X	Paisagismo

TABELA 3.14 Atividade do casamento de William Bach e Beatrice Wright

Atividade	Descrição	Atividade	Descrição
Início	Aceitar pedido de casamento	O	Fazer pedido de bolo, hortelã e nozes
A	Escolher e imprimir convites	P	Fotógrafo
B	Exame de sangue	Q	Reservar salão para recepção
C	Escolha do tema de cores	R	Alianças
D1	Vestido de casamento	S	Despedida de solteiro
D2	Vestidos das madrinhas	T	Aluguel de *smoking*
D3	Vestido da mãe da noiva	U	Padrinhos
D4	Vestido da mãe do noivo	V	Reservar igreja
E	Estabelecer o orçamento e patrimônio líquido dos pais	W	Cerimônia de casamento
F	Flores	X	Escolher padrinhos e portador das alianças
G	Presentes para a festa de casamento	Y	Escolher madrinhas e damas de honra
H	Planejamento da lua-de-mel	Z	Ensaio e jantar pré-nupcial
I	Envio de convites por correio	AA	Acordo pré-nupcial
J	Lista de convidados	BB	Colapso nervoso do noivo
K	Serviço de bufê	CC	Registrar louça, talheres, presentes
L	Certidão de casamento	DD	Orquestra de dança
M	Cardápio para a recepção	EE	Notas de agradecimento
N	Fotografia para jornal, anúncio na página social	FF	Final

TABELA 3.15 Dados de atividade e custo

Atividade	Tempo da atividade (dias)	Custo da atividade (dólares)	Precedente(s) imediata(s)
A	3	100	—
B	4	150	—
C	2	125	A
D	5	175	B
E	3	150	B
F	4	200	C, D
G	6	75	C
H	2	50	C, D, E
I	1	100	E
J	4	75	D, E
K	3	150	F, G
L	3	150	G, H, I
M	2	100	I, J
N	4	175	K, M
O	1	200	H, M
P	5	150	N, L, O

CASO — Implantação da gestão de imagens na Unimed Vitória

A primeira e maior cooperativa médica do mundo, Unimed, foi fundada na cidade de Santos, em São Paulo, em 1967, a partir de uma união de médicos formada nos moldes de uma empresa, que oferece assistência médica de altíssima qualidade. Atualmente, a Unimed cobre 80% do território nacional, atende cerca de 11 milhões de clientes e conta com 386 cooperativas independentes e 98 mil médicos cooperados. Isso se reflete como a empresa de planos de saúde Top of Mind, com 66% de lembrança dentre os brasileiros.

Fundada em 27 de agosto de 1979, a Unimed Vitória é referência entre as empresas do grupo em todo o país. Nesses 28 anos de existência, essa unidade é, há 11 anos consecutivos, a assistência médica mais lembrada do estado e esse sucesso acontece graças ao ótimo serviço prestado por seus 2.200 médicos cooperados e por seus 1.100 colaboradores, que juntos garantem a satisfação de 97% de seus 220 mil clientes.

A Unimed Vitória cobre a Grande Vitória, Guarapari, Marechal Floriano, Domingos Martins e Anchieta e oferece a pessoas físicas e jurídicas soluções em saúde com um atendimento humanizado, contribuindo para o desenvolvimento da sociedade.

A Unimed Diagnóstico, unidade de diagnóstico por imagem da Unimed Vitória, contará com uma novidade em breve: um sistema de gestão de imagens conhecido como PACS. Esse sistema possibilita o gerenciamento das imagens dos exames realizados na unidade e as disponibiliza junto com os laudos, via Internet, aos médicos solicitantes dos exames. Inicialmente, o serviço estará disponível apenas para os exames de tomografia e ressonância magnética. O objetivo é agilizar o diagnóstico do paciente, além de possibilitar opiniões de outros cooperados via Internet e informações ainda mais seguras. Segundo o coordenador administrativo da Unimed Diagnóstico, "com a mudança, todo o processo estará informatizado e será mais ágil e confiável, desde a geração das imagens até seu armazenamento em mídia de DVD". O investimento no gerenciamento de imagens foi de 120 mil dólares.

A Unimed Vitória implantará em breve o projeto de gestão de imagens, em que o PACS será utilizado em conjunto com outros serviços, que possibilitará uma maior gestão. As imagens serão geradas por meio dos equipamentos da Unimed Diagnóstico e, posteriormente, encaminhadas a um servidor para armazenagem, distribuição e visualização dentro da clínica. Essas imagens, ao serem distribuídas pelo PACS, poderão ser acessadas pelos médicos radiologistas em estações de trabalho dotadas de monitores de altíssima resolução de 2MP monocromáticos de corpos duplos. Dessa forma, os profissionais poderão emitir laudos sem impressões dos filmes, e o uso de negatoscópios não serão mais necessários para o diagnóstico.

Com isso, os laudos poderão ser impressos, gravados em CD ou em DVD, enviados via rede e Internet. Além disso, os médicos cooperados poderão ter acesso às imagens de seus pacientes que realizaram exames na clínica. Isso será viabilizado por meio do uso de senhas de acesso.

Outros serviços agregados, como torpedos SMS para informar que o resultado do exame está liberado, correio eletrônico, com o objetivo de comunicar a possibilidade de gravações personalizadas dos exames em CDs e de entrega em domicílio são outras facilidades do projeto.

A expectativa da Unimed é de que haja um crescimento de aproximadamente 20% no número de exames realizados atualmente, tanto pelos serviços ofertados quanto pela tecnologia empregada.

Fontes: <http://www.saudebusinessweb.com.br/noticias/index.asp?cod=41832> <http://www.unimedvitoria.com.br/imprensa_online.php?codItem=1373> <http://www.unimedvitoria.com.br/unimedvitoria_historia.php> (consultadas em 09/4/2008).

QUESTÕES

1. Qual é o objetivo do projeto? Que premissas foram consideradas em sua definição?
2. Em sua opinião, qual é a importância do objetivo imediato do projeto estar associado aos objetivos estratégicos da empresa? Que impactos essa associação pode trazer nos resultados da Unimed Vitória?
3. Que critérios você adotaria para estruturar a equipe desse projeto? Como seu gerente, que características fundamentais você consideraria para montar a estrutura organizacional do projeto e para formar sua equipe do projeto, a fim de obter uma maior eficácia nos resultados do projeto?
4. Que dados de entrada você consideraria para elaborar um plano de riscos para o projeto? E para um plano de qualidade?

Caso desenvolvido por Adriane A. Farias. S. L. de Queiroz, gerente do Escritório de Projetos da Unimed Campo Grande, e por Susana Carla Farias Pereira, professora da FGV-EAESP.

REFERÊNCIAS SELECIONADAS

BLOOM, R. "Software for project management." *Transportation & Distribution*, vol. 34, 1993, p. 33–34.

BRANSTON, Lisa. "Construction firms view the web as a way to get out from under a mountain of paper", *The Wall Street Journal*, 15 nov. 1999.

CALAND, D. I. *Project management: strategic design e implementation.* Nova York: McGraw-Hill, 1994.

DAY, P. J. *Microsoft project 4.0 for Windows e the Macintosh: setting project management standards.* Nova York: Van Nostrand Reinhold, 1995.

GOLDRATT, E. M. *Critical chain.* Great Banington, MA: North River, 1997.

HARTVIGSEN, David. *SimQuick: process simulation with excel*, 2. ed. Upper Saddle River, NJ: Prentice Hall, 2004.

IPS Associates. *Project management manual.* Boston: Harvard Business School Publishing, 1996.

KERZNER, Harold. *Advanced project management: best practices on implementation*, 2. ed. Nova York: John Wiley & Sons, 2004.

KERZNER, Harold. *Project management: a systems approach to planning, scheduling, and controlling*, 6. ed. Nova York: John Wiley & Sons, 1998.

LEACH, Larry P. "Critical chain project management improves project performance", *Project Management Journal*, jun. 1999, p. 39–51.

LEWIS, J. P. *Mastering project management.* Nova York: McGraw-Hill, 1998.

LITTLEFIELD, T. K.; RANDOLPH, P. H. "PEAT duration times: mathematical or MBO." *Interfaces*, vol. 21, n. 6 1991, p. 92–95.

MANTEL Jr., Samuel J.; MEREDITH, Jack R.; SHAFER, Scott M.; SUTTON, Margaret M. *Project management in practice*, 2. ed. Nova York: John Wiley & Sons, 2005.

MEREDITH, Jack R.; MANTEL, Samuel J. *Project management: a managerial approach*, 5. ed. Nova York: John Wiley & Sons, 2003.

NICHOLS, John M. *Managing business and engineering projects.* Englewood Cliffs, NJ: Prentice Hall, 1990.

PELLEGRINELLI, Sergio; BOWMAN, Cliff. "Implementing strategy through projects", *Long Range Planning*, v. 27, n. 4, 1994, p. 125-132.

Project Management Institute . "Project management body of knowledge". Disponível em: <www.pmi.org>.

"Project management software buyer's guide". *Industrial Engineering*, p. 36-37, mar. 1995.

SRINIVASAN, Mandyam; JONES, Darren; MILLER, Alex. "CORPS capabilities". *APICS Magazine*, p. 46-50, mar. 2005.

4
PARTE 2
Administrando processos

OBJETIVOS DE APRENDIZAGEM

Depois de ler este capítulo, você será capaz de:

1. Discutir as quatro principais decisões de processo.

2. Posicionar um processo na matriz de contato com o cliente ou de produto – processo.

3. Relacionar a escolha do processo com a estratégia de estoque.

4. Identificar os prós e contras do envolvimento do cliente.

5. Explicar o que é automação, intensidade de capital, economias de escopo e foco.

6. Discutir como as decisões de processo devem ser coerentes entre si.

7. Definir a reengenharia de processo e a melhoria do processo.

A nova estrutura da Duke Power exige a colaboração entre gerentes de processo e os VPs (vice-presidentes) regionais. O trabalho de equipe é essencial para o projeto e para a operação dos processos.

Capítulo 4
Estratégia de processo

A Duke Power

A Duke Power é uma verdadeira pioneira na gestão por processos empresariais. A divisão de energia elétrica da Duke Energy atende a cerca de dois milhões de clientes na Carolina do Norte e na Carolina do Sul. Em 1995, com o aumento da desregulamentação, a empresa percebeu que seus processos deveriam prestar um serviço muito melhor no atendimento ao cliente. Mas a estrutura organizacional existente do departamento de operações aos clientes, a unidade responsável pelo fornecimento de eletricidade, estava atrapalhando as melhorias do processo. A unidade era dividida em quatro centros regionais de lucro e os vice-presidentes regionais tinham pouco tempo para resolver a questão, investindo em melhorias nos processos de prestação de serviços ao cliente.

Para resolver o problema, a Duke Power identificou os cinco processos essenciais que, juntos, englobavam o trabalho central da unidade de operações aos clientes: desenvolver estratégias de mercado, manter os clientes, proporcionar confiabilidade e integridade, entregar produtos e serviços e calcular e receber os rendimentos. Foi designado um responsável para cada processo e os cinco responsáveis, da mesma forma que os quatro vice-presidentes, agora se reportam diretamente ao chefe do departamento de operações aos clientes.

Com a nova estrutura, os vice-presidentes regionais continuam a gerenciar suas próprias equipes. Os responsáveis pelos processos têm pequenos quadros de funcionários, mas receberam grande autoridade sobre o projeto e operação dos processos. Eles decidem como prosseguirá cada etapa do trabalho e, depois, estabelecem as metas de desempenho e os orçamentos entre as regiões. Em outras palavras, embora as regiões tenham autoridade sobre pessoas, elas são avaliadas com base em como atingem as metas estabelecidas pelos responsáveis por cada processo. Essa estrutura exige um novo estilo de colaboração da gerência, no qual os gerentes de processo e vice-presidentes regionais atuam como parceiros, em vez de rivais. As equipes são compostas por pessoas com amplo conhecimento de processos e têm seu desempenho medido. Elas assumem a maior parte das responsabilidades gerenciais normalmente atribuídas a supervisores. Por sua vez, os supervisores passam a ser um tipo de treinadores. Como os mesmos funcionários, às vezes, estão envolvidos em vários processos simultaneamente, os processos se sobrepõem.

As melhorias continuam a ser feitas. O Centro de Atendimento ao Cliente agora está disponível 24 horas por dia, todos os dias, para ajudar os clientes com perguntas sobre faturas ou solicitações de serviço. Em 2003 foi lançado um serviço eletrônico de faturas e pagamentos. As tarifas de eletricidade da Duke Power estão classificadas entre as mais baixas do país, seu serviço ao cliente é classificado como primeiro ou segundo entre as companhias do setor, e a Agência de Proteção Ambiental dos Estados Unidos reconheceu essas melhorias concedendo à empresa o Clean Air Excellence Award de 2004.

Fonte: Steven Stanton, "How process enterprises really work", *Harvard Business Review*, nov./dez. 1999, p. 108-117. Disponível em: <www.duke-energy.com>. Acesso em: 17 fev. 2005.

As decisões relacionadas a processos são estratégicas por natureza: como vimos no Capítulo 2, "Estratégia de operações", elas devem favorecer os objetivos a longo prazo de uma empresa. Ao tomar decisões de processos, os gerentes se concentram no controle de prioridades competitivas como qualidade, flexibilidade, tempo e custo. O gerenciamento de processos é uma atividade contínua, com os mesmos princípios sendo aplicados tanto ao projeto quanto ao reprojeto dos processos. Assim, os processos na Duke Power estão em constante mudança.

Neste capítulo, nos concentramos na **estratégia de processo**, que especifica o padrão das decisões tomadas na gestão dos processos, de maneira que elas alcancem suas prioridades competitivas. A estratégia de processos orienta uma variedade de decisões de processo e, por sua vez, é orientada pela estratégia de operações e pela capacidade da organização de obter os recursos necessários para apoiá-las. Começamos por definir quatro decisões básicas de processo: estrutura de processo, envolvimento do cliente, flexibilidade de recursos e intensidade de capital. Discutimos essas decisões para os processos de serviço e de fabricação, e também os métodos de focar as operações. Damos atenção particular às maneiras pelas quais essas decisões se correlacionam entre si, dependendo de fatores como prioridades competitivas, contato com o cliente e volume. Concluímos com duas estratégias básicas de análise e modificação de processos: reengenharia de processos e melhoria contínua de processos. No entanto, uma estratégia de processo coerente é também essencial para o gerenciamento eficaz das cadeias de valor (Parte 3). Cada processo da cadeia de valor deve ser projetado para atingir suas prioridades competitivas e agregar valor ao trabalho realizado.

ESTRATÉGIA DE PROCESSO POR TODA A ORGANIZAÇÃO

Como foi explicado no Capítulo 1, "Operações como arma competitiva", os processos estão por toda parte e são a unidade básica do trabalho. Eles são encontrados em contabilidade, finanças, recursos humanos, sistemas de gerenciamento de informações, marketing e operações. Gerentes de todos os departamentos devem assegurar que seus processos estão agregando tanto valor para o cliente quanto possível. Eles devem entender que muitos processos ultrapassam linhas organizacionais, não importando se a organização da empresa segue linhas de processo funcionais, de produto ou regionais.

```
USANDO OPERAÇÕES PARA COMPETIR
         ▼
Operações como arma competitiva
    Estratégia de operações
    Administração de projetos

    ADMINISTRANDO PROCESSOS
              ▼
       Estratégia de processo
        Análise de processos
   Desempenho e qualidade do processo
     Administração das restrições
           Layout do processo
      Sistemas de produção enxuta

  ADMINISTRANDO CADEIAS DE VALOR
              ▼
   Estratégia da cadeia de suprimentos
              Localização
       Administração de estoques
          Previsão de demanda
     Planejamento de vendas e operações
       Planejamento de recursos
              Programação
```

A unidade de operações aos clientes na Duke Power tinha cinco processos essenciais que cruzavam os limites entre suas quatro regiões. O 'processo de calcular e receber os rendimentos' está mais intimamente alinhado com a contabilidade; o 'processo de entregar produtos e serviços', com operações; o 'processo de desenvolver estratégias de mercado' e o 'processo de manter os clientes', com o marketing; e o 'processo de proporcionar confiabilidade e integridade', com o controle de qualidade. A coordenação interfuncional resultou em melhor desempenho. Esse benefício foi obtido, em parte, pela reorganização para criar responsáveis pelos processos, além de criar um novo estilo colaborativo de administração. Os responsáveis pelos processos e os vice-presidentes regionais agiram como parceiros, em vez de rivais.

ESTRATÉGIA DE PROCESSO

Um processo envolve o uso dos recursos de uma organização para fornecer algo de valor. Nenhum serviço pode ser prestado e nenhum produto pode ser produzido sem um processo, e nenhum processo pode existir sem pelo menos um serviço ou produto. Uma questão recorrente no gerenciamento de processos é decidir *como* prestar serviços ou fabricar produtos. São feitas muitas escolhas diferentes para selecionar recursos humanos, equipamentos, serviços terceirizados, materiais, fluxos de trabalho e métodos que transformam insumos em resultados. Outra escolha é em relação a quais processos devem ser realizados internamente e quais devem ser terceirizados, isto é, realizados fora da empresa e comprados como materiais e serviços. Essa decisão ajuda na definição da cadeia de valor e será estudada nos capítulos seguintes.

As decisões de melhoria de processo são mais indicadas quando:

- existe um hiato entre prioridades competitivas e capacidades competitivas;
- está sendo oferecido um serviço ou produto novo ou substancialmente modificado;
- a qualidade deve ser melhorada;
- as prioridades competitivas mudaram;
- a demanda por um serviço ou produto está mudando;
- o desempenho atual é inadequado;
- o custo ou a disponibilidade dos insumos mudou;
- os concorrentes estão ganhando ao usar um novo processo;
- novas tecnologias estão disponíveis;
- alguém tem uma idéia melhor.

O impacto ambiental é outra consideração que ganha cada vez mais importância, principalmente na Europa e nos Estados Unidos. Um bom exemplo disso é o McDonald's, que fez mudanças sutis nos processos usados para embalar alimentos, reduzindo o desperdício em mais de 30 por cento desde 1990 e tornando-se um dos maiores compradores de materiais reciclados dos Estados Unidos. Isso implicou substituir caixas fechadas, tipo 'concha', por papel leve especial; introduzir guardanapos menores e depender menos de plásticos para canudinhos, bandejas e equipamentos de playground. Agora o McDonald's está estudando um plano para transformar as sobras em fertilizantes, de modo que comer fora possa produzir menos lixo que comer em muitas casas.

As preocupações com ecologia em decisões de processo também estão aumentando no setor industrial. Em 1991, a General Motors descobriu que estava produzindo 88 libras de resíduos e lixo para cada carro montado. Ao examinar seus processos com ênfase especial nos resíduos, a quantidade de lixo sólido caiu para apenas 15 libras. A atenção na poluição e no desperdício ganhou força internacionalmente quando a Organização Internacional de Normalização Técnica (*International Standards Organization*) adotou o ISO 14001 em 1996. O **ISO 14001** é um conjunto de padrões para uma empresa começar a administrar a eliminação da poluição, como elaborar um sistema formal e um banco de dados para monitorar o desempenho ambiental. Desde 1996, mais de 250.000 empresas receberam certificados em mais de 50 países, e a taxa está crescendo pelo menos 50.000 ao ano.

Há três princípios que dizem respeito às decisões de processo e que são particularmente importantes.

1. O elemento essencial para decisões de processo bem-sucedidas é fazer escolhas coerentes e que se adaptem à situação. Essas decisões não devem funcionar para finalidades opostas, ou seja, a otimização de um processo não deve ser realizada se proporcionar maiores gastos nos demais processos. Um processo mais eficiente é o que combina as características-chave do processo com a adequação estratégica (*strategic fit*).

2. Embora esta seção esteja focada em processos individuais, eles são blocos modulares que acabam por criar toda a cadeia de valor da empresa. O efeito cumulativo sobre a satisfação do cliente e a vantagem competitiva são enormes.

3. Quer os processos da cadeia de valores sejam realizados internamente quer por fornecedores externos, a gerência deve prestar atenção especial às interfaces entre os processos. Ao ter de lidar com essas interfaces, a necessidade de coordenação interfuncional é enfatizada.

PRINCIPAIS DECISÕES DE PROCESSO

As decisões de processo afetam diretamente o próprio processo e indiretamente os serviços e produtos que ele possibilita. Independentemente de estarem lidando com processos para escritórios, provedores de serviços ou fabricantes, os gerentes de operações devem levar em consideração quatro decisões de processo comuns.

A Figura 4.1 mostra que todos os passos são importantes para um projeto eficaz de processo.

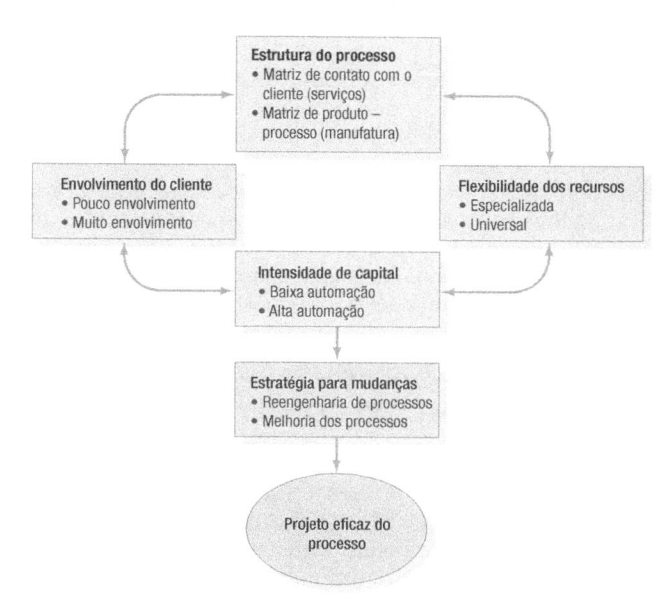

Figura 4.1 Principais decisões para um processo eficaz

- **Estrutura do processo** determina a maneira como os processos são projetados em relação aos tipos de recursos necessários, o modo como os recursos são divididos entre eles e suas principais características. Os pontos de partida para tomar essas decisões em operações de serviços são o volume e o tipo de contato com o cliente desejados e as prioridades competitivas que o projeto do processo deve alcançar. Os pontos de partida para operações de manufatura são o nível de volume, a quantidade de personalização e, mais uma vez, as prioridades competitivas. O domínio dessas conexões ajuda o gerente a perceber possíveis desalinhamentos nos processos e abrir caminho para a reengenharia e as melhorias do processo.

- **Envolvimento do cliente** reflete como os clientes podem se tornar parte do processo e a extensão de sua participação.

- **Flexibilidade de recursos** é a facilidade com que os funcionários e os equipamentos podem lidar com uma variedade de produtos, níveis de saída (*outputs*), deveres e funções.

- **Intensidade de capital** é o *mix* de equipamentos e habilidades humanas em um processo. Quanto maior o custo dos equipamentos, maior será a intensidade de capital.

Essas quatro decisões são mais bem entendidas no nível de processos ou subprocessos, em vez do nível de empresa. As decisões de processo funcionam como elementos fundamentais usados de diferentes maneiras para se conseguir processos eficazes.

ESTRUTURA DO PROCESSO EM SERVIÇOS

Uma das primeiras decisões que um gerente toma ao projetar um processo que funciona bem é escolher um tipo de processo que satisfaça, da melhor maneira, a importância relativa de qualidade, tempo, flexibilidade e custo. As estratégias para projetar processos podem ser muito diferentes, dependendo se está sendo prestado um serviço ou fabricado um produto. Começamos com os processos de serviço, dada sua enorme participação na força de trabalho em países industrializados.

A NATUREZA DOS PROCESSOS DE SERVIÇO: CONTATO COM O CLIENTE

Uma estratégia eficaz de processo do serviço em uma situação pode ser má escolha em outra. Uma estratégia de processo que faz os clientes entrarem e saírem rapidamente de um restaurante de *fast-food* não seria a estratégia correta para um restaurante cinco estrelas, em que os clientes buscam fazer uma refeição tranqüila. Mais ainda, uma boa estratégia para os garçons de um restaurante pode ser totalmente inapropriada para um processo no escritório desse mesmo restaurante. Às vezes, os economistas colocam organizações de serviços em classificações setoriais diferentes, como serviços financeiros, de saúde, de educação e outras. Essas distinções ajudam no entendimento dos dados econômicos agregados e talvez até algumas tendências gerais sobre decisões de processos dentro da empresa. As classificações, porém, não são tão úteis quando se começa a projetar um processo individual. Por exemplo, nenhum esquema padrão mostra como o trabalho deve ser feito no setor bancário. Para obter *insights*, devemos começar no nível do processo e reconhecer variáveis contextuais importantes associadas ao processo. Somente ao fazer isso poderemos reconhecer os padrões apropriados e ver como as decisões devem ser agrupadas.

Uma boa estratégia para um processo de serviço depende, primeiramente e antes de tudo, do tipo e da quantidade de contato com o cliente. O **contato com o cliente** é até que ponto o cliente está presente, ativamente envolvido e recebe atenção pessoal durante o processo de serviço. Ao contrário de um processo de fabricação, o cliente pode ser uma parte significativa do próprio processo. A Figura 4.2 mostra várias dimensões de contato com o cliente. O conceito de subprocessos aplica-se ao contato com o cliente, porque algumas partes de um processo podem ter pouco contato e outras, muito contato. Além disso, mesmo um subprocesso pode ter muito contato em algumas dimensões e pouco em outras.

A Figura 4.2 mostra somente os dois extremos do contato com o cliente, mas, na verdade, eles representam um contínuo. Desse modo, muitos níveis são possíveis em cada uma das cinco dimensões. Somente quando elas são tomadas juntas é que se pode realmente medir o tipo e a extensão de contato com o cliente. Por exemplo, o cliente pode não estar fisicamente presente, mas ainda assim ter contato estando ativamente envolvido no processo, como a eBay e outras variantes de interações pela Internet que são geridas sem qualquer contato pessoal.

A primeira dimensão do contato com o cliente é se o cliente está fisicamente presente no processo. O contato com o cliente é importante para todos os tipos de processo e a quantidade de contato pode ser definida como a porcentagem do tempo total que o cliente está no processo em relação ao tempo total para concluir o serviço. Quanto maior a porcentagem de tempo em que o cliente está presente, maior o contato com o cliente. A interação cara a cara, às vezes chamada de *momento da verdade* ou *encontro de serviço*, reúne o cliente com o provedor do serviço. Nessa ocasião são formadas as atitudes do cliente a respeito da qualidade do serviço prestado. Muitos processos que exigem a *presença física* são encontrados nos serviços de saúde, em hospitais e na fabricação de produtos que exigem a opinião dos clientes. Quando é necessária a presença física, ou o cliente vai ao prestador do serviço ou o prestador, com seus equipamentos, vai até o cliente. Qualquer das duas maneiras permite que o cliente esteja presente enquanto o serviço está sendo executado.

Muito Contato	Dimensão	Pouco Contato
Presente	Presença física	Ausente
Pessoas	O que é processado	Posse
Ativo, visível	Intensidade do contato	Passivo, fora de vista
Pessoal	Atenção pessoal	Impessoal
Cara a cara	Método de entrega	Correio convencional

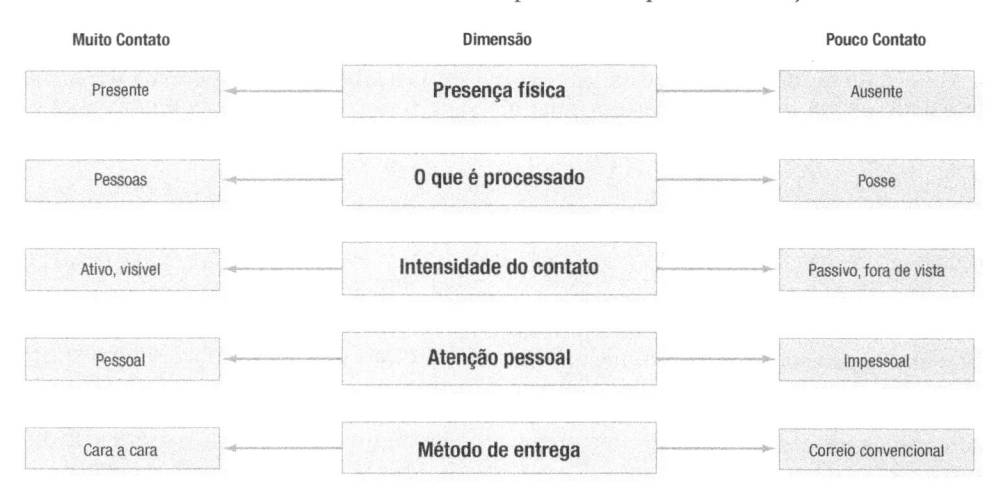

Figura 4.2 Diferentes dimensões do contato com o cliente nos processos de serviços.

O gerente de uma agência bancária conversa com um cliente em sua mesa. Neste processo de muito contato, o cliente não só está presente, mas também está ativamente envolvido e recebendo atenção pessoal.

Uma segunda dimensão é *o que está sendo processado* no encontro de serviço. Os *serviços de processamento de pessoas* envolvem serviços prestados *à* pessoa, em vez de *para* a pessoa, o que exige a presença física. Os clientes tornam-se parte do processo, fazendo com que a produção do serviço seja simultânea com seu consumo. Os *serviços de processo de posse* (muitos desses processos são encontrados no comércio eletrônico, transporte de carga, instalação de equipamentos, manutenção e reparos e armazenagem) envolvem ações tangíveis com objetos físicos que fornecem valor ao cliente. O objeto deve estar presente durante o processamento, mas não o cliente. O serviço é consumido depois da conclusão do processo, em vez de junto com a criação do serviço. O contato com o cliente é estabelecido, também, com *serviços baseados em informações*, que coletam, manipulam, analisam e transmitem dados que têm valor para o cliente. Esses processos são comuns no ramo de seguros, noticiários, bancos, educação e serviços jurídicos.

A *intensidade do contato com o cliente* vai um passo além da presença física e do que é processado. Ela lida com a extensão do modo como o processo se ajusta ao cliente e envolve considerável interação e personalização do serviço. **Contato ativo** significa que o cliente é uma grande parte da criação do serviço e afeta o próprio processo de serviço. O cliente pode personalizar o serviço para se adaptar a suas necessidades particulares e até pode decidir, em parte, como o processo é realizado. O contato ativo geralmente significa que o processo é visível para o cliente. Muitos processos de serviços odontológicos, de cabeleireiros ou psiquiatras envolvem o contato ativo. **Contato passivo** significa que o cliente não está envolvido na adaptação do processo para satisfazer necessidades especiais ou no modo como ele é realizado. Mesmo que o cliente esteja presente, ele pode simplesmente estar sentado em uma sala de espera, esperando em uma fila ou, talvez, deitado em uma cama de hospital. Muitos processos em que o cliente está presente, mas o contato é passivo, podem ser encontrados no transporte público ou nos teatros. A interação com o pessoal do serviço é limitada.

A quarta dimensão é o quanto de *atenção pessoal* é dispensada ao cliente. Os processos de grande contato são mais íntimos e mostram confiança mútua entre o provedor do serviço e o cliente. Também pode significar um intercâmbio de informações mais rico entre o cliente e o provedor. Por exemplo, o *concierge* do Ritz-Carlton Hotel dá mais atenção pessoal ao hóspede que o concierge do Days Inn. Quando o contato é mais pessoal, muitas vezes o cliente *sente* o serviço, em vez de apenas recebê-lo. Ele é modificado de alguma forma. O contato impessoal está situado na outra extremidade do contínuo cliente – contato. Em um processo menos íntimo, por exemplo, o cliente pode se mover por um fluxo de trabalho padronizado ou ficar em uma fila de bilheteria.

A última dimensão do contato com o cliente é o *método de entrega*. Um processo de muito contato usaria o método cara a cara ou por telefone, garantindo mais clareza na identificação das necessidades do cliente e na prestação do serviço. Um processo de pouco contato provavelmente usaria um meio menos pessoal para prestar o serviço. Correio convencional ou mensagens padronizadas de e-mail seriam os meios preferidos de troca de informações para um processo de pouco contato. O advento da Internet e o alargamento dos canais de distribuição eletrônica permitiu que os processos que tradicionalmente tinham muito contato com o cliente fossem convertidos em processos de pouco contato. Um bom exemplo é o dos serviços bancários de varejo. Agora os clientes podem ir a uma agência tradicional ou podem fazer suas transações on-line.

MATRIZ DE CONTATO COM O CLIENTE

A matriz de contato com o cliente, mostrada na Figura 4.3, reúne três elementos: o grau de contato com o cliente, o pacote de serviços e o processo. Ela sincroniza o serviço a ser oferecido com o processo de prestação; é o ponto de partida para avaliar e melhorar um processo.

Contato com o cliente e pacote de serviços

A dimensão horizontal da matriz representa o serviço prestado ao cliente em termos de contato com o cliente, pacote de serviços e prioridades competitivas. Uma prioridade competitiva decisiva é saber o grau de personalização necessário. As posições à esquerda da matriz representam muito contato com o cliente e serviços altamente personalizados. O mais provável é que o cliente esteja presente e ativo, com prioridades competitivas pedindo mais personalização. O processo é visível ao cliente, que recebe mais atenção pessoal. O lado direito da matriz representa pouco contato com o cliente, envolvimento passivo, menos atenção pessoal e um processo que se desenvolve fora da visão do cliente.

Complexidade, variação e fluxo do processo

A dimensão vertical da matriz de contato com o cliente lida com três características do próprio processo: (1) complexidade, (2) variação e (3) fluxo. Cada processo pode ser analisado nessas três dimensões.

Complexidade do processo é a quantidade e complexidade das etapas necessárias para realizar o processo. A complexidade depende em parte de quão amplamente o processo é definido. Por exemplo, em um banco, o processo de *financiamento de automóveis* é complexo porque envolve muitas etapas. Um dos subprocessos dentro do financiamento é a *concessão de crédito*. Não é tão complexo porque é apenas uma parte do processo de financiamento de automóveis, portanto envolve menos etapas. Por sua vez, dentro da concessão de crédito está o processo de *documentação de empréstimo*, que é ainda menos complexo, pois representa apenas uma pequena parte do processo geral de financiamento. O foco em um subprocesso estreitamente definido reduz a quantidade de passos a serem realizados se todos tiverem de ser concluídos pelo mesmo provedor de serviços (ou equipe). Contudo, mesmo poucas etapas ainda podem ser complexas.

Variação do processo é a extensão em que o processo pode ser altamente personalizado com considerável margem de manobra quanto à maneira como é realizado. Se o processo muda de acordo com o cliente, praticamente cada um dos serviços prestados terá um caráter diferenciado e exclusivo. Os processos encontrados em empresas de consultoria, direito e arquitetura são alguns exemplos de processos de serviço com alta variação, nos quais muitas etapas mudam de cliente para cliente. Para os subprocessos de um arquiteto, por exemplo, a conclusão do projeto de uma casa pode assumir um caráter diferente para cada cliente, mesmo que muitas atividades sejam comuns a todos os projetos. Eles envolvem muito discernimento e

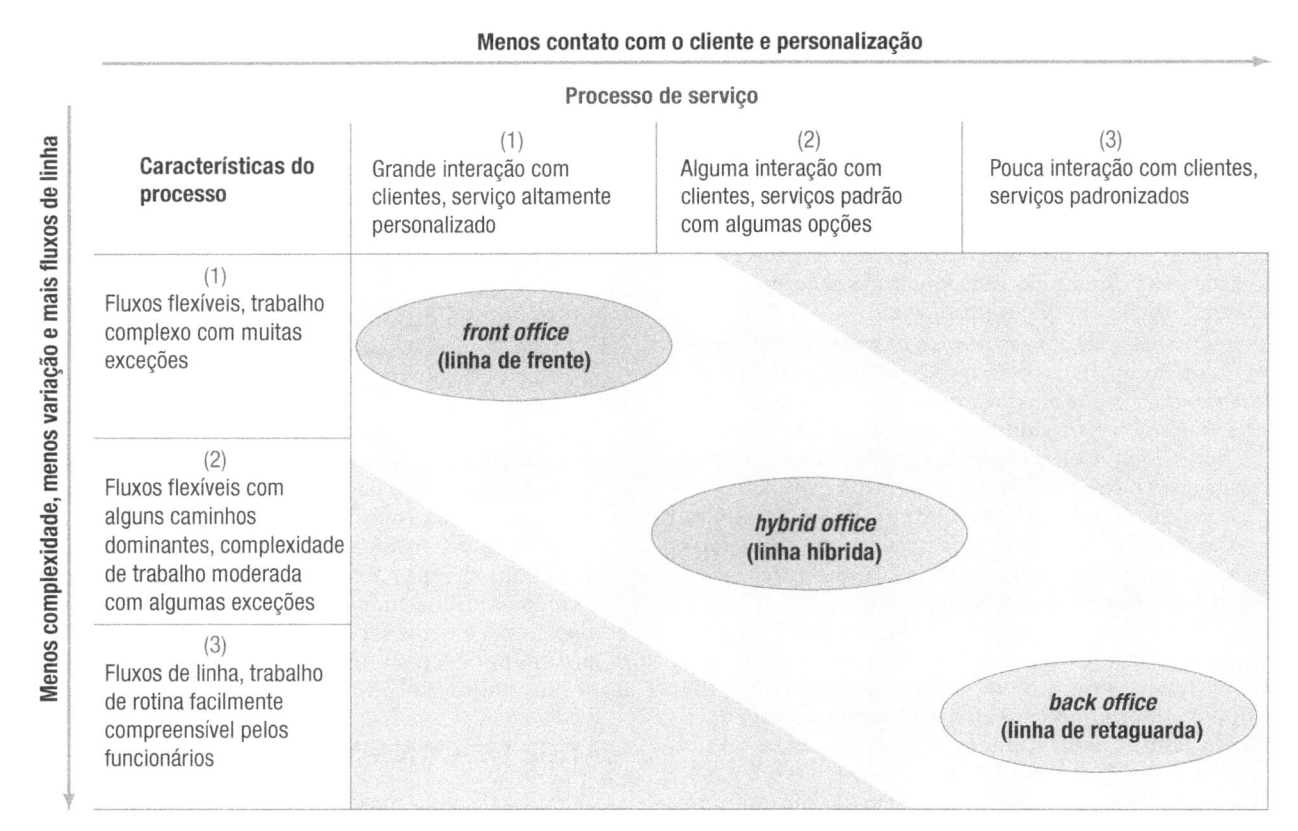

Figura 4.3 Matriz de contato com o cliente para processos de serviço

discrição, dependendo do que a situação e o cliente ditarem. Serviços que envolvem habilidades interpretativas, como criar trabalhos de arte, também apresentam alta variação, porque a execução do processo é individualizada. Um serviço com pouca variação, por outro lado, é repetitivo e padronizado. O trabalho é realizado exatamente do mesmo modo para todos os clientes. Certos serviços de hotelaria e de telefonia são altamente padronizados para assegurar a uniformidade. Em muitos hotéis, cada etapa, desde a limpeza dos quartos até o *check-out* é padronizada com documentação e regras que regulamentam o modo como o processo deve ser realizado.

Intimamente relacionado com a variação é o modo como o cliente, o produto ou a informação que está sendo processada flui dentro do estabelecimento prestador do serviço. O trabalho progride pela seqüência de etapas em um processo, que pode variar de altamente diversificado até linear. Quando a variação é considerável, o fluxo de trabalho é flexível. Um **fluxo flexível** significa que os clientes, materiais ou informações movem-se em caminhos diversos, com o caminho de um cliente ou tarefa, muitas vezes, cruzando o caminho que o próximo cliente tomará. Cada um pode seguir um caminho cuidadosamente planejado, embora a primeira impressão seja de fluxos desorganizados e emaranhados. Essa aparência acompanha naturalmente a grande variação do processo. Um **fluxo de linha** significa que os clientes, os materiais ou as informações se movem linearmente de uma operação para a seguinte, de acordo com uma seqüência fixa. Quando a variação é baixa e o processo é padronizado, os fluxos de linha são uma conseqüência natural. Com fluxos de linha, invariavelmente o trabalho vai de uma estação de trabalho para a seguinte, na mesma seqüência para cada cliente ou tarefa.

Um processo pode ser analisado em relação a sua complexidade, variação e fluxo de trabalho. Por exemplo, o serviço de um médico é complexo. Mas também pode ser muito variado, pois ele define as etapas executadas com base nas informações coletadas durante o diagnóstico e realiza uma ou mais ações. O paciente pode ser direcionado a áreas de testes que variam de acordo com o paciente, criando fluxos flexíveis em vez de fluxos de linha. Alguns serviços são de baixa complexidade, mas de alta variação. Por exemplo, um professor pode simplesmente transmitir conhecimento, mas as maneiras de fazer isso podem ser altamente individualizadas e variar segundo a característica de cada tópico ensinado.

ESTRUTURAÇÃO DO PROCESSO DE SERVIÇO

A Figura 4.3 mostra diversas posições desejáveis na matriz que efetivamente conectam o produto do serviço com o processo. O gerente tem três estruturas de processo que formam um contínuo, entre as quais pode escolher: (1) *front office* ou linha de frente; (2) *hybrid office* ou linha híbrida; (3) *back office* ou linha de retaguarda.

A Figura 4.4 ilustra cada tipo de posição de processo de serviço com um exemplo do setor de serviços financeiros. É improvável que um processo possa ter o máximo desempenho se estiver muito longe de uma dessas posições diagonais, ocupando, em vez disso, uma das posições extremas representadas pelos triângulos na matriz (veja a Figura 4.3). Essas posições representam uma desconexão entre o pacote de serviços e as características do processo. Uma posição muito mais provável é entre a área mais clara, ou banda, que se estreita a partir da posição do *front office* até a posição do *back office*. É esperado, e até desejável, algum desvio da diagonal que permite a existência de nichos especiais. Porém, as posições extremas devem ser evitadas.

Front office Um processo de ***front office*** tem muito contato com o cliente quando o provedor de serviços interage diretamente com o cliente interno ou externo. Em virtude da personalização do serviço e da variedade de opções, o processo é mais complexo e muitas de suas etapas variam consideravelmente. Os fluxos de trabalho são flexíveis e variam de um cliente para outro. Mais liberdade é permitida ou inerente aos passos e seqüência do processo. A tarefa envolve muitas exceções do padrão usual de trabalho.

Não somente o processo inclui mais etapas, mas os funcionários o acham mais difícil de entender. Há mais variedade de serviços e os serviços são mais personalizados. O processo de serviço de muito contato tende a ser adaptado ou feito sob medida para cada cliente, que tem mais escolhas da maneira como cada passo do processo de serviço é realizado e, às vezes, até mesmo onde ocorre o encontro de serviço. Um exemplo de *front office*, como é ilustrado pela primeira coluna da Figura 4.4, é o processo de venda de serviços financeiros a pessoas físicas. Esse processo é altamente personalizado a fim de satisfazer necessidades específicas do cliente, e apresenta contato com ele, complexidade e variação muito elevadas. O fluxo de processo é flexível e depende das exigências do cliente.

Hybrid office Um *hybrid office* tende a ficar no meio das cinco dimensões da Figura 4.2, ou talvez alto em algumas medidas de contato e baixo em outras. O processo de ***hybrid office*** tem níveis moderados de contato com o cliente e serviços padronizados, com algumas opções disponíveis para escolha do cliente. O fluxo de trabalho progride de uma estação para a seguinte, com alguns caminhos dominantes aparentes. O trabalho é razoavelmente complexo e existe personalização na maneira como o processo é realizado.

Um exemplo de *hybrid office*, como ilustrado na segunda coluna da Figura 4.4, é o processo de avaliação do desempenho de funcionários feito trimestralmente. Essa parte do processo não é particularmente complexa, pois os relatórios são razoavelmente padronizados e o processo é repetido periodicamente de acordo com um procedimento bem estabelecido. Algumas partes da análise de desempenho são até computadorizadas. Por outro lado, essa parte do processo agrega informações de várias fontes, tanto quantitativas quanto qualitativas e, portanto, são mais complexas que o processo de *back office* apresentado a seguir. Além disso, as análises escritas e as reuniões do gerente com funcionários são altamente personalizadas e adaptadas ao indivíduo.

Front Office	Hybrid Office	Back Office
Venda de serviços financeiros a pessoas físicas	Criação de relatórios trimestrais de desempenho	Produção de relatórios mensais de saldo dos fundos do cliente
• Pesquisar finanças do cliente. • Trabalhar com o cliente para entender suas necessidades. • Fazer apresentação personalizada para o cliente, priorizando necessidades específicas. • Envolver pessoal especializado oferecendo variedade de serviços. • Relacionamento contínuo com o cliente, reagindo a mudanças nas necessidades dos clientes.	• Dados obtidos eletronicamente. • Relatório calculado a partir de processo padronizado. • Relatório revisado com uso de sistemas de diagnósticos padronizados. • Gerente fornece análise escrita e recomendações em resposta a desempenho individual de funcionário. • Gerente se reúne com funcionário para discutir o desempenho.	• Dados obtidos eletronicamente. • Relatório gerado por meio de processos padronizados. • Resultados verificados quanto à razoabilidade usando diretrizes bem estabelecidas. • Cópias em papel e arquivos eletrônicos encaminhados para análise. • Processo repetido mensalmente com poucas variações.

Figura 4.4 Estrutura do processo de serviço no setor de serviços financeiros

Back office Um processo de *back office* tem pouco contato com o cliente e pouca personalização de serviços. O trabalho é padronizado e rotineiro, com fluxos de linha de um provedor de serviços para o seguinte até que o serviço seja concluído. Um exemplo de processo de *back office*, como ilustrado na terceira coluna da Figura 4.4, é a produção mensal de relatórios de saldos de fundos de clientes. O processo é quase que completamente padronizado, repetido freqüentemente e exige poucas variações. Quando estão terminados e verificados, os relatórios são enviados para análise. O contato com o cliente é pequeno, a complexidade e a variação do processo são baixas e o processo tem fluxo de linha.

INCORPORANDO ESTRATÉGIA AOS PROCESSOS DE SERVIÇO

Depois de analisar um processo e determinar sua posição na matriz, pode se tornar aparente que ele está inadequadamente posicionado, muito para a esquerda ou direita ou muito longe do topo ou da base. As oportunidades para melhoria podem se tornar aparentes. Talvez o pacote de serviços precise de mais personalização e contato com o cliente do que o processo proporciona no momento. Talvez o processo seja muito complexo e variável, com fluxos flexíveis desnecessários. A redução da variação e complexidade pode reduzir os custos e melhorar a produtividade.

O processo deve refletir as prioridades competitivas desejadas para ele. *Front offices* geralmente enfatizam a qualidade superior e a personalização, ao passo que os *back offices* tendem a enfatizar a operação de baixo custo, a qualidade consistente e a entrega no prazo. Mas existem muitas exceções a esse padrão — e devem existir. A seção Prática Gerencial 4.1 demonstra que mesmo os processos de *back office* no Ritz-Carlton (não somente seus processos de *front office*) dão extraordinária ênfase à qualidade superior. Porém, processos da mesma empresa de serviços podem ter prioridades competitivas diferentes.

Uma funcionária usa um computador da FedEx em um processo de *back office*. O trabalho que está sendo realizado é padronizado e repetido freqüentemente sem contato direto com o cliente.

PRÁTICA GERENCIAL 4.1 — PROCESSOS DE *FRONT OFFICE* E *BACK OFFICE* NO RITZ-CARLTON

A Ritz-Carlton Hotel Company tem como alvo a faixa mais elevada de 1 a 3 por cento dos viajantes de alto luxo. Portanto, dá imensa ênfase à qualidade superior como prioridade competitiva. A meta é não somente exceder as expectativas dos hóspedes, mas também as dos funcionários. Cada funcionário, seja no *front office* seja no *back office*, leva um cartão com oito painéis do tamanho de um cartão de visitas que descrevem os Gold Standards (padrões dourados) do Ritz-Carlton, que incluem um lema simples e elegante: "Nós somos damas e cavalheiros que servem damas e cavalheiros". A empresa enfatiza uma paixão por ter seu pessoal e seus processos se comportando de maneira extraordinária, tanto em relação aos hóspedes (clientes externos) quanto entre si (clientes internos). Eles dão notável atenção a todas as oportunidades (ou 'pontos de contato' com o cliente) para agradar os clientes ou decepcioná-los. Segundo um cálculo, o hóspede médio representa 1.100 pontos de contato a cada dia. Nem todos esses pontos de contato envolvem a presença física de um funcionário. Muitos deles ocorrem em *back offices*, como a cozinha, escritórios ou a garagem. Esses pontos, no final das contas, acabam por afetar o hóspede, positiva ou negativamente.

A ênfase na qualidade superior é codificada e integrada nos processos em cada ponto de contato. O Ritz-Carlton gerencia detalhes como poucas outras organizações conseguem fazer. Ele é fortemente orientado para processos, e sistemas sofisticados medem virtualmente todos os aspectos do desempenho. Ele tem uma determinação quase fanática para efetuar melhorias na qualidade para todas as suas operações. Começa por contratar as pessoas certas para os 120 cargos específicos de hotelaria. Os funcionários já existentes estão envolvidos no processo de entrevistar candidatos a emprego e, dessa forma, todos se sentem responsáveis.

Depois de contratar as pessoas certas, os funcionários passam por uma extensa orientação e educação continuada. A certificação do emprego é específica para tarefas, dependendo do processo que a pessoa realizará. Todos os líderes seniores assistem a sessões de orientação para novos funcionários, procurando partilhar uma verdadeira mentalidade de serviço com todos. Os funcionários novos passam por 310 horas de treinamento no primeiro ano e por um mínimo de 125 horas nos anos seguintes. Também é esperado que todos compareçam a uma 'formação diária', na qual são feitos comunicados sobre novas políticas, datas de aniversário, reconhecimentos e assim por diante. O mais interessante são as histórias de comportamento excepcional em relação aos hóspedes. Em todas as formações diárias, os funcionários são encorajados a compartilhar histórias de zelo excepcional com clientes. As boas histórias são lembradas e repetidas, comunicando não somente o que é possível, mas também o que é esperado.

Quando qualquer funcionário encontra uma situação em que as necessidades dos hóspedes não estão sendo satisfeitas, é esperado que ele se encarregue do problema e o siga até sua solução. Eles são autorizados a gastar até 2.000 dólares por hóspede para resolver queixas ou problemas. Os clientes que têm reclamações não são passados para outra 'pessoa que pode ajudá-lo'. Parte do trabalho consiste em assumir a responsabilidade pela solução desses problemas. A camareira (no *back office*) que descobre uma lâmpada queimada registra o defeito em um computador, de modo que ele seja resolvido antes mesmo que o cliente o descubra. Funcionários, e os processos realizados no *front office* e no *back office*, procuram 'estimular os sentidos, infundir bem-estar e satisfazer até mesmo os desejos não expressos de seus hóspedes'.

Fontes: Terry R. Bacon e David G. Pugh, "Ritz-Carlton and EMC: the gold standards in operational behavioral differentation", *Journal of Organizational Excellence*, primavera de 2004, p. 61-76. Disponível em: <www.ritzcarlton.com>.

Os processos para clientes que entram no McDonald's devem ser mais pessoais que para os clientes do *drive through*. É preciso haver uma pessoa de verdade atrás do balcão. Em vez disso, clientes de *drive through*, que querem velocidade de entrega ainda maior e uma transação eficiente, certamente estão menos preocupados com atenção pessoal.

ESTRUTURA DO PROCESSO NA MANUFATURA

Muitos processos da indústria, na verdade, são serviços para clientes internos ou externos, portanto a discussão anterior sobre serviços aplica-se a esses processos.

No entanto, nesta seção, focamos os próprios processos de manufatura. Por causa das diferenças entre processos de serviço e de manufatura, precisamos de uma visão diferente da estrutura do processo.

MATRIZ DE PRODUTO – PROCESSO

A matriz de produto – processo, mostrada na Figura 4.5, reúne três elementos: (1) volume, (2) projeto do produto e (3) processo. Ela sincroniza o produto a ser fabricado com o próprio processo de fabricação.

Uma boa estratégia para um processo de manufatura depende primeiramente do volume. O contato com o cliente, uma característica primordial da matriz de contato com o cliente para serviços, normalmente não é levado em consideração nos processos de manufatura (embora ele *seja* um fator para muitos processos de serviço em empresas de manufatura). Para muitos processos de manufatura, uma elevada personalização de produto significa volumes menores em muitas etapas do processo. Se a personalização, a qualidade superior e a variedade de produtos são fortemente enfatizadas, o resultado provável é um menor volume para qualquer passo específico do processo de fabricação.

A dimensão vertical da matriz produto – processo lida com as mesmas três características da matriz do contato com o cliente: complexidade, variação e fluxo. Cada processo de fabricação deve ser analisado sob essas três dimensões, da mesma maneira que foi feito com o processo de serviço.

ESTRUTURA DO PROCESSO DE MANUFATURA

A Figura 4.5 mostra várias posições desejáveis (freqüentemente chamadas de escolhas ou *tipos de processos*) na matriz produto – processo que efetivamente liga o produto fabricado ao processo. **Escolha de processo** é a maneira de estruturar o processo organizando os recursos em torno dele mesmo ou em torno dos produtos. Organizar em torno do processo significa, por exemplo, que todas as máquinas de moagem estão agrupadas e processam todos os produtos ou partes que precisam desse tipo de transformação. Organizar em torno do produto significa reunir todos os recursos humanos diferentes e equipamentos necessários para um produto específico e dedicá-los a produzir apenas ele. O gerente tem quatro opções de processo que formam um contínuo: (1) processo por tarefa *ou job shop*, (2) processo em lotes, (3) processo em linha e (4) processo contínuo. Assim como ocorre com a matriz de contato com o cliente, é improvável que um processo de fabricação possa ter grande desempenho se sua posição estiver muito longe da diagonal. A mensagem fundamental da Figura 4.5 é que a melhor escolha para um processo de fabricação depende do volume e do grau de personalização exigidos pelo processo. A escolha do processo poderia se aplicar a um processo inteiro de fabricação ou apenas a um subprocesso dentro dele. Por exemplo, uma etapa do processo poderia ser um processo por tarefa (*job shop*) em que uma peça específica é usinada (junta-

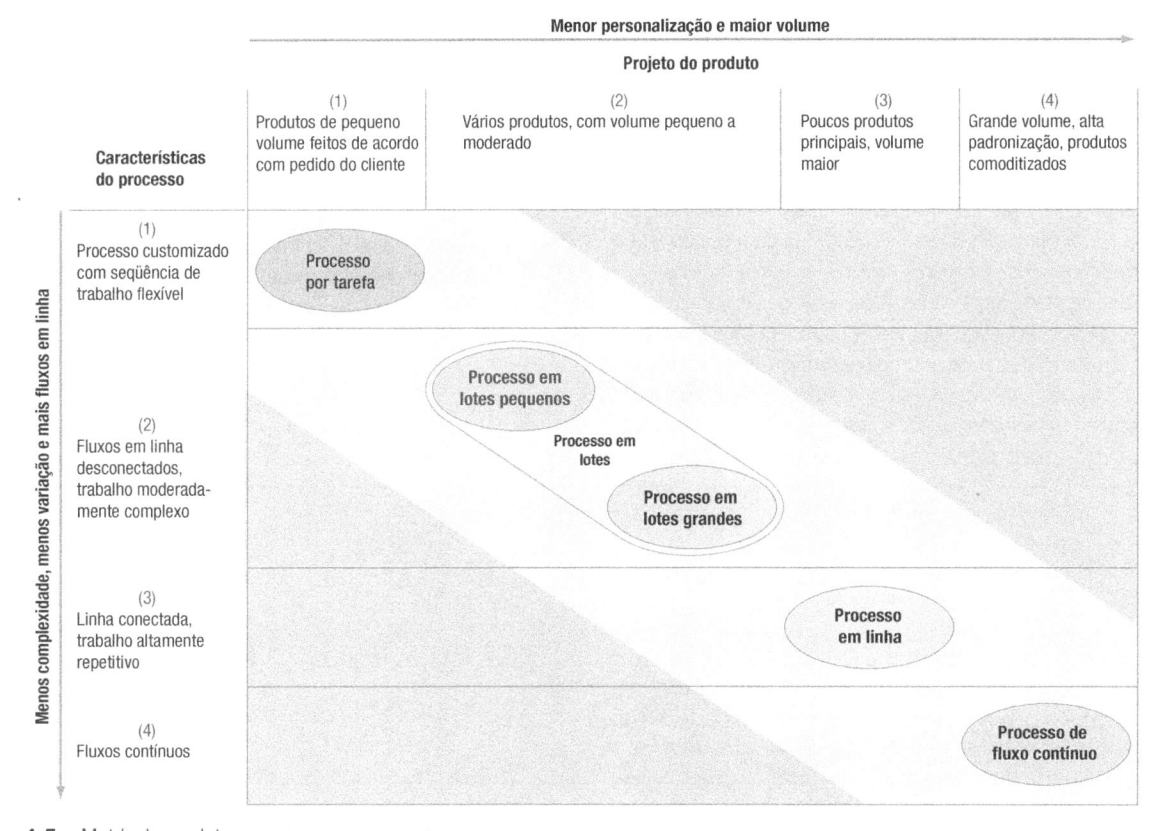

Figura 4.5 Matriz de produto-processo para processos

mente com as peças de muitos produtos diferentes), ao passo que uma outra etapa poderia ser um processo em linha, em que a peça é montada juntamente com outras peças e materiais para criar o produto final. Agora nos concentraremos nas diferenças entre as quatro escolhas ou tipos de processos de fabricação.

Processo por tarefa Exemplos de processos por tarefa (ou *job shop*) são usinar um molde de metal por encomenda ou produzir armários sob medida. Um **processo por tarefa** cria a flexibilidade necessária para produzir uma ampla variedade de produtos em quantidades significativas, com considerável complexidade e variação nas etapas realizadas. A personalização é alta e o volume para qualquer produto é pequeno. A mão-de-obra e os equipamentos são flexíveis para poder lidar com uma variedade considerável de tarefas. As empresas que escolhem processos por tarefa muitas vezes fazem orçamento por trabalho. Normalmente elas fazem produtos sob encomenda e não os produzem antecipadamente. As necessidades específicas do próximo cliente são desconhecidas e o tempo entre pedidos iguais do mesmo cliente é imprevisível. Cada novo pedido é tratado como uma unidade, como uma tarefa.

Um processo por tarefa organiza primordialmente todos os recursos em torno de si mesmo (em vez de alocá-los a produtos específicos); os equipamentos e os trabalhadores capazes de certos tipos de tarefas são colocados no mesmo local. Esses recursos processam todas as tarefas que requerem esse tipo de trabalho. Como a personalização é alta e a maioria das tarefas tem seqüências diferentes de etapas, essa escolha de processo cria fluxos flexíveis através das operações, em vez de um fluxo em linha. Embora possa existir considerável variabilidade nos fluxos de um processo por tarefa, pode haver alguns fluxos em linha dentro dele também, devido a subprocessos idênticos e à repetição dos pedidos de clientes.

Processo em lote O processo em lote é, de longe, o mais comum dos tipos de processo encontrados na prática, resultando em expressões como *lote pequeno* e *lote grande* para distinguir ainda mais uma escolha de processo de outra. Exemplos de processo em lote são a fabricação de componentes padronizados que alimentam uma linha de montagem ou alguns processos que fabricam bens de capital. O **processo em lote** difere do processo por tarefa no que diz respeito a volume, variedade e quantidade. A diferença principal é que os volumes são maiores, porque os mesmos produtos ou peças similares que fazem parte do lote são produzidos repetidamente. Alguns dos componentes que vão no produto final podem ser processados com antecedência. Outra diferença é que é fornecida uma faixa mais estreita de produtos, e, além disso, as partidas de produção são manipuladas em quantidades maiores (ou *lotes*) que com os processos por tarefa. Um lote de um produto (ou componente que vai nesse produto ou talvez outros produtos) é processado e depois a produção é trocada para um outro lote seguinte. Eventualmente, o primeiro produto é fabricado novamente. Um processo em lote tem volumes médios ou moderados, porém a variedade de processos ainda é muito grande para garantir um processo separado para cada produto. O fluxo do processo é flexível, sem seqüência padronizada de etapas por toda a fábrica. Porém emergem caminhos mais dominantes que em um processo por tarefa, e alguns segmentos do processo têm um fluxo em linha.

Processo em linha Entre os produtos fabricados por um processo em linha estão a montagem de computadores, automóveis, eletrodomésticos e brinquedos. O **processo em linha** situa-se entre os processos em lote e o contínuo; o volume de produção é alto e os produtos são padronizados, o que permite que os recursos sejam organizados em torno de um determinado produto. A variação é mínima nos fluxos de processo ou de linha, e é mantido um estoque mínimo entre as etapas do processamento. Cada etapa executa o mesmo processo repetidamente, com pouca variação nos produtos fabricados. Os equipamentos de produção e de manipulação dos materiais são especializados.

Os pedidos de produção não estão diretamente ligados a pedidos dos clientes, como no caso dos processos por tarefa. Produtos padronizados são feitos com antecedência e mantidos em estoque até que sejam necessários, de modo que estejam prontos quando um cliente faz um pedido. A variedade de produtos é possibilitada pelo controle cuidadoso de opções padrão e suas inclusões ao produto principal.

Processo de fluxo contínuo Exemplos de processos de fluxo contínuo são as refinarias de petróleo, as indústrias químicas e companhias que fabricam aço, refrigerantes e alimentos (como a fábrica de macarrão da Adria). Um **processo de fluxo contínuo** é ponto extremo da produção padronizada de grande volume, com fluxos de linha rígidos. A variação do processo é insignificante. Seu nome vem da maneira como os materiais se movem pelo processo, que parece ser uma entidade independente. Com freqüência, ele é muito dependente de capital e funciona 24 horas por dia para maximizar a utilização e evitar custosos períodos de inatividade e reinícios. O processo de fluxo contínuo difere do processo de linha sob um aspecto importante: os materiais, sejam não-diferenciados, sejam discretos, fluem através do processo sem parar, até que todo o lote esteja terminado. O período pode abranger vários turnos ou até vários meses. Os processos de linha, por outro lado, podem ser iniciados e parados com cada turno ou dia, mesmo que o lote não esteja concluído.

ESTRATÉGIAS DE PRODUÇÃO E ESTOQUE

As estratégias para os processos de fabricação diferem das empregadas em serviços, não apenas por causa do pouco contato e envolvimento do cliente, mas também em virtude da capacidade de usar estoques. As estratégias de fabricar sob encomenda, montar sob encomenda e fabricar para estocar são três abordagens de estoque que devem ser coordenadas com a escolha do processo.

110 Administração de produção e operações

Estratégia do tipo 'fabricar sob encomenda' (*make-to-order*) As indústrias que fabricam produtos de acordo com especificações do cliente e com pouco volume tendem a usar a **estratégia de fabricar sob encomenda**, associando-a com processos em lote ou em pequenos lotes. Trata-se de um processo mais complexo que montar um produto final com componentes padronizados, como montar um computador Dell sob encomenda. Podem ser usados muitos tipos diferentes de processos de fabricação que não sejam primordialmente 'montar ou juntar peças e materiais'. O processo é visto com uma estratégia de fabricar sob encomenda como um conjunto de subprocessos que podem ser usados de muitas maneiras diferentes para satisfazer as necessidades exclusivas dos clientes. Essa estratégia oferece um alto grau de personalização e normalmente usa processos por tarefa ou em lote pequeno. Os processos são complexos, com alta variação. Como os produtos, componentes e montagens são sob encomenda, o processo de fabricação deve ser flexível para acomodar a variedade. Equipamentos médicos especializados, moldes e casas de alto padrão são adequados para a estratégia de fabricar sob encomenda. A estratégia de montar sob encomenda é outra possibilidade.

Estratégia do tipo 'montar sob encomenda' (*assemble-to-order*) A **estratégia de montar sob encomenda** é um método para produzir uma grande variedade de produtos com relativamente poucas montagens e poucos componentes, assim que os pedidos dos clientes são recebidos. As prioridades competitivas típicas são a variedade e a entrega rápida. Essa estratégia, muitas vezes, envolve um processo de linha para a montagem e um processo de lote para a fabricação. Como são dedicados a fazer componentes padronizados e montagens em grande volume, o processo de fabricação focaliza a utilização de quantidades apropriadas de estoques de itens para os processos de montagem. Uma vez recebido o pedido específico, os processos de montagem criam o produto a partir de componentes padronizados e submontagens produzidas pelos processos de fabricação.

A estocagem de produtos acabados seria economicamente proibitiva porque as incontáveis opções possíveis tornam a previsão relativamente inexata. Neste caso, é aplicado o princípio da postergação. Por exemplo, uma fábrica de móveis estofados pode produzir centenas de sofás de um determinado estilo sem que haja dois iguais, para satisfazer as escolhas de tecido e madeira feitas pelos clientes. Outros exemplos poderiam ser a pintura (na loja de tintas pode ser criada qualquer cor pela combinação de pigmentos padronizados) e casas pré-fabricadas em que o cliente pode escolher entre as opções de cores e de disposição dos cômodos.

Estratégia do tipo 'fabricar para estocar' (*make-to-stock*) As empresas industriais que mantêm itens em estoque para entrega imediata, minimizando o tempo de entrega, usam a **estratégia de fabricar para estocar**. Essa estratégia é viável para produtos padronizados de grande volume e previsões razoavelmente precisas. É a estratégia de estocagem escolhida para os processos de fluxo de linha ou contínuo. Por exemplo, a Figura 4.6 ilustra um processo de montagem final de automóveis, tanto o modelo de carro médio de seis cilindros quanto o compacto de quatro cilindros são montados na mesma linha. Seus volumes são suficientes para garantir a estratégia de fabricar para estocar. O fluxo de processo para os dois produtos é direto, com quatro subprocessos dedicados aos dois produtos.

Essa estratégia é aplicável também a situações em que o processo produz um produto único para um cliente específico, se o volume for suficientemente grande. Por exemplo, uma empresa que produz um sensor para o câmbio do Ford Explorer teria volume suficiente para operar uma linha de produção especificamente para esse sensor e teria um estoque do produto acabado suficiente para as entregas programadas. Outros exemplos de produtos fabricados com a estratégia de fabricar para estocar seriam ferramentas de jardinagem, componentes eletrônicos, refrigerantes e produtos químicos.

A combinação do processo de linha com a estratégia de fabricar para estocar é, às vezes, chamada de **produção em massa**. Ela é o que a imprensa popular comumente imagina como o processo clássico de fabricação, porque o ambiente é estável e previsível, com trabalhadores que repetem tarefas bem-definidas e com pouca variação. Porém, o processo de linha é apenas uma das quatro escolhas possíveis de processo.

Tamanho médio de seis cilindros → (A) → (H) → (F) → (S) → Tamanho médio de seis cilindros
Compacto de quatro cilindros →   → Compacto de quatro cilindros

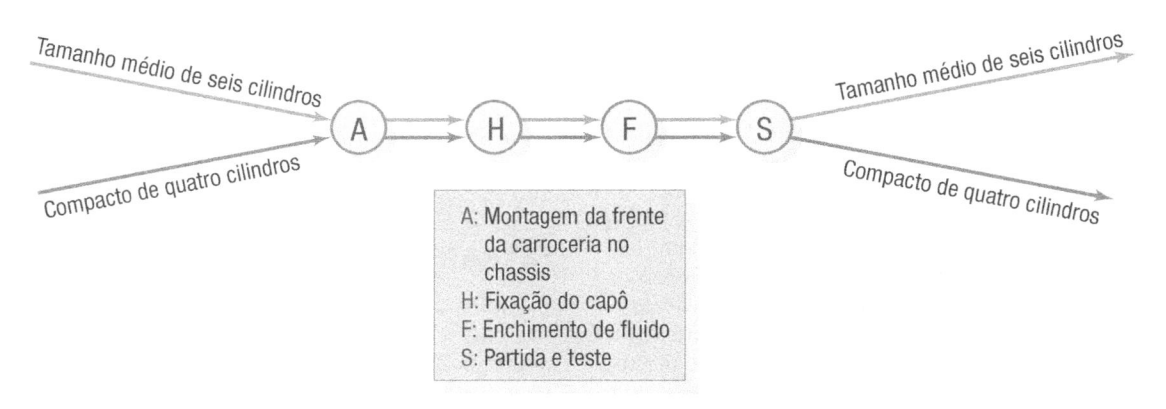

A: Montagem da frente da carroceria no chassis
H: Fixação do capô
F: Enchimento de fluido
S: Partida e teste

Figura 4.6 Processo de montagem de automóvel

INCORPORANDO ESTRATÉGIA AOS PROCESSOS DE FABRICAÇÃO

Da mesma forma que um processo de serviço pode ser reposicionado na matriz de contato com o cliente, o processo de fabricação pode ser movido na matriz de produto – processo. As modificações podem ser feitas na direção horizontal da Figura 4.5, mudando o grau de personalização e volume, na direção vertical, mudando a complexidade ou variação do processo. Os fluxos de processo podem se tornar mais lineares se dedicarmos recursos humanos e de capital a um produto específico ou, talvez, a um grupo de produtos similares. Desse modo, a seqüência de tarefas torna-se a mesma. Há pouca variação do processo porque, essencialmente, o mesmo produto é fabricado repetidamente sem desvios. A estratégia de produção e estoque também podem ser alteradas.

As prioridades competitivas devem ser levadas em consideração ao se traduzir estratégia em processos específicos de manufatura. A Figura 4.7 mostra algumas tendências usuais encontradas na prática. Os processos por tarefa e em lote pequeno são escolhas habituais quando se dá ênfase primordial à qualidade superior, à entrega no prazo e à flexibilidade (personalização, variedade e volume). Os processos de lote grande, de linha e contínuo combinam com a ênfase em operações de baixo custo, qualidade consistente e velocidade de entrega.

Para as estratégias de produção e estoque, a de fabricar sob encomenda combina com flexibilidade (particularmente com personalização) e qualidade superior. Como a velocidade de entrega é mais difícil, deve-se cumprir as datas de vencimento e entregar dentro do prazo, dando-se mais ênfase à dimensão de tempo. A estratégia de montar sob encomenda permite que sejam alcançadas a velocidade de entrega e a flexibilidade (particularmente a variedade), ao passo que a estratégia de fabricar para estocar é a escolha habitual, se forem enfatizadas a velocidade de entrega e as operações de baixo custo. A manutenção de um item em estoque assegura entrega rápida, pois geralmente ele está disponível assim que é necessário; não há demora para produzi-lo. Grandes volumes abrem oportunidades para redução de custos.

Após examinar as várias dimensões das decisões sobre estrutura de processo, estudaremos uma segunda decisão importante: o envolvimento do cliente, como é mostrado na Figura 4.1.

ENVOLVIMENTO DO CLIENTE

O envolvimento do cliente reflete o modo como eles se tornam parte do processo e a extensão de sua participação. É especialmente importante para muitos processos de serviço, principalmente se o contato com o cliente for (ou deveria ser) alto.

Um bom começo para aumentar o envolvimento do cliente é tornar grande parte do processo visível para ele. Deixar que os clientes vejam o que lhes é normalmente ocultado é parte do projeto de serviço da Harvey's, uma cadeia de restaurantes *fast-food* do Canadá. Ali você pode ver os funcionários em um local de trabalho limpo e bem arrumado, grelhando sua carne além de poder escolher os ingredientes adicionais que desejar. Um passo ainda mais ousado é deixar seus clientes participarem de processos de *back office* selecionados, na prática, convertendo-os em *front offices*.

POSSÍVEIS DESVANTAGENS

O envolvimento do cliente nem sempre é uma boa idéia. Em alguns casos, permitir que o cliente tenha contato mais ativo com um processo de serviço pode ser tumultuante, o que o torna menos eficiente. Lidar com as necessidades únicas de cada cliente pode tornar o processo mais complexo e divergente. Administrar o tempo e o volume das demandas do cliente é mais desafiador se ele estiver fisicamente presente e esperar por pronta entrega. Medir a qualidade também se torna mais difícil e expor as instalações e os funcionários ao cliente pode ter implicações importantes sobre a qualidade (favoráveis ou desfavoráveis). Sem proteção contra influências externas, a produtividade do provedor de serviços pode cair, e os custos podem aumentar. Essas mudanças fazem com que as habilidades interpessoais se tornem um pré-requisito para o trabalho do provedor de serviços, mas níveis mais elevados de habilidade têm custo. A revisão do layout da instalação pode ser um investimento necessário, uma vez que a administração das percepções dos clientes torna-se parte importante do processo.

Se o envolvimento dos clientes exigir a presença física, eles poderão determinar a hora e o local em que o serviço deve ser prestado. Se o serviço é entregue ao cliente, as decisões que envolvem o local tornam-se parte da estratégia do processo. Se o cliente for servido nas instalações do provedor, os provedores de serviço irão às instalações do cliente ou o serviço será prestado em um

Figura 4.7 Ligações das prioridades competitivas com a estratégia de fabricação

(a) Ligações com a escolha de processo

Prioridades Competitivas	Escolha do Processo
Qualidade superior, entrega no prazo e flexibilidade	Processo por tarefa ou em pequenos lotes
Operações de baixo custo, qualidade consistente e velocidade de entrega	Processo em grandes lotes, em linha ou em fluxo contínuo

(b) Ligações com a estratégia de produção e estoque

Prioridades Competitivas	Estratégia de Produção e Estoque
Qualidade superior, entrega no prazo e flexibilidade	Fabricação sob encomenda (*make-to-order*)
Velocidade de entrega e variedade	Montagem sob encomenda (*assemble-to-order*)
Operação de baixo custo e velocidade de entrega	Fabricar para estocar (*make-to-stock*)

terceiro local? Pode ser necessário haver muitas instalações pequenas e descentralizadas perto das áreas de concentração de clientes caso os clientes forem aos provedores. Do contrário, a capacidade do serviço deve ser móvel. Qualquer das abordagens aumenta os custos. Embora os contadores, muitas vezes, trabalhem nas instalações de seus clientes, tanto o horário quanto o lugar devem ser conhecidos com antecedência, e a viagem torna-se um custo a ser considerado.

Um estudante universitário aguarda a sua refeição em um restaurante do centro de alimentação da UCLA, em Los Angeles, Califórnia. Um bom começo para aumentar o envolvimento do cliente é tornar grande parte do processo visível para ele.

POSSÍVEIS VANTAGENS

Apesar das possíveis desvantagens, as vantagens de um processo mais focado no cliente podem aumentar o valor para ele. Alguns clientes buscam ter participação ativa e controle do processo de serviço, especialmente se gostam de economizar tempo e dinheiro. O gerente deve avaliar se as vantagens superam as desvantagens, julgando-as em termos de prioridades competitivas e satisfação do cliente. Deve estar atento também ao possível emprego de tecnologias emergentes para facilitar um maior envolvimento do cliente.

Competências competitivas melhoradas Dependendo da situação, mais envolvimento do cliente pode significar melhor qualidade, entrega mais rápida, maior flexibilidade e até custo menor. Os clientes podem ficar frente a frente com os provedores de serviços, podendo fazer perguntas, fazer solicitações especiais de imediato, fornecer informações adicionais e até fazer recomendações. Essa mudança cria um relacionamento mais pessoal com o provedor e torna o cliente parte da garantia da prioridade competitiva de qualidade consistente.

Se a personalização e a variedade são altamente valorizadas, o envolvimento do cliente pode ser útil. Alguns processos podem ser projetados para permitir que os cientes apresentem suas próprias especificações de serviço ou produto ou até se envolvam no projeto do produto. Um bom exemplo é o do setor de projeto e construção de casas sob encomenda: o cliente está altamente envolvido no processo de projeto e costuma inspecionar o trabalho em andamento várias vezes. Se uma ampla variedade de serviços ou produtos estiver disponível, os clientes podem fazer suas próprias escolhas de acordo com suas preferências. Na prática, eles 'escolhem suas próprias compras'.

Da mesma forma que o contato com o cliente e a atenção personalizada podem aumentar custos, de outras maneiras, eles também podem diminuí-los. O autoserviço é a escolha de muitos varejistas, como postos de gasolina (nos Estados Unidos e na Europa), supermercados e serviços bancários. Às vezes, chamada de 'abordagem do bufê de saladas' em relação à produtividade, ele substitui os esforços do provedor de serviços pelo do cliente. Fabricantes de produtos como brinquedos, bicicletas e móveis, também podem optar por deixar a montagem final para o cliente fazer, porque, desse modo, os custos de produção, remessa e estocagem podem ser mais baixos, assim como as perdas por danos. A economia é repassada para os clientes na forma de preços mais baixos. Naturalmente, alguns clientes preferem um papel mais passivo, como serviço completo no posto de gasolina em um dia de inverno, apesar do preço mais alto.

Tecnologias emergentes Em um mercado no qual os clientes são tecnologicamente capazes, as empresas podem estabelecer um diálogo com eles e torná-los parceiros na criação de valor. Os clientes são uma nova fonte de competência para esses processos. Para aproveitar as competências dos clientes, as empresas devem envolvê-los em um diálogo contínuo, além de revisar alguns de seus processos tradicionais, como os sistemas de fixação de preços e de faturamento, para se responsabilizarem pelo novo papel de seus clientes. Por exemplo, nos negócios B2B, a Internet muda a posição das companhias em relação às outras. Os fornecedores da Ford colaboram no processo de desenvolvimento de novos veículos e não são mais provedores passivos de materiais e serviços. O mesmo acontece com os distribuidores. O Wal-Mart faz mais que simplesmente distribuir produtos da Procter & Gamble: ele compartilha informações sobre as vendas diárias e trabalha em parceria com a empresa na gestão dos estoques e operações de armazenamento.

FLEXIBILIDADE DE RECURSOS

Além de prestar contas do contato com os clientes quando tomam decisões sobre o envolvimento deles, os gerentes também devem se responsabilizar por variações de processo e fluxos diversos ao tomar decisões sobre flexibilidade dos recursos (veja a Figura 4.1). Grande variação de tarefa e fluxos de processo flexíveis exigem mais flexibilidade dos recursos do processo, ou seja, de seus funcionários, instalações e equipamentos. Os funcionários precisam realizar um grande número de tarefas e os equipamentos devem ser de uso geral. De outra forma, a utilização dos recursos não será suficiente para que as operações sejam econômicas.

FORÇA DE TRABALHO (MÃO-DE-OBRA)

Os gerentes de operações precisam decidir se devem ter uma **força de trabalho flexível**. Os membros de uma força de trabalho flexível são capazes de realizar muitas tarefas, seja em suas próprias estações de trabalho, seja quando mudam de uma estação para outra. Contudo, tal flexibilidade, muitas vezes, tem um custo, o que requer mais habilidades, mais treinamento e mais educação. Não obstante, os benefícios podem ser grandes: a flexibilidade do funcionário pode ser uma das melhores maneiras de conseguir confiabilidade no serviço do cliente e aliviar os gargalos de capacidade. A flexibilidade de recursos ajuda a absorver o *boom-or-bust* (muito lucro ou muita perda) em operações individuais, causados pela produção com pouco volume, tarefas variadas, rotinas flexíveis e programação incerta.

Técnicos do departamento de reparos da fábrica da ABB, líder mundial em tecnologias de energia e automação, devem ter flexibilidade suficiente para consertar muitas partes diferentes de equipamentos de automação instalados nas instalações dos clientes. Essa instalação de serviços possui 30 estações de trabalho diferentes configuradas para realizar diferentes tipos de processos. Os funcionários têm treinamento cruzado para mudar de uma estação para outra, dependendo do que precisar ser feito.

O tipo de mão-de-obra necessária depende também da necessidade de flexibilidade de volume. Quando as condições permitem que haja uma taxa uniforme e constante de produção, a escolha mais apropriada é uma força de trabalho permanente, que deseje um emprego regular em período integral. Se o processo estiver sujeito a uma demanda com picos e vales de horas, dias ou meses, a melhor solução poderá ser o emprego de funcionários temporários ou que trabalhem meio período para suplementar um núcleo menor de funcionários de período integral. Essa abordagem, porém, pode não ser prática se os requisitos de conhecimentos e habilidades forem muito altos para um trabalhador temporário dominar rapidamente. A prática de substituir funcionários de tempo integral por temporários ou de meio período está gerando uma crescente controvérsia.

EQUIPAMENTOS

Volumes baixos significam que os projetistas do processo devem escolher equipamentos flexíveis de uso geral ou universal. A Figura 4.8 ilustra esse relacionamento mostrando as linhas de custo total de dois tipos diferentes de equipamentos que podem ser escolhidos para um processo. Cada linha representa o custo anual total do processo com diferentes níveis de volume. Ela é a soma dos custos fixos e variáveis (veja o Suplemento A, "Tomada de decisões"). Quando os volumes são baixos (porque a personalização é alta), o Processo 1 é a melhor escolha. Ele requer equipamentos baratos de uso geral, que mantêm o investimento em equipamentos em nível baixo e faz com que os custos fixos (F_1) sejam pequenos. Seu custo variável por unidade é elevado, o que confere à linha de custo total uma inclinação relativamente íngreme. O Processo 1 realiza o trabalho, mas não com a máxima eficiência. Entretanto, os volumes não são grandes o suficiente para que o total de custos variáveis supere o benefício de custos fixos baixos.

Inversamente o Processo 2 é a melhor escolha quando os volumes são altos e a personalização é baixa. Sua vantagem é ter baixo custo unitário variável, como é evidenciado pela linha de custo total mais achatada. Essa eficiência é possível quando a personalização é baixa porque o equipamento pode ser projetado para uma faixa mais estreita de produtos ou tarefas. A desvantagem é o grande investimento em equipamentos, conseqüentemente em custos fixos (F_2). Quando o volume anual produzido é alto o suficiente, dividindo os custos fixos por mais unidades produzidas, a vantagem dos custos variáveis baixos compensa os altos custos fixos.

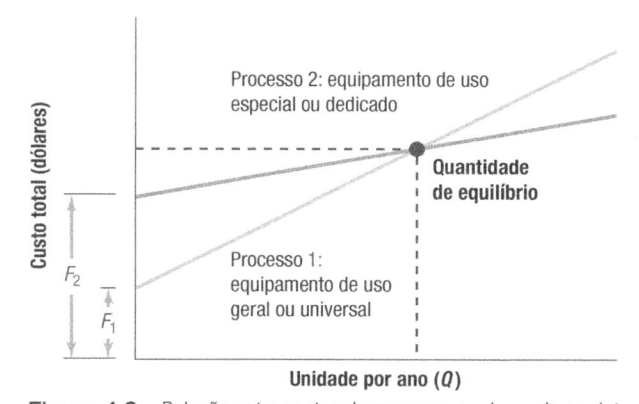

Figura 4.8 Relação entre custos de processo e volume de produto

A quantidade de equilíbrio da Figura 4.8 é a quantidade na qual os custos totais das duas alternativas são iguais. Com quantidades além desse ponto, o custo do Processo 1 excede o do Processo 2. A menos que a empresa espere vender mais que a quantidade de equilíbrio, o que é improvável com alta personalização e baixo volume, o investimento de capital no Processo 2 não é garantido.

INTENSIDADE DE CAPITAL

A intensidade de capital é o *mix* de equipamentos e habilidades humanas no processo; quanto maior for o custo relativo do equipamento, maior será a intensidade de capital. À medida que aumentam as capacidades em tecnologia e seus custos diminuem, os gerentes se deparam com uma faixa de opções cada vez mais ampla, desde operações que utilizam muito pouca automação até as que exigem equipamentos específicos para as tarefas e pouca intervenção humana. **Automação** é um sistema, processo ou equipamento automático e auto-regulador. Embora a automação seja vista como necessária para a obtenção de vantagem competitiva, ela apresenta vantagens e desvantagens. Assim, a decisão de escolha da automação exige exame cuidadoso.

AUTOMATIZANDO PROCESSOS DE MANUFATURA

A substituição da mão-de-obra por equipamentos e tecnologia de capital intensivo que economizam mão-de-obra tem sido uma maneira clássica de melhorar a produtividade e a consistência da qualidade nos processos industriais. Se os custos de investimento forem grandes, a automação funcionará melhor quando o volume for grande, porque mais personalização normalmente significa volume reduzido. A Gillete, por exemplo, gastou 750 milhões de dólares em linhas de produção e robótica que lhe proporcionaram a capacidade de fabricar 1,2 bilhão de cartuchos de lâminas para barbear em um ano. O equipamento é complicado e caro. Somente com um volume tão grande, esse processo em linha poderia fabricar o produto com preço suficientemente baixo e acessível aos consumidores.

Uma grande desvantagem do capital intensivo pode ser o investimento proibitivo para operações de baixo volume (veja a Figura 4.8). Geralmente as operações com predomínio de capital devem ter alta utilização para ser justificáveis. Além disso, a automação nem sempre se alinha com as prioridades competitivas da empresa. Se uma empresa oferece um produto único ou um serviço de alta qualidade, as prioridades competitivas poderão indicar a necessidade de funcionários qualificados, trabalho manual e atenção individual, em vez de novas tecnologias. Um caso em questão é o dos processos que embalam e armazenam os cartuchos de lâminas. Ele customiza as embalagens para diferentes regiões do mundo, de modo que os volumes para qualquer tipo específico de embalagem são muito menores. Como resultado dos baixos volumes, a Gillete não usa automação dispendiosa nesses processos. Aliás, ela os terceiriza.

Automação fixa   As empresas industriais usam dois tipos de automação: fixa e flexível (ou programável). A **automação fixa**, que é especialmente indicada para processos em linha e de fluxo contínuo, produz um tipo de peça ou produto em uma seqüência fixa de operações simples. Até meados dos anos 1980, a maioria das montadoras de automóveis dos Estados Unidos era dominada por automação fixa — e algumas ainda são. As instalações de processamento químico e as refinarias de petróleo também utilizam esse tipo de automação.

Os gerentes de operações optam pela automação fixa quando os volumes de demanda são altos, os projetos de produtos estão estáveis e o ciclo de vida dos produtos é longo. Essas condições compensam as duas desvantagens primordiais do processo, que são o grande investimento inicial e a relativa inflexibilidade. A automação fixa, porém, maximiza a eficiência e permite os mais baixos custos variáveis por unidade se os volumes forem grandes.

Automação flexível   A **automação flexível** (ou **programável**) pode ser modificada facilmente para manipular vários produtos. A capacidade de reprogramar máquinas é útil tanto para processos de baixa, quanto de alta customização. No caso de customização elevada, uma máquina que faz vários produtos em pequenos lotes pode ser programada para alternar entre os produtos. Quando uma máquina foi dedicada a um determinado produto ou família de produtos, como no caso da personalização em baixa escala e um pequeno fluxo em linha, e o produto está no fim de seu ciclo de vida, a máquina pode, simplesmente, ser reprogramada com uma nova seqüência de operações para fazer um novo produto.

A seção Prática Gerencial 4.2 descreve como a R. R. Donnelley se beneficia de uma automação mais flexível, que permite rápidas mudanças de pedido de um cliente para outro.

AUTOMATIZANDO PROCESSOS DE SERVIÇO

A automação também pode ser usada como dispositivo de economia de mão-de-obra nos processos de serviço. Nos serviços de educação, por exemplo, a tecnologia de aprendizado a distância pode, atualmente, suplementar ou até substituir a sala de aula tradicional com a utilização de livros, computadores, sites e vídeos como bens facilitadores que complementam o serviço. A justificativa da tecnologia não precisa estar limitada à redução de custo. Às vezes, ela pode realmente aumentar a complexidade e a diversidade de tarefa, tornando disponível uma ampla gama de opções para o cliente. A tecnologia do futuro certamente possibilitará um grau ainda maior de personalização e variedade de serviços que atualmente somente provedores humanos podem proporcionar. Além das considerações sobre custo e variedade, o projetista do processo deve entender o cliente e quanto o contato é valorizado. Se os clientes buscam contato e atenção pessoal, o uso de tecnologias para escolher entre uma variedade de opções na Internet ou pelo telefone poderia ser uma escolha insatisfatória.

PRÁTICA GERENCIAL

4.2 AUTOMAÇÃO FLEXÍVEL NA R. R. DONNELLEY

A R. R. Donnelley é a maior empresa de artes gráficas comerciais dos Estados Unidos e a número 1 em impressão de livros. A empresa faz enormes investimentos de capital em máquinas impressoras para diminuir o custo variável por unidade de um livro (veja a Figura 4.8), usa a estratégia de fabricar sob encomenda (*make-to-order*), e os clientes, como as editoras, fazem novos pedidos à medida que os estoques ficam muito baixos. Porém, o tempo de *setup* para preparar um novo pedido e mudar as prensas para o próximo cliente era muito longo. É muito dispendioso deixar que equipamentos caros fiquem ociosos durante as trocas de atividade. Esses custos elevados forçam os clientes a fazer pedidos grandes, mas com pouca freqüência para a impressão de livros. Muitas vezes, eles faziam pedidos de 100.000 exemplares de um novo trabalho e, às vezes, acabavam ficando com 50.000 exemplares encalhados no depósito. Com muita freqüência ficavam sem estoque ou com estoque demais. Também faziam pedidos com muita antecedência em relação às datas de entregas desejadas, porque o tempo de espera era muito grande. A R. R. Donnelley alocou cuidadosamente sua programação de produção para o futuro, e o tempo total para produzir grandes lotes (incluindo o tempo de preparação) ficou longo.

A automação flexível em suas instalações em Roanoke, Virginia, permitiu a R. R. Donnelley tomar uma direção diferente, e a empresa está colhendo grandes frutos. O novo processo começa quando o conteúdo de um livro chega pela Internet como arquivo PDF (*Portable Document Format*) e vai para o departamento de pré-impressão. As intrincadas operações manuais necessárias para preparar o texto e as figuras para impressão tradicionalmente eram responsáveis pelos maiores gargalos. Atualmente, em Roanoke, as placas são feitas digitalmente, e não com filme fotográfico. Com a eliminação de passos como duplicar e limpar o arquivo, uma tarefa que antes levava horas, pode ser realizada em 12 minutos. O fluxo de trabalho totalmente digital torna possível a criação de instruções eletrônicas, conhecidas como *ink presets* (pré-ajustes dos tinteiros da impressora), que melhoram a produtividade e a qualidade. São criadas placas mais limpas e mais nítidas para as impressoras porque, ao contrário do filme, o tipo eletrônico não precisa ser manipulado repetidamente.

Mudanças rápidas e eficientes de impressão, juntamente com novos tipos de automação tornam possível imprimir 50 exemplares de um livro de uma só cor ou 2.500 cópias de um livro com quatro cores com lucratividade. A editora pode aumentar gradualmente o tamanho do lote depois de testar o mercado. O aumento das vendas de livros por intermédio da Amazon.com também incentivou a demanda por pequenas edições, e a nova flexibilidade permite

A R. R. Donnelly foi capaz de ter sucesso com a automação flexível ao receber os livros digitalmente e prepará-los eletronicamente para a impressão. Isso permite que a empresa coloque os livros na prensa mais rapidamente e imprima quantidades menores e mais manejáveis em uma única operação e impressão.

às editoras reeditarem os clássicos e outros livros em quantidades manejáveis. No extremo oposto, a Donnelley ainda pode fazer milhões de cópias de um único livro, como fez quando produziu a maior parte dos oito milhões de exemplares do último livro do Harry Potter.

Com automação mais flexível, a empresa em Roanoke produz 75 por cento de seus títulos em duas semanas ou menos, diferente das quatro a seis semanas para um livro em quatro cores usando tecnologia tradicional. A gerência criou uma cultura de melhoria contínua na instalação, que tem cerca de 300 funcionários. No geral, a planta de Roanoke aumentou a produção em 20 por cento sem ter que comprar mais prensas nem aumentar a linha de encadernação; uma economia de 15 milhões de dólares. Suas prensas trabalham dia e noite produzindo 3,5 milhões de livros por mês; a produtividade aumentou 20 por cento e o serviço melhorou. As editoras agora aproveitam um produto *just-in-time* no momento em que o querem.

Fonte: Gene Bylinsky, "Two of america's best have found new life using digital tech", *Fortune*, vol. 148, n. 4, 2003, p. 54-55.

A necessidade de grande volume para justificar a automação dispendiosa é tão válida para os processos de serviço quanto para os de manufatura. O aumento do volume diminui o custo por dólar de vendas. O volume é essencial para muitos processos de capital intensivo, como os setores de transportes, comunicações e utilidades. Um avião comercial a jato ficou inativo porque a baixa demanda é muito dispendiosa, uma realidade que se reflete nos recentes demonstrativos de resultados das empresas aéreas. Os gerentes devem avaliar cuidadosamente tanto o volume quanto o investimento para decidir quanto de automação faz sentido. Embora a compra de equipamentos maiores e mais padronizados possa ser tentadora, ela pode não proporcionar uma boa coerência estratégica.

Muitas vezes, é correto presumir que os volumes são maiores nos processos de *back office*, no qual há pouco contato com o cliente. O contato físico, o tratamento personalizado e a comunicação cara a cara muitas vezes criam tarefas diversificadas e pouco volume, mas nem sempre. Um recente estudo sobre serviços financeiros mostra que atividades de altos volumes ocorrem tanto nos *front offices* quanto nos *back offices*. Como resultado, a automação não está concentrada no *back office*, e sim encontrada com a mesma probabilidade nos processos de *front office*. A automação de serviços financeiros vem primordialmente da tecnologia da informação, que pode manejar um grande conjunto de processos em vários locais. Outro fator que permite a tecnologia tanto nos *front offices* quanto nos *back offices* dos serviços financeiros é o baixo custo do investimento. Por exemplo, o custo de capital típico poderia ser de 300.000 dólares por funcionário em um processo de manufatura. Nos processos de serviços financeiros, poderia ser de apenas 50.000 dólares por funcionário. Nos termos da Figura 4.8, o volume de equilíbrio para a introdução da tecnologia em serviços seria muito menor.

ECONOMIAS DE ESCOPO

Se a intensidade de capital for alta, a flexibilidade de recursos será baixa. A King Soopers faz um produto de grande volume (filão de pão), com eficiência em uma linha de pães automatizada (alta intensidade de capital), e poucas pessoas monitorando sua operação; mas o processo tem pouca flexibilidade de recursos. Por outro lado, a linha de bolos tem baixo volume de produção porque requer grande personalização. Para atender aos pedidos específicos de clientes, os recursos devem ser flexíveis e, como o processo exige trabalho manual, a intensidade de capital é baixa.

Em certos tipos de operações de fabricação, como usinagem e montagem, a automação programável divide essa relação inversa entre flexibilidade de recursos e intensidade de capital. Ela torna possível tanto uma grande intensidade de capital quanto uma grande flexibilidade de recursos, criando economias de escopo. As **economias de escopo** refletem a capacidade de produzir vários produtos com custo mais baixo quando combinados que quando produzidos separadamente. Em tais situações, duas prioridades competitivas (customização e preço baixo) tornam-se mais compatíveis. No entanto, tirar vantagem das economias de escopo exige que uma família de peças ou produtos tenha volume coletivo suficiente para utilizar os equipamentos com total capacidade.

As economias de escopo aplicam-se também a processos de serviço. Pense, por exemplo, na abordagem da Disney para a Internet. Quando os gerentes da empresa entraram no mundo volátil da Internet, suas empresas estavam interconectadas de maneira precária. A empresa Infoseek da Disney na verdade nem mesmo pertencia totalmente à Disney. Contudo, uma vez que os mercados da Internet ficaram mais cristalizados, os gerentes se movimentaram para colher os benefícios das economias de escopo. Eles interconectaram agressivamente seus processos Web entre si e com outras partes da Disney. Uma tecnologia flexível que gerencia muitos serviços pode ser menos dispendiosa que manipular cada um separadamente, especialmente quando os mercados não são muito voláteis.

AJUSTE ESTRATÉGICO

O estrategista de processo precisa entender como as quatro decisões de processo principais se interligam para encontrar maneiras de melhorar os processos mal projetados. As escolhas devem se ajustar à situação e entre si. Quando o ajuste é mais *estratégico*, o processo é mais eficaz. Vamos examinar processos de serviços e de fabricação procurando maneiras de testá-los quanto ao ajuste estratégico.

PADRÕES DE DECISÃO PARA PROCESSOS DE SERVIÇO

O denominador comum para decisões sobre processos de serviço é principalmente o contato com o cliente. A Figura 4.9 mostra como a estrutura de processo e outras decisões de processo-chave estão ligadas ao contato com o cliente. Muito contato no processo de serviço de *front office* significa:

1. *Estrutura do processo*: o cliente, interno ou externo, está presente, ativamente envolvido e recebe atenção pessoal. Essas condições criam processos com alta complexidade e variação e fluxos de processo flexíveis.
2. *Envolvimento do cliente*: quando há muito contato com os clientes, eles tendem a se tornar parte do processo. O serviço criado para cada cliente é único.
3. *Flexibilidade de recursos*: grande variação e fluxos flexíveis de processo se adaptam com mais flexibilidade a partir dos recursos do processo, ou seja, sua força de trabalho, instalações e equipamentos.
4. *Intensidade de capital*: quando o volume é maior, é mais provável haver automação e intensidade de capital. Mesmo que se presuma que um volume maior normalmente seja encontrado no *back office*, é igualmente provável ser encontrado no *front office* de serviços financeiros. A tecnologia da informação é um tipo importante de automação em muitos processos de serviço que reúnem flexibilidade e automação.

Obviamente, essa lista apresenta tendências gerais e não prescrições rígidas. Podem ser encontradas exceções, mas essas relações proporcionam um meio para entender a maneira como as decisões de processo podem ser interligadas de modo coerente.

PADRÕES DE DECISÃO PARA PROCESSOS DE MANUFATURA

O denominador comum para decisões sobre processos de manufatura é o volume. A Figura 4.10 resume as relações entre volume e as quatro decisões-chave de processo. Grande volume no processo de fabricação normalmente significa:

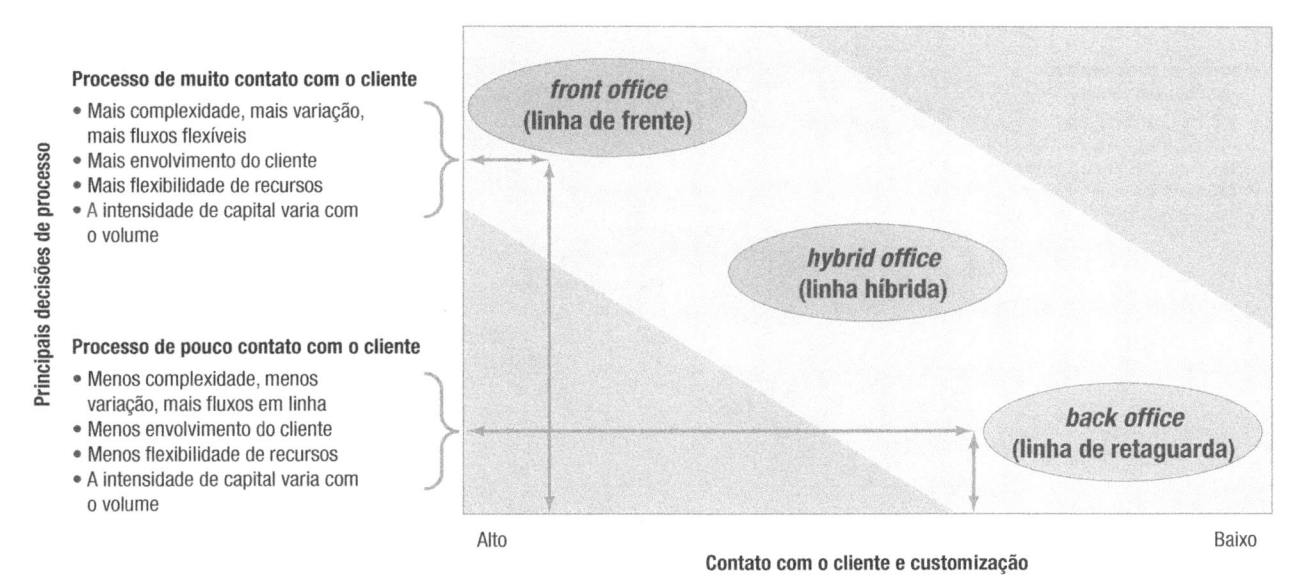

Figura 4.9 Padrões de decisão para processos de serviço

Processo de muito contato com o cliente
- Mais complexidade, mais variação, mais fluxos flexíveis
- Mais envolvimento do cliente
- Mais flexibilidade de recursos
- A intensidade de capital varia com o volume

Processo de pouco contato com o cliente
- Menos complexidade, menos variação, mais fluxos em linha
- Menos envolvimento do cliente
- Menos flexibilidade de recursos
- A intensidade de capital varia com o volume

Principais decisões de processo

front office (linha de frente)
hybrid office (linha híbrida)
back office (linha de retaguarda)

Contato com o cliente e customização (Alto — Baixo)

1. *Escolha de processo*: o grande volume da linha de pães da King Soopers, combinado com produtos padronizados, torna possível um fluxo em linha. Acontece exatamente o contrário com os bolos feitos sob encomenda, em que um processo de trabalho produz bolos de acordo com pedidos específicos dos clientes.

2. *Envolvimento do cliente*: o envolvimento do cliente não é um fator a ser considerado na maioria dos processos de fabricação, exceto para escolhas feitas sobre variedade de produtos e personalização. Com processos de linha ou de fluxo contínuo, é permitido menos liberdade de ação para evitar as demandas imprevisíveis criadas pelos pedidos dos clientes.

3. *Flexibilidade de recursos*: quando o volume é grande, a flexibilidade não é necessária para a utilização de recursos com eficácia, e a especialização pode levar a processos mais eficientes. A linha de pães da King Soopers pode fazer apenas um produto: o pão.

4. *Intensidade de capital*: grandes volumes justificam os elevados custos fixos de uma operação eficiente. A linha de pães da King Soopers é de capital intensivo e é automatizada desde a mistura da massa até a colocação do produto em *racks* de entrega. A expansão desse processo seria dispendiosa. Contrastando com isso, o processo de fabricação de bolos tem predomínio de mão-de-obra e necessita de pouco investimento para equipar os funcionários.

GANHANDO FOCO

No passado, novos serviços ou produtos freqüentemente eram acrescentados a uma instalação com o pretexto de melhor utilizar os custos fixos e manter tudo sob o mesmo teto. O resultado era uma mistura confusa de prioridades competitivas, estruturas de processo e tecnologias. Em um esforço para fazer tudo, nada era bem feito.

Foco por segmentos de processo O processo de uma instalação pode não ser caracterizado nem ser realmente projetado para um conjunto de prioridades competitivas e para um tipo de processo. A King Soopers tinha três processos sob o mesmo teto, mas a gerência os dividiu em três operações separadas relativamente autônomas. Em uma empresa de serviços, algumas partes do processo podem parecer de *front office* e outras de *back office*. Esse arranjo pode ser eficaz, desde que cada processo seja suficientemente focado.

Fábricas dentro de fábricas (*plants within plants*) são operações diferentes dentro de uma instalação com prioridades competitivas, processos e equipes de trabalho individualizadas, operando sob o mesmo teto. Os limites das fábricas dentro de fábricas podem ser estabelecidos fisicamente, separando-se as subunidades, ou simplesmente revisando os relacionamentos organizacionais. Em cada fábrica dentro de fábrica, a personalização, o volume de intensidade de capital e outras relações são críticos e devem ser complementares. As vantagens das fábricas dentro das fábricas são: menor número de níveis de gerenciamento, maior capacidade para solução de problemas por equipes e canais mais curtos de comunicação entre departamentos.

Operações de serviço focadas As empresas de serviços também implementam os conceitos de foco e fábrica dentro de fábrica. Varejistas especiais, como a Gap e The Limited, abriram lojas com espaços menores e mais acessíveis. Essas instalações focadas foram removidas de grandes lojas de departamentos. Usando a mesma filosofia, alguns magazines agora se concentram em clientes ou produtos específicos. Com as lojas remodeladas é criado um efeito de muitas pequenas butiques sob um único teto.

Fábricas focadas Hewlett-Packard, S. C. Johnson and Sons, Ricoh e Mitsubishi, no Japão, e Imperial Chemical Industries PLC, na Inglaterra, são algumas das empresas

Processo de baixo volume, fabricar sob medida
- Mais complexidade, mais variação, mais fluxos flexíveis
- Mais envolvimento do cliente
- Mais flexibilidade de recursos
- Menos intensidade de capital

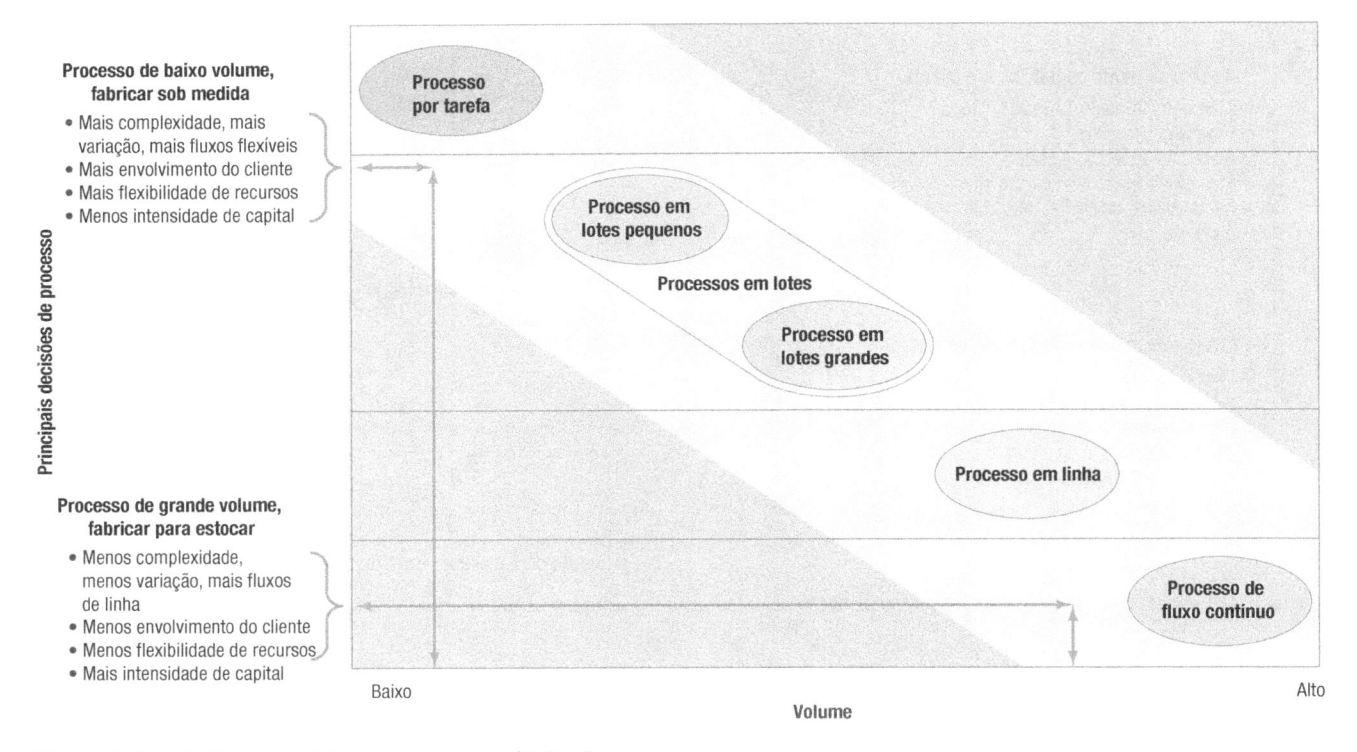

Processo de grande volume, fabricar para estocar
- Menos complexidade, menos variação, mais fluxos de linha
- Menos envolvimento do cliente
- Menos flexibilidade de recursos
- Mais intensidade de capital

Processo por tarefa
Processo em lotes pequenos
Processos em lotes
Processo em lotes grandes
Processo em linha
Processo de fluxo contínuo

Figura 4.10 Padrões de decisão para processos de fabricação

que criaram **fábricas focadas**, dividindo grandes instalações que produziam todos os produtos da empresa em diversas fábricas menores especializadas. Na teoria, reduzir o conjunto de exigências em uma fábrica resultará em melhor desempenho, porque a administração poderá se concentrar em um menor número de tarefas e conduzir a equipe de trabalho em direção a uma única meta. Em algumas situações, uma instalação que costumava produzir todos os componentes de um produto e montar esse produto pode ser dividida em uma que produz os componentes e outra que os monta, de tal maneira que cada uma pode se concentrar em sua própria tecnologia de processo.

ESTRATÉGIAS PARA MUDAR

As quatro principais decisões de processo representam questões amplas e estratégicas. As decisões tomadas devem ser traduzidas em projetos ou reprojetos de processos. Concluímos com duas filosofias diferentes, porém complementares, para o projeto de processos: (1) reengenharia de processo e (2) melhoria do processo. Vamos examinar primeiramente a reengenharia de processo e a atenção considerável que ela recebeu nos círculos da administração durante a última década.

REENGENHARIA DE PROCESSOS

A **reengenharia** é um profundo repensar e o reprojeto radical de processos com a finalidade de melhorar drasticamente o desempenho em termos de custo, qualidade, serviço e velocidade. A reengenharia de processo consiste em reinventar, e não em melhorar de modo incremental. É um remédio forte e nem sempre necessário ou bem-sucedido. A dor, na forma de demissões e grande desembolso de dinheiro para investimentos em tecnologia da informação, quase sempre acompanha uma pesada mudança. Contudo, os processos de reengenharia podem ter grandes compensações. Por exemplo, a Bell Atlantic fez a reengenharia de seu negócio de telefones. Depois de cinco anos de esforço, cortou o tempo necessário para conectar novos clientes à rede de 16 dias para apenas algumas horas. As mudanças fizeram com que a Verizon demitisse 20.000 funcionários, mas a empresa está decididamente mais competitiva.

Um processo escolhido para sofrer reengenharia deve ser um processo essencial (central), como as atividades de uma empresa para o atendimento de pedidos. A reengenharia exige o foco nesse processo, às vezes usando equipes interfuncionais, tecnologia da informação, liderança e análise de processos. Vamos examinar cada elemento da abordagem geral.

Processos críticos A ênfase da reengenharia deve ser sobre os processos essenciais da empresa, não sobre departamentos funcionais, como de compras ou de marketing. Ao pôr os processos em foco, os gerentes podem distinguir oportunidades para eliminar trabalho desnecessário e atividades de supervisão, em vez de se preocupar com a defesa de sua área funcional. Em virtude do tempo e energia envolvidos, a reengenharia deveria ser reservada para processos essenciais, como desenvolvimento de novos produtos ou serviço ao cliente. As atividades normais de melhoria podem ser aplicadas aos outros processos.

Liderança forte Para que a reengenharia tenha sucesso, os executivos seniores devem mostrar uma forte liderança. Caso contrário, o cinismo, a resistência ('já tentamos isso antes') e fronteiras departamentais podem bloquear as mudanças radicais. Os dirigentes podem ajudar a superar essas resistências dando o respaldo necessário para assegurar que o projeto prossiga dentro de um contexto estratégico. Os executivos devem estabelecer e monitorar os objetivos de desempenho primordiais para o processo, além de criar um senso de urgência, estabelecendo um motivo para a mudança que seja convincente e constantemente renovado.

Equipes interfuncionais Uma equipe, que consiste em membros de cada área funcional afetada pela mudança de processo, é encarregada de pôr em execução um projeto de reengenharia. Por exemplo, na reengenharia do processamento de lidar com reclamações de seguros, devem ser representados três departamentos: atendimento ao cliente, processamento e contabilidade. A reengenharia funciona melhor em locais de trabalho em que há um grande envolvimento, nos quais equipes autogeridas e delegação de poder aos funcionários são a regra, em vez da exceção. Iniciativas de cima para baixo e de baixo para cima podem ser combinadas; de cima para baixo para as metas de desempenho e de baixo para cima para decidir como alcançá-las.

Tecnologia da informação Trata-se de um importante capacitador da engenharia de processos. A maior parte dos projetos de reengenharia projeta processos em torno de fluxos de informações, como o atendimento de pedidos de clientes. Os proprietários do processo que estarão realmente respondendo aos eventos do mercado precisam de redes de informações e tecnologia de computadores para melhor realizar seu trabalho. A equipe de reengenharia deve determinar quem precisa das informações, em que ocasião e onde.

Filosofia de recomeçar (*clean-slate*) A reengenharia requer uma filosofia 'de recomeçar', isto é, começar pela maneira como o cliente quer lidar com a empresa. Para assegurar a orientação para o cliente, as equipes começam com os objetivos dos clientes internos e externos para o processo. Muitas vezes, as equipes primeiramente estabelecem uma meta de preço para o serviço ou produto, deduzem o lucro desejado e então encontram um processo que proporcione o que o cliente quer com o preço que pagará. A reengenharia começa no futuro e trabalha para trás, sem as restrições das abordagens atuais.

Análise do processo Apesar da filosofia de recomeçar, a equipe de reengenharia precisa entender algumas coisas sobre o processo em curso: o que ele faz, como é seu desempenho e que fatores o afetam. Esse entendimento pode revelar áreas nas quais um novo modo de pensar trará um melhor resultado. A equipe precisa examinar cada procedimento envolvido no processo por toda a organização, registrando cada etapa, questionando por que ela é realizada e eliminando tudo que não é necessário. Também são valiosas as informações sobre a posição em relação à concorrência, processo por processo.

A reengenharia tem levado a muitos sucessos e continuará a fazer isso. Ela, porém, não é tão simples nem fácil de ser realizada, tampouco é adequada a todos os processos ou todas as organizações. Muitas empresas não podem investir tempo e recursos para implementar uma abordagem de recomeçar radical. Melhorias significativas dos processos, que nada têm a ver com a tecnologia da informação, podem ser concebidas. Finalmente, o melhor entendimento de um processo e a maneira de melhorá-lo freqüentemente são responsabilidades das pessoas que realizam o trabalho diariamente; não das equipes interfuncionais nem da alta direção.

MELHORIA DO PROCESSO

Melhoria do processo é o estudo sistemático das atividades e fluxos de cada processo para melhorá-lo. Sua finalidade é 'saber os números', entender o processo e extrair os detalhes. Uma vez que um processo é realmente entendido, ele pode ser melhorado. A pressão incansável para proporcionar melhor qualidade a preços mais baixos significa que as empresas devem rever continuamente todos os aspectos de suas operações. Como disse o presidente da Dana Corporation, empresa de 7,9 bilhões de dólares que fabrica peças automotivas, "É preciso que haja melhoramento eterno da produtividade". A melhoria dos processos continua, quer sejam submetidos à reengenharia quer não.

Cada aspecto do processo é examinado. Um indivíduo ou uma equipe completa examina o processo usando as ferramentas descritas no próximo capítulo. Deve-se procurar maneiras de racionalizar as tarefas, eliminar processos inteiros, cortar materiais ou serviços dispendiosos, melhorar o ambiente ou tornar as tarefas mais seguras. Deve-se encontrar meios de diminuir os custos e os atrasos, e aumentar a satisfação do cliente.

PALAVRAS-CHAVE

automação
automação fixa
automação flexível (ou programável)
back office ou linha de retaguarda
complexidade do processo
contato ativo
contato com o cliente
contato passivo
economias de escopo
envolvimento do cliente
escolha de processo
estratégia de fabricar para estocar
estratégia de fabricar sob encomenda
estratégia de montar sob encomenda
estratégia de processo
estrutura do processo
fábrica dentro de fábrica
fábricas focadas
flexibilidade de recursos
fluxo em linha
fluxo flexível
força de trabalho flexível
front office ou linha de frente
hybrid office ou linha híbrida
intensidade de capital
ISO 14001

melhoria do processo
processo em linha
processo em lote
processo de fluxo contínuo
processo por tarefa ou *job shop*
produção em massa
reengenharia
variação do processo

QUESTÕES PARA DISCUSSÃO

1. Quais processos das empresas industriais na verdade são processos de serviço que envolvem considerável contato com o cliente? Pode haver muito contato com o cliente mesmo se o processo tiver apenas clientes internos?

2. Reflita sobre este aviso que foi visto em um restaurante: "Pedidos para viagem NÃO incluem batatas fritas nem molho de cortesia. Se tiver alguma pergunta, procure nosso gerente, NÃO nossos funcionários". Qual é o impacto dessa mensagem sobre os funcionários, seus processos de serviço e a satisfação do cliente? Compare essa abordagem com a adotada pelos hotéis Ritz-Carlton. As diferenças são devidas somente a diferentes prioridades competitivas?

3. A tecnologia na área médica pode propiciar um coração artificial a um paciente ou curar uma deficiência visual com uma breve cirurgia a laser. Porém os hospitais ainda penam para aprimorar seus processos de *back office*, como fazer com que os arquivos da radiologia, localizada no terceiro andar, cheguem aos visores do pronto-socorro no térreo, sem ter que enviar um mensageiro. Mais de 90 por cento das cerca de 30 bilhões de transações de saúde por ano são conduzidas por telefone, fax ou correio. Até que ponto e como a tecnologia da informação melhora a produtividade e a qualidade desses processos? Lembre-se de que alguns médicos não estão preparados para desistir de seus blocos e canetas, e muitos hospitais têm linhas bem visíveis traçadas ao redor de seus departamentos, como farmácia, cardiologia, radiologia e pediatria.

4. Para dar aos serviços de utilidade pública um incentivo para gastar dinheiro em novas tecnologias de controle da poluição, a EPA (agência de controle ambiental norte-americana) propõe que os limites de emissão de gases de combustão sejam alterados para exigir escapes ligeiramente mais limpos que a antiga tecnologia. Para se adaptar, alguns serviços de utilidade instalarão a nova tecnologia e outros não. Os serviços que reduzirem as emissões até abaixo das novas exigências receberão 'créditos', que podem ser vendidos para serviços que escolherem não instalar a tecnologia de controle de poluição. Esses serviços poderão, então, continuar em funcionamento como de costume, desde que tenham comprado créditos suficientes para dar conta da poluição extra que criarem. O preço dos créditos será determinado pelo mercado.

   Formem grupos com opiniões diferentes e discutam os compromissos éticos, ambientais e políticos associados a essa proposta.

5. A Dewpoint Chemical Company está em processo de decidir onde instalar uma fábrica de fertilizantes perto do Rio Grande. Quais são os problemas e compromissos éticos, ambientais e políticos associados à localização da fábrica na margem norte ou na margem sul do Rio Grande?

PROBLEMAS

Software, como o OM Explorer, o Active Models, e o POM for Windows estão disponíveis no site de apoio deste livro. Verifique com seu professor a melhor maneira de usá-los. Em muitos casos, é provável que o professor prefira que você entenda como fazer os cálculos manualmente. Quando muito, o software pode oferecer uma verificação de seus cálculos. Quando os cálculos são muito complexos e o objetivo é interpretar os resultados na tomada de decisões, o software substitui completamente os cálculos manuais. O software pode ser também um valioso recurso muito depois de você ter concluído o curso. Os problemas 3 e 4 aplicam a análise do ponto de equilíbrio (discutidas no Suplemento A, "Tomada de decisões") às decisões de processo.

1. Avalie um processo de serviço com o qual esteja familiarizado em relação a cada uma das cinco dimensões do contato com o cliente. Use uma escala de sete pontos, na qual 1 = muito baixo e 7 = muito alto. Explique suas classificações e calcule uma pontuação combinada para o contato com o cliente em geral. Você usou pesos iguais para calcular a pontuação combinada? Por que sim ou por que não? Onde seu processo está posicionado na matriz de contato com o cliente? Ele está adequadamente alinhado? Por que sim ou por que não?

2. Escolha um dos três processos da King Soopers encontrados no site de apoio do livro (padaria, confeitaria ou bolos sob encomenda). Que tipo de processo de transformação, escolha de processo e estratégia de estoque estão envolvidos? O processo está adequadamente alinhado? Explique.

3. A dra. Gulakowicz é ortodontista e calcula que colocar duas novas cadeiras em seu consultório aumentará os custos fixos em 150.000 dólares, incluindo o custo equivalente anual do investimento de capital e o salário de mais um técnico. É esperado que cada novo paciente traga uma renda adicional anual de 3.000 dólares, com custos variáveis estimados em 1.000 dólares por paciente. As duas cadeiras novas permitirão uma expansão de atividades em até 200 pacientes por ano. Quantos pacientes mais são necessários para que o novo processo seja equilibrado?

4. Dois diferentes processos de fabricação estão sendo avaliados para a fabricação de um novo produto. O primeiro é menos dependente de capital, com custos fixos de somente 50.000 dólares por ano e custos variáveis de 700 dólares por unidade. O segundo tem custos fixos de 400.000 dólares, mais custos variáveis de apenas 200 dólares por unidade.
   a. Qual é a quantidade de equilíbrio além da qual o segundo processo é mais atrativo que o primeiro?
   b. Se fossem esperadas vendas anuais de 800 unidades do produto, qual processo você escolheria?

CASO — Beleza Natural — um salão de beleza inovador

Os institutos Beleza Natural compreendem a maior rede de salões de beleza especializados em soluções para cabelos crespos e ondulados do Brasil, um país onde aproximadamente 66 por cento da população possuem cabelos com essas características. Cerca de 43 mil clientes por mês visitam seus atuais oito salões (sete no Rio de Janeiro e um no Espírito Santo) para comprar produtos e serviços.

O primeiro salão foi inaugurado em 1993, na Tijuca (Rio de Janeiro), por uma empreendedora nata, Zica, e em pouco tempo já contava com filas de até quatro horas de espera.

O cabelo crespo e rebelde de Zica, nascida em família humilde e numerosa, a incomodava e, por isso, a empreendedora passou anos procurando um produto que pudesse melhorar seu visual e, principalmente, sua auto-estima. Após testar vários deles, não só em seu cabelo, mas como no de seus familiares, Zica encontrou a fórmula mágica que hoje é usada em seus salões de beleza: o Super Relaxante.

O produto é elaborado em uma fábrica própria, responsável também pela elaboração de boa parte dos cremes e produtos de beleza vendidos e utilizados atualmente nos salões. Na contramão das chapinhas e escovas para alisar os cabelos, as clientes do salão buscam aquilo que o salão oferece no próprio nome: Beleza Natural — cachos bonitos e bem-tratados.

A empresa inovou não somente no produto, mas também no processo. Rogério, irmão de Zica, aproveitou sua experiência em uma franquia de um restaurante de fast-food para criar um processo inovador a partir de um conceito de linha de montagem; cada atendente é responsável por apenas uma etapa do processo. Os oito salões seguem o mesmo padrão visual e todos os funcionários são treinados na Universidade Beleza Natural. Auditores visitam as lojas regularmente para checar as instalações, os gastos, a música ambiente, os estoques e o atendimento. Os processos são muito padronizados, garantindo um atendimento consistente e de qualidade para seus clientes.

A linha de produção em série do Beleza Natural inicia-se com uma senha. O cliente aguarda em uma sala de espera até ser chamado para a primeira etapa do processo: a divisão de mechas em 14 partes. Em seguida, o cliente passa pelos processos de lavagem, aplicação do creme, hidratação, corte e penteado. Como cada fase do processo é executada por um funcionário, além de ganhar em produtividade e em agilidade, a empresa evita que cada cliente tenha preferências por determinados funcionários, o que é comum em outros salões. Os clientes do Beleza Natural são fiéis aos serviços e produtos do instituto.

Com o objetivo de fazer as pessoas mais felizes e promover beleza e auto-estima, Zica tem conseguido muito sucesso e vários prêmios. Além de contar, desde 2005, com o apoio da Endeavor — organização sem fins lucrativos de apoio ao empreendedorismo, Zica foi eleita, em 2007, a brasileira mais influente na categoria empreendedorismo pelo *Jornal do Brasil* e pela *Gazeta Mercantil*.

Apesar de todo o sucesso, o Beleza Natural tem um grande desafio pela frente: crescer sem perder o padrão de qualidade alcançado por suas oito lojas.

Para entender melhor o caso do Beleza Natural, visite o site da empresa (www.belezanatural.com.br) e para assistir a uma palestra da empreendedora e conhecer mais a respeito do surgimento e do funcionamento do Beleza Natural, visite o site da Endeavor (www.endeavor.org.br).

QUESTÕES

1. Quais são as prioridades competitivas do processo do Beleza Natural?
2. Compare o Beleza Natural com os institutos de beleza tradicionais no que diz respeito à estrutura do processo, ao envolvimento do cliente, à flexibilidade dos recursos e à intensidade de capital. Utilize os modelos propostos neste capítulo.
3. Como o Beleza Natural deve crescer no mercado brasileiro? Compare os prós e os contras em se ter um modelo de franquias ou de lojas próprias.
4. Quais são os riscos desse crescimento e o que o Beleza Natural deve fazer para evitá-los?

Caso desenvolvido pelo professor André Luís de Castro Moura Duarte do Ibmec São Paulo, a partir de informações disponíveis no site da empresa (www.belezanatural.com.br) e da reportagem de João Paulo Gomes para a *Revista Exame* em 20 de outubro de 2005.

REFERÊNCIAS SELECIONADAS

ALSTER, Norm. "What flexible workers can do", *Fortune*, 13 fev. 1989, p. 62-66.

BOWEN, John; FORD, Robert C. "Managing service organizations: does having a 'thing' make a difference?", *Journal of Management*, vol. 28, n. 3, 2002, p. 447-469.

COLLIER, D. A; MEYER, S. "An empirical comparison of service matrices", *International Journal of Operations and Production Management*, vol. 20, n. 5-6, 2000, p. 705-729.

_____. "A positioning matrix for services". *International Journal of Operations and Production Management*, vol. 18, n. 12, 1998, p. 1223-1244.

COLLINS, Jim. *Empresas feitas para vencer: por que apenas algumas empresas brilham*. Rio de Janeiro: Campus, 2001.

COOK, David P.; GOH, Chon-Huat; CHUNG, Chen H. "Service typologies: a state of the art survey", *Production and Operations Management*, vol. 8, n. 3, 1999, p. 318-338.

DIXON, J. Robb; ARNOLD. Peter; HEINEKE, Janelle; KIM, Jay S.; MULLIGAN, Paul. "Business process reengineering: improving in new strategic directions", *California Management Review*, verão de 1994, p. 1-17.

FITZSIMMONS, James A.; FITZSIMMONS, Mona J. *Service management: operations, strategy, and information technology*. Nova York: McGraw-Hill, 1998.

GOLDHAR, J. D.; JELINEK, Mariann. "Plan for economies of scope", *Harvard Business Review*, nov.–dez. 1983), p. 141-148.

GROVER, Varun; MALHOTRA, Manoj K. "Business process reengineering: a tutorial on the concept, evolution, method, technology and application", *Journal of Operations Management*, vol. 15, n. 3, 1997, p. 194-213.

HALL, Gene; ROSENTHAL, Jim e WADE, Judy. "How to make reengineering really work", *Harvard Business Review*, nov.–dez. 1993, p. 119-131.

HAMMER, M. "Reengineering work: don't automate, obliterate", *Harvard Business Review*, vol. 68, n. 4, 1990, p. 104-112.

_____. "Deep change: how operational innovation can transform your company", *Harvard Business Review*, vol. 82, n. 4, abr. 2004, p. 85-93.

_____. *Além da reengenharia*. Rio de Janeiro: Campus, 1996.

HAMMER, Michael; CHAMPY, James. *Reengenharia: revolucionando a empresa em função dos clientes, da concorrência e das grandes mudanças da gerência*. Rio de Janeiro: Campus, 1993.

HILL, Terry. *Manufacturing strategy: text and cases*, 3. ed. Homewood, IL: Irwin/McGraw-Hill, 2000.

_____. *The strategy quest*. Coventry, Grã-Bretanha: AMD Publishing, 1998.

KELLIHER, Clare; RILEY, Michael. "Beyond efficiency: some by-products of functional flexibility", *Service Industries Journal*, vol. 23, n. 4, 2003, p. 98-114.

KELLOGG, Deborah L.; NIE, Winter. "A framework for strategic service management", *Journal of Operations Management*, vol. 13, n. 4, 1995, p. 323-337.

KLASSEN, R. D.; MCLAUGLIN, C. P. "The impact of environmental management on firm performance", *Management Science*, vol. 42, n. 8, 1990, p. 1100-1214.

LEIBS, Scott. "A little help from their friends", *Industry Week*, 2 fev. 1998.

LOVELOCK, Christopher H.; YIP, George S. "Developing global strategies for service businesses", *California Management Review*, vol. 38, n. 2, 1996, p. 64-86.

"Making it by the billions", *The Boston Globe*, 9 ago. 1998.

MAKOWE, J. *Beyond the bottom line*. Nova York: Simon & Schuster, 1994.

MALHOTRA, Manoj K; RITZMAN, Larry P. "Resource flexibility issues in multistage manufacturing", *Decision Sciences*, vol. 21, n. 4, 1990, p. 673-690.

MELNYK, S. A; SROUFE, Robert P.; CALANTONE, Roger. "Assessing the impact of environmental management systems on corporate e environmental performance", *Journal of Operations Management*, vol. 21, n. 3, 2003, p. 329-351.

MERSHA, Tigineh. "Enhancing the customer contact model", *Journal of Operations Management*, vol. 9, n. 3, 1990, p. 391-405.

METTERS, Richard, KING-METTERS, Kathryn; PULLMAN, Madeleine. *Successful service operations management*. Mason, OH: South-Western, 2003.

NARASIMHAN, Ram; JAYARAM, Jayanth. "Reengineering service operations: a longitudinal case study", *Journal of Operations Management*, vol. 17, n. 1, 1998, p. 7-22.

PORT, Otis. "The responsive factory", *Business Week*, Enterprise, 1993, p. 48-51.

"Process, process, process", *Planning Review* (edição especial), vol. 22, n. 3, 1993, p. 1-56.

QUINN, J. B. "The productivity paradox is false: information technology improves services performance", *Advances in Services Marketing and Management*, vol. 5, 1996, p. 71-84.

RAYPORT, Jeffrey F.; JAWORSKI, Bernard J. "Best face forward", *Harvard Business Review*, vol. 82, n. 12, 2003, p. 47-58.

ROTH, Aleda V.; VELDE, Marjolijn van der. *The future of retail banking delivery systems*. Rolling Meadows, IL: Bank Administration Institute, 1988.

SAFIZADEH, M. Hossein; FIELD, Joy M.; RITZMAN, Larry P. "An empirical analysis of financial services processes with a front-office or back-office orientation", *Journal of Operations Management*, vol. 21, n. 5, 2003, p. 557-576.

SAFIZADEH, M. Hossein; RITZMAN, Larry P.; MALLICK, Debasish. "Revisiting alternative theoretical paradigms in manufacturing", *Production and Operations Management*, vol. 9, n. 2, 2000, p. 111-127.

SCHMENNER, Roger W. *Service operations management*. Englewood Cliffs, NJ: Prentice Hall, 1998.

SHOSTACK, G. Lynn. "Service positioning through structural change", *Journal of Marketing*, vol. 51, n. 1, 1987, p. 34-43.

SILVESTRO, R.; FITZGERALD, L.; JOHNSTON, R.; VOSS, Chris. "Toward a classification of service processes", *International Journal of Service Industry Management*, vol. 3, 1992, p. 62-75.

SKINNER, Wickham. "Operations technology: blind spot in strategic management", *Interfaces*, vol. 14 (jan.–fev. 1984), p. 116-125.

WEMMERLÖV, U. "A taxonomy for service processes and its implications for system design", *International Journal of Service Industry Management*, vol. 1, n. 1, 1990, p. 20-40.

WHEELWRIGHT, Steven C. e HAYES, Robert H. "Competing through manufacturing", *Harvard Business Review*, jan.–fev. 1985, p. 99-109.

5

OBJETIVOS DE APRENDIZAGEM

Depois de ler este capítulo, você será capaz de:

1. Explicar um modo sistemático para análise de processos.

2. Definir fluxogramas, *blueprints* de serviços e diagramas de processos.

3. Identificar medidas para avaliação de processos.

4. Descrever diagramas de Pareto, diagramas causa–efeito e simulação de processos.

5. Descrever a utilização do *benchmarking* para melhorar processos.

6. Identificar pontos-chave para a administração efetiva de processos.

A Omgeo inventou um modo melhor de comunicar sua programação de lançamento de produtos. Na empresa, os funcionários discutem esse aspecto da operação de processamento sem intermediários, o que permite que as negociações de ações passem pelo sistema em três horas, em vez de em 20 horas.

Capítulo 5
Análise de processos

OMGEO

Quando um gerente de investimentos de Hong Kong compra ações de um corretor em Tóquio, é provável que a negociação passe pela Omgeo LLC. O nome Omgeo (pronunciado OM-gi-oh) combina a palavra latina *omni*, que significa 'em todos os caminhos ou lugares' com a palavra grega *geo*, que significa 'terra'. A Omgeo é a empresa líder na prestação de serviços financeiros globais. Em 2005, ela processou mais de um milhão de negócios por dia e atendeu 6.000 corretores, bancos depositários e administradores de investimentos em mais de 40 países. A Depositary Trust & Clearing Corporation (DTCC) e a Thomson Financial criaram a Omgeo, em 2000, como um novo empreendimento conjunto. A DTCC é uma instituição fundada por empresas de serviços financeiros, e de suas propriedades, para organizar seus negócios. Uma unidade da Thomson Financial originalmente vendia no mercado os serviços de *post-trade* e *presettlement*, no final dos anos 1980, como um poupador de dinheiro para investidores institucionais. Os inúmeros faxes escritos às pressas, telex e chamadas telefônicas realizados para negócios típicos custam de 10 a 12 dólares, mas o processo da Thomson permitiu que se cobrasse apenas de 20 centavos a um dólar por negócio — e os gerentes de investimentos obtiveram o serviço praticamente de graça. Seu serviço de bastidores foi um aperfeiçoamento em relação aos processos anteriores para se fazer negócios, mas ainda era um emaranhado de comunicações entre corretores (como Goldman Sachs), grandes investidores (como Royal London Asset Management) e bancos (como o Deutsche Bank) toda vez que realizava um negócio. Levava-se de três a cinco dias para se consolidar um negócio nos Estados Unidos, quando dinheiro e apólices mudavam oficialmente de mãos.

Mas todo o processo pode ser aperfeiçoado, em parte analisando-se criticamente o processo corrente. A Omgeo promoveu um aperfeiçoamento importante, com o objetivo de concluir o processo inteiro, potencialmente, em apenas um dia. Fatores-chave foram a Internet e as novas soluções de tecnologia da informação. Com o processo revisado, os passos um a três eram realizados do mesmo modo. Os passos quatro a nove, porém, foram substituídos pela entrada de todas as informações em um banco de dados central ao qual o corretor, o gerente de investimentos e o banco depositário têm acesso em tempo real. O processo revisado pôs fim à necessidade de incluir uma mensagem após outra em uma lista volumosa. Ele reduziu parte da monotonia estafante de processar negócios e economizou o tempo dos funcionários. Também economizou grandes quantias de dinheiro reduzindo erros humanos. A Royal London Asset Management, que atualmente usa o Administrador Central de Negócios (ACN) da Omgeo, é capaz de conduzir um negócio ao passo oito (notificação de pagamento) em três horas. Antes, quando usava o antigo processo da Omgeo, levava 20 horas para conduzir um negócio a esse ponto do ciclo comercial. Agora, eles têm 17 horas adicionais para identificar e consertar erros comerciais e efetuá-los no mesmo dia.

A tecnologia do ACN substitui muitos dos passos que eram executados consecutivamente. Com o ACN, as alocações do gerente de investimentos e os detalhes comerciais do corretor são submetidos a um mecanismo central e os detalhes dos negócios são automaticamente comparados para eliminar erros. O mecanismo ACN fornece processamento direto do fluxo de trabalho em operações de *back office*.

Fontes: Beth Healy, "One day, not three: a push to trade faster", *The Boston Globe*, 19 jul. 2000. Disponível em <www.omgeo.com>, mar. 2005.

As mudanças que levaram à criação da Omgeo envolveram processos de alto contato com o cliente e refletem uma estratégia de processos favorecendo mais automação e 'reengenharia de processos' (em vez de 'aperfeiçoamento de processos'). O processo foi tão completamente reformado que uma nova empresa foi formada para implementá-lo, e a tecnologia da informação foi um possibilitador fundamental do novo processo.

Os processos talvez sejam o aspecto menos compreendido e administrado de um negócio. Não importa o quanto as pessoas sejam talentosas e motivadas, uma empresa não pode adquirir vantagem competitiva com processos falhos. Como Mark Twain disse sobre o rio Mississippi, um processo apenas continua correndo — com uma grande diferença. A maioria dos processos pode ser aperfeiçoada se alguém pensar em um modo de fazê-lo e implementá-lo de maneira eficaz. De fato, ou as empresas adaptam os processos às necessidades variáveis dos clientes ou deixarão de existir. O êxito a longo prazo advém de gerentes e funcionários que realmente entendem seus negócios. Mas, muito freqüentemente, esforços amplamente divulgados, que parecem oferecer soluções rápidas, não conseguem atender às expectativas por muito tempo, sejam eles programas para conceituar uma visão de negócios, conduzir campanhas educativas de transformação ou fornecer treinamentos de liderança.

No campo da administração de operações, muitas inovações importantes ao longo das últimas décadas incluem programas de simplificação do trabalho ou de métodos aperfeiçoados de processos, controle estatístico de processos, técnicas de otimização, técnicas estatísticas de previsão, planejamento da requisição de materiais, automação flexível, fabricação enxuta, administração de qualidade total, reengenharia, programas Seis Sigma, ERPs e comércio eletrônico. Incluímos essas importantes abordagens nos capítulos seguintes porque podem acrescentar valor significativo ao cliente. Entretanto, devem ser visualizadas apenas como parte de um sistema para a administração efetiva dos processos de trabalho, em vez de receitas milagrosas para o sucesso dos negócios.

É claro que a análise de processos é necessária tanto para a reengenharia como para o aperfeiçoamento de processos, mas também é parte do monitoramento do desempenho ao longo do tempo. Neste capítulo, primeiro analisaremos um processo em detalhe e determinaremos exatamente como cada passo será executado. Começaremos com uma abordagem sistemática para analisar um processo que identifica oportunidades para aperfeiçoamentos, documenta o processo corrente, avalia o processo para localizar falhas de desempenho, redesenha o processo para eliminar as falhas e implementa as alterações desejadas. O objetivo é o aperfeiçoamento contínuo.

Três técnicas de apoio — fluxogramas, *blueprints* de serviço e diagramas de processos — podem oferecer uma boa compreensão do processo corrente e das mudanças propostas. Ferramentas de análise de dados, como listas de verificação, gráficos de barra, diagramas de Pareto e diagramas de causa – efeito, permitem que o analista vá dos sintomas do problema até as causas. A simulação é uma técnica mais avançada para avaliar o desempenho do processo. Concluímos com algumas questões-chave para administrar processos de maneira eficaz, de modo a assegurar que as mudanças sejam implementadas, e uma infra-estrutura seja instalada para promover aperfeiçoamento contínuo.

A análise de processos, entretanto, estende-se além da análise de processos internos. Também é uma ferramenta para aperfeiçoar a operação de cadeias de valores. Considere a Zara, uma das mais lucrativas marcas de vestuário da Europa. Ela prospera trazendo novos desenhos de roupas ao mercado rapidamente. Foi capaz de atingir essa velocidade por meio da criação de um novo processo de desenvolvimento de produto ágil, que permite que saia rapidamente do croqui para projetos preliminares e, em seguida, depois que dados confiáveis sobre demanda estão disponíveis, finalize depressa os modelos. Também projetou um processo de execução ágil de pedidos que fabrica e distribui de maneira rápida e eficaz artigos de vestuário, mesmo sob condições extremas de flutuações de demanda. A capacidade do processo de execução de pedidos teve de suportar a capacidade do processo de desenvolvimento de novos produtos. A análise de seus processos permitiu que a Zara projetasse uma cadeia de valor competitiva.

USANDO OPERAÇÕES PARA COMPETIR

Operações como arma competitiva
Estratégia de operações
Administração de projetos

ADMINISTRANDO PROCESSOS

Estratégia de processo
Análise de processos
Desempenho e qualidade do processo
Administração das restrições
Layout do processo
Sistemas de produção enxuta

ADMINISTRANDO CADEIAS DE VALOR

Estratégia de cadeia de suprimentos
Localização
Administração de estoques
Previsão de demanda
Planejamento de vendas e operações
Planejamento de recursos
Programação

ANÁLISE DE PROCESSOS POR TODA A ORGANIZAÇÃO

Todas as partes de uma organização precisam estar envolvidas com as análises de processo, simplesmente porque cada uma executa um processo diferente, e a análise de processos avalia o modo como o trabalho é realmente executado. Eles estão fornecendo o maior valor a seus clientes (internos ou externos) ou podem ser aperfeiçoados? Operações e vendas são, muitas vezes, as primeiras áreas que vêm à mente porque estão estreitamente relacionadas aos processos essenciais da organização. Entretanto, processos de apoio como a contabilidade, finanças e recursos humanos também são cruciais para o sucesso da organização. Os departamentos administrativos superiores também se envolvem, assim como outros departamentos. Durante essas passagens de 'bastão', as incoerências são, muitas vezes, freqüentes e as oportunidades para aperfeiçoamento, enormes.

UMA ABORDAGEM SISTEMÁTICA

A Figura 5.1 mostra um esquema de seis passos ou etapas para análise de processos. A **análise de processos** é a documentação e a compreensão detalhada de como o trabalho é executado e de como pode ser redesenhado. A análise de processos começa pela identificação de uma nova oportunidade para aperfeiçoamento e termina com a implementação de um processo revisado. A última etapa volta à primeira, criando, desse modo, um ciclo de aperfeiçoamento contínuo.

PASSO 1: IDENTIFICAR OPORTUNIDADES

Com o objetivo de identificar oportunidades, os administradores devem prestar especial atenção aos quatro processos essenciais: relacionamento com o fornecedor, desenvolvimento de novo serviço ou produto, execução do pedido e relacionamento com os clientes. Cada um desses processos e subprocessos internos está envolvido na geração de valor para os clientes externos. Os clientes estão satisfeitos com os serviços ou produtos que recebem ou há espaço para melhorias? E quanto aos clientes internos? A satisfação do cliente deve ser monitorada periodicamente, seja com um sistema de mensuração formal, seja com verificações ou pesquisas informais. Os administradores, algumas vezes, produzem um inventário de seus processos essenciais e de apoio que fornecem uma orientação sobre quais processos precisam ser investigados.

Outro modo de identificar oportunidades é investigar os assuntos estratégicos. Existem divergências entre as prioridades competitivas do processo e suas capacidades competitivas atuais? As medidas múltiplas de custo, qualidade superior, consistência, velocidade e entrega pontual atendem às expectativas ou as excedem? Há uma *coerência estratégica* no processo? Se o processo fornece um serviço, sua posição na matriz de contato com o cliente (veja a Figura 4.3) parece apropriada? Como o grau de contato com o cliente se relaciona com a estrutura do processo, o envolvimento do cliente, a flexibilidade de recursos e a intensidade de capital (veja a Figura 4.9)? Perguntas semelhantes devem ser feitas sobre os processos de manufatura relativos ao ajuste estratégico entre a escolha, o volume e a personalização do processo (veja a Figura 4.10).

Os funcionários que realmente executam o processo, fornecedores ou clientes internos, devem ser encorajados a trazer suas idéias aos gerentes e especialistas do quadro de funcionários de uma empresa (como engenheiros industriais), ou talvez transmitir suas idéias por meio de um sistema formal de sugestões. Um **sistema de sugestões** é uma maneira espontânea pela qual os funcionários dão suas idéias que podem ajudar a aperfeiçoar o processo. Normalmente, um especialista avalia as propostas, garante que as sugestões valiosas sejam implementadas e dá uma resposta aos que fizeram as sugestões. Algumas vezes, a pessoa ou a equipe que faz uma boa sugestão é recompensada com uma bonificação em dinheiro ou um agradecimento especial.

PASSO 2: DEFINIR O ESCOPO

O passo 2 estabelece os limites do processo a ser analisado. É um processo amplo que se estende pela organização inteira, envolvendo muitas tarefas e muitos funcionários, ou um subprocesso mais estreitamente agrupado que é apenas parte da tarefa de uma pessoa? O escopo do processo pode ser muito estreito ou muito amplo. Por exemplo, um processo definido amplamente, que ultrapassa os recursos disponíveis, está condenado porque aumentará a frustração do funcionário sem gerar nenhum resultado.

Os recursos que a administração designa para o aperfeiçoamento ou a reengenharia de um processo deve corresponder ao seu escopo. Para um pequeno subprocesso envolvendo apenas um funcionário, talvez se solicite que o próprio funcionário redesenhe o processo. Para um projeto que lida com um processo essencial importante, os administradores normalmente organizam uma ou mais equipes. Uma **equipe de projeto** consiste em peritos que examinam uma ou mais etapas do processo, fazem sua análise e realizam as mudanças necessárias. Outro recurso pode ser um especialista de tempo integral chamado *facilitador* interno ou externo. Os facilitadores conhecem a metodologia de análise de processos e podem conduzir e treinar a equipe de projeto. Se o processo atravessa várias linhas departamentais, o facilitador pode se bene-

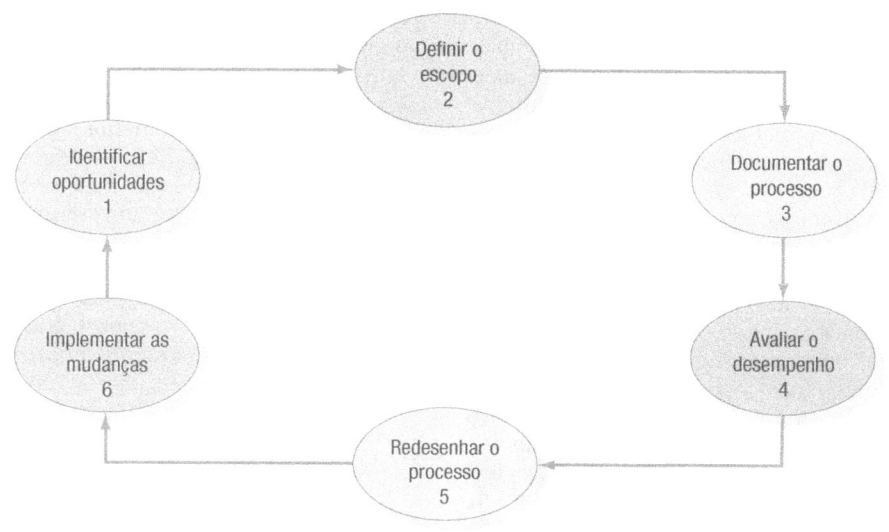

Figura 5.1 *Blueprint* para análise de processos

ficiar de uma *equipe condutora* com vários administradores de diferentes departamentos, encabeçada por um administrador de projetos que supervisiona a análise do processo.

PASSO 3: DOCUMENTAR O PROCESSO

Uma vez que o escopo está estabelecido, o analista deve documentar o processo. A documentação inclui fazer uma lista dos insumos do processo, fornecedores (internos ou externos) e produtos e clientes (internos ou externos). Essas informações, então, podem ser mostradas como um diagrama, com uma análise mais detalhada apresentada em uma tabela.

A próxima parte da documentação é compreender as diferentes etapas executadas no processo, usando um ou mais dos diagramas, tabelas e gráficos descritos adiante, neste capítulo. Quando decompõe o processo em etapas, o analista observa os graus e tipos de contato com o cliente, a complexidade e a discrepância do processo ao longo das várias etapas. Ele também observa quais são as etapas visíveis para o cliente e em que ponto o trabalho deixa de ser responsabilidade de um departamento e passa a ser de outro.

PASSO 4: AVALIAR O DESEMPENHO

É importante ter boas medidas de desempenho para avaliar um processo em busca de pistas sobre como aperfeiçoá-lo. Os **indicadores** são medidas de desempenho. Um bom lugar para começar são as prioridades competitivas, mas elas precisam ser específicas. O analista cria medidas múltiplas de qualidade, satisfação do cliente, tempo para executar cada etapa ou o processo como um todo, custo, erros, segurança, medidas ambientais, entrega pontual, flexibilidade e assim por diante.

Uma vez que os indicadores são identificados, é hora de coletar informações sobre como o processo está sendo executado em cada um deles. A medição pode ser tão simples como fazer uma suposição fundamentada, consultar um perito ou tomar notas enquanto se observa o processo. Estudos mais amplos envolvem coletar dados por várias semanas, consultar dados de contabilidade de custos ou verificar dados registrados em sistemas de informação. Além disso, técnicas para analisar tempos de espera e atrasos podem fornecer informações importantes (veja o Suplemento B, "Simulação" e Suplemento C, "Filas de espera"). Outras técnicas valiosas incluem amostragem de trabalho, estudos temporais e análise de curva de aprendizagem (veja o Suplemento G, "Análise de curva de aprendizagem" e Suplemento H, "Medindo taxas de produção" no site de apoio do livro). A seção Prática Gerencial 5.1 descreve como o McDonald's avalia seu desempenho para descobrir modos de aperfeiçoar os processos e restabelecer a satisfação do cliente.

PASSO 5: REDESENHAR O PROCESSO

Uma análise cuidadosa do processo e de seu desempenho com os indicadores selecionados deve revelar *incoerências*, ou lacunas, entre o desempenho real e o desejado. As lacunas de desempenho podem ser causadas por passos ilógicos, ausentes ou extrínsecos. Podem ser causadas por indicadores que reforçam a mentalidade de silo de departamentos individuais quando o processo abarca diferentes departamentos. O analista ou equipe de projeto deve fazer uma profunda investigação para encontrar as origens das falhas de desempenho.

Usando o pensamento analítico e criativo, a equipe de projeto gera uma lista longa de idéias para aperfeiçoamentos. Essas idéias são, em seguida, filtradas e analisadas. As idéias que são justificáveis, nas quais os benefícios superam os custos, repercutem em um novo projeto do processo. O novo projeto deve ser documentado 'como proposto'. A combinação do novo projeto do processo com a sua documentação atual dá aos analistas uma visão clara do antes e do depois. A nova documentação deve deixar evidente como o processo revisado funcionará e o desempenho esperado para os diversos indicadores usados.

PASSO 6: IMPLEMENTAR AS MUDANÇAS

A implementação é mais que desenvolver um plano e executá-lo. Muitos processos foram reprojetados de maneira eficaz, mas nunca foram implementados. As pessoas resistem à mudança: 'Sempre fizemos isso desse modo' ou 'Já tentamos isso antes' são frases comuns. A participação difundida na análise do processo é essencial, não apenas por causa do trabalho envolvido, mas também porque aumenta o comprometimento. É muito mais fácil implementar algo que é, em parte, sua própria idéia. Além disso, pode ser necessário conhecimento especializado, como para produzir um software. Novas tarefas e habilidades podem ser necessárias, envolvendo treinamento e investimentos em novas tecnologias. A implementação dá vida às etapas necessárias para colocar o processo redesenhado em operação. O comitê administrador ou condutor deve se certificar de que o projeto de implementação esteja de acordo com a programação.

No restante do capítulo, examinaremos os passos da análise de processos em detalhes.

DOCUMENTANDO O PROCESSO

Três técnicas são eficazes para documentar e avaliar processos: (1) fluxogramas; (2) *blueprints* de serviço; e (3) diagramas de processos. Elas permitem que você erga a tampa e examine o interior para compreender como uma organização realiza seu trabalho. Você pode ver como um processo opera, com qualquer nível de detalhe e como está sendo executado. A tentativa de criar um desses diagramas pode até mesmo revelar a ausência de qualquer processo estabelecido. Pode não ser uma imagem bonita, mas é como o trabalho é realmente feito. As técnicas para documentar o processo servem para encontrar falhas de desempenho, gerar idéias para aperfeiçoamentos do processo e documentar o aspecto de um processo redesenhado.

FLUXOGRAMAS

Um **fluxograma** esboça o fluxo de informações, clientes, equipamentos ou materiais através das diversas etapas de um processo. Os fluxogramas também são conhecidos

PRÁTICA GERENCIAL 5.1 AVALIANDO O DESEMPENHO NO MCDONALD'S

Com o crescimento das vendas do sistema alcançando 41,5 bilhões de dólares em 2002, um aumento de mais de 4,3 por cento ao ano desde 1998, por que os executivos perdem o sono por causa de algumas reclamações? Exatamente no ano anterior, o McDonald's lançou uma iniciativa de um bilhão de dólares, de cinco anos de duração, para revisar seus sistemas de informação, com o objetivo de melhorar o atendimento ao consumidor em seus mais de 30.000 restaurantes em todo o mundo. Como muitos sistemas de gerenciamento do relacionamento com clientes (CRM), foi planejado para localizar e responder às alterações nos desejos dos clientes. A nova estrutura de administração de dados baseada na Internet cobriria tudo, de softwares para rastrear os padrões de compra dos clientes e links eletrônicos com fornecedores a sensores para monitorar a temperatura da gordura nas cubas de batatas fritas. O objetivo era examinar cada detalhe do negócio em tempo real, assegurando que cada loja ajustasse corretamente suas operações para servir aos clientes impecavelmente.

Na realidade, grandes quantidades de dados sobre vendas não era o que o McDonald's precisava quando os clientes estavam chateados com comida mal-feita, serviço lento e funcionários grosseiros. O McDonald's nunca tinha percebido — até que fosse muito tarde — que as reclamações dos clientes estavam se tornando mais freqüentes e ásperas. Fazer pequenos ajustes em receitas de produtos básicos como o molho especial do Big Mac economizou centavos, mas foi um balde de água fria para fãs leais do lanche. Pior, o McDonald's estava abrindo lojas muito rapidamente, com cada nova loja absorvendo as vendas dos estabelecimentos já existentes. Ainda que as vendas do sistema estivessem aumentando, a média total da loja caiu 12 por cento, para 1,6 milhão de dólares, de 1995 a 2002.

Agora o McDonald's está ouvindo os clientes novamente e mudando seus processos para refletir isso. A diretoria trouxe um novo CEO que passou 20 anos no lado operacional dos negócios. Com um zelo pela medição da satisfação do cliente e compartilhando os dados livremente com os operadores, ele conseguiu uma reviravolta que surpreendeu a todos no negócio com sua velocidade e escopo. Em 2003, um milhão a mais de clientes, em comparação a 2002, afluiu diariamente para os grandes arcos das lojas espalhadas pelo mundo.

Essa reviravolta começou com a instalação do novo grande sistema de CRM. Em vez disso, outras iniciativas foram lançadas para coletar medidas de desempenho e redesenhar os processos do McDonald's de forma a atender às expectativas do cliente. O McDonald's envia compradores misteriosos aos restaurantes para conduzir revisões anônimas, usando um sistema de pontuação de números fixos. Os clientes misteriosos de empresas de pesquisas externas anotam rapidamente em uma lista de verificação suas notas para velocidade do serviço; temperatura da comida; apresentação e sabor; limpeza do balcão, mesas e ilhas de temperos; e até mesmo se o pessoal do balcão sorri para os clientes. Os resultados rastreados de seis meses e de um ano até a data presente são postados no site interno do McDonald's, assim os proprietários podem comparar suas pontuações com médias regionais. Os operadores podem agora detectar problemas que se repetem, e as medidas de desempenho focalizam a atenção dos operadores em mudanças de processo necessárias.

Outra iniciativa foi enviar 900 missionários de operações a campo, cada um visitando as lojas múltiplas vezes, para ajustar processos, ao mesmo tempo que conduziam, também, seminários de um dia de duração, nos quais os gerentes das lojas podiam compartilhar de informações úteis de gurus da cozinha corporativa — como onde posicionar o pessoal — que reduziriam os tempos médios de serviço anteriores. O McDonald's restituiu os ingredientes mais caros ao molho do Big Mac e mudou o tempero de sal e pimenta nas fatias de carne de boi. O processo voltou a ser tostar o pão para hambúrguer, em vez de aquecê-lo no microondas, e o tempo de tostagem foi prolongado por seis segundos, dando-lhe um sabor caramelizado ainda mais doce.

Outras iniciativas estão sendo tomadas em relação à velocidade do McDonald's. Cada seis segundos eliminados do tempo de espera acrescentam um ponto percentual ao crescimento das vendas. Os outdoors exibindo o menu agora têm mais imagens e menos palavras. Um display luminoso confirma o que os clientes dizem, reduzindo confusões posteriores. Os sanduíches *premium* são colocados em caixas, em vez de embalagens de papel, economizando alguns segundos, e as caixas são codificadas segundo a cor por sanduíche para aumentar a velocidade e a precisão. Quando os carros começam a se enfileirar, um membro da equipe pode sair, com o computador de bolso (PDA) na mão, e anotar os pedidos. Um número pequeno de restaurantes está testando outro aperfeiçoamento de processo, usando receptores profissionais de pedidos, com fortes recursos de comunicação, localizados em centrais de atendimento a clientes distantes, operando os pedidos do *drive-thru*. Os pedidos podem ser mais bem recebidos, e os funcionários do McDonald's podem se concentrar em atender melhor ao consumidor.

Quando os clientes pararam de ir ao McDonald's, os investidores também o fizeram. Agora que as vendas estão subindo, as ações recuperaram seu atrativo. No começo de 2005, o grupo de ações tinha mais que dobrado em dois anos. A medição do desempenho e o aperfeiçoamento dos processos para aumentar o valor ao cliente trazem recompensas.

Fontes: Daniel Kruger, "You want data with that?", *Forbes*, vol. 173, n. 6, mar. 2004, p. 58-60; Darrell K. Rigby e Dianne Ledingham, "CRM done right", *Harvard Business Review*, vol. 82, n. 11, nov. 2004, p. 118-129; The Associated Press, *McDonald's testing use of call centers*, 12 mar. 2005.

como diagramas de fluxo, mapas de processo, mapas de relacionamento ou *blueprints* (esquemas). Os fluxogramas não têm um formato definido e normalmente são desenhados com caixas (com uma descrição breve da etapa dentro), com linhas e setas para mostrar a seqüência. A forma de retângulo (□) é a escolha habitual para uma caixa, embora outras formas (○,◯,◯,▽ ou ▱) possam diferenciar entre tipos diferentes de etapas (operação, atraso, armazenamento, inspeção e assim por diante). Cores e sombreamento também podem chamar atenção para tipos diferentes de etapas, como os particularmente importantes quanto à complexidade do processo ou à divergência do processo. A divergência também é comunicada quando uma seta, saindo de uma etapa, divide-se em duas ou mais setas que levam a diferentes caixas. Embora muitas representações sejam aceitáveis, deve haver acordo sobre as convenções usadas. Elas podem aparecer como uma legenda em algum lugar no fluxograma ou descritas no texto que o acompanha. Também é importante comunicar *o que* (informações, pedidos de clientes, clientes, materiais etc.) está sendo rastreado.

Vários programas permitem a criação de fluxogramas, incluindo o Microsoft PowerPoint, que oferece muitas opções de formatação. O 'Tutor de Fluxogramas do Excel' (veja o site de apoio do livro) oferece outra opção. Outros pacotes de softwares eficientes para fazer fluxogramas e desenhar diagramas (como os diagramas de organização e as árvores de decisão) são o SmartDraw (www.smartdraw.com), o Microsoft Visio (www.microsoft.com/office/vision) e o Micrografx (www.micrografx.com). Alguns oferecem versões de teste gratuitas para download.

Os fluxogramas podem ser criados para vários níveis na organização. Por exemplo, no nível estratégico, eles poderiam mostrar os processos essenciais e seus encadeamentos, como na Figura 1.4. Nesse nível, os fluxogramas não apresentam muitos detalhes; entretanto, eles fornecem uma visão geral sobre os negócios completos. Apenas identificar um processo essencial é, muitas vezes, útil. Vamos agora retornar ao nível do processo, em que os detalhes do processo estão sendo analisados. A Figura 5.2 mostra esse processo, que consiste em muitas etapas que têm subprocessos dentro delas. Em vez de representar tudo em um fluxograma, a Figura 5.2 apresenta um re-

Um consultor discute com clientes a proposta para um novo programa de desenvolvimento organizacional durante um encontro de *follow-up*. O uso de fluxogramas pode ajudar a entender essa etapa como apenas uma parte do processo geral de vendas para uma empresa de consultoria.

sumo do processo inteiro. Descreve o processo de vendas para uma empresa de consultoria especializada em desenvolvimento organizacional e programas de educação corporativa. Quatro departamentos diferentes (contabilidade, consultoria, marketing e vendas) interagem com o comprador externo (cliente). O processo passa por três fases principais: geração de perspectivas de negócios, consentimento do cliente e entrega do serviço e faturamento e cobrança.

A Figura 5.2 ilustra outra característica. A forma de

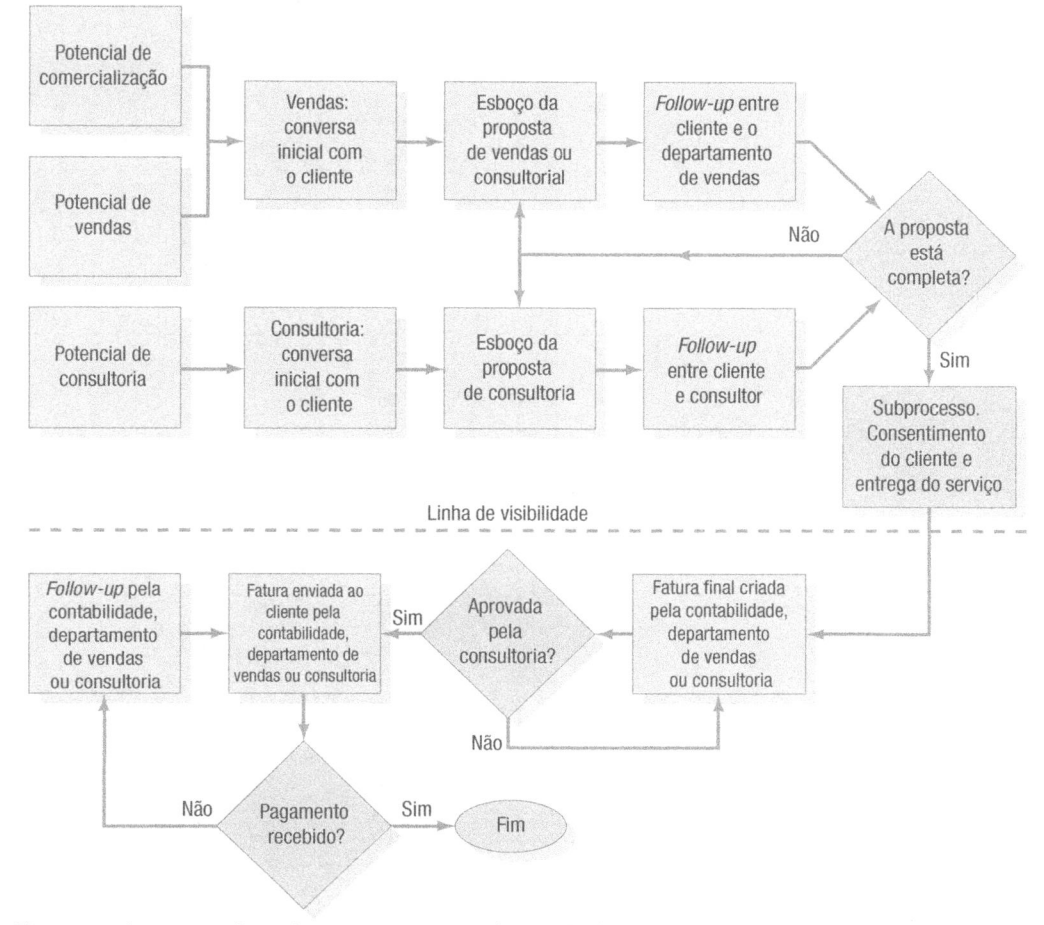

Figura 5.2 Fluxograma do processo de vendas para uma empresa de consultoria

130 Administração de produção e operações

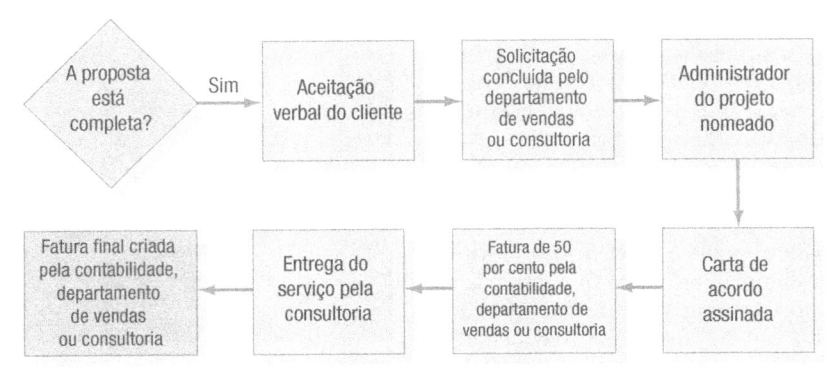

Figura 5.3 Fluxograma do subprocesso de consentimento do cliente e entrega do serviço

diamante (◇) representa uma decisão do tipo sim/não ou resultado, como os resultados de uma inspeção ou um reconhecimento de tipos diferentes de exigências do cliente. A figura apresenta três pontos de decisão sim/não: (1) se a proposta está completa; (2) se o consultor aprova a fatura; e (3) se o pagamento é recebido. É mais provável que esses pontos de decisão sim/não apareçam quando um processo apresentar muitas variações.

Subprocessos podem ser criados para etapas que estavam mais agregadas. Por exemplo, a Figura 5.3 é um fluxograma de um subprocesso dentro da etapa 'consentimento do cliente e entrega do serviço', na Figura 5.2. A Figura 5.3 destaca mais detalhes, como dar uma fatura ao cliente por 50 por cento do custo estimado total do serviço antes que o serviço seja entregue e, também, acrescentar uma fatura final após o término do serviço. Essa abordagem, muitas vezes, torna-se uma necessidade prática porque tantos detalhes não podem ser mostrados em um único fluxograma.

A Figura 5.4 mostra outro formato, que é mais apropriado quando o processo engloba os limites de vários departamentos. Esse fluxograma ilustra o processo de atendimento de pedido de uma empresa industrial. O processo começa quando um pedido é gerado por um cliente e termina quando o pagamento é recebido pela

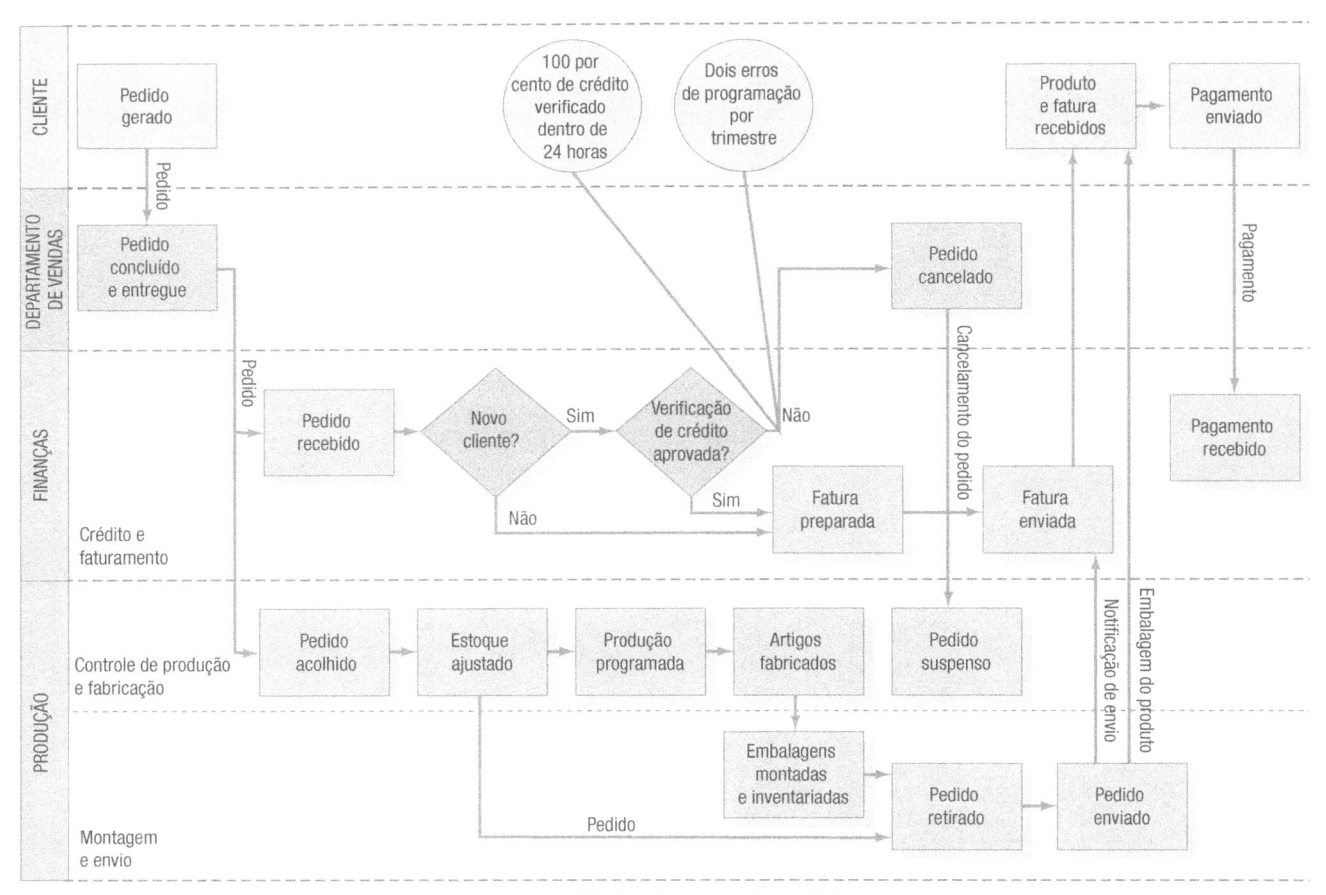

Fonte: Geary A. Rummler e Alan P. Brache, *Improving performance*, 2. ed. São Francisco: Jossey-Bass, 1995.

Figura 5.4 Fluxograma do processo de atendimento de pedidos mostrando interações entre departamentos

empresa. Todas as funções que contribuem para esse processo são incluídas no fluxograma. As linhas representam os diferentes departamentos ou áreas funcionais, e as etapas aparecem na linha do departamento em que são executadas. Essa abordagem mostra as *passagens* de um departamento a outro quando a seta saindo de uma etapa vai para outra linha. Setas especiais são outro modo de mostrar as passagens, que são pontos em que a coordenação interfuncional corre um risco específico devido à mentalidade de silo. Enganos, registros de atraso e erros são mais prováveis nesses pontos.

Os fluxogramas permitem que os analistas e os administradores do processo observem a organização horizontal, em vez da organização vertical e dos limites departamentais sugeridos por um diagrama organizacional típico. Os fluxogramas mostram como as organizações geram seus produtos por meio de processos interfuncionais e permitem que a equipe do projeto veja todas as interfaces críticas entre funções e departamentos.

BLUEPRINTS DE SERVIÇO

Um bom projeto para os processos de serviço depende, antes de tudo, do tipo e da quantidade do contato com o cliente. Um **blueprint de serviços** é um fluxograma especial de um processo de serviços que mostra quais etapas têm maior contato com o cliente. Considere a Figura 5.2 novamente. Ela realmente se classifica como um *blueprint* de serviços porque mostra uma linha de visibilidade. Essa característica especial identifica quais etapas são visíveis para o cliente (e, desse modo, mais um processo de *front office*) e quais não são (processos de *back office*).

É claro que a visibilidade é apenas um aspecto do contato com o cliente e pode não apreender adequadamente o quanto o cliente está ativamente envolvido ou quanta atenção pessoal é exigida. Um *blueprint* de serviços pode usar cores, sombreamento ou figuras de caixas, em vez da linha de visibilidade, para mostrar o alcance e o tipo do contato com o cliente. Outra opção é marcar cada passo com um número e, depois, manter uma tabela anexa que descreva em detalhes o contato com o cliente para cada passo numerado.

DIAGRAMAS DE PROCESSO

Um **diagrama de processo** é um modo organizado de documentar todas as atividades executadas por uma pessoa ou grupo de pessoas em uma estação de trabalho, envolvendo clientes ou materiais. Analisa um processo utilizando uma tabela e pode fornecer informações sobre cada etapa do processo. Muitas vezes, é utilizado para descer ao nível de tarefas de um indivíduo, de uma equipe ou de um subprocesso específico. Ele pode ter muitos formatos. Agrupamos, aqui, os tipos de atividades para um processo típico em cinco categorias:

- *Operação:* altera, cria ou acrescenta algo. Furar um buraco ou atender a um cliente são exemplos de operações.
- *Transporte*: move o objeto de investigação de um lugar a outro (algumas vezes chamado *manipulação de materiais*). O objeto pode ser uma pessoa, um material, uma ferramenta ou uma parte de um equipamento. Um cliente caminhando de uma ponta a outra do balcão, um guindaste içando uma viga de aço para um local e um transportador levando um produto parcialmente acabado de uma estação de trabalho até a próxima são exemplos de transporte.
- *Inspeção*: fiscaliza ou verifica algo, mas não o altera. Obter *feedback* do cliente, verificar manchas em uma superfície, pesar um produto e fazer uma leitura de temperatura são exemplos de inspeções.
- *Demora*: ocorre quando o objeto fica preso aguardando outras ações. O tempo gasto esperando um servidor, materiais ou equipamentos; tempo de limpeza geral; e o tempo em que trabalhadores, máquinas ou estações de trabalho ficam inativos porque não têm nenhum trabalho para concluir são exemplos de demoras.
- *Armazenamento*: ocorre quando algo é guardado até um momento posterior. Suprimentos descarregados e colocados em um almoxarifado como estoque, equipamento guardado após o uso e documentos colocados em um arquivo são exemplos de armazenamento.

Dependendo da situação, outras categorias podem ser usadas. Por exemplo, subcontratar serviços externos poderia ser uma categoria, ou armazenamento temporário e armazenamento permanente podem ser duas categorias separadas. Escolher a categoria certa para cada atividade exige adotar a perspectiva do objeto representado. Uma demora para o equipamento pode ser inspeção ou transporte para o operador.

Para completar um diagrama para um novo processo, o analista deve identificar cada etapa executada. Se o processo existe, o analista pode verdadeiramente observar suas etapas e categorizar cada etapa de acordo com o objeto sendo investigado. O analista em seguida registra a distância percorrida e o tempo gasto para se executar cada etapa. Após registrar todas as atividades e etapas, o analista resume os dados sobre as etapas, tempos e distâncias. A Figura 5.5 mostra um diagrama de processo preparado utilizando-se o Solver de Diagramas de Processos do OM Explorer. É para um paciente com um tornozelo torcido sendo tratado em um hospital. O processo começa com a entrada e termina com a saída do paciente após pegar a receita médica.

Depois que um processo é representado graficamente, o analista, algumas vezes, estima o custo anual do processo inteiro. Isso se torna um *benchmark* em relação aos outros métodos para executar o processo que podem ser avaliados. O custo anual do trabalho pode ser estimado encontrando-se o produto de (1) tempo em horas para executar o processo a cada vez; (2) custos variáveis por hora; e (3) número de vezes que o processo é executado todo ano ou

$$\begin{pmatrix} \text{custo} \\ \text{anual do} \\ \text{trabalho} \end{pmatrix} = \begin{pmatrix} \text{Tempo para} \\ \text{executar o} \\ \text{processo} \\ \text{em horas} \end{pmatrix} \begin{pmatrix} \text{Custos} \\ \text{variáveis} \\ \text{por hora} \end{pmatrix} \begin{pmatrix} \text{Número de} \\ \text{vezes que o} \\ \text{processo} \\ \text{é executado} \\ \text{por ano} \end{pmatrix}$$

Por exemplo, se o tempo médio para atender a um cliente é quatro horas, o custo variável é 25 dólares por hora e, se 40 clientes são atendidos por ano, assim, o custo do trabalho é de 4.000 dólares por ano (ou 4 h/cliente x $ 25/h x 40 clientes/ano).

Processo:	Admissão no pronto-socorro
Objeto:	Paciente com tornozelo machucado
Início:	Entrada no pronto-socorro
Término:	Saída do hospital

Resumo

Atividade		Número de passos	Tempo (minutos)	Distância (pés)
Operação	●	5	23:00	
Transporte	➡	9	11:00	815
Inspeção	■	2	8:00	
Demora	▸	3	8:00	
Armazenamento	▼	—	—	

Passo Nº	Tempo (minutos)	Distância (pés)	●	➡	■	▸	▼	Descrição dos passos
1	0,50	15,0		X				Entra no pronto-socorro, aproxima-se do guichê de pacientes.
2	10,00		X					Senta-se e preenche o histórico do paciente.
3	0,75	40,0		X				Enfermeira acompanha o paciente até a sala de triagem do pronto-socorro.
4	3,00				X			Enfermeira examina o ferimento.
5	0,75	40,0		X				Retorna à sala de espera.
6	1,00					X		Espera por leito disponível.
7	1,00	60,0		X				Vai para o leito do pronto-socorro.
8	4,00					X		Espera pelo médico.
9	5,00							Médico examina o ferimento e interroga o paciente.
10	2,00	200,0		X				Enfermeira leva o paciente para a radiologia.
11	3,00		X					Técnico tira a radiografia do paciente.
12	2,00	200,0		X				Retorna para o leito do pronto-socorro.
13	3,00					X		Espera pelo retorno do médico.
14	2,00		X					Médico dá o diagnóstico e faz recomendações.
15	1,00	60,0		X				Retorna à área de entrada da emergência.
16	4,00		X					Paga a conta.
17	2,00	180,0		X				Vai à farmácia.
18	4,00		X					Pega a receita médica.
19	1,00	20,0		X				Deixa o prédio.

Figura 5.5 Diagrama do processo para admissão no pronto-socorro

No caso do paciente da Figura 5.5, essa conversão não seria necessária, com o tempo total do paciente sendo suficiente. O que está sendo rastreado é o tempo do paciente, não o tempo e os custos do fornecedor de serviços.

Você pode projetar suas próprias planilhas de diagramas de processos para destacar processos que são particularmente importantes para o processo que você está analisando, como as categorias de contato com o cliente, variações do processo e assim por diante. Também pode rastrear outras medidas de desempenho, além de tempo e distância percorrida, como taxas de erros. Além disso, pode criar uma versão diferente da planilha de diagrama do processo do que examinar os processos de maneira parecida com o que é feito nos fluxogramas, mas agora na forma de uma tabela. As colunas que categorizam o tipo de atividade podem ser substituídas por uma ou mais colunas informando diferentes indicadores de interesse, em vez de tentar encaixá-los em um fluxograma. Embora possa parecer menos elegante, pode ser igualmente instrutivo — e mais fácil de elaborar.

AVALIANDO O DESEMPENHO

Indicadores e informações sobre o desempenho completam a documentação de um processo (veja o passo 4 na Figura 5.1). Os indicadores podem ser exibidos de diversos modos. Algumas vezes, eles podem ser acrescentados diretamente ao fluxograma ou ao diagrama de processo. A Figura 5.4 mostra os indicadores com entradas circulares, que estabelecem as metas para a verificação de crédito: (1) todas as verificações de crédito devem ser concluídas dentro de 24 horas; e (2) não mais que dois casos de continuidade do processo inadvertidamente sem uma verificação de crédito. Quando é difícil controlar o número de indicadores, outra abordagem é criar uma tabela de apoio para o diagrama. Suas linhas são os passos do fluxograma, do *blueprint* de serviços ou dos diagramas de processos. As colunas são o desempenho, as metas e as falhas de desempenho para os diferentes indicadores.

A escolha de indicadores específicos pelos analistas depende do processo em análise e das prioridades competitivas. Bons pontos de partida são o tempo de processamento por unidade e o custo de cada etapa e o tempo decorrido do princípio ao fim do processo. A utilização da capacidade e os tempos de espera do cliente (ou de tarefas) revelam em que ponto, no processo, é mais provável que ocorram demoras. Medidas de satisfação do cliente, taxas de erro e taxas de material descartado identificam possíveis problemas de qualidade. Apresentaremos muitos desses indicadores nos capítulos seguintes. A Figura 5.6 mostra o capítulo ou suplemento que se refere a alguns indicadores básicos. Apenas quando esses capítulos subseqüentes forem compreendidos, teremos realmente concluído nossa discussão sobre análise de processos.

CAPÍTULO 5 • Análise de processos

DESAFIO GERENCIAL — ANÁLISE DE PROCESSOS NA STARWOOD

A Starwood Hotels and Resorts não é inexperiente em aperfeiçoamento de processos. De fato, a carta do presidente em um relatório anual recente declarou que, por meio de "*benchmarking*, Seis Sigma e reconhecimento da excelência, [a Starwood está] produzindo resultados em um ciclo virtual de auto-aperfeiçoamento em todos os níveis da empresa". Reconhecendo que os processos aperfeiçoados em um departamento de um único hotel, se estendidos por toda a organização, poderiam levar a melhorias significativas, a empresa criou recentemente um programa chamado Poder da Inovação, ou POI.

O programa Poder da Inovação na Starwood busca apreender as melhores práticas existentes em todos os hotéis de todas as marcas da América do Norte. Uma equipe interna especializada em preparação e produção na cozinha, lavanderia, camararia, *front office* e de administração interna trabalha com propriedades individuais para desenvolver e maximizar o conhecimento existente das equipes locais de administração da propriedade. A equipe normalmente passa cerca de uma semana em uma propriedade, mergulhada em operações para entender realmente as atividades cotidianas durante um período. É de especial interesse a programação da força de trabalho para atender à demanda de cada operação do hotel de modo a otimizar os processos operacionais.

Na Westin Galleria-Oaks, em Houston, Texas, por exemplo, a equipe do POI ajudou a administração a alcançar seis por cento de melhoria de produtividade na tarefa da cozinha de preparação e produção dos pratos, com uma redução de 2.404 horas e uma economia de 23.320 dólares, apenas com a folha de pagamento anual. Ao mesmo tempo, outros projetos de POI no hotel geraram uma economia adicional de 14.400 dólares com a folha de pagamento anual.

O Fênix, em Scottsdale, também recebeu uma visita da equipe do POI. Uma área estudada pela equipe foi a camararia. O processo típico de camararia inclui as seguintes obrigações: lavar a louça, remover o lixo da cozinha, polir a prataria e ajudar com as linhas de preparação da comida para banquetes. Os camareiros dão assistência a oito cozinhas e duas padarias, e trabalham com administração interna ao manter áreas públicas como banheiros públicos e cabines para banhistas limpos.

Um fluxograma que representa os processos de camararia é mostrado a seguir. Em um dia qualquer, um camareiro específico pode dar assistência a mais de uma cozinha e ser convocado a fazer uma variedade de tarefas.

Antes de a equipe do POI chegar, os camareiros se dedicavam a uma cozinha ou área específica durante seu turno. Cada cozinha exigia cobertura de camararia de acordo com a definição do chefe de cozinha, assim, mais de um camareiro poderia ser designado para uma área. Certa quantidade de trabalho de camararia poderia ser prevista pelo gerente de comidas e bebidas, baseado na programação de jantares, chás da tarde, bufês de conferências e reservas de restaurante. Considerável incerteza também advinha do movimento gerado por turistas e pela clientela local, o que significa que os camareiros designados para algumas áreas periodicamente não tinham um fluxo constante de trabalho.

Semanalmente, os níveis de atividades para o pessoal dedicado à camararia eram determinados baseados nas informações do chefe de cozinha. Outros fatores considerados no planejamento semanal incluíram atividade no ano anterior, eventos especiais, períodos de férias e crianças. Com essas informações, o chefe dos camareiros criou um resumo de todas as refeições, chamadas de coberturas, por local, data e período do dia. Em seguida, um modelo de planilha do Excel foi usado para criar a programação para a disposição do pessoal da camararia por todas as cozinhas e restaurantes do resort.

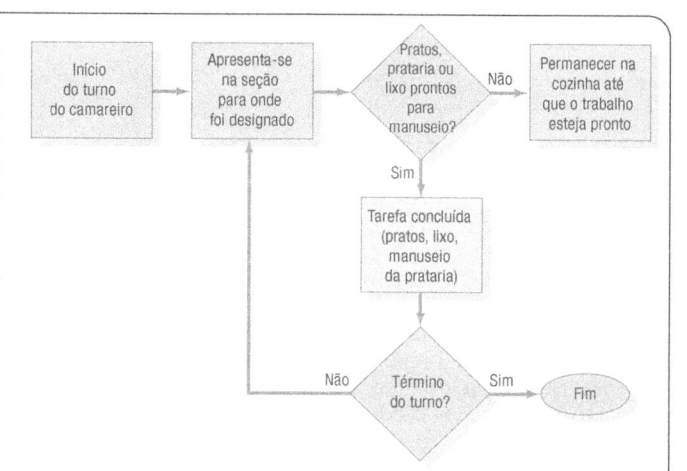

Ao realizar sua análise, a equipe do POI examinou a disponibilidade de pessoal, eventos de banquete, restaurantes, a conta total de quartos ocupados e outros mecanismos dos negócios para áreas assistidas pelos camareiros. Estudos de tempo foram feitos para determinar a distância que os camareiros percorriam por toda a propriedade e quanto tempo era necessário para executar cada tarefa de camararia. Alguns restaurantes e cozinhas não requeriam cobertura em tempo integral por um camareiro. Desse modo, o camareiro seria designado para várias cozinhas a fim de preencher um turno de trabalho. No caso da cobertura entre o Restaurante 19th Hole, em um lado do resort, e o Canyon Building, do outro lado, o camareiro caminharia 800 metros, em um único sentido, para executar serviços em ambos os locais porque não havia trabalho suficiente para um camareiro trabalhando exclusivamente em cada local.

Muitas vezes, os camareiros tinham períodos de inatividade quando esperavam a limpeza dos pratos do banquete ou que panelas e utensílios de cozinha fossem trazidos para limpeza. Alguns restaurantes tinham porcelana que requeriam cuidados especiais de limpeza, o que significa que os pratos precisavam ser lavados à mão, em vez de ser colocados em uma máquina de lavar louças automática. Essa situação exigia um camareiro exclusivo para a execução dessa tarefa.

Os estudos de tempo revelaram o tempo necessário para que os camareiros se locomovessem de uma cozinha a outra. Os estudos também ajudaram o time do POI a entender quanto tempo era necessário para lavar pratos no restaurante cinco estrelas, em comparação com a cozinha da área informal de refeições ao lado da piscina. Além do mais, os estudos revelaram limitações do projeto do edifício que impediam que o pessoal se movesse rapidamente entre as cozinhas. Em alguns casos, um labirinto de corredores acrescentava dezenas de metros às distâncias cobertas todos os dias e, além disso, espessas cercas vivas impediam a entrada em atalhos nas calçadas.

> **Desafios gerenciais para o programa Poder da Inovação na Starwood**
>
> 1. Como a administração pode aperfeiçoar especificamente o processo de camararia no Fênix? Usando as informações fornecidas, crie um fluxograma ilustrando o novo processo.
> 2. Que benefícios o programa POI pode trazer para a Starwood? Esses benefícios podem ser estendidos para outros processos e propriedades dentro do sistema da Starwood?
> 3. Entre os sete erros que uma organização pode cometer quando administra processos (veja a última seção deste capítulo), quais a Starwood estaria mais arriscada a cometer? Por quê?

FERRAMENTAS DE ANÁLISE DE DADOS

Os indicadores podem revelar uma falha de desempenho. Várias ferramentas estão disponíveis para ajudá-lo a entender as causas do problema. Aqui apresentamos seis ferramentas: (1) listas de verificação; (2) histogramas e gráficos de barras; (3) diagramas de Pareto; (4) diagramas de dispersão; (5) diagramas de causa – efeito; e (6) gráficos. Muitos deles foram inicialmente desenvolvidos para analisar assuntos sobre qualidade, mas se aplicam igualmente bem a toda a gama de medidas de desempenho.

Listas de verificação A coleta de dados por meio de uma lista de verificação (*checklist*) é muitas vezes o primeiro passo na análise de um indicador. Uma **lista de verificação** é um formulário usado para registrar a freqüência da ocorrência de determinadas características do serviço ou produto relacionadas ao desempenho. As características podem ser mensuráveis em uma escala contínua (por exemplo, peso, satisfação do cliente em uma escala de um a sete, custo unitário, percentual de perda de material, tempo ou extensão) ou de acordo com o princípio de sim ou não (por exemplo, reclamação do cliente, erro de envio, descoramento da pintura ou atendentes desatentos).

Histogramas e gráficos de barra Os dados de uma lista de verificação, muitas vezes, podem ser apresentados de maneira clara e sucinta, com histogramas ou gráficos de barra. Um **histograma** resume os dados medidos em uma escala contínua, mostrando a distribuição de freqüência de alguma característica de classe (em termos estatísticos, a propensão central e a dispersão dos dados). Muitas vezes, a média dos dados é indicada no histograma. Um **gráfico de barras** é uma série de barras representando a freqüência de ocorrência de características de dados medidas de acordo com o princípio de sim ou não. A altura da barra indica o número de vezes que uma característica de qualidade específica foi observada.

Diagramas de Pareto Quando os administradores descobrem vários problemas do processo que precisam ser tratados, eles têm de decidir qual deve ser combatido primeiro. Vilfredo Pareto, um cientista italiano do século XIX, cujo trabalho estatístico focalizava desigualdades nos dados, propôs que a maior parte de uma 'atividade' é causada por relativamente poucos de seus fatores. Em um problema de qualidade em um restaurante, a atividade poderia ser 'reclamações do cliente' e o fator poderia ser 'garçom indelicado'. Para um fabricante, a atividade poderia ser 'defeitos do produto' e um fator poderia ser 'peça faltante'. O conceito de Pareto, chamado de regra 80–20, é que 80 por cento da atividade é causada por 20 por cento dos fatores. Concentrando-se nos 20 por cento dos fatores

---

Capítulo 6 "Desempenho e qualidade do processo"

- Medidas de satisfação do cliente
- Taxa de erros
- Taxa de material descartado ou reprocessado
- Custo de falhas internas

Capítulo 7 "Administração das restrições"; Suplemento C, "Filas de espera"; Suplemento H, "Medindo taxas de saída"

- Linha de processamento
- Tempo total do início ao fim (tempo de produção — *throughput time*)
- Tempo de *setup*
- Despesas operacionais
- Utilização da capacidade
- Tempo médio de espera
- Número médio de clientes ou tarefas esperando na fila

Capítulo 8 "Layout do processo"

- Distância percorrida
- Tempo do ciclo
- Tempo inativo

Capítulo 9 "Sistemas *lean*"

- Tempo de *setup*
- Tempo médio de espera
- Tempo total do início ao fim (tempo de produção — *throughput time*)

Figura 5.6 Indicadores para fluxogramas, diagramas de processos e tabelas de acompanhamento

CAPÍTULO 5 • Análise de processos

Diagrama de Pareto para um restaurante — EXEMPLO 5.1

O gerente de um restaurante de bairro está preocupado com a redução do número de clientes que freqüentam seu restaurante. As reclamações têm aumentado, e ele gostaria de descobrir quais problemas tratar e apresentar as conclusões de um modo que seus funcionários possam entender.

SOLUÇÃO
O gerente entrevistou seus clientes durante várias semanas e coletou os seguintes dados:

Reclamação	Freqüência
Garçom indelicado	12
Serviço lento	42
Comida fria	5
Mesas apertadas	20
Ambiente enfumaçado	10

A Figura 5.7 é um gráfico de barras, e a Figura 5.8 é um diagrama de Pareto, ambos criados com o Solver de gráfico de barra, diagramas de Pareto e gráfico de linha do OM Explorer. Eles apresentam os dados que mostram quais reclamações são predominantes (as poucas vitais). Esses diagramas são configurados para indicadores de qualidade, mas você pode reformatá-los para outros indicadores 'sim ou não'. É só clicar em 'desproteger planilha', dentro do menu de ferramentas da planilha eletrônica, e, em seguida, fazer suas revisões. Outra abordagem é criar suas próprias planilhas eletrônicas do zero. Softwares mais avançados incluem o Minitab (www.minitab.com/index.htm), o SAS (www.sas.com/rnd/app/qc.html) e o Microsoft Visio (www.microsoft.com/office/visio).

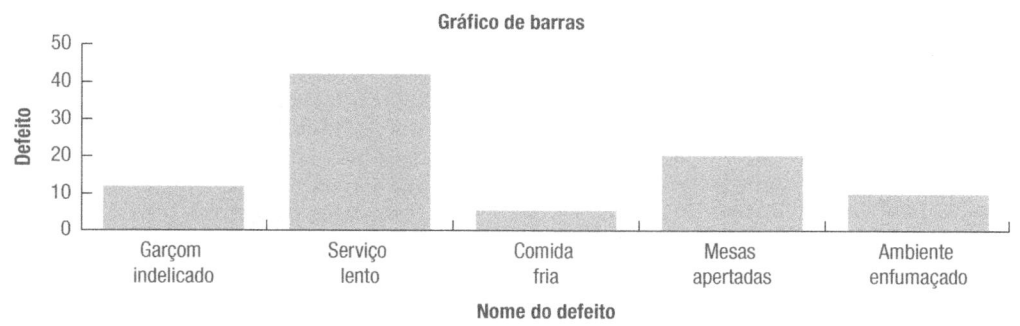

Figura 5.7 Gráfico de barras

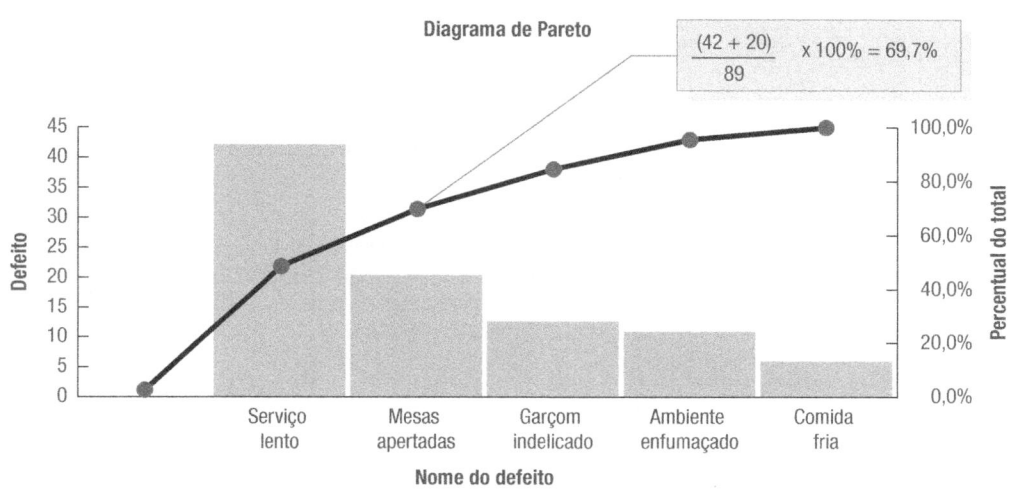

$$\frac{(42 + 20)}{89} \times 100\% = 69{,}7\%$$

Figura 5.8 Diagrama de Pareto

Ponto de decisão Ficou claro para o gerente (e para todos os funcionários) que as reclamações, se retificadas, cobririam a maior parte dos problemas de qualidade no restaurante. Primeiro, o serviço lento será abordado treinando a equipe existente, acrescentando um garçom e aperfeiçoando o processo de preparação das refeições. Remover alguns móveis decorativos da área de refeições e acomodar melhor as mesas resolverá o problema das mesas apertadas. O diagrama de Pareto mostra que esses dois problemas, se corrigidos, representarão quase 70 por cento das reclamações.

('os poucos e vitais'), os administradores podem combater 80 por cento dos problemas de qualidade. É evidente que as porcentagens exatas variam de acordo com cada situação, mas, de modo inevitável, relativamente poucos fatores causam a maior parte das falhas de desempenho.

Os poucos fatores vitais podem ser identificados com um **Diagrama de Pareto**, um gráfico de barras no qual os fatores são traçados em ordem decrescente de freqüência ao longo do eixo horizontal (veja a Figura 5.8). O diagrama tem dois eixos verticais, o da esquerda, mostrando a freqüência (como em um histograma), e o da direita, mostrando o percentual cumulativo de freqüência. A curva de freqüência cumulativa identifica os poucos fatores vitais que justificam a atenção administrativa imediata.

Diagramas de dispersão Muitas vezes, os administradores suspeitam que certo fator esteja causando um problema de qualidade específico. Um **diagrama de dispersão**, que é uma representação gráfica de duas variáveis mostrando se elas estão relacionadas, pode ser usado para verificar ou negar a suspeita. Cada ponto no diagrama de dispersão representa uma observação de dados. Por exemplo, o gerente de uma loja de peças pode suspeitar que os defeitos das peças sejam uma função do diâmetro da peça. Um diagrama de dispersão pode ser construído para representar graficamente o número de peças defeituosas encontradas para cada diâmetro de peça produzida. Depois que o diagrama for concluído, qualquer relação entre diâmetro e número de defeitos será clara.

Diagramas de causa–efeito Um aspecto importante da análise de processos é ligar cada indicador aos insumos, métodos e etapas do processo que incorporam um atributo específico ao serviço ou produto. Um modo de identificar um problema de projeto é criar um **diagrama de causa–efeito** que relaciona um problema de desempenho importante a suas causas potenciais. Desenvolvido pela primeira vez por Kaoru Ishikawa, o diagrama ajuda a administração a observar incoerências diretamente ligadas a operações envolvidas. As operações que não têm nenhuma relação com um problema específico não são mostradas no diagrama.

O diagrama de causa–efeito, algumas vezes, é chamado de *diagrama espinha de peixe*. A principal falha de desempenho é rotulada como a 'cabeça' do peixe, as categorias importantes de causas potenciais, como 'espinha estrutural' e as causas provavelmente específicas, como 'costelas'. Quando se elabora e se usa um diagrama de causa–efeito, um analista identifica todas as categorias importantes de causas potenciais para o problema, que podem estar relacionadas ao pessoal, às máquinas, aos materiais ou aos processos. Para cada categoria importante, o analista enumera todas as causas prováveis da falha de desempenho. Sob o pessoal, poderia ser listado 'falta de treinamento', 'comunicação deficiente' e 'absenteísmo'. O pensamento criativo ajuda o analista a identificar e classificar corretamente todas as causas suspeitas. O analista, em seguida, investiga sistematicamente as causas enumeradas no diagrama para cada categoria importante, atualizando o diagrama quando novas causas se tornam aparentes. O processo de construção de um diagrama de causa–efeito chama a atenção da administração e do trabalhador para os fatores principais que afetam a qualidade do produto ou do serviço. O Exemplo 5.2 demonstra o uso de um diagrama de causa–efeito por uma linha aérea.

| EXEMPLO 5.2 | Análises dos atrasos de partidas de vôo |

O gerente de operações para a Checker Board Airlines do Aeroporto Internacional de Port Columbus observou um aumento no número de partidas de vôo atrasadas.

SOLUÇÃO
Para analisar todas as causas possíveis desse problema, ele construiu um diagrama de causa–efeito, mostrado na Figura 5.9. O problema principal, partidas de vôo atrasadas, é a 'cabeça' do diagrama. Ele realizou um *brainstorming* para levantar todas as possíveis causas com seu pessoal e juntos identificaram várias categorias importantes: equipamento, pessoal, materiais, procedimentos e 'outros fatores' que estão além do controle administrativo. Várias causas suspeitas foram identificadas para cada categoria importante.

Ponto de decisão O gerente de operações, tendo uma boa compreensão do processo, suspeitou que a maior parte dos atrasos de vôo era causada por problemas com materiais. Então, ele examinou o serviço de comida, abastecimento e operações de manuseio de bagagem e descobriu que o número de guinchos para as operações de transferência de bagagem era insuficiente e que os aviões se atrasavam esperando pela bagagem de vôos de conexão.

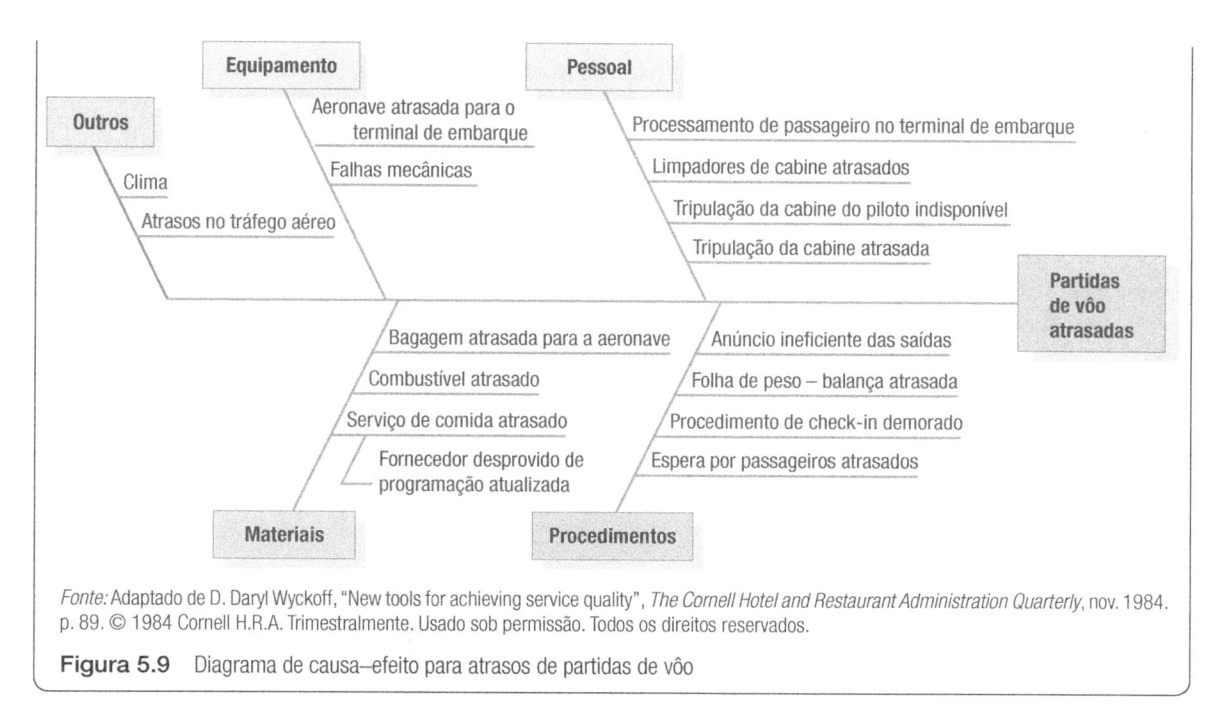

Figura 5.9 Diagrama de causa–efeito para atrasos de partidas de vôo

Fonte: Adaptado de D. Daryl Wyckoff, "New tools for achieving service quality", *The Cornell Hotel and Restaurant Administration Quarterly*, nov. 1984. p. 89. © 1984 Cornell H.R.A. Trimestralmente. Usado sob permissão. Todos os direitos reservados.

Gráficos Os **gráficos** representam dados em uma variedade de formatos pictóricos, como gráficos de linha e gráficos de setores circulares. Os de linha representam os dados de modo seqüencial, com pontos conectados por segmentos da linha para destacar tendências nos dados. Os gráficos de linha são usados em diagramas de controle (veja o Capítulo 6, "Desempenho e qualidade do processo") e previsão (veja o Capítulo 13, "Previsão"). Os gráficos de setores circulares representam os fatores do processo como fatias de uma pizza; o tamanho de cada fatia é proporcional ao número de ocorrências do fator. Os gráficos de setores circulares são úteis para exibir dados de um grupo de fatores que podem ser representados como porcentagens totalizando 100 por cento.

DATA SNOOPING

Cada uma das ferramentas para melhorar a qualidade pode ser usada independentemente, mas seu poder é maior quando são usadas em conjunto. Ao resolver um problema relacionado ao processo, os administradores, muitas vezes, agem como detetives, filtrando dados para clarificar os problemas envolvidos e deduzir as causas. Chamamos esse processo de *data snooping*. O Exemplo 5.3 demonstra como as ferramentas para aumentar a qualidade podem ser usadas para esse processo.

SIMULAÇÃO

Um modelo de simulação vai um passo adiante das ferramentas de análise de dados, porque pode mostrar como o processo muda dinamicamente ao longo do tempo. A **simulação de processos** é o ato de reproduzir o comportamento de um processo, usando um modelo que descreve cada passo. Uma vez que o processo é moldado, o analista pode fazer mudanças no modelo para medir o impacto sobre certos indicadores, como o tempo de resposta, filas de espera, utilização de recursos, e assim por diante. Para aprender mais sobre como a simulação funciona, veja o Suplemento B, "Simulação", que segue este capítulo. Para habilidades mais avançadas, é possível usar pacotes de software como SimQuick (www.nd.edu/~dhartvig/simquick/top.htm), Extend (www.imaginethatinc.com), SIMPROCESS (www.caciasl.com), ProModel (www.promodel.com) e Witness (www.lanner.com/corporate).

Aqui ilustramos a simulação de processos com o software SimQuick (fornecido no site de apoio do livro). Considere o seguinte processo dentro de um pequeno banco: os clientes entram no banco, entram em uma fila única, são atendidos por um caixa e finalmente saem do banco. Atualmente, esse banco tem um caixa que trabalha das 9 às 11 da manhã. A administração está preocupada porque a espera na fila parece ser muito longa. Portanto, está considerando duas idéias de aperfeiçoamento do processo: acrescentar um caixa durante essas horas ou instalar uma nova máquina de leitura de cheques automatizada, que pode ajudar o único caixa a atender os clientes mais rapidamente.

Um primeiro passo ao usar o SimQuick é desenhar um fluxograma do processo utilizando os blocos de construção do SimQuick. A Figura 5.11(a) mostra que o caixa do banco (tanto o original como a variação com uma máquina de leitura de cheques) pode ser modelado com quatro blocos de construção: uma entrada (modelando a chegada dos clientes no banco), um *buffer-amortecedor* (modelando a fila de espera), uma estação de trabalho (modelando o caixa) e um *buffer-amortecedor final* (modelando o atendimento aos clientes). A variação de dois caixas pode ser modelada com cinco blocos de construção, como mostrado na Figura 5.11(b).

A informação que descreve cada bloco de construção é inserida em tabelas do SimQuick. Três fragmentos-chave de informações precisam ser introduzidos: quando as

EXEMPLO 5.3 — Identificando causas da má qualidade no revestimento dos tetos

A Wellington Fiber Board Company produz revestimento de tetos, os componentes em fibra de vidro que formam o teto interno dos carros de passageiros. A administração quis identificar os defeitos predominantes e encontrar a causa.

SOLUÇÃO
A Figura 5.10 mostra a aplicação seqüencial de várias ferramentas para melhoria da qualidade.

Passo 1: Lista de verificação

Defeitos da cobertura de teto

Tipo de defeito	Cálculo	Total
A. Rasgos no tecido	IIII	4
B. Tecido descolorido	III	3
C. Placa de fibra quebrada	HHH HHH HHH HHH HHH HHH HHH I	36
D. Extremidades irregulares	HHH II	7
		Total 50

Passo 2: Diagrama de Pareto

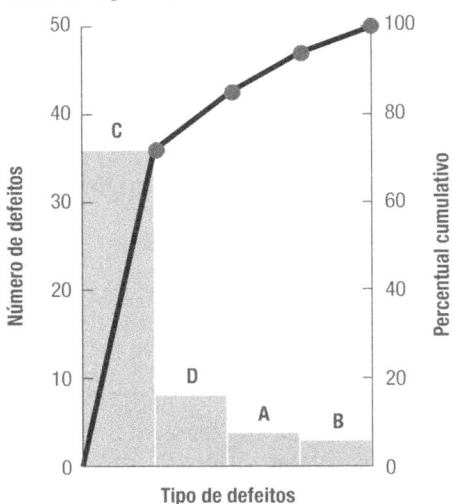

Passo 3: Diagrama de causa – efeito

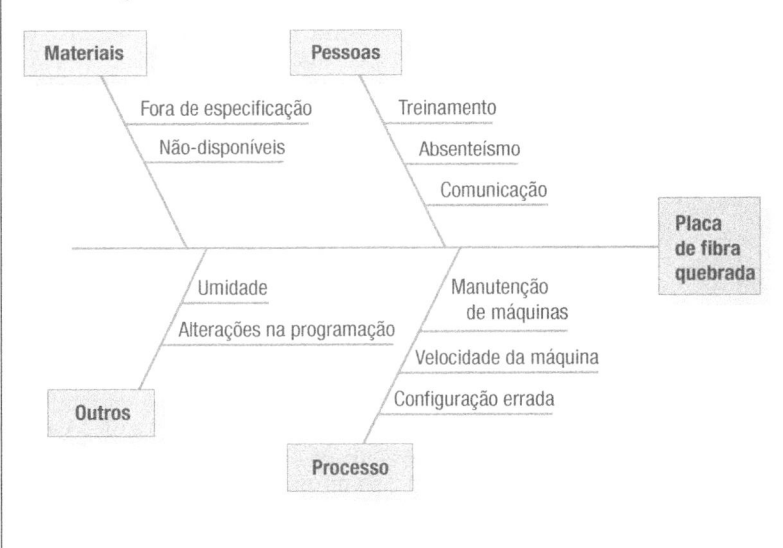

Passo 4: Gráfico de barras

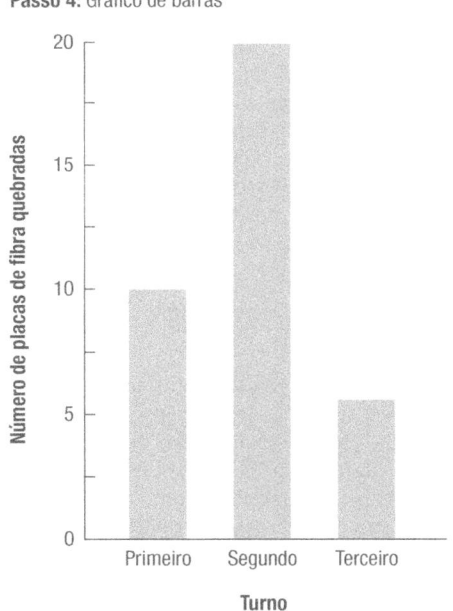

Figura 5.10 Aplicação das ferramentas para aumentar a qualidade

Passo 1: Uma lista de verificação de diferentes tipos de defeitos foi elaborada a partir de registros do último mês de produção.

Passo 2: Um diagrama de Pareto preparado a partir dos dados da lista de verificação indicou que a placa de fibra quebrada representa 72 por cento dos defeitos de qualidade.

Passo 3: Um diagrama de causa – efeito para a placa de fibra quebrada identificou várias causas potenciais para o problema. Um dos problemas de que o gerente suspeitava fortemente era o treinamento de funcionários.

Passo 4: O gerente reorganizou os relatórios de produção em um gráfico de barras de acordo com o turno porque o pessoal nos três turnos tinha quantidades variadas de experiência.

CAPÍTULO 5 • Análise de processos 139

Ponto de decisão O gráfico de barras indicou que o segundo turno, com a força de trabalho menos experiente, teve a maior parte dos defeitos. A investigação adicional revelou que os trabalhadores não estavam usando procedimentos adequados para empilhar as placas de fibra depois da operação de compressão, o que causou quebras e lascas. O gerente organizou sessões de treinamento adicionais que tinham como foco o manuseio das placas. Embora o segundo turno não fosse responsável por todos os defeitos, encontrar a causa de muitos deles permitiu ao gerente aumentar a qualidade de suas operações.

Figura 5.11 (a) Fluxograma para um caixa

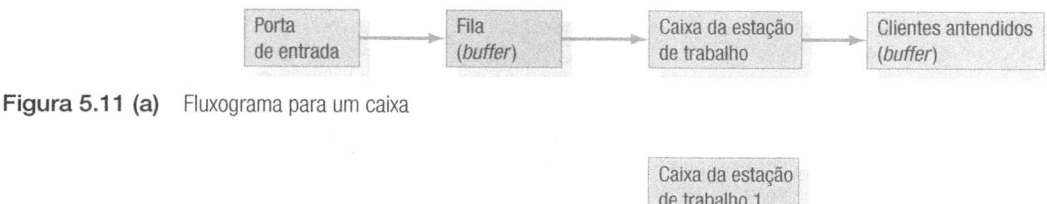

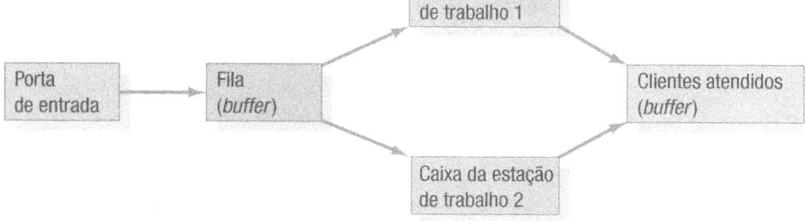

Figura 5.11 (b) Fluxograma para dois caixas

pessoas chegam à porta, quanto tempo o caixa leva para atender um cliente e o comprimento máximo da fila. Os primeiros dois fragmentos de informação são descritos por distribuições estatísticas. Cada um dos três modelos é executado 30 vezes, simulando as horas de 9 às 11 da manhã. As estatísticas são coletadas pelo SimQuick e resumidas. A Figura 5.12 mostra os principais resultados para o modelo do processo original de um caixa como produzido pelo SimQuick (muitas outras estatísticas são coletadas, mas não são exibidas aqui).

Os números mostrados na Figura 5.12 são médias obtidas ao longo das 30 simulações. O nível de serviço para Porta nos diz que 90 por cento dos clientes simulados que chegaram ao banco conseguiram entrar na fila (conseqüentemente, 10 por cento acharam a fila grande e saíram imediatamente). O inventário médio para Fila revela que, em média, 4,47 clientes simulados estavam na fila. O tempo médio do ciclo mostra que os clientes simulados esperaram em média 11,04 minutos na fila.

Quando executamos o modelo com dois caixas, verificamos que o nível do serviço aumenta para 100 por cento, o inventário médio para Linha diminui para 0,37 clientes e o tempo médio do ciclo cai para 0,71 minutos. Tudo isso representou aperfeiçoamentos dramáticos. Quando executamos o modelo de um caixa com a máquina de leitura de cheques mais rápida, verificamos que o nível do serviço é 97 por cento o inventário médio para Fila é 2,89 clientes e o tempo médio do ciclo é 6,21 minutos. Essas estatísticas, junto com informações sobre custos, ajudam a administração a selecionar o melhor processo. Todos os detalhes para esse modelo (como também muitos outros) aparecem no livro *SimQuick: process simulation with Excel*, que é incluído, junto com o software do SimQuick, disponível no site de apoio deste livro.

REDESENHANDO O PROCESSO

Um médico detecta uma enfermidade após um exame completo do paciente e, em seguida, o médico recomenda tratamentos baseados no diagnóstico; o mesmo vale para os processos. Após um processo ser documentado, os dados coletados, e as incoerências, identificadas, o analista do processo ou a equipe de projeto deverá reunir um conjunto de mudanças que tornarão o processo melhor. Nesse passo, recorre-se às pessoas diretamente envolvidas no processo para que forneçam idéias e contribuições.

A seção Prática Gerencial 5.2 descreve como várias pessoas em um hospital se reuniram para aperfeiçoar seus processos, evitando a necessidade de acrescentar capacidade dispendiosa.

GERANDO IDÉIAS: INTERROGATÓRIO E *BRAINSTORMING*

Algumas vezes, idéias para reengenharia ou aperfeiçoamento de um processo se tornam aparentes depois de se documentar o processo cuidadosamente e examinar as áreas de desempenho abaixo do padrão, as interfaces entre departa-

Tipos de elementos	Nomes dos elementos	Estatísticas	Médias totais
Entrada(s)	Porta	Nível do serviço	0,90
Buffer amortecedor(es)	Fila	Inventário médio	4,47
		Tempo de ciclo médio	11,04

Figura 5.12 Resultados da simulação do banco

PRÁTICA GERENCIAL 5.2 — REDESENHANDO PROCESSOS NO BAPTIST MEMORIAL HOSPITAL

O Baptist Memorial Hospital – Memphis, a principal unidade do sistema de saúde do Baptist Memorial, é um hospital de tratamento com 706 leitos. Teve um problema de capacidade, ou assim parecia, com a taxa de ocupação habitualmente excedendo os 90 por cento. Os esforços de aperfeiçoamento do processo, por mais de cinco anos, levaram à centralização de tarefas de designação de leitos e adicionaram um novo sistema de rastreamento de leitos para fornecer informações sobre os leitos em tempo real. Esses aperfeiçoamentos reduziram o Tempo de Giro (TG) para a designação de leitos, mas a demanda continuou a exceder a capacidade. Em março de 2002, os hospitais de Memphis estavam ocupando as ambulâncias em uma média de 70 por cento do tempo. Os serviços de ambulância eram exauridos diariamente, e as tripulações das ambulâncias esperavam no Departamento de Emergência (DE) local por cerca de 90 minutos. A liderança do hospital de Memphis e o Conselho de Serviço de Emergência Médica decidiram eliminar o desvio, em vez de permitir que os pacientes fossem para o hospital preferido. Essa mudança resolveu a crise das ambulâncias, mas a crise maior se relacionava ao fluxo de pacientes deslocados para o DE.

A administração, as enfermeiras e os médicos adotaram uma filosofia de tolerância zero às barreiras e restrições ao fluxo. A primeira iniciativa foi abrir a Unidade de Admissão Rápida (UAR) sem acrescentar mão-de-obra adicional. A UAR é uma área exclusiva de 21 leitos que processa admissões diretas e do departamento de emergência. Desobrigando as enfermeiras da unidade do trabalho relacionado com admissões, removeu-se a responsabilidade das enfermeiras atarefadas da unidade por uma atividade especificamente tempo-intensiva. Os novos processos pareciam-se mais com um fluxo linear, com menos complexidade e variação. Todos os registros de dados e diagnósticos iniciais eram concluídos na UAR com um TG projetado de apenas 60 a 70 minutos. Os médicos não enviaram mais os pacientes para serem examinados no DE, porque isso era feito prontamente no UAR. As horas de espera no DE para pacientes admitidos foram reduzidas em 50 por cento.

O esforço seguinte para redesenhar o processo foi com o *aperfeiçoamento rápido de processos*, uma técnica de teste de idéias para mudanças em pequena escala, alterando os processos para aperfeiçoá-los e estendendo os processos para outras áreas quando forem bem-sucedidos. O primeiro teste foi enviar relatórios por fax do DE para a unidade receptora, o que eliminou o tempo gasto fazendo e retornando ligações. Três meses depois, esse processo se estendeu para toda a instalação. Outras mudanças incluíram escalar mais médicos e enfermeiras de triagem para trabalhar durante os períodos de pico, começando com procedimentos de diagnóstico de laboratório e radiografia na triagem, quando a DE estava lotada, e levando os pacientes diretamente para um quarto, quando havia um disponível, com a inscrição ao lado da cama. Uma das mudanças de maior influência foi a segmentação da população de atendimento de urgência dentro do DE, criando uma área de atendimento rápido que formou, basicamente, uma unidade médica secundária dentro do DE. Os pacientes com necessidades não-emergenciais anteriormente esperavam mais e requeriam a menor quantidade de tempo para tratamento, levando a grande descontentamento. *Reuniões fechadas* agora ocorrem pelo menos três vezes por dia. Esses encontros reúnem o supervisor da casa, o supervisor de administração interna e as enfermeiras encarregadas a fim de aperfeiçoar o planejamento do fluxo de leitos e fornecer mais informações para todos os interessados. O processo de saída também foi aperfeiçoado.

Os processos redesenhados reduziram a demora ao colocarem os pacientes do DE em um leito de internação e transferirem os pacientes da instalação de internação para instalações de tratamento a longo prazo. O TG para todo o DE foi reduzido em 9 por cento, mesmo enquanto o volume do DE estava aumentando. A permanência foi reduzida em dois dias, o equivalente a aumentar 12 leitos de UTI. A taxa de mortalidade caiu, o volume aumentou em 20 por cento e a satisfação do paciente aumentou do 10° percentil para o 85° percentil, de acordo com uma pesquisa conduzida pela Organização Gallup. O que, à primeira vista, parecia ser um problema de capacidade foi solucionado sem aumentar o pessoal ou o número de leitos — foi resolvido com processos redesenhados.

Fontes: Suzanne S. Horton, "Increasing capacity while improving the bottom line", *Frontiers of Health Services Management*, vol. 20, n. 4, verão de 2004, p. 17-23; Richard S. Zimmerman, "Hospital capacity, productivity, and patient safety — it all flows together", *Frontiers of Health Services Management*, vol. 20, n. 4, verão de 2004, p. 33-38.

---

mentos e os passos nos quais o contato com o cliente é alto. O Exemplo 5.3 ilustra como essa documentação indicou um modo melhor de manejar as placas de fibra por meio de melhor treinamento. Em outros casos, a melhor solução é a menos evidente. As idéias podem ser descobertas (porque há sempre um modo melhor) fazendo-se seis perguntas sobre cada passo do processo e sobre o processo como um todo:

1. *O que* está sendo feito?
2. *Quando* está sendo feito?
3. *Quem* está fazendo?
4. *Onde* está sendo feito?
5. *Como* está sendo feito?
6. *Como se sai* em relação aos diversos indicadores de desempenho?

As respostas a essas perguntas são colocadas em dúvida fazendo-se mais uma série de perguntas. *Por que* o processo está mesmo sendo feito? *Por que* está sendo feita e onde está sendo feito? *Por que* está sendo feito e quando está sendo feito?

A criatividade também pode ser estimulada pelo **brainstorming**, fazendo com que um grupo de pessoas com conhecimento sobre o processo proponha idéias para mudança, dizendo tudo o que vier à mente. Um facilitador registra as idéias em um *flip chart,* de modo que todos possam ver. Os participantes são desencorajados a avaliar quaisquer das idéias geradas durante a sessão. O propósito é encorajar a criatividade e conseguir tantas idéias quanto possível, não importando o quanto elas possam parecer incompatíveis. Os participantes não precisam ser limitados à equipe do projeto, desde que tenham visto ou ouvido a documentação do processo. Um número crescente de grandes companhias, como a Sun Life Financial e a Georgia-Pacific, está tirando proveito da Internet e de softwares especialmente projetados para executar sessões de *brainstorming*, que permitem que pessoas, em locais distantes, se 'encontrem' on-line e revejam soluções para problemas específicos. A tecnologia permite que os funcionários considerem as idéias um do outro, e se baseiem nelas, de modo que a idéia inicial de uma pessoa possa crescer em um plano prático.

Após o término da sessão de *brainstorming*, a equipe de projetos se move para a fase de 'tornar real': eles avaliam as diferentes idéias. A equipe identifica as mudanças que oferecem as melhores compensações para a revisão do processo. Reprojetar pode envolver questões de capacidade, layout, tecnologia ou até mesmo localização, as quais são discutidas em mais detalhes nos capítulos seguintes.

O processo redesenhado é documentado novamente, dessa vez como a visão 'após' o processo. As compensações esperadas são cuidadosamente estimadas, junto com os riscos. Para mudanças envolvendo investimentos, o valor temporal do dinheiro deve ser considerado (veja o Suplemento J, "Análise financeira," no site de apoio do livro). O impacto sobre as pessoas (habilidades, grau de mudança, requisitos de treinamento e resistência à mudança) também deve ser decomposto em fatores na avaliação do novo projeto.

BENCHMARKING

Esta pode ser outra fonte valiosa para o reprojeto do processo. O **benchmarking** é um procedimento sistemático que mede os processos, serviços e produtos de uma empresa, em comparação com os dos líderes da indústria. As empresas usam o *benchmarking* para compreender melhor como empresas-líderes atuam de modo que possam aperfeiçoar seus próprios processos.

O *benchmarking* focaliza a definição de metas quantitativas para aperfeiçoamento. O *benchmarking competitivo* é baseado em comparações com um competidor direto da indústria. O *funcional* compara áreas como administração, atendimento ao cliente, operações e de vendas com aquelas de empresas-líderes em qualquer indústria. Por exemplo, a Xerox fez o *benchmarking* de sua função de distribuição em comparação com a da L. L. Bean, afinal a Bean é renomada como um varejista líder em eficiência de distribuição e atendimento ao cliente.

O *benchmarking interno* envolve usar uma unidade organizacional com desempenho superior como a marca de referência para outras unidades. Esse modelo de *benchmarking* pode ser vantajoso para empresas que possuem várias unidades ou divisões de negócios. Todas as formas de *benchmarking* são mais bem aplicadas em situações em que se está procurando por um programa de aperfeiçoamento contínuo a longo prazo.

Medidas típicas usadas em *benchmarking* incluem custo por unidade, transtornos (avarias) nos serviços por cliente, tempo de processamento por unidade, taxas de retenção do cliente, receita por unidade, retorno de investimento e níveis de satisfação do cliente.

O *benchmarking* consiste em quatro passos fundamentais:

1. *Planejamento*: identificar o processo, serviço ou produto analisado por meio de *benchmarking* e a(s) empresas(s) a serem usadas para comparação; determinar os indicadores de desempenho para análise; coletar os dados.

2. *Análise*: determinar a lacuna entre o desempenho corrente da empresa e o da(s) empresa(s) que serve(m) como marco de referência; identificar as causas das falhas de desempenho significativas.

3. *Integração*: estabelecer metas e obter o apoio de gerentes que devem fornecer os recursos para o alcance das metas.

4. *Ação*: organizar equipes interfuncionais dos mais afetados pelas mudanças; elaborar planos de ação e tarefas da equipe; implementar os planos; monitorar o progresso; reajustar os marcos de referência quando as melhorias são feitas.

Coletar dados de *benchmarking* pode, algumas vezes, ser um desafio. Os dados de *benchmarking* interno são seguramente os mais acessíveis. Um modo de *benchmarking* está sempre disponível — rastrear o desempenho de um processo ao longo do tempo. Os dados de *benchmarking* funcional são, muitas vezes, coletados por associações profissionais ou empresas de consultoria. Várias corporações e organizações governamentais consentiram em compartilhar e padronizar marcos de referência de desempenho. O Centro de Qualidade e Produtividade Americano, uma organização sem fins lucrativos, criou milhares de medidas, como ilustra a Figura 5.13. A gama completa de indicadores pode ser consultada em www.apqc.org.

ADMINISTRANDO PROCESSOS

O fracasso em administrar processos é o fracasso em administrar negócios. Implementar um processo muito bem redesenhado é apenas o início para monitorar e aperfeiçoar continuamente os processos. As metas dos indicadores devem ser avaliadas continuamente e recompostas para se ajustar a requisitos variáveis. Evite os sete erros seguintes quando administrar processos.[1]

1. *Não estabelecer relação com assuntos estratégicos*: presta-se atenção especial aos processos essenciais, às prioridades competitivas, ao impacto da quantidade de clientes e do contato com os mesmos e ao ajuste estratégico durante a análise do processo?

2. *Não envolver as pessoas certas do jeito certo*: a análise do processo envolve de perto as pessoas desempenhando o processo ou as pessoas estreitamente relacionadas a ele como clientes e fornecedores internos?

3. *Não dar às equipes de projeto e aos analistas do processo autorização clara e, em seguida, considerá-los responsáveis*: a administração define expectativas para mu-

---

[1] RUMMLER, Geary A.; BRACHE, Alan P. *Improving performance*, 2. ed. São Francisco: Jossey-Bass, 1995, p. 126-133. (N. T.)

Processo de relacionamento com o cliente

- Custo total de 'admitir, processar e rastrear pedidos' por receita de 1.000 dólares.
- Custos do sistema de processo por receita de 100.000 dólares.
- Valor de vendas não realizadas devido a estoques esgotados, como percentual da receita.
- Percentual do valor de vendas de bens acabados que é devolvido.
- Tempo médio entre o recebimento da encomenda de vendas e a notificação da manufatura ou logística.
- Tempo médio em contato direto com o cliente por item de venda.

Processo de atendimento do pedido

- Valor de embarques da planta por funcionário.
- Rotação do estoque de bens acabados.
- Taxa de rejeição como percentual do total de pedidos processados.
- Percentual de pedidos devolvidos pelos clientes devido a problemas de qualidade.
- Tempo potencial padrão da admissão do pedido ao embarque.
- Percentual de pedidos enviados pontualmente.

Processo de desenvolvimento de novo serviço ou produto

- Percentual de vendas devido a serviços ou produtos lançados no ano anterior.
- Número de funcionários por 1.000 dólares de compras.
- Percentual de pedidos de compra aprovados eletronicamente.
- Time to market para projeto de aperfeiçoamento de serviço/produto existente.
- Time do market para projeto de novo serviço/produto.
- Tempo para lucratividade de projetos de aperfeiçoamento de serviço/produto existente.

Processo de relacionamento com o fornecedor

- Custo do processo de 'selecionar fornecedores e desenvolver/manter contratos' por receita de 1.000 dólares.
- Custo do processo de 'geração de novos serviços ou produtos' por receita de 1.000 dólares.
- Razão entre projetos sendo introduzidos no processo e projetos sendo concluídos no processo.
- Tempo médio para um pedido de compra.
- Número total de fornecedores ativos por 1.000 dólares de compras.
- Percentual do valor de material comprado que é certificado pelo fornecedor.

Processo de apoio

- Custos do sistema da função financeira por 1.000 dólares de receita.
- Percentual da equipe financeira dedicada à auditoria interna.
- Custo total de processos de pagamento de funcionários por 1.000 dólares de receita.
- Número de empregos aceitos como percentual da oferta de empregos.
- Custo total do processo de 'busca, recrutamento e seleção' por receita de 1.000 dólares.
- Taxa média de rotação de funcionários.

Figura 5.13 Indicadores ilustrativos de *benchmarking* por tipo de processo

dança e mantém a pressão para resultados? Permite paralisia nos esforços de aperfeiçoamento do processo exigindo análise excessiva?

4. *Não ficar satisfeito a menos que mudanças fundamentais de 'reengenharia' sejam realizadas*: a mudança radical a partir do processo de reengenharia é a esperada? Nesse caso, o efeito cumulativo de muitos aperfeiçoamentos pequenos, que poderiam ser realizados de modo incremental, pode ser perdido. Os esforços de administração do processo não devem ser limitados apenas à redução ou à reorganização, ainda que cargos possam ser eliminados ou a estrutura alterada. Não deve ser limitado a projetos de grande inovação tecnológica, embora a mudança tecnológica ocorra muitas vezes.

5. *Não considerar o impacto sobre as pessoas*: as mudanças estão alinhadas com as atitudes e habilidades das pessoas que devem implementar o processo redesenhado? É crucial compreender e lidar com o *aspecto pessoal* de mudanças do processo.

6. *Não dar atenção à implementação*: os processos são redesenhados, mas nunca implementados? Um ótimo trabalho de fluxogramas e *benchmarking* é de interesse apenas acadêmico se as mudanças propostas não forem implementadas. São requeridas práticas de administração de projetos sólidas.

7. *Não criar uma infra-estrutura para o aperfeiçoamento contínuo do processo*: o sistema de mensuração é adequado para monitorar indicadores-chave ao longo do tempo? Alguém está verificando se os benefícios previstos de um processo reprojetado estão realmente sendo constatados?

Os administradores devem se assegurar de que sua organização encontra novas lacunas de desempenho na busca contínua por aperfeiçoamentos do processo. Os esforços de redesenhar processos precisam ser parte de revisões periódicas e até mesmo de planos anuais. O próximo capítulo aborda a mensuração e, mais especificamente, um sistema de rastreamento de desempenho fundamental para a retroalimentação de informações (*feedback*) e esforços de aperfeiçoamento. A essência de uma organização em aprendizagem é o uso inteligente dessas informações.

PALAVRAS-CHAVE

análise de processos
benchmarking
blueprint de serviços
brainstorming
diagrama de causa–efeito
diagrama de dispersão
diagrama de Pareto
diagrama de processo
equipe de projeto
fluxograma
gráfico de barras
gráficos
histograma
indicadores
lista de verificação
simulação de processos
sistema de sugestões

PROBLEMA RESOLVIDO 1

Crie um fluxograma para o seguinte processo de encomenda por telefone em uma cadeia de varejo especializada na venda de livros e CDs musicais. Ela fornece um sistema de atendimento por telefone para seus clientes

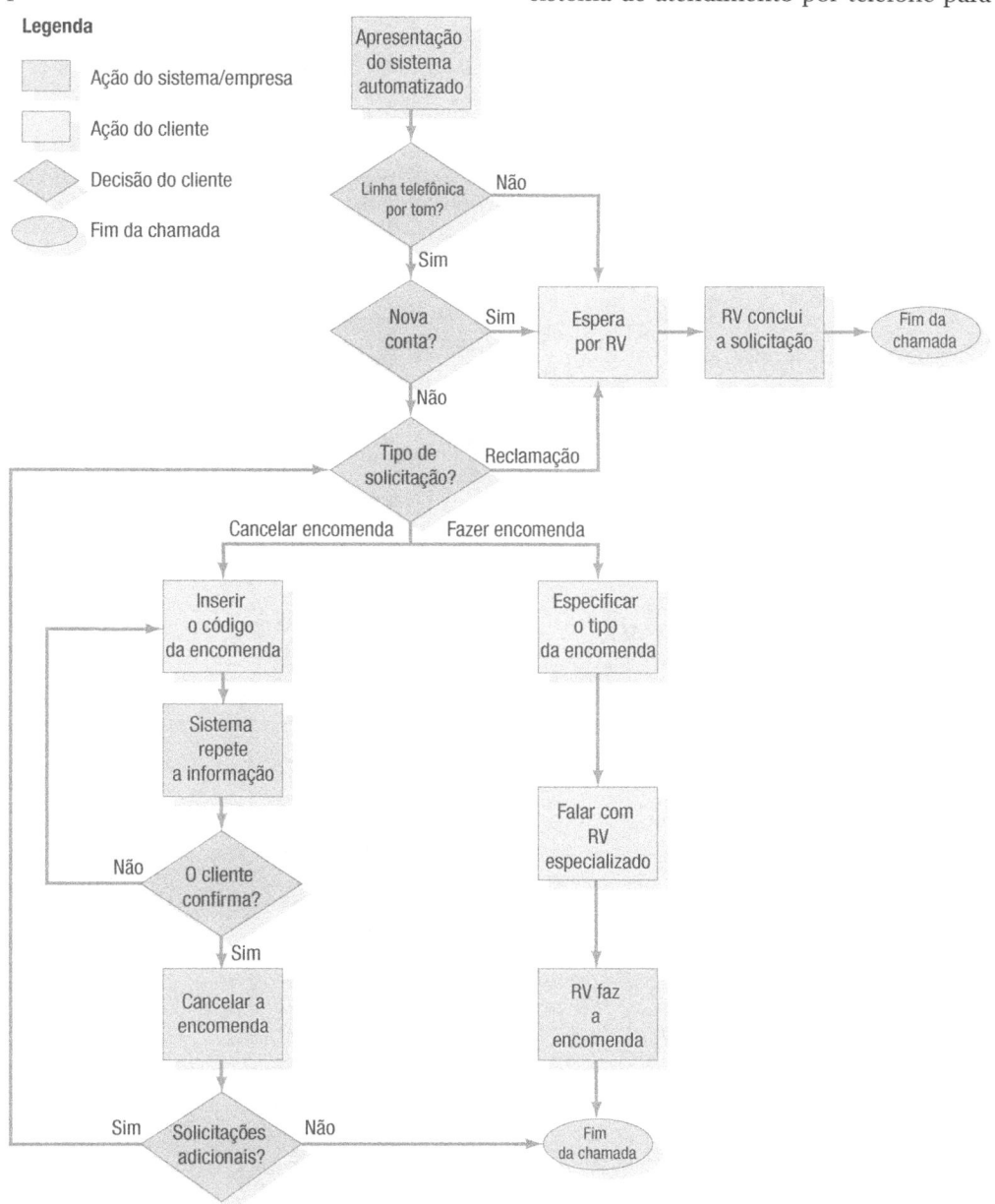

Figura 5.14 Fluxograma do processo de encomenda por telefone

que exigem um atendimento mais rápido, além de suas vendas em lojas comuns.

Primeiro, o sistema automatizado se apresenta aos clientes e identifica se eles têm uma linha telefônica por tom ou por pulso. Os clientes escolhem um, se tiverem uma linha telefônica por tom; caso contrário, esperam pelo primeiro representante de serviço disponível para processar seu pedido. Se os clientes têm uma linha telefônica por tom, eles completam seu pedido escolhendo opções no telefone. Primeiro, o sistema verifica se os clientes têm uma conta. Os clientes escolhem um se já tiverem uma conta, ou escolhem dois se quiserem abrir uma nova conta. Se escolherem dois, esperam pelo Representante de Vendas (RV) para abrir uma nova conta.

Em seguida, os clientes escolhem entre as opções de fazer uma encomenda, cancelar uma encomenda ou conversar com um representante para fazer perguntas ou reclamações. Se os clientes escolherem fazer uma encomenda, eles especificam o tipo de encomenda, como um livro ou um CD de música, e um representante especializado em livros ou CDs atenderá ao telefone para registrar o pedido. Se os clientes escolherem cancelar uma encomenda, eles esperam pela resposta automática. Ao inserir o código da encomenda por telefone, os clientes podem cancelar a encomenda. O sistema automatizado informa o nome do artigo encomendado e solicita a confirmação do cliente. Se o cliente confirmar o cancelamento da encomenda, o sistema cancelará a encomenda; caso contrário, o sistema pede para introduzir o código da encomenda novamente. Depois de responder à solicitação, o sistema pergunta se o cliente deseja solicita algo mais; se não, o processo termina.

SOLUÇÃO

A Figura 5.14 mostra o fluxograma.

PROBLEMA RESOLVIDO 2

Uma assistência técnica automobilística está tendo dificuldades em fazer trocas de óleo nos '29 minutos ou menos' mencionados em sua publicidade. Você analisará o processo de troca de óleo do motor de automóveis. O objeto da investigação é o mecânico. O processo começa quando o mecânico indica a chegada do cliente e termina quando o cliente paga pelos serviços.

SOLUÇÃO

A Figura 5.15 mostra o diagrama de processo concluído. O processo está dividido em 21 passos. Um resumo dos tempos e distâncias percorridas é mostrado no canto superior direito do diagrama de processo.

Processo: Trocar óleo do motor
Objeto: Mecânico
Início: Indicar a chegada do cliente
Término: Despesas totais, receber o pagamento

Atividade		Número de passos	Tempo (minutos)	Distância (pés)
Operação	●	7	16,50	
Transporte	➡	8	5,50	420
Inspeção	■	4	5,00	
Demora	▶	1	0,70	
Armazenamento	▼	1	0,30	

Passo Nº	Tempo (minutos)	Distância (pés)	●	➡	■	▶	▼	Descrição dos passos
1	0,80	50,0		X				Dirigir o cliente para a área de atendimento.
2	1,80		X					Registrar o nome e o serviço solicitado.
3	2,30				X			Abrir o capô, verificar o tipo de motor, inspecionar as mangueiras, verificar os fluidos.
4	0,80	30,0		X				Dirigir-se ao cliente na área de espera.
5	0,60		X					Recomendar serviços adicionais.
6	0,70					X		Esperar pela decisão do cliente.
7	0,90	70,0		X				Ir ao almoxarifado.
8	1,90		X					Procurar o(s) número(s) dos filtros, e localizá-lo(s).
9	0,40				X			Verificar o(s) número(s) dos filtros.
10	0,60	50,0		X				Levar o(s) filtro(s) para o *box* de serviço.
11	4,20		X					Executar serviços sob o carro.
12	0,70	40,0		X				Sair do *box* de serviços, dirigir-se ao automóvel.
13	2,70		X					Abastecer o motor com óleo, dar a partida no motor.
14	1,30				X			Examinar vazamentos.
15	0,50	40,0		X				Ir ao *box* de serviços.
16	1,00				X			Examinar vazamentos.
17	3,00		X					Limpar e organizar a área de trabalho.
18	0,70	80,0		X				Voltar ao carro e retirá-lo do *box* de serviço.
19	0,30						X	Estacionar o carro.
20	0,50	60,0		X				Dirigir-se à área de espera do cliente.
21	2,30		X					Calcular despesas totais e receber pagamento.

Figura 5.15 Diagrama de processo para troca de óleo do motor

Os tempos somam 28 minutos, o que não dá muito espaço para erro, se a garantia de 29 minutos deve ser satisfeita e o mecânico percorre um total de 420 pés.

PROBLEMA RESOLVIDO 3

O que você pode aperfeiçoar no processo mostrado na Figura 5.15?

SOLUÇÃO

Sua análise deve verificar as três idéias seguintes para aperfeiçoamento. Você também pode apresentar outras idéias:

a. *Mover o passo 17 para o passo 21*: os clientes não precisam esperar enquanto o mecânico limpa a área de trabalho.
b. *Armazenar pequenos estoques de filtros usados freqüentemente no box*: os passos 7 e 10 envolvem andar até o almoxarifado. Se os filtros forem colocados no *box*, uma cópia do material de referência também deve ser colocada no *box*, que deve ser organizado e bem iluminado.
c. *Usar dois mecânicos*: os passos 10, 12, 15 e 17 envolvem subir e descer os degraus do *box*. Boa parte desse percurso poderia ser eliminada. O tempo de serviço pode ser encurtado com dois mecânicos trabalhando simultaneamente, um no *box* e outro sob o capô.

PROBLEMA RESOLVIDO 4

Vera Johnson e Merris Williams fabricam creme hidratante. O processo de embalagem tem quatro passos: misturar, encher, tampar e etiquetar. Eles analisaram os defeitos relatados e observaram o seguinte.

Defeito	Freqüência
Pedaços de produto não misturado	7
Potes muito cheios ou vazios	18
Tampas dos potes não foram vedadas	6
Etiquetas enrugadas ou ausentes	29
Total	60

Faça um diagrama de Pareto para identificar os defeitos vitais.

SOLUÇÃO

As etiquetas defeituosas representam 48,33 por cento do número total de defeitos:

$$\frac{29}{60} \times 100\% = 48,33\%$$

Os potes enchidos impropriamente representam 30 por cento do número total de defeitos:

$$\frac{18}{60} \times 100\% = 30,00\%$$

O percentual cumulativo para os dois defeitos mais freqüentes é

$$48,33\% + 30,00\% = 78,83\%$$

Os pedaços representam $\frac{7}{60} \times 100\% = 11,67\%$ dos defeitos; o percentual cumulativo é

$$78,33\% + 11,67\% = 90,00\%$$

Os lacres defeituosos representam $\frac{6}{60} \times 100\% = 10\%$ dos defeitos; o percentual cumulativo é

$$10\% + 90\% = 100,00\%$$

O diagrama de Pareto é mostrado na Figura 5.16.

QUESTÕES PARA DISCUSSÃO

1. O aperfeiçoamento contínuo reconhece que muitos aperfeiçoamentos pequenos totalizam benefícios consideráveis. O aperfeiçoamento contínuo levará uma empresa do grau mais baixo de uma indústria ao topo? Explique.

2. A Companhia Hidrelétrica HEC tem três fontes de energia. Uma quantidade pequena de energia hidrelétrica é gerada represando rios bravios e pitorescos; uma segunda fonte de energia advém da queima de carvão, com emissões que geram chuva ácida e contribuem para o aquecimento global; a terceira fonte advém da fusão nuclear. As plantas da HEC movidas a carvão usam tecnologia de controle de poluição obsoleta e seria necessário um investimento de várias centenas de milhões de dólares para atualizá-la. Os ecologistas insistem para que a HEC promova a conservação e compre energia de fornecedores que usam combustíveis e tecnologias mais limpas.

Entretanto, a HEC já está sofrendo reduções nas vendas, que resultaram em bilhões de dólares investidos

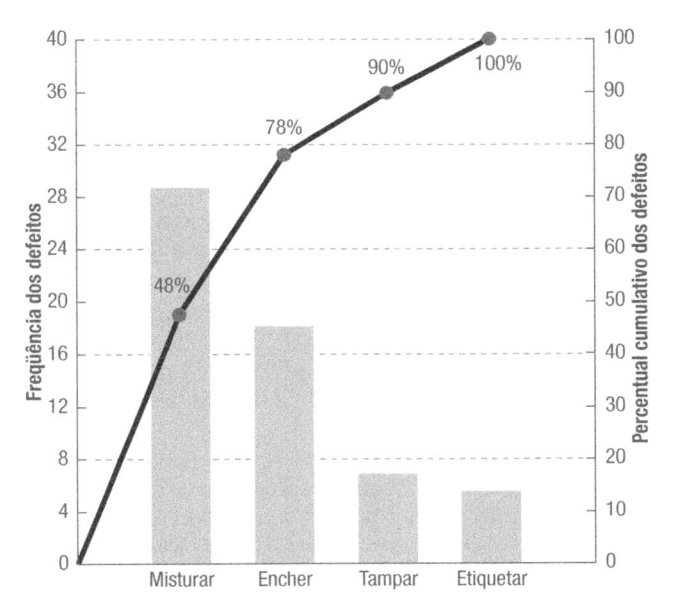

Figura 5.16 Diagrama de Pareto

em equipamento ocioso. Seus grandes clientes estão se aproveitando de leis que lhes permitem comprar energia de fornecedores de baixo custo. A HEC deve cobrir os custos fixos de capacidade inativa elevando as taxas cobradas de seus clientes restantes ou enfrentando a inadimplência de títulos (falência). A elevação das taxas motiva mais clientes a buscar fornecedores de baixo custo, o início de uma espiral fatal para a HEC. Para evitar aumentos de taxa adicionais, a HEC implementará um programa de redução de custos e suspenderá seus planos para atualizar os controles de poluição.

Elabore pontos de vista e discuta os problemas éticos, ambientais e políticos e os dilemas associados à estratégia da HEC.

PROBLEMAS

Softwares, como o OM Explorer, o Active Models e o POM for Windows são fornecidos no site de apoio do livro. Verifique com seu professor a melhor maneira de utilizá-los. Em muitos casos, o professor preferirá que você entenda como fazer os cálculos manualmente. No máximo, o software faz uma verificação de seus cálculos. Quando os cálculos são particularmente complexos e o objetivo é interpretar os resultados ao tomar decisões, o software substitui inteiramente os cálculos manuais. Ele também pode ser um recurso valioso depois que você concluir o curso.

1. Considere o caso da Custom Molds, Inc., no fim do Capítulo 4, "Estratégia de processos". Prepare um fluxograma do processo de fabricação de moldes e do processo de fabricação de partes, mostrando como estão relacionados. Para um bom tutorial sobre como criar fluxogramas, acesse o site www.hci.com.au/hcisite2/toolkit/flowchar.htm. Verifique também o tutorial de fluxograma do Excel no site de apoio do livro.

2. Faça o problema 1 usando uma planilha de diagrama de processos elaborada por você mesmo, que seja diferente do Solver de diagrama de processos do OM Explorer. Deve haver uma ou mais colunas para registrar informações ou indicadores que você considere relevantes, sejam eles contato com clientes externos, demoras, atrasos ou tempos de conclusão, sejam percentual de reprocessamento, custos, capacidade e taxas de demanda. Suas entradas devem mostrar que informações você coletaria, ainda que apenas uma parte esteja disponível no caso.

3. Fundada em 1970, a ABC é uma das maiores companhias de seguro do mundo com filiais em 28 países. Dada a descrição seguinte, faça um fluxograma do processo de encomenda de novas apólices, como ocorria em 1970.

   Clientes individuais que desejavam encomendar uma nova apólice visitavam um dos 70 escritórios das filiais da ABC ou entravam em contato com um agente. Preenchiam, em seguida, um formulário e, muitas vezes, anexavam um cheque. A filial envia o pacote de inscrição pela mala postal da empresa para a divisão XYZ em Londres. Além disso, um cliente também poderia preencher o formulário em casa e enviá-lo diretamente a várias filiais da ABC, que o transfeririam, então, para a operação de Londres. Uma vez recebido, a XYZ separava as várias partes do formulário, escaneava e o digitalizava. A imagem eletrônica era, então, recuperada de um servidor e enviada ao computador de um associado. O associado era responsável por inserir as informações no formulário em um banco de dados apropriado. Se as informações fornecidas no formulário estivessem completas, uma nota de confirmação era automaticamente impressa e enviada ao cliente. Se as informações estivessem incompletas, outro associado, treinado para atender o cliente por telefone, telefonaria para o cliente para obter as informações adicionais. Se o cliente observasse algo errado na nota de confirmação que recebeu, ele telefonaria para um número de ligação gratuita ou enviaria uma carta descrevendo o problema. A divisão de Solução de Problemas do Cliente lidava com problemas originados nesse ponto. Uma nota de confirmação atualizada era enviada ao cliente e, se as informações estivessem corretas, a transação de inscrição era concluída.

4. Resolva o problema 3 usando uma planilha de diagrama de processos elaborada por você mesmo, que seja diferente do Solver de diagrama de processos do OM Explorer. Deve haver uma ou mais colunas para registrar informações ou indicadores que você considere relevante coletar para analisar o processo (veja o Problema 2).

5. Prepare um fluxograma do processo da divisão de serviço de campo na DEF, como descrito a seguir. Comece do ponto em que um telefonema é recebido e termine quando um técnico concluir o trabalho.

   A DEF era uma empresa multibilionária que fabricava e distribuía uma grande variedade de equipamentos eletrônicos, fotográficos e de reprografia, usados em muitas aplicações de sistemas médicos e de engenharia. A Divisão de Assistência de Campo empregou 475 técnicos de assistência de campo que executavam reparos de manutenção e garantia no equipamento vendido pela DEF. Os clientes telefonavam para o Centro Nacional de Assistência da DEF (CNA), que recebia cerca de 3.000 telefonemas por dia. O CNA contratou cerca de 40 atendentes para atuar em sua central de atendimento ao cliente. Uma solicitação de assistência típica era recebida no CNA e encaminhada para um dos atendentes que inseria as informações sobre a máquina, o nome da pessoa que telefonou e o tipo de problema no sistema principal do computador da DEF. Em alguns casos, o atendente tentava ajudar o cliente a solucionar o problema. Entretanto, os atendentes eram capazes, no presente, de evitar apenas dez por cento das solicitações de assistência de manutenção de emergência recebidas. Se a solicitação de assistência não podia ser evitada, o atendente normalmente dizia o seguinte: "Dependendo da disponibilidade de nossos técnicos, você deve esperar a visita de um técnico algum dia entre hoje e (hoje + X)". ('X' era o tempo-de-resposta-alvo, baseado no número do modelo e na região.) Essa informação era fornecida ao cliente porque muitos deles queriam saber quando um técnico chegaria ao local.

Os atendentes inseriam as informações sobre a solicitação de assistência no sistema de computador da DEF, que, em seguida, enviava as informações eletronicamente para o centro de expedição regional designado para a locação do cliente. (A DEF tinha quatro centros de expedição regionais com um total de cerca de 20 despachantes.) As informações sobre a solicitação de assistência eram impressas em um cartão pequeno no centro de expedição. A cada hora, os cartões eram retirados da impressora e entregues ao despachante designado para a locação do cliente. O despachante colocava cada cartão em um quadro magnético abaixo do nome de um técnico que o despachante acreditava ser o candidato mais provável para atender à solicitação, dada a localização da máquina, a localização do técnico no momento e o perfil de treinamento do técnico. Após concluir a solicitação de assistência, os técnicos telefonavam para o despachante no centro de expedição regional, retiravam a solicitação e recebiam uma nova solicitação designada pelo despachante. Após receber a solicitação de assistência de um despachante, um técnico telefonava para o cliente para informar o tempo esperado de chegada, dirigia-se ao local onde o cliente estava, diagnosticava o problema, consertava a máquina, se as peças estivessem disponíveis no furgão, e, em seguida, telefonava para o despachante para a próxima solicitação. Se o técnico não tivesse as peças corretas para um conserto, o técnico informava o CNA e a peça era enviada como encomenda expressa para o cliente; o conserto era feito na manhã seguinte.

6. Resolva o problema 5 usando uma planilha de diagrama de processos elaborada por você mesmo, que seja diferente do Solver de diagrama de processos do OM Explorer. Deve haver uma ou mais colunas para registrar informações ou indicadores que você considere relevante coletar para analisar o processo (veja o Problema 2).

7. Sua turma se ofereceu para trabalhar voluntariamente para o referendo de 13 de novembro, que demanda ensino e livros grátis para todos os cursos da faculdade, exceto administração de operações. O apoio ao referendo inclui montar 10.000 emblemas no pátio (emblemas pré-impressos em papel resistente à água para serem colados e grampeados em um poste de madeira) em um sábado de outono. Construa um fluxograma e um diagrama do processo para montar os emblemas no pátio. Que insumos em termos de materiais, esforço humano e equipamento estão envolvidos? Estime a quantidade de voluntários, grampos, cola, equipamento, espaço no gramado e na garagem e a quantidade de pizzas necessárias.

8. Suponha que você está encarregado de uma grande mala-direta para os alunos de sua faculdade, convidando-os a contribuir para um fundo de bolsa de estudos. As cartas e envelopes foram endereçados individualmente (não foram usadas etiquetas para mala-direta). As cartas devem ser dobradas e colocadas nos envelopes corretos, que devem ser fechados, e um selo comemorativo grande deve ser colocado no canto superior direito de cada envelope. Faça um diagrama de processos para essa atividade, supondo que é uma operação executada por uma pessoa. Estime quanto tempo será necessário para encher, fechar e selar 2.000 envelopes. Suponha que a pessoa fazendo esse trabalho receba oito dólares por hora. Quanto custará para processar 2.000 cartas, tendo por referência sua estimativa de tempo? Considere como cada uma das mudanças seguintes afetaria individualmente o processo:
   - Cada carta tem a saudação 'Querido aluno ou aluna', em vez do nome da pessoa.
   - Etiquetas para mala-direta são utilizadas e têm que ser colocadas nos envelopes.
   - Envelopes pré-selados são usados.
   - Envelopes são selados na medida em que ocorre a postagem.
   - Envelopes de janela são usados.
   - Um envelope pré-endereçado para contribuições é incluído a cada carta.
   a. Dadas suas estimativas de tempo, qual dessas mudanças reduziria o tempo e o custo do processo?
   b. É provável que alguma dessas mudanças reduza a efetividade da mala-direta? Nesse caso, quais? Por quê?
   c. É provável que mudanças que aumentam tempo e custo aumentem a efetividade da mala-direta? Por que sim ou por que não?
   d. Que outros fatores precisam ser considerados para esse projeto?

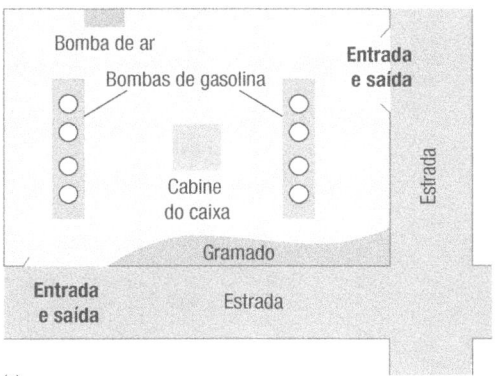

9. Diagramas de dois postos de gasolina de auto-serviço, ambos localizados em esquinas, são mostrados na Figura 5.17 (a e b). Ambos têm duas fileiras de quatro bombas e uma cabine em que um atendente recebe o pagamento pela gasolina. Em nenhum dos postos é necessário que o cliente pague com antecedência. As saídas e as entradas são marcadas nos diagramas. Analise os fluxos de carros e pessoas em cada posto.
   a. Qual estação tem os fluxos mais eficientes do ponto de vista do cliente?
   b. Qual estação provavelmente perderá mais clientes potenciais que não podem ter acesso às bombas porque outro carro está voltado para outra direção?
   c. Em qual estação um cliente pode pagar sem sair do carro?

(a)

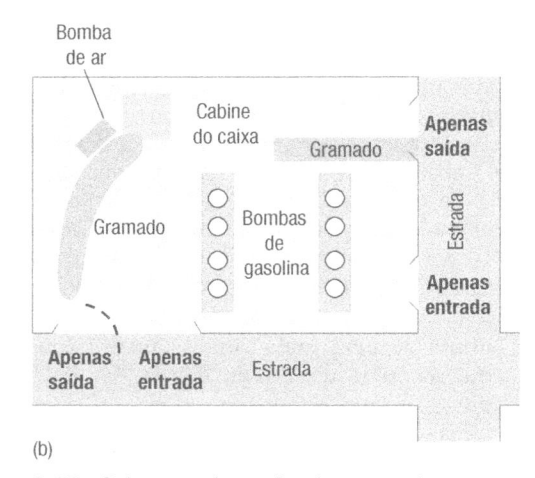

Figura 5.17 Dois postos de gasolina de auto-serviço

a. Complete o resumo (parte superior direita da figura) do diagrama.
b. Qual é o custo de trabalho total associado com o processo?
c. Como essa operação pode se tornar mais eficiente? Faça um diagrama de processos aperfeiçoado. Qual será a economia de trabalho anual se esse novo processo for implementado?

10. A administração do restaurante Just Like Home pediu que você analisasse alguns de seus processos. Um deles é preparar um copinho de sorvete com uma concha de sorvete. Os copinhos podem ser pedidos por um garçom (para serviço de mesa) ou por um cliente (para viagem). A Figura 5.18 ilustra o diagrama de processos para essa operação.
    - O funcionário do balcão de sorvete ganha dez dólares por hora (incluindo benefícios adicionais variáveis).
    - O processo é executado dez vezes por hora (em média).
    - O restaurante está aberto 363 dias por ano, dez horas por dia.

11. Como um assistente graduado, suas obrigações incluem avaliar e manter registros das lições de casa do curso de administração de operações. Cinco seções para cada 40 alunos são oferecidas todo semestre. Alguns alunos graduados freqüentam as seções três e quatro. Os alunos graduados devem terminar algum trabalho adicional de padrões mais altos em cada tarefa. Todo aluno entrega (ou se espera que entregue) diretamente (debaixo da) na porta de seu escritório uma lição de casa toda terça-feira. Sua tarefa é corrigir a lição, registrar as notas, classificar os trabalhos por seção da classe, classificar em ordem alfabética de acordo com o último nome do aluno e devolver os trabalhos de casa para os instrutores apropriados (não necessariamente nessa ordem). Há algumas complicações. A maioria dos alunos assina seus nomes de modo legível, outros identificam seu trabalho com o número de ID correto, e alguns não fazem nem uma coisa nem outra. Raramente os alunos identificam seu número de seção ou sua condição de graduados. Prepare uma lista de passos do diagrama do processo e os coloque em uma seqüência eficiente.

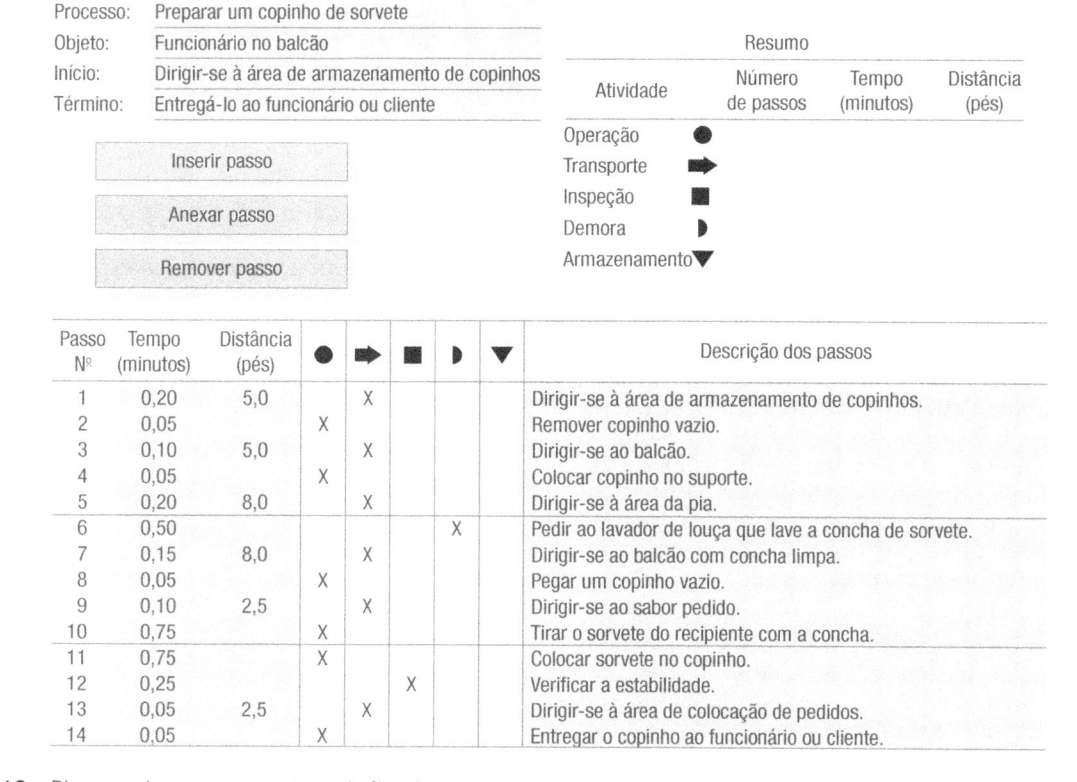

Processo: Preparar um copinho de sorvete
Objeto: Funcionário no balcão
Início: Dirigir-se à área de armazenamento de copinhos
Término: Entregá-lo ao funcionário ou cliente

Resumo

Atividade		Número de passos	Tempo (minutos)	Distância (pés)
Operação	●			
Transporte	➡			
Inspeção	■			
Demora	D			
Armazenamento	▼			

Inserir passo
Anexar passo
Remover passo

Passo Nº	Tempo (minutos)	Distância (pés)	●	➡	■	D	▼	Descrição dos passos
1	0,20	5,0		X				Dirigir-se à área de armazenamento de copinhos.
2	0,05		X					Remover copinho vazio.
3	0,10	5,0		X				Dirigir-se ao balcão.
4	0,05		X					Colocar copinho no suporte.
5	0,20	8,0		X				Dirigir-se à área da pia.
6	0,50					X		Pedir ao lavador de louça que lave a concha de sorvete.
7	0,15	8,0		X				Dirigir-se ao balcão com concha limpa.
8	0,05		X					Pegar um copinho vazio.
9	0,10	2,5		X				Dirigir-se ao sabor pedido.
10	0,75		X					Tirar o sorvete do recipiente com a concha.
11	0,75		X					Colocar sorvete no copinho.
12	0,25				X			Verificar a estabilidade.
13	0,05	2,5		X				Dirigir-se à área de colocação de pedidos.
14	0,05		X					Entregar o copinho ao funcionário ou cliente.

Figura 5.18 Diagrama de processo para troca de óleo do motor

12. No Departamento de Automóveis (DA), o processo de obtenção de placas para seu carro começa quando você entra na instalação e pega um número. Você caminha por uma distância de 50 pés até a área de espera. Durante sua espera, você conta mais ou menos 30 clientes que esperam pelo serviço. Você observa que muitos clientes ficam desanimados e partem. Quando um número é chamado, se um cliente está presente, o bilhete é verificado por uma pessoa uniformizada, e o cliente é encaminhado ao balconista disponível. Se não está presente, vários minutos são perdidos enquanto o mesmo número é chamado repetidamente. No fim, o próximo número é chamado e, muitas vezes, esse cliente também saiu. O balconista do DA agora permanece ocioso por vários minutos, mas não parece se importar.

    Um homem desleixado trata com desconsideração o distribuidor de senhas, pega vários bilhetes do chão e retorna a sua cadeira. Um recém-chegado, carregando uma pilha de papel e parecendo-se com um revendedor de carros, vai diretamente até o homem desleixado. Algo acontece. Mais alguns números são chamados e é o número do revendedor de carros! Depois de quatro horas, seu número é chamado e verificado pela pessoa uniformizada. Você caminha 60 pés até o balconista e o processo de pagar os impostos de consumo sobre mercadorias da cidade é concluído em quatro minutos. O balconista, então, o encaminha para a área de espera para pagar o imposto estadual sobre propriedade pessoal, a 80 pés de distância. Irritado, você pega um número diferente e se senta com alguns clientes diferentes que estão apenas renovando licenças. Você nota o mesmo homem desleixado. Uma espera de 1 hora e 40 minutos dessa vez e, após uma caminhada de 25 pés, você paga os impostos sobre propriedade em um processo que leva dois minutos. Agora que pagou os impostos, você está qualificado a pagar as taxas de registro e licença. Esse departamento está a 50 pés, além do restaurante dos funcionários. Enquanto caminha pelo restaurante, você nota o homem desleixado tomando café com uma pessoa uniformizada.

    Os clientes do registro e da licença são chamados na mesma ordem em que os impostos sobre propriedade pessoal foram pagos. Há uma espera de apenas dez minutos e um processo de três minutos. Você recebe sua placa de carro, leva um minuto para insultar o balconista da licença e sai exatamente seis horas depois de chegar.

    Faça um diagrama para descrever esse processo e sugira aperfeiçoamentos.

13. Adote o diagrama de processo para a troca de óleo do automóvel no Problema Resolvido 2. Calcule o custo de trabalho anual se:
    - o mecânico ganha 40 dólares por hora (incluindo benefícios adicionais variáveis).
    - o processo é executado duas vezes por hora (em média).
    - a oficina está aberta 300 dias por ano, dez horas por dia.

    a. Qual é o custo de trabalho total associado ao processo?
    b. Se os passos 7, 10, 12 e 15 forem eliminados, estime a economia anual de trabalho associada à implementação desse novo processo.

14. O administrador da Perrotti's Pizza coleta dados relativos a reclamações dos clientes sobre entrega. As pizzas estão chegando tarde ou estão sendo entregue pizzas erradas.

Problema	Freqüência
Recheio preso à tampa da caixa	17
Pizza está atrasada	35
Recheio ou combinação errados	9
Tipo errado de casca	6
Tamanho errado	4
Pizza está parcialmente comida	3
Pizza nunca apareceu	6

    a. Use um diagrama de Pareto para identificar os 'poucos e vitais' problemas de entrega.
    b. Use um diagrama de causa–efeito para identificar causas potenciais do atraso na entrega de pizza.

15. A Smith, Schroeder e Torn é uma empresa de mudanças que transporta mobília doméstica em pequenos trajetos. A força de trabalho da SST, selecionada do time de futebol universitário da comunidade local, é temporária e de meio período. A SST está preocupada com reclamações recentes, conforme apresentada na folha de controle a seguir.

Reclamação	Contas
Vidro quebrado	|||| |||| |||
Entrega no endereço errado	|||| ||||
Mobília arranhada no interior do caminhão	|||| |||| |||| ||||
Entrega atrasada	||||
Atraso para apanhar a mobília	|||| |||| |||| |||
Artigos faltando	|||| |||| |||| |||| ||||	
Cortes e arranhões devido à brutalidade no manuseio	|||| ||||
Tapeçaria manchada	|||| |||

    a. Desenhe um gráfico de barras e um diagrama de Pareto para identificar os problemas de mudança mais sérios.
    b. Use um diagrama de causa–efeito para identificar causas potenciais de reclamações.

16. Rick DeNeefe, gerente do departamento de autorização de crédito do Golden Valley Bank, percebeu recentemente que um competidor importante estava anunciando que solicitações de empréstimo em forma de participação poderiam ser aprovadas dentro de dois dias úteis. Uma vez que a aprovação de crédito

rápida era uma prioridade competitiva, DeNeefe quis verificar se seu departamento estava se saindo bem em relação ao competidor. O Golden Valley identifica cada solicitação com a data e o momento em que é recebida e, novamente, quando uma decisão é tomada. Um total de 104 solicitações foram recebidas em março. O tempo exigido para cada decisão, arredondado para a hora mais próxima, é mostrado na tabela seguinte. Os empregados da Golden Valley trabalham oito horas por dia.

Tempo do processo de decisão	Freqüência
7-9 horas	8
10-12 horas	19
13-15 horas	28
16-18 horas	10
19-21 horas	25
22-24 horas	4
25-27 horas	10
	Total 104

a. Faça um gráfico de barras para esses dados.
b. Analise os dados. Como o Golden Valley Bank está se saindo no que se refere a essa prioridade competitiva?

17. No último ano, o gerente do departamento de serviço da East Woods Ford instituiu um programa de opinião do cliente para descobrir como aperfeiçoar seus serviços.

Uma semana após a execução de um serviço em um veículo, um assistente chamou o cliente para descobrir se o trabalho havia sido feito satisfatoriamente e como o serviço podia ser aperfeiçoado. Depois de um ano coletando dados, o assistente descobriu que as reclamações podiam ser agrupadas nas cinco categorias, como mostra a tabela a seguir.:

Reclamação	Freqüência
Atmosfera hostil	5
Espera longa pelo serviço	17
Preço muito alto	20
Conta incorreta	8
Necessidade de retornar para corrigir problema	50
	Total 100

a. Faça um diagrama de barras e um diagrama de Pareto para identificar os problemas de serviço significativos.
b. Use um diagrama de causa – efeito para identificar causas potenciais de reclamações.

18. A Oregon Fiber Board faz revestimentos de teto para a indústria automotiva. O gerente industrial está preocupado com a qualidade do produto. Ele suspeita que um defeito específico, rasgões no tecido, está relacionado com a magnitude da série de produção. Uma assistente coleta os seguintes dados dos registros de produção.

Série	Magnitude	Defeitos (%)	Série	Magnitude	Defeitos (%)
1	1.000	3,5	11	6.500	1,5
2	4.100	3,8	12	1.000	5,5
3	2.000	5,5	13	7.000	1,0
4	6.000	1,9	14	3.000	4,5
5	6.800	2,0	15	2.200	4,2
6	3.000	3,2	16	1.800	6,0
7	2.000	3,8	17	5.400	2,0
8	1.200	4,2	18	5.800	2,0
9	5.000	3,8	19	1.000	6,2
10	3.800	3,0	20	1.500	7,0

a. Faça um diagrama de dispersão para esses dados.
b. Parece haver uma relação entre a magnitude da série e o percentual de defeitos? Que implicações esses dados têm para os negócios da Wellington?

19. A Grindwell, Inc., fabricante de ferramentas de corte, está preocupada com a durabilidade de seus produtos, o que depende da permeabilidade das misturas de sedimento usadas na produção. Suspeitando que o teor de carbono poderia ser a causa do problema, o gerente da planta coletou os seguintes dados:

Teor de carbono (%)	Índice de permeabilidade
5,5	16
3,0	31
4,5	21
4,8	19
4,2	16
4,7	23
5,1	20
4,4	11
3,6	20

a. Faça um gráfico de dispersão para esses dados.
b. Há uma relação entre permeabilidade e teor de carbono?
c. Se a baixa permeabilidade é desejável, o que o gráfico de dispersão sugere no que se refere ao teor de carbono?

20. O gerente de operações da Superfast Airlines, no Aeroporto O'Hare de Chicago, verificou um aumento no número de partidas de vôo atrasadas. Ele fez um *brainstorming* sobre as possíveis causas com seu pessoal:

- Aeronave atrasada para o terminal de embarque.
- Aceitação de passageiros atrasados.
- Passageiros chegam tarde ao terminal de embarque.
- Demoras no processamento de passageiros no terminal de embarque.
- Bagagem atrasada para a aeronave.
- Outras pessoas atrasadas ou itens indisponíveis.
- Falhas mecânicas.

Faça um diagrama de causa–efeito para organizar as causas possíveis de partidas de vôos atrasadas nas seguintes categorias principais: equipamento, pessoal, material, procedimentos e 'outros fatores', além do controle administrativo. Forneça um conjunto detalhado de causas para cada causa principal identificada pelo gerente de operações e as incorpore a seu diagrama de causa–efeito.

21. A Plastomer, Inc. é especializada na fabricação de filme plástico de primeira qualidade, usado para embrulhar produtos alimentícios. O filme é rejeitado e descartado por uma variedade de razões (por exemplo, opacidade, alto teor de carbono, espessura ou medidas incorretas, arranhões etc.). Durante o último mês, a administração coletou dados sobre os tipos de refugo e a quantidade de sobras gerada por cada tipo. A tabela a seguir apresenta os resultados:

Tipo de defeito	Quantidade de sobras (libras)
Bolhas de ar	500
Rupturas de bolhas	19.650
Teor de carbono	150
Dessemelhança	3.810
Espessura ou medida	27.600
Opacidade	450
Arranhões	3.840
Acabamento	500
Dobras	10.650

Faça um diagrama de Pareto para identificar que tipo de defeito a administração deve tentar eliminar primeiro.

22. A administração de uma empresa de engarrafamento de xampu introduziu uma nova embalagem de 13,5 onças e usou uma máquina existente, com algumas modificações, para enchê-la. Para medir a consistência do processo de enchimento pela máquina modificada (configurada para encher 13,85 onças), um analista coletou os dados seguintes (volume em onças) para uma amostra aleatória de 100 garrafas:

13,0 13,3 13,6 13,2 14,0 12,9 14,2 12,9 14,5 13,5
14,1 14,0 13,7 13,4 14,4 14,3 14,8 13,9 13,5 14,3
14,2 14,1 14,0 13,9 13,9 14,0 14,5 13,6 13,3 12,9
12,8 13,1 13,6 14,5 14,6 12,9 13,1 14,4 14,0 14,4
13,1 14,1 14,2 12,9 13,3 14,0 14,1 13,1 13,6 13,7
14,0 13,6 13,2 13,4 13,9 14,5 14,0 14,4 13,9 14,6
12,9 14,3 14,0 12,9 14,2 14,8 14,5 13,1 12,7 13,9
13,6 14,4 13,1 14,5 13,5 13,3 14,0 13,6 13,5 14,3
13,2 13,8 13,7 12,8 13,4 13,8 13,3 13,7 14,1 13,7
13,7 13,8 13,4 13,7 14,1 12,8 13,7 13,8 14,1 14,3

a. Faça um histograma para esses dados.
b. Garrafas com menos de 12,85 onças ou mais de 14,85 onças são consideradas fora de especificação. Baseando-se nos dados da amostra, que percentual de garrafas enchidas pela máquina estará fora de especificação?

PROBLEMAS AVANÇADOS

23. Esse problema deve ser resolvido como um exercício em grupo.

    Barbear é um processo que a maioria dos homens executa toda manhã. Suponha que o processo comece na pia do banheiro com o homem caminhando (diga, 5 pés) para o armário (em que seu material de barbear é armazenado) para pegar tigela, sabão, pincel e aparelho para barbear. Ele caminha de volta para a pia, deixa a água correr até que fique morna, ensaboa o rosto, barbeia-se e inspeciona os resultados. Em seguida, ele enxágua o aparelho de barbear, seca o rosto, dirige-se ao armário para devolver a tigela, o sabão, a escova e o aparelho de barbear e volta para a pia para limpá-la e concluir o processo.

    a. Elabore um diagrama de processo para a barbeação. (Suponha valores apropriados para o tempo exigido para as diversas atividades envolvidas no processo.)
    b. Faça um *brainstorming* para obter idéias capazes de aperfeiçoar o processo de barbear. (Não tente avaliar as idéias até que o grupo tenha compilado uma lista o mais completa possível. De outra maneira, o julgamento bloqueará a criatividade.)

24. Na Conner Company, um fabricante de placas de circuito impressas sob encomenda, as placas acabadas são submetidas a uma inspeção final antes do envio a seus clientes. Como administrador de garantia de qualidade da Conner, você é responsável por fazer uma apresentação para a administração sobre os problemas de qualidade no princípio de cada mês. Seu assistente analisou os memorandos de refugo para todas as placas de circuito que foram rejeitadas durante o último mês. Ele deu a você um relatório sucinto listando o número de referência da placa de circuito e a razão para rejeição a partir de uma das seguintes categorias:

    A = Cobertura de eletrólito insatisfatória
    B = Laminação imprópria
    C = Baixa galvanização de cobre
    D = Separação de galvanização
    E = Gravação imprópria

    Para as 50 placas de circuito que haviam sido rejeitadas no último mês, o relatório sucinto mostrou o seguinte:

    C B C C D E C C B A D A C C C B C A C D C A C C B

    A C A C B C C A C A A C C D A C C C E C C A B A C

    a. Prepare uma folha de controle (ou lista de verificação) das diferentes razões para rejeição.
    b. Elabore um diagrama de Pareto para identificar os tipos mais significativos de rejeição.
    c. Examine as causas do tipo mais significativo de defeito, usando um diagrama de causa – efeito.

CASO — O caso Brasilata

A Brasilata é uma empresa de capital totalmente nacional e a segunda maior empresa do setor de latas de aço brasileiro, que emprega, ao todo, 900 funcionários em suas três unidades fabris: São Paulo (SP), Estrela (RS) e Rio Verde (GO).

Em dez anos, seu crescimento foi espetacular, o que dobrou seu consumo anual de aço. Em 2007, esse consumo foi de 50 mil toneladas e seu faturamento bruto atingiu 210 milhões de dólares. Com esse crescimento, a Brasilata consolidou-se no mercado brasileiro como produtora de embalagens de aço complexas, isto é, as embalagens que têm mais de três peças (componentes) — em geral tampa, anel, corpo e fundo – e que se destinam a embalar produtos de consumo progressivo, nos quais a embalagem deve continuar a conservar o produto, mesmo após a primeira abertura, ou seja, as latas devem ter a possibilidade de serem abertas e fechadas várias vezes.

A empresa adota um modelo de gestão com as seguintes características: participação de todos os níveis, a partir do próprio planejamento estratégico; objetivos definidos para cada um dos stakeholders; melhoria contínua e aprendizado coletivo. Em 1991, introduziu a participação nos lucros e resultados (quase quatro anos antes da legislação) e, mesmo diante de crises como a do início da década de 2000, a empresa sempre procurou preservar seu pessoal. Esse modelo de gestão é a base de seus processos de inovações em produto e processo e tem feito com que ela ganhe praticamente todos os prêmios conferidos às empresas do setor. O prêmio mais importante, no entendimento da diretoria da Brasilata, foi ter sido escolhida como um dos melhores lugares para se trabalhar no Brasil, nos anos de 2000, 2001, 2004 e 2007, de acordo com pesquisa do instituto internacional Great Place to Work. Em 2006, foi a sexta colocada no Ranking Exame de Inovação e Intraempreendedorismo no Brasil. Em 2007, esteve entre as três primeiras empresas colocadas no Índice Brasil de Inovação (IBI), sendo a primeira em sua categoria.

A Brasilata não possui um centro ou unidade de P&D nos moldes de uma indústria de base tecnológica ou intensiva em P&D e, no entanto, tem apresentado um ritmo de inovações elevado, com inovações não somente de pequena monta ou melhorias em produtos e processos, mas também inovações de vulto, como o Fechamento Plus. O Fechamento Plus criado pela Brasilata não é um aperfeiçoamento, e sim uma ruptura que introduz uma solução completamente diferente da tradicional, e que provavelmente se tornará o novo padrão, pois é três vezes mais resistente que o fechamento por atrito, mais fácil de abrir e de fechar, e apresenta uma economia de material que, dependendo do diâmetro da lata, varia entre 19 por cento e 25 por cento no conjunto anel-tampa, quando comparado com o sistema convencional. As vantagens são tantas que, somente no mercado norte-americano, a adoção do novo sistema produziria economia anual superior a dez milhões de dólares, de acordo com uma estimativa conservadora.

Sua área tecnológica é o chão da fábrica e todos podem participar de alguma forma, por meio de um sistema de garimpagem de idéias implantado por ocasião da introdução do just-in-time. Assim, sugestões são estimuladas e agradecidas mesmo quando a idéia não se traduz em algo prático. As inovações de produto e de processo nascem nesse ambiente em que, de modo análogo a um permanente brainstorming, as pessoas exercitam sua criatividade e sentem confiança para dar sua contribuição, uma vez que percebem que a empresa também se preocupa com elas.

O Projeto Simplificação é um canal formal para apresentação de idéias que contribuiu para milhares de mudanças internas, e a maioria delas são inovações em processos, embora algumas tenham resultado em novos e vitoriosos produtos. O funcionário é estimulado a apresentar idéias, em grupo ou isoladamente, que possam melhorar o produto ou o processo administrativo ou operacional, e recebe uma premiação após a aprovação da idéia.

A tabela a seguir mostra a evolução do número de idéias geradas pelos funcionários nos últimos anos. O projeto acontece em duas etapas anuais nas unidades e uma anual, chamada de Supercopa, em que são reunidas as melhores idéias de todas as unidades, que competem entre si. Os prêmios geralmente são ganhos por equipes formadas por cinco ou mais pessoas, nas quais o idealizador desenvolve sua idéia com a ajuda do mecânico, do eletricista, dos operadores das máquinas etc. Mesmo as idéias não aproveitadas são recompensadas, ainda que de modo simbólico, e consideradas um investimento pela diretoria da Brasilata.

Tabela 1: Projeto Simplificação: idéias geradas nos últimos anos

Ano	Número de idéias	Idéias por funcionário / ano	Porcentagem de aprovação
1997	243	0,30	-
1998	491	0,61	-
1999	834	0,93	-
2000	896	0,97	43%
2001	2.453	2,68	-
2002	10.387	11,6	47%
2003	28.940	31,8	43%
2004	31.922	34,3	62%
2005	45.364	48,7	82%
2006	105.402	121,1	90%

O número de idéias geradas em 1999 e em 2000 era considerado baixo quando confrontado com as estatísticas das empresas japonesas que, segundo a Japan HR Association mostrava, em 1989, a média anual de 36 sugestões por funcionário.

Utilizando-se do instrumental da norma ISO 9000, imediatamente abriu uma ação preventiva que indicou, em poucos dias, as prováveis causas para o 'baixo' nível de idéias: demora no processo de avaliação, demora na execução das idéias aprovadas e pouco envolvimento de algumas chefias. A ação preventiva foi encerrada e imediatamente uma ação corretiva foi aberta. A estrutura de coordenação do Projeto Simplificação foi reforçada e o problema foi atacado em várias frentes. Em menos de 60 dias, o número de idéias triplicou e, em 2001, fechou com um total de 2.453 idéias (2,68 por funcionário)

Novas idéias realimentaram o próprio sistema, elevando o número para 10.387 em 2002 e 28.940 em 2003, 31,77 por funcionário, com um dado muito importante: o percentual de idéias aprovadas permaneceu praticamente o mesmo de antes: aproximadamente 60 por cento. Em 2006, o número de idéias ultrapassou a casa dos cem mil, com um índice de aproveitamento de 90 por cento.

Esses números são raros até no Japão.

QUESTÕES

1. Quais problemas podem surgir na implementação de sistemas de sugestão como o realizado na Brasilata? Caso você tenha acesso, pesquise outras empresas que utilizam esse sistema para melhoria de seus processos e produtos e observe se há problemas.

2. Quais são as razões do sucesso na implementação do Sistema de Sugestões da Brasilata?

3. Como melhorar ainda mais o sistema de sugestões da Brasilata? Pense na participação de outros stakeholders.

Caso desenvolvido pelos professores Antonio Carlos Teixera Álvares e José Carlos Barbieri da FGV – EAESP.

REFERÊNCIAS SELECIONADAS

ANDERSON, Merrill C. "Transforming human resources: maximizing value while increasing productivity", *National Productivity Review*, vol. 17, n. 3, outono de 2000, p. 75-80.

ANUPINDI, Ravi; CHOPRA, Sunil; DESHMUKJ, Sudhakar D.; VAN MIEGHEM, Jan A.; ZEMEL, Eitan. *Managing business process flows*. Upper Saddle River, NJ: Prentice Hall, 1999.

BANKER, R. D.; FIELD, J. M.; SCHROEDER, R. G.; SINHA, K. K.. "Impact of work teams on manufacturing performance: a longitudinal field study", *Academy of Management Journal*, vol. 39, n. 4, 1996, p. 867-890.

COLLIER, D. A. *The service/quality solution*. Burr Ridge, IL: Irwin Professional Publishing, 1993.

DEMING, W. Edwards. "Improvement of quality and productivity through action by management", *National Productivity Review*, vol. 1, n. 1, inverno de 1981-1982, p. 12-22.

DRUCKER, Peter F. "The discipline of innovation", *Harvard Business Review*, vol. 80, n. 8, ago. 2002, p. 95-101.

ELLIS, Christian M.; TONKIN, Lea A. P. "Mature team rewards and the high-performance workplace: change and opportunity", *Target*, vol. 11, n. 6, 1995.

FISHER, Anne. "Get employees to brainstorm online", *Fortune*, vol. 150, n. 11, nov. 2004, p. 72.

FITZSIMMONS, James A.; FITZSIMMONS, Mona J. *Service management: operations, strategy, and information technology*, New York: McGraw-Hill, 1998.

HARTVIGSEN, David. *SimQuick: process simulation with Excel*, 2. ed. Upper Saddle River, NJ: Prentice Hall, 2004.

IAKOVOU, Eleftherios T.; ORITZ, Olga L. "Reengineering of the laundry service at a university campus: a continuous-improvement quality-management methodology", *Quality Engineering*, vol. 16, n. 2, 2004, p. 245-255.

KARMARKAR, Uday. "Will you survive the services revolution?" *Harvard Business Review*, vol. 82, n. 6, jun. 2004, p. 100-107.

KATZENBACH, Jon R.; SMITH, Douglas K. "The discipline of teams", *Harvard Business Review*, mar.-abr. 1993, p. 111-120.

KINGMAN-BRUNDAGE, Jane. "Technology, design, and service quality", *International Journal of Service Industry Management*, vol. 2, n. 3, 1991, p. 47-59.

LA FERLA, Beverly. "Mapping the way to process improvement", *IEE Engineering Management*", dez. 2004-jan. 2005, p. 16-17.

LEE, Hau L. "The triple-a supply chain", *Harvard Business Review*, out. 2004, p. 102-112.

LIEBS, Scott. "A little help from their friends", *Industry Week*, 2 fev. 1998.

LOVELOCK, Christopher H.; YIP, George S. "Developing global strategies for service businesses", *California Management Review*, vol. 38, n. 2, 1996, p. 64-86.

MELNYK, Steven A.; STEWART, Douglas M.; SWINK, Morgan. "Metrics and performance measurement in operations management: dealing with the metrics maze", *Journal of Operations Management*, vol. 22, n. 3, jun. 2004, p. 209-217.

METTERS, Richard; KING-METTERS, Kathryn; PULLMAN, Madeleine. *Successful service operations management*. Mason, OH: South-Western, 2003.

PANDE, Peter S., NEUMAN, Robert P.; CAVANAGH, Roland R. *Estratégia Seis Sigma*. São Paulo: Qualitymark, 2001.

"Process, process, process", *Planning Review* (edição especial), vol. 22, n. 3, 1993, p. 1-56.

PULLMAN, Madeleine E.; MOORE, William L. "Optimal service design: integrating marketing and operations perspectives", *International Journal of Service Industry Management*, vol. 10, n. 2, 1999, p. 239-260.

RAMPERSAD, Hubert K. *Total performance scorecard*. New York: Butterworth-Heinemann, 2003.

RUMMLER, Geary A.; BRACHE, Alan P. *Improving performance*, 2. ed. San Francisco: Jossey-Bass Inc., 1995.

SCHMENNER, Roger W. *Service operations management*. Englewood Cliffs, NJ: Prentice Hall, 1998.

SENGE, P. *The. A quinta disciplina*. São Paulo: Best Seller, 2006.

SHAPIRO, Benson R.; RANGAN, V. Kasturi; SVIOKLA, John J. "Staple yourself to an order", *Harvard Business Review*, vol. 82, n. 7/8, jul.-ago. 2004, p. 162-171.

SUPLEMENTO B

Simulação

OBJETIVOS DE APRENDIZAGEM

Depois de ler este capítulo, você será capaz de:

1. Identificar problemas mais condizentes com modelos de simulação.
2. Descrever o processo de simulação Monte Carlo.
3. Explicar como criar um modelo de simulação e usá-lo na tomada de decisões.
4. Criar um modelo de simulação com uma simples planilha do Excel.
5. Descrever as avançadas capacidades do SimQuick e do Extend.

O ato de reproduzir o comportamento de um sistema usando um modelo que descreve seus processos é chamado *simulação*. Uma vez que o modelo é desenvolvido, o analista pode manipular certas variáveis para medir os efeitos de alterações sobre as características operacionais de interesse. Um modelo de simulação não pode prescrever o que deve ser feito em relação a um problema. Em vez disso, ele pode ser usado para estudar soluções alternativas para o problema. As alternativas são sistematicamente usadas no modelo e as características operacionais relevantes são registradas. Após todas as alternativas terem sido experimentadas, a melhor é selecionada.

A simulação pode ser usada em administração de processos, bem como em cadeias de valor. Os modelos de simulação podem ajudar a compreender o desempenho dinâmico de um processo ao longo do tempo e como processos bem revisados trabalharão. Algumas das alterações que podem ser avaliadas por meio de simulação incluem idéias sobre aperfeiçoamento de qualidade, alterações na capacidade voltadas para o alívio de restrições, o layout do processo ou mesmo alterações advindas da implementação de idéias sobre sistemas enxutos (*lean*) de produção — na realidade, todas as áreas de decisão abordadas na Parte 2, "Administração de processos". A simulação também pode ser usada para muitas das decisões relacionadas à administração de cadeias de valor (Parte 3, "Administrando cadeias de valores"), como onde situar o estoque e em que quantidade ou o quanto diferem os procedimentos de planejamento e programação da produção.

Os modelos de filas de espera (veja o Suplemento C, "Filas de espera") não são modelos de simulação porque descrevem as características operacionais com equações conhecidas. Com a simulação, as equações que descrevem as características de operação são desconhecidas. Usando um modelo de simulação, o analista efetivamente gera chegadas do cliente, coloca clientes em filas de espera, seleciona o próximo cliente a ser atendido usando alguma norma de prioridade, atende a esse cliente e assim por diante. O modelo se mantém informado sobre o número de pessoas na fila, o tempo de espera etc. durante a simulação e, no final, calcula as médias e variâncias.

RAZÕES PARA USAR SIMULAÇÃO

A **simulação** é útil quando os modelos de filas de espera se tornam muito complexos. A utilização de simulação para analisar processos também pode ser baseada em outras razões. Em primeiro lugar, quando a relação entre as variáveis é não-linear ou quando a situação envolver muitas variáveis ou restrições para lidar com abordagens de otimização, os modelos de simulação podem ser usados para estimar características operacionais ou valores de funções objetivas, e para analisar um problema.

Em segundo lugar, os modelos de simulação podem ser usados para conduzir experimentos sem interromper sistemas reais. Fazer experiências com um sistema real pode ser dispendioso. Por exemplo, um modelo de simulação pode ser usado para estimar os benefícios de compra e instalação de um novo sistema industrial flexível sem a necessidade de, antes, instalar esse sistema. Além disso, o modelo pode ser usado para avaliar configurações diferentes ou processar regras de decisão sem interromper a programação de produção.

Em terceiro lugar, os modelos de simulação podem ser usados para obter estimativas de características operacionais em muito menos tempo que é requerido para coletar os mesmos dados operacionais de um sistema real. Essa característica da simulação é chamada de **compressão de tempo**. Por exemplo, um modelo de simulação de operações em aeroportos pode gerar estatísticas sobre chegadas de aviões, atrasos na aterrissagem e atrasos nos terminais, para o período de um ano, em questão de minutos em um computador. Os projetos alternativos para o aeroporto podem ser analisados e as decisões, tomadas rapidamente.

Por fim, a simulação é útil para estimar habilidades gerenciais de tomada de decisão por meio de jogos. Pode-se desenvolver um modelo descritivo que relacione decisões administrativas a características operacionais importantes (por exemplo, lucros, participação no mercado etc.). A partir de um conjunto de condições iniciais, os participantes tomam decisões periódicas com a intenção de aperfeiçoar uma ou mais características operacionais. Nesse exercício, um 'jogo' de algumas horas pode simular o tempo de um ano. O jogo também possibilita aos administradores fazer experimentos com novas idéias sem interromper operações comuns.

O PROCESSO DE SIMULAÇÃO

O processo de simulação inclui coleta de dados, atribuição de números aleatórios, formulação de modelo e análise. Esse processo é conhecido como **simulação Monte Carlo**, nome baseado na capital européia do jogo de azar, em razão dos números aleatórios usados para gerar os eventos de simulação.

COLETA DE DADOS

A simulação exige coleta ampla de dados sobre custos, produtividades, capacidades e distribuições de probabilidade. Geralmente, utiliza-se uma entre duas abordagens para coleta de dados. Os procedimentos de amostragem estatística são usados quando os dados não estão facilmente disponíveis em fontes publicadas ou quando o custo de pesquisa e coleta de dados é alto. A pesquisa histórica é usada quando os dados estiverem disponíveis em registros da empresa, relatórios governamentais e industriais, periódicos científicos e profissionais ou jornais. O Exemplo B.2 fornece os dados que a Specialty Steel coletou.

Coleta de dados para uma simulação — EXEMPLO B.1

A Specialty Steel Products Company produz artigos como máquinas operatrizes, equipamentos, peças de automóveis e outros artigos de especialidade, em quantidades pequenas e sob encomenda do cliente. Uma vez que os produtos são tão diferentes, a demanda é medida em horas – máquina. As encomendas por produtos são convertidas em horas – máquina requeridas, tendo por referência padrões de tempo para cada operação. A administração está interessada na capacidade do departamento de tornearia mecânica. Reúna os dados necessários para analisar o acréscimo de mais um torno mecânico e de um torneiro.

SOLUÇÃO

Registros históricos indicam que a demanda do departamento de tornearia mecânica varia de semana a semana, como se segue:

Requisitos de produção semanal (h)	Freqüência relativa
200	0,05
250	0,06
300	0,17
350	0,05
400	0,30
450	0,15
500	0,06
550	0,14
600	0,02
Total	1,00

Para agrupar esses dados, todas as semanas com requisitos de 175,00 a 224,99 horas foram agrupadas na categoria de 200 horas, todas as semanas com 225,00 a 274,99 horas na categoria de 250 horas e assim por diante. Os requisitos de produção semanal média para o departamento de tornearia mecânica são

$$200(0,05) + 250(0,06) + 300(0,17) + \ldots + 600(0,02) = 400 \text{ horas}$$

Os funcionários do departamento de tornearia mecânica trabalham 40 horas por semana em dez máquinas. Entretanto, o número de máquinas realmente operando durante qualquer semana pode ser menor que dez. As máquinas podem precisar de conserto ou um empregado pode faltar ao trabalho. Registros históricos indicam que as horas – máquina efetivas eram distribuídas da seguinte maneira:

Capacidade habitual (h)	Freqüência relativa
320 (8 máquinas)	0,30
360 (9 máquinas)	0,40
400 (10 máquinas)	0,30

O número médio de horas – máquina operando em uma semana é

$$320(0,30) + 360(0,40) + 400(0,30) = 360 \text{ horas}$$

A empresa tem uma política de completar a carga de trabalho programada de cada semana, usando horas extras e terceirização, se necessário. A quantidade máxima de horas extras autorizada em qualquer semana é 100 e os requisitos além de 100 horas são terceirizados para uma pequena oficina na cidade. Os torneiros mecânicos recebem 10 dólares por hora pelo tempo regular. Entretanto, a administração estima que o custo da hora extra por funcionário é de 25 dólares por hora, o que inclui salário-prêmio, custos indiretos variáveis e custos de supervisão. Terceirizar custa 35 dólares por hora, sem os custos de materiais.

Para justificar o acréscimo de outra máquina e outro torneiro ao departamento de tornearia mecânica, a economia semanal de custos de horas extras e terceirização deve ser de, pelo menos, 650 dólares. Essa economia cobriria o custo do trabalhador adicional e forneceria um retorno razoável sobre o investimento na máquina. A administração estima, a partir de experiência anterior, que, com 11 máquinas, a distribuição da capacidade semanal de horas – máquina seria

Capacidade regular	Freqüência relativa
360 (9 máquinas)	0,30
400 (10 máquinas)	0,40
440 (11 máquinas)	0,30

ATRIBUIÇÃO DE NÚMERO ALEATÓRIO

Antes de começarmos a analisar esse problema com simulação, devemos especificar um modo para gerar demanda e capacidade para cada semana. Suponha que desejemos simular 100 semanas de operações da tornearia mecânica com dez máquinas. Esperaríamos que, para cinco por cento do tempo (cinco semanas em 100), tivéssemos uma demanda por 200 horas. Do mesmo modo, esperaríamos que, para 30 por cento do tempo (30 semanas em 100), teríamos 320 horas de capacidade existente com as dez máquinas. Entretanto, não podemos usar essas médias de demanda em nossa simulação porque um sistema real não opera desse modo. A demanda pode ser de 200 horas em uma semana, mas de 550 horas na próxima.

Podemos obter o efeito que queremos usando uma tabela de números aleatórios (randômicos) para determinar a quantidade de demanda e a capacidade para cada semana.

Um **número aleatório** é um número que tem a mesma probabilidade de ser selecionado que qualquer outro número (veja a "Tabela de números aleatórios", no Apêndice 2, para números aleatórios de cinco dígitos).

Os eventos em uma simulação podem ser gerados de modo imparcial se os números aleatórios forem atribuídos aos eventos na mesma proporção que sua probabilidade de ocorrência. Esperamos uma demanda de 200 horas, 5 por cento das vezes. Se tivermos 100 números aleatórios (00–99), poderemos atribuir cinco números (ou cinco por cento deles) ao evento '200 horas requeridas'. Assim, podemos atribuir os números 00–04 a esse evento. Se escolhermos aleatoriamente números, por vezes suficientes, na escala de 00–99, em cinco por cento do tempo, eles cairão na escala de 00–04. Da mesma maneira, podemos atribuir os números 05–10, ou seis por cento dos números, ao evento '250 horas requeridas'. Na Tabela B.1, mostramos a distribuição dos 100 números aleatórios para os eventos de demanda na

TABELA B.1 Atribuição de números aleatórios para eventos de simulação

Evento					
Demanda semanal (h)	Probabilidade	Número aleatório	Capacidade semanal existente (h)	Probabilidade	Números aleatórios
200	0,05	00–04	320	0,30	00–29
250	0,06	05–10	360	0,40	30–69
300	0,17	11–27	400	0,30	70–99
350	0,05	28–32			
400	0,30	33–62			
450	0,15	63–77			
500	0,06	78–83			
550	0,14	84–97			
600	0,02	98–99			

mesma proporção em que sua probabilidade de ocorrência. Da mesma forma, atribuímos números aleatórios aos eventos de *capacidade* para dez máquinas. Os eventos de capacidade para a simulação de 11 máquinas teriam a mesma atribuição de números aleatórios, a não ser que os eventos fossem 360, 400 e 440 horas, respectivamente.

FORMULAÇÃO DE MODELO

Formular um modelo de simulação requer que se especifiquem as relações entre as variáveis. Os modelos de simulação consistem em variáveis de decisão, variáveis incontroláveis e variáveis dependentes. As **variáveis de decisão** são controladas pelo tomador de decisão e mudam de um período a outro, quando eventos diferentes são simulados. Por exemplo, o número de tornos mecânicos é a variável de decisão no problema da Specialty Steel Products, veja o Exemplo B.1. As **variáveis incontroláveis**, porém, são eventos aleatórios que o tomador de decisão não pode controlar. Na Specialty Steel Products, os requisitos de produção semanal e o número *real* de horas–máquina disponíveis são variáveis incontroláveis para a análise da simulação. As variáveis dependentes refletem os valores das variáveis de decisão e das variáveis incontroláveis. Na Specialty Steel Products, características operacionais como tempo ocioso, horas extras e horas terceirizadas são variáveis dependentes.

As relações entre as variáveis são expressas em termos matemáticos, de forma que as variáveis dependentes possam ser computadas para quaisquer valores das variáveis de decisão e variáveis incontroláveis. Por exemplo, no modelo de simulação para a Specialty Steel Products, os métodos de determinação de requisitos de produção semanal e disponibilidade de capacidade real devem ser especificados primeiro. Em seguida, os métodos de cálculo de horas de tempo ocioso, horas extras e horas terceirizadas para os valores de requisitos de produção e horas de capacidade podem ser especificados.

ANÁLISE

A Tabela B.2 contém as simulações para as duas alternativas de capacidade na Specialty Steel Products. Usamos uma seqüência única de números aleatórios para requisitos de produção semanais para cada alternativa de capacidade e outra seqüência para a capacidade semanal existente, com o intuito de fazer uma comparação direta entre as alternativas de capacidade.

Tendo por referência as simulações de 20 semanas, esperaríamos que as horas extras semanais médias (destacadas na Tabela B.2) fossem reduzidas em 41,5 – 29,5 = 12 horas, e as horas terceirizadas (destacadas na Tabela B.2) fossem reduzidas em 18 – 10 = 8 horas por semana. A economia semanal média seria

horas extras: (12 horas)($ 25/horas) = $ 300
terceirizadas: (8 horas) ($ 35/hora) = 280
economia total por semana = $ 580

Essa quantidade não corresponde à economia mínima requerida de $ 650 por semana. Esse resultado

---

EXEMPLO B.2 — **Formulando um modelo de simulação**

Formule um modelo de simulação para a Specialty Steel Products que estime horas de tempo ocioso, horas extras e horas terceirizadas para um número especificado de tornos mecânicos. Projete o modelo de simulação para finalizar após 20 semanas de operações simuladas do departamento de tornearia mecânica.

SOLUÇÃO

Utilizemos as duas primeiras linhas de números aleatórios da tabela de números aleatórios para os eventos de demanda e a terceira e a quarta linha para os eventos de capacidade (veja a "Tabela de números aleatórios", no Apêndice 2). Uma vez que são números de cinco dígitos, usamos apenas os dois primeiros de cada um para formar nossos números aleatórios. A escolha das linhas na tabela de números aleatórios foi arbitrária. O ponto importante é que devemos ser coerentes ao escolher números aleatórios e não devemos repetir o uso de números em nenhuma simulação.

Para simular um nível de capacidade específico, procede-se do seguinte modo:

Passo 1: Escolha um número aleatório das primeiras duas linhas da tabela. Comece com o primeiro número na primeira linha; em seguida, vá para o segundo número na primeira linha e assim por diante.

Passo 2: Encontre o intervalo de número aleatório para os requisitos de produção associados com o número aleatório.

Passo 3: Registre as horas de produção requeridas (PROD) para a semana corrente.

Passo 4: Escolha outro número aleatório da segunda ou terceira linha da tabela. Comece com o primeiro número na terceira linha, em seguida vá para o segundo número na terceira linha e assim por diante.

Passo 5: Encontre o intervalo de número aleatório para a capacidade (CAP) associada com o número aleatório.

Passo 6: Registre as horas de capacidade disponíveis para a semana corrente.

Passo 7: Se CAP ≥ PROD, então HR OCIOSAS = CAP – PROD.

Passo 8: Se CAP < PROD, então ESCASSEZ = PROD – CAP.
Se ESCASSEZ ≤ 100, então HR EXTRA = ESCASSEZ e HR TERCEIRIZADA = 0.
Se ESCASSEZ > 100, então HR EXTRA = 100 e HR TERCEIRIZADA = ESCASSEZ – 100.

Passo 9: Repita os passos 1–8 até que você tenha simulado 20 semanas.

Tabela B.2 Simulações de alternativas — 20 semanas

					10 máquinas				11 máquinas			
Semana	Demanda número aleatório	Produção semanal (h)	Capacidade número aleatório	Capacidade semanal existente (h)	Horas ociosas	Horas extras	Horas terceirizadas		Capacidade semanal existente (h)	Horas ociosas	Horas extras	Horas terceirizadas
1	71	450	50	360		90			400		50	
2	68	450	54	360		90			400		50	
3	48	400	11	320		80			360		40	
4	99	600	36	360		100	140		400		100	100
5	64	450	82	400		50			440		10	
6	13	300	87	400	100				440	140		
7	36	400	41	360		40			400			
8	58	400	71	400					440	40		
9	13	300	00	320	20				360	60		
10	93	550	60	360		100	90		400		100	50
11	21	300	47	360	60				400	100		
12	30	350	76	400	50				440	90		
13	23	300	09	320	20				360	60		
14	89	550	54	360		100	90		400		100	50
15	58	400	87	400					440	40		
16	46	400	82	400					440	40		
17	00	200	17	320	120				360	160		
18	82	500	52	360		100	40		400		100	
19	02	200	17	320	120				360	160		
20	37	400	19	320		80			360		40	
				Total	490	830	360			890	590	200
				Média semanal	24,5	41,5	18,0			44,5	29,5	10,0

significa que não devemos acrescentar a máquina e o trabalhador? Antes de responder, examinemos a Tabela B.3, que mostra os resultados de uma simulação de *1.000 semanas* para cada alternativa. Os custos (destacados na Tabela B.3) são muito diferentes daqueles das simulações de 20 semanas. Agora, estima-se que a economia seja de $ 1.851,50 – $ 1.159,50 = $ 692 e ultrapasse a economia mínima requerida para o investimento adicional. Esse resultado enfatiza a importância de se selecionar o período de duração adequado para uma análise de simulação. Podemos usar testes estatísticos para verificar o período de duração adequado.

A análise da simulação pode ser vista como uma forma de teste de hipótese, por meio da qual os resultados de uma execução de simulação fornecem dados de amostragem, que podem ser analisados estatisticamente. Os dados podem ser registrados e comparados com os resultados de outras execuções de simulação. Testes estatísticos também podem ser realizados para determinar se diferenças nas características operacionais alternativas são estatisticamente significativas.

Ainda que uma diferença entre experimentos de simulação possa ser estatisticamente significativa, pode

Tabela B.3 Comparação de simulações de 1.000 semanas

	10 máquinas	11 máquinas
Horas ociosas	26,0	42,2
Horas extras	48,3	34,2
Horas terceirizadas	18,4	8,7
Custo	$ 1.851,50	$ 1.159,50

não ser *administrativamente* significativa. Por exemplo, suponha que desenvolvamos um modelo de simulação de uma operação de lavagem de carros. Podemos descobrir, mudando a velocidade da lavagem do carro de 3 para 2,75 minutos por carro, que podemos reduzir o tempo de espera médio por cliente em 0,20 minutos. Embora essa possa ser uma diferença estatisticamente significativa no tempo de espera médio, a diferença é tão pequena que os clientes podem nem notá-la. O que é administrativamente significativo, muitas vezes, é uma decisão de bom senso.

SIMULAÇÃO EM COMPUTADOR

A simulação manual do processo de tornearia mecânica nos exemplos B.1 e B.2 demonstra os fundamentos da simulação. Entretanto, a simulação envolve apenas um passo do processo, duas variáveis incontroláveis (requisitos de produção semanal e o número real de horas – máquina disponíveis) e os períodos multiplicados por 20. É importante simular um processo por tempo suficiente para se conseguir um **estado estacionário**, de modo que a simulação seja repetida o suficiente para que os resultados médios para medidas de desempenho permaneçam constantes. As simulações manuais podem ser excessivamente demoradas, particularmente se incluírem muitos subprocessos, muitos serviços ou produtos com padrões de fluxo únicos, muitas variáveis incontroláveis, lógica complexa para propor novas tarefas, e se atribuir trabalho etc.

Simular essas situações reais manualmente pode se tornar muito demorado e, portanto, requerer um computador. Modelos de simulação simples, com uma ou duas variáveis incontroláveis, por exemplo, podem ser desenvolvidos usando o Excel. Sua capacidade de gerar números aleatórios — aliada à possibilidade se acrescentar fórmulas em outra parte da planilha para especificar relações entre demanda, cliente atendido, inventário e produto — permite que a abordagem de simulação Monte Carlo seja implementada. Softwares de simulação comerciais pré-elaborados têm ainda mais capacidade.

SIMULAÇÃO COM PLANILHAS DO EXCEL

O ponto de partida para se criar uma simulação no Excel é gerar números aleatórios, o equivalente computadorizado à utilização do Apêndice 2 para simulações manuais. Igualmente importante é a atribuição de números aleatórios, que converte um número aleatório em um valor para uma variável incontrolável.

Gerando números aleatórios Podem ser criados números aleatórios de 0 a 1 inserindo a fórmula = ALEATÓRIO() em uma célula da planilha do Excel. Essa fórmula pode, em seguida, ser copiada para outras células na planilha conforme necessário. A Figura B.1 mostra uma tabela de 100 números aleatórios gerados com a função ALEATÓRIO() na série A3:J12. Eles foram formatados para mostrar números de quatro dígitos, embora o formato possa ser mudado como desejado. Esses números aleatórios são frações de 0 a 1, em vez dos números inteiros de dois dígitos de 0 a 99 da Tabela B.1. Se você tentar replicar a Figura B.1 ou reabrir um arquivo do Excel que foi criado e salvo anteriormente, verá um conjunto diferente de números aleatórios. Para usar o mesmo conjunto ou *série* de números aleatórios, como em experimentos que comparam a efetividade de políticas diferentes, você deve *congelar* os números aleatórios. Primeiro, selecione com o mouse as células com os números aleatórios que você deseja congelar. Por exemplo, selecione A3:J12 na Figura B.1. Em seguida, clique em Editar/Copiar no menu no topo de sua planilha. Clique então em Editar/Colar Especial e escolha a opção Valores. Quando você clicar em OK, uma cópia dos números nessas células é colada sobre essas mesmas células com a fórmula =ALEATÓRIO(). A consequência é que eles estão fixos no lugar e não se alteram entre um uso da planilha e o próximo. Cada simulação é conduzida com a mesma série de números aleatórios. Na verdade, os números na Figura B.1 foram congelados usando esse procedimento.

Atribuição de números aleatórios Uma segunda capacidade necessária a simulações do Excel é converter números aleatórios em valores para variáveis incontroláveis. Isso equivale a identificar o intervalo de número aleatório ao qual um número aleatório pertence e selecionar o valor da variável incontrolável atribuída a esse intervalo (veja a Tabela B.1 para variáveis de demanda ou capacidade). Em uma planilha eletrônica do Excel, o recurso Procurar serve a esse propósito. Leia sobre a função PROCV() na Ajuda do Excel e verifique a função selecionando Inserir/Função/Procurar & Referência/PROCV. O Exemplo B.3 demonstra o uso tanto da função PROCV() como o da função ALEATÓRIO().

	A	B	C	D	E	F	G	H	I	J
1	Tabela de números aleatórios usando ALEATÓRIO()									
2										
3	0.2858	0.0287	0.7906	0.5752	0.6719	0.3756	0.7136	0.3506	0.2184	0.8734
4	0.9377	0.2569	0.7606	0.3411	0.2013	0.5270	0.1037	0.1589	0.6092	0.2768
5	0.9230	0.8938	0.8995	0.7370	0.2308	0.8001	0.2189	0.7370	0.5849	0.2935
6	0.3684	0.8174	0.9635	0.0082	0.3211	0.8143	0.5237	0.4769	0.2235	0.6465
7	0.8164	0.9626	0.9041	0.8596	0.5203	0.2763	0.0405	0.6229	0.7908	0.2328
8	0.0699	0.9116	0.3194	0.6435	0.7507	0.7179	0.8473	0.6650	0.2683	0.2505
9	0.7434	0.9540	0.9654	0.7457	0.5739	0.2974	0.0448	0.5035	0.8662	0.6522
10	0.1528	0.8228	0.2987	0.1987	0.2209	0.3466	0.4633	0.2702	0.0172	0.2614
11	0.5384	0.3741	0.9467	0.1050	0.6346	0.6695	0.0598	0.8396	0.8366	0.1351
12	0.7628	0.8358	0.4549	0.0945	0.3317	0.6182	0.0260	0.1718	0.9218	0.1020

Figura B.1 Planilha com 100 números aleatórios gerados com ALEATÓRIO()

EXEMPLO B.3 — Modelo de simulação do Excel para a revendedora de carros BestCar

A BestCar revendedora de automóveis vende caros novos. O gerente de estoque da BestCar acredita que o número de veículos vendidos semanalmente tenha a seguinte distribuição de probabilidade:

Vendas semanais (carros)	Freqüência relativa (probabilidade)
0	0,05
1	0,15
2	0,20
3	0,30
4	0,20
5	0,10
Total	1,00

O preço de venda por carro é 20.000 dólares. Projete um modelo de simulação que determine a distribuição de probabilidade e a média das vendas semanais.

SOLUÇÃO

A Figura B.2 simula 50 semanas de vendas na BestCar. Seria sensato escolher um período de duração mais longo, por exemplo, 500 ou 1.000 semanas, mas aqui o mantemos curto para propósitos de demonstração. A parte inferior direita da planilha mostra que as vendas semanais médias são de 2,88 carros, por 57.600 dólares por semana. A distribuição da demanda semanal simulada é mostrada nas células B17:E22. Por exemplo, 13 das 50 semanas apresentaram uma demanda por três carros, o que corresponde a 26 por cento das semanas (veja a célula D20). A chance de que as vendas não sejam de mais de três carros é de 60 por cento (veja a célula E20).

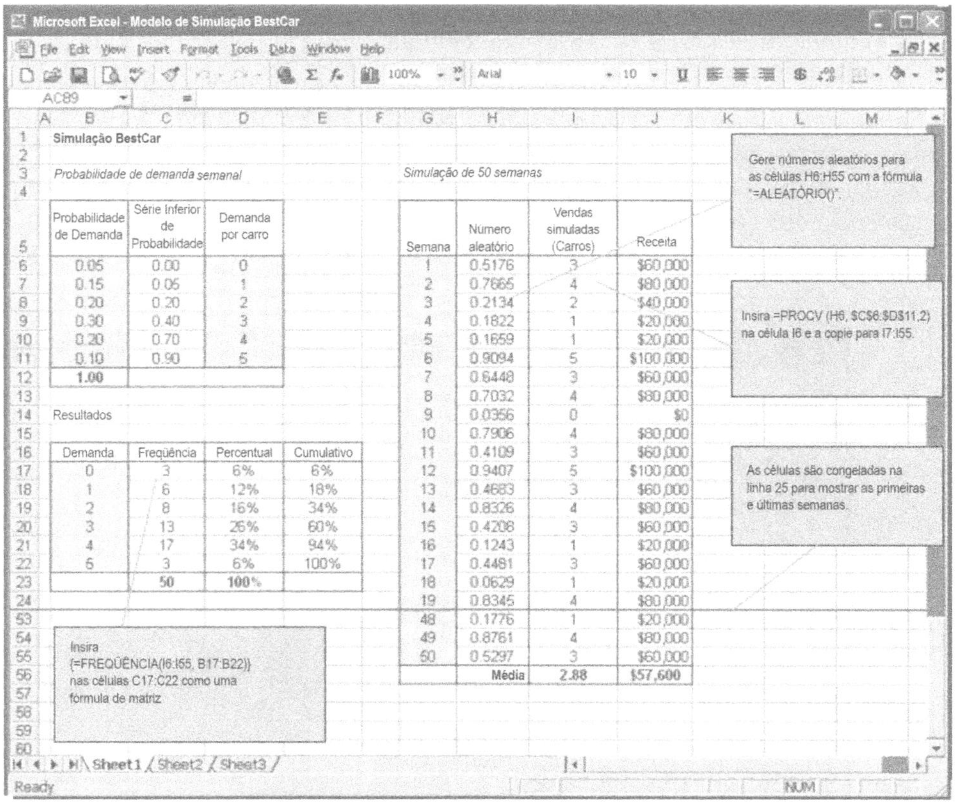

Figura B.2 Modelo de simulação BestCar

O primeiro passo ao criar essa planilha é introduzir a distribuição de probabilidade, inclusive as probabilidades cumulativas associadas a ela. Esses valores inseridos são destacados em cinza claro nas células B6:B11 da planilha, com demandas correspondentes em D6:D11. A série inferior de probabilidades cumulativas é calculada nas células C6:C11, inserindo-se 0 em C6 e, em seguida, inserindo a fórmula "=C6+B6" na célula C7, e a copiando para as células C8:C11. Os valores cumulativos fornecem um ponto de partida para associar números aleatórios à demanda correspondente, usando a função PROCV( ). Por exemplo, o primeiro número aleatório para a semana 1 tem o valor 0,5176 e resulta em uma demanda de três carros, porque 0,5176 é maior que a série inferior para uma demanda de três carros, mas menor que a série inferior para demanda de quatro carros. De modo semelhante, qualquer número aleatório com um valor maior que 0,70, mas menor que 0,90, corresponderá a uma demanda de quatro carros.

O próximo passo é criar uma tabela com quatro colunas. A coluna G identifica cada uma das 50 semanas para simulação nas células G6:G55. A coluna H gera os números aleatórios, um para cada uma das 50 semanas. Para criar os números aleatórios, inserimos a fórmula =ALEATÓRIO( ) na célula H6 de nossa planilha e a copiamos para as células H7:H55. Após gerar os números aleatórios, precisamos combiná-los com os valores de demanda correspondentes. Podemos fazê-lo usando a função PROCV. Inserimos a fórmula =PROCV(H6,$C$6:$D$11,2) na célula I6 e a copiamos para I7:I55. Com esse uso da função PROCV, a lógica do Excel identifica (ou 'procura') para cada número aleatório da semana (na coluna H) a qual demanda ele corresponde na matriz de pesquisa definida por $C$6:$D$11. Uma vez encontrada a série de probabilidade (definida pela coluna C) na qual o número aleatório se encaixa, introduz a demanda de carros (na coluna D) para essa série nas vendas semanais (na coluna I). Quando pesquisa a matriz de busca, percorre a coluna C até encontrar uma célula que tenha um valor maior que o número aleatório. Retorna à célula anterior, obtém o valor de demanda correspondente da coluna D e o repete na célula da coluna I. A coluna de receita semanal é a quarta coluna da tabela de simulação, criada nas células J6:J55 por meio da multiplicação dos valores de demanda semanal (coluna I) pelo preço médio de venda (20.000 dólares). As vendas médias de carros são calculadas na célula I56 usando a função =MÉDIA(I6:I55) e a receita média na célula J56 usando a função =MÉDIA(J6:J55). Observe que a Figura B.2 apenas mostra as primeiras 19 semanas e as últimas três semanas. Essa compressão é possível usando a opção de Congelar Painéis/Janelas. Aqui, a janela é congelada a partir da semana 19 (no começo da linha 25). Você pode rolar a tela para baixo ou para cima para mostrar apenas algumas das últimas semanas ou a maior parte delas, dependendo de quanto você deseja exibir.

Por fim, a tabela de resultados é criada na parte inferior esquerda da planilha para resumir o produto da simulação. Inserindo a função FREQÜÊNCIA nas células C17:C22, calculamos o número de observações em cada categoria de demanda em um total de 50 observações. A função examina os valores de demanda simulados nas células I6:I55 e os compara às categorias de demanda nas células B17:B22, que são definidas como a matriz bin da função FREQÜÊNCIA. As colunas percentual e cumulativo próximas à coluna de freqüência mostram as freqüências em termos de percentual e percentual cumulativo.

SIMULAÇÃO COM SOFTWARE MAIS AVANÇADO

A programação de simulação pode ser feita em diversas linguagens de computador, inclusive linguagens de programação para propósitos gerais como VISUAL BASIC, FORTRAN, ou C++. A vantagem dessas linguagens de programação é que elas estão disponíveis na maioria dos sistemas de computador. Linguagens especiais de simulação, como GPSS, SIMSCRIPT e SLAM, também estão disponíveis. Essas linguagens simplificam a programação porque têm macroinstruções para os elementos de modelos de simulação geralmente usados. Essas macroinstruções automaticamente contêm as instruções de computador necessárias para gerar chegadas, rastrear linhas de espera e calcular as estatísticas sobre as características operacionais de um sistema.

A simulação também é possível com pacotes potentes para computadores pessoais, como SimQuick (www.nd.edu/~dhartvig/simquick/top.htm), Extend (www.imaginethatinc.com), SIMPROCESS (www.caciasl.com), ProModel (www.promodel.com) e Witness (www.lanner.com/corporate). Aqui ilustramos a simulação de processos com o software SimQuick (fornecido no site de apoio do livro).

SimQuick SimQuick é um pacote fácil de usar que é simplesmente uma planilha do Excel com algumas macros. Modelos podem ser criados para vários processos simples, como filas de espera, controle de inventário e projetos. Aqui consideraremos o processo de segurança de passageiros em um terminal de um aeroporto de médio porte entre as 8 e as 10 horas da manhã. O processo funciona da seguinte forma: os passageiros que chegam à área de segurança imediatamente entram em uma fila única. Depois de esperar na fila, cada passageiro passa por um dos dois postos de inspeção, o que envolve passar por um detector de metais e submeter qualquer bagagem de mão a um *scanner*. Após concluir essa inspeção, dez por cento dos passageiros são selecionados aleatoriamente para uma inspeção adicional, que geralmente envolve uma pesquisa mais completa da bagagem de mão da pessoa. Dois postos lidam com essa inspeção adicional, e os passageiros selecionados passam por apenas um deles. A gerência está interessada em examinar o efeito do aumento do percentual de passageiros que é submetido à segunda inspeção. Mais especificamente, eles querem comparar os tempos de espera para a segunda inspeção quando 10, 15 e 20 por cento dos passageiros são selecionados aleatoriamente para essa inspeção. A gerência também quer saber como a abertura de um terceiro posto para a segunda inspeção afetaria esses tempos de espera.

Um primeiro passo ao simular esse processo com o SimQuick é traçar seu fluxograma usando os blocos de construção do programa. O SimQuick tem cinco blocos de construção que podem ser combinados de muitos modos. Quatro desses tipos são usados para modelar esse processo. Uma *entrada* é usada para modelar a chegada de passageiros ao processo de segurança. Um *buffer* é usado para modelar cada uma das duas filas de espera, uma antes de cada tipo de inspeção, assim como os passageiros que terminaram o processo. Cada um dos quatro postos de inspeção é modelado com uma *estação de trabalho*. Por fim, a seleção aleatória de passageiros para a segunda inspeção é modelada com um *ponto de decisão*. A Figura B.3 mostra o fluxograma.

As informações que descrevem cada bloco de construção são inseridas em tabelas do SimQuick. Nesse modelo, três tipos – chave de informações são inseridos: (1) quando as pessoas chegam à entrada; (2) quanto tempo duram as inspeções nos quatro postos; e (3) que percentual de passageiros é selecionado aleatoriamente para a inspeção adicional. Todas essas informações devem ser inseridas no SimQuick na forma de distribuições estatísticas. Os primeiros dois tipos de informação são determinados pela observação do processo real das oito às dez da manhã. O terceiro tipo de informação é uma decisão sobre diretrizes (10, 15 e 20 por cento).

O modelo original é executado 30 vezes, simulando as horas das oito às dez da manhã. As estatísticas são coletadas pelo SimQuick e sintetizadas. A Figura B.4 fornece alguns resultados–chave para o modelo do processo presente, como produzidos pelo SimQuick (muitas outras estatísticas são coletadas, mas não são exibidas aqui).

Os números mostrados são médias de 30 simulações. O número 237,23 é o número médio de passageiros que entram na Fila 1 durante as duas horas simuladas. Os dois inventários de médias estatísticas mostram que, em média, 5,97 passageiros simulados estavam na Fila 1 e 0,10 na Fila 2. As duas estatísticas de tempo de ciclo médio revelam que os passageiros simulados na Fila 1 esperaram uma média de 3,12 minutos, enquanto os da Fila 2 esperaram 0,53 minutos. O inventário estatístico final mostra que, em média, 224,57 passageiros simulados passaram pelo processo de segurança nas duas horas simuladas. O próximo passo é alterar o percentual de passageiros simulados selecionados para a segunda inspeção para 15 por cento e, em seguida, para 20 por cento e reexecutar o modelo. É evidente que essas alterações no processo aumentarão o tempo de espera médio para a segunda inspeção, mas em quanto? O passo final é reexecutar essas simulações com uma estação de trabalho adicional e observar seu efeito sobre o tempo de espera para a segunda inspeção. Todos os detalhes desse modelo (como muitos outros) aparecem no livro *SimQuick: process simulation with Excel*, que é incluído, junto com o software do SimQuick, no site de apoio deste livro.

PALAVRAS-CHAVE

compressão de tempo
estado estacionário
número aleatório
simulação
simulação Monte Carlo
variáveis de decisão
variáveis incontroláveis

PROBLEMA RESOLVIDO

Um gerente está investigando a fabricação de vários produtos em uma instalação automatizada. O gerente compraria um jogo de dois robôs, Mel e Danny, que são capazes de executar, em série, todas as operações exigidas. Cada lote de trabalho conterá dez unidades. Uma fila de espera de vários lotes será mantida em frente a Mel. Quando Mel completar sua parte do trabalho, o lote será diretamente transferido para Danny.

Fila de espera → Mel → Danny

Cada robô fica sujeito a um *setup* antes de poder começar a processar um lote. Cada unidade do lote tem o

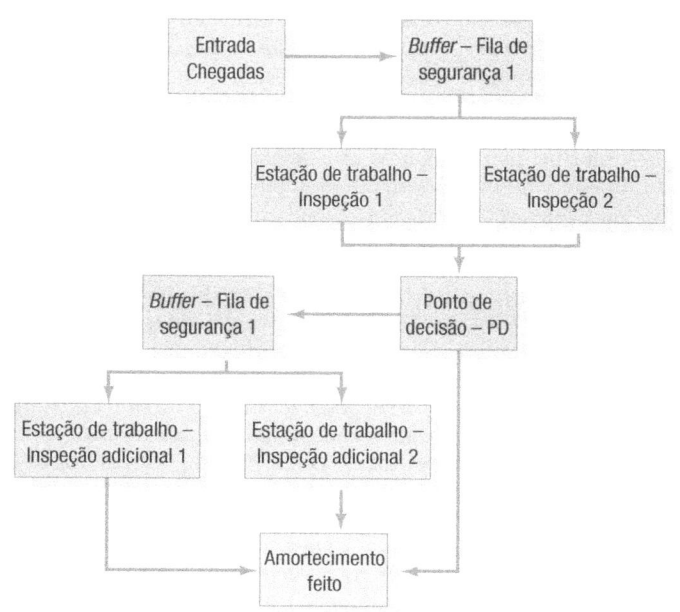

Figura B.3 Fluxograma do processo de segurança de passageiros

Tipos de elementos	Nomes dos elementos	Estatísticas	Médias gerais
Entrada(s)	Porta	Objetos inseridos no processo	237,23
Buffer(s)	Fila 1	Inventário médio	5,97
		Tempo de ciclo médio	3,12
	Fila 2	Inventário médio	0,10
		Tempo de ciclo médio	0,53
Concluído		Inventário final	224,57

Figura B.4 Resultados de simulação do processo de segurança de passageiros

mesmo tempo de execução. As distribuições de tempo de *setup* e execução para Mel e Danny são idênticas. Mas, uma vez que Mel e Danny executarão operações diferentes, a simulação de cada lote requer quatro números aleatórios da tabela. O primeiro número aleatório determina o tempo de *setup* de Mel, o segundo determina o tempo de execução de Mel por unidade e os terceiro e quarto números aleatórios determinam o tempo de *setup* e execução de Danny, respectivamente.

Tempo de setup (min)	Probabilidade	Tempo de execução por unidade (s)	Probabilidade
1	0,10	5	0,10
2	0,20	6	0,20
3	0,40	7	0,30
4	0,20	8	0,25
5	0,10	9	0,15

Estime quantas unidades serão produzidas em uma hora. Em seguida, simule 60 minutos de operação para Mel e Danny. Os números aleatórios já foram selecionados na Tabela B.4 para cada uma das quatro variáveis livres. Por exemplo, a terceira coluna fornece os números aleatórios para determinar o tempo de *setup* de Mel para cada lote, e a quinta coluna fornece os números aleatórios para determinar o tempo de processamento de Mel.

SOLUÇÃO

Com exceção do tempo requerido para que Mel configure e execute o primeiro lote, supomos que os dois robôs trabalham simultaneamente. O tempo médio esperado de *setup* por lote é

$[(0,1 \times 1 \text{ min}) + (0,2 \times 2 \text{ min}) (0,4 \times 3 \text{ min}) (0,2 \times 4 \text{ min}) + (0,1 \times 5 \text{ min})] = 3$ minutos ou 180 segundos por lote

O tempo médio esperado de execução por lote (de dez unidades) é

$[(0,1 \times 5 \text{ s}) + (0,2 \times 6 \text{ s}) + (0,3 \times 7 \text{ s}) + (0,25 \times 8 \text{ s}) + (0,15 \times 9 \text{ s})] = 7,15$ segundos/unidades × 10 unidades/lote = 71,5 segundos por lote

Assim, o total dos tempos médios de *setup* e execução por lote é 251,5 segundos. No período de uma hora, poderíamos esperar concluir cerca de 14 lotes (3.600/251,5 segundos = 14,3). Contudo, essa estimativa é, provavelmente, muito alta.

Tenha em mente que Mel e Danny operam em seqüência e que Danny não pode começar a fazer o trabalho até que tenha sido concluído por Mel (veja o Lote 2 da Tabela B.4). Mel também não pode começar um novo lote até que Danny esteja pronta para aceitar o anterior. Recorra ao Lote 6, em que Mel conclui o trabalho no tempo 25:50, mas não pode começar o sétimo lote até que Danny esteja pronta para aceitar o sexto lote no tempo 28:00.

Mel e Danny completaram apenas 12 lotes em uma hora. Ainda que os robôs tenham usado as mesmas distribuições de probabilidade e, portanto, tenham equilibrado perfeitamente as capacidades de produção, Mel e Danny não produziram a capacidade esperada de 14 lotes porque Danny, algumas vezes, ficou ociosa enquanto esperava por Mel (veja o Lote 2), e Mel, algumas vezes, ficou ociosa enquanto esperava por Danny (veja o Lote 6). Esse fenômeno de perda de produção durante o tempo ocorre sempre que processos variáveis estão estreitamente ligados, sejam mecânicos, como o de Mel e Danny, ou funcionais, como fabricação e marketing. A simulação mostra a necessidade de se colocar, entre os dois robôs, espaço suficiente para armazenar vários lotes para absorver as variações nos tempos do processo. Simulações subseqüentes podem ser executadas para mostrar quantos lotes são necessários.

Tabela B.4 Resultados da simulação para Mel e Danny

		Mel						Danny				
Lote Nº	Hora inicial	Nº aleatório	Setup	Nº aleatório	Processo	Tempo cumulativo	Hora inicial	Nº aleatório	Setup	Nº aleatório	Processo	Tempo cumulativo
1	0:00	71	4 min	50	7 s	5 min 10 s	5:10	21	2 min	94	9 s	8 min 40 s
2	5:10	50	3 min	63	8 s	9 min 30 s	9:30	47	3 min	83	8 s	13 min 50 s
3	9:30	31	3 min	73	8 s	13 min 50 s	13:50	04	1 min	17	6 s	15 min 50 s
4	13:50	96	5 min	98	9 s	20 min 20 s	20:20	21	2 min	82	8 s	23 min 40 s
5	20:20	25	2 min	92	9 s	23 min 50 s	23:50	32	3 min	53	7 s	28 min 00 s
6	23:50	00	1 min	15	6 s	25 min 50 s	28:00	66	3 min	57	7 s	32 min 10 s
7	28:00	00	1 min	99	9 s	30 min 30 s	32:10	55	3 min	11	6 s	36 min 10 s
8	32:10	10	2 min	61	8 s	35 min 30 s	36:10	31	3 min	35	7 s	40 min 20 s
9	36:10	09	1 min	73	8 s	38 min 30 s	40:20	24	2 min	70	8 s	43 min 40 s
10	40:20	79	4 min	95	9 s	45 min 50 s	45:50	66	3 min	61	8 s	50 min 10 s
11	45:50	01	1 min	41	7 s	48 min 00 s	50:10	88	4 min	23	6 s	55 min 10 s
12	50:10	57	3 min	45	7 s	54 min 20 s	55:10	21	2 min	61	8 s	58 min 30 s
13	55:10	26	2 min	46	7 s	58 min 20 s	58:30	97	5 min	31	7 s	64 min 40 s

PROBLEMAS

O software de simulação SimQuick está no site de apoio do livro. Também são fornecidos exercícios sobre como usar o SimQuick para simular vários problemas encontrados na gestão de processos e de cadeias de valor. O SimQuick pode ser um recurso valioso mesmo depois que você concluir seu curso.

1. A Lavanderia a Seco Cometa é especializada em lavagem a seco para entrega no mesmo dia. Os clientes deixam suas peças de roupa pela manhã e esperam que estejam prontas para apanhar em seu caminho de volta do trabalho para casa. O risco é, entretanto, de que o trabalho necessário para uma peça de roupa não possa ser feito naquele dia, dependendo do tipo de lavagem requerido. Historicamente, a entrega de uma média de 20 peças de roupa teve de ser adiada para o dia seguinte. O gerente do estabelecimento pretende uma ampliação para reduzir ou eliminar esses atrasos. Um modelo de simulação foi desenvolvido com a seguinte distribuição para peças de roupa por dia:

Número	Probabilidade	Números aleatórios
50	0,10	00–09
60	0,25	10–34
70	0,30	35–64
80	0,25	65–89
90	0,10	90–99

Com a expansão, o número máximo de peças de roupa que podem ser lavadas a seco por dia é

Número	Probabilidade	Números aleatórios
60	0,30	00–29
70	0,40	30–69
80	0,30	70–99

Na simulação para um dia específico, o número de peças de roupa precisando ser lavadas (NPPL) é determinado primeiro. Em seguida, o número máximo de peças de roupa que podem ser lavadas a seco (NMPL) é determinado. Se NMPL ≥ NPPL, todas as peças de roupa são lavadas a seco nesse dia. Se NMPL < NPPL, então (NPPL − NMPL) peças de roupa devem ser adicionadas ao número de peças de roupa que chegarem no dia seguinte para obter o NPPL do dia seguinte. A simulação continua dessa maneira.

   a. Supondo que a loja está vazia no princípio, simule 15 dias de operação. Use os números aleatórios seguintes, o primeiro determinando o número de chegadas e o segundo definindo a capacidade:

   (49, 77), (27, 53), (65, 08), (83, 12), (04, 82),

   (58, 44), (53, 83), (57, 72), (32, 53), (60, 79),

   (79, 30), (41, 48), (97, 86), (30, 25), (80, 73)

   Determine o número médio diário de peças de roupa que permaneceram na loja durante a noite, tendo por referência sua simulação.

   b. Se o custo associado com a entrega atrasada de peças de roupa é 25 dólares por peça de roupa por dia, e o custo de expansão adicionado é 200 dólares por dia, a expansão é uma boa idéia?

2. A Companhia Industrial Precisão está examinando a compra de uma máquina NC e restringiu as escolhas possíveis a dois modelos. A empresa fabrica vários produtos e os lotes de trabalho chegam à máquina NC a cada seis minutos. O número de unidades no lote tem a seguinte distribuição discreta:

Número de unidades no lote	Probabilidade
3	0,1
6	0,2
8	0,3
14	0,2
18	0,2

Seguem as distribuições dos tempos de *setup* e dos tempos de processamento para os dois modelos NC. Suponha que o trabalho em um lote compartilha um único *setup* e que cada unidade no lote tem o mesmo tempo de processamento. Simule duas horas (ou dez chegadas de lote) de operação para as duas máquinas NC. Use os números aleatórios seguintes, o primeiro para o número de unidades em um lote, o segundo para tempos de *setup* e o terceiro para tempos de execução:

(71, 21, 50), (50, 94, 63), (96, 93, 95), (83, 09, 49), (10, 20, 68),

(48, 23, 11), (21, 28, 40), (39, 78, 93), (99, 95, 61), (28, 14, 48)

O que você recomendaria se ambas as máquinas custarem o mesmo para compra, operação e manutenção?

Máquina NC 1			
Tempo de *setup* (min)	Probabilidade	Tempo de execução por unidade (s)	Probabilidade
1	0,10	5	0,10
2	0,20	6	0,20
3	0,40	7	0,30
4	0,20	8	0,25
5	0,10	9	0,15

Máquina NC 2			
Tempo de *setup* (min)	Probabilidade	Tempo de execução por unidade (s)	Probabilidade
1	0,05	3	0,20
2	0,15	4	0,25
3	0,25	5	0,30
4	0,45	6	0,15
5	0,10	7	0,10

3. No Problema 2, que fatores você deveria considerar se o custo inicial da máquina NC 1 fosse 4.000 dólares menor que o da máquina NC 2?

4. Os 30 professores de administração da Universidade de Ômega (UΩ) descobriram que as chamadas telefônicas feitas para seus escritórios não estão sendo atendidas. Um sistema de encaminhamento de telefonemas redireciona as ligações para o escritório de administração após o quarto toque. Um auxiliar de escritório do departamento atende ao telefone e anota recados. Uma média de 90 chamadas telefônicas por hora é recebida pela faculdade de administração e cada chamada telefônica consome cerca de um minuto do tempo do auxiliar. Os telefonemas chegam a uma distribuição de Poisson, como mostrado na Figura B.5(a), com uma média de 1,5 telefonema por minuto. Visto que os professores passam muito de seu tempo em sala de aula e em reuniões, há apenas 40 por cento de chance de que eles mesmos atendam um telefonema, como mostrado na Figura B.5(b). Se duas ou mais chamadas telefônicas são encaminhadas para o escritório durante o mesmo minuto, apenas o primeiro telefonema será atendido.

   a. Sem usar simulação, faça uma estimativa preliminar da proporção de tempo em que o assistente estará no telefone e de que proporção de chamadas telefônicas não será atendida.
   b. Agora use números aleatórios para simular a situação por uma hora, começando às 10h da manhã. A Tabela B.5 lhe auxiliará no início.
   c. Qual a proporção de tempo em que o auxiliar de escritório está ao telefone? Que proporção das chamadas telefônicas não é respondida? Essas proporções estão próximas do que você esperava?

5. O diretor administrativo da UΩ está pensando em instalar um sistema de correio de voz. Os custos operacionais mensais são de 25 dólares por caixa de correio de voz, mas o sistema reduzirá a quantidade de tempo que o auxiliar de escritório gasta atendendo ao telefone em 60 por cento. O departamento tem 32 telefones. Use os resultados de sua simulação no Problema 4 para estimar a proporção de tempo gasto atendendo ao telefone, no presente, pelo auxiliar, cujo salário (e custos indiretos) é de 3.000 dólares por mês. O diretor administrativo deve encomendar o sistema de correio de voz?

6. A demanda semanal em uma loja de conveniência local E-Z Mart por jarros de leite desnatado de 1 galão, nas últimas 50 semanas variou entre 60 e 65 jarros, como mostrado na tabela seguinte. A demanda de estoque excedente não pode ser devolvida.

Demanda (jarros)	Número de Semanas
60	5
61	7
62	17
63	11
64	6
65	4
	Total 50

   a. Atribua números aleatórios entre 00 e 99 para simular a distribuição de probabilidade de demanda.
   b. A E-Z Mart encomenda 62 jarros toda semana. Simule a demanda por esse artigo para dez semanas, usando os números aleatórios 97, 2, 80, 66, 99, 56, 54, 28, 64 e 47. Determine a escassez ou o excedente de estoque para cada semana.
   c. Qual é a escassez média e o excedente médio para as dez semanas?

7. A Loja de Serviços Só Freios promete a seus clientes entrega do serviço no mesmo dia, fazendo hora extra se necessário. Os dois mecânicos da oficina podem lidar com um total de 12 serviços de freio por dia durante as horas regulares. Durante os últimos 100 dias, o número de serviços de freio na oficina variou entre 10 e 14, como mostrado na tabela seguinte:

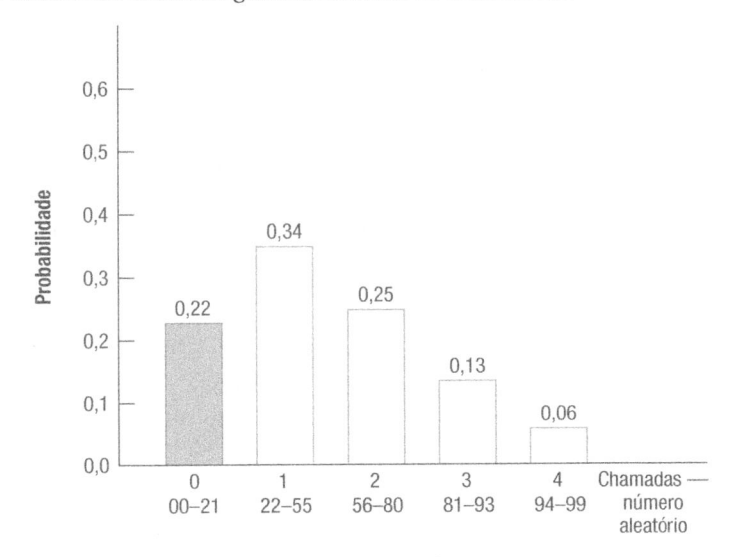

(a) Probabilidades de números de chamadas telefônicas recebidas por minuto

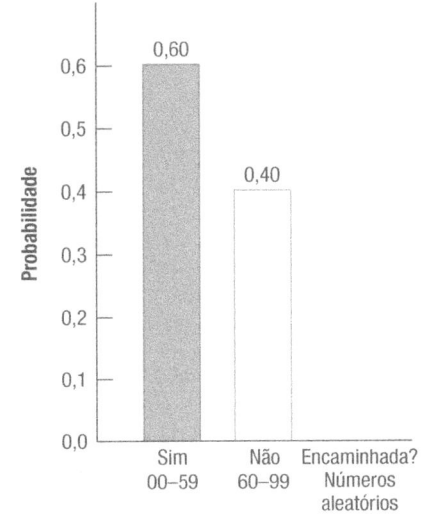

(b) Probabilidade de se encaminhar uma chamada

Figura B.5 Distribuições de probabilidade para a Universidade de Ômega

Tabela B.5		Simulação para o auxiliar de escritório									
Hora	NA	Número de chamadas feitas	NA	Primeira chamada encaminhada? (sim/não)	NA	Segunda chamada encaminhada? (sim/não)	NA	Terceira chamada encaminhada? (sim/não)	NA	Quarta chamada encaminhada? (sim/não)	Número de chamadas não atendidas	Assistente ocioso(✓)
10:00	68	2	30	Sim	54	Sim					1	
10:01	76	2	36	Sim	32	Sim					1	
10:02	68	2	04	Sim	07	Sim					1	
10:03	98	4	08	Sim	21	Sim	28	Sim	79	Não	2	
10:04	25	1	77	Não							0	✓
10:05	51	1	23	Sim							0	
10:06	67	2	22	Sim	27	Sim					1	
10:07	80	2	87	Não	06	Sim					0	
10:08	03	0									0	✓
10:09	03	0									0	✓
10:10	33	1	78	Não							0	✓

Demanda (serviços)	Número de dias
10	10
11	30
12	30
13	20
14	10
	Total 100

a. Atribua números aleatórios entre 00 e 99 para simular a distribuição de probabilidade de demanda para serviços de freio.
b. Simule a demanda para os próximos dez dias, usando os números aleatórios 28, 83, 73, 7, 63, 37, 38, 50 e 92.
c. Em quantos dias será necessário fazer hora extra? Em quantos dias os mecânicos serão subutilizados?
d. Qual o percentual de dias, em média, em que será necessário fazer hora extra?

8. Um centro de máquinas lida com quatro tipos de clientes: A, B, C e D. O gerente quer avaliar o número de máquinas requeridas para fabricar bens para esses clientes. Os tempos de *setup* para mudança de atividade de um cliente a outro são insignificantes. A demanda e os tempos de processamento anual são indeterminados; a demanda pode ser baixa, normal ou alta. As probabilidades para esses três eventos são mostradas nas tabelas seguintes:

Cliente A			
Demanda (unidades/ano)	Probabilidade	Tempo de processamento (h/unidade)	Probabilidade
3.000	0,10	10	0,35
3.500	0,60	20	0,45
4.200	0,30	30	0,20

Cliente B			
Demanda (unidades/ano)	Probabilidade	Tempo de processamento (h/unidade)	Probabilidade
500	0,30	60	0,25
800	0,50	90	0,50
900	0,20	100	0,25

Cliente C			
Demanda (unidades/ano)	Probabilidade	Tempo de processamento (h/unidade)	Probabilidade
1.500	0,10	12	0,25
3.000	0,50	15	0,60
4.500	0,40	20	0,15

Cliente D			
Demanda (unidades/ano)	Probabilidade	Tempo de processamento (h/unidade)	Probabilidade
600	0,40	60	0,30
650	0,50	70	0,65
700	0,10	80	0,05

a. Explique como a simulação pode ser usada para gerar uma distribuição de probabilidade para o número total de horas-máquina exigidas por ano para atender aos clientes.
b. Simule um ano, usando os números aleatórios seguintes. Use o número aleatório 88 para a demanda de cliente A, 24 para tempo de processamento de cliente A etc.

88, 24, 33, 29, 52, 84, 37, 92

9. A atividade de vendas na BestCar (veja o Exemplo B.3) mudou. Estima-se que as vendas semanais são, agora, distribuídas da seguinte forma:

Vendas semanais (carros)	Freqüência relativa (probabilidade)
0	0,02
1	0,03
2	0,05
3	0,10
4	0,15
5	0,30
6	0,20
7	0,10
8	0,05
	Total 1,00

Crie um modelo no Excel que simule 500 semanas na BestCar. Ele deve calcular, a partir da experiência simulada, o número médio de carros e renda por semana, além de uma tabela de freqüência de vendas de carros.

10. Mantenha a mesma distribuição de vendas semanal para a BestCar, como no Exemplo B.3, mas suponha que o preço dos carros é distribuído da seguinte forma:

Preço de vendas (preço/carro)	Freqüência relativa (probabilidade)
$ 18,000	0,15
$ 20,000	0,35
$ 22,000	0,35
$ 24,000	0,10
$ 26,000	0,05
	Total 1,00

Crie um modelo no Excel que simule 500 semanas na BestCar. Ele deve calcular, a partir da experiência simulada, o número médio de carros e renda por semana, além de uma tabela de freqüência de vendas de carro.

REFERÊNCIAS SELECIONADAS

ABDOU, G.; e DUTTA S. P. "A systematic simulation approach for the design of JIT manufacturing systems", *Journal of Operations Management*, vol. 11, n. 3, 1993, p. 25–38.

BRENNAN, J. E.; GOLDEN B. L.; e RAPPOPORT H. K. "Go with the flow: Improving red cross bloodmobiles using simulation analysis", *Interfaces*, vol. 22, n. 5, 1992, p. 1.

CHRISTY, D. P.; WATSON, H. J. "The application of simulation: a survey of industry practice", *Interfaces*, vol. 13, n. 5, out. 1983, p. 47-52.

CONWAY, R.; MAXWELL, W. L.; McCLAIN, J. D.; WORONA, S. L. *XCELL & factory modeling system release 4.0*. São Francisco: Scientific Press, 1990.

ERNSHOFF, J. R.; SERSON, R. L. *Design and use of computer simulation models*. Nova York: Macmillan, 1970.

HARTVIGSEN, David. *SimQuick: process simulation with Excel*, 2. ed. Upper Saddle River, NJ: Prentice Hall, 2004.

Imagine That! (www.imaginethatinc.com). *Extend simulation package*. San Jose, CA.

LAW, A. M.; KELTON, W. D. *Simulation modeling and analysis*, 2. ed. New York: McGraw-Hill, 1991.

MEIER, R. C.; NEWELL, W. T.; PAZER, H. L. *Simulation in business and economics*. Englewood Cliffs, NJ: Prentice Hall, 1969.

MicroAnalysis and Design Software Inc. "Hospital overcrowding solutions are found with simulation", *Industrial Engineering*, dez. 1993, p. 557.

NAYLOR, T. H., et al. *Computer simulation techniques*. New York: John Wiley & Sons, 1966.

PRITSKER, A. A. B.; SIGAL C. E.; HAMMESFAHR, R. D. *SLAM II: Network models for decision support*. Upper Saddle River, NJ: Prentice Hall, 1989.

SOLOMON, S. L. *Simulation of waiting lines*. Englewood Cliffs, NJ: Prentice Hall, 1983.

SWEDISH, Julian. "Simulation brings productivity enhancements to the social security administration", *Industrial Engineering*, mai. 1993, p. 28-30.

WINSTON, Wayne L. *Simulation modeling using @RISK*. Belmont, CA: Wadsworth Publishing Company, 1996.

6

OBJETIVOS DE APRENDIZAGEM

Depois de ler este capítulo, você será capaz de:

1. Definir os quatro principais custos de desempenho e de qualidade insatisfatórios do processo.

2. Identificar *qualidade* a partir da perspectiva do cliente.

3. Explicar as diferenças entre causas comuns e causas assinaláveis de variação no desempenho do processo e por que a distinção é importante.

4. Descrever como construir gráficos de controle e usá-los para determinar se um processo está fora de controle estatístico.

5. Descrever como determinar se um processo é capaz de gerar um serviço ou produto, de acordo com as especificações.

6. Explicar os princípios básicos dos programas TQM ou Seis Sigmas.

Um chefe de cozinha no luxuoso hotel Crowne Plaza em Christchurch, Nova Zelândia, prepara refeições adaptadas às especificações do cliente.

Capítulo 6
Desempenho e qualidade do processo

Crowne Plaza Christchurch

O Crowne Plaza Christchurch, um luxuoso hotel em Christchurch, Nova Zelândia, possui 298 quartos para hóspedes, três restaurantes, dois saguões e 260 funcionários para atender a 2.250 hóspedes a cada semana, os quais consomem uma média de 2.450 refeições. Ainda que a operação seja complexa, o desempenho e a qualidade do serviço recebem prioridade máxima no Crowne Plaza porque os clientes demandam isso; eles têm muitas oportunidades para avaliar a qualidade do serviço que recebem. Por exemplo, antes da chegada do hóspede, o pessoal das reservas recolhe uma quantidade considerável de informações sobre suas preferências e desagrados. Essas informações (por exemplo, preferência por travesseiro firme ou toalhas extras) são distribuídas para a administração interna e outros setores do hotel e são usadas para personalizar o serviço que cada hóspede recebe. Na chegada, um hóspede é recebido por um porteiro que abre a porta do carro e descarrega a bagagem. Em seguida, ele é acompanhado até o recepcionista, que o registra e indica o quarto. Por fim, quando o hóspede for jantar, garçons e cozinheiros também devem estar à altura do alto padrão de qualidade que distingue o Crowne Plaza de seus concorrentes.

Como esse nível de qualidade pode ser sustentado? O hotel permite que seus funcionários ajam de modo preventivo e, se necessário, corretivo, sem consentimento da gerência. Além disso, a gerência e os funcionários usam gráficos de linha, histogramas e outros gráficos para rastrear o desempenho e identificar as áreas que precisam de melhoria. Nas cozinhas do hotel, por exemplo, são afixadas fotografias dos pratos acabados para lembrar os chefes de cozinha sobre como os pratos devem ser apresentados e sobre seus ingredientes. Por fim, em se tratando de serviços de grande contato com o cliente, recrutamento, treinamento e motivação superiores dos funcionários são essenciais para alcançar e sustentar níveis elevados de qualidade do serviço.

Fonte: O nome do hotel mudou de Parkroyal Christchurch para Crowne Plaza Christchurch. Ver também *Operations management.* 8. ed. Video Library. (Upper Saddle River, NJ: Prentice Hall, 2005.) Disponível em: <www.crowneplaza.co.nz>, 2005.

O desafio para as empresas, hoje, é satisfazer seus clientes por meio do desempenho excepcional de seus processos. O Crowne Plaza Christchurch é um exemplo de uma empresa que enfrentou o desafio projetando e administrando processos que proporcionam satisfação total aos clientes. Avaliar o desempenho do processo é importante, se é isso que se pretende. É o quarto passo do *blueprint* para análise de processos (veja a Figura 5.1).

Avaliar o desempenho do processo também é necessário para administrar cadeias de valor. Por exemplo, no Crowne Plaza Christchurch, o processo do restaurante pode ser medido de acordo com a coerência entre apresentação e conteúdo da refeição e a adequação do serviço fornecido. O processo de compra, que envolve selecionar os fornecedores do restaurante e o modo como entregam seus produtos, pode ser medido em termos da qualidade dos produtos entregues ao restaurante, do desempenho da entrega em tempo correto por parte dos fornecedores e do custo da comida. Em última instância, a avaliação da cadeia de valor, que consiste nesses dois processos, dependerá do quanto eles satisfazem os clientes do restaurante, que consideram o valor da refeição, e de quanto a experiência do jantar atende às expectativas ou as supera. O desempenho desses processos individuais deve ser coerente com as medidas de desempenho para a cadeia de valor.

DESEMPENHO E QUALIDADE DO PROCESSO POR TODA A ORGANIZAÇÃO

O desempenho e a qualidade do processo devem ser preocupação de todos. Tome como exemplo o QVC, um serviço de compras pela televisão de 4,9 bilhões de dólares. O QVC é transmitido 24 horas por dia, o ano todo, ex-

USANDO OPERAÇÕES PARA COMPETIR

Operações como arma competitiva
Estratégia de operações
Administração de projetos

ADMINISTRANDO PROCESSOS

Estratégia de processos
Análise de processos
Desempenho e qualidade do processo
Administração das restrições
Layout do processo
Sistemas de produção enxuta

ADMINISTRANDO CADEIAS DE VALOR

Estratégia de cadeia de suprimentos
Localização
Administração de estoques
Previsão de demanda
Planejamento de vendas e operações
Planejamento de recursos
Programação

ceto no Natal[1] e vende cerca de 60 mil artigos que variam desde jóias, ferramentas, produtos para cozinha, roupas e comida sofisticada a computadores.

As operações do QVC se iniciam com um pedido do cliente: as atividades de anotar o pedido, indicar uma data de entrega, faturar e entregar o pedido seguem-se à realização do pedido. O QVC opera quatro centros de atendimento ao cliente, que lidam com três milhões de telefonemas, todo mês, de clientes que desejam fazer um pedido, reclamar sobre um problema ou apenas obter informações sobre produtos. Nesse processo, o comportamento e a habilidade do representante do centro de atendimento ao cliente são decisivos para se realizar um encontro bem-sucedido com o cliente. A gerência do QVC rastreia a produtividade, a qualidade e as medidas de satisfação do cliente para esse processo. Quando as medidas caem, os problemas são tratados ativamente. Saber como avaliar se o processo está sendo bem executado e quando agir são habilidades-chave que os gerentes do QVC devem ter. Este capítulo aborda, em primeiro lugar, os custos do desempenho e da qualidade insatisfatórios do processo e, em seguida, focaliza os princípios e ferramentas que muitas empresas adotam para avaliá-los e aperfeiçoá-los.

---

[1] Anne Schwarz, "Listening to the voice of the customer is the key to QVC's success", *Journal of Organizational Excellence*, inverno 2004, p. 3-11.

CUSTOS DE DESEMPENHO E QUALIDADE DO PROCESSO INSATISFATÓRIOS

Quando um processo não consegue satisfazer um cliente, é considerado um **defeito**. Por exemplo, de acordo com a Academia de Médicos Familiares da Califórnia, defeitos nos processos em uma clínica médica são definidos como "qualquer coisa que aconteceu em meu consultório que não deveria ter acontecido e que eu realmente não quero que aconteça novamente". Evidentemente, essa definição inclui falhas no processo que o paciente vê, como comunicação ineficiente e erros de dosagens na receita médica. Também inclui falhas que o paciente não vê, como planejamento incorreto.

Muitas empresas gastam tempo, esforço e recursos significativos em sistemas, treinamento e mudanças organizacionais para aperfeiçoar o desempenho e a qualidade de seus processos. Elas acreditam que a capacidade de medir os níveis correntes de desempenho seja importante, de modo que quaisquer lacunas do processo possam ser determinadas. As lacunas refletem clientes em potencial insatisfeitos e custos adicionais para a empresa. A maioria dos especialistas estima que as perdas devido ao desempenho e à qualidade insatisfatórios variam de 20 a 30 por cento das vendas brutas. Esses custos podem ser divididos em quatro categorias principais: prevenção, avaliação, falhas internas e falhas externas.

CUSTOS DE PREVENÇÃO

Custos de prevenção estão associados a evitar defeitos antes de eles acontecerem. Incluem os custos de reprojetar o processo para eliminar as causas do desempenho insatisfatório, reprojetar o serviço ou produto para tornar sua produção mais simples, treinar funcionários nos métodos de melhoria contínua e trabalhar com os fornecedores para aumentar a qualidade dos itens comprados ou dos serviços contratados. A fim de aperfeiçoar o desempenho, as empresas devem investir tempo, esforço e dinheiro adicionais.

CUSTOS DE AVALIAÇÃO

Os **custos de avaliação** incidem quando a empresa avalia o nível de desempenho de seus processos. Quando medidas preventivas aperfeiçoam o desempenho, os custos de avaliação diminuem, porque são necessários menos recursos para inspeções de qualidade e busca subseqüente em virtude de quaisquer problemas detectados.

CUSTOS DE FALHAS INTERNAS

Os **custos de falhas internas** resultam de defeitos que são descobertos durante a geração de um serviço ou produto. Os defeitos pertencem a duas categorias principais: *reprocessamento*, que ocorre se algum aspecto de algum serviço deve ser executado novamente ou se algum artigo defeituoso deve ser redirecionado para alguma(s) operação(ões) anterior(es) a fim de corrigir o defeito; e *descarte*, que acontece se um artigo defeituoso é inadequado para outro processo. Por exemplo, uma análise da viabilidade de aquisição de uma empresa pode ser devolvida ao departamento de fusões e aquisições se faltar uma avaliação da história de conformidade ambiental da empresa. Do mesmo modo, se o inspetor final em uma oficina de pintura de automóveis descobre que a pintura de um carro tem um acabamento ruim, o carro pode ter de ser completamente lixado e pintado novamente. O tempo adicional gasto corrigindo esse erro resulta em menor produtividade. Além disso, o carro pode não estar pronto na data em que o cliente o espera.

CUSTOS DE FALHAS EXTERNAS

Os **custos de falhas externas** surgem quando um defeito é descoberto após o cliente receber o serviço ou produto. Por exemplo, suponha que o óleo de seu carro tenha sido trocado e que o filtro de óleo esteja instalado inadequadamente, fazendo com que o óleo escorra no chão de sua garagem. Você poderia insistir que a empresa pague pelo reboque do carro e recupere o óleo e o filtro imediatamente. Os custos de falhas externas para a empresa, nesse caso, incluem os custos de reboque e de óleo e filtro adicionais, assim como a perda de receita futura porque você decide nunca mais levar seu carro a essa oficina.

Clientes insatisfeitos conversam sobre serviços ou produtos ruins com seus amigos, que, por sua vez, contam a outros. Se o problema é suficientemente grave, grupos de proteção ao consumidor podem até mesmo alertar a imprensa. O impacto potencial sobre lucros futuros é difícil de ser avaliado, mas, sem dúvida, custos de falhas externas comprometem a participação no mercado e os lucros. Encontrar e corrigir defeitos depois que o produto está nas mãos do cliente é dispendioso.

Custos de falhas externas também incluem serviços de garantia e custos de litígio. Uma **garantia** é uma declaração ou compromisso por escrito de que o fabricante substituirá ou consertará partes defeituosas ou executará o serviço para assegurar a satisfação do cliente. Normalmente, uma garantia é dada por um período especificado. Por exemplo, consertos de televisões são normalmente garantidos por 90 dias e novos automóveis por cinco anos ou 50.000 milhas, o que ocorrer primeiro. Os custos de garantia devem ser considerados no projeto de novos serviços ou produtos.

GESTÃO DA QUALIDADE TOTAL

A **gestão da qualidade total** (*Total Quality Management* —TQM) é uma filosofia que enfatiza três princípios para se alcançar níveis elevados de desempenho e qualidade do processo. Esses princípios estão relacionados à satisfação do cliente, ao envolvimento do funcionário e à melhoria contínua do desempenho. Como mostra a Figura 6.1, a TQM também envolve vários elementos importantes que são abordados em outros capítulos e suplementos deste livro: projeto de serviço ou produto (veja o Capítulo 2, "Estratégia de operações"); projeto do processo (veja o Capítulo 4, "Estratégia de processos"); compras (veja o Capítulo 10, "Estratégia de cadeias de suprimentos"); e *benchmarking* e ferramentas de solução de problemas (veja o Capítulo 5, "Análise de processos" e o Suplemento A, "Tomada de decisão"). Aqui focalizamos os três princípios essenciais da TQM.

SATISFAÇÃO DO CLIENTE

Os clientes, internos ou externos, estão satisfeitos quando suas expectativas em relação a um serviço ou produto foram atendidas ou superadas. Muitas vezes, os clientes usam o termo **qualidade** para descrever seu nível de satisfação em relação a um serviço ou produto. A qualidade tem dimensões múltiplas na opinião do cliente, que perpassam as nove prioridades competitivas apresentadas no Capítulo 2, "Estratégia de operações". Uma ou mais das definições seguintes se aplicam a qualquer momento.

Conformidade com as especificações Embora os clientes avaliem o serviço ou produto que receberam, os processos que geraram o serviço ou produto é que estão realmente sendo julgados. Nesse caso, uma falha no processo seria a incapacidade do processo de satisfazer certos padrões de desempenho anunciados ou implícitos. A conformidade com as especificações pode se relacionar à qualidade consistente, à entrega pontual ou à velocidade de entrega.

A Bell Canada mede o desempenho do processo de seu centro de atendimento ao cliente pelo tempo necessário para se atender a uma chamada ('tempo de espera'). Se o tempo médio excede o padrão de 23 segundos, os gerentes trabalham com os funcionários para reduzir esse tempo. Os clientes ficam inquietos se não podem ter acesso rápido a um operador. A Seagate, porém, anuncia que seu *disk drive* Cheetah de alto desempenho tem um tempo médio entre falhas de 1,2 milhão de horas. Todos os componentes do *disk drive* devem se ajustar às

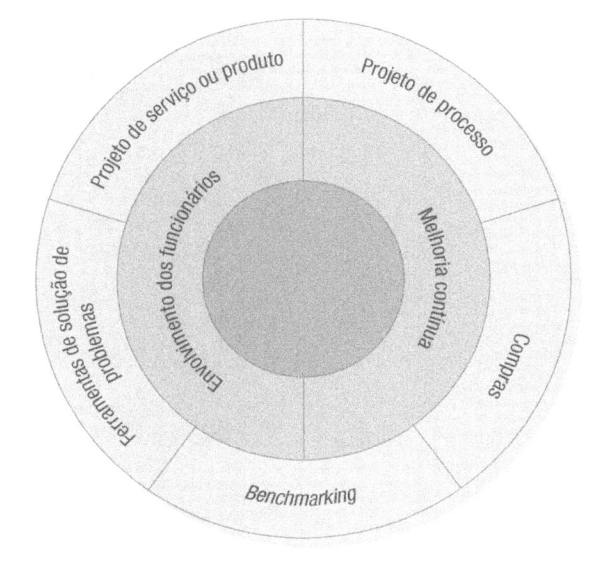

Figura 6.1 Ciclo de TQM

especificações individuais da Seagate para atingir o desempenho desejado do produto acabado. A qualidade constante é importante porque os clientes medem a qualidade pelo desempenho do produto. Entretanto, cada um dos processos de fabricação e cada um dos fornecedores da Seagate também está sendo avaliado.

Valor Outro modo pelo qual os clientes definem qualidade é por meio do valor, ou o quanto o serviço ou produto atende a seu propósito a um preço que os clientes estão dispostos a pagar. O processo de projetar o serviço ou produto é importante nesse caso, bem como as prioridades competitivas da empresa em relação a operações de alta qualidade *versus* operações de baixo custo. Os dois fatores devem ser equilibrados para gerar valor ao cliente. O valor de um serviço ou produto, na opinião do cliente, depende de suas expectativas antes de adquiri-lo. Um acordo complexo iniciado por uma empresa de advocacia bem conceituada pode custar três mil dólares; contudo, se o acordo é flexível o suficiente, de modo que não precise ser alterado ao longo do tempo, o preço pode valer a pena. Do mesmo modo, comprar um Honda Civic por 13 mil dólares pode ter mais valor para um cliente que comprar um Jaguar por 45 mil dólares, porque o propósito pretendido para o carro é fornecer transporte a um estudante enquanto freqüenta a escola.

Conveniência para uso Quando avalia o quanto um serviço ou produto tem um bom desempenho, o cliente pode considerar a utilidade de um serviço ou as características mecânicas de um produto. Outros aspectos da adequação ao uso incluem aparência, estilo, durabilidade, confiabilidade, habilidade e utilidade. Por exemplo, você pode avaliar a qualidade do serviço de seu dentista tendo por referência a idade de seu equipamento, porque a nova tecnologia odontológica reduz muito o desconforto associado às consultas com o dentista. Ou você pode definir a qualidade do centro de diversões que você comprou tendo por referência o quanto foi fácil montá-lo e o quanto ele acomodou bem seu equipamento.

Assistência Muitas vezes, a assistência técnica fornecida pela empresa é tão importante para os clientes como a própria qualidade do serviço ou produto. Os clientes ficam insatisfeitos com uma empresa se suas demonstrações financeiras estão incorretas, as respostas a suas solicitações de garantia estão atrasadas ou sua publicidade é enganosa. Entretanto, uma boa assistência técnica pode reduzir as conseqüências de falhas de qualidade. Por exemplo, se você acabou de reparar o freio, ficaria irritado se os freios começassem a 'guinchar' novamente uma semana depois. Se o gerente da oficina se propõe a refazer o serviço sem nenhum custo adicional, a intenção da empresa de satisfazer o cliente é clara.

Impressões psicológicas As pessoas freqüentemente avaliam a qualidade de um serviço ou produto com base em impressões psicológicas: ambiente, imagem ou estética. Na prestação de serviços, em que há maior proximidade entre o cliente e o prestador do serviço, a aparência e as ações do prestador são especialmente importantes. Funcionários bem-vestidos, atenciosos, cordiais e simpáticos podem influenciar a percepção do cliente sobre a qualidade do serviço. Por exemplo, garçons desmazelados, descorteses ou mal-humorados podem arruinar os melhores esforços de um restaurante em prestar serviços de alta qualidade. Na indústria, a qualidade do produto, muitas vezes, é julgada com base no conhecimento e personalidade da equipe de vendas, assim como na imagem do produto apresentada em propagandas.

Atingir qualidade em todas as áreas de um negócio é uma tarefa difícil e, para tornar as coisas ainda mais difíceis, os consumidores mudam suas percepções sobre qualidade. Em geral, o sucesso de uma empresa depende da precisão de sua percepção sobre as expectativas do consumidor e de sua habilidade em reduzir as diferenças entre essas ex-

Uma funcionária em uma fábrica de disco rígido veste um traje especial e uma máscara para evitar contaminar o produto. Manter um ambiente sem poeira é crucial para a qualidade dos *disk drives*.

pectativas e as competências operacionais. A boa qualidade recompensa-se com lucros maiores. Serviços e produtos de alta qualidade podem ter preços mais elevados e gerar maiores retornos. A qualidade insatisfatória desgasta a capacidade da empresa de competir no mercado e aumenta os custos de gerar seu serviço ou produto. Por exemplo, ao aperfeiçoar sua conformidade com as especificações, uma empresa pode aumentar sua participação no mercado e reduzir o custo de seus serviços ou produtos, o que, por sua vez, aumenta os lucros. A gerência é mais capaz de competir com base tanto no preço como na qualidade.

ENVOLVIMENTO DOS FUNCIONÁRIOS

Um dos elementos importantes da TQM é o envolvimento dos funcionários, como mostrado na Figura 6.1. Um programa de envolvimento dos funcionários inclui mudar a cultura organizacional e encorajar o trabalho em equipe.

Mudança cultural O desafio da administração de qualidade é instilar em todos os funcionários uma consciência da importância da qualidade e motivá-los a aperfeiçoá-la. Com a TQM, espera-se que todos contribuam para o aumento da qualidade — do administrador, que encontra medidas de economia de custos; ao vendedor, que se informa sobre uma nova necessidade do cliente; ao engenheiro, que projeta um produto com menos peças; ao gerente, que se comunica claramente com outros chefes de departamento. Em outras palavras, a TQM envolve todas as funções que se relacionam com um serviço ou produto.

Um dos principais desafios ao se desenvolver a cultura adequada para a TQM é definir *cliente* para cada funcionário. Em geral, os clientes são internos ou externos. Os clientes externos são as pessoas ou empresas que compram o serviço ou produto. Nesse sentido, a empresa inteira é uma unidade única que deve fazer o melhor para satisfazer os clientes externos. Entretanto, comunicar os interesses dos clientes externos a todos na organização é difícil. Alguns funcionários, especialmente os que têm pouco contato com os clientes externos, podem ter dificuldade em compreender como suas atividades contribuem para o desempenho final.

É útil chamar a atenção dos funcionários para o fato de que cada um também tem um ou mais clientes internos na empresa, que contam com o produto entregue por outros funcionários. Por exemplo, um operador de máquinas que faz furos em um componente e o entrega a um soldador tem o soldador como seu cliente. Embora o soldador não seja um cliente externo, ele terá muitas das mesmas definições de qualidade de um cliente externo, à exceção de que elas se relacionarão ao componente, em vez de ao produto completo. Todos os funcionários devem se esforçar para realizar um bom atendimento a seus clientes internos se os clientes externos, em última instância, devem ser satisfeitos. Estes serão satisfeitos apenas se o valor demandado por cada cliente interno for acrescentado ao que será reconhecido e pago pelo cliente externo. A noção de clientes internos se aplica a todas as partes de uma empresa e melhora a coordenação interfuncional. Por exemplo, a contabilidade deve preparar relatórios precisos e adequados para a gerência, e o setor de compras deve fornecer materiais de alta qualidade, pontualmente, para as operações.

Na TQM, todos na organização devem compartilhar a percepção de que o controle de qualidade é, em si, um fim. Os erros ou defeitos devem ser identificados e corrigidos na origem e não passados adiante para um cliente interno ou externo. Por exemplo, uma equipe de consultoria deve ter certeza de que suas horas trabalhadas estão corretas antes de submetê-las ao departamento de contabilidade. Essa filosofia é chamada **qualidade na origem**. Além disso, as empresas devem evitar tentar 'inspecionar a qualidade do produto' usando inspetores para eliminar serviços insatisfatórios ou produtos defeituosos após todas as operações terem sido executadas. Em contraste, em algumas empresas manufatureiras, os trabalhadores têm autorização para parar uma linha de produção se localizarem problemas de qualidade.

Equipes O envolvimento dos funcionários é uma tática crucial para aperfeiçoar processos e qualidade. Uma maneira de conseguir o envolvimento dos funcionários é pelo uso de **equipes**, que são grupos pequenos de pessoas que têm um propósito comum, definem suas próprias metas e abordagens de desempenho e se consideram responsáveis pelos bons resultados. As equipes diferem dos grupos de trabalho mais característicos dos seguintes modos:

- os membros têm um comprometimento comum em relação a um propósito abrangente o qual todos acreditam e que transcende as prioridades individuais;
- os papéis de liderança são compartilhados, em vez de ocupados por um único líder forte;
- o desempenho é avaliado não somente por contribuições individuais, mas também pelos resultados do trabalho coletivo, que refletem o esforço conjunto de todos os membros;
- a discussão aberta, em vez de uma agenda definida administrativamente, é apreciada nas reuniões;
- os membros da equipe fazem o trabalho juntos, em vez de delegá-lo a seus subordinados.

As três abordagens do trabalho em equipe mais freqüentemente usadas são as equipes de solução de problemas, as equipes com um propósito especial e as equipes autogeridas. Todas as três usam algum grau de ***empowerment***, que transfere a responsabilidade pela tomada de decisões para níveis mais baixos no organograma — para o nível do funcionário que realmente realiza o trabalho.

Introduzidas pela primeira vez nos anos 1920, as equipes para solução de problemas, também chamadas de **círculos de qualidade**, tornaram-se populares no fim dos anos 1970, depois que os japoneses as utilizaram com êxito. As equipes para solução de problemas são grupos pequenos de supervisores e funcionários que se encontram para identificar, analisar e resolver problemas de processo e qualidade. A filosofia por trás dessa abordagem é que as pessoas diretamente responsáveis por prestar o serviço ou fabricar o produto serão as mais capazes de considerar formas de se resolver um problema. Além do mais, os funcionários se tornam mais satisfeitos e interessados em seu trabalho se lhes é permitido ajudar a moldá-lo. Um círculo de qualidade normalmente consiste em 5 a 12 voluntários escolhidos em um departamento ou em um grupo de funcionários designados para uma tarefa específica, como processamento de solicitação de crédito ou montagem de automóveis. As equipes se encontram várias horas por semana para trabalhar com problemas de qualidade e processo, e fazer sugestões à gerência. Essas equipes são amplamente utilizadas por empresas administradas por japoneses, nos Estados Unidos. A filosofia japonesa é encorajar a contribuição do funcionário enquanto mantém controle estrito sobre suas atividades de trabalho. Embora as equipes de solução de problemas possam reduzir custos e aumentar a qualidade com êxito, elas perdem a força se a gerência não consegue implementar muitas das sugestões propostas por elas.

Um produto das equipes de solução de problemas, as **equipes com propósitos especiais** abordam questões de grande interesse para a gerência, a mão-de-obra ou ambos. Por exemplo, a gerência pode formar uma equipe com um propósito especial para projetar e introduzir novas políticas de trabalho ou novas tecnologias, ou tratar de problemas de atendimento ao consumidor. Basicamente, essa abordagem dá voz aos trabalhadores em decisões de alto nível. As equipes para propósitos especiais apareceram pela primeira vez nos Estados Unidos, no início dos anos 1980.

A abordagem da **equipe autogerida** leva a participação do trabalhador a seu nível mais alto: um grupo pequeno de funcionários trabalha em conjunto para realizar uma parcela importante de um serviço ou produto, ou, algumas vezes, todo o produto ou serviço. Os membros se informam sobre todas as tarefas envolvidas na operação, alternam-se entre tarefas e assumem o comando de obrigações administrativas, como programação do trabalho e das férias, pedido de suprimentos e contratação. Em alguns casos, os membros da equipe projetam o processo e têm um alto grau de liberdade de expressão sobre o modo como ele se molda. As equipes autogeridas alteram essencialmente o modo como o trabalho é organizado porque os funcionários têm controle sobre suas tarefas. Algumas equipes de autogestão aumentaram a produtividade em 30 por cento ou mais em suas empresas.

MELHORIA CONTÍNUA

A **melhoria contínua**, baseada em um conceito japonês chamado *kaizen*, é a filosofia de se buscar continuamente maneiras para aperfeiçoar os processos. Ela envolve identificar *benchmarks* de práticas de excelência, ou padrões de excelência, e estimular no funcionário um sentimento de propriedade do processo. O foco pode ser a redução do tempo necessário para processar solicitações de empréstimos em um banco, da quantidade de refugo gerada em uma máquina de moagem ou do número de acidentes de trabalho em uma construção. A melhoria contínua também pode focalizar problemas com os clientes ou fornecedores, como clientes externos que solicitam mudanças freqüentes nas quantidades das remessas ou fornecedores internos que não conseguem manter a alta qualidade. Os fundamentos da filosofia de melhoria contínua são as convicções de que, potencialmente, qualquer aspecto de um processo pode ser aperfeiçoado e de que as pessoas mais diretamente envolvidas com um processo estão em melhor posição para identificar as mudanças que devem ser realizadas. A idéia é não esperar até que um problema enorme aconteça para agir.

Começando Incutir uma filosofia de melhoria contínua em uma organização pode ser um processo longo e vários passos são essenciais para seu êxito final:

1. Treinar os funcionários nos métodos de controle estatístico do processo (CEP) e outras ferramentas para aperfeiçoar a qualidade e o desempenho. (Discutiremos o CEP mais adiante neste capítulo.)
2. Tornar os métodos de CEP um aspecto normal das operações cotidianas.
3. Formar equipes de trabalho e encorajar o envolvimento dos funcionários.
4. Utilizar ferramentas de solução de problemas nas equipes de trabalho.
5. Desenvolver um sentido de propriedade do operador no processo.

Observe que o envolvimento do funcionário é central para a filosofia da melhoria contínua. Entretanto, os dois últimos passos são cruciais quando se pretende que a filosofia se torne parte das operações cotidianas. Um sentimento de propriedade do operador emerge quando os funcionários sentem-se responsáveis pelos processos e métodos que usam e se orgulham da qualidade do serviço ou produto que geram. Isso advém da participação em equipes de trabalho e em atividades de solução de problemas, que desenvolvem nos empregados um sentimento de que eles têm algum controle sobre seu local de trabalho e tarefas.

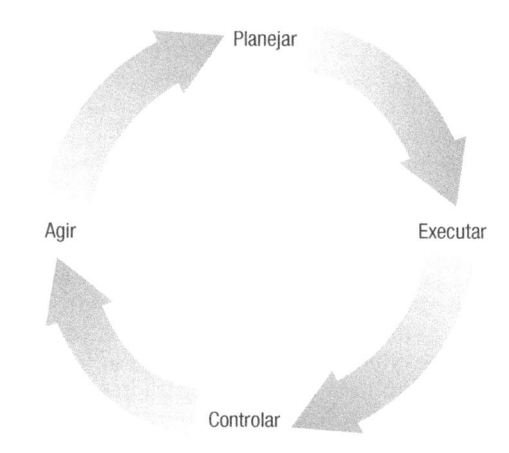

Figura 6.2 Ciclo Planejar–Executar–Controlar–Agir

Processo de solução de problemas A maioria das empresas ativamente envolvidas com a melhoria contínua treina suas equipes de trabalho para usar o **ciclo PDCA** (*Plan, Do, Check, Act* — Planejar, Executar, Controlar, Agir) para solucionar problemas. Outro nome para essa abordagem é Ciclo de Deming. A Figura 6.2 mostra esse ciclo, que está no âmago da filosofia da melhoria contínua. O ciclo compreende os seguintes passos:

1. *Planejar:* a equipe seleciona um processo (uma atividade, método, máquina ou política) que necessita de melhorias. Em seguida, documenta o processo selecionado, normalmente analisando dados relacionados; define metas qualitativas para a melhoria e discute vários modos de se atingir as metas. Após avaliar os benefícios e custos das alternativas, a equipe desenvolve um plano com medidas quantificáveis para a melhoria.

2. *Executar*: a equipe implementa o plano e monitora o progresso. Os dados são coletados continuamente para medir as melhorias no processo. Quaisquer alterações no processo são documentadas e revisões adicionais são feitas quando necessário.

3. *Controlar*: a equipe analisa os dados coletados durante o passo 'executar' para descobrir o quanto os resultados correspondem às metas definidas no passo 'planejar'. Se existirem deficiências importantes, a equipe reavalia o plano ou interrompe o projeto.

4. *Agir*: se os resultados são bons, a equipe documenta o processo revisado de modo que ele se torne o procedimento normal para todos que possam usá-lo. A equipe pode, então, treinar outros funcionários no uso do processo revisado.

Os projetos de solução de problemas freqüentemente focalizam os aspectos dos processos que não acrescentam valor ao serviço ou produto. Valor é adicionado em processos como fabricar uma peça ou atender a um cliente em um site da Internet. Nenhum valor é adicionado a atividades como inspecionar peças em busca de defeitos de qualidade ou encaminhar solicitações de aprovação de empréstimos para vários departamentos diferentes. A idéia da melhoria contínua é reduzir ou eliminar atividades que não adicionam valor e, desse modo, são desperdícios. Por exemplo, suponha que uma empresa tenha identificado três atividades que não adicionam valor à fabricação de seus produtos: a inspeção de cada peça, o conserto de defeitos e o manuseio de materiais entre operações. O tempo que as partes gastam em cada atividade não está adicionando valor ao produto e, conseqüentemente, não está gerando receita para a empresa. Os projetos de melhoria contínua poderiam focalizar a redução do tempo de manuseio e movimentação de materiais por meio do reajuste da localização das máquinas para minimizar as distâncias percorridas pelos materiais ou o aperfeiçoamento os métodos de fabricação das peças para reduzir a necessidade de inspeção e reprocessamento.

CONTROLE ESTATÍSTICO DO PROCESSO

Avaliar o desempenho de processos requer várias abordagens de coleta de dados. Já discutimos listas de verificação, histogramas e gráficos de barras, diagramas de Pareto, diagramas de dispersão, diagramas de causa–efeito e gráficos (veja o Capítulo 5, "Análise de processos").

O **controle estatístico do processo (CEP)** é a aplicação de técnicas estatísticas para determinar se um processo está entregando o que o cliente deseja. No CEP, ferramentas chamadas de gráficos de controle são usadas principalmente para detectar serviços ou produtos defeituosos ou para indicar que o processo se alterou e que os serviços ou produtos se afastarão das especificações de seu projeto, a menos que algo seja feito para corrigir a situação. O CEP também pode ser usado para informar a gerência sobre mudanças do processo que foi melhorado. Exemplos de alterações no processo que podem ser detectadas por CEP incluem o seguinte:

- uma diminuição no número médio de reclamações por dia em um hotel;
- um aumento súbito na proporção de caixas de marchas defeituosas;
- um aumento no tempo de processamento de uma solicitação de financiamento;
- um declínio no número de unidades descartadas em uma máquina de moagem;
- um aumento no número de segurados recebendo pagamento atrasado de uma empresa de seguros.

Consideremos a última situação. Suponha que o gerente do departamento de contas a pagar de uma empresa de seguros observe que a proporção de segurados recebendo pagamentos atrasados aumentou de uma média de 0,01 para 0,03. A primeira pergunta é se o aumento é motivo para alarme ou apenas uma ocorrência aleatória. O controle estatístico do processo pode ajudar o gerente a decidir se devem ser tomadas medidas adicionais. Se o aumento na proporção é grande, o gerente não deve concluir que foi apenas uma ocorrência aleatória e deve buscar outras explicações para o desempenho insatisfatório. Talvez o número de solicitações tenha aumentado significativamente, sobrecarregando os funcionários do departamento. A decisão poderia ser contratar mais pessoal. Ou talvez os procedimentos usados sejam ineficazes ou o treinamento dos funcionários seja inadequado. O CEP é uma parte integrante da TQM. A seção Prática Gerencial 6.1 mostra como a TQM e o CEP são usados para fabricar produtos de chocolate.

Outra abordagem da administração de qualidade, **aceitação por amostragem**, é a aplicação de técnicas estatísticas para determinar se uma quantidade de material deve ser aceita ou rejeitada tendo-se por referência a inspeção ou teste de uma amostra. Nesta seção, exploramos as técnicas de controle estatístico do processo para compreender melhor o papel que elas desempenham na tomada de decisão.

VARIAÇÃO NO OUTPUT

Não há dois serviços ou produtos exatamente iguais porque os processos usados para gerá-los contêm muitas causas de variação, ainda que os processos estejam funcionando como pretendido. Entretanto, é importante minimizar a variação no output porque, normalmente, a variação é o que o cliente vê e percebe. Suponha que uma clínica médica submeta solicitações, como representante de seus pacientes, a uma empresa de seguros específica. Nessa situação, a clínica médica é o cliente do processo de pagamento da fatura da empresa de seguros. Em alguns casos, a clínica recebe o pagamento em quatro semanas e, em outros casos, em 20 semanas. O tempo para processar uma solicitação de pagamento varia em virtude da grande quantidade de processos da empresa de seguros, do histórico médico do paciente e das habilidades e atitudes dos funcionários. Nesse intervalo de tempo, a clínica deve cobrir suas despesas enquanto espera o pagamento. Do mesmo modo, na indústria, o diâmetro de dois eixos de manivela pode variar por causa de diferenças na durabilidade das ferramentas, na resistência do material, na habilidade do operador ou na temperatura durante o período em que foram fabricados. Se o processo é gerar serviços ou produtos, nada pode ser feito para eliminar completamente a variação no output; contudo, a gerência deve investigar as causas da variação, a fim de minimizá-las.

Medidas de desempenho   O desempenho pode ser avaliado de dois modos. Um modo é medir **variáveis**, isto é, características do produto ou serviço, como peso, comprimento, volume ou tempo, que podem ser *medidas*. Por exemplo, os gerentes da United Parcel Service (UPS) monitoram o tempo que os motoristas gastam entregando pacotes. De maneira semelhante, os inspetores da Harley-Davidson medem o diâmetro de um pistão para determinar se o produto atende às especificações (dentro da tolerância admissível) e identificam diferenças no diâmetro ao longo do tempo. A vantagem de se usar variáveis de desempenho é que, se um serviço ou produto não atinge as especificações de desempenho, o inspetor sabe o quanto o produto está aquém do especificado. A desvantagem é que essas medições normalmente envolvem equipamento especial, habilidades do funcionário, procedimentos precisos, tempo e esforço. Outro modo de avaliar o desempenho é medir **atributos**, ou características do serviço ou produto que podem ser rapidamente *contadas* para o desempenho aceitável. Esse método permite que os inspetores tomem uma decisão simples do tipo sim/não sobre se um serviço ou produto satisfaz as especificações. Os atributos, muitas vezes, são usados quando as especificações de desempenho são complexas e a medição de variáveis é difícil ou dispendiosa. Alguns exemplos de atributos que podem ser contados são o número de formulários de seguros contendo erros, que causam pagamentos insuficientes ou pagamentos excessivos, a proporção de rádios inoperantes no teste final, a proporção de vôos da linha aérea que chegam após 15 minutos do tempo programado e o número de tampas de fogão com pintura manchada.

A vantagem de se contar atributos é que menos esforços e menos recursos são necessários para se medir variáveis. A desvantagem é que, embora os cálculos de atributos possam revelar que o desempenho do processo se alterou, eles não indicam o quanto. Por exemplo, um cálculo pode indicar que a proporção de vôos da linha aérea que chega 15 minutos após o tempo programado reduziu, mas o resultado não mostra o quanto, além da tolerância de 15 minutos, os vôos estão chegando. Para isso, o desvio real da chegada programada, uma variável, teria de ser medido. A seção Prática Gerencial 6.2 fornece exemplos de medidas de qualidade usadas no ramo de serviços de saúde.

Amostragem   A abordagem mais completa de inspeção consiste em inspecionar a qualidade de cada serviço ou produto em cada fase do processo. Esse método, chamado *inspeção completa*, é usado quando os custos da entrega de produtos com defeitos a um cliente interno ou externo excedem os custos de inspeção em valor. As empresas, muitas vezes, usam equipamento de inspeção automatizado que pode registrar, resumir e exibir dados. Muitas empresas constataram que a compra do equipamento de inspeção automatizado pode ser compensada em um tempo razoavelmente curto.

Um **plano de amostragem** bem concebido pode se aproximar do mesmo grau de proteção que a inspeção completa. Um plano de amostragem especifica o **tamanho da amostra**, que é a quantidade de observações aleatoriamente selecionadas de outputs do processo; o tempo entre amostras sucessivas; e as regras de decisão que determinam quando se deve agir. A amostragem é apropriada quando os custos de inspeção são altos em virtude de conhecimento especial, habilidades, procedimentos ou equipamentos caros requeridos para executar as inspeções.

Distribuições amostrais   Em relação a uma medida de desempenho, um processo gerará um output que possa ser descrito por uma *distribuição do processo*, com uma média e variância que serão conhecidas apenas por meio de uma inspeção completa com 100 por cento de precisão. O propósito da amostragem, contudo, é estimar uma variável ou medida de atributo para o output do processo sem fazer a inspeção completa. Essa medida é, assim, usada para avaliar o desempenho do próprio processo. Por exemplo, o tempo requerido para examinar amostras em um laboratório de unidade de tratamento intensivo em um hospital (uma medida variável) será diversificado. Se você medisse o tempo para concluir uma análise de um número grande de pacientes e representasse graficamente os resultados, os dados tenderiam a formar um padrão que pode ser descrito como uma distribuição do processo. Com a amostragem, tentamos estimar os parâmetros da distribuição do processo usando estatísticas como a média da amostra e a amplitude da amostra ou desvio-padrão.

PRÁTICA GERENCIAL 6.1 — TQM E CEP AJUDAM A ADM COCOA A MANTER UM NEGÓCIO DOCE

A ADM Cocoa produz gotas de chocolate e outros derivados para uma ampla variedade de clientes nas indústrias de confeitaria, laticínios e panificação. O processo de fabricação de gotas de chocolate consiste em uma linha altamente automatizada. Cerca de 500.000 libras de grãos de cacau são descarregados, limpos e torrados todos os dias. Os grãos torrados são triturados em um líquido, chamado *liquor*, e depois misturados com outros ingredientes, de acordo com uma receita específica para um dado produto, a fim de formar uma pasta. A pasta é aquecida a uma temperatura predeterminada e, em seguida, é lançada em uma máquina que modela a pasta em gotas e controla seu resfriamento. As gotas, então, são embaladas para entrega.

A ADM utiliza técnicas de TQM com CEP para se assegurar que o processo produz o que o cliente deseja. As características dos produtos agrícolas usados como matérias-primas na produção de chocolate são variadas. Por exemplo, o teor de gordura dos grãos de cacau varia de acordo com as condições sob as quais os grãos foram cultivados. O teor de gordura é crucial para determinar a quantidade adequada de cada aditivo para a mistura em um produto específico. A ADM tira amostras de cada lote de *liquor*, logo antes da operação de mistura, para medir o teor de gordura. Se a amostra é inaceitável, a solução destilada é reprocessada até que tenha o teor adequado. Uma vez que o teor é padronizado, a operação de mistura também pode ser padronizada de lote a lote.

Os clientes da ADM confiam que receberão quantidades consistentes de gotas de chocolate. Os clientes têm especificações como 4.000 ± 200 gotas por libra e ajustam seus processos de produção de acordo. Um passo essencial da produção das gotas é a operação da máquina da ADM. A cada hora, uma amostra aleatória de 100 gotas é tirada da linha de produção, o peso total é registrado e o número médio de gotas por libra é estimado. Se o resultado é inaceitável, o operador da máquina investiga as razões possíveis para o problema (inclusive

Chocolate aquecido é despejado de um reservatório em uma máquina que forma as gotas de chocolate.

a temperatura da pasta e o ajuste da abertura que modela as gotas). Os ajustes requerem 15 minutos para surtirem efeito por causa da quantidade de tempo necessária para retirar os produtos defeituosos. Os operadores devem ser bem treinados tanto em técnicas de controle estatístico do processo como nas operações das máquinas, porque um erro no ajuste significa que pelo menos 30 minutos do tempo de fabricação serão perdidos.

Fonte: David Krajewski, Archer Daniels Midland Company. Disponível em: <www.admworld.com>, 2003.

---

1. A *média da amostra* é a soma das observações divididas pelo número total de observações:

$$\bar{x} = \frac{\sum_{i=1}^{n} x_i}{n}$$

onde

x_i = observação de uma qualidade característica (como tempo)

n = número total de observações

$\bar{x}$ = média

2. A *amplitude* é a diferença entre a maior e a menor observação em uma amostra. O *desvio-padrão* é a raiz quadrada da variância de uma distribuição. Uma estimativa do desvio-padrão do processo baseado em uma amostra é dada por

$$\sigma = \sqrt{\frac{\sum (x_i - \bar{x})^2}{n-1}} \quad \text{ou} \quad \sigma = \sqrt{\frac{\sum x_i^2 - \frac{(\sum x_i)^2}{n}}{n-1}}$$

onde

σ = desvio-padrão de uma amostra

n = número total de observações da amostra

$\bar{x}$ = média

x_i = observação de uma característica de qualidade

Valores relativamente pequenos para a amplitude ou o desvio-padrão indicam que as observações estão aglomeradas próximo à média.

Essas estatísticas da amostra têm sua própria distribuição, que chamamos de *distribuição amostral*. Por exemplo, no processo de análise laboratorial, uma variável de desempenho importante é o tempo necessário para levar os resultados à unidade de tratamento intensivo. Suponha que a gerência precise de resultados disponíveis em uma

PRÁTICA GERENCIAL 6.2 — MEDIDAS DE QUALIDADE NO RAMO DE SERVIÇOS DE SAÚDE

O Hospital Hamilton da Universidade de Robert Wood Johnson (RWJ Hamilton) é um hospital comunitário de tratamento intensivo, privado, sem fins lucrativos, de 160 milhões de dólares, e que atendende a mais de 350 mil habitantes de Hamilton, Nova Jersey. Os serviços principais incluem tratamento médico, cirúrgico, obstétrico, cardiológico, ortopédico e intensivo para adultos, bebês gravemente doentes e crianças. O RWJ Hamilton tem 1.734 funcionários e mais de 650 membros na equipe médica. Os habitantes de Hamilton orgulham-se desse hospital porque ele foi o ganhador, em 2004, do Prêmio Nacional de Qualidade Malcolm Baldrige para Serviços de Saúde. Quais são seus segredos de sucesso?

O RWJ Hamilton conta com sua liderança, seu foco no serviço, finanças, qualidade, pessoas e crescimento, assim como com seu processo de planejamento estratégico e sistemas de medição. Você não pode administrar o que você não pode medir, por isso, o RWJ Hamilton usa seu Sistema de Mensuração de Desempenho Organizacional para rastrear diariamente as operações e seu desempenho. Os indicadores-chave de desempenho são revisados semanalmente por líderes seniores do processo, mensalmente pelos gerentes e trimestralmente pelos funcionários. Aqui estão alguns exemplos das medidas que a gerência considera importantes para o hospital:

- *Participação no mercado*: a satisfação do cliente com os serviços oferecidos pelo hospital é, muitas vezes, refletida em medidas de participação no mercado. A participação no mercado do RWJ Hamilton em cardiologia, cirurgia e oncologia aumentou significativamente em relação a seu principal concorrente. Essa medida indica que o hospital está crescendo.
- *Taxas de ocupação*: investimentos contínuos em tecnologia, equipamentos e instalações deram bons resultados para o RWJ Hamilton. Em 2003, sua taxa de ocupação era de 85 por cento, enquanto seu maior concorrente teve uma taxa de ocupação de apenas 60 por cento.
- *Rapidez de entrega*: os pacientes no departamento de emergência têm a garantia de que serão atendidos por uma enfermeira 15 minutos após a chegada e por um médico dentro de 30 minutos. A satisfação do cliente aparece relacionada à rapidez de entrega.
- *Satisfação do cliente em relação aos serviços*: pede-se aos clientes que respondam pesquisas sobre os serviços que receberam e sobre o quanto estão satisfeitos. Por exemplo, a satisfação do paciente com a eficiência e a gentileza da enfermagem aumentou de 70 por cento, em 1999, para 90 por cento, em 2004. Essas medidas podem ser definidas como marcos de referência em relação a padrões nacionais.

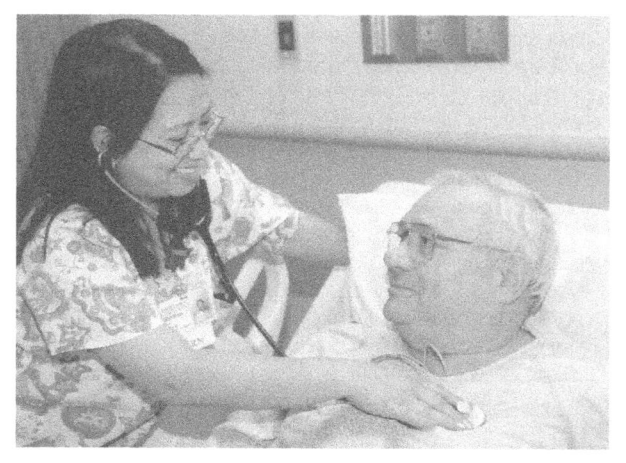

Uma enfermeira no Hospital da Universidade de Robert Wood Johnson, em Hamilton, Nova Jersey, monitora os batimentos cardíacos de um paciente. O hospital usa um sistema de mensuração de desempenho para avaliar se executa bem suas operações diárias – inclusive satisfação do cliente. Os gerentes do hospital examinam os dados mensalmente e os funcionários, trimestralmente.

- *Taxas de mortalidade do paciente*: todos os hospitais trabalham para reduzir ao mínimo essa medida. As taxas de mortalidade de um hospital podem ser comparadas com índices nacionais. As taxas de mortalidade do RWJ Hamilton mostraram uma tendência constante de redução.
- *Percentual de pacientes recebendo o medicamento errado*: assustadoramente, a média nacional para o recebimento de medicamento errado é de 36 por cento. No RWJ Hamilton, a taxa é de sete por cento.
- *Taxas de retenção de funcionários*: taxas de retenção altas significam que os funcionários gostam do que fazem e sentem que são tratados justamente. As taxas de retenção no RWJ Hamilton são de cerca de 98 por cento.

Essas medidas podem ser rastreadas ao longo do tempo para avaliar mudanças nos processos do hospital e a necessidade de ação administrativa. A análise das medidas ajuda a gerência a se concentrar nos processos em que melhorias são necessárias.

Fonte: Resumo do Hospital Hamilton da Universidade de Robert Wood Johnson para o Prêmio Nacional de Qualidade Malcolm Baldrige para Serviços de Saúde. Disponível em: <www.nist.gov/public_affairs/releases/rwj_hamilton.htm> e em <www.rwjhamilton.org/>, 2004.

---

média de 25 minutos. Isto é, necessita que a distribuição do processo tenha uma média de 25 minutos. Um inspetor que recolha periodicamente uma amostra de cinco análises e que calcule a média amostral pode utilizá-la para determinar o quanto o processo está sendo bem executado. Suponha que o processo esteja realmente gerando as análises com uma média de 25 minutos. A representação gráfica de um número grande dessas médias mostraria que elas têm sua própria distribuição amostral com uma média centrada em 25 minutos, assim como a média de distribuição do processo, mas com muito menos variabilidade. A razão é que as médias amostrais compensam os altos e baixos dos tempos individuais em cada amostra. A Figura 6.3 mostra a relação entre a distribuição amostral

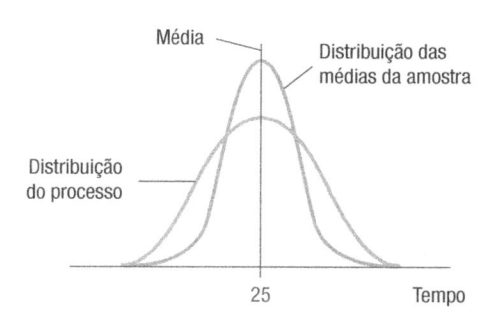

Figura 6.3 Relação entre distribuição das médias da amostra e a distribuição do processo

para médias amostrais e a distribuição do processo para a análise dos tempos.

Algumas distribuições amostrais (por exemplo, para médias com amostras de tamanho quatro ou mais e proporções com amostras de tamanho 20 ou mais) podem ser aproximadas pela distribuição *normal*, permitindo o uso das tabelas normais (veja o Apêndice 1, "Distribuição normal"). Suponha que você precise determinar a probabilidade de que a média amostral seja mais que 2,0 desvios-padrão *maior* que a média de processo. Vá para o Apêndice "Distribuição normal" e observe que a entrada na tabela para $z = 2,0$ desvios-padrão é 0,9772. Conseqüentemente, a probabilidade é $1,0000 - 0,9772 = 0,0228$ ou 2,28 por cento. A probabilidade de que a média amostral seja mais que 2,0 desvios-padrão menor que a média do processo também é 2,28 por cento, porque a distribuição normal é simétrica à média. A capacidade de atribuir probabilidades a resultados da amostra é importante para a construção e o uso de gráficos de controle.

Causas comuns As duas categorias básicas de variação no output incluem causas comuns e causas assinaláveis. As **causas comuns de variação** são as causas de variação totalmente aleatórias, não identificáveis, que são inevitáveis no processo corrente. Uma distribuição do processo pode ser caracterizada por sua *localização, extensão* e *forma*. A localização é medida pela *média* da distribuição, enquanto a extensão é medida pela *amplitude* ou *desvio-padrão*. A forma das distribuições do processo pode ser caracterizada como simétrica ou oblíqua. Uma *distribuição simétrica* tem o mesmo número de observações acima e abaixo da média. Uma distribuição *oblíqua* tem um número maior de observações acima ou abaixo da média. Se a variabilidade do processo resulta apenas de causas comuns de variação, uma suposição típica é de que a distribuição é simétrica, com a maioria das observações próximas ao centro.

Causas assinaláveis A segunda categoria de variação, **causas de variação assinaláveis**, também conhecida como *causas especiais*, inclui quaisquer fatores causadores de variação que possam ser identificados e eliminados. As causas de variação assinaláveis incluem um funcionário necessitando de treinamento ou uma máquina necessitando de conserto. Retornemos ao exemplo do processo de análise laboratorial. A Figura 6.4 mostra o quanto as causas assinaláveis podem alterar a distribuição do produto para o processo de análise. A curva *cinza claro* é a distribuição do processo quando apenas causas comuns de variação estão presentes. A curva cinza escuro representa uma alteração na distribuição devida a causas assinaláveis. Na Figura 6.4(a), a curva cinza escuro indica que o processo levou mais tempo que o planejado em muitos dos casos, aumentando, conseqüentemente, o tempo médio de cada análise. Na Figura 6.4(b), um aumento na variabilidade do tempo para cada caso afetou a extensão da distribuição. Por fim, na Figura 6.4(c), a curva cinza escuro indica que o processo gerou um predomínio dos testes em um tempo menor que o médio. Essa distribuição é oblíqua, ou não mais simétrica ao valor médio. Afirma-se que um processo está sob controle estatístico quando a localização, a extensão ou a forma de sua distribuição não mudam ao longo do tempo. Depois que o processo estiver sob controle estatístico, os gerentes usam procedimentos de CEP para detectar o início das causas assinaláveis, de modo que elas possam ser tratadas.

GRÁFICOS DE CONTROLE

Para determinar se as variações observadas são anormais, podemos medir e representar graficamente a medida de desempenho retirada da amostra em um gráfico ordenado por tempo chamado **gráfico de controle**. Um gráfico de controle tem um valor nominal, ou linha central, que pode ser a média histórica do processo ou uma meta que os gerentes gostariam que o processo alcançasse, e dois limites de controle baseados na distribuição amostral da medida de qualidade. Os limites de controle são usados para julgar se ações são necessárias. O valor

(a) Localização (b) Extensão (c) Forma

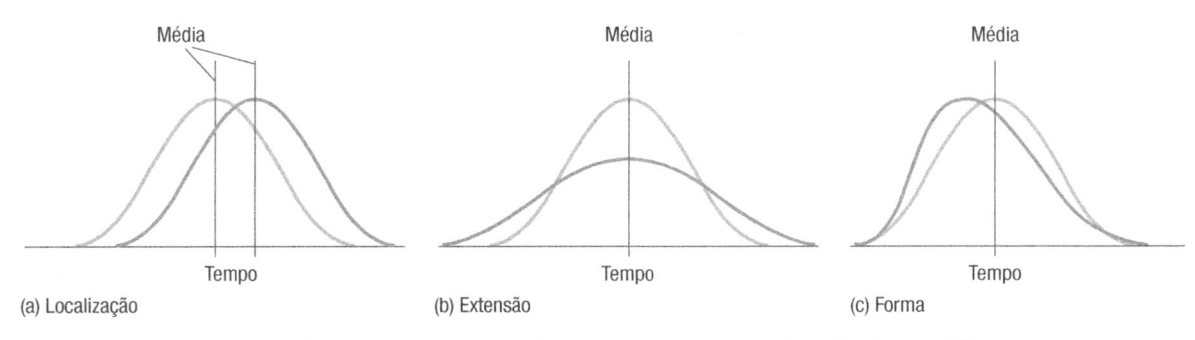

Figura 6.4 Efeitos de causas assinaláveis sobre a distribuição do processo para o processo de análise laboratorial

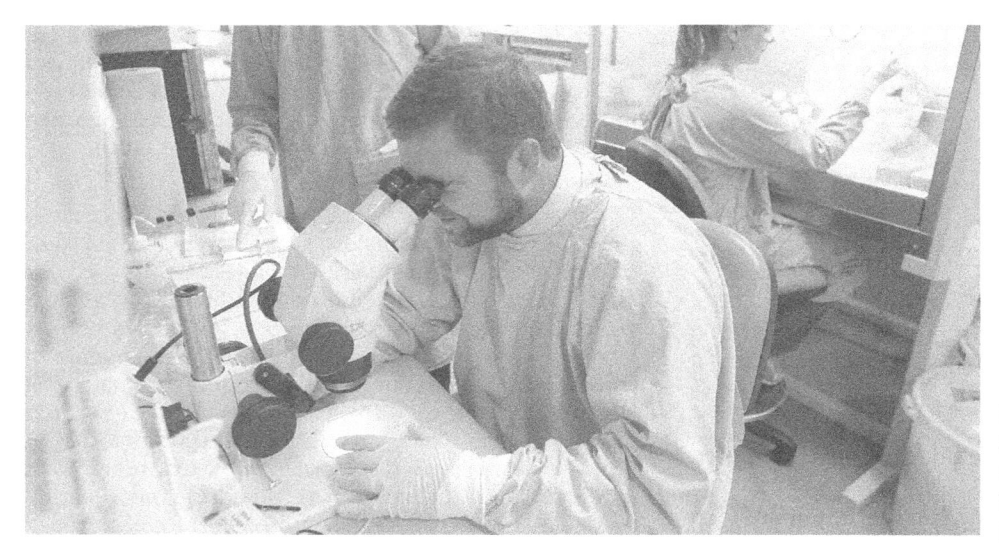

Médico e seus assistentes medem reações imunológicas em um laboratório. O tempo requerido para realizar o trabalho laboratorial nas amostras dos pacientes pode variar.

maior representa o *Limite Superior de Controle* – LSC e o valor menor representa o *Limite Inferior de Controle* – LIC. A Figura 6.5 mostra como os limites de controles se relacionam com a distribuição amostral. Uma amostra estatística que esteja entre o LSC e o LIC indica que o processo está exibindo causas comuns de variação; uma estatística que esteja fora dos limites de controle indica que o processo está exibindo causas assinaláveis de variação.

Observações fora do limite de controle nem sempre significam qualidade insatisfatória. Por exemplo, na Figura 6.5, a causa assinalável pode ser um novo processo de faturamento introduzido para reduzir o número de faturas incorretas enviadas aos clientes. Se a proporção de faturas incorretas, isto é, a medida de desempenho de uma amostra de faturas, está abaixo do LIC do gráfico de controle, o novo procedimento provavelmente mudou o processo de faturamento para melhor e um novo gráfico de controle deve ser construído.

Gerentes ou funcionários responsáveis por avaliar um processo podem usar gráficos de controle dos seguintes modos:

1. Escolha uma amostra aleatória do processo e calcule uma medida de desempenho de variável ou atributo.

2. Se a estatística está fora dos limites de controle do gráfico ou exibe comportamento incomum, procure uma causa assinalável.

3. Elimine a causa se ela piorar o desempenho; incorpore a causa se melhorar o desempenho. Reconstrua o gráfico de controle com novos dados.

4. Repita o procedimento periodicamente.

Algumas vezes, problemas com um processo podem ser detectados ainda que os limites de controle não tenham sido ultrapassados. A Figura 6.6 contém quatro exemplos de gráficos de controle. O Gráfico (a) mostra um processo que está sob controle estatístico. Nenhuma ação é necessária. O Gráfico (b), porém, mostra um padrão chamado *série* ou seqüência de observações com uma certa característica. Uma regra típica é tomar medidas corretivas quando cinco ou mais observações apresentam uma tendência descendente ou ascendente, mesmo que os pontos ainda não tenham ultrapassado os limites de controle. Aqui, nove observações seqüenciais estão abaixo da média e apresentam uma tendência descendente. A probabilidade de que esse resultado ocorra por acaso é baixa.

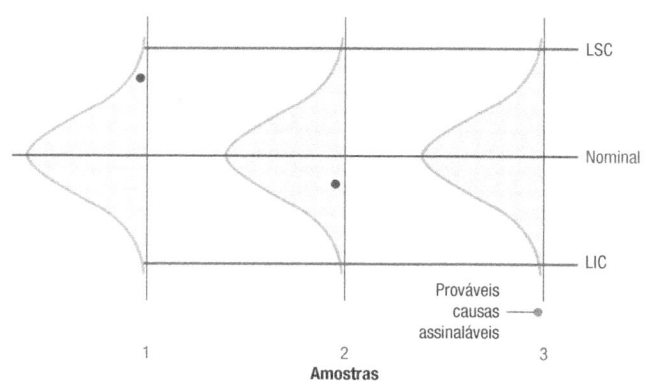

Figura 6.5 Como os limites de controle se relacionam com a distribuição amostral: observações a partir de três amostras

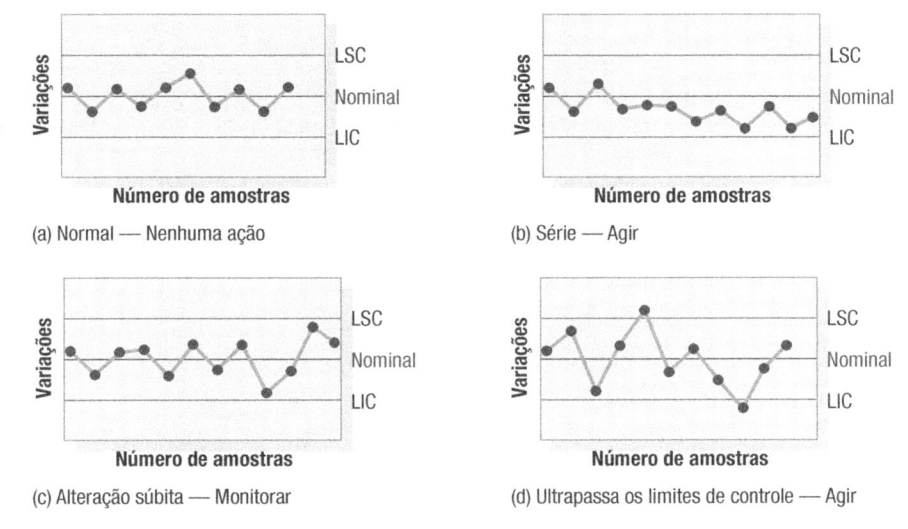

Figura 6.6 Exemplos de gráfico de controle

(a) Normal — Nenhuma ação
(b) Série — Agir
(c) Alteração súbita — Monitorar
(d) Ultrapassa os limites de controle — Agir

O Gráfico (c) mostra que o processo sofre uma mudança súbita em seu padrão normal. As quatro últimas observações são incomuns: a primeira cai e se aproxima do LIC e, em seguida, as próximas duas sobem em direção ao LSC, e a quarta permanece acima do valor nominal. Um gerente deve monitorar processos com essas mudanças súbitas, ainda que os limites de controle não tenham sido ultrapassados. Por fim, o Gráfico (d) indica que o processo esteve fora de controle duas vezes, porque dois resultados de amostra caíram fora dos limites de controle. A probabilidade de que a distribuição do processo tenha se alterado é alta. Discutiremos mais implicações de se estar fora de controle estatístico quando examinarmos a capacidade do processo, mais adiante, neste capítulo.

Gráficos de controle não são ferramentas perfeitas para detectar alterações na distribuição do processo porque são baseados em distribuições amostrais. Dois tipos de erro são possíveis com o uso de gráficos de controle. O **erro tipo I** ocorre quando o funcionário conclui que o processo está fora de controle com base em um resultado amostral que está fora dos limites de controle, quando, na verdade, isso se deve a simples aleatoriedade. O **erro tipo II** ocorre quando o funcionário conclui que o processo está sob controle e que apenas a aleatoriedade está presente, quando, na verdade, o processo está fora de controle estatístico.

A gerência pode controlar esses erros pela escolha de limites de controle. A escolha depende dos custos de busca por causas assinaláveis quando não existe nenhuma *versus* o custo de não detectar uma alteração no processo. Por exemplo, estabelecer limites de controle em três desvios-padrão da média reduz o erro tipo I, porque as chances de que um resultado de amostra caia fora dos limites de controle são bastante pequenas, a menos que o processo esteja fora de controle estatístico. Entretanto, o erro tipo II pode ser significativo, uma vez que alterações mais sutis na natureza da distribuição do processo não serão detectadas em virtude da grande extensão nos limites de controle.

Ou a extensão nos limites de controle pode ser reduzida para dois desvios-padrão, aumentando, desse modo, a probabilidade de que os resultados amostrais caiam fora dos limites de controle. Agora o erro tipo II é menor, mas o erro tipo I é maior porque é provável que os funcionários procurem causas assinaláveis quando o resultado amostral ocorreu somente por acaso. Como regra geral, os gerentes usarão limites mais amplos quando o custo de busca por causas assinaláveis é grande em relação ao custo de não se detectar uma alteração na distribuição do processo.

MÉTODOS DE CONTROLE ESTATÍSTICO DO PROCESSO

Os métodos de controle estatístico do processo (CEP) são úteis tanto para medir o desempenho do processo corrente, como para detectar se o processo se alterou de um modo que afetará o desempenho. Nesta seção, primeiramente discutiremos gráficos da média e da amplitude para medidas variáveis do desempenho e, em seguida, consideramos os gráficos de controle para medidas de atributos.

GRÁFICOS DE CONTROLE PARA VARIÁVEIS

Gráficos de controle para variáveis são usados para monitorar a média e a variabilidade da distribuição do processo.

Gráficos de *R* Um gráfico da amplitude, ou **gráfico de *R***, é usado para monitorar a variabilidade do processo. Para calcular a amplitude de um conjunto de dados amostrais, o analista subtrai a menor medida da maior medida em cada amostra. Se qualquer dado cair fora dos limites de controle, a variabilidade do processo não estará sob controle.

TABELA 6.1 Fatores para calcular limites de três sigmas para o gráfico $\bar{x}$ e o gráfico de R

Tamanho da amostra (n)	Fator para LSC e LIC para gráficos de $\bar{x}$ (A_2)	Fator para LIC para gráficos de R (D_3)	Fator para LSC para gráficos de R (D_4)
2	1,880	0	3,267
3	1,023	0	2,575
4	0,729	0	2,282
5	0,577	0	2,115
6	0,483	0	2,004
7	0,419	0,076	1,924
8	0,373	0,136	1,864
9	0,337	0,184	1,816
10	0,308	0,223	1,777

Fonte: 1950 *ASTM Manual on Quality Control of Materials,* copyright © American Society for Testing Materials. Reprodução autorizada.

Os limites de controle para o gráfico de R são

$$LSC_R = D_4 \bar{R} \text{ e } LIC_R = D_3 \bar{R}$$

onde

$\bar{R}$ = média de diversos valores anteriores de R e a linha central do gráfico de controle

D_3, D_4 = constantes que fornecem os limites de três desvios-padrão (três sigmas) para um determinado tamanho da amostra

Observe que os valores para D_3 e D_4 mostrados na Tabela 6.1 mudam como uma função do tamanho da amostra. Perceba, também, que a diferença entre os limites de controle se estreita quando o tamanho da amostra aumenta. Essa mudança é uma conseqüência de se ter mais informações sobre as quais fundamentar uma estimativa para a amplitude do processo.

Gráficos $\bar{x}$

Um **gráfico $\bar{x}$** (leia-se gráfico x barra) é usado para ver se o processo está gerando output, em média, consistente com um valor definido como meta pela gerência para o processo, ou se seu desempenho corrente, com respeito à média da medida de desempenho, é consistente com seu desempenho anterior. A definição de um valor como meta é útil quando um processo for completamente reprojetado e o desempenho anterior não for mais relevante. Quando as causas determináveis da variabilidade do processo tiverem sido identificadas e a variabilidade do processo estiver sob controle estatístico, o analista pode, então, construir um gráfico $\bar{x}$. Os limites de controle para o gráfico $\bar{x}$ são

$$UCL_{\bar{x}} = \bar{\bar{x}} + A_2 \bar{R} \text{ e } LCL_{\bar{x}} = \bar{\bar{x}} - A_2 \bar{R}$$

onde

$\bar{\bar{x}}$ = linha central do gráfico que pode ser o termo médio das médias amostrais anteriores ou um valor definido como meta para o processo

A_2 = constante que fornece os limites de três sigmas para a média da amostra

Os valores para A_2 estão incluídos na Tabela 6.1. Observe que os limites de controle usam o valor de $\bar{R}$; portanto, o gráfico $\bar{x}$ deve ser construído depois que o processo de variabilidade estiver sob controle.

Para desenvolver e usar gráficos $\bar{x}$ e de R, faça o seguinte:

Passo 1. Colete dados da variáveis medidas de qualidade (como tempo, peso ou diâmetro) e organize os dados por número da amostra. De preferência, pelo menos 20 amostras devem ser utilizadas para construir um gráfico de controle.

Passo 2. Calcule a amplitude para cada amostra e a amplitude média, $\bar{R}$, para o conjunto de amostras.

Passo 3. Use a Tabela 6.1 para determinar os limites de controle superior e inferior do gráfico de R.

Passo 4. Plote no gráfico as amplitudes da amostra. Se todas estiverem sob controle, prossiga com o passo 5. Caso contrário, identifique as causas assinaláveis, corrija-as e retorne ao passo 1.

Passo 5. Calcule $\bar{x}$ para cada amostra e determine a linha central do gráfico, $\bar{\bar{x}}$.

Passo 6. Use a Tabela 6.1 para determinar os fatores para $LSC_{\bar{x}}$ e $LIC_{\bar{x}}$ e construa o gráfico $\bar{x}$.

Passo 7. Plote no gráfico as médias das amostras. Se todas estiverem sob controle, o processo está sob controle estatístico em termos da média do processo e da variabilidade do processo. Continue a escolher amostras e a monitorar o processo. Se alguma estiver fora do controle, encontre as causas assinaláveis, corrija-as e retorne ao passo 1. Se nenhuma causa assinalável for encontrada após uma busca cuidadosa, suponha que os pontos fora do controle representam causas comuns de variação e continue a monitorar o processo.

CAPÍTULO 6 • Desempenho e qualidade do processo

EXEMPLO 6.1 — Usando gráficos $\bar{x}$ e de R para monitorar um processo

A gerência da West Allis Industries está preocupada com a fabricação de um parafuso de metal especial usado por vários dos maiores clientes da empresa. O diâmetro do parafuso é crucial para o cliente. Os dados completos de cinco amostras aparecem na tabela do Active Model 6.1, disponível no site de apoio do livro. O tamanho da amostra é 4. O processo está sob controle estatístico?

SOLUÇÃO

Passo 1: Por uma questão de simplicidade, usamos apenas cinco amostras. Na prática, seriam desejáveis mais de 20 amostras. Os dados são mostrados na tabela a seguir:

Dados para gráficos $\bar{x}$ e de R: Observações de diâmetro de parafuso (polegadas)

Tamanho da amostra	Observação 1	2	3	4	R	$\bar{x}$
1	0,5014	0,5022	0,5009	0,5027	0,0018	0,5018
2	0,5021	0,5041	0,5024	0,5020	0,0021	0,5027
3	0,5018	0,5026	0,5035	0,5023	0,0017	0,5026
4	0,5008	0,5034	0,5024	0,5015	0,0026	0,5020
5	0,5041	0,5056	0,5034	0,5047	0,0022	0,5045
				Média	0,0021	0,5027

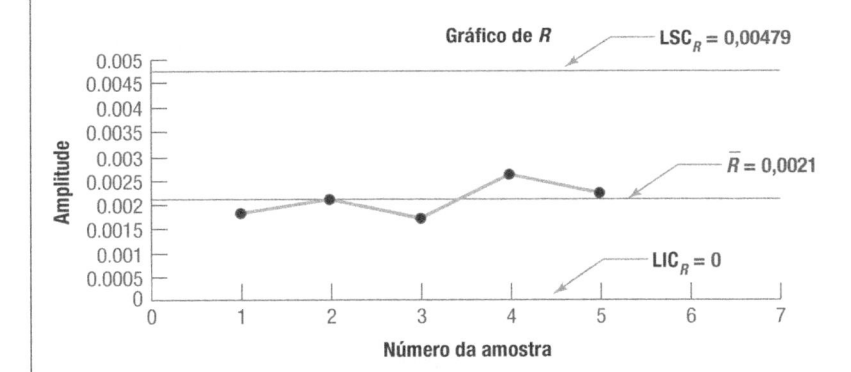

Figura 6.7 Gráfico da amplitude do Solver do OM Explorer para os gráficos $\bar{x}$ e de R para o parafuso de metal, mostrando que a variabilidade do processo está sob controle

Consulte o Active Model 6.1, disponível no site de apoio ao livro, para obter mais informações sobre os gráficos x barra e R e sua aplicação no problema do parafuso de metal.

O Tutor 6.1, disponível no site de apoio ao livro, oferece um exemplo adicional para estudo dos gráficos x barra e R.

Passo 2: Calcule a amplitude para cada amostra subtraindo o valor mais baixo do valor mais alto. Por exemplo, na amostra 1, a amplitude é 0,5027 − 0,5009 = 0,0018. Do mesmo modo, as amplitudes para as amostras 2, 3, 4 e 5 são 0,0021, 0,0017, 0,0026 e 0,0022 polegadas, respectivamente. Como mostrado na tabela, $\bar{R} = 0,0021$.

Passo 3: Para construir o gráfico de R, selecione as constantes apropriadas da Tabela 6.1 para um tamanho de amostra de 4. Os limites de controle são

$$LSC_R = D_4\bar{R} = 2,282(0,0021) = 0,00479 \text{ polegadas}$$
$$LIC_R = D_3\bar{R} = 0(0,0021) = 0 \text{ polegadas}$$

Passo 4: Represente as amplitudes no gráfico de R, como mostrado na Figura 6.7. Nenhuma das amplitudes da amostra está fora dos limites de controle. Conseqüentemente, a variabilidade do processo está sob controle estatístico. Se alguma das amplitudes da amostra estiver fora dos limites, ou um padrão incomum aparecer (veja a Figura 6.6), procure pelas causas da variabilidade excessiva, corrija-as e repita o passo 1.

Passo 5: Calcule a média para cada amostra. Por exemplo, a média para a amostra 1 é

$$\frac{0,5014 + 0,5022 + 0,5009 + 0,5027}{4} = 0,5018 \text{ polegadas}$$

De igual modo, as médias das amostras 2, 3, 4 e 5 são 0,5027, 0,5026, 0,5020 e 0,5045 polegadas, respectivamente. Como mostrado na tabela, $\bar{\bar{x}} = 0,5027$.

Passo 6: Agora construa o gráfico $\bar{x}$ para a média do processo. O diâmetro médio do parafuso é 0,5027 polegada, e a amplitude média é 0,0021 polegada, portanto, use $\bar{\bar{x}} = 0,5027$, $\bar{R} = 0,0021$ e A_2 da Tabela 6.1 para um tamanho de amostra 4 para construir os limites de controle:

$$LSC_{\bar{x}} = \bar{\bar{x}} + A_2\bar{R} = 0,5027 + 0,729(0,0021) = 0,5042 \text{ polegadas}$$
$$LIC_{\bar{x}} = \bar{\bar{x}} - A_2\bar{R} = 0,5027 - 0,729(0,0021) = 0,5012 \text{ polegadas}$$

Passo 7: Plote as médias das amostras no gráfico de controle, como mostrado na Figura 6.8.

A média da amostra 5 está acima do LSC, indicando que a média do processo está fora do controle e que as causas assinaláveis devem ser examinadas, talvez usando um diagrama de causa–efeito.

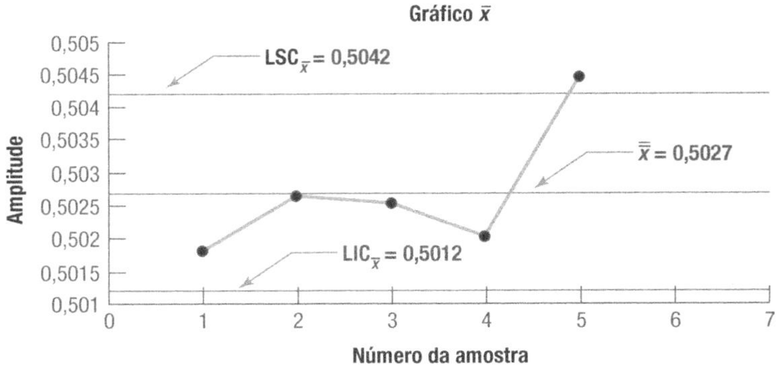

Figura 6.8 O gráfico de $\bar{x}$ do OM Explorer gráficos $\bar{x}$ e de R Solver para parafuso de metal, revelando que a amostra 5 está fora do controle

Gráfico $\bar{x}$: $\text{LSC}_{\bar{x}} = 0{,}5042$; $\bar{\bar{x}} = 0{,}5027$; $\text{LIC}_{\bar{x}} = 0{,}5012$

Ponto de decisão Um novo funcionário operou o torno mecânico que fabrica o parafuso no dia em que a amostra foi selecionada. Para resolver o problema, a gerência iniciou uma sessão de treinamento com o funcionário. As amostras subseqüentes mostraram que o processo havia retornado ao controle estatístico.

Se o desvio-padrão da distribuição do processo é conhecido, outra forma do gráfico $\bar{x}$ pode ser usada:

$$\text{UCL}_{\bar{x}} = \bar{\bar{x}} + z\sigma_{\bar{x}} \quad \text{e} \quad \text{LCL}_{\bar{x}} = \bar{\bar{x}} - z\sigma_{\bar{x}}$$

onde

$\sigma_{\bar{x}} = \sigma/\sqrt{n}$ = desvio-padrão das médias da amostra
σ = desvio-padrão da distribuição de processo
n = tamanho da amostra
$\bar{\bar{x}}$ = linha central do gráfico, que pode ser a média das médias das amostras anteriores ou um valor definido como meta para o processo
z = desvio normal (número de desvios-padrão em relação à média)

O analista pode usar um gráfico de R para se certificar de que a variabilidade do processo está sob controle antes de construir o gráfico $\bar{x}$. A vantagem de se usar essa forma do gráfico $\bar{x}$ é que o analista pode ajustar a diferença entre os limites de controle alterando o valor de z. Essa abordagem pode ser útil para equilibrar os efeitos dos erros tipo I e tipo II.

GRÁFICOS DE CONTROLE PARA ATRIBUTOS

Dois gráficos geralmente usados para medidas de desempenho baseadas em atributos são os gráficos p e c. O gráfico p é usado para controlar a proporção de defeitos gerados pelo processo. O gráfico c é usado para controlar o número de defeitos quando mais de um defeito pode estar presente em um serviço ou produto.

Gráficos p O **gráfico p** é um gráfico de controle geralmente usado para atributos. A característica de desempenho é contada, em vez de medida, e o serviço ou artigo em sua totalidade pode ser declarado bom ou defeituoso. Por exemplo, na atividade bancária, os atributos contados podem ser o número de depósitos não-endossados ou o número de demonstrações financeiras incorretas enviadas aos clientes. O método envolve selecionar uma amostra aleatória, inspecionando cada item que a compõe e calcular a proporção de defeitos na amostra, p, que é o número de unidades defeituosas dividido pelo tamanho da amostra.

A amostragem para um gráfico p envolve uma decisão do tipo sim/não: o produto do processo é ou não é defeituoso. A distribuição estatística correspondente é baseada na distribuição binomial. Entretanto, para tamanhos de amostra grandes, a distribuição normal fornece uma boa aproximação. O desvio-padrão da distribuição da proporção de defeitos é

$$\sigma_p = \sqrt{\bar{p}(1-\bar{p})/n}$$

onde

n = tamanho da amostra
$\bar{p}$ = linha central do gráfico, que pode ser o histórico da proporção de defeitos da população média ou um valor definido como meta

Podemos usar σ_p para chegar aos limites inferior e superior de controle para um gráfico p:

$$\text{LSC}_p = \bar{p} + z\sigma_p \quad \text{e} \quad \text{LIC}_p = \bar{p} - z\sigma_p$$

onde

z = desvio normal (número de desvios-padrão a partir da média)

O gráfico é utilizado da seguinte maneira: periodicamente, uma amostra aleatória de tamanho n é retirada, e o número de serviços ou produtos defeituosos é contado. O número de defeitos é dividido pelo tamanho da amostra para obter uma proporção de defeitos da amostra, p, que é representada no gráfico. Quando uma proporção de defeitos da amostra está fora dos limites de controle, o analista supõe que a proporção de defeitos gerada pelo processo se alterou e busca a causa assinalável. As observações que estão abaixo do LIC_p indicam que o processo realmente pode ser aperfeiçoado. O analista pode não encontrar nenhuma causa assinalável porque é sempre

CAPÍTULO 6 • Desempenho e qualidade do processo

Traçando um gráfico $\bar{x}$ usando o desvio-padrão do processo

EXEMPLO 6.2

O Banco Sunny Dale monitora o tempo necessário para atender aos clientes do *drive through* porque esse é um fator de qualidade importante ao competir com outros bancos na cidade. Após analisar os dados coletados em um estudo amplo da operação do *drive through*, a gerência do banco determinou que o tempo médio de atendimento de um cliente no horário de pico é de cinco minutos, com um desvio-padrão de 1,5 minuto. A gerência quer monitorar o tempo médio de atendimento de um cliente por meio da utilização periódica de uma amostra de seis clientes. Suponha que a variabilidade do processo esteja sob controle estatístico. Trace um gráfico $\bar{x}$ que tenha um erro tipo I de cinco por cento. Isto é, estabeleça os limites de controle de modo que exista uma chance de 2,5 por cento de que o resultado de uma amostra esteja abaixo do LIC e uma chance de 2,5 por cento de que o resultado de uma amostra esteja acima do LSC. Após várias semanas de amostragem, duas amostras sucessivas chegaram a 3,70 e 3,68 minutos, respectivamente. O processo de atendimento ao cliente está sob controle estatístico?

SOLUÇÃO

$\bar{\bar{x}} = 5{,}0$ minutos
$\sigma = 1{,}5$ minuto
$n = 6$ clientes
$z = 1{,}96$

A variabilidade do processo está sob controle estatístico, portanto, passamos diretamente ao gráfico $\bar{x}$. Os limites de controle são

$$\text{LSC}_{\bar{x}} = \bar{\bar{x}} + z\sigma/\sqrt{n} = 5{,}0 + 1{,}96(1{,}5)/\sqrt{6} = 6{,}20 \text{ minutos}$$

$$\text{LIC}_{\bar{x}} = \bar{\bar{x}} - z\sigma/\sqrt{n} = 5{,}0 - 1{,}96(1{,}5)/\sqrt{6} = 3{,}80 \text{ minutos}$$

O valor para z pode ser obtido do seguinte modo. A tabela de distribuição normal (veja o apêndice "Distribuição normal") dá a proporção da área total sob a curva normal de $-\infty$ a z. Queremos um erro tipo I de cinco por cento, ou 2,5 por cento da curva acima do LSC e 2,5 por cento abaixo do LIC. Conseqüentemente, precisamos encontrar o valor de z na tabela que deixa apenas 2,5 por cento na porção superior da curva normal (ou 0,9750 na tabela). O valor é 1,96. As duas novas amostras estão abaixo do LIC do gráfico, o que sugere que o tempo médio de atendimento a um cliente caiu. As causas assinaláveis devem ser examinadas para se compreender o que causou a melhoria.

Ponto de decisão A gerência estudou o período de tempo durante o qual as amostras foram selecionadas e descobriu que o supervisor do processo estava experimentando alguns novos procedimentos. A gerência decidiu tornar os novos procedimentos parte permanente do processo de atendimento ao cliente. Após todos os empregados terem sido treinados nos novos procedimentos, novas amostras foram selecionadas e o gráfico de controle reconstruído.

---

possível que uma proporção fora de controle tenha ocorrido aleatoriamente. Contudo, se o analista descobrir causas assinaláveis, esses dados de amostra não devem ser usados para calcular os limites de controle para o gráfico.

Gráficos c Muitas vezes, serviços ou produtos apresentam mais de um defeito. Por exemplo, um rolo de tapete pode ter vários defeitos, como fibras amontoadas ou descoradas ou manchas do processo de fabricação. Outras situações em que mais de um defeito pode acontecer incluem acidentes em uma interseção específica, bolhas na superfície de um tubo de imagem de uma televisão e reclamações de um cliente em um hotel. Quando a gerência está interessada em reduzir o número de defeitos por unidade ou prestação de serviço, outro tipo de gráfico de controle, o **gráfico c**, é útil.

A distribuição amostral subjacente a um gráfico c é a distribuição de Poisson, que é baseada na suposição de que defeitos ocorrem sobre uma região contínua na superfície de um produto ou em um intervalo de tempo contínuo durante o fornecimento de um serviço. Ela supõe, ainda, que a probabilidade de dois ou mais defeitos ocorrerem em qualquer local na superfície ou em qualquer instante de tempo é insignificante. A média de distribuição é $\bar{c}$, e o desvio-padrão é $\sqrt{\bar{c}}$. Uma tática útil é usar a aproximação normal para a Poisson, de modo que a linha central do gráfico e os limites de controle sejam

$$\text{LSC}_c = \bar{c} + z\sqrt{\bar{c}} \quad \text{e} \quad \text{LIC}_c = \bar{c} - z\sqrt{\bar{c}}$$

CAPABILIDADE DO PROCESSO

As técnicas de controle estatístico de processo ajudam os gerentes a alcançar e manter uma distribuição do processo que não se altera em termos de sua média e variância. Os limites de controle nos gráficos de controle sinalizam quando a média ou a variabilidade do processo se alteram. Entretanto, um processo que está sob controle estatístico pode não estar gerando serviços ou produtos de acordo com as especificações de projeto porque os limites de controle são baseados nas médias e na variabilidade da *distribuição amostral*, não nas especificações de projeto. A **capabilidade do processo** se refere à capacidade do processo de satisfazer as especificações de projeto para um serviço ou produto. As especificações de projeto, muitas vezes, são expressas como um **valor nominal**, ou meta, e uma **tolerância**, ou margem acima ou abaixo do valor nominal.

Por exemplo, o administrador de um laboratório de uma unidade de tratamento intensivo poderia ter um valor nominal para o tempo de resposta dos resultados para os médicos encarregados de 25 minutos e uma tolerância de mais ou menos cinco minutos por causa da necessidade de velocidade sob condições de risco de morte. A tolerância oferece uma *especificação superior* de 30 minutos e uma *especificação inferior* de 20 minutos. O processo laboratorial deve ser capaz de fornecer os resultados das análises dentro dessas especificações; caso contrário, gerará certa proporção de 'defeitos'. O administrador também está interessado em detectar ocorrências de tempos

EXEMPLO 6.3 — Usando um gráfico *p* para monitorar um processo

O gerente de operações do departamento de registros do Hometown Bank está preocupado com a quantidade de números de contas de clientes registrados errado pelo pessoal do Hometown. Toda semana, uma amostra aleatória de 2.500 depósitos é retirada e o número de números de conta incorretos é registrado. Os resultados para as últimas 12 semanas são mostrados na tabela a seguir. O processo de registro está fora do controle estatístico? Use limites de controle de três sigmas.

Número da amostra	Números de conta incorretos	Número da amostra	Números de conta incorretos
1	15	7	24
2	12	8	7
3	19	9	10
4	2	10	17
5	19	11	15
6	4	12	3
			Total 147

SOLUÇÃO

Passo 1: Usar esses dados de amostra para calcular $\bar{p}$.

$$\bar{p} = \frac{\text{total de defeitos}}{\text{número total de observações}} = \frac{147}{12(2.500)} = 0{,}0049$$

Passo 2: Calcular a proporção de defeitos da amostra. Para a amostra 1, a proporção de defeitos é $15/2.500 = 0{,}0060$.

Passo 3: Represente cada proporção de defeitos da amostra no gráfico, como mostrado na Figura 6.9.

A amostra 7 ultrapassa o LIC; deste modo, o processo está fora do controle e as razões para o desempenho insatisfatório nessa semana devem ser determinadas.

Ponto de decisão A gerência investigou as circunstâncias em que a amostra 7 foi tirada. A máquina de codificação usada para imprimir os números de conta nos cheques estava com defeito nessa semana. Na semana seguinte, a máquina foi consertada; entretanto, a manutenção preventiva recomendada não foi realizada por meses, antes da falha. A gerência revisou o desempenho do departamento de manutenção e instituiu mudanças nos procedimentos de manutenção da máquina de codificação. Depois que o problema foi corrigido, um analista recalculou os limites de controle usando os dados sem a amostra 7. Novas amostras foram tiradas nas semanas subseqüentes e foi verificado que o processo de registro estava sob controle estatístico. Conseqüentemente, o gráfico *p* é uma ferramenta para indicar quando um processo precisa de ajuste.

Consulte o Active Model 6.2, disponível no site de apoio ao livro, para obter mais informações sobre o gráfico p-barra e sua aplicação no departamento de registros do Hometown Bank.

O Tutor 6.2, disponível no site de apoio ao livro, oferece um exemplo adicional para estudo do gráfico p-barra.

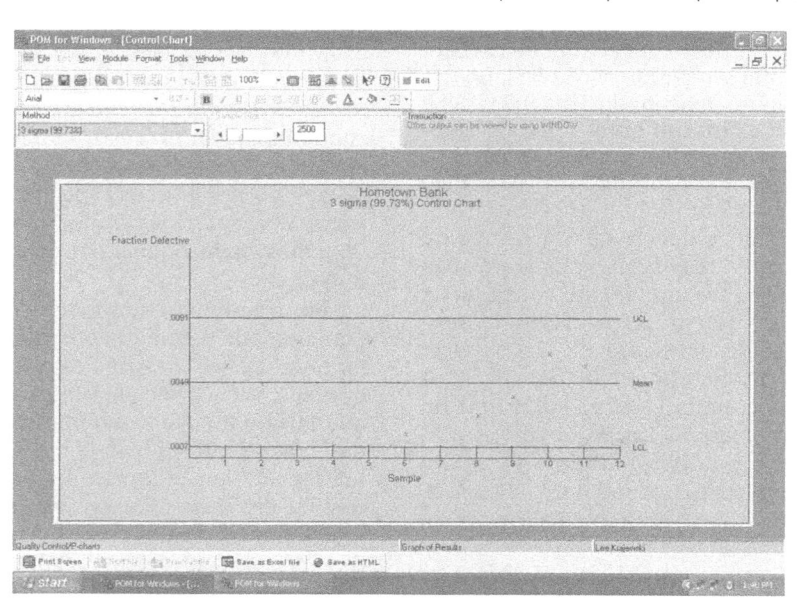

Figura 6.9 Gráfico *p* do POM for Windows para números de conta incorretos, mostrando que a amostra 7 está fora do controle

EXEMPLO 6.4 — Usando um gráfico c para monitorar defeitos por unidade

A Woodland Paper Company produz papel para a indústria de jornal. Como um passo final do processo, o papel passa por uma máquina que mede várias características de qualidade do produto. Quando o processo de fabricação de papel está sob controle, há uma média de 20 defeitos por rolo.

a. Elabore um gráfico de controle para o número de defeitos por rolo. Para esse exemplo, use limites de controle de dois sigmas.

b. Cinco rolos tiveram o número seguinte de defeitos: 16, 21, 17, 22 e 24, respectivamente. O sexto rolo, usando pasta de um fornecedor diferente, apresentou cinco defeitos. O processo de fabricação de papel está sob controle?

SOLUÇÃO

a. O número médio de defeitos por rolo é 20. Portanto,

$$LSC_c = \bar{c} + z\sqrt{\bar{c}} = 20 + 2(\sqrt{20}) = 28{,}94$$

$$LIC_c = \bar{c} - z\sqrt{\bar{c}} = 20 - 2(\sqrt{20}) = 11{,}06$$

O gráfico de controle é mostrado na Figura 6.10.

b. Uma vez que os primeiros cinco rolos apresentaram defeitos que estão dentro dos limites de controle, o processo ainda está sob controle. Cinco defeitos, entretanto, é menos que o LIC e, portanto, o processo está tecnicamente 'fora do controle'. O gráfico de controle indica que algo bom ocorreu.

Ponto de decisão O fornecedor das cinco primeiras amostras foi usado pela Woodland Paper por muitos anos. O fornecedor da sexta amostra é novo na empresa. A gerência decidiu continuar usando o novo fornecedor durante algum tempo, monitorando o número de defeitos para verificar se permanece baixo. Se o número permanecer abaixo do LIC para 20 amostras sucessivas, a gerência tornará a mudança permanente e recalculará os parâmetros do gráfico de controle.

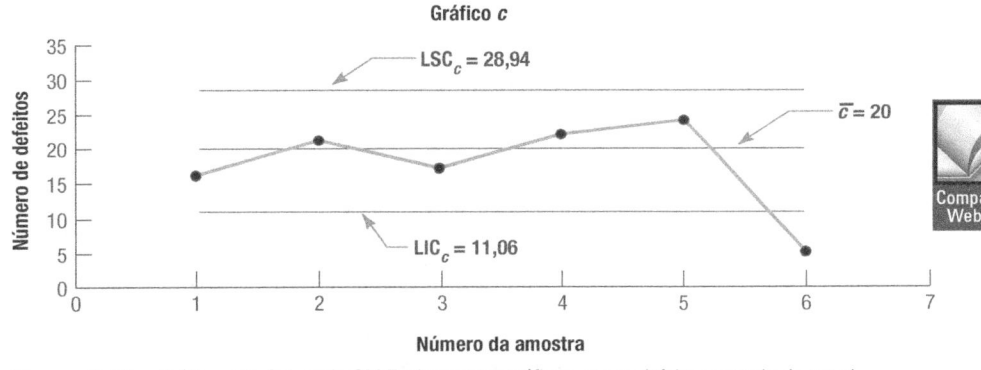

O Tutor 6.3, disponível no site de apoio ao livro, oferece um exemplo adicional para estudo dos gráficos c.

Figura 6.10 Gráfico c do Solver do OM Explorer para gráficos c para defeitos por rolo de papel

---

de resposta menores que 20 minutos porque se pode descobrir algo que permita desenvolver o processo laboratorial no futuro. Por ora, os médicos estão contentes com os resultados que chegam dentro de 20 a 30 minutos.

DEFININDO A CAPABILIDADE DO PROCESSO

A Figura 6.11 mostra a relação entre uma distribuição de processo e as especificações superiores e inferiores para o tempo de resposta do processo laboratorial sob duas condições. Na Figura 6.11(a), o processo é capaz porque os extremos da distribuição do processo estão dentro das especificações superiores e inferiores. Na Figura 6.11(b), o processo não é capaz porque o processo laboratorial gera muitos relatórios com tempos de resposta longos.

Ainda, a Figura 6.11 mostra claramente por que os gerentes estão tão preocupados em reduzir a variabilidade do processo. Quanto menor a variabilidade — representada por desvios-padrão menores — menos freqüentemente se gera outputs insatisfatórios. A Figura 6.12 mostra o que significa reduzir a variabilidade para uma distribuição de processo que é uma distribuição de probabilidade normal. Uma empresa com qualidade de dois sigmas (os limites de tolerância são iguais à média da distribuição do processo mais ou menos dois desvios-padrão) gera 4,56 por cento de defeitos, ou 45.600 defeitos por milhão. A empresa com qualidade de quatro sigmas produz apenas 0,0063 por cento de defeitos, ou 63 defeitos por milhão. Por fim, a empresa com qualidade seis sigmas produz apenas 0,0000002 por cento de defeitos, ou 0,002 defeito por milhão.[2]

Como um gerente pode determinar quantitativamente se um processo é capaz? Geralmente, duas medidas são usadas, na prática, para avaliar a capabilidade de um processo: a razão de capabilidade do processo e o índice de capabilidade do processo.

Razão de capabilidade do processo Um processo é *capaz* se tem uma distribuição com valores extremos dentro das especificações superiores e inferiores para um serviço ou produto. Como regra geral, a maior parte dos valores de qualquer distribuição do processo está dentro de mais ou menos três desvios-padrão da média. Por

---

[2] Nossa discussão supõe que a distribuição de processo não tem nenhuma causa determinável. Os programas Seis Sigma, entretanto, definem defeito de desempenho com a suposição de que a média do processo se altera 1,5 desvio-padrão. Discutiremos a metodologia Seis Sigma mais adiante neste capítulo.

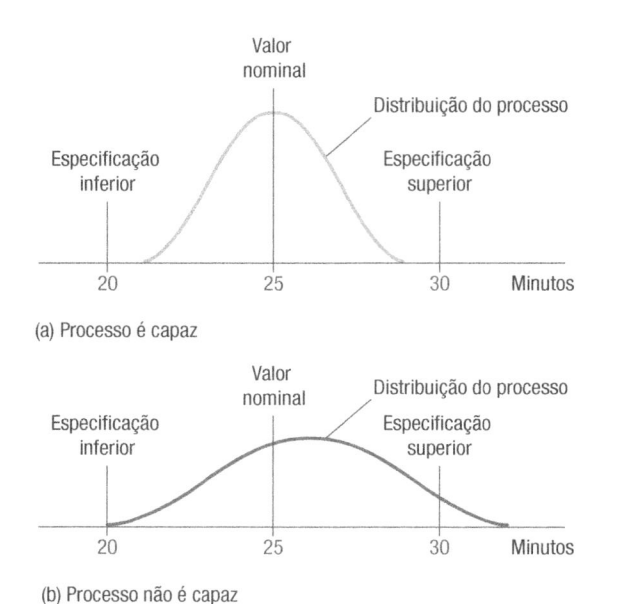

Figura 6.11 A relação entre uma distribuição do processo e especificações inferiores e superiores

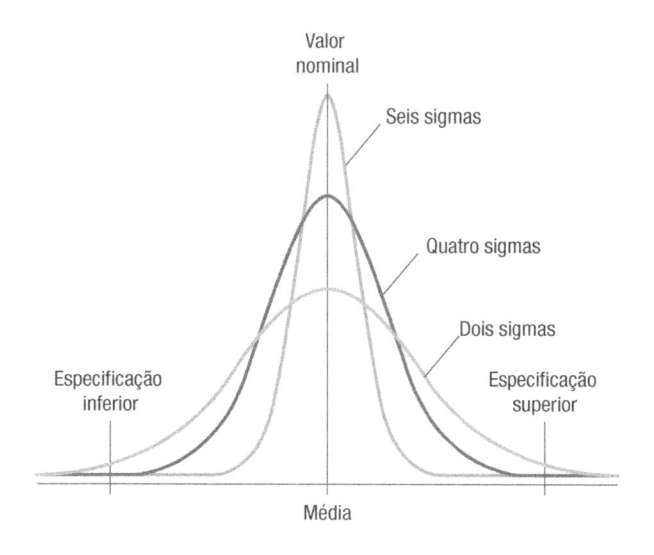

Figura 6.12 Efeitos da redução de variabilidade sobre a capabilidade do processo

exemplo, se a distribuição do processo é normal, 99,74 por cento dos valores estão dentro de mais ou menos três desvios-padrão. Em outras palavras, a variação de valores da medida de qualidade gerada por um processo é de aproximadamente seis desvios-padrão da distribuição do processo. Conseqüentemente, se um processo é capaz, a diferença entre a especificação superior e a inferior, chamada *amplitude de tolerância*, deve ser maior que seis desvios-padrão. A **razão de capabilidade do processo**, C_p, é definida como

$$C_p = \frac{\text{especificação superior} - \text{especificação inferior}}{6\sigma}$$

onde

σ = desvio-padrão da distribuição de processo

Um valor de C_p de 1,0 implica que a empresa está produzindo qualidade de três sigmas (0,26 por cento de defeitos) e que o processo está gerando produtos consistentemente dentro das especificações, ainda que alguns defeitos sejam gerados. Valores de C_p maiores que 1,0 implicam níveis mais elevados de realização de qualidade. Empresas que se esforçam por obter qualidade maior que três sigmas usam um valor crítico para a razão que é maior que 1,0. Por exemplo, uma empresa que tenha como meta a qualidade seis sigmas usará 2,0, uma empresa que tenha como meta uma qualidade cinco sigmas usará 1,67, e uma empresa que se empenhe em obter qualidade de quatro sigmas usará 1,33. Processos gerando serviços ou produtos com qualidade menor que três sigmas terão valores de C_p menores que 1,0.

Índice de capabilidade do processo Um processo é capaz apenas quando sua razão de capabilidade for maior que o valor crítico e a distribuição do processo estiver centralizada no valor nominal das especificações de projeto. Por exemplo, o processo laboratorial pode ter uma razão de capabilidade do processo maior que 1,33 para o tempo de resposta. Entretanto, se o produto da média da distribuição do processo, $\bar{\bar{x}}$, estiver mais próximo da especificação superior, tempos de resposta prolongados ainda podem ser gerados. Do mesmo modo, se $\bar{\bar{x}}$ estiver mais próximo das especificações inferiores, resultados rápidos podem ser gerados. Desse modo, precisamos calcular um índice de capabilidade que meça o potencial do output do processo estar fora das especificações superiores ou inferiores.

O **índice de capabilidade do processo**, C_{pk}, é definido como

$$C_{pk} = \text{mínimo de} \left[\frac{\bar{\bar{x}} - \text{especificação inferior}}{3\sigma}, \frac{\text{especificação superior} - \bar{\bar{x}}}{3\sigma} \right]$$

Tomamos o mínimo das duas razões porque nos fornece a *pior* situação. Se C_{pk} é maior que o valor crítico (por exemplo, 1,33 para qualidade de quatro sigmas), e a razão de capabilidade do processo também é maior que o valor crítico, podemos concluir que o processo é capaz. Se C_{pk} é menor que o valor crítico, a média do processo está próxima de um dos limites de tolerância e está gerando produto defeituoso ou a variabilidade do processo é muito grande.

O índice de capabilidade sempre será menor ou igual à razão de capabilidade. Em razão disso, o índice de capabilidade pode ser usado como uma primeira verificação para a capabilidade; se o índice de capabilidade passar pelo teste, o processo pode ser declarado capaz. Se não passar, a razão de capabilidade do processo deve ser calculada para ver se a variabilidade do processo é uma causa do problema. Quando C_{pk} é igual a C_p, o processo está centrado entre as especificações superiores e inferiores e, conseqüentemente, as médias de distribuição do processo estão centradas no valor nominal das especificações de projeto.

USANDO A MELHORIA CONTÍNUA PARA DETERMINAR A CAPABILIDADE DE UM PROCESSO

Para determinar a capabilidade de um processo de gerar produtos dentro das tolerâncias, use os passos a seguir:

Passo 1. Colete dados sobre o output do processo e calcule a média e o desvio-padrão da distribuição do output do processo.

Passo 2. Use os dados da distribuição do processo para calcular os gráficos de controle do processo, como um gráfico $\bar{x}$ ou de R.

Passo 3. Colete uma série de amostras aleatórias do processo e represente os resultados nos gráficos de controle. Se pelo menos 20 amostras sucessivas estiverem dentro dos limites de controle dos gráficos, o processo está sob esse controle. Se o processo não está sob esse controle, procure causas assinaláveis e as elimine. Recalcule a média e o desvio-padrão da distribuição do processo e os limites de controle para os gráficos. Continue até que o processo esteja sob controle estatístico.

Passo 4. Calcule o índice de capabilidade do processo e a razão de capabilidade do processo, se necessário. Se os resultados são aceitáveis, documente qualquer alteração realizada no processo e continue a monitorar o output usando os gráficos de controle. Se os resultados são inaceitáveis, investigue mais detalhadamente as causas assinaláveis para reduzir a variância no output ou centralizar a distribuição do processo no valor nominal. Quando ocorrerem alterações, recalcule a média e o desvio-padrão da distribuição do processo e os limites de controle para os gráficos e repita o passo 3.

Avaliando a capabilidade do processo laboratorial da unidade de tratamento intensivo

EXEMPLO 6.5

O processo laboratorial da unidade de tratamento intensivo tem um tempo de resposta médio de 26,2 minutos e um desvio-padrão de 1,35 minutos. O valor nominal para esse serviço é 25 minutos com um limite de especificação superior de 30 minutos e um limite de especificação inferior de 20 minutos. A administradora do laboratório quer um desempenho de quatro sigmas para seu laboratório. O processo laboratorial é capaz desse nível de desempenho?

SOLUÇÃO

A administradora começou verificando rapidamente se o processo é capaz por meio da aplicação do índice de capabilidade do processo:

$$\text{cálculo da especificação inferior} = \frac{26,2 - 20,0}{3(1,35)} = 1,53$$

$$\text{cálculo da especificação superior} = \frac{30,0 - 26,2}{3(1,35)} = 0,94$$

$$C_{pk} = \text{Mínimo de } [1,53; 0,94] = 0,94$$

Uma vez que o valor definido como meta para o desempenho de quatro sigmas é 1,33, o índice de capabilidade do processo revelou que o processo não era capaz. Entretanto, ela não sabia se o problema era a variabilidade do processo, a centralização, ou ambas. As opções disponíveis para aperfeiçoar o processo dependem do que está errado.

Ela verificou, em seguida, a variabilidade do processo com a razão de capabilidade do processo:

$$C_p = \frac{30,0 - 20,0}{6(1,35)} = 1,23$$

A variabilidade do processo não satisfez a meta de quatro sigmas de 1,33. Conseqüentemente, ela iniciou uma pesquisa para descobrir onde a variabilidade foi introduzida no processo. Identificou-se que duas atividades, preparação de relatório e preparação de lâmina de amostra, tinham procedimentos inconsistentes. Esses procedimentos foram modificados para fornecer desempenho consistente. Novos dados foram coletados e o tempo de resposta médio passou a ser de 26,1 minutos com um desvio-padrão de 1,20 minuto. Ela obteve, então, a variabilidade do processo no nível de desempenho de quatro sigmas, como indicado pela razão de capabilidade do processo:

$$C_p = \frac{30,0 - 20,0}{6(1,20)} = 1,39$$

Entretanto, o índice de capabilidade do processo indicou, mais uma vez, problemas para serem solucionados:

$$C_{pk} = \text{Mínimo de } \left[\frac{(26,1 - 20,0)}{3(1,20)}, \frac{(30,0 - 26,1)}{3(1,20)} \right] = 1,08$$

Ponto de decisão O processo laboratorial ainda não estava no nível de desempenho de quatro sigmas no tempo de resposta existente. A administradora do laboratório buscou as causas da distribuição de tempo de resposta descentralizada e descobriu acúmulos de trabalho periódicos em uma parte-chave do equipamento de testes. A aquisição de uma segunda máquina permitiu reduzir o tempo de giro à capabilidade de quatro sigmas.

ENGENHARIA DE QUALIDADE

Criada por Genichi Taguchi, a **engenharia de qualidade** é uma abordagem que envolve a combinação de métodos estatísticos e de engenharia para reduzir custos e aumentar a qualidade por meio da otimização do design do produto e dos processos de fabricação. Taguchi acredita que custos indesejáveis estão associados com *qualquer* desvio do valor definido como meta para uma característica de qualidade. A concepção de Taguchi é de que a **função de perda de qualidade** é zero quando a característica de qualidade do serviço ou produto está exatamente no valor definido como meta, e de que o valor da função de perda de qualidade sobe exponencialmente quando a característica de qualidade se aproxima dos limites de tolerância. A razão é que um serviço ou produto que apenas se conforma às especificações se assemelha mais a serviços ou produtos defeituosos que a serviços ou produtos perfeitos. A Figura 6.13 mostra a função de perda de qualidade de Taguchi esquematicamente. Taguchi concluiu que os administradores devem buscar continuamente modos de reduzir *toda* variabilidade do valor definido como meta no processo de produção e não se contentar em meramente aderir a limites de especificação.

SEIS SIGMAS

Vimos como a TQM e o CEP podem aperfeiçoar o desempenho e a qualidade do processo. Contudo, outra abordagem, que confia amplamente nos princípios e ferramentas da TQM, vem ganhando popularidade. O **Seis Sigmas** é um sistema abrangente e flexível para se alcançar, sustentar e maximizar o êxito nos negócios por meio da redução de defeitos e de variabilidade nos processos ao mínimo. É orientado por uma compreensão precisa da necessidade do cliente; pelo uso disciplinado de fatos, dados e análise estatística; e pela atenção contínua à administração, à melhoria e à reinvenção dos processos de negócios. Embora muitos dos princípios e ferramentas do Seis Sigmas sejam semelhantes aos da TQM, a abordagem é mais formal.

Atribui-se à Motorola o desenvolvimento do Seis Sigmas, há mais de 20 anos, para aumentar sua capacidade industrial em um mercado mundial que se tornou continuamente competitivo. A gerência observou que alguns clientes reclamavam da qualidade dos produtos da Motorola e que os produtos do concorrente estavam superando o desempenho dos seus. A Motorola reagiu, inicialmente, estabelecendo metas mais elevadas para cada um de seus processos, a fim de reduzir o número de defeitos a um décimo do nível de desempenho anterior. Alcançar essa meta exigiu que trabalhassem de maneira mais inteligente, não apenas mais intensamente.

A Motorola começou pedindo novas idéias a seus funcionários e fazendo o *benchmarking* de seus concorrentes. Seguiram-se a isso grandes mudanças nos programas de remuneração e de recompensa dos funcionários, nos programas de treinamento e nos processos críticos. Os resultados foram impressionantes. Em uma fábrica, após dez meses, a taxa de defeitos foi aperfeiçoada em 70 por cento e o rendimento aumentou em 55 por cento.

Os procedimentos para se alcançar esses resultados impressionantes foram documentados e refinados e se tornaram conhecidos como Seis Sigmas. Seu nome se relaciona à meta de se alcançar menores taxas de outputs com defeito, mesmo que a média do processo varie de 1,5 desvio-padrão. O valor de desvio-padrão de 1,5 é um fator de correção usado para representar a alteração e o desvio nas médias dos outputs de um processo devido a causas assinaláveis a longo prazo. A Motorola constatou que essa variação normalmente estava entre 1,4 e 1,6 desvio-padrão. Sob essa suposição, um processo que atingisse qualidade de seis sigmas provavelmente geraria 3,4 defeitos por milhão de oportunidades a longo prazo. Como discutimos anteriormente, sem uma alteração na média do processo, um processo gerando qualidade de seis sigmas apresentaria apenas 0,002 defeito por milhão de oportunidades.[3]

A General Electric concebe o Seis Sigmas como uma estratégia, uma disciplina e um conjunto de ferramentas. É uma estratégia porque focaliza o que o cliente deseja, seja o cliente interno seja o externo, e visa à sua satisfação total. Conseqüentemente, o Seis Sigmas leva os negócios a melhores resultados, medidos por participação no mercado, renda e lucros. É uma disciplina porque tem uma seqüência formal de passos, chamada Modelo de Melhoria Seis Sigmas, para realizar a melhoria desejada no desempenho do processo. A meta é simplificar processos e eliminar as lacunas entre prioridades competitivas do processo e suas competências competitivas. Por fim, é um conjunto de ferramentas porque faz uso de ferramentas potentes como as discutidas neste capítulo e no Capítulo 5, "Análise de processos". As ferramentas ajudam a detectar se o desempenho do processo se desviou e fornecem um meio para monitorar o desempenho em uma base contínua.

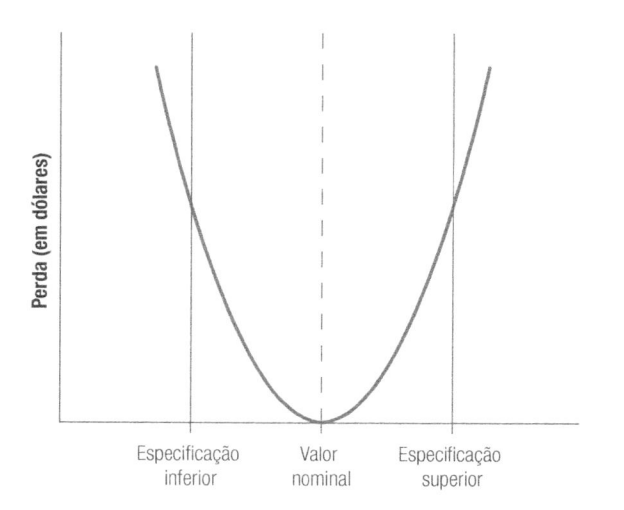

Figura 6.13 Função de perda de qualidade de Taguchi

---

[3] Veja <www.isixsigma.com/library/content/sigma_table.asp> para uma tabela completa das conversões do Seis Sigmas usando a suposição de desvio-padrão de 1,5. Esse site também explica a razão por trás do uso dessa suposição.

Embora o Seis Sigmas se origine de um esforço para aperfeiçoar processos de fabricação, atribui-se à General Electrics a popularização da aplicação da abordagem para processos não relacionados à fabricação, como vendas, recursos humanos, atendimento ao cliente e serviços financeiros. O conceito de eliminação de defeitos é o mesmo, embora a definição de 'defeito' dependa do processo envolvido. Por exemplo, a falha de um departamento de recursos humanos ao cumprir uma meta de contratação conta como um defeito. Aplicar o Seis Sigmas a processos de serviço é mais desafiador que a processos de fabricação pelos seguintes motivos:

1. O 'produto do trabalho' é muito mais difícil de ver porque, muitas vezes, consiste em informações, solicitações, encomendas, propostas, apresentações, reuniões, faturas, projetos e idéias. Os processos de serviço envolvem, muitas vezes, computadores e redes, por vezes internacionais, o que torna o processo 'virtual' e difícil de documentar. Esse aspecto virtual dificulta que pessoas trabalhando em áreas funcionais diversas, como vendas, marketing e desenvolvimento de software entendam que são realmente parte de um processo que precisa ser analisado.

2. Processos de serviço podem ser mudados rapidamente. As responsabilidades podem ser alteradas, os padrões, revisados, e os novos passos, acrescentados, sem investimento de capital. Os processos de serviço em muitas empresas evoluem, adaptam-se e crescem quase continuamente.

3. Fatos concretos sobre o desempenho do processo de serviço são, muitas vezes, difíceis de se obter. Os dados que existem são, geralmente, anedóticos ou subjetivos. Grandes pilhas de documentos não processados são, freqüentemente, fáceis de perceber; entretanto, medir acúmulos de trabalho, reprocessamentos, atrasos e os custos de lidar com eles é difícil. Por exemplo, racionalizar um processo de liquidação de empréstimo é complicado, porque o processo pode envolver muitas pessoas diferentes, cada uma dedicando apenas uma parte pequena de seu dia de trabalho.

Apesar dos desafios, o Seis Sigmas tem sido aplicado com sucesso a um grande número de processos de serviços, inclusive serviços financeiros, processos de recursos humanos, processos de marketing e processos administrativos no sistema de saúde. A seção Prática Gerencial 6.3 mostra como o Seis Sigmas foi aplicado a uma instalação da área de saúde.

MODELO DE MELHORIA SEIS SIGMAS

A Figura 6.14 mostra o Modelo de Melhoria Seis Sigmas, um procedimento de cinco passos que leva a melhorias no desempenho do processo. O modelo pode ser aplicado a projetos envolvendo melhorias incrementais nos processos ou a projetos que requerem mudanças radicais, inclusive um reprojeto de um processo existente ou o desenvolvimento de um novo processo.

- *Defina*: determine as características do output do processo que são críticas para a satisfação do cliente e identifique quaisquer lacunas entre essas características e as capabilidades do processo. Essas lacunas — seja um desacordo no posicionamento do processo na matriz de contato com o cliente (veja a Figura 4.3), seja a matriz de produto–processo (veja a Figura 4.5) — fornecem oportunidades para melhoria. Obtenha uma ilustração do processo corrente documentando-o por meio da utilização de fluxogramas e de diagramas do processo. (veja o Capítulo 5, "Análise de processos".)

- *Meça*: quantifique o trabalho do processo que afeta a lacuna. Selecione o que medir, identifique fontes de dados e prepare um plano de coleta de dados.

- *Analise*: use os dados das medidas para executar a análise do processo, que pode focalizar a melhoria incremental do processo ou um reprojeto radical do processo. Use ferramentas de análise de dados, como o diagrama de Pareto, diagramas de dispersão e diagramas de causa–efeito, e ferramentas de controle estatístico do processo deste capítulo para determinar onde as melhorias são necessárias. Seja ou não necessário um reprojeto radical, estabeleça procedimentos para tornar o resultado desejado uma rotina.

- *Aperfeiçoe*: modifique ou reprojete métodos existentes para satisfazer os novos objetivos de desempenho. Implemente as mudanças.

- *Controle*: monitore o processo para se certificar de que são mantidos níveis elevados de desempenho. Mais uma vez, ferramentas de análise de dados como o diagrama de Pareto, gráficos de barras, diagramas de dispersão, bem como ferramentas de controle estatístico do processo podem ser usadas para controlar o processo.

Usuários bem-sucedidos do Seis Sigmas perceberam que é essencial seguir rigorosamente os passos do Modelo de Melhoria Seis Sigmas, que é, algumas vezes, mencionado como *processo DMAAC*, usando-se a primeira letra de cada passo do modelo.

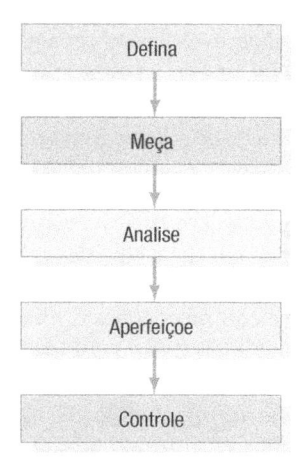

Figura 6.14 Modelo de Melhoria Seis Sigmas

PRÁTICA GERENCIAL 6.3 — APLICANDO O PROCESSO SEIS SIGMAS NO SCOTTSDALE HEALTHCARE'S OSBORN HOSPITAL

Dezenas de empresas importantes, incluindo General Electric, Seagate Technology, Bombardier e AlliedSignal, adotaram o processo Seis Sigmas, cuja precursora foi a Motorola, nos anos 1980. As aplicações iniciais focalizaram processos de fabricação, mas muitas aplicações recentes focalizam processos de serviço. Os serviços de assistência médica constituem um exemplo disso.

Em Scottsdale, Arizona, milhares de aves migratórias, visitantes do norte em idade de isolamento, afluem em bandos para o clima ensolarado da cidade durante o início da tradicional estação da gripe. Combinada com os habitantes permanentes de Scottsdale, essa população cria uma demanda enorme por serviços de emergência em hospitais como o Scottsdale Healthcare's Osborn Hospital. Em um período de seis meses, os hospitais na área relataram mais de 12 mil horas durante as quais fecharam suas portas para novos pacientes e encaminharam serviços de ambulância para outros hospitais. O Departamento de Emergência de Osborn (DE), um dos mais ativos centros de traumatologia, experimentou um aumento de 74 por cento em sua taxa de encaminhamentos e um aumento alarmante de 272 por cento no número de pacientes que deixaram voluntariamente o DE antes de receber qualquer atenção. Os que permaneceram tempo suficiente para serem atendidos deram notas baixas ao DE no quesito satisfação nas pesquisas de saída. O hospital estimou que poderia perder 500 mil dólares a cada trimestre em decorrência disso.

Os consultores Seis Sigmas primeiro mapearam o processo do DE do Osborn para identificar áreas potencialmente problemáticas. Três subprocessos apresentaram gargalos potenciais tão significativos que poderiam aumentar a probabilidade da necessidade de encaminhamento de pacientes a outros hospitais. As variáveis do processo que demandavam atenção foram tempo de registro, tempo de resposta do laboratório/radiologia e tempo para transferir pacientes para leitos de internação quando requerida a admissão.

Foram coletados dados sobre essas variáveis do processo para análise. Melhorias nos processos foram identificadas e estudadas para avaliar a viabilidade. Algumas das melhorias propostas foram implementadas. Por exemplo, a análise revelou que o tempo médio para transferir um paciente do DE era de 80 minutos. No entanto, em 40 minutos, o leito de internação já estava pronto e à espera, o que motivou o hospital a alterar seus procedimentos para transferências de leitos de internação. A identificação das variáveis-chave do processo com ferramentas Seis Sigmas possibilitou que os administradores do hospital reprojetassem seus processos.

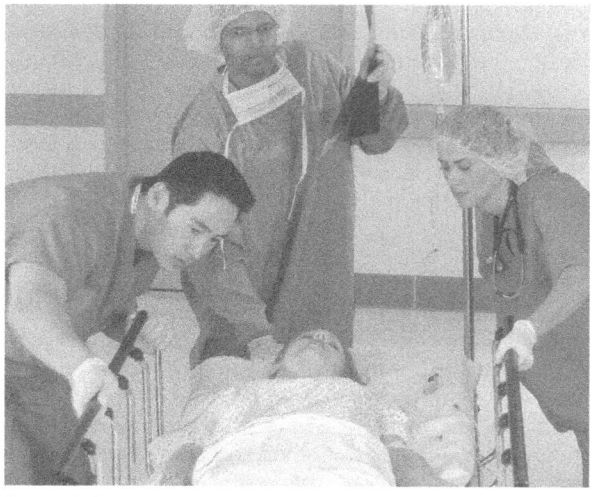

Equipe do hospital em um centro de traumatologia leva rapidamente uma paciente ao pronto-socorro. O Seis Sigmas pode ser usado para aperfeiçoar processos de serviço como os do centro de traumatologia.

Fonte: Ian R. Lazarus e Keith Butler, "The promise of Six Sigma", *Managed Healthcare Executive*, 2001, p. 22-26.

IMPLEMENTAÇÃO

A implementação de um programa Seis Sigmas bem-sucedido começa com a compreensão de que o Seis Sigmas não é um produto que você pode comprar — ele requer tempo e comprometimento. Veja a seguir algumas lições que a Motorola, a General Electric e outros líderes em Seis Sigmas aprenderam em relação à implementação do programa.

- *Comprometimento de cima para baixo*: líderes corporativos devem mostrar seu comprometimento com o programa e desempenhar um papel visível ao examinar processos e buscar modos de aperfeiçoar os negócios. Eles devem se tornar um exemplo para todos na organização.

- *Sistemas de mensuração para rastrear o progresso*: a gerência deve se comprometer a fornecer os meios para rastrear resultados e, junto com os funcionários, usar esses meios para medir o desempenho do processo.

- *Estabelecimento de metas sólidas*: estabeleça os padrões mais altos para a organização fazendo, com regularidade, o *benchmarking* das melhores empresas, para avaliar as dimensões críticas para a satisfação do cliente.

- *Educação*: os funcionários devem ser treinados nos 'porquês' e nos 'comos' da qualidade e no que isso quer dizer para os clientes, tanto internos como externos. Essa aprendizagem é realizada com programas de treinamento dos instrutores. As empresas bem-sucedidas na utilização do Seis Sigmas formam um núcleo de professores internos que se tornam responsáveis por ensinar e assistir as equipes envolvidas em um projeto de melhoria do processo. Esses professores têm títulos diferentes, dependendo de sua experiência e nível de realização. Os **faixas verdes** (*green belts*) dedicam parte de seu tempo ao ensino e ao auxílio das equipes com seus projetos e o resto de seu tempo com as obrigações que lhes são normalmente atribuídas. Os **faixas pretas** (*black belts*) são professores e líderes em tempo integral das equipes envolvidas em projetos Seis Sigmas. Por fim, os mestres faixa preta (*master black belts*) são professores em tempo integral que examinam e orientam os faixas pretas. Os critérios de seleção para mestres faixa preta são habilidades quantitativas e a competência de ensinar e orientar. De acordo com a Academia Seis Sigmas, um faixa preta típico pode liderar de cinco a seis projetos por ano, com uma economia média de cerca de 175 mil dólares por projeto.

- *Comunicação*: é tão importante entender os êxitos quanto os fracassos. Comunicar os êxitos organizacionais é um passo crucial para assegurar que a empresa pode tê-los como fundamento no futuro.
- *Prioridades do cliente*: nunca perca de vista as prioridades do cliente, que são convertidas em prioridades competitivas para os processos da empresa. Identifique onde existem lacunas.

Empresas bem-sucedidas na aplicação do Seis Sigmas estão atentas a essas lições; entretanto, elas nunca estão satisfeitas. A melhoria contínua ou o reprojeto dos processos existentes devem ser considerados por todos os funcionários. A melhoria contínua é certamente o caso da Starwood Hotels & Resorts, em que mais de mil associados foram treinados como faixas verdes em Seis Sigmas. Coloque-se na posição da gerência tentando aumentar a satisfação do cliente na marca Sheraton da Starwood. Como você lidaria com as questões descritas no próximo Desafio Gerencial?

PADRÕES DE DOCUMENTAÇÃO DE QUALIDADE INTERNACIONAL

Uma vez que uma empresa tenha passado pelo esforço de tornar seus processos capazes, ela deve documentar seu nível de qualidade de modo a comercializar melhor seus serviços ou produtos. Essa documentação de qualidade é especialmente importante no comércio internacional. Contudo, se cada país tivesse seu próprio conjunto de padrões, as empresas que atuam em mercados internacionais teriam dificuldades em satisfazer aos padrões de documentação de qualidade nos países onde fazem negócios. Para superar esse problema, a Organização Internacional para Padronização criou um conjunto de padrões chamado ISO 9000 para empresas que realizam negócios na União Européia. Posteriormente, um novo conjunto de padrões de documentação, o ISO 14000, foi criado para sistemas de gerenciamento ambiental.

OS PADRÕES DE DOCUMENTAÇÃO ISO 9000

ISO 9000 é um conjunto de padrões que regulamenta a documentação de um programa de qualidade. As empresas obtêm o certificado provando a um auditor externo qualificado que elas atendem a todos os requisitos. Uma vez certificadas, as empresas são listadas em um diretório, de forma que clientes potenciais possam verificar quais empresas são certificadas e em que nível. A conformidade com os padrões ISO 9000 não diz *nada* sobre a qualidade real de um produto. A certificação indica aos clientes que as empresas podem fornecer documentação para sustentar quaisquer afirmações que façam sobre qualidade.

O ISO 9000 na verdade consiste em cinco documentos: ISO 9000 a 9004. O ISO 9000 é um documento abrangente, que fornece diretrizes para seleção e uso dos outros padrões. O ISO 9001 é um padrão que focaliza 20 aspectos de um programa de qualidade para as empresas que projetam, produzem, instalam e consertam produtos. Esses aspectos incluem responsabilidade administrativa, documentação de sistema de qualidade, compra, design de produto, inspeção, treinamento e ação corretiva. É o padrão mais abrangente e difícil de obter. O ISO 9002 cobre as mesmas áreas que o ISO 9001 para as empresas que produzem de acordo com os projetos do cliente ou que têm suas atividades de projeto e serviço em outro local. O ISO 9003 é o mais limitado em escopo e trata apenas do processo de produção. O ISO 9004 contém diretrizes para interpretar os outros padrões.

ISO 14000: UM SISTEMA DE GERENCIAMENTO AMBIENTAL

Os padrões de documentação **ISO 14000** requerem das empresas participantes o rastreamento das matérias-primas e da geração, tratamento e descarte de resíduos perigosos. Embora não especifiquem o que cada empresa tem permissão para emitir, os padrões exigem que as empresas preparem um plano para a melhoria contínua de seu desempenho ambiental. O ISO 14000 é uma série de cinco padrões que cobre várias áreas, incluindo as seguintes:

- *sistema de gerenciamento ambiental*: exige um plano para aperfeiçoar o desempenho no que se refere ao uso de recursos e a produtos poluentes;
- *avaliação de desempenho ambiental*: especifica diretrizes para a certificação das empresas;
- *classificação ambiental*: define termos como *reciclável, eficiência de energia* e *inofensivo para a camada de ozônio*;
- *avaliação do ciclo de vida*: avalia a existência de um impacto ambiental a partir da fabricação, do uso e do descarte de um produto.

Para manter a certificação, as empresas devem ser regularmente inspecionadas por auditores privados externos.

BENEFÍCIOS DA CERTIFICAÇÃO ISO

A conclusão do processo de certificação pode levar 18 meses e envolver muitas horas do tempo da gerência e dos funcionários. O custo da certificação pode ultrapassar um milhão de dólares para as grandes empresas. A despeito da despesa e do comprometimento envolvidos na certificação ISO, ela concede benefícios externos e internos significativos. Os benefícios externos advêm da vantagem de vendas potenciais que as empresas em conformidade com o padrão têm. As empresas procurando um fornecedor, provavelmente, selecionarão uma empresa que tenha demonstrado estar em conformidade com os padrões de documentação ISO, quando todos os outros fatores forem iguais. Conseqüentemente, cada vez mais, as empresas estão buscando a certificação para adquirir uma vantagem

DESAFIO GERENCIAL — DESEMPENHO E QUALIDADE DO PROCESSO NA STARWOOD

Para a Starwood Hotels and Resorts, a mensuração de qualidade não é nenhuma novidade. No último ano, 51 propriedades da Starwood em todo o mundo estiveram entre os 700 melhores lugares do mundo para se hospedar, segundo a Conde Nast's Golden List. Seus programas de golfe e spa foram consistentemente classificados entre os melhores do mundo.

Na Starwood, os processos e programas são conduzidos pelo trabalho de sua equipe de especialistas em Seis Sigmas, chamados *faixas pretas*. Desenvolvido pela Motorola há mais de 20 anos, o Seis Sigmas é um sistema completo e flexível para atingir, sustentar e maximizar o êxito nos negócios eliminando defeitos e variabilidade em um processo. A Starwood usa os cinco passos do processo DMAAC: definir, medir, analisar, aperfeiçoar e controlar.

Evidentemente, compreender as necessidades do cliente é primordial. Com esse objeteivo, a Starwood coleta dados dos clientes em sua pesquisa sobre o Índice de Satisfação do Hóspede, chamada 'Voz do Cliente'. A pesquisa inclui cada departamento que os hóspedes podem ter utilizado durante sua estada, da recepção e do quarto de hotel aos restaurantes e serviços de portaria. Pesquisas anteriores indicaram que o modo como os problemas foram solucionados durante a estada do hóspede foi um elemento-chave para os altos níveis de satisfação dos hóspedes. Para aumentar suas pontuações referentes à resolução de problemas, a marca Sheraton da Starwood lançou o programa de Compromisso de Atendimento da Sheraton nos Estados Unidos e no Canadá. O programa foi projetado para oferecer aos hóspedes um ponto único de contato para relatar quaisquer problemas. Foi planejado para focalizar a atenção do associado (funcionário) na solução dos problemas de serviço, durante a estada do hóspede, em até 15 minutos após o recebimento da notificação.

Entretanto, embora as pontuações tenham aumentado, elas não aumentaram o suficiente. Então a Sheraton recorreu à equipe Seis Sigmas para verificar o que poderia fazer. A equipe empregou o modelo básico Seis Sigmas de definir-medir-analisar-aperfeiçoar-controlar para orientar seu trabalho. Para definir o problema, a equipe Seis Sigmas trabalhou com dados coletados e analisados por uma organização de pesquisa independente, a National Family Opinion. O estudo indicou que três fatores-chave são necessários na resolução de problemas: velocidade, empatia e eficiência. Todos os três devem ser atendidos para que os hóspedes fiquem satisfeitos e o Compromisso de Atendimento da Sheraton seja cumprido. Em seguida, a equipe examinou os processos específicos que afetavam o desempenho: o tratamento dado pelos telefonistas às solicitações, os procedimentos para determinar a quem recorrer, engenharia de cargas de trabalho e assim por diante. O trabalho identificado em cada área foi medido. Por exemplo, livros de registro de chamadas foram estabelecidos para rastrear velocidade, a empatia do associado ao atender as solicitações por telefone e eficiência do pessoal encarregado de solucionar o problema. Os dados coletados foram analisados para determinar por que os problemas dos hóspedes não foram resolvidos dentro do padrão de 15 minutos. Diagramas de Pareto e outras técnicas foram usadas para a análise.

O passo final envolveu controle e monitoramento para se certificar de que as melhorias de processos desenvolvidas pela equipe Seis Sigmas haviam se tornado parte da cultura da empresa e de que não eram abandonadas após o término do trabalho da equipe. O rastreamento prossegue por 12 a 18 meses, com comentários mensais ao gerente ou chefe do departamento responsável pelo aperfeiçoamento do programa de Compromisso de Atendimento da Sheraton. O esforço de aperfeiçoamento também recebe visibilidade por meio da Intranet da empresa, assim, o resto da organização percebe os benefícios — incluindo níveis de atendimento e desempenho financeiro — e pode usar o conhecimento para aperfeiçoar as próprias operações.

Desafios gerenciais para aumentar a satisfação do cliente no Starwood

1. A implementação de programas Seis Sigmas requer tempo e comprometimento consideráveis de uma organização. Em termos de comprometimento de cima para baixo, sistemas de mensuração para rastrear o progresso, o estabelecimento de metas sólidas, a educação, a comunicação e as prioridades do cliente avaliam em que medida a Starwood abordou com êxito cada um deles por meio do reprojeto do programa de Compromisso de Atendimento da Sheraton.

2. Como o novo processo de Compromisso de Atendimento da Sheraton ajuda a Starwood a evitar os quatro custos de desempenho e qualidade insatisfatórios do processo (prevenção, avaliação, falhas internas e falhas externas)?

3. A Starwood é a primeira marca de hotel importante a se submeter a um programa Seis Sigmas dedicado a aperfeiçoar a qualidade. Por que uma organização poderia se mostrar relutante em seguir esse tipo de metodologia formalizada? Que outras abordagens a Starwood ou seus concorrentes poderiam usar?

competitiva. Centenas de milhares de fábricas no mundo inteiro são certificadas pelo ISO 9000.

Os benefícios internos podem ser consideráveis. As empresas registradas relatam uma média de 48 por cento de aumento na rentabilidade e de 76 por cento de aumento na comercialização. O Instituto Britânico de Padronização, um importante auditor independente, estima que a maior parte das empresas registradas pelo ISO 9000 alcançam uma redução de dez por cento no custo de fabricação de um produto em função das melhorias de qualidade realizadas enquanto se empenham em satisfazer os requisitos da documentação. A certificação ISO 9000 exige que uma empresa analise e documente seus procedimentos, o que é, em todo caso, necessário para se implementar a melhoria contínua, o envolvimento dos funcionários e programas semelhantes. As diretrizes e os requisitos dos padrões de documentação ISO ajudam as empresas a dar um salto inicial para o desenvolvimento de programas de TQM.

PRÊMIO NACIONAL DE QUALIDADE MALCOLM BALDRIGE

Não importa onde uma empresa faça negócios, é claro que todas as organizações devem produzir produtos e oferecer serviços de alta qualidade se pretendem ser competitivas. Para destacar esse ponto, em agosto de 1987, o Congresso dos Estados Unidos aprovou o Ato de Melhoria de Qualidade Malcolm Baldrige, criando o **Prêmio Nacional de Qualidade Malcolm Baldrige** (www.quality.nist.gov). O prêmio, que recebeu o nome do último secretário de comércio, que foi um proponente de peso do aumento da qualidade como um modo de reduzir o déficit comercial, promove, reconhece e dá publicidade a estratégias e realizações de qualidade.

A candidatura e o processo de revisão para o prêmio Baldrige são rigorosos. Entretanto, o próprio ato de preparar a candidatura é, muitas vezes, um benefício importante para as organizações, pois ajuda as empresas a definirem o que *qualidade* significa para elas. De acordo com o Instituto Nacional de Padrões e Tecnologia (*National Institute of Standards and Technology* — NIST) do Departamento de Comércio dos Estados Unidos, o investimento em princípios de qualidade e excelência de desempenho traz como recompensa maior produtividade, funcionários e clientes satisfeitos e aumento de rentabilidade, tanto para os clientes como para os investidores. Os sete critérios principais para o prêmio são os seguintes:

1. *liderança*: examina como os executivos seniores dirigem a organização e como a organização lida com suas responsabilidades em relação ao público e pratica boa cidadania;
2. *planejamento estratégico*: avalia como a organização determina normas estratégicas e como determina planos de ação;
3. *foco no cliente e no mercado*: examina como a organização determina requisitos e expectativas de clientes e mercados, constrói relações com os clientes e adquire, satisfaz e fideliza clientes;
4. *mensuração, análise e gerenciamento do conhecimento*: examina o gerenciamento, o uso efetivo, a análise e o aperfeiçoamento de dados e informações para sustentar processos organizacionais fundamentais e o sistema de gerenciamento do desempenho da organização;
5. *foco nos recursos humanos*: examina como a organização torna sua força de trabalho apta a desenvolver seu potencial pleno e como a força de trabalho está alinhada com os objetivos da organização;
6. *administração do processo*: examina aspectos referentes a como processos-chave de produção/entrega e apoio são projetados, administrados e aperfeiçoados;
7. *resultados dos negócios*: examina o desempenho e o aperfeiçoamento da organização em suas metas de negócios-chave, incluindo satisfação do cliente, desempenho financeiro e no mercado, recursos humanos, desempenho do fornecedor e do parceiro, desempenho operacional, responsabilidade social e governança. A categoria também examina o desempenho da organização em relação aos concorrentes.

A satisfação do cliente sustenta estes sete critérios. O sétimo critério, 'Resultados dos negócios', recebe o maior peso na seleção dos vencedores.

EQUAÇÕES-CHAVE

1. Média: $\bar{x} = \dfrac{\sum_{i=1}^{n} x_i}{n}$

2. Desvio-padrão de uma amostra:

$$\sigma = \sqrt{\dfrac{\Sigma(x_i - \bar{x})^2}{n-1}} \quad \text{ou} \quad \sigma = \sqrt{\dfrac{\Sigma x^2 - \dfrac{(\Sigma x_i)^2}{n}}{n-1}}$$

3. Limites de controle para as variáveis dos gráficos de controle de processos

   a. Gráfico de R, amplitude da amostra:

   $$\text{limite superior de controle} = \text{LSC}_R = D_4 \bar{R}$$
   $$\text{limite inferior de controle} = \text{LIC}_R = D_3 \bar{R}$$

   b. Gráfico $\bar{x}$, média da amostra:

   $$\text{limite superior de controle} = \text{LSC}_{\bar{x}} = \bar{\bar{x}} + A_2 \bar{R}$$
   $$\text{limite inferior de controle} = \text{LIC}_{\bar{x}} = \bar{\bar{x}} - A_2 \bar{R}$$

   c. Quando o desvio-padrão da distribuição do processo, σ, é conhecido:

   $$\text{limite superior de controle} = \text{LSC}_{\bar{x}} = \bar{\bar{x}} + z\sigma_{\bar{x}}$$
   $$\text{limite inferior de controle} = \text{LIC}_{\bar{x}} = \bar{\bar{x}} - z\sigma_{\bar{x}}$$

   onde

   $$\sigma_{\bar{x}} = \dfrac{\sigma}{\sqrt{n}}$$

4. Limites de controle para gráficos de controle de atributos do processo
   a. gráfico p, proporção de defeitos:

   limite superior de controle = $\text{LSC}_p = \bar{p} + z\sigma_p$
   limite inferior de controle = $\text{LIC}_p = \bar{p} - z\sigma_p$

   onde

   $\sigma_p = \sqrt{\bar{p}(1-\bar{p})/n}$

   b. Gráfico c, número de defeitos:

   limite superior de controle = $\text{LSC}_c = \bar{c} + z\sqrt{\bar{c}}$
   limite inferior de controle = $\text{LIC}_c = \bar{c} - z\sqrt{\bar{c}}$

5. Razão de capabilidade do processo:

   $C_p = \dfrac{\text{especificação superior} - \text{especificação inferior}}{6\sigma}$

6. Índice de capabilidade do processo:

   $C_{pk} = \text{Mínimo de}$

   $\left[\dfrac{\bar{\bar{x}} - \text{especificação inferior}}{3\sigma}, \dfrac{\text{especificação superior} - \bar{\bar{x}}}{3\sigma} \right]$

PALAVRAS-CHAVE

aceitação por amostragem
atributos
capabilidade do processo
causas de variação comuns
causas de variação assinaláveis
ciclo planejar – executar – controlar – agir
círculos de qualidade
concessão de poderes aos funcionários
controle estatístico do processo (CEP)
custos de avaliação
custos de falhas externas
custos de falhas internas
custos de prevenção
defeito
engenharia de qualidade
equipe autogerida
equipes
equipes com propósitos especiais
erro do tipo I
erro do tipo II
faixa preta
faixa verde
função de perda de qualidade
garantia
gestão da qualidade total (TQM)
gráfico c
gráfico de controle
gráfico de R
gráfico p
gráfico $\bar{x}$
índice de capabilidade do processo C_{pk}
ISO 9000
ISO 14000
melhoria contínua
mestre faixa preta
plano de amostragem
Prêmio Nacional de Qualidade Malcolm Baldrige
qualidade
qualidade na origem
razão de capabilidade do processo C_p
Seis Sigmas
tamanho da amostra
tolerância
valor nominal
variáveis

PROBLEMA RESOLVIDO 1

A Watson Electric Company produz lâmpadas incandescentes. Os dados a seguir sobre o número de lúmens de lâmpadas de 40 watts foram coletados quando o processo estava sob controle.

Amostra	Observação			
	1	2	3	4
1	604	612	588	600
2	597	601	607	603
3	581	570	585	592
4	620	605	595	588
5	590	614	608	604

a. Calcule os limites de controle para um gráfico de R e um gráfico $\bar{x}$.

b. Desde que esses dados foram coletados, alguns novos empregados foram contratados. Uma nova amostra obteve as seguintes leituras: 570, 603, 623 e 583. O processo ainda está sob controle?

SOLUÇÃO

a. Para calcular $\bar{x}$, compute a média para cada amostra. Para calcular R, subtraia o valor mais baixo do valor mais alto da amostra. Por exemplo, para a amostra 1,

$$\bar{x} = \frac{604 + 612 + 588 + 600}{4} = 601$$
$$R = 612 - 588 = 24$$

Amostra	$\bar{x}$	R
1	601	24
2	602	10
3	582	22
4	602	32
5	604	24
Total	2.991	112
Média	$\bar{\bar{x}} = 598,2$	$\bar{R} = 22,4$

Os limites de controle do gráfico de R são:

$$\text{LSC}_R = D_4 \bar{R} = 2{,}282(22{,}4) = 51{,}12$$
$$\text{LIC}_R = D_3 \bar{R} = 0(22{,}4) = 0$$

Os limites de controle do gráfico $\bar{x}$ são:

$$\text{LSC}_{\bar{x}} = \bar{\bar{x}} + A_2 \bar{R} = 598{,}2 + 0{,}729(22{,}4) = 614{,}53$$
$$\text{LIC}_{\bar{x}} = \bar{\bar{x}} - A_2 \bar{R} = 598{,}2 - 0{,}729(22{,}4) = 581{,}87$$

b. Primeiro verifique se a variabilidade ainda está sob controle tendo por referência os novos dados. A amplitude é 53 (ou 623 – 570), que está fora do LSC para o gráfico de R. Ainda que a média da amostra, 594,75, esteja dentro dos limites de controle para a média do processo, a variabilidade do processo não está sob controle. Deve-se proceder a uma busca por causas assinaláveis.

PROBLEMA RESOLVIDO 2

O departamento de processamento de dados do Banco do Arizona tem cinco funcionários que fazem lançamento dos dados. Todos os dias, o supervisor verifica a precisão de uma amostra aleatória de 250 registros. Um registro contendo um ou mais erros é considerado defeituoso e deve ser refeito. Os resultados das últimas 30 amostras são mostrados na tabela. Todos foram verificados para assegurar que nenhum estava fora de controle.

Amostra	Número de registros defeituosos	Amostra	Número de registros defeituosos	Amostra	Número de registros defeituosos	Amostra	Número de registros defeituosos
1	7	9	6	17	12	24	7
2	5	10	13	18	4	25	13
3	19	11	18	19	6	26	10
4	10	12	5	20	11	27	14
5	11	13	16	21	17	28	6
6	8	14	4	22	12	29	11
7	12	15	11	23	6	30	9
8	9	16	8				
						Total	300

a. Tendo por referência esses dados históricos, construa um gráfico p usando z = 3.

b. As amostras para os quatro dias seguintes indicaram que:

Amostra	Número de registros defeituosos
31	17
32	15
33	22
34	21

Qual é a avaliação provável do supervisor sobre o processo de lançamento dos dados?

SOLUÇÃO

a. A partir da tabela, o supervisor sabe que o número total de registros defeituosos é 300 de uma amostra total de 7.500 [ou 30(250)]. Portanto, a linha central do gráfico é

$$\bar{p} = \frac{300}{7.500} = 0{,}04$$

Os limites de controle são:

$$\text{LSC}_p = \bar{p} + z\sqrt{\frac{\bar{p}(1-\bar{p})}{n}} = 0{,}04 + 3\sqrt{\frac{0{,}04(0{,}96)}{250}} = 0{,}077$$
$$\text{LIC}_p = \bar{p} - z\sqrt{\frac{\bar{p}(1-\bar{p})}{n}} = 0{,}04 - 3\sqrt{\frac{0{,}04(0{,}96)}{250}} = 0{,}003$$

b. As amostras para os quatro dias seguintes indicaram que:

Amostra	Número de registros defeituosos	Proporção
31	17	0,068
32	15	0,060
33	22	0,088
34	21	0,084

As amostras 33 e 34 estão fora do controle. O supervisor deve procurar o problema e, ao identificá-lo, tomar medidas corretivas.

PROBLEMA RESOLVIDO 3

O Departamento de Segurança das Estradas do Município de Minnow monitora os acidentes no cruzamento entre as Rotas 123 e 14. A média de acidentes na interseção tem sido de três por mês.

a. Que tipo de gráfico de controle deve ser usado? Construa um gráfico de controle com limites de controle de três sigmas.

b. No último mês, ocorreram sete acidentes no cruzamento. Essa evidência é suficiente para justificar o argumento de que algo mudou no cruzamento?

SOLUÇÃO

a. O departamento de segurança não pode determinar o número de acidentes que *não* ocorrem, portanto, ele não tem como calcular uma proporção defeituosa no cruzamento. Por isso, os administradores devem usar um gráfico c para o qual

$$\text{LSC}_c = \bar{c} + z\sqrt{\bar{c}} = 3 + 3\sqrt{3} = 8{,}20$$
$$\text{LIC}_c = \bar{c} - z\sqrt{\bar{c}} = 3 - 3\sqrt{3} = -2{,}196$$

Não pode haver um número negativo de acidentes, assim, o LIC é ajustado para zero.

b. O número de acidentes no último mês está dentro do LSC e do LSC do gráfico. Concluímos que não há causas assinaláveis presentes e que o aumento nos acidentes foi devido ao acaso.

PROBLEMA RESOLVIDO 4

A Frango Pioneiro anuncia frango "light" com 30 por cento menos calorias. (Os pedaços são 33 por cento menores.) A média de distribuição do processo para o peito de frango "light" é de 420 calorias, com um desvio-padrão da população de 25 calorias. A Pioneiro retira aleatoriamente amostras de seis peitos de frango para medir o teor calórico.

a. Elabore um gráfico de $\bar{x}$ usando o desvio-padrão do processo.

b. O design do produto requer que o peito de frango médio contenha 400 ± 100 calorias. Calcule o índice de capabilidade do processo (meta = 1,33) e a razão de capabilidade do processo. Interprete os resultados.

SOLUÇÃO

a. Para o desvio-padrão do processo de 25 calorias, o desvio-padrão da média da amostra é:

$$\sigma_{\bar{x}} = \frac{\sigma}{\sqrt{n}} = \frac{25}{\sqrt{6}} = 10{,}2 \text{ calorias}$$
$$\text{LSC}_{\bar{x}} = \bar{\bar{x}} + z\sigma_{\bar{x}} = 420 + 3(10{,}2) = 450{,}6 \text{ calorias}$$
$$\text{LIC}_{\bar{x}} = \bar{\bar{x}} - z\sigma_{\bar{x}} = 420 - 3(10{,}2) = 389{,}4 \text{ calorias}$$

b. O índice de capabilidade do processo é:

$$C_{pk} = \text{Mínimo de} \left[\frac{\bar{\bar{x}} - \text{especificação inferior}}{3\sigma}, \frac{\text{especificação superior} - \bar{\bar{x}}}{3\sigma} \right]$$

$$= \text{Mínimo de} \left[\frac{420 - 300}{3(25)} = 1{,}60, \frac{500 - 420}{3(25)} = 1{,}07 \right] = 1{,}07$$

A relação de capabilidade do processo é:

$$C_p = \frac{\text{especificação superior} - \text{especificação inferior}}{6\sigma} =$$
$$\frac{500 \text{ calorias} - 300 \text{ calorias}}{6(25)} = 1{,}33$$

Uma vez que a relação de capabilidade do processo é 1,33, o processo deve ser capaz de gerar o produto com segurança dentro das especificações. Contudo, o índice de capabilidade do processo é 1,07, assim, o processo corrente não está corretamente centrado para o desempenho de quatro sigmas. A média da distribuição do processo é muito próxima da especificação superior.

QUESTÕES PARA DISCUSSÃO

1. Empresas praticando TQM alcançaram êxito considerável. Quais são as principais dificuldades enfrentadas por fabricantes e prestadores de serviços para prosseguir com a melhoria de qualidade?

2. Recentemente, a Corporação Geral Polonesa, conhecida por fabricar utensílios e peças de automóveis, iniciou um projeto de 13 bilhões de dólares para fabricar automóveis. Isso exigiu uma grande capacidade de aprendizagem por parte da gerência e dos funcionários. Embora a pressão estivesse aumentando para colocar um novo produto no mercado no início de 2007, o gerente de produção da recém-formada divisão automobilística insistiu em quase um ano de testes antes que as vendas começassem, porque os funcionários têm de realizar o trabalho 60 a 100 vezes antes de conseguir memorizar a seqüência correta. A data de lançamento foi definida para o início de 2008. Quais são as conseqüências de se usar essa abordagem para entrar com um novo produto no mercado?

3. Forme um grupo e escolha um prestador de serviços ou fabricante e uma área funcional, como contabilidade, finanças ou marketing. Defina um processo importante para essa área funcional e, em seguida, identifique uma medida de desempenho-chave para esse processo. Como o CEP pode ser usado para administrar esse processo?

PROBLEMAS

Softwares como o OM Explorer, o Active Models e o POM for Windows estão disponíveis no site de apoio deste livro. Verifique com seu professor a melhor maneira de usá-los. Em muitos casos, o professor quer que você entenda como fazer os cálculos manualmente. Quando muito, o software pode oferecer uma verificação de seus cálculos. Quando os cálculos são muito complexos e o objetivo é interpretar os resultados na tomada de decisões, o software substitui completamente os cálculos manuais. O software pode ser também um valioso recurso depois que você concluir o curso.

1. No Lava Jato Rapidinho, anuncia-se que o processo de lavagem leva menos de sete minutos. Conseqüentemente, a gerência definiu como meta a média de 390 segundos para o processo de lavagem. Suponha que a amplitude média para uma amostra de nove carros é 10 segundos. Use a Tabela 6.1 para estabelecer os limites de controle para as médias amostrais e amplitudes para o processo de lavagem do carro.

2. Na Isogen, o processo de enchimento do inalador para asma é ajustado para dispensar 150 mililitros (ml) de solução de esteróide por recipiente. A amplitude média para uma amostra de quatro recipientes é três ml. Use a Tabela 6.1 para definir limites de controle para médias amostrais e amplitudes para o processo de enchimento.

3. A Garagem do Garcia deseja criar alguns diagramas e gráficos coloridos para ilustrar o quanto seus mecânicos "conseguem entrar sob a capota e consertar o problema". A média histórica da proporção de clientes que retornam para o mesmo conserto dentro do período de garantia de 30 dias é 0,10. Todo mês, Garcia rastreia 100 clientes para verificar se eles retornam para consertos de garantia. Os resultados são representados como uma proporção para relatar o progresso em direção ao objetivo. Se os limites de controle devem ser fixados em dois desvios-padrão para cada lado da meta, determine os limites de controle para esse gráfico. Em março, oito dos 100 clientes no grupo de amostra retornaram para consertos de garantia. O processo de conserto está sob controle?

4. A empresa Gourmet Canino produz deliciosas guloseimas para dentes caninos de cachorros com sabores diferenciados. A gerência deseja que a linha de enchimento de caixas seja ajustada de forma que o peso médio por pacote no processo seja de 45 gramas. Para se certificar de que o processo está sob controle, um inspetor no fim da linha de enchimento seleciona periodicamente uma caixa aleatória de dez pacotes e pesa cada pacote. Quando o processo está sob controle, a amplitude no peso de cada amostra tem a média de seis gramas.

   a. Desenhe um gráfico de R e um gráfico $\bar{x}$ para esse processo.

   b. Os resultados das últimas cinco amostras de dez pacotes são:

Amostra	$\bar{x}$	R
1	44	9
2	40	2
3	46	5
4	39	8
5	48	3

   O processo está sob controle? Explique.

5. A Companhia Merlim produz garrafas de plástico sob encomenda do cliente. O inspetor de qualidade seleciona aleatoriamente quatro garrafas da máquina de garrafas e mede o diâmetro externo do gargalo, uma dimensão de qualidade crítica que determina se a tampa de garrafa se ajustará corretamente. As dimensões (polegadas) das últimas seis amostras são:

	Garrafa			
Amostra	1	2	3	4
1	0,604	0,612	0,588	0,600
2	0,597	0,601	0,607	0,603
3	0,581	0,570	0,585	0,592
4	0,620	0,605	0,595	0,588
5	0,590	0,614	0,608	0,604
6	0,585	0,583	0,617	0,579

   a. Suponha que apenas essas seis amostras são suficientes e use os dados para determinar limites de controle para um gráfico de R e um gráfico $\bar{x}$.

   b. Suponha que a especificação para o diâmetro do gargalo da garrafa seja 0,600 ± 0,050. Se o desvio-padrão da população é 0,012 polegada e a empresa está buscando qualidade de quatro sigmas, o processo é capaz de fabricar a garrafa?

6. Em uma tentativa de julgar e monitorar a qualidade do ensino, a administração da Escola Superior Megabyte criou uma prova para examinar os alunos em relação aos conceitos básicos que todos deveriam ter aprendido. Todo ano, uma amostra aleatória de dez alunos de graduação é selecionada para o teste. A pontuação média é usada para rastrear a qualidade do processo educacional. Os resultados do teste para os últimos dez anos são mostrados na Tabela 6.2.

TABELA 6.2 Pontos na prova de saída

Ano	Aluno										Média
	1	2	3	4	5	6	7	8	9	10	
1	63	57	92	87	70	61	75	58	63	71	69,7
2	90	77	59	88	48	83	63	94	72	70	74,4
3	67	81	93	55	71	71	86	98	60	90	77,2
4	62	67	78	61	89	93	71	59	93	84	75,7
5	85	88	77	69	58	90	97	72	64	60	76,0
6	60	57	79	83	64	94	86	64	92	74	75,3
7	94	85	56	77	89	72	71	61	92	97	79,4
8	97	86	83	88	65	87	76	84	81	71	81,8
9	94	90	76	88	65	93	86	87	94	63	83,6
10	88	91	71	89	97	79	93	87	69	85	84,9

Use esses dados para estimar o centro e o desvio-padrão para essa distribuição. Em seguida, calcule os limites de controle de dois sigmas para a média do processo. Que comentários você faria à administração da Escola Superior Megabyte?

7. Como administrador de um grande hospital, você está preocupado com o absenteísmo entre os auxiliares de enfermagem. A questão foi levantada por enfermeiras registradas, que percebem que, muitas vezes, elas têm de executar o trabalho normalmente feito pelos auxiliares. Para compreender os fatos, dados sobre absenteísmo foram coletados para as últimas duas semanas, período considerado representativo para circunstâncias futuras. Após retirar amostras aleatórias de 64 arquivos de funcionários todos os dias, os seguintes dados foram gerados:

Dia	Auxiliares ausentes	Dia	Auxiliares ausentes
1	4	9	7
2	3	10	2
3	2	11	3
4	4	12	2
5	2	13	1
6	5	14	3
7	3	15	4
8	4		

Uma vez que sua avaliação sobre o absenteísmo provavelmente será submetida a cuidadoso exame, você gostaria de um erro tipo I de apenas um por cento. Você quer ter a certeza de identificar quaisquer ocorrências incomuns de faltas. Se alguns estiverem presentes, você deverá investigá-los em nome das enfermeiras registradas.

a. Desenhe um gráfico p.

b. Tendo como referência seu gráfico p e os dados das últimas duas semanas, o que você pode concluir sobre o absenteísmo dos auxiliares de enfermagem?

8. Um fabricante têxtil deseja elaborar um gráfico de controle para irregularidades (por exemplo, manchas de óleo, sujeira da oficina, linhas soltas e rasgões) por 100 jardas quadradas de tapete. Os dados seguintes foram coletados de uma amostra de vinte peças de tapete de 100 jardas quadradas.

Amostra	1	2	3	4	5	6	7	8	9	10
Irregularidades	11	8	9	12	4	16	5	8	17	10
Amostra	11	12	13	14	15	16	17	18	19	20
Irregularidades	11	5	7	12	13	8	19	11	9	10

a. Usando esses dados, elabore um gráfico c com $z = 3$.

b. Suponha que as próximas cinco amostras tenham apresentado 15, 18, 12, 22 e 21 irregularidades. O que você conclui?

9. O IRS está preocupado em aumentar a precisão das informações sobre tributos dadas por seus representantes pelo telefone. Estudos anteriores envolveram o questionamento de um conjunto de 25 perguntas a um grande número de representantes do IRS para determinar a proporção de respostas corretas. Historicamente, a proporção média de respostas corretas tem sido de 70 por cento. Recentemente, representantes do IRS têm recebido mais treinamento. No dia 1º de abril, o conjunto de 25 perguntas sobre tributos foi feito novamente a 20 representantes do IRS selecionados aleatoriamente. As proporções de respostas corretas foram 0,88, 0,76, 0,64, 1,00, 0,76, 0,76, 0,72, 0,88, 0,50, 0,50, 0,40, 1,00, 0,88, 1,00, 0,64, 0,76, 0,76, 0,88, 0,40 e 0,76. Interprete os resultados desse estudo.

10. Uma agência de viagens está preocupada com a precisão e o aspecto dos itinerários preparados para seus clientes. Os defeitos podem incluir erros em horários, linhas aéreas, números de vôos, preços, informações sobre aluguel de carro, alojamentos, números de cartões de débito e números de reservas, assim como erros tipográficos. Como o número possível de erros é quase infinito, a agência mede o número de erros que ocorrem. No processo corrente, observa-se uma média de três erros por itinerário.

   a. Quais são os limites de controle de dois sigmas para esses defeitos?

   b. Um cliente agendou uma viagem para Dallas. Seu itinerário continha seis erros. Interprete essa informação.

11. A Confecção Masculina Jim's, Inc. produz camisas especiais para caubóis sob encomenda. As camisas podem apresentar diversos tipos de defeitos, inclusive no modo de tecer ou na cor do tecido, botões ou ornamentos soltos, dimensões erradas e pontos de costura tortos. O proprietário examinou aleatoriamente dez camisas, com os resultados seguintes:

Camisa	Defeitos
1	8
2	0
3	7
4	12
5	5
6	10
7	2
8	4
9	6
10	6

   a. Supondo que dez observações são adequadas para esses propósitos, determine os limites de controle de três sigmas para defeitos por camisa.

   b. Suponha que a próxima camisa tenha 13 defeitos. O que você pode dizer sobre o processo agora?

12. A empresa Grande Pássaro Preto produz tetos de fibra de vidro para *motor-home*. O processo de fabricação dos tetos deve ser controlado para manter o número de ondulações baixo. Quando o processo estava sob controle, os defeitos seguintes foram encontrados em lâminas selecionadas aleatoriamente durante um período prolongado de tempo.

Teto	Ondulações
1	7
2	9
3	14
4	11
5	3
6	12
7	8
8	4
9	7
10	6

   a. Supondo que dez observações sejam adequadas para esses propósitos, determine os limites de controle de três sigmas para ondulações por teto de *motor-home*.

   b. Suponha que o próximo teto de *motor-home* tenha 15 ondulações. O que você pode dizer sobre o processo agora?

13. O gerente de produção da Soda Radiante, Inc. quer rastrear a qualidade da linha de enchimento da garrafa de 340,20 gramas da empresa. As garrafas devem ser enchidas dentro das tolerâncias estabelecidas para esse produto, porque as informações dietéticas na etiqueta mostram 340,20 gramas como o tamanho da porção. O design padrão para o produto exige um nível de preenchimento de 340,20 ± 2,84 gramas. O gerente coletou os dados de amostra seguintes (em gramas líquidas por garrafa) no processo de fabricação:

	Observação			
Amostra	1	2	3	4
1	340,20	339,35	343,04	342,47
2	337,65	338,50	343,04	339,07
3	337,08	340,77	339,35	339,92
4	343,04	342,75	341,62	338,78
5	342,47	337,93	343,60	341,62
6	338,50	339,63	341,90	342,47
7	342,75	340,20	340,20	341,05
8	340,48	341,33	339,92	338,78
9	340,20	339,07	339,35	341,05
10	337,93	338,50	342,75	340,20
11	337,65	339,92	341,62	343,04
12	340,48	340,20	341,90	339,35
13	339,63	339,92	341,90	341,05
14	340,77	340,20	341,62	338,78
15	340,20	341,62	340,48	339,35

   a. A média do processo e a amplitude estão sob controle estatístico?

b. O processo é capaz de satisfazer o padrão de projeto para a qualidade de quatro sigmas? Explique.

14. A Companhia de Hipoteca Pátio de Transações Monetárias está interessada em monitorar o desempenho do processo de hipoteca. Quinze amostras de cinco transações de hipoteca concluídas foram retiradas durante um período em que se acredita que o processo estava sob controle. Os prazos de conclusão das transações foram medidos. Seguem as médias e amplitudes dos prazos de transação do processo de hipoteca, medidos em dias.

Amostra	1	2	3	4	5	6	7	8	9	10	11	12	13	14	15
Média	17	14	8	17	12	13	15	16	13	14	16	9	11	9	12
Amplitude	6	11	4	8	9	14	12	15	10	10	11	6	9	11	13

Posteriormente, amostras de tamanho cinco foram retiradas do processo a cada semana pelas dez semanas seguintes. Os prazos foram medidos e os seguintes resultados obtidos.

Amostra	16	17	18	19	20	21	22	23	24	25
Média	11	14	9	15	17	19	13	22	20	18
Amplitude	7	11	6	4	12	14	11	10	8	6

a. Construa os gráficos de controle para a média e a amplitude, usando as 15 amostras originais. Essas amostras foram suficientes para elaborar o gráfico de controle? Explique sua resposta.
b. Nos gráficos de controle, represente os valores das amostras obtidas em seguida e comente se o processo está sob controle.
c. Na parte (b), se você concluísse que o processo estava fora do controle, você atribuiria isso a um desvio na média, a um aumento na variabilidade ou a ambos? Explique sua resposta.

15. A Companhia de Hipoteca Pátio de Transações Monetárias do problema 14 fez algumas alterações no processo e realizou um estudo de capabilidade do processo. Os dados seguintes foram obtidos para 15 amostras de tamanho 5. Tendo por referência observações individuais, a gerência estimou o desvio-padrão do processo em 4,21 (dias) para uso na análise de capabilidade do processo. Os limites inferiores e superiores de especificação (em dias) para os prazos do processo de hipoteca foram 5 e 25.

Amostra	1	2	3	4	5	6	7	8	9	10	11	12	13	14	15
Média	11	12	8	16	13	12	17	16	13	14	17	9	15	14	9
Amplitude	9	13	4	11	10	9	8	15	14	11	6	6	12	10	11

a. Calcule a razão de capabilidade do processo e os valores do índice de capabilidade do processo.
b. Suponha que a gerência ficasse muito satisfeita com o desempenho de três sigmas. Que conclusões a gerência provavelmente tirará a partir da análise de capabilidade? Podem-se tirar da análise conclusões válidas sobre o processo?
c. Que ações corretivas, se alguma for necessária, você sugere que a gerência tome?

16. A Webster Companhia Química produz resinas e calafetagem para a indústria de construção. O produto é misturado em misturadores grandes e, em seguida, bombeado em tubos e coberto. A gerência está interessada em verificar se o processo de enchimento para tubos de calafetagem está sob controle estatístico. O processo deve ser centralizado em 226,80 gramas por tubo. Várias amostras de oito tubos foram tiradas, cada tubo foi pesado e os pesos na Tabela 6.3 foram obtidos:

TABELA 6.3 Gramas de calafetagem por tubo

Amostra	Número do tubo							
	1	2	3	4	5	6	7	8
1	226,23	236,44	227,37	225,10	239,27	217,35	221,41	229,92
2	236,16	233,04	229,07	241,26	238,42	234,74	229,35	231,34
3	223,68	220,28	224,25	227,93	226,80	223,68	224,82	229,35
4	233,60	231,90	221,98	228,22	223,97	231,34	225,95	228,78
5	223,11	230,49	224,53	226,52	229,64	221,41	230,77	223,40
6	230,49	230,77	229,92	230,49	230,77	230,20	230,49	230,77

a. Suponha que apenas seis amostras sejam suficientes e elabore os gráficos de controle para a média e a amplitude.

b. Represente as observações no gráfico de controle e comente suas conclusões.

17. A gerência da Webster, do problema 16, está agora interessada em saber se os tubos de calafetagem estão sendo corretamente cobertos. Se uma proporção significativa dos tubos não está sendo lacrada, a Webster está colocando seus clientes em uma situação complicada. Os tubos são embalados em caixas grandes de 144. Várias caixas são inspecionadas e os números seguintes de tubos com vazamento foram encontrados:

Amostra	Tubos	Amostra	Tubos	Amostra	Tubos
1	3	8	6	15	5
2	5	9	4	16	0
3	3	10	9	17	2
4	4	11	2	18	6
5	2	12	6	19	2
6	4	13	5	20	1
7	2	14	1	Total	72

Calcule os limites de controle de três sigmas do gráfico de controle para avaliar se o processo de cobertura está sob controle estatístico.

18. Na Webster Companhia Química, caroços na mistura da calafetagem podem trazer dificuldades à distribuição de uma massa regular a partir do tubo. Mesmo quando o processo estiver sob controle, uma média de quatro caroços por tubo de calafetagem permanecerá. Testar a presença de caroços destrói o produto, por isso, um analista tira amostras aleatórias. São obtidos os resultados seguintes:

Tubo nº	Caroços	Tubo nº	Caroços	Tubo nº	Caroços
1	6	5	6	9	5
2	5	6	4	10	0
3	0	7	1	11	9
4	4	8	6	12	2

Determine os limites superiores e inferiores de controle do gráfico c de dois sigmas para esse processo.

19. Uma dimensão crítica de certo serviço é seu tempo. Periodicamente, amostras aleatórias de três ocorrências de serviço são medidas por tempo. Os resultados das últimas quatro amostras são apresentadas na tabela a seguir:

Amostra	Tempo (s)		
1	495	501	498
2	512	508	504
3	505	497	501
4	496	503	492

a. Considerando que a gerência está disposta a usar limites de três sigmas e usando apenas as informações históricas contidas nas quatro amostras, mostre que o processo de prestação do serviço está sob controle estatístico.

b. Suponha que o desvio-padrão da distribuição do processo é 5,77. Se as especificações para o tempo de serviço são 500 ± 18 segundos, o processo é capaz? Por que ou por que não? Suponha qualidade de três sigmas.

20. Um torno mecânico automático fabrica cilindros para mancais de rolamentos e o processo é monitorado por gráficos de controle estatístico de processo. A linha central do gráfico para as médias amostrais está fixada em 8,50 e para a amplitude média em 0,31 mm. O processo está sob controle, como estabelecido por amostras de tamanho 5. As especificações superiores e inferiores para o diâmetro dos cilindros são (8,50 + 0,25) e (8,50 – 0,25) mm, respectivamente.

a. Calcule os limites de controle para os gráficos de média e amplitude.

b. Se se estima que o desvio-padrão da distribuição do processo é 0,13 mm, o processo é capaz de satisfazer as especificações? Suponha qualidade de quatro sigmas.

c. Se o processo não é capaz, que percentual do produto está fora dos limites de especificação? (Sugestão: use a distribuição normal.)

PROBLEMAS AVANÇADOS

21. As guloseimas para cães Super Fôlego da Gourmet Canino são vendidas em caixas etiquetadas com um peso líquido de 340 gramas por caixa. Cada caixa contém oito pacotes individuais de 42,35 gramas. Para reduzir as chances de o cliente receber uma caixa com peso menor que o devido, as especificações de projeto do produto exigem que a média do processo de enchimento do pacote seja fixada em 43,5 gramas, de modo que o peso líquido médio por caixa seja de 348 gramas. As tolerâncias definem que a caixa pese 348 ± 12 gramas. O desvio-padrão para o processo de *enchimento de pacotes* é 1,01 grama. A razão de capabilidade do processo definida como meta é 1,33. Um dia, o peso médio do processo de enchimento de pacotes se desvia para 43 gramas. O processo de embalagem é capaz? É necessário um ajuste?

22. A empresa Fabricando com Precisão produz ferramentas portáteis em uma linha de produção que fabrica um produto por minuto. Em um dos produtos, a dimensão crítica de qualidade é o diâmetro (medido em milésimos de polegada) de um orifício perfurado em uma das linhas de produção. A gerência deseja detectar qualquer alteração no diâmetro médio do processo de 0,015 polegada e considera que a variância no processo está sob controle. Historicamente, a amplitude média tem sido de 0,002 polegada, desconsiderando-se a média do processo. Desenhe um gráfico de $\bar{x}$ para controlar esse processo, com uma linha central em 0,015 polegada, e os limites de controle fixados em três sigmas a partir da linha central.

A gerência forneceu os resultados de 80 minutos de operação da linha de produção, como mostrado na Tabela 6.4. Durante esses 80 minutos, a média do processo se alterou uma vez. Todas as medidas estão em milésimos de polegada.

a. Elabore um gráfico $\bar{x}$ com $n = 4$. A freqüência deve ser uma amostra de quatro e, em seguida, saltar quatro. Desse modo, sua primeira amostra seria para os minutos 1–4; a segunda, para os minutos 9–12; e assim por diante. Quando você interromperia o processo para verificar uma alteração na média do processo?

b. Elabore um gráfico $\bar{x}$ com $n = 8$. A freqüência deve ser uma amostra de oito e, em seguida, saltar quatro. Quando você interromperia o processo agora? O que você pode dizer sobre a adequação de amostras grandes em um intervalo de amostragem freqüente?

23. Usando os dados do Problema 22, continue sua análise sobre tamanho da amostra e freqüência, investigando os gráficos seguintes.

a. Usando o gráfico $\bar{x}$ para $n = 4$, experimente a amostra de freqüência quatro e salte oito. Quando você interromperia o processo nesse caso?

b. Usando o gráfico $\bar{x}$ para $n = 8$, experimente a amostra de freqüência oito e salte oito. Quando você consideraria o processo fora do controle?

c. Usando seus resultados das partes (a) e (b), determine que trocas você consideraria ao escolher entre eles.

24. O gerente do departamento de atendimento ao consumidor da empresa de Serviços de Cartão de Crédito Ômega está preocupado com o número de defeitos gerados pelo processo de faturamento. Todos os dias, uma amostra aleatória de 250 demonstrações de contas foi inspecionada, em busca de erros referentes a entradas incorretas que envolvem números de contas, transações na conta do cliente, cobrança de juros e cobrança de multas. Qualquer demonstração com um ou mais desses defeitos foi considerada um defeito. O estudo durou 30 dias e gerou os dados na Tabela 6.5. Tendo por referência os dados, o que você pode dizer ao gerente sobre o desempenho do processo de faturamento? Você percebe algum comportamento não-aleatório no processo? Em caso afirmativo, o que pode causar esse comportamento?

25. A Barão Vermelho Linhas Aéreas atende a centenas de cidades todos os dias, mas a concorrência de empresas menores filiadas a grandes transportadoras está aumentando. Uma das prioridades competitivas-chave está relacionada a partidas e chegadas pontuais. A Barão Vermelho define como *pontual* qualquer chegada ou partida que ocorra em 15 minutos dentro do tempo marcado. Para permanecer na liderança do mercado, a gerência estabelece o padrão elevado de 98 por cento de desempenho de pontualidade. O departamento de operações foi encarregado de monitorar

TABELA 6.4 Dados amostrais para a empresa Fabricando com Precisão

Minutos	Diâmetro										
1–12	15	16	18	14	16	17	15	14	14	13	16	17
13–24	15	16	17	16	14	14	13	14	15	16	15	17
25–36	14	13	15	17	18	15	16	15	14	15	16	17
37–48	18	16	15	16	16	14	17	18	19	15	16	15
49–60	12	17	16	14	15	17	14	16	15	17	18	14
61–72	15	16	17	18	13	15	14	14	16	15	17	18
73–80	16	16	17	18	16	15	14	17				

TABELA 6.5 Dados amostrais para a empresa de Serviços de Cartão de Crédito Ômega

Amostras	Número de erros na amostra de 250									
1–10	4	9	6	12	8	2	13	10	1	9
11–20	4	6	8	10	12	4	3	10	14	5
21–30	13	11	7	3	2	8	11	6	9	5

o desempenho da linha aérea. A cada semana, uma amostra aleatória de 300 chegadas e partidas de vôos foi verificada para desempenho de programação. A Tabela 6.6 contém os números de chegadas e partidas, ao longo das últimas 30 semanas, que não satisfizeram a definição da Barão Vermelho sobre serviço pontual. O que você pode dizer à gerência sobre a qualidade do serviço? Você consegue identificar algum comportamento não-aleatório no processo? Em caso afirmativo, o que poderia causar o comportamento?

26. A Irmãos Castor, Inc. está realizando um estudo para avaliar a capabilidade de sua linha de produção de sabão em barra de 150 gramas. Uma medida crítica de qualidade é o peso das barras de sabão após a estampagem. Os limites superior e inferior de especificação são 162 e 170 gramas, respectivamente. Como parte de um estudo da capabilidade inicial, 25 amostras de tamanho 5 foram coletadas pelo grupo de garantia de qualidade e as observações foram registradas na Tabela 6.7.

Após analisar os dados usando gráficos de controle estatístico, o grupo de garantia de qualidade calculou a razão de capabilidade do processo, C_p, e o índice de capabilidade do processo, C_{pk}. Em seguida, decidiu aperfeiçoar o processo de estampagem, especialmente o mecanismo alimentador. Depois de fazer todas as mudanças consideradas necessárias, 18 amostras adicionais foram coletadas. Os dados concisos para essas amostras são:

$\bar{\bar{x}} = 163$ gramas

$\bar{R} = 2,326$ gramas

$\sigma = 1$ gramas

Todas as observações amostrais estavam dentro dos limites do gráfico de controle. Com os novos dados, o grupo de garantia de qualidade recalculou as medidas de capabilidade do processo. Satisfez-se com a melhoria do C_p, mas considerou que o processo deveria ser centrado em 166 gramas para assegurar que tudo esteja segundo as regras. Essa decisão encerrou o estudo.

a. Trace os gráficos de controle para os dados obtidos no estudo inicial e verifique se o processo estava sob controle estatístico.

b. Quais os valores obtidos pelo grupo para C_p e C_{pk} para o estudo da capabilidade inicial? Comente suas conclusões e explique por que eram necessárias melhorias adicionais.

c. Quais são os valores de C_p e C_{pk} depois das melhorias? Comente suas conclusões, indicando por que o grupo decidiu alterar o centro do processo.

d. Quais os valores de C_p e C_{pk} se o processo estiver centrado em 166? Comente suas conclusões.

TABELA 6.6 Dados amostrais para a Barão Vermelho Linhas Aéreas

Amostra	Número de aviões atrasados na amostra de 300 chegadas e partidas									
1–10	3	8	5	11	7	2	12	9	1	8
11–20	3	5	7	9	12	5	4	9	13	4
21–30	12	10	6	2	1	8	4	5	8	2

TABELA 6.7	Dados amostrais para a Irmãos Castor, Inc.				
Amostra	Obs. 1	Obs. 2	Obs. 3	Obs. 4	Obs. 5
1	167,0	159,6	161,6	164,0	165,3
2	156,2	159,5	161,7	164,0	165,3
3	167,0	162,9	162,9	164,0	165,4
4	167,0	159,6	163,7	164,1	165,4
5	156,3	160,0	162,9	164,1	165,5
6	164,0	164,2	163,0	164,2	163,9
7	161,3	163,0	164,2	157,0	160,6
8	163,1	164,2	156,9	160,1	163,1
9	164,3	157,0	161,2	163,2	164,4
10	156,9	161,0	163,2	164,3	157,3
11	161,0	163,3	164,4	157,6	160,6
12	163,3	164,5	158,4	160,1	163,3
13	158,2	161,3	163,5	164,6	158,7
14	161,5	163,5	164,7	158,6	162,5
15	163,6	164,8	158,0	162,4	163,6
16	164,5	158,5	160,3	163,4	164,6
17	164,9	157,9	162,3	163,7	165,1
18	155,0	162,2	163,7	164,8	159,6
19	162,1	163,9	165,1	159,3	162,0
20	165,2	159,1	161,6	163,9	165,2
21	164,9	165,1	159,9	162,0	163,7
22	167,6	165,6	165,6	156,7	165,7
23	167,7	165,8	165,9	156,9	165,9
24	166,0	166,0	165,6	165,6	165,5
25	163,7	163,7	165,6	165,6	166,2

CASO: Melhoria de processos e a satisfação do cliente

Nos últimos anos, a competição no setor de telefonia do Brasil aumentou, especialmente no segmento de telefonia móvel. Segundo dados da Agência Nacional de Telecomunicações (Anatel), cerca de 52 por cento da população brasileira — 97 milhões de pessoas — residem em municípios onde existe mais de uma operadora de telefonia fixa, mas no caso da telefonia celular, existem pelo menos três operadoras em todo o Brasil.

A portabilidade numérica, que começa a ser implantada no país em setembro de 2008, insere uma nova dimensão a esse mercado e promete acirrar ainda mais essa disputa. As operadoras fixas e móveis deverão se empenhar cada vez mais para não perder clientes para a concorrência e, até mesmo, atrair assinantes das outras empresas.

A Oi, maior companhia brasileira de telecomunicações em faturamento e em número de telefones fixos em serviço, possui controle cem por cento nacional. A empresa oferece serviços de telefonia fixa, telefonia móvel, comunicação de dados, Internet e televisão por assinatura. Além disso, ela tem concessão para operar no mercado de telefonia fixa local e autorização para prestar serviços de mobilidade nas regiões Norte, Nordeste e Sudeste. Possui também autorização para atuar, em todo o território nacional, na prestação de serviços de comunicação de dados, Internet e longa distância. Em junho de 2008, a Oi contava com cerca de 36 milhões de usuários, dos quais 13,9 milhões eram usuários de telefonia fixa; 20,3 milhões, de telefonia móvel; 1,8 milhão, de banda larga; e 59 mil de serviços de televisão por assinatura.

Para atuar em um mercado competitivo, a companhia investe fortemente em tecnologia. A Oi foi a primeira empresa de telefonia do país a oferecer serviços de telecomunicações convergentes e integrados. As principais ações e divulgações da empresa são direcionadas para o público jovem e buscam construir uma imagem que reflete um estilo de vida ligado à ousadia, inovação, confiabilidade e inteligência.

Uma das metas da empresa é a melhoria contínua. Com o objetivo de evitar e corrigir erros de atendimento e de faturamento, a Oi investiu em um programa para aumentar o desempenho das equipes internas e, conseqüentemente, a satisfação dos clientes. Esse programa, iniciado em 2003, foi denominado TOP (Times de Otimização de Processo). O programa é utilizado para formar equipes multidisciplinares e atuar na melhoria dos processos que impactam a qualidade de produtos e serviços da empresa, de acordo com a percepção dos clientes.

O TOP possibilitou a otimização e o realinhamento dos processos da empresa, além do reposicionamento das ações de marketing e vendas a partir da troca de informações e de planos entre as áreas de negócios e as áreas operacionais da empresa. Após a implantação do programa, o IGC (Índice Geral da Qualidade), indicador de qualidade utilizado pela empresa, aumentou de 58 por cento, em 2005, para 93 por cento, em 2007, quando o programa contou com o envolvimento de 500 colaboradores (gestores, especialistas e analistas das áreas de marketing, atendimento, engenharia e operações de campo).

A metodologia adotada pelo TOP inclui a realização de reuniões periódicas e a aplicação de metodologias de análise e solução de problemas. As pessoas envolvidas são chamadas a fim de identificar as possíveis causas dos problemas e propor e implementar planos de ação para a melhoria dos processos da empresa. O acompanhamento, gestão e controle dos resultados do TOP são realizados pela gerência de qualidade, por meio de um sistema automatizado. Periodicamente, são realizados fóruns de qualidade em que as iniciativas e as ações propostas são alinhadas. Além disso, o programa inclui uma avaliação anual a partir da qual a empresa avalia a evolução dos resultados, dos pontos fortes e das oportunidades para a empresa, e revê seus objetivos estratégicos.

QUESTÕES

1. Quais são as etapas de melhoria contínua que você consegue identificar no projeto da Oi?
2. Compare o programa TOP da Oi com o PDCA tratado neste capítulo.
3. Considerando a teoria sobre o desempenho e qualidade do processo apresentada neste capítulo, como você avalia o processo de melhoria contínua implementado pela Oi? Você sugere alguma alteração? Quais?

Caso desenvolvido por Susana Carla Farias Pereira, professora da FGV – EAESP, baseado nas informações disponíveis em: <www.oi.com.br>, 2008; Tatiana Assumpção, "Programa da Oi ajuda a elevar a satisfação do cliente para 93%", disponível em: <http://www.fnq.org.br>, 2008; Taís Fuoco, "Teles se armam para atrair cliente das rivais com portabilidade", disponível em: <www.portalexame.com.br>, 2008.

REFERÊNCIAS SELECIONADAS

BESTERFIELD, Dale. *Quality control*, 6. ed. Upper Saddle River, NJ: Prentice Hall, 2001.

BRADY, Diane. "Will Jeff Immelt's new push pay off for GE?", *Business Week*, 13 out. 2003, p. 94-98.

BROWN, Ed. "The best business hotels", *Fortune*, 17 mar. 1997, p. 204-205.

COLLIER, David A. *The service quality solution*. New York: Irwin Professional Publishing; Milwaukee: ASQC Quality Press, 1994.

CROSBY, Philip B. *Qualidade sem lágrima: a arte da gerência descomplicada*. Rio de Janeiro: José Olympio, 1994.

DEMING, W. Edwards. *Saia da crise*. São Paulo: Editora Futura, 2003.

DENTON, D. Keith. "Lessons on competitiveness: Motorola's approach", *Production and Inventory Management Journal*, terceiro trimestre, 1991, p. 22-25.

DUNCAN, Acheson J. *Quality control and industrial statistics*, 5. ed. Homewood, IL: Irwin, 1986.

FEIGENBAUM, A.V. *Total quality control: engineering and management*, 3. ed. New York: McGraw-Hill, 1983.

HARTVIGSEN, David. *SimQuick: process simulation with Excel*, 2. ed. Upper Saddle River, NJ: Prentice Hall, 2004.

JURAN, J. M; GRYNA, Jr., Frank. *Quality planning and analysis*, 2. ed. New York: McGraw-Hill, 1980.

KALINOSKY, Ian S. "The total quality system — going beyond ISO 9000", *Quality Progress*, jun. 1990, p. 50-53.

KATZENBACH, Jon R.; SMITH, Douglas K. "The discipline of teams", *Harvard Business Review*, mar.–abr. 1993, p. 111-120.

KERWIN, Kathleen. "When flawless isn't enough", *Business Week*, 8 dez. 2003, p. 80-82.

LAZARUS, Ian R.; BUTLER, Keith. "The promise of Six Sigma", *Managed Healthcare Executive*, out. 2001, p. 22-26.

LUCIER, Gregory T.; SESHADRI, Sridhar. "GE takes Six Sigma beyond the bottom line", *Strategic Finance*, mai. 2001, p. 41-46.

MILLER, Bill. "ISO 9000 and the small company: can I afford it?", *APICS — The Performance Advantage*, set. 1994, p. 45-46.

MITRA, Amitava. *Fundamentals of quality control and improvement*, 2. ed. Upper Saddle River, NJ: Prentice Hall, 1998.

NAKHAI, Benham; NEVES, João S. "The Deming, Baldrige, and European Quality Awards", *Quality Progress*, abr. 1994, p. 33-37.

NEVES, João S.; NAKHAI, Benham. "The evolution of the Baldrige Award", *Quality Progress*, jun. 1994, p. 65-70.

PANDE, Peter S.; NEUMAN, Robert P.; CAVANAGH, Roland R. *Estratégia Seis Sigmas*. São Paulo: Qualitymark, 2001.

RABBITT, John T.; BERGH, Peter A. *The ISO 9000 book*. White Plains, NY: Quality Resources, 1993.

ROTH, Daniel. "Motorola lives!", *Fortune*, 27 set. 1999, p. 305-306.

RUST, Roland T.; KEININGHAM, Timothy; CLEMENS, Stephen; ZAHORIK, Anthony. "Return on quality at Chase Manhattan Bank", *Interfaces*, v. 29, n. 2, mar.–abr. 1999, p. 62-72.

SANDERS, Lisa. "Going green with less red tape", *Business Week*, 23 set. 1996, p. 75-76.

SCHWARZ, Anne. "Listening to the voice of the customer is the key to QVC's success", *Journal of Organizational Excellence*, inverno 2004, p. 3-11.

SESTER, Dennis. "Motorola: a tradition of quality", *Quality*, out. 2001, p. 30-34.

SULLIVAN, Lawrence P. "The power of Taguchi methods", *Quality Progress*, v. 20, n. 6, 1987, p. 76-79.

7

OBJETIVOS DE APRENDIZAGEM

Depois de ler este capítulo, você será capaz de:

1. Compreender a teoria das restrições.
2. Definir capacidade e utilização, e sua relação com medidas de desempenho financeiro.
3. Identificar gargalos.
4. Aplicar a teoria das restrições em decisões de *mix* de produtos.
5. Descrever economias e deseconomias de escala.
6. Identificar uma abordagem sistemática ao planejamento de capacidade.
7. Descrever como modelos de filas de espera, simulação e árvores de decisão auxiliam decisões sobre capacidade.

Após as taxas hipotecárias terem caído dramaticamente, a Eastern Financial Florida Credit Union foi sobrecarregada por pedidos de pessoas que desejavam refinanciar seus empréstimos imobiliários. Os gerentes da empresa resolveram esse gargalo implementando princípios da teoria das restrições.

Capítulo

7
Administração das restrições

Eastern Financial Florida Credit Union

A Eastern Financial Florida Credit Union (EFFCU) é a maior associação de crédito do Sul da Flórida e a terceira maior do Estado, com 1,8 bilhão de ativos. Ela possui 21 filiais no sul da Flórida e na região de Tampa Bay, atende a mais de 900 empresas-membros e presta serviços financeiros a mais de 197 mil membros individuais ou clientes. Os últimos três anos foram os mais ativos para o refinanciamento de hipotecas, com as taxas atingindo o menor valor em 40 anos. Durante esse período, 92 por cento dos detentores de hipotecas tinham motivos para refinanciá-las. Por causa dessas taxas históricas, o departamento de hipotecas da EFFCU se deparou com o problema do recebimento de mais solicitações de empréstimo (compra e refinanciamento) que era capaz de processar de maneira adequada. Em decorrência disso, a EFFCU foi incapaz de comprometer-se com uma data de fechamento até o fim do processo, os tempos de espera eram muito longos, as prioridades estavam sendo constantemente confundidas e eram necessárias muitas remessas. Essas condições criaram um ambiente de trabalho estressante, e ficou difícil responder a solicitações urgentes dos membros. A EFFCU precisava de ajuda.

Em dezembro de 2002, a empresa decidiu implementar a teoria das restrições (*Theory of Constraints* — TOC) e princípios relacionados para criar um ambiente no qual os compromissos com os membros pudessem ser cumpridos sem interromper o fluxo de trabalho. A empresa, posteriormente, percebeu que o gargalo no fluxo de trabalho estava se formando em seu departamento de seguros. Com o objetivo de administrar essa restrição, tomou medidas para assegurar que o departamento de seguros nunca estivesse sem trabalho — tivesse arquivos com os quais trabalhar o tempo todo — e forneceu treinamento cruzado e assistência ao departamento quando necessário. Tomando todas as outras decisões em torno das necessidades do departamento de seguros, a capacidade da EFFCU de processar e concluir empréstimos pontualmente aumentou enormemente.

A implementação da TOC pela EFFCU começou em março de 2003. Todos os funcionários envolvidos no processo Primeira Hipoteca receberam treinamento, e os sistemas de incentivo foram alinhados ao modo como aderiram ao plano de melhoria. Quando, três meses depois, as taxas hipotecárias atingiram seu ponto mais baixo em 40 anos, a EFFCU foi capaz de atender à demanda alta por empréstimos, enquanto muitas outras instituições não o foram. Os prazos de fechamento de hipotecas foram atendidos a uma taxa de mais de 99 por cento e as reclamações dos membros caíram dramaticamente, mesmo na crista da onda do refinanciamento. Além disso, com o fluxo de trabalho aperfeiçoado, a necessidade de horas extras diminuiu.

Não surpreendentemente, os lucros da EFFCU subiram. A empresa agora está pensando em implementar iniciativas semelhantes em sua área de empréstimos respaldados por capital imobiliário. Ela se envolveu em um plano contínuo para administrar ainda melhor os fluxos de trabalho, reduzir mais os tempos de espera e tornar seus membros ainda mais satisfeitos.

Fonte: "Eastern Financial Florida Credit Union: gaining a competitive advantage for mortgage lending". Disponível em: <www.goldratt.com/effcu.htm> e <www.effcu.org>, jun. 2005.

Suponha que um dos processos da empresa foi recentemente reprojetado e que, ainda assim, os resultados foram insatisfatórios. Os custos permaneceram altos ou a satisfação do cliente permaneceu baixa. O que pode estar errado? A resposta pode estar relacionada a restrições que persistem em um ou mais passos dos processos da empresa. Uma **restrição** é qualquer fator que limite o desempenho de um sistema e restrinja seu resultado, enquanto **capacidade** é a taxa máxima de output (saída) de um processo ou sistema. Quando existem restrições em qualquer passo, como ocorreu na Eastern Financial Florida Credit Union, a capacidade pode se desequilibrar — muito alta em alguns departamentos e muito baixa em outros. Em decorrência disso, o produto total do sistema declina.

Restrições podem ocorrer no princípio ou no fim da cadeia de suprimentos, seja com fornecedores seja com clientes da empresa, ou no interior de um dos processos da empresa como desenvolvimento de serviço ou produto ou execução de pedidos. Srikanth e Umble (1997) identificam três tipos de restrições: físicas (normalmente a capacidade da máquina, da mão-de-obra ou da estação

USANDO OPERAÇÕES PARA COMPETIR

Operações como arma competitiva
Estratégia de operações
Administração de projetos

ADMINISTRANDO PROCESSOS

Estratégia de processos
Análise de processos
Desempenho e qualidade do processo
Administração das Restrições
Layout do processo
Sistemas de produção enxuta

ADMINISTRANDO CADEIAS DE VALOR

Estratégia de cadeia de suprimentos
Localização
Administração de estoques
Previsão de demanda
Planejamento de vendas e operações
Planejamento de recursos
Programação

dutos ou à flutuação de demanda exigidos pelo mercado. Um sistema empresarial ou um processo teriam pelo menos uma restrição ou gargalo; caso contrário, seu produto seria ilimitado.

Os gerentes são responsáveis por assegurar que a empresa tenha capacidade de atender às demandas corrente e futura. De outra maneira, a organização perderá oportunidades de crescimento e lucros. Fazer ajustes para superar restrições é, portanto, uma parte importante do trabalho. A experiência da Eastern Financial Florida Credit Union e de outras organizações nos ramos de saúde, bancário e manufatureiro demonstra o quanto a administração de restrições e os planos de capacidade podem ser importantes para o futuro de uma organização.

ADMINISTRANDO RESTRIÇÕES EM TODA A ORGANIZAÇÃO

Decisões sobre restrições e capacidade relacionadas a um processo precisam ser tomadas considerando-se o papel do processo dentro da organização e a cadeia de valores como um todo, uma vez que o aumento ou a redução da capacidade de um processo terá um impacto sobre outros processos da cadeia. Por exemplo, para expandir sua capacidade, em 1989, a FedEx comprou a Flying Tigers, uma empresa de frete aéreo que atua na rota Ásia–Pacífico. Devido ao surto de atividade econômica na China, evidenciou-se ter sido uma boa decisão. Entretanto, o aumento da capacidade aérea por si só não foi o que garantiu o êxito da decisão. A FedEx também avaliou seu processo de relacionamento com clientes para verificar se um volume suficiente de clientes compensaria a mudança. A empresa também examinou os fundamentos de seu processo de entrega para perceber se poderia lidar com o aumento de cargas. A cadeia de valores inteira, do recebimento do pedido até a entrega, teve de ser projetada em busca de efetividade.

O exemplo da FedEx e da Flying Tigers mostra que as empresas devem administrar restrições e fazer escolhas de capacidade no nível do processo específico, assim como no nível da organização. Decisões e escolhas detalhadas no interior de cada um desses níveis influenciam o local de surgimento de recursos restritivos ou de gargalos, tanto dentro como através das áreas funcionais. Reduzir

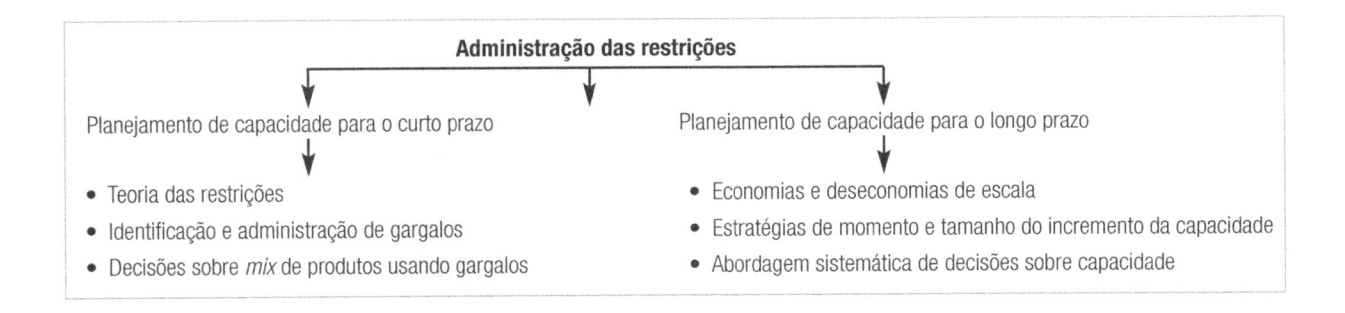

de trabalho, ou escassez de material, mas poderia se referir ao espaço ou à qualidade), comerciais (a demanda é menor que a capacidade) ou administrativas (políticas, indicadores ou posturas que criam restrições que retardam o fluxo de trabalho). **Gargalo** é um tipo especial de restrição que se relaciona à falta de capacidade de um processo e, por essa razão, também é chamado, sob certas condições, de *recurso restritivo de capacidade* (RRC). É definido mais especificamente como qualquer recurso cuja capacidade disponível limita a competência da organização de atender ao volume de produto, ao *mix* de pro-

---

Administração das restrições

Planejamento de capacidade para o curto prazo

- Teoria das restrições
- Identificação e administração de gargalos
- Decisões sobre *mix* de produtos usando gargalos

Planejamento de capacidade para o longo prazo

- Economias e deseconomias de escala
- Estratégias de momento e tamanho do incremento da capacidade
- Abordagem sistemática de decisões sobre capacidade

um gargalo em uma parte de uma organização pode não ter o efeito desejado, a menos que um gargalo em outra parte da organização também seja tratado. Os gerentes de todos os departamentos devem entender como identificar e administrar gargalos, como relacionar as medidas de capacidade e de desempenho de um processo a outro e como usar essas informações para determinar o melhor *mix* de produtos da empresa. Além disso, essas decisões devem ser tomadas considerando-se várias questões de longo prazo, como economias e deseconomias de escala da empresa, reservas de capacidade, estratégias de momento e tamanho do incremento de capacidade e *trade-offs* entre atendimento ao consumidor e utilização de capacidade. Este capítulo, organizado de acordo com o tipo de decisões sobre administração de restrições tomadas para horizontes diferentes de tempo, explica como os gerentes podem decidir melhor. A primeira parte do capítulo focaliza como utilizar melhor a capacidade disponível em curto prazo, enquanto a segunda parte aborda a revisão dos níveis de capacidade e a determinação do momento de acréscimo ou redução em longo prazo. Tanto as questões de curto prazo como as questões de longo prazo relacionadas à administração de restrições e à capacidade são importantes e devem ser compreendidas conjuntamente.

A TEORIA DAS RESTRIÇÕES

A **teoria das restrições** (TOC) é uma abordagem gerencial sistemática que foca ativamente a gestão das restrições que impedem o avanço da empresa em direção à sua meta de maximizar seu valor adicionado total ou suas vendas menos descontos e custos variáveis. A teoria foi desenvolvida há quase três décadas por Eli Goldratt, um famoso analista de sistemas empresariais, e esboça um processo cuidadosamente pensado para identificar e superar restrições. O processo foca não apenas a eficiência de processos específicos, mas também os gargalos que restringem o sistema como um todo. A EFFCU, no estudo de caso da abertura deste capítulo, guiou-se por essa teoria para aperfeiçoar suas operações.

Os métodos da TOC aumentam os lucros da empresa mais eficazmente que os métodos de contabilidade de custos tradicionais porque são mais sensíveis ao mercado. A maioria dos métodos de contabilidade de custos foca na maximização do resultado de processos individuais, a curto prazo, em vez de focar na circulação rápida do material pelo sistema inteiro. Entretanto, essa abordagem não aumenta os lucros do sistema como um todo. Para aumentar os lucros, as empresas devem examinar o todo — como seus processos podem ser melhorados para aumentar os fluxos totais de trabalho ou reduzir seus níveis de estoque e mão-de-obra.

MEDINDO CAPACIDADE, UTILIZAÇÃO E DESEMPENHO NA TOC

Evidentemente, um gerente precisa ser capaz de medir a capacidade do processo para administrar restrições no curto prazo e aplicar a TOC. Não há uma medida de capacidade única indicada para todas as situações. Um varejista mede capacidade como vendas anuais em dólares geradas por centímetro quadrado, ao passo que uma companhia aérea mede capacidade como assentos disponíveis por quilômetros por mês (*avaible seat-miles per month* — ASMs). Um teatro mede capacidade como número de assentos; uma empreiteira mede capacidade como número de horas-máquina. Em geral, a capacidade pode ser expressa de dois modos: em termos de medidas de output ou de medidas de input.

Medidas de output da capacidade As *medidas de output* da capacidade são mais bem utilizadas quando aplicadas a processos específicos dentro da empresa ou quando a empresa fornece um número relativamente pequeno de serviços e produtos padronizados. Processos de grande volume, como os de uma montadora de automóveis, são um bom exemplo. Nesse caso, a capacidade é medida considerando-se o número de carros produzidos por dia. No entanto, muitos processos geram mais de um serviço ou produto. À medida que a quantidade de personalização e a variedade no *mix* de produtos aumentam, medidas de capacidade baseadas no output se tornam menos úteis. Por isso, medidas de input da capacidade se tornam a escolha habitual para medir capacidade.

Medidas de input da capacidade As *medidas de input* são geralmente usadas para processos flexíveis e de menor volume, por exemplo, um fabricante de móveis sob encomenda. Nesse caso, a empresa pode medir a capacidade em termos de insumos (inputs), como número de estações de trabalho ou número de trabalhadores. O problema com as medidas de insumo é que a demanda é invariavelmente expressa como uma taxa de produto. Se o fabricante de móveis quer se adaptar à demanda, ele deve converter a demanda anual da empresa por móveis em horas de trabalho ou em número de funcionários necessários para preencher essas horas. Explicaremos precisamente como essa conversão de input-output é feita mais adiante no capítulo.

Utilização *Utilização* é o grau em que o equipamento, o espaço ou a mão-de-obra estão sendo usados e é medida como a razão entre taxa média de output e capacidade máxima (expressa como percentual):

$$\text{utilização} = \frac{\text{taxa média de produção}}{\text{capacidade máxima}} \times 100\%$$

A taxa média de output e a capacidade devem ser medidas nos mesmos termos, isto é, tempo, clientes, unidades ou dólares. A taxa de utilização indica a necessidade de adicionar capacidade ou de eliminar capacidade desnecessária. A maior dificuldade ao se calcular a utilização se encontra na definição de capacidade máxima, o denominador da razão. Um número, como atender 40 clientes por dia, não indica por quanto tempo essa taxa pode ser sustentada. Ser capaz de lidar com 40 clientes por um pico de uma semana é muito diferente de manter esse nível de atendimento por seis meses. Aqui nos referimos à capacidade máxima como o maior nível de output que um processo pode sustentar razoavelmente por um período mais longo, usando escalas de trabalho realistas e o equipamento disponível no presente. Em alguns processos, esse nível de capacidade implica uma operação de um turno; em outros, de três turnos. Um processo pode ser operado acima de seu nível de capacidade usando métodos marginais de produção, como horas extras, turnos extras, atividades de manutenção temporariamente reduzidas, número adicional de funcionários e terceirização. Embora ajudem em picos temporários, essas opções não podem ser sustentadas por muito tempo. Os funcionários não querem fazer horas extras por períodos prolongados, assim, a qualidade pode ser prejudicada. Além disso, os custos associados a horas extras elevam os custos da empresa.

Processos operacionais próximos (ou até mesmo temporariamente acima) de sua capacidade podem resultar em baixa satisfação do cliente, lucros mínimos e até perda de dinheiro, apesar de altos índices de venda. Esse foi o caso dos fabricantes de aeronaves dos Estados Unidos, no final dos anos 1980, que culminou na aquisição da McDonnell Douglas pela Boeing, em 1997, a fim de segurar a rápida elevação dos custos e a redução abrupta dos lucros.

Medidas de desempenho na TOC Com vistas a compreender completamente o impacto da utilização sobre o desempenho, é importante entender as medidas de capacidade e desempenho relevantes no nível operacional, assim como sua relação com medidas financeiras mais amplamente compreendidas no nível da empresa. Essas medidas e relações são críticas para a aplicação bem-sucedida dos princípios da TOC e são definidas na Tabela 7.1.

De acordo com a concepção da TOC, todo investimento de capital no sistema, inclusive máquinas e trabalho ao processar materiais, representa estoque porque todos poderiam ser potencialmente vendidos para se obter dinheiro. Gerar um produto ou serviço que não leva a uma venda não aumentará o rendimento total de uma empresa, mas aumentará seu estoque e suas despesas operacionais. É sempre melhor administrar o sistema de forma que a utilização do recurso gargalo seja maximizada, a fim de maximizar o processo inteiro.

PRINCÍPIOS-CHAVE DA TOC

O conceito principal por trás da TOC é que os gargalos devem ser planejados para maximizar os ganhos com serviços ou produtos cumprindo com as datas de conclusão prometidas. Por exemplo, fabricar um rastelo de jardim envolve prender uma peça metálica à parte superior do rastelo. As partes superiores dos rastelos devem ser processadas na prensa de perfuração, soldadas à peça metálica, limpas e presas ao cabo para fazer o rastelo, que é embalado e finalmente transportado para a Sears, Home Depot ou Wal-Mart, de acordo com o horário de entrega especificado. Suponha que os compromissos de entrega para todos os estilos de rastelo, no próximo mês, indiquem que o soldador esteja ocupado em 105 por cento de sua capacidade, mas que apenas 75 por cento da capacidade de outros processos será usada. De acordo com a TOC, o soldador é o recurso gargalo, considerando que a perfuração, a limpeza, a fixação do cabo, a embalagem e processos de transporte não são recursos gargalo. Qualquer tempo ocioso do soldador deve ser eliminado para maximizar o rendimento total. Os gerentes devem, portanto, focar no horário do soldador.

Sete princípios-chave da TOC que giram em torno do uso eficiente e do planejamento dos gargalos melhorando o fluxo e os ganhos do sistema estão resumidos na Tabela 7.2.

A aplicação prática da TOC envolve a implementação dos seguintes passos.

1. *Identificar o(s) gargalo(s) do sistema*: para o exemplo do rastelo, o gargalo é o soldador porque está restringindo a capacidade da empresa de atender à programação de entrega e, por essa razão, de elevar o valor

TABELA 7.1 Como as medidas operacionais da empresa se relacionam com suas medidas financeiras

Medidas operacionais	Concepção da TOC	Relação com medidas financeiras
Inventário — I	Todo dinheiro investido em um sistema ao comprar coisas que pretende vender.	Uma redução em I leva a um aumento no lucro líquido, no retorno sobre o investimento e no fluxo de caixa.
Ganho (*throughput*) — G	Taxa à qual o sistema gera dinheiro por meio das vendas.	Um aumento em G leva a um aumento no lucro líquido, no retorno sobre o investimento e no fluxo de caixa.
Despesa operacional — DO	Todo o dinheiro gasto por um sistema para converter inventário em rendimento.	Uma redução em DO leva a um aumento no lucro líquido, no retorno sobre o investimento, e no fluxo de caixa.
Utilização — U	A taxa em que um equipamento, espaço ou mão-de-obra estão sendo utilizados atualmente. É medida como a razão entre taxa média de output e a capacidade máxima, expressa em termos percentuais.	Um aumento em U, em um gargalo, leva a um aumento no lucro líquido, no retorno sobre o investimento, e no fluxo de caixa.

TABELA 7.2	Sete princípios-chave da teoria de restrições

1. O foco deve estar no balanceamento do fluxo, não no balanceamento da capacidade.
2. A maximização dos outputs e da eficiência de cada recurso não maximizará o ganho do sistema como um todo.
3. Uma hora perdida em um gargalo ou um recurso restritivo é uma hora perdida para o sistema inteiro. Em contraste, uma hora economizada em um recurso que não seja um gargalo é uma ilusão porque não torna o sistema inteiro mais produtivo.
4. O estoque é necessário apenas antes dos gargalos, a fim de evitar que permaneçam inativos, e antes da linha de montagem e de pontos de expedição, a fim de proteger a programação de entregas ao cliente. Deve-se evitar formar estoques em outros lugares.
5. O trabalho, que pode ser material, informações, documentos ou clientes a serem processados, deve ser lançado no sistema apenas com a freqüência necessária aos gargalos. Os fluxos do gargalo devem ser iguais à demanda do mercado. Regular tudo de acordo com o recurso mais lento minimiza o estoque e as despesas operacionais.
6. Ativar um recurso que não seja um gargalo (usando-o para a melhoria de eficiência que não aumenta o ganho) não é o mesmo que utilizar um recurso gargalo (que leva ao aumento do ganho). A ativação de recursos que não são gargalos não aumentarão o processamento, nem promoverão as medidas de desempenho operacionais ou financeiras esboçadas na Tabela 7.1.
7. Todo investimento de capital deve ser considerado da perspectiva de seu impacto total sobre o ganho (G), o inventário (I) e as despesas operacionais (DO).

total adicionado. Outras formas de idendificação do gargalo serão examinados em mais detalhes, adiante, neste capítulo.

2. *Explorar o(s) gargalo(s):* crie programações que maximizem o rendimento total do(s) gargalo(s). Para o exemplo do rastelo, programe o soldador para maximizar sua utilização enquanto atende aos compromissos de entrega na medida do possível. Também, certifique-se de que apenas peças de boa qualidade sejam passadas pelo gargalo.

3. *Subordinar todas as outras decisões ao passo 2:* recursos que não são gargalos devem ser programados para apoiar a programação do gargalo e não produzir mais que ele pode operar. Isto é, a prensa de perfuração não deve produzir mais que o soldador pode operar e as atividades da limpeza e as operações subseqüentes devem ser baseadas na taxa de output do soldador.

4. *Elevar o(s) gargalo(s):* depois que as melhorias no planejamento nos passos 1 a 3 forem realizadas e o gargalo ainda for uma restrição ao ganho, a gerência deve considerar aumentar a capacidade do gargalo. Por exemplo, se a soldagem ainda for uma restrição depois que as melhorias de programação tiverem se exaurido, considere aumentar sua capacidade adicionando outro turno ou outra máquina de soldagem. Outros mecanismos também estão disponíveis para aumentar a capacidade do gargalo e as abordaremos um pouco mais adiante.

5. *Não permitir que a inércia se instaure:* as ações dos passos 3 e 4 aperfeiçoarão o rendimento do soldador e poderão alterar as cargas sobre outros processos. Conseqüentemente, a(s) restrição(ões) do sistema pode(m) se alterar. Assim, o processo inteiro deve ser repetido a fim de identificar e administrar o novo conjunto de restrições.

Detalhes sobre o método de planejamento usado na TOC podem ser encontrados em Simons e Simpson (1997). Em virtude de seu potencial para melhorar dramaticamente o desempenho das organizações, muitos fabricantes aplicaram os princípios da teoria das restrições, inclusive a National Semiconductor, Dresser Industries, Allied Signal, Bethlehem Steel, Johnson Controls e Rockwell Automotive. Todos os fabricantes que implementam princípios da TOC também devem alterar significativamente sua postura em relação às atividades dos funcionários e gerentes. Em vez de focarem exclusivamente suas próprias funções, eles podem ver a conjuntura e onde podem se encontrar outras melhorias no sistema. Essa vantagem é evidenciada pela experiência da Bal Seal Engineering (veja a seção Prática Gerencial 7.1).

IDENTIFICAÇÃO E ADMINISTRAÇÃO DE GARGALOS

Os gargalos podem ser internos ou externos à empresa e normalmente representam um processo ou uma etapa de menor capacidade e **tempo de atravessamento** ou *throughput* mais longo, que é o tempo total considerado desde o começo até o fim de um processo. É possível identificar onde se encontra um gargalo em um dado serviço ou processo de fabricação de muitos modos diferentes. O gargalo pode estar ocorrendo na estação de trabalho com o tempo total mais alto por unidade processada, na estação de trabalho com a maior utilização média e a maior carga total de trabalho, ou na estação de trabalho onde até mesmo uma redução de um único minuto em seu tempo de processamento reduziria o tempo médio de produção total do processo inteiro. O Exemplo 7.1 ilustra como um passo ou atividade gargalo podem ser identificados em um processo de aprovação de empréstimos em um banco.

PRÁTICA GERENCIAL 7.1 — USANDO PRINCÍPIOS DA TOC, A BAL SEAL ENGINEERING LUCROU

A Bal Seal Engineering projeta e fabrica lacres e molas para indústrias de equipamentos aeroespaciais, automotivos, médicos e odontológicos, de transportes e de eletrônica. A Bal Seal tem unidades nos Estados Unidos e na Europa. Seus engenheiros se especializam em soluções de vedamento exclusivas e fornecem uma considerável variedade de produtos. Seu processo produtivo é mais bem caracterizado como processo por lotes.

Antes de os métodos da TOC serem implementados na Bal Seal, as medidas para melhoria focavam apenas a eficiência de departamentos individualmente. Em decorrência disso, a empresa estava enfrentando algumas dificuldades, como estoque excessivo, tempos de espera longos e excesso de carga horária de um grupo inteiro de trabalhadores da produção, que normalmente trabalhava de 55 a 58 horas por semana. Apesar de operar bem acima da capacidade operacional, a taxa de pontualidade da expedição de mercadorias ficava na faixa de 80 a 85 por cento.

O que estava errado? A Bal Seal reuniu uma equipe e aprendeu sobre a TOC e os processos de pensamento crítico a ela associados. Os resultados foram dramáticos e altamente visíveis. Quase imediatamente, estoques inflados começaram a se reduzir. Alguns trabalhadores da produção estavam aflitos, porque ter estoque por todos os lados lhes dava uma sensação de segurança. Eles também estavam preocupados com avaliações de eficiência e pagamento reduzido. Um membro da equipe de projeto se encontrou com cada trabalhador da produção e explicou que não havia problemas em não ter nada para fazer. Sob esse novo modo de utilizar a capacidade e administrar as taxas de produção, apenas a restrição deve ser mantida produtiva o tempo todo. Os outros centros de trabalho estavam vinculados a essa restrição e era o trabalho deles estarem disponíveis e prontos quando o trabalho chegasse até eles.

Depois da implementação da TOC, a capacidade adicional emergiu em todos os lugares, exceto na restrição. Enquanto a empresa podia produzir um máximo de 65 mil peças por semana, depois da TOC, a produção total foi de até 100 mil por semana. Mesmo a essa taxa de produção total mais alta, os centros de trabalho fora da restrição estavam operando bem abaixo da capacidade a maior parte do tempo. Outros efeitos quase imediatos foram tempos de resposta ao cliente reduzidos (de seis semanas para oito dias) e o aumento de remessas pontuais para 97 por cento. A satisfação do cliente aumentou, embora inicialmente os clientes questionassem se o desempenho da Bal Seal era apenas uma condição temporária. O tempo comprovou a estabilidade das melhorias.

Entretanto, as melhorias da TOC não ocorreram sem outras mudanças na empresa. Os trabalhadores estavam acostumados ao pagamento contínuo de 15 a 18 horas extras por semana. Na medida em que o desempenho da planta da Bal Seal melhorou e o ganho aumentou, os trabalhadores temeram perdas na remuneração. Para amenizar a preocupação, a gerência pagou aos trabalhadores a mesma quantia que estavam recebendo anteriormente, apesar da redução da semana de trabalho. Era um jogo de soma positiva: a gerência obteve um rendimento mais alto e os trabalhadores conseguiram mais tempo livre com o mesmo salário líquido.

As melhorias nas medidas de desempenho operacional e financeiro (veja a Tabela 7.1) com a aplicação da TOC na Bal Seal Engineering foram dramáticas. O lucro líquido dobrou, as despesas operacionais diminuíram, e os tempos de espera reduzidos e o atendimento ao consumidor aperfeiçoado forneceram uma verdadeira vantagem competitiva. Agora que o processo de envio de encomendas está em ordem, o próximo desafio é tratar do processo de relacionamento com os clientes porque o departamento de vendas da Bal Seal dedicava-se, anteriormente, a receber as encomendas. A meta é que os vendedores se tornem mais proativos, aumentem seu contato com o cliente e busquem negócios adicionais para aproveitar a taxa de produção mais alta da planta. As lições da TOC também podem ser aplicadas nesse caso.

Selos de vedação rotativa

Selos de vedação de interferência eletromagnética Bal

Selos de vedação de politetrafluoretileno (PTFE) para movimentos alternados

Fonte: "Theory of constraints case study: Bal Seal Engineering". Disponível em: <www.goldratt.com/balsealerp.htm>, jun. 2005. Reimpresso com a permissão de *Midrange ERP* e *Supply Chain Technology News*, Direitos autorais de Penton Media, Inc.

EXEMPLO 7.1 — Identificando o gargalo em um processo de serviço

Os gerentes do First Community Bank estão tentando reduzir o tempo necessário para que as solicitações de empréstimo de crédito pelos clientes sejam aprovadas e concluídas. O fluxograma para esse processo consiste em várias atividades diferentes, cada uma executada por um funcionário diferente do banco, e está mostrado na Figura 7.1. As solicitações de empréstimo primeiro chegam à atividade ou passo 1, em que é verificado se os formulários estão completos e na ordem correta. No passo 2, os empréstimos são categorizados em classes diferentes de acordo com a quantia do empréstimo e com o fato de estarem sendo solicitados por razões pessoais ou comerciais. Enquanto a verificação de crédito começa no passo 3, os dados da solicitação de empréstimo são, paralelamente, inseridos no sistema de informações para propósitos de manutenção de registros no passo 4. Esses dados são guardados pelo banco ainda que o empréstimo seja rejeitado no fim. A decisão de aprovação ou recusa do empréstimo é tomada no passo 5. Se aprovado, toda a papelada para abrir a nova conta de empréstimo é completada no passo 6. O tempo gasto em minutos é mostrado entre parênteses.

Supondo que não haja tempo de espera em nenhum dos passos, qual passo específico é o gargalo? A gerência também está interessada em saber qual o número máximo possível de empréstimos que o banco pode processar completamente em um período de cinco horas.

SOLUÇÃO

Definimos como gargalo a etapa em que uma redução de apenas um minuto em seu tempo reduz o tempo de produção total médio. Usando essa definição, podemos perceber que o passo 2 é o gargalo no processo de aprovação de empréstimo, porque a redução de seu volume de trabalho reduzirá o tempo de produção total.

São necessários 10 + 20 + máx(15, 12) + 5 + 10 = 60 minutos para concluir uma solicitação de empréstimo aprovada. Embora não suponhamos nenhum tempo de espera diante de nenhuma etapa, na prática, um fluxo de processo tão desimpedido não ocorre sempre. Desse modo, o tempo real necessário para concluir um empréstimo aprovado será maior que 60 minutos devido à ausência de uniformidade na chegada das solicitações, variações nos tempos reais de processamento e fatores relacionados.

A capacidade para conclusão de empréstimos é obtida convertendo-se os 'minutos por cliente' no gargalo em 'cliente por hora'. No First Community Bank, é de três clientes por hora, porque a etapa 2, que é o gargalo, pode processar apenas um cliente a cada 20 minutos (60/3).

Ponto de decisão A etapa 2 é o gargalo. Se todos os empréstimos forem aprovados, o banco poderá concluir um máximo de apenas três contas de empréstimo por hora ou 15 novas contas de empréstimo em um período de cinco horas.

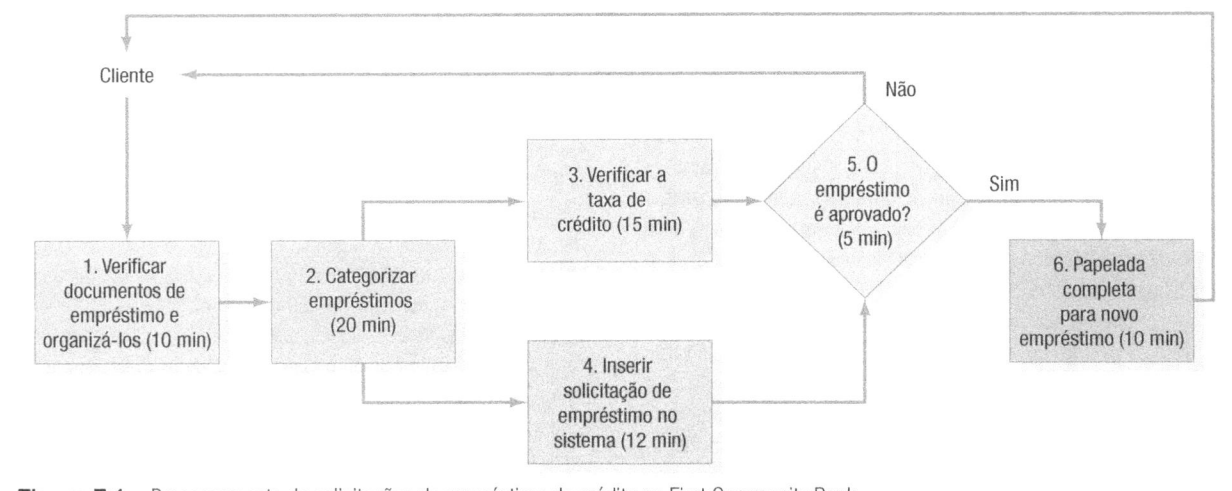

Figura 7.1 Processamento de solicitações de empréstimo de crédito no First Community Bank

Um processo de *front-office* com alto contato com o cliente e alta variedade não possui os fluxos lineares simples mostrados no Exemplo 7.1. Suas operações podem atender a muitos tipos de clientes diferentes, e as demandas por qualquer operação podem variar consideravelmente de um dia para o outro. Entretanto, gargalos ainda podem ser identificados computando-se a utilização média de cada operação. Contudo, a variabilidade na carga de trabalho também cria *gargalos flutuantes*. Em uma semana, a combinação de trabalho pode tornar a operação 1 um gargalo e, na semana seguinte, pode fazer da operação 3 o gargalo. Esse tipo de variabilidade aumenta a complexidade do planejamento cotidiano. Nessa situação, a gerência prefere taxas de utilização mais baixas, que permitam maior flexibilidade para absorver surtos inesperados na demanda.

Se serviços ou produtos múltiplos estão envolvidos, normalmente é necessário tempo extra para mudar de um serviço ou produto ao próximo, o que, por sua vez, aumenta a sobrecarga na estação de trabalho que passa pela mudança de atividade. O **tempo de preparação** ou ***setup*** é o tempo exigido para mudar ou reajustar um processo ou uma operação quando se trata de passar da produção de um produto ou serviço à produção de outro. O Exemplo 7.2 ilustra como é possível identificar um gargalo em um ambiente industrial quando os tempos de preparação forem insignificantes e a estação de trabalho com maior carga de trabalho total atuar como o gargalo.

Identificando o gargalo em um processo de fabricação — EXEMPLO 7.2

A Diablo Electronics manufatura quatro produtos exclusivos (A, B, C e D) que são fabricados e montados em cinco estações de trabalho diferentes (V, W, X, Y e Z), usando um processo de pequenos lotes. Em cada estação de trabalho há um operário que se dedica a um único turno de trabalho por dia, na estação de trabalho que lhe foi designada. Os tempos de preparação de lotes são insignificantes. Um fluxograma indica o caminho percorrido por cada produto através do processo de fabricação, como mostrado na Figura 7.2, em que o preço de cada do produto, a demanda por semana e os tempos de processamento por unidade também são indicados. Os triângulos invertidos representam peças compradas e matérias-primas consumidas por unidade em diferentes estações de trabalho. A Diablo pode fabricar e vender até o limite de sua demanda semanal e não há penalidades para o não atendimento de toda a demanda.

Qual das cinco estações de trabalho V, W, X, Y ou Z tem a maior carga de trabalho total e, desse modo, atua como o gargalo na Diablo Electronics?

Estação de trabalho	Carga do produto A	Carga do produto B	Carga do produto C	Carga do produto D	Carga total (min)
V	60 × 30 = 1800	0	0	0	1.800
W	0	0	80 × 5 = 400	100 × 15 = 1.500	1.900
X	60 × 10 = 600	80 × 20 = 1.600	80 × 5 = 400	0	2.600
Y	60 × 10 = 600	80 × 10 = 800	80 × 5 = 400	100 × 5 = 500	2.300
Z	0	0	80 × 5 = 400	100 × 10 = 1.000	1.4004

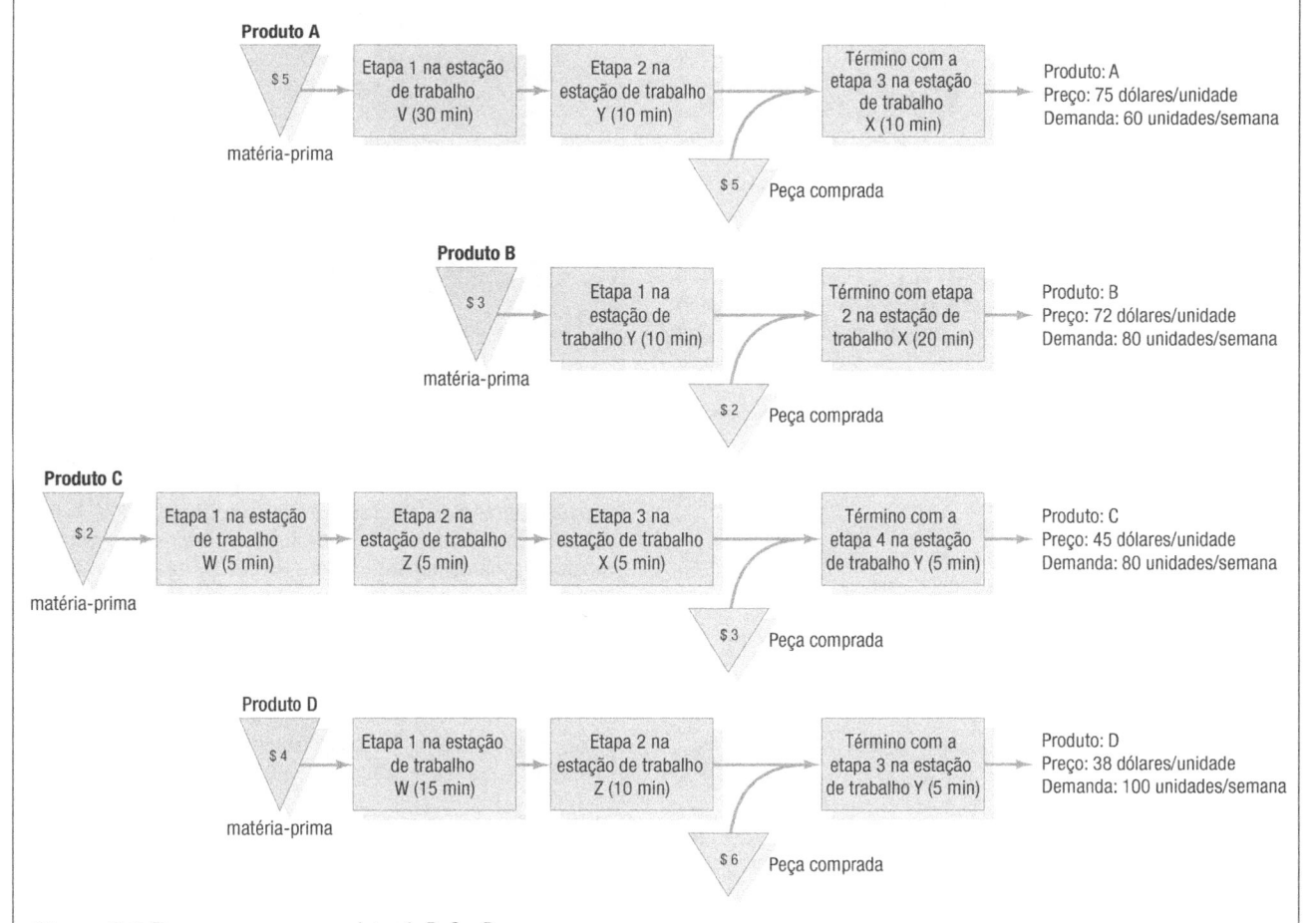

Produto A
matéria-prima ($5) → Etapa 1 na estação de trabalho V (30 min) → Etapa 2 na estação de trabalho Y (10 min) → Término com a etapa 3 na estação de trabalho X (10 min) → Produto: A; Preço: 75 dólares/unidade; Demanda: 60 unidades/semana
Peça comprada ($5)

Produto B
matéria-prima ($3) → Etapa 1 na estação de trabalho Y (10 min) → Término com etapa 2 na estação de trabalho X (20 min) → Produto: B; Preço: 72 dólares/unidade; Demanda: 80 unidades/semana
Peça comprada ($2)

Produto C
matéria-prima ($2) → Etapa 1 na estação de trabalho W (5 min) → Etapa 2 na estação de trabalho Z (5 min) → Etapa 3 na estação de trabalho X (5 min) → Término com a etapa 4 na estação de trabalho Y (5 min) → Produto: C; Preço: 45 dólares/unidade; Demanda: 80 unidades/semana
Peça comprada ($3)

Produto D
matéria-prima ($4) → Etapa 1 na estação de trabalho W (15 min) → Etapa 2 na estação de trabalho Z (10 min) → Término com a etapa 3 na estação de trabalho Y (5 min) → Produto: D; Preço: 38 dólares/unidade; Demanda: 100 unidades/semana
Peça comprada ($6)

Figura 7.2 Fluxograma para os produtos A, B, C e D

SOLUÇÃO

Não é necessário recorrer à taxa de utilização para se determinar o gargalo, porque o denominador da taxa de utilização é o mesmo para cada estação de trabalho, com um trabalhador por máquina a cada etapa do processo. Assim, identificamos o gargalo computando as cargas de trabalho agregadas em cada estação de trabalho.

A empresa quer cumprir a demanda de produto em uma semana tanto quanto seja possível. Cada semana consiste em 2.400 minutos de tempo de produção disponível. Multiplicando o tempo de processamento em cada estação para um produto dado pelo número de unidades demandadas por semana, obtemos a carga de capacidade. Essas cargas são somadas para todos os produtos que passam pela estação de trabalho e, em seguida, comparadas com a capacidade existente de 2.400 minutos.

Ponto de decisão A estação de trabalho X é o gargalo na Diablo Electronics porque a carga de trabalho agregada em X excede as cargas de trabalho agregadas nas estações de trabalho V, W, Y e Z e a capacidade disponível máxima de 2.400 minutos por semana.

PRÁTICA GERENCIAL 7.2 ADMINISTRAÇÃO DAS RESTRIÇÕES NO SISTEMA DE SAÚDE

Com a população dos Estados Unidos crescendo e os baby boomers[1] envelhecendo, a capacidade do sistema de saúde nos Estados Unidos, agora, está deficiente. Nos hospitais do país inteiro faltam leitos, espaço para departamentos de emergência (DE) e pessoal. Parte do problema é que expandir instalações de hospitais — erguer novos edifícios e assim por diante — pode levar de dois a cinco anos e custar caro. Essa situação deixa os administradores de hospitais com poucas opções, exceto tentar maximizar a capacidade de curto prazo.

Uma pesquisa de 2005, com 487 diretores gerais de hospitais, revelou que mais de 75 por cento dos entrevistados tentou lidar com o problema identificando gargalos ou ineficiências. Dois terços dos entrevistados disseram que tentaram fazê-lo reduzindo a extensão total da permanência de pacientes e conduzindo com velocidade o paciente pelo sistema, o que pode liberar a capacidade do hospital de 15 a 25 por cento. O Instituto de Melhoria do Sistema de Saúde realizou um estudo em 60 hospitais nos Estados Unidos e no Reino Unido. Mostrou iniciativas que incluíram regularizar o fluxo de pacientes necessitando de cirurgia eletiva (agendando-os para períodos fora dos períodos de pico), reduzindo os tempos de espera para pacientes admitidos nos departamentos de emergência, transferindo pacientes da unidade de tratamento intensivo para unidades médicas ou cirúrgicas a tempo e deslocando pacientes para internação ou para instalações de tratamento de longo prazo mais rapidamente.

O Sistema de Assistência Médica da Força Aérea dos Estados Unidos também usa essas estratégias. Com 120 instalações médicas e uma base de pacientes de cerca de três milhões de pessoas, empenha-se continuamente em melhorar seu desempenho. Uma equipe foi reunida para reprojetar seu processo de assistência médica. Os membros da equipe vieram de todos os níveis da Força Aérea, inclusive dos quartéis-generais da Força Aérea, de seus níveis de comando e de hospitais específicos.

A equipe identificou gargalos nas salas de operação, a parte que gera os maiores custos e as maiores receitas em todos os seus processos. Usando princípios da TOC, a equipe melhorou o desempenho do sistema desenvolvendo planos que subordinaram todos os outros recursos a esse processo-chave. Em outra ocasião, o 366º Grupo Médico da Força Aérea dos Estados Unidos aplicou os princípios da TOC para reduzir o tempo de espera por consultas de rotina de uma média de 17 dias para 4,5 dias. Ainda melhor, o grupo pôde realizar a melhoria sem que incorresse em nenhum custo adicional para o grupo médico.

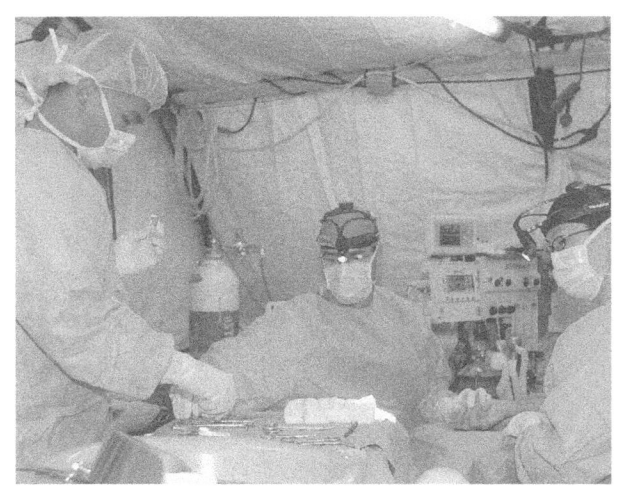

Um técnico instrumentista, um cirurgião ortopedista e um cirurgião geral preparam a cirurgia de um paciente em um posto avançado de apoio à Operação Liberdade Duradoura. A Força Aérea dos Estados Unidos entende que os cirurgiões são a chave para o ótimo funcionamento de seus processos na área de saúde.

Fontes: "Maximizing hospital capacity", *Healthcare Executive,* jan.—fev. 2003, p. 58-59; C. Haraden e R. Resar, "Patient flow in hospitals: understanding and controlling it better", *Frontiers of Health Services Management*, v. 20, n. 1, p. 3–15; "Goldratt's thinking process applied to medical claims processing", *Hospital Topics: Research and Perspectives on Healthcare*, v. 80, n. 4, outono 2002, p. 13-21; "Confronting capacity shortages", *Healthcare Executive,* jan.–fev. 2005, p. 61.

---

[1] Pessoas nascidas durante o período de 1945 a 1952, caracterizado por altas taxas de natalidade, nos Estados Unidos e na Inglaterra. (N. T.)

Identificar os gargalos torna-se consideravelmente mais difícil quando os tempos de preparação são longos e a variedade de *mix* no processo é maior que o mostrado no Exemplo 7.2. A variabilidade nas cargas de trabalho provavelmente criará, mais uma vez, gargalos flutuantes, especialmente se a maioria dos processos envolver operações múltiplas — e, muitas vezes, suas capacidades não são idênticas. Na prática, esses gargalos também podem ser determinados perguntando aos trabalhadores e supervisores da planta onde poderiam encontrar os gargalos ou procurando por material acumulado (estoques) diante das diferentes estações de trabalho.

A chave para preservar a capacidade do gargalo é monitorar cuidadosamente as programações de curto prazo e manter os recursos gargalo completamente ocupados. Os gerentes devem minimizar o tempo ocioso nos gargalos, causados por demoras em outros lugares no sistema, e assegurar que o gargalo tenha todos os recursos de que precisa para se manter ativado. Quando um *setup* é realizado em um gargalo, o número de unidades ou clientes processados antes do próximo *setup* deve ser grande, em comparação com o número processado em operações menos críticas. Maximizar o número de unidades processadas por *setup* representa menos preparações por ano e, desse modo, menos tempo total perdido em preparações (*setups*). O número de *setups* também depende da variedade requerida de produtos; mais variedade necessita de *setups* mais freqüentes.

No longo prazo, a capacidade das operações nos gargalos pode ser tratada de diferentes maneiras. Podem ser realizados investimentos em novos equipamentos e em expansões de instalações de lojas tradicionais. A capacidade do gargalo também pode ser expandida por meio do aumento de seu horário de funcionamento por semana, assim como pela contratação de mais funcionários, pela transformação de uma operação de um turno para uma operação de turnos múltiplos, pela contratação de mais funcionários ou pelo funcionamento da planta seis ou sete dias por semana em vez de cinco dias. Os gerentes também podem reduzir o gargalo reprojetando o processo, seja por meio da *reengenharia do processo* ou da *melhoria do processo* ou comprando máquinas adicionais ou que suportem maior capacidade.

Os princípios da TOC esboçados aqui são amplamente fundamentados e extensamente aplicáveis. Podem ser úteis para avaliar processos específicos, bem como grandes sistemas para fabricantes e prestadores de serviços. Organizações prestadoras de serviços, como a Delta Airlines, a United Airlines e a Força Aérea dos Estados Unidos, usam a TOC em seu benefício. A seção Prática Gerencial 7.2 mostra como os princípios da TOC melhoraram os fluxos dentro do sistema de assistência médica da Força Aérea dos Estados Unidos, assim como em hospitais em todo o país.

DECISÕES SOBRE *MIX* DE PRODUTOS USANDO GARGALOS

Os gerentes poderiam se sentir tentados a fabricar produtos com as margens de lucro ou vendas unitárias mais altas. O problema dessa abordagem é que o produto e a rentabilidade totais reais da empresa dependem mais da margem de lucro gerada no gargalo que da margem de lucro de cada produto individual produzido. O Exemplo 7.3 ilustra essa idéia.

Determinando o *mix* de produtos usando gargalos — EXEMPLO **7.3**

O gerente sênior da Diablo Electronics quer aumentar a lucratividade por meio do recebimento do correto conjunto de pedidos e coletou alguns dados financeiros adicionais. Cada trabalhador recebe 18 dólares por hora. Os custos com gastos variáveis são de 8.500 dólares por semana. A planta opera em um turno de oito horas por dia ou 40 horas por semana. Atualmente, são tomadas decisões para receber a maior quantidade possível de pedidos do produto com a maior margem de lucro (até o limite de sua demanda), seguido pelo próximo produto com margem de lucro mais alta, e assim por diante, até que não haja mais capacidade disponível. Uma vez que a empresa não pode satisfazer toda a demanda, o *mix* de produtos deve ser escolhido cuidadosamente. Pedro Rodriguez, o supervisor de produção contratado recentemente, é perito em teoria das restrições e planejamento baseado em gargalos. Ele acredita que a rentabilidade pode ser realmente aumentada se os recursos gargalo forem explorados de forma a determinar o *mix* de produtos. Qual é a alteração nos lucros se, em vez do método tradicional usado pela Diablo Eletronics, for utilizada uma abordagem baseada em gargalos, defendida por Pedro, para selecionar o mix de produtos?

SOLUÇÃO

Regra de decisão 1: Selecione o melhor *mix* de produtos de acordo com a margem de lucro total mais alta de cada produto.

Passo 1: Calcule a margem de lucro por unidade de cada produto, como mostrado aqui:

	A	B	C	D
Preço (em dólares)	75,00	72,00	45,00	38,00
Matéria-prima e peças compradas	−10,00	−5,00	−5,00	−10,00
Mão-de-obra	−15,00	−9,00	−6,00	−9,00
Margem de lucro (em dólares)	50,00	58,00	34,00	19,00

Quando classificada em ordem decrescente, a seqüência da margem de lucro por unidade desses produtos é B, A, C e D.

Passo 2: Aloque os recursos V, W, X, Y e Z para os produtos na ordem decidida no passo 1. Satisfaça cada demanda até que o recurso em gargalo (estação de trabalho X) seja encontrado. Subtraia os minutos dos 2.400 minutos disponíveis para cada semana em cada etapa.

Estação de trabalho	Minutos disponíveis	Minutos disponíveis após a fabricação de 80 B	Minutos disponíveis após a fabricação de 60 A	Pode fabricar apenas 40 C	Pode ainda fabricar 100 D
V	2.400	2.400	600	600	600
W	2.400	2.400	2.400	2.200	700
X	2.400	800	200	0	0
Y	2.400	1.600	1.000	800	300
Z	2.400	2.400	2.400	2.200	1.200

O melhor *mix* de produtos, de acordo com essa abordagem tradicional, é, assim, 60 A, 80 B, 40 C e 100 D.

Passo 3: Calcule a rentabilidade para o *mix* de produto selecionado. Observe que, na ausência de horas extras, o custo da mão-de-obra é fixado em 3.600 dólares por semana, independentemente do *mix* de produto selecionado. A fabricação do *mix* de produtos de 60 A, 80 B, 40 C e 100 D renderá um lucro de 1.560 dólares por semana.

	Lucros
Receita	(60 × $ 75) + (80 × $ 72) + (40 × $ 45) + (100 × $ 38) = $ 15.860
Material	(60 × $ 10) + (80 × $ 5) + (40 × $ 5) + (100 × $ 10) = – $ 2.200
Mão-de-obra	(5 trabalhadores) × (8 horas/dia) × (5 dias/semana) ×($ 18/hora) = – $ 3.600
Gastos gerais	= – $ 8.500
Lucro	= $ 1.560

Regra de decisão 2: Selecione a melhor linha de produto de acordo com a margem de lucro, em dólares, por minuto de tempo de processamento na estação de trabalho X, o gargalo. Essa regra utiliza os princípios esboçados na teoria das restrições e obtém o maior benefício, em dólares, do gargalo.

Passo 1: Calcule a margem de lucro por minuto do tempo de processamento na estação X, em gargalo:
Quando classificada em ordem decrescente de margem/minuto no gargalo, a seqüência de fabricação desses produtos é D, C, A, B, que é o contrário da ordem anterior. O produto D é programado primeiro porque não consome nenhum recurso do gargalo.

	Produto A	Produto B	Produto C	Produto D
Margem de lucro	$ 50,00	$ 58,00	$ 34,00	$ 19.00
Tempo no gargalo	10 minutos	20 minutos	5 minutos	0 minutos
Margem de lucro por minuto	$ 5,00	$ 2,90	$ 6,80	Não definida

Passo 2: Aloque os recursos V, W, X, Y e Z para os produtos na ordem decidida no passo 1. Satisfaça cada demanda até que o recurso gargalo (estação de trabalho X) seja encontrado. Subtraia os minutos dos 2.400 minutos disponíveis para cada semana em cada etapa.

A melhor linha de produto, de acordo com essa abordagem baseada nos gargalos, é, assim, 60 A, 70 B, 80 C e 100 D.
Passo 3: Calcule a rentabilidade para o *mix* de produto selecionado. A fabricação do *mix* de produto de 60 A, 70 B, 80 C e 100 D renderá um lucro de 2.490 por semana.

Estação de trabalho	Minutos disponíveis	Minutos disponíveis após a fabricação de 100 D	Minutos disponíveis após a fabricação de 80 C	Minutos disponíveis após a fabricação de 60 A	Pode fabricar apenas 70 B
V	2.400	2.400	2.400	600	600
W	2.400	900	500	500	500
X	2.400	2.400	2.000	1.400	0
Y	2.400	1.900	1.500	900	200
Z	2.400	1.400	1.000	1.000	1.000

Ponto de decisão Focando nos recursos gargalo ao receber encomendas dos clientes e ao determinar o *mix* de produtos, a seqüência na qual os produtos são selecionados para fabricação é invertida de B, A, C, D para D, C, A, B. Conseqüentemente, o *mix* de produtos é alterado

	Lucros	
Receita	(60 × $ 75) + (70 × $ 72) + (80 × $ 45) + (100 × $ 38)	= $ 16.940
Material	(60 × $ 10) + (70 × $ 5) + (80 × $ 5) + (100 × $ 10)	= –$ 2.350
Mão-de-obra	(5 trabalhadores) × (8 horas/dia) × (5 dias/semana) × ($ 18/hora)	= –$ 3.600
Gastos gerais		= –$ 8.500
Lucro		$ 2.490

do de 60 A, 80 B, 40 C e 100 D para 60 A, 70 B, 80 C e 100 D. O aumento nos lucros por meio da utilização do método de planejamento baseado em estrangulamentos é de 930 dólares (2.490 – 1.560), ou quase 60 por cento acima da abordagem tradicional.

A programação linear (veja o "Suplemento E") também poderia ser utilizada para encontrar a melhor linha de produtos no Exemplo 7.3. Deve-se observar, contudo, que o problema no Exemplo 7.3 não envolveu tempos de preparação significativos. Caso contrário, eles devem ser levados em consideração não apenas para identificar o gargalo, mas também para determinar o *mix* de produtos. Desse modo, os princípios por trás da teoria das restrições podem ser explorados para a tomada de melhores decisões sobre o *mix* de produto mais lucrativo de uma empresa.

PLANEJAMENTO DE CAPACIDADE A LONGO PRAZO

Planos de capacidade são elaborados em dois níveis, como mostrado no início deste capítulo, e estão estreitamente entrelaçados uns com os outros. Até agora, lidamos com a administração das restrições e capacidades existentes no sistema atual; entretanto, planos de capacidade a curto prazo também podem focar o tamanho da força de trabalho, orçamentos para horas extras, estoques e outros tipos de decisões que investigaremos mais detalhadamente em capítulos posteriores sobre operação de cadeias de valor. Em contraste, planos de capacidade a longo prazo lidam com investimentos em novas instalações e equipamentos no nível organizacional e exigem a participação e a aprovação da alta gerência, porque não são facilmente revertidos. Esses planos cobrem pelo menos dois anos no futuro, mas os tempos de espera de construção podem, muitas vezes, ser mais longos e resultar em prazos de planejamento ainda mais longos.

O planejamento de capacidade a longo prazo é fundamental para o êxito de uma organização. Capacidade excessiva pode ser tão agonizante como capacidade insuficiente. Muitas vezes, indústrias inteiras podem oscilar ao longo do tempo entre capacidade excessiva e insuficiente, como evidenciado pelas companhias de transporte aéreo e de navios de cruzeiro nos últimos 20 anos. Quando escolhem uma estratégia de capacidade, os gerentes devem considerar questões como as seguintes: quanta proteção é necessária para lidar com uma demanda variável ou incerta? Devemos expandir a capacidade antes da demanda ou esperar até que a demanda seja mais certa? É necessária uma abordagem sistemática para responder a essas e outras perguntas semelhantes e para desenvolver uma estratégia de capacidade apropriada para cada situação.

ECONOMIAS DE ESCALA

Um conceito conhecido como **economias de escala** afirma que o custo unitário médio de um serviço ou mercadoria pode ser reduzido aumentando-se a taxa de

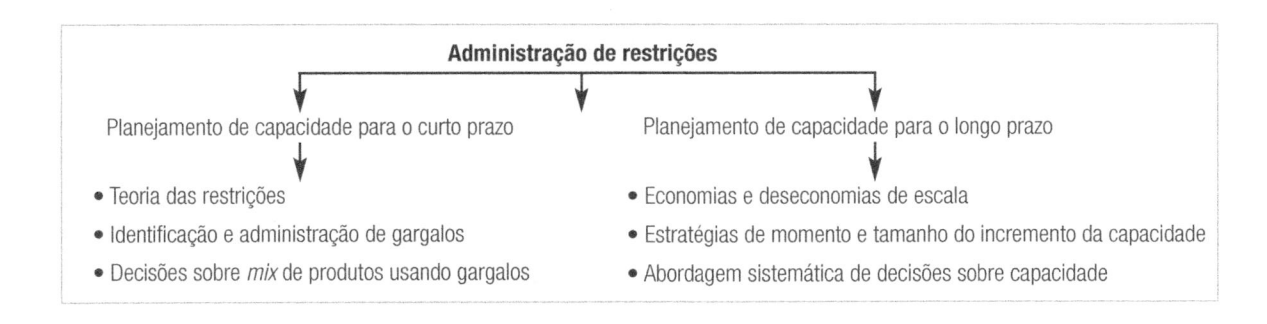

Administração de restrições

Planejamento de capacidade para o curto prazo
- Teoria das restrições
- Identificação e administração de gargalos
- Decisões sobre *mix* de produtos usando gargalos

Planejamento de capacidade para o longo prazo
- Economias e deseconomias de escala
- Estratégias de momento e tamanho do incremento da capacidade
- Abordagem sistemática de decisões sobre capacidade

produção. A seção Prática Gerencial 7.3 ilustra a importância das economias de escala para as companhias de transporte aéreo na China e na América do Sul, com resultados muito diferentes alcançados pelas linhas aéreas nessas duas regiões do mundo. Quatro razões principais explicam por que as economias de escala podem reduzir os custos quando o volume de produção aumenta: (1) os custos fixos são distribuídos entre mais unidades; (2) os custos de construção são reduzidos; (3) os custos de materiais comprados são diminuídos; e (4) vantagens de processo são encontradas.

Diluindo os custos fixos A curto prazo, certos custos não variam com alterações na taxa de produto. Esses custos fixos incluem custos com calefação, serviço financeiros e salários dos gerentes. A depreciação da planta e do equipamento próprios também é um custo fixo no sentido contábil. Quando a taxa de produção — e, portanto, a taxa de utilização da instalação — aumenta, o custo unitário médio cai porque os custos fixos são distribuídos entre mais unidades.

Reduzindo os custos de construção Algumas atividades e despesas são necessárias para construir tanto instalações pequenas como grandes: licenças de construção, honorários de arquitetos, aluguel de equipamentos para construção. A duplicação do tamanho da instalação normalmente não duplica os custos de construção.

Reduzindo os custos do material adquirido Volumes mais altos podem reduzir os custos de materiais e serviços adquiridos. Eles dão ao comprador uma posição de negociação melhor e a oportunidade de aproveitar descontos relativos à quantidade. Varejistas como Wal-Mart e Toys "R" Us obtêm economias de escala significativas, pois suas lojas nacionais e internacionais compram e vendem enormes quantidades de cada artigo.

Identificando vantagens no processo A produção em grandes volumes fornece muitas oportunidades para redução de custos. A uma taxa de produção mais alta, o processo se desloca em direção a um processo em linha, com recursos dedicados a produtos específicos. As empresas podem ser capazes de comprovar o custo de tecnologia mais eficiente ou de equipamento mais especializado. Os benefícios de dedicar recursos a serviços ou produtos específicos podem incluir a aceleração do efeito de aprendizagem, reduzindo o estoque, aperfeiçoando os projetos de processo e atividades e reduzindo o número de *setups*.

DESECONOMIAS DE ESCALA

Em algum momento, uma instalação pode se tornar tão grande que **deseconomias de escala** surgem; isto é, o custo médio por unidade aumenta à medida que o tamanho da instalação aumenta. A razão é que tamanho excessivo pode trazer complexidade, perda de foco e ineficiências que elevam o custo da unidade média de um serviço ou produto. Muitos níveis hierárquicos e burocracia podem fazer com que a gerência perca o contato com funcionários e clientes. Uma organização menos ágil perde a flexibilidade necessária para responder à demanda variável. Muitas empresas grandes se tornam tão envolvidas em análise e planejamento que inovam menos e evitam riscos. O resultado é que companhias pequenas superam o desempenho de gigantes corporativos em diversas atividades.

A Figura 7.3 ilustra a transição de economias de escala para deseconomias de escala. O hospital de 500 leitos apresenta economias de escala porque o custo unitário médio, em seu *melhor nível operacional*, representado pelo ponto cinza, é menor que o do hospital de 250 leitos. Entretanto, uma expansão adicional para um hospital de 750 leitos leva a custos unitários médios mais altos e a deseconomias de escala. Uma razão pela qual o hospital de 500 leitos possui economias de escala maiores que o hospital de 250 leitos é que o custo de construir e equipá-lo é duas vezes mais baixo que o custo para o hospital menor. A instalação de 750 leitos gozaria de uma economia semelhante. Seus custos unitários médios mais altos podem ser explicados apenas por deseconomias de escala, que excedem em valor a economia realizada nos custos de construção.

A Figura 7.3 não implica que o tamanho ótimo para todos os hospitais seja de 500 leitos. O tamanho ótimo depende do número de pacientes a serem atendidos por semana. Por um lado, um hospital atendendo a uma comunidade pequena teria custos mais baixos escolhendo uma capacidade de 250 leitos, em vez da capacidade de 500 leitos. Por outro lado, supondo a mesma estrutura de custos, uma comunidade grande será servida mais eficazmente por dois hospitais de 500 leitos que por uma instalação de 1.000 leitos.

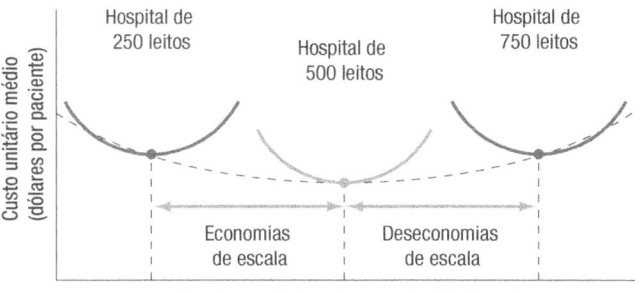

Figura 7.3 Economias e deseconomias de escala

PRÁTICA GERENCIAL 7.3 ECONOMIAS DE ESCALA EM FUNCIONAMENTO

China Southern Airlines

Considerando a feroz batalha por participação no mercado de aviação da China, a China Southern Airlines tem um objetivo ambicioso: ser a companhia aérea mais forte da China. A chave para atingir esse objetivo, de acordo com o presidente da empresa, Wang Changshun, é adotar economias de escala. Após instituir reformas comerciais e abrir as portas ao comércio no início dos anos 1980, a indústria de aviação civil da China decolou. A indústria foi dominada por várias linhas aéreas pequenas que foram sobrecarregadas com custos operacionais altos devido a seu pequeno porte. Apesar do tráfego crescente de passageiros, a rentabilidade era baixa e o serviço se deteriorou. No entanto, uma Companhia aérea, a China Southern Airlines (CSA), adotou uma estratégia para aumentar suas economias de escala. Em 1998, a CSA comprou a Guizhou Airlines e a transformou em uma base de aviação no Sudoeste da China. Em 2000, uma fusão com a Zhong Yuan Airlines resultou em um salto na participação de mercado da CSA em Zhengzhou para mais de 64 por cento. Nesse mesmo ano, a CSA começou a gerar lucros. Além disso, seus ativos totais dobraram e o número de passageiros transportados aumentou em por 26 por cento. Em 2003, a CSA adquiriu a China Northern Airlines e a China Xinjiang Airlines. Também assinou um 'memorando de cooperação' em 8 de agosto de 2004, com uma aliança global de companhias de transporte aéreo ao redor do mundo, chamada SKY. Os associados à SKY incluem Delta Air Lines, Dragonair, KLM, Japan Air System e Vietnam Airlines.

A reestruturação e as aquisições ajudaram a CSA a reduzir seus custos operacionais e a concentrar seus esforços de comercialização em rotas importantes. Em decorrência disso, a empresa atendeu a 40 milhões de passageiros em 2004, tornando-se uma entre as dez maiores transportadoras de passageiros no mundo. A CSA agora opera 540 rotas, inclusive vôos para cerca de 435 destinos domésticos. As rotas internacionais da empresa cobrem principalmente o Sudeste da Ásia, mas a companhia aérea também voa para Los Angeles, Amsterdã e Osaka. Entre todas as linhas aéreas chinesas, ostenta a maior frota com o maior número de bases, redes domésticas mais extensas e maiores freqüências de vôo. Renomada por seus excelentes serviços aos passageiros, a Companhia aérea ganhou o prêmio 'Diamante de Cinco Estrelas' para serviços de vôo e foi condecorada como melhor linha Companhia aérea da China pela revista *TTG Asia*.

Companhias aéreas sul-americanas

Na metade dos anos 1960, muitas das Companhias aéreas da América Latina expandiram sua capacidade, esperando que a demanda subisse. Pelo contrário, ela se contraiu, como conseqüência da crise de desvalorização no Brasil, no início de 1999. Ao mesmo tempo, as empresas aéreas estavam enfrentando cada vez mais a concorrência das companhias dos Estados Unidos, que gozam de maiores economias de escala. Os vôos domésticos do Brasil, no primeiro trimestre de 2000, revelaram apenas 58 por cento de assentos reservados — muito abaixo dos 65 por cento considerados necessários para o ponto de equilíbrio. Sem capacidade suficiente para distribuir custos fixos, os maus resultados foram inevitáveis.

Uma dessas linhas aéreas, a Aerolineas Argentinas, cortou dramaticamente o número de vôos domésticos e internacionais oferecidos. Depois de reestruturar suas operações, a Aerolineas Argentinas decidiu, na metade de 2002, retomar algumas das rotas internacionais

Um avião comercial a jato da China Southern Airlines (CSA) decolando no Aeroporto Internacional de Guangzhou Baiyun, China. O avião Boeing 777-2000, junto com outros esperando para decolar, é parte de uma frota em expansão da CSA. A expansão de capacidade ajudou a CSA a ganhar economias de escala, bem como a acumular uma participação maior no mercado doméstico da China.

a que havia renunciado. Enquanto isso, a Vasp, outra entre as quatro grandes linhas aéreas do Brasil, anunciou que estava suspendendo vôos para a América do Norte e a Europa depois que a Boeing exigiu de volta alguns de seus aviões, porque a Vasp não estava executando os pagamentos de *leasing* dos aviões.

A TAM e a Transbrasil, duas das outras grandes linhas aéreas do Brasil, estavam discutindo uma 'sociedade operacional' para cortar a superposição entre seus vôos — um passo que muitos pensaram que levaria a uma possível fusão, cortes e economia de custos para as duas empresas. Infelizmente para a Transbrasil, não se chegou a um acordo e a transportadora cessou suas operações em dezembro de 2001. Declarou falência dois anos depois. Embora a TAM seja lucrativa, permaneceu como uma companhia aérea doméstica, incapaz de se associar com êxito a outra empresa para aumentar suas economias de escala. Em 2005, o plano da TAM de se fundir com a Varig (com a qual a TAM havia compartilhado 60 por cento de seus vôos anteriormente) perdeu força. O presidente do BNDES sugeriu que o mercado teria espaço para apenas uma grande linha aérea local no Brasil, aludindo ao Canadá e ao México, onde, em cada caso, duas grandes linhas aéreas locais se fundiram. Com o enfraquecimento da economia sul-americana, a consolidação da indústria beneficiaria as linhas aéreas restantes devido aos volumes mais altos associados a economias de escala fortes.

Fontes: "China Southern Airlines President Addresses IATA Confab", *Business Wire*, 7 jun. 2002. Disponível em: <http://en.wikipedia.org/wiki/China_Southern_Airlines>, jun. 2005, <www.hoovers.com>, jun. 2005; "Rival operations", *Wall Street Journal*, 6 jun. 1990; "South American Airlines", *The Economist*, 6 mai. 2000, "Transbrasil will probably lose operating certificate", *Aviation Daily*, 12 out. 2002. Disponível em: <www.tamairlines.com>, jun. 2005.

ESTRATÉGIAS DE MOMENTO E TAMANHO DO INCREMENTO DA CAPACIDADE

Os gestores de operações devem examinar três dimensões da estratégia de capacidade antes de tomar decisões sobre capacidade: (1) dimensionamento das reservas de capacidade; (2) determinar o momento e o tamanho da expansão; e (3) vinculação entre capacidade do processo e outras decisões operacionais.

DIMENSIONAMENTO DAS RESERVAS DE CAPACIDADE

As taxas de utilização médias para qualquer recurso não devem se aproximar muito de 100 por cento a longo prazo, embora possa ocorrer, de vez em quando, nos processos gargalo a curto prazo. Nesses casos, a meta da TOC é maximizar a utilização do gargalo. Se a demanda continua aumentando ao longo do tempo, a capacidade a longo prazo deve ser aumentada no gargalo, bem como deve fornecer alguma proteção contra incertezas. Quando as taxas médias de utilização se aproximam de 100 por cento, é normalmente um sinal para aumentar a capacidade ou diminuir a aceitação de encomendas para evitar declínios na produtividade. A **reserva de capacidade** é a quantidade amortecedora de capacidade a mais que um processo usa para lidar com aumentos súbitos na demanda ou perdas temporárias de capacidade de produção; mede a quantidade pela qual a utilização média (em termos de capacidade total) cai abaixo de 100 por cento. Especificamente,

reserva de capacidade = 100% – taxa de utilização (%)

O tamanho apropriado da reserva de capacidade varia de acordo com a indústria. No setor papeleiro, de capital elevado, em que cada máquina pode custar centenas de milhões de dólares, são preferidas reservas de capacidade bem abaixo de dez por cento. A indústria hoteleira, de menor capital, se equilibra em uma utilização de 60 a 70 por cento (reserva de 40 a 30 por cento) e começa a sofrer problemas de atendimento ao consumidor quando a reserva de capacidade cai para 20 por cento. A indústria de navios de cruzeiro, de maior capital, como a Carnaval Cruise Line, prefere reservas de capacidade menores, de cinco por cento, por exemplo. Reservas de capacidade grandes são especialmente importantes para processos de *front-office*, em que os clientes esperam uma entrega rápida.

As empresas consideram grandes reservas de capacidade apropriadas quando a demanda varia cosideravelmente. Em certas indústrias de serviços (a indústria de gêneros alimentícios, por exemplo), a demanda em alguns dias da semana é previsivelmente mais alta que em outros dias e até mesmo mudanças na demanda de hora a hora são habituais. Tempos longos de espera pelo cliente não são aceitáveis porque os clientes se tornam impacientes se tiverem de esperar em uma fila de caixa de supermercado por mais que alguns minutos. O atendimento rápido ao consumidor requer que os supermercados mantenham uma reserva de capacidade grande o suficiente para lidar com picos de demanda. As reservas grandes também são necessárias quando a demanda futura for incerta, particularmente se a flexibilidade de recursos é baixa. A análise de simulação e filas de espera (veja o Suplemento B, "Simulação", e Suplemento C, "Filas de Espera") pode ajudar os gerentes a prever melhor a relação entre reserva de capacidade e atendimento ao consumidor.

Outro tipo de incerteza de demanda ocorre quando o *mix* de produtos varia consistentemente. Ainda que a demanda total permaneça estável, a carga pode se deslocar imprevisivelmente de um centro do trabalho a outro quando o *mix* de produtos se altera. A incerteza quanto a provisões também torna as grandes reservas de capacidade úteis. A capacidade muitas vezes sofre grandes incrementos porque uma máquina inteira precisa ser comprada, mesmo que apenas uma fração de sua capacidade disponível seja necessária, o que, por sua vez, cria uma grande reserva de capacidade. As empresas também precisam incorporar capacidade excedente para dar conta do absenteísmo de funcionários, férias, feriados e quaisquer outras demoras. Se uma empresa está experimentando custos elevados de horas extras e precisa contar freqüentemente com terceiros, talvez ela precise aumentar suas reservas de capacidade.

O argumento em favor de reservas pequenas é simples: capacidade não utilizada custa dinheiro. Para empresas de elevado capital, minimizar o excesso de capacidade é vital. Pesquisas indicam que empresas com intensidade de capital elevada atingem um baixo retorno sobre os investimentos quando a reserva de capacidade é alta. Essa correlação forte, porém, não existe para empresas intensivas em mão-de-obra. Seu retorno sobre investimentos é quase o mesmo porque o investimento mais baixo em equipamento torna a alta utilização menos crítica. As pequenas reservas de capacidade têm outras vantagens. Implementando uma reserva pequena, uma empresa pode, algumas vezes, descobrir ineficiências difíceis de detectar quando as reservas são maiores. Essas ineficiências podem incluir absenteísmo de funcionários ou fornecedores pouco confiáveis. Uma vez que gerentes e funcionários identifiquem esses problemas, eles podem, muitas vezes, encontrar maneiras para corrigi-los.

O MOMENTO E O TAMANHO DA EXPANSÃO

A segunda questão da estratégia de capacidade diz respeito a quando e quanto expandir. A Figura 7.4 ilustra duas estratégias extremas: a *estratégia expansionista*, que envolve saltos grandes, infreqüentes na capacidade, e a *estratégia de esperar para ver*, que envolve saltos menores, mais freqüentes.

O momento e o tamanho da expansão estão aproximadamente relacionados; isto é, se a demanda aumenta e o tempo entre os incrementos aumenta, a extensão dos incrementos também deve aumentar. A estratégia expan-

Figura 7.4 Duas estratégias de capacidade

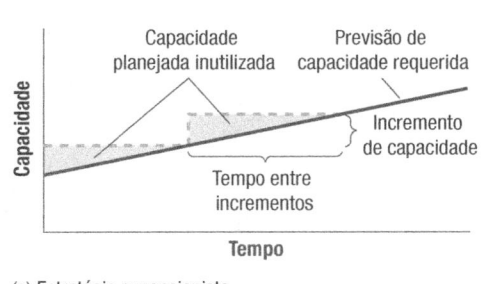

(a) Estratégia expansionista

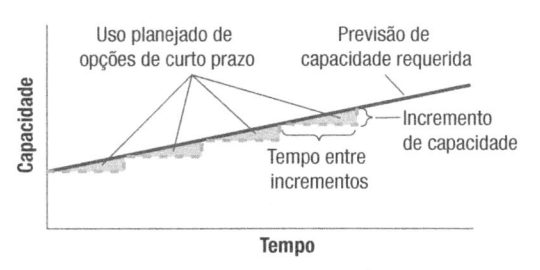

(b) Estratégia de esperar para ver

sionista, que se posiciona à frente da demanda, minimiza a chance de vendas perdidas por capacidade insuficiente. A estratégia de esperar para ver se posiciona atrás da demanda. Para se opor a quaisquer déficits, conta com opções de curto prazo, como uso de horas extras, trabalhadores temporários, subempreiteiros, custos de estoque e adiamento da manutenção preventiva no equipamento.

Vários fatores favorecem a estratégia expansionista. A expansão pode resultar em economias de escala e em uma taxa mais rápida de aprendizagem, ajudando, desse modo, uma empresa a reduzir os custos e ter preços competitivos. Essa estratégia pode aumentar a participação da empresa no mercado ou atuar como uma forma de barreira mercadológica para novos competidores. Ao fazer uma grande expansão de capacidade ou anunciando que uma é iminente, a empresa pode se antecipar à expansão de outras empresas. Essas outras empresas devem sacrificar parte de sua participação no mercado ou se arriscarem a sobrecarregar a indústria com sobrecapacidade. Para ser bem-sucedida, entretanto, a empresa que toma esta iniciativa deve ter credibilidade para convencer a concorrência de que executará seus planos — e deverá sinalizar seus planos antes que a concorrência possa agir.

A estratégia conservadora de esperar para ver promove a expansão em incrementos menores, como, por exemplo, renovando instalações existentes em vez de construir novas. Uma vez que a estratégia de esperar para ver acompanha a demanda, reduz os riscos de expansão excessiva baseados em previsões demasiadamente otimistas sobre a demanda, tecnologia obsoleta ou suposições inexatas em relação à concorrência.

Entretanto, essa estratégia tem seus próprios riscos, como ter uma barreira de capacidade imposta por um concorrente ou a incapacidade de responder se a demanda for inesperadamente alta. Os críticos argumentam que a estratégia de esperar para ver é uma estratégia de curto prazo característica de alguns estilos gerenciais dos Estados Unidos. Gerentes em ascensão no interior de uma corporação tendem a se arriscar menos. Eles são promovidos evitando os grandes erros e maximizando os lucros e o retorno sobre investimentos a curto prazo. A estratégia de esperar para ver se ajusta a essa perspectiva de curto prazo, mas pode desgastar a participação no mercado a longo prazo.

A gerência pode escolher uma dessas duas estratégias ou uma das muitas estratégias entre esses extremos. Com estratégias mais moderadas, as empresas podem se expandir mais freqüentemente (em uma escala menor) que no caso da estratégia expansionista, sem ficar atrás da demanda, como no caso da estratégia de esperar para ver. Uma estratégia intermediária pode ser *seguir o líder*, expandindo quando outros o fizerem. Se os outros estiverem corretos, você também estará e ninguém ganhará uma vantagem competitiva. Se os outros errarem e expandirem em demasia, você também o fará, mas todos compartilharão a agonia da sobrecapacidade.

VINCULANDO CAPACIDADE DO PROCESSO A OUTRAS DECISÕES

As decisões sobre capacidade devem estar estreitamente ligadas aos processos e cadeias de valor por toda a organização. Quando os gerentes tomam decisões sobre o planejamento de processos, determinando o grau de flexibilidade de recursos e estoque e localizando instalações, eles devem considerar o impacto sobre as reservas de capacidade, que, a longo prazo, protegem a organização contra a incerteza, como o fazem a flexibilidade de recursos, os estoques e os tempos de espera do cliente mais longos. Se uma mudança é feita em qualquer área de decisão, pode ser necessário alterar também a reserva de capacidade para compensar. Por exemplo, as reservas de capacidade para um processo podem ser reduzidas se se enfatizar menos entregas rápidas (*prioridades competitivas*), se as perdas de rendimento (*qualidade*) caírem ou se o investimento em equipamento de elevado capital aumentar ou a flexibilidade do trabalhador aumentar (*planejamento do processo*). As reservas de capacidade também podem ser reduzidas se o planejamento de vendas e operações for usado mais para regularizar a taxa de produção — por exemplo, se a empresa está disposta a aumentar os preços, quando o estoque é baixo, e a reduzir os preços, quando é alto.

UMA ABORDAGEM SISTEMÁTICA DAS DECISÕES DE CAPACIDADE A LONGO PRAZO

A TOC examina o modo de se administrar melhor a capacidade existente no nível do processo, mas decisões de longo prazo ainda devem ser tomadas para planejar a capacidade de cada processo. Esse planejamento normalmente inclui quantas máquinas devem ser compradas para um dado departamento ou quantos trabalhadores devem ser designados para um processo dado. Uma vez encomendadas, pode levar um ano, ou mesmo mais tempo em alguns casos, até que as máquinas sejam entregues. Por isso, é necessária uma abordagem sistemática para planejar decisões sobre capacidade a longo prazo, enquanto a empresa recorre a princípios da TOC para administrar as operações cotidianas em uma base contínua.

Embora cada situação seja um tanto diferente, um procedimento de quatro passos geralmente pode ajudar os gerentes a tomar decisões sólidas sobre capacidade. (Ao descrever esse procedimento, supomos que a gerência já tenha executado os passos preliminares de determinar a capacidade existente do processo e de avaliar se a reserva de capacidade atual é apropriada.)

1. Estimar necessidades futuras de capacidade.
2. Identificar lacunas comparando a necessidade com a capacidade disponível.
3. Desenvolver planos alternativos para eliminar as lacunas.
4. Avaliar cada alternativa, tanto qualitativa como quantitativamente, e fazer uma escolha final.

PASSO 1: ESTIMAR AS NECESSIDADES DE CAPACIDADE

A **necessidade de capacidade** de um processo é o que sua capacidade deve ser, em algum período de tempo no futuro, para atender à demanda dos clientes da empresa (externos ou internos), dado a reserva de capacidade desejada pela empresa. Necessidades maiores são úteis para processos ou estações de trabalho que podem ser, potencialmente, gargalos no futuro, e a gerência pode, até mesmo, planejar reservas de capacidade maiores que o normal.

As necessidades de capacidade podem ser expressas de dois modos: como uma medida de output ou com uma medida de input. De qualquer modo, o fundamento para a estimativa são previsões de demanda, produtividade, concorrência e mudanças tecnológicas. Essas previsões normalmente precisam ser feitas para vários períodos de tempo em um **horizonte de planejamento**, que é o conjunto de períodos de tempo sucessivos considerados para propósitos de planejamento. Os planos de capacidade de longo prazo precisam contemplar mais o futuro (talvez uma década inteira) que os planos de curto prazo. Infelizmente, quanto mais adiante se olha, mais chance se tem de fazer uma previsão inexata.

Usando medidas de output O modo mais simples de se expressar necessidades de capacidade é com uma taxa de produção. Como discutido anteriormente, as medidas de output são apropriadas para os processos de grande volume com pequena variedade de produtos ou variações do processo. Aqui, as previsões de demanda para anos futuros são usadas como uma base para estimar as necessidades de capacidade no futuro. Se se espera que a demanda dobre nos próximos cinco anos (e a reserva de capacidade corrente é apropriada), então, as necessidades de capacidade também dobram. Por exemplo, se a necessidade de capacidade atual do processo é de 50 clientes por dia, a necessidade em cinco anos seria de 100 clientes por dia. Se a reserva de capacidade desejada é de 20 por cento, a gerência deve planejar capacidade suficiente para atender $[100/(1-0,2)] = 125$ clientes em cinco anos.

Usando medidas de input Medidas de output podem ser insuficientes nas seguintes situações:

- a variedade do produto e a variação do processo são altas;
- o *mix* de produto ou serviço é variável;
- espera-se que as taxas de produtividade mudem;
- espera-se efeitos significativos na aprendizagem.

Nesses casos, é mais apropriado calcular as necessidades de capacidade usando uma medida de input, como o número de funcionários, máquinas, computadores ou caminhões. A utilização de uma medida de input para o requisito de capacidade reúne previsões de demanda, estimativas de tempo do processo e a reserva de capacidade desejada. Quando apenas um serviço ou produto é processado em uma operação, e o período de tempo é um ano específico, a necessidade de capacidade, M, é

$$\text{necessidade de capacidade} = \frac{\text{horas de processamento necessárias para a demanda de um ano}}{\text{horas disponíveis de uma unidade de capacidade única (como um funcionário ou máquina) por ano, após subtrair a reserva de capacidade desejada}}$$

$$M = \frac{Dp}{N[1-(C/100)]}$$

onde

D = previsão de demanda para o ano (número de clientes atendidos ou unidades de produto)

p = tempo de processamento (em horas por cliente atendido ou unidade produzida)

N = número total de horas por ano durante as quais o processo é executado

C = reserva de capacidade desejada (expresso como um percentual)

M é o número de unidades de inputs requeridas e deve ser calculado para cada ano no horizonte de tempo. O tempo de processamento, p, depende do processo e dos métodos selecionados para fazer o trabalho. O denominador é o número total de horas, N, disponível para o ano de uma unidade de capacidade (um funcionário ou máquina), multiplicado por uma proporção que representa a reserva de capacidade desejada, C. A proporção é simplesmente $1,0 - C$, em que C é convertido de percentual para proporção por meio da divisão por 100. Por exemplo, uma reserva de capacidade de 20 por cento significa que $1,0 - C$ é igual a $0,80$.

Tempos de preparações (*setups*) serão envolvidos se múltiplos produtos estiverem sendo fabricados. O tempo total de *setup* é encontrado dividindo-se o número de unidades previstas por ano, D, pelo número de unidades fabricadas em cada lote (número de unidades processadas entre preparações), o que dá o número de preparações por ano, e, em seguida, multiplicando-se pelo tempo por preparação. Por exemplo, se a demanda anual é de 1.200 unidades e o tamanho médio do lote é 100, há 1.200/100 = 12 preparações por ano. Representando tanto o processo como os tempos de preparação para serviços (produtos) múltiplos, obtemos

$$\text{necessidade de capacidade} = \frac{\text{horas de processamento } e \text{ preparação requeridas para a demanda do ano, somados para todos os serviços ou produtos}}{\text{horas disponíveis de uma unidade de capacidade única por ano, após subtrair a reserva desejada}}$$

$$M = \frac{[Dp + (D/Q)s]_{\text{produto 1}} + [Dp + (D/Q)s]_{\text{produto 2}}}{N[1 - (C/100)]} + \frac{\ldots + [Dp + (D/Q)s]_{\text{produto n}}}{N[1 - (C/100)]}$$

onde
Q = número de unidades em cada lote
s = tempo de preparação (em horas) por lote

O que fazer quando M não é um número inteiro depende da situação. Por exemplo, é impossível comprar uma máquina fracionada. Nesse caso, arredonde a parte fracionária, a menos que seja proveitoso usar opções de curto prazo, como horas extras ou custos de estoque para cobrir quaisquer déficits. Se, em vez disso, a unidade de capacidade é o número de funcionários em um processo, um valor de 23,6 pode ser alcançado usando apenas 23 funcionários e um uso moderado de horas extras (equivalente a ter 60% do tempo integral de outra pessoa). Aqui, o valor fracionário deve ser mantido como informação útil.

PASSO 2: IDENTIFICAR LACUNAS

Uma **lacuna de capacidade** é qualquer diferença (positiva ou negativa) entre a demanda projetada e a capacidade corrente. A identificação de lacunas requer o uso da medida de capacidade correta. Complicações surgem quando estão envolvidas operações múltiplas e de vários recursos. Expandir a capacidade de algumas operações pode aumentar a capacidade total. Entretanto, se uma operação é um gargalo, a capacidade somente será expandida se a capacidade da operação gargalo for expandida.

EXEMPLO 7.4 — Estimando requisitos de capacidade quando se utilizam medidas de input

Um centro de cópias em um edifício de escritórios prepara relatórios encadernados para dois clientes. O centro faz cópias múltiplas (o tamanho do lote) de cada relatório. O tempo de processo para executar, colocar em ordem e encadernar cada cópia depende, entre outros fatores, do número de páginas. O centro funciona 250 dias por ano, com um turno de oito horas. A gerência acredita que uma reserva de capacidade de 15 por cento (além da tolerância incorporada aos padrões de tempo) é melhor. O centro tem, no presente, três máquinas copiadoras. Tendo por referência a tabela de informações a seguir, determine quantas máquinas são necessárias no centro de cópias.

Item	Cliente X	Cliente Y
Previsão de demanda anual (cópias)	2.000	6.000
Tempo de processamento padrão (hora/cópia)	0,5	0,7
Tamanho médio do lote (cópias por relatório)	20	30
Tempo de preparação padrão (horas)	0,25	0,40

SOLUÇÃO

$$M = \frac{[Dp + (D/Q)s]_{\text{produto 1}} + [Dp + (D/Qs)]_{\text{produto 2}}}{N[1 - (C/100)]} + \frac{\ldots + [Dp + (D/Q)s]_{\text{produto n}}}{N[1 - (C/100)]}$$

$$= \frac{[2.000(0,5) + (2.000/20)(0,25)]_{\text{cliente X}}}{250 \text{ dias/ano) (1 turno por dia) (8 horas/turno)] } [1,0 - (15/100)]} + \frac{[6.000(0,7) + (6.000/30)(0,40)]_{\text{cliente Y}}}{250 \text{ dias/ano) (1 turno por dia) (8 horas/turno)] } [1,0 - (15/100)]}$$

$$= \frac{5.305}{1.700} = 3,12$$

Arredondando para o próximo número inteiro, temos um requisito de quatro máquinas.

Ponto de decisão A capacidade do centro de cópias está sendo pressionada e não tem mais a reserva de capacidade desejado de 15 por cento. Desejando que o atendimento ao consumidor não seja prejudicado, a gerência decidiu usar horas extras como uma solução a curto prazo para lidar com encomendas vencidas. Se a demanda continuar no nível corrente ou crescer, comprará uma quarta máquina.

PASSO 3: DESENVOLVER ALTERNATIVAS

O próximo passo é desenvolver planos alternativos para lidar com lacunas projetadas. Uma alternativa, chamada **caso básico**, é não fazer nada e simplesmente perder encomendas de qualquer demanda que exceda a capacidade corrente. Outras alternativas consistem em adotar diversas opções de oportunidade e dimensionamento para acrescentar nova capacidade, inclusive as estratégias expansionista e de esperar para ver, ilustradas na Figura 7.4. Possibilidades adicionais incluem expandir para um local diferente e usar opções de curto prazo, como horas extras, trabalhadores temporários e terceirização.

PASSO 4: AVALIAR AS ALTERNATIVAS

Nesse passo final, o gerente avalia cada alternativa, tanto qualitativa como quantitativamente.

Considerações qualitativas Qualitativamente, o gerente examina como cada alternativa se ajusta à estratégia geral de capacidade e outros aspectos de negócios não incluídos pela análise financeira. Incertezas sobre a demanda, reação da concorrência, mudança tecnológica e estimativas de custo podem ser de especial interesse. Alguns desses fatores não podem ser quantificados e devem ser avaliados tendo como fundamento o bom senso e a experiência. Outros podem ser quantificados e a gerência pode analisar cada alternativa usando suposições diferentes sobre o futuro. Um conjunto de suposições pode representar um caso pior, em que a demanda é menor, a concorrência maior e os custos de construção mais altos que o esperado. Outro conjunto de suposições pode representar a visão mais otimista do futuro. Esse tipo de análise 'e se' permite que o gerente tenha uma idéia das implicações de cada alternativa antes de fazer uma escolha final.

Considerações quantitativas Quantitativamente, o gerente estima a mudança nos fluxos de caixa para cada alternativa durante o horizonte de tempo previsto em comparação com o caso básico. **Fluxo de caixa** é a diferença entre os fluxos de recursos que entram e saem de uma organização durante certo tempo, inclusive receitas, custos e mudanças nos ativos e passivos. Aqui, o gerente está preocupado apenas com o cálculo dos fluxos de caixa atribuíveis ao projeto.

EXEMPLO 7.5 — **Avaliando as alternativas**

O restaurante Frango da Vovó está experimentando uma expansão dos negócios. O proprietário espera servir 80 mil refeições esse ano. Embora a cozinha esteja operando com 100 por cento de capacidade, a sala de jantar pode suportar 105 mil clientes por ano. A demanda prevista para os próximos cinco anos é de 90 mil refeições para o próximo ano, seguida por um aumento de dez mil refeições em cada um dos anos seguintes. Uma alternativa é expandir tanto a cozinha como a sala de jantar agora, aumentando a capacidade para 130 mil refeições por ano. O investimento inicial seria de 200 mil dólares, feito no final deste ano (ano 0). A refeição média tem o preço de dez dólares e a margem de lucro antes dos impostos é de 20 por cento. Chegou-se à cifra de 20 por cento determinando que, para cada refeição de dez dólares, seis dólares cobrem custos variáveis e dois dólares são gastos em custos fixos (exceto depreciação). Os dois dólares restantes são o lucro antes dos impostos.

Quais são os fluxos de caixa antes dos impostos desse projeto para os próximos cinco anos, comparados aos do caso base em que não se faz nada?

SOLUÇÃO

Lembre-se de que o caso base em que não se faz nada resulta em perder todas as vendas potenciais além de 80 mil refeições. Com a nova capacidade, o fluxo de caixa seria igual às refeições adicionais servidas, por meio de uma capacidade de 130 mil refeições, multiplicada por um lucro de dois dólares por refeição. No ano 0, o único fluxo de caixa é −200 mil dólares para o investimento inicial. No ano 1, a demanda de 90 mil refeições será completamente satisfeita pela capacidade expandida, assim o fluxo de caixa aumentado é de (90 mil − 80 mil)(2 dólares) = 20 mil dólares. Para os anos seguintes, as cifras são as seguintes:

Ano 2: Demanda = 100 mil; Fluxo de caixa = (100 mil − 80 mil) 2 dólares = 40 mil dólares

Ano 3: Demanda = 110 mil; Fluxo de caixa = (110 mil − 80 mil) 2 dólares = 60 mil dólares

Ano 4: Demanda = 120 mil; Fluxo de caixa = (120 mil − 80 mil) 2 dólares = 80 mil dólares

Ano 5: Demanda = 130 mil; Fluxo de caixa = (130 mil − 80 mil) 2 dólares = 100 mil dólares

Se a nova capacidade fosse menor que a demanda esperada em qualquer ano, subtrairíamos a capacidade do caso base da nova capacidade (em vez da demanda). O proprietário deve representar o valor temporal do dinheiro, aplicando técnicas como o valor corrente líquido ou métodos de taxa de rendimento interno. Por exemplo, o VPL desse projeto a uma taxa de desconto de 10 por cento é calculado aqui e é igual a 13.051,76 dólares.

$$\text{VPL} = -200 \text{ mil} + [(20.000/1,1)] + [40 \text{ mil}/(1,1)^2] + [60 \text{ mil}/(1,1)^3] + [80 \text{ mil}/(1,1)^4] + [100 \text{ mil}/(1,1)^5]$$
$$= -\$ 200 \text{ mil} + \$ 18.181,82 + \$ 33.057,85 + \$ 45.078,89 + \$ 54.641,07 + \$ 62.092,13$$
$$= \$ 13.051,76$$

Ponto de decisão Antes de se decidir por essa alternativa de capacidade, o proprietário também deve examinar considerações qualitativas, como futura localização dos concorrentes. Além disso, a atmosfera acolhedora do restaurante pode ser perdida com a expansão. Além do mais, outras opções devem ser consideradas (veja o Problema Resolvido 3).

FERRAMENTAS PARA O PLANEJAMENTO DA CAPACIDADE

O planejamento da capacidade requer previsões de demanda para um período de tempo prolongado. Infelizmente, a precisão da previsão diminui à medida que o horizonte de previsão se estende. Além disso, a antecipação do que os concorrentes farão aumenta a incerteza das previsões de demanda. Por fim, a demanda durante qualquer período de tempo não é uniformemente distribuída; picos e vales de demanda podem (e muitas vezes o fazem) ocorrer dentro do período de tempo. Essas realidades tornam necessário o uso de reservas de capacidade. Nesta seção, introduzimos três ferramentas que lidam mais formalmente com a incerteza e a variabilidade da demanda: (1) modelos das filas de espera; (2) simulação; e (3) árvores de decisão. Os modelos das filas de espera e a simulação explicam o comportamento aleatório, independente de muitos clientes, em termos tanto de seu tempo de chegada como de suas necessidades de processamento. As árvores de decisão permitem a previsão de eventos, como ações dos concorrentes.

MODELOS DAS FILAS DE ESPERA

Os modelos das filas de espera, muitas vezes, são úteis no planejamento da capacidade, tal como na seleção de uma reserva de capacidade apropriada a um processo de elevado contato com o cliente. Filas de espera tendem a crescer diante de um centro de trabalho, como um balcão de passagens no aeroporto, um centro de máquinas ou um computador central. A razão é que o tempo de chegada entre tarefas ou clientes varia, e o tempo de processamento pode variar de um cliente a outro. Os modelos das filas de espera usam distribuições de probabilidade para fornecer estimativas do tempo médio de demora do cliente, do comprimento médio das filas de espera e da utilização do centro de trabalho. Os gerentes podem usar essas informações para escolher a capacidade mais rentável, equilibrando o atendimento ao consumidor e o custo de se adicionar capacidade.

O Suplemento C, "Filas de espera", deste capítulo oferece uma abordagem mais completa desses modelos e introduz fórmulas para estimar características importantes de uma fila de espera, como o tempo de espera médio do cliente e a utilização média de instalações para projetos de instalação diferentes. Por exemplo, uma instalação pode ser projetada para ter uma ou múltiplas filas em cada operação e para encaminhar os clientes por uma operação ou por operações múltiplas. Dada a capacidade estimada dessas fórmulas e as estimativas de custo para os tempos de espera e ocioso, os gerentes podem selecionar projetos rentáveis e níveis de capacidade que também fornecem o nível desejado de atendimento ao consumidor.

A Figura 7.5 mostra o resultado do POM for Windows para filas de espera. Um professor que atende seus alunos para a solução de dúvidas em seu escritório particular tem uma taxa de chegada de três alunos por hora e uma taxa de serviço de seis alunos por hora. O produto mostra que a reserva de capacidade é de 50 por cento (1 – utilização média de servidor de 0,50). Esse resultado é esperado porque a taxa de processamento é o dobro da taxa de chegada. O que pode não ser esperado é que um aluno típico gaste 0,33 hora na fila ou conversando com o professor e a probabilidade de ter dois ou mais alunos no escritório é de 0,125. Esses números podem ser surpreendentemente altos, considerando-se uma reserva de capacidade tão grande.

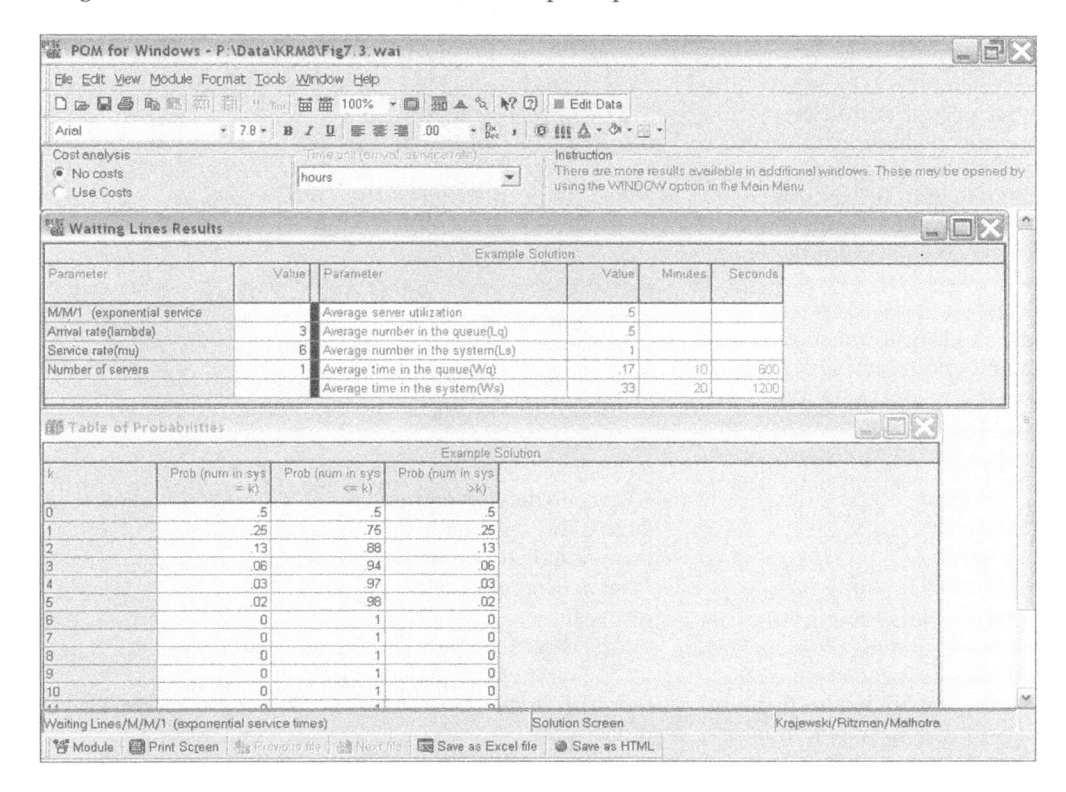

Figura 7.5 Resultado para fila de espera durante as horas de atendimento do POM for Windows

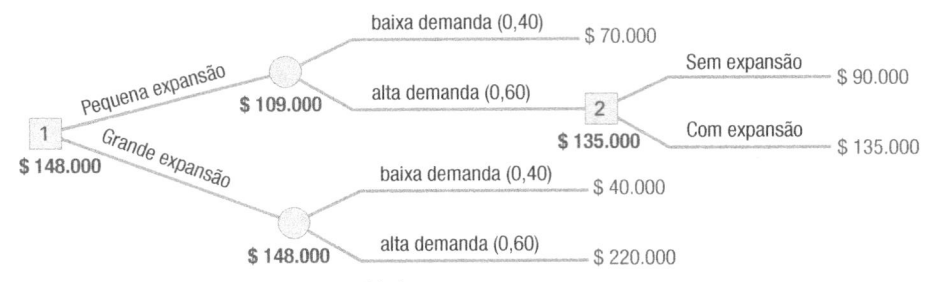

```
                                    baixa demanda (0,40)
                                    ─────────────────── $ 70.000
         Pequena expansão                                            Sem expansão
                        $ 109.000   alta demanda (0,60)               ────────── $ 90.000
    ┌───┐                           ─────────────────── ┌───┐
    │ 1 │                                               │ 2 │
    └───┘                                    $ 135.000  └───┘        Com expansão
    $ 148.000                                                         ────────── $ 135.000
         Grande expansão            baixa demanda (0,40)
                                    ─────────────────── $ 40.000
                        $ 148.000   alta demanda (0,60)
                                    ─────────────────── $ 220.000
```

Figura 7.6 Uma árvore de decisão para expansão da capacidade

SIMULAÇÃO

Problemas de filas de espera mais complexos devem ser analisados com simulação (veja o Suplemento B, "Simulação"). Ela pode identificar os gargalos e as reservas de capacidade apropriados do processo, mesmo para processos complexos com padrões de demanda aleatórios e picos previsíveis na demanda durante um dia típico. O pacote de simulação do SimQuick permite que você construa modelos e sistemas dinâmicos. Outros pacotes de simulação podem ser encontrados em Extend, Simprocess, ProModel e Witness.

ÁRVORES DE DECISÃO

Uma árvore de decisão pode ser particularmente valiosa para avaliar alternativas diferentes de expansão de capacidade quando a demanda for incerta e decisões consecutivas estiverem envolvidas (veja o Suplemento A, "Tomada de decisão"). Por exemplo, o proprietário do restaurante Frango da Vovó (veja o Exemplo 7.5) pode expandir o restaurante agora e descobrir apenas no ano 4 que o crescimento da demanda é muito maior que o previsto. Nesse caso, ela precisa decidir se expandirá mais. Em termos de custos de construção e tempo de manutenção, expandir duas vezes é provavelmente muito mais caro que construir uma instalação maior desde o princípio. Contudo, a realização de uma grande expansão agora, quando o crescimento da demanda é baixo, significa utilização ineficiente da instalação. A decisão depende, em grande parte, da demanda.

A Figura 7.6 mostra uma árvore de decisão para essa percepção do problema, com novas informações fornecidas. O crescimento da demanda pode ser baixo ou alto, com probabilidades de 0,40 e 0,60, respectivamente. A expansão inicial no ano 1 (nó 1) pode ser pequeno ou grande. O segundo nó de decisão (nó 2), se for expandido em uma data posterior, é alcançado apenas se a expansão inicial for pequena, e a demanda se tornar alta. Se a demanda for alta e a expansão inicial for pequena, uma decisão deve ser tomada sobre uma segunda expansão no ano 4. Resultados finais para cada ramo da árvore são estimados. Por exemplo, se a expansão inicial é grande, o lucro financeiro é de 40 mil dólares ou 220 mil dólares, o que depende do fato de a demanda ser baixa ou alta. A consideração atenta desses resultados finais por meio de probabilidades gera um valor esperado de 148 mil dólares. Esse resultado final esperado é mais alto que o resultado final de 109 mil dólares para a pequena expansão inicial, assim, a melhor escolha é fazer uma grande expansão no ano 1.

Para obter mais softwares de apoio à análise de árvores de decisão, consulte SmartDraw, 'análise de decisão de árvores de precisão' e 'linguagem de programação de decisão'.

EQUAÇÕES-CHAVE

1. Utilização, expressa como um percentual:

$$\text{utilização} = \frac{\text{taxa média produção}}{\text{capacidade máxima}} \, 100\%$$

2. Reserva de capacidade, C, expresso como um percentual:

$$C = 100\% - \text{taxa de utilização (\%)}$$

3. a. Necessidade de capacidade para um serviço ou produto:

$$M = \frac{Dp}{N[1-(C/100)]}$$

b. Necessidade de capacidade para serviços ou produtos múltiplos:

$$M = \frac{[Dp+(D/Q)s]_{\text{produto 1}} + [Dp+(D/Q)s]_{\text{produto 2}} + \cdots + [Dp+(D/Q)s]_{\text{produto }n}}{N[1-(C/100)]}$$

PALAVRAS-CHAVE

capacidade
caso base
deseconomias de escala
economias de escala
fluxo de caixa
gargalo
horizonte de planejamento
lacuna de capacidade
necessidade de capacidade
reserva de capacidade
restrição
tempo de atravessamento (*throughput time*)
tempo de preparação (*setup*)
teoria das restrições (*Theory of Constraints* — TOC)
utilização

PROBLEMA RESOLVIDO 1

O Lava Jato do Bill oferece dois tipos de lavagem: comum e de luxo. O fluxo do processo para ambos os tipos de clientes é mostrado no diagrama seguinte. Ambos os tipos de lavagem são processados primeiro pelas etapas A1 e A2. A lavagem comum passa então pelas etapas A3 e A4, enquanto a de luxo é processada pelas etapas A5, A6 e A7. Ambas as ofertas terminam na estação de secagem (A8). Os números entre parênteses indicam os minutos necessários para a atividade do processo para um cliente.

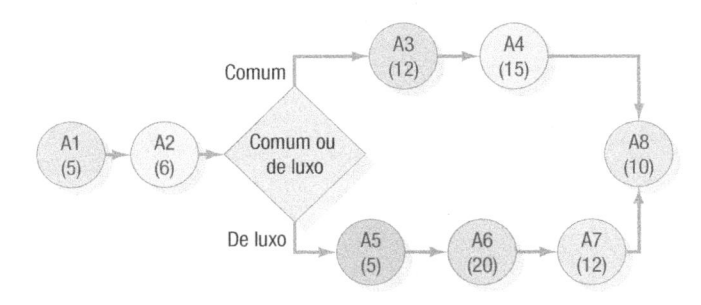

a. Qual é a etapa gargalo para o processo de lavagem de carro comum e de luxo?

b. Qual é a capacidade (medida como clientes atendidos por hora) do Lava Jato do Bill de processar clientes comuns e de luxo? Suponha que nenhum cliente esteja esperando no passo A1, A2 ou passo A8.

c. Se 60 por cento dos clientes são comuns e 40 são de luxo, qual é a capacidade média do lava jato em clientes por hora?

d. Onde você esperaria que os clientes da lavagem comum enfrentassem filas de espera, supondo que novos clientes estejam sempre entrando na loja e que nenhum cliente de luxo esteja na loja? Onde os clientes de luxo teriam de esperar, supondo que não haja nenhum cliente comum?

SOLUÇÃO

a. A etapa A4 é o gargalo para o processo de lava jato comum e a etapa A6 é o gargalo para o processo de lava jato de luxo, porque essas estapas requerem o tempo mais longo no fluxo.

b. A capacidade para lavagens comuns é de quatro clientes por hora porque o passo gargalo A4 pode processar um cliente a cada 15 minutos (60/15). A capacidade para lavagens de luxo é de três clientes por hora (60/20). Essas capacidades são deduzidas por meio da conversão de 'minutos por cliente' de cada atividade gargalo para 'clientes por hora'.

c. A capacidade média do lava jato é [(0,60 (4) + (0,40 (3)] = 3,6 clientes por hora.

d. Os clientes da lavagem comum esperariam diante dos passos A1, A2, A3 e A4 porque as atividades que os precedem imediatamente têm uma taxa de saída mais alta (isto é, tempos de processamento menores). Os clientes da lavagem de luxo enfrentariam uma espera diante das etapas A1, A2 e A6 pelas mesmas razões. A1 é incluído para ambos os tipos de lavagem porque a taxa de chegada dos clientes pode sempre exceder a capacidade de A1.

PROBLEMA RESOLVIDO 2

Seu chefe lhe solicitou que formule um plano de capacidade para uma operação gargalo crítica em sua empresa, a Sandálias Andar Seguro. Sua medida de capacidade é o número de máquinas. Três produtos (sandálias masculinas, femininas e infantis) são fabricados. Os padrões de tempo (processo e preparação), tamanhos de lote e previsões da demanda são dados na tabela seguinte. A empresa opera em dois turnos de oito horas, cinco dias por semana, 50 semanas por ano. A experiência mostra que uma reserva de capacidade de cinco por cento é suficiente.

	Padrões de tempo			
Produto	Processamento (h/par)	Setup (h/par)	Tamanho do lote (pares/lote)	Previsão de demanda (pares/ano)
Sandálias masculinas	0,05	0,5	240	80.000
Sandálias femininas	0,10	2,2	180	60.000
Sandálias infantis	0,02	3,8	360	120.000

a. Quantas máquinas são necessárias?

b. Se a operação atualmente tem duas máquinas, qual é a lacuna de capacidade?

SOLUÇÃO

a. O número de horas de funcionamento por ano, N, é

N = (2 turnos/dia)(8 horas/turno)(250 dias/máquina-ano)
   = 4.000 horas/máquina-ano

O número de máquinas requeridas, M, é a soma dos requisitos de máquina-hora para todos os três produtos divididos pelo número de horas produtivas disponíveis para uma máquina:

$$M = \frac{[Dp+(D/Q)s]_{masculino}+[Dp+(D/Q)s]_{feminino}+[Dp+(D/Q)s]_{infantil}}{N[1-(C/100)]}$$

$$= \frac{[80\text{ mil}(0,05)+(80\text{ mil}/240)0,5]+[60\text{ mil}(0,10)+(60\text{ mil}/180)2,2]+[120\text{ mil}(0,02)+(120\text{ mil}/360)3,8]}{4\text{ mil}[1-(5/100)]}$$

$$= \frac{14{,}567 \text{ horas/ano}}{3{,}800 \text{ horas/máquina-ano}} = 3{,}83 \text{ ou 4 máquinas}$$

b. A lacuna de capacidade é 1,83 máquinas (3,83 − 2). Deveriam ser compradas mais duas máquinas, a

					Componentes	3	
Turnos/dia		2					
Horas/turno		8			▲ Mais componentes		
Dias/semana		5			▼ Menos componentes		
Semanas/ano		50					
Reserva (como %)		5%					
Capacidade atual		2		Tamanho do lote			

Componentes	Processamento (h/unidade)	Setup (h/lote)	Tamanho do lote (unidades/lote)	Previsões de demanda		
				Pessimistas	Esperadas	Otimistas
Sandálias masculinas	0,05	0,5	240		80.000	
Sandálias femininas	0,10	2,2	180		60.000	
Sandálias infantis	0,02	3,8	360		120.000	

Horas produtivas de uma unidade de capacidade para um ano   3.800

	Pessimista		Esperada		Otimista	
	Processo	Setup	Processo	Setup	Processo	Setup
Sandálias masculinas	0	0,0	4.000	166,7	0	0,0
Sandálias femininas	0	0,0	6.000	733,3	0	0,0
Sandálias infantis	0	0,0	2.400	1.266,7	0	0,0
	0	0,0	12.400	2.166,7	0	0,0
Horas totais necessárias		0,0		14.566,7		0,0

Necessidade de capacidade total (M)	0,00	3,83	0,00
Arredondamento	0	4	0
Cenários que podem ser satisfeitos com o sistema/capacidade corrente:		pessimista, otimista	

Se a capacidade é aumentada em	0%	
Capacidade atual expandida	3.800	

Necessidade total de capacidade (M)	0,00	3,83	0,00
Arredondamentos	0	4	0
Cenários que podem ser satisfeitos com a capacidade expandida:		pessimista, otimista	

Figura 7.7 Usando o solucionador de requisitos de capacidade para o Problema Resolvido 2

menos que a gerência decida usar opções de curto prazo para preencher a lacuna.

O Solver de necessidade de capacidade do OM Explorer confirma esses cálculos, como mostra a Figura 7.7, usando apenas o cenário 'esperado' para as previsões de demanda.

PROBLEMA RESOLVIDO 3

O caso básico do Restaurante Frango da Vovó (veja o Exemplo 7.5) é não fazer nada. A capacidade da cozinha no caso básico é de 80 mil refeições por ano. Uma alternativa de capacidade para o Restaurante Frango da Vovó é uma expansão em duas etapas. Essa alternativa expande a cozinha no fim do ano 0, elevando sua capacidade de 80 mil refeições por ano para a da sala de jantar (105 mil refeições por ano). Se as vendas nos anos 1 e 2 corresponderem às expectativas, as capacidades tanto da cozinha como da sala de jantar serão expandidas no *fim* do ano 3 para 130 mil refeições por ano. Esse nível de capacidade aumentado deve ser o suficiente durante o ano 5. O investimento inicial seria de 80 mil dólares no fim do ano 0 e um investimento adicional de 170 mil no fim do ano 3. O lucro antes dos impostos é de dois dólares por refeição. Quais são os fluxos de caixa antes dos lucros para essa alternativa durante o ano 5, em comparação com o caso básico?

SOLUÇÃO

A Tabela 7.3 mostra os fluxos de entrada e saída de caixa. O fluxo de caixa do ano 3 é incomum em dois aspectos. Primeiro, o fluxo de entrada em caixa das vendas é de 50 mil dólares, em vez de 60 mil dólares. O aumento das vendas acima da base é de 25 mil refeições (105 mil – 80 mil), em vez de 30 mil refeições (110 mil – 80 mil) porque a capacidade do restaurante enfrenta uma baixa na demanda. Segundo, um fluxo de saída de caixa de 170 mil dólares ocorre no fim do ano 3, quando a segunda etapa de expansão ocorre. O fluxo de caixa líquido para o ano 3 é de 50 mil dólares –170 mil dólares = –120 mil dólares.

Para propósitos de comparação, o VPL desse projeto, a uma taxa de desconto de 10 por cento, é calculado como se segue e é igual a – 2.184.90 dólares.

$$\text{VPL} = -80 \text{ mil} + (20 \text{ mil}/1,1) + [40 \text{ mil}/(1,1)^2] - [120 \text{ mil}/(1,1)^3] + [80 \text{ mil}/(1,1)^4] + [100 \text{ mil}/(1,1)^5]$$
$$= -\$80 \text{ mil} + \$18.181,82 + \$33.057,85 - \$90.157,77 + \$54.641,07 + \$62.092,13$$
$$= -\$2.184,90$$

TABELA 7.3 Fluxos de caixa para a expansão em duas etapas no restaurante Frango da Vovó

Ano	Demanda projetada (refeições/ano)	Capacidade projetada (refeições/ano)	Cálculo do fluxo de caixa incremental comparado com o caso base (80 mil refeições/ano)	Fluxo de entrada (ou saída) de caixa
0	80.000	80.000	Aumentar a capacidade da cozinha para 105.000 refeições =	($ 80.000)
1	90.000	105.000	90.000 − 80.000 = (10.000 refeições)($ 2/refeição) =	$ 20.000
2	100.000	105.000	100.000 − 80.000 = (20.000 refeições)($ 2/refeição) =	$ 40.000
3	110.000	105.000	105.000 − 80.000 = (25.000 refeições)($ 2/refeição) =	$ 50.000
			Aumentar a capacidade total para 130.000 refeições =	($ 170.000)
				($ 120.000)
4	120.000	130.000	120.000 − 80.000 = (40.000 refeições)($ 2/refeição) =	$ 80.000
5	130.000	130.000	130.000 − 80.000 = (50.000 refeições)($ 2/refeição) =	$ 100.000

Em termos puramente monetários, uma expansão de etapa única parece ser uma alternativa melhor que a expansão em duas etapas. Outros fatores qualitativos, porém, como mencionado anteriormente, também devem ser considerados.

QUESTÕES PARA DISCUSSÃO

1. Identifique um processo que você encontra diariamente, como o almoço no restaurante ou o trajeto de sua casa até a escola/trabalho. Quais são os gargalos que limitam o rendimento total desse processo e como sua eficiência poderia ser aumentada?

2. Quais são as economias de escala no tamanho da classe? À medida que o tamanho da classe aumenta, que sintomas de deseconomias de escala aparecem? Como esses sintomas estão relacionados ao contato com o cliente?

3. Um jovem instala uma barraca de limonada na esquina entre a rua da faculdade e o boulevard do Parque Aéreo. As temperaturas na área se elevam a 47° durante o verão. O cruzamento é próximo a uma universidade importante e a um grande terreno em construção. Explique a esse jovem empresário como seus negócios poderiam se beneficiar de economias de escala. Explique também algumas condições que poderiam levar a deseconomias de escala.

PROBLEMAS

Softwares como o OM Explorer, o Active Models e o POM for Windows estão disponíveis no site de apoio do livro. Verifique com seu professor a melhor maneira de usá-los. Em muitos casos, o professor quer que você entenda como fazer os cálculos manualmente. Quando muito, o software pode oferecer uma verificação de seus cálculos. Quando os cálculos são muito complexos e o objetivo é interpretar os resultados na tomada de decisões, o software substitui completamente os cálculos manuais. O software pode ser também um valioso recurso depois que você concluir o curso.

1. A Barbearia do Bill oferece tipos diferentes de estilos de corte e permanente de cabelo para mulheres. O fluxo do processo na Figura 7.8 mostra que todas as clientes percorrem as etapas B1 e B2 e, em seguida, podem ser atendidas em qualquer uma das duas estações de trabalho na etapa B3. Elas prosseguem pela etapa B4 ou etapas B5 e B6 e terminam com a etapa B7. Os números entre parênteses indicam os minutos necessários para essa atividade processar um cliente.

   a. Quanto tempo leva para uma cliente passar pelo processo de serviço inteiro se ela for atendida nas etapas B3-a, B4 e B7? Nas etapas B3-b, B5, B6 e B7?

   b. Que atividade isolada é o gargalo para o processo inteiro?

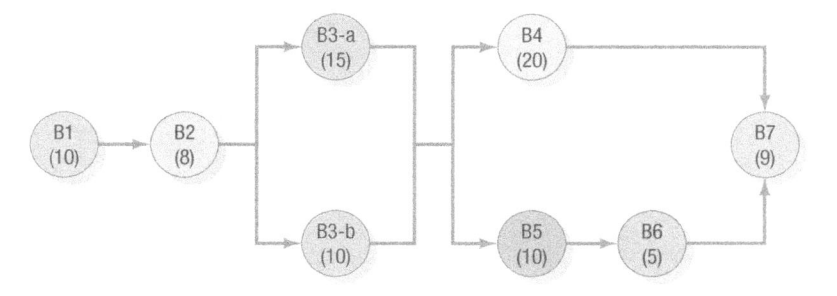

Figura 7.8 Fluxo do processo para a Barbearia do Bill

c. Supondo que a empresa opere em um horário de oito horas e que metade das clientes percorre as etapas B3-a, B4 e B7 e a outra metade as etapas B3-b, B5, B6 e B7, quantas clientes podem ser atendidas?

2. A Figura 7.9 detalha o fluxo do processo para dois tipos de clientes que entram na Boutique da Bárbara para reformas personalizadas nas roupas. Após o passo T1, os clientes Tipo A prosseguem até o passo T2 e, em seguida, para qualquer uma das três estações de trabalho em T3, seguidas pelo passo T4 e pelo passo T7. Após o passo T1, os clientes Tipo B prosseguem até o passo T5 e aos passos T6 e T7. Os números entre parênteses são os minutos necessários para o processo de um cliente.

   a. Qual é a capacidade da loja da Bárbara em termos dos números de clientes Tipo A que podem ser atendidos em uma hora? Suponha que não haja nenhum cliente esperando nos passos T1 ou T7.

   b. Se 30 por cento dos clientes são clientes Tipo A e 70 por cento são clientes Tipo B, qual é a capacidade média da loja da Bárbara em clientes por hora?

   c. Quando você espera que os clientes Tipo A enfrentem filas de espera, supondo que não haja nenhum cliente Tipo B na loja? Onde os clientes Tipo B teriam de esperar, supondo que não existisse nenhum cliente Tipo A?

3. A Companhia Essência Canina (CEC) fabrica dois tipos diferentes de brinquedos mastigáveis para cachorros (A e B, vendidos em caixas de 1.000) que são fabricados e montados em três estações de trabalho diferentes (W, X e Y) usando um processo de pequenos lotes (veja a Figura 7.10). Os tempos de preparação dos lotes são insignificantes. O fluxograma indica a trajetória seguida por cada produto ao longo do processo de fabricação, o preço de cada produto, a demanda por semana e os tempos de processamento por unidade. Peças compradas e matérias-primas consumidas durante a produção são representadas por triângulos invertidos. A CEC pode fabricar e vender até o limite de sua demanda por semana; não se incorre em penalidade por não ser capaz de atender a toda a demanda. Cada estação de trabalho é operada por um trabalhador dedicado exclusivamente a essa estação de trabalho, que recebe seis dólares por hora. Os custos gerais variáveis são de 3.500 dólares/semana. A

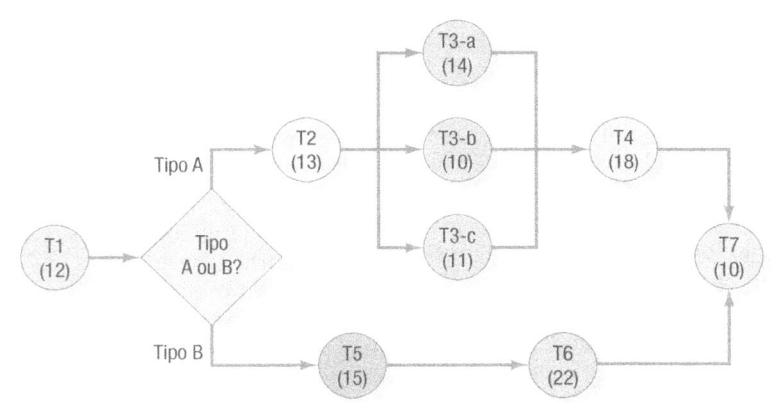

Figura 7.9 Fluxo de processo para os clientes da Butique da Bárbara

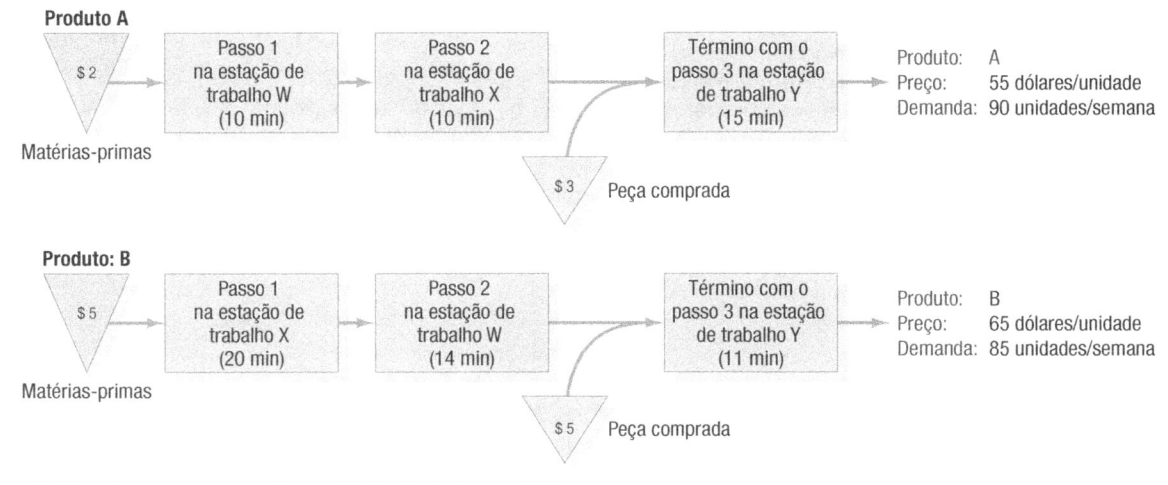

Figura 7.10 Fluxograma para a Companhia Essência Canina (CEC)

planta funciona em um turno de oito horas por dia ou 40 horas/semana. Qual das três estações de trabalho, W, X ou Y, tem a carga de trabalho agregada mais alta e, desse modo, atua como o gargalo para a CEC?

4. A gerência sênior na Companhia Essência Canina (CEC) está preocupada com a limitação da capacidade existente, assim, quer aceitar a mistura de encomendas que maximize os lucros da empresa. Tradicionalmente, a CEC utilizou um método de margem de contribuição mais alta, por meio do qual decisões são tomadas para gerar uma quantidade de produto com a margem de lucro mais alta possível (até o limite de sua demanda), seguida pelo próximo produto com margem de lucro mais alto e assim por diante até que não haja mais capacidade disponível. Uma vez que a capacidade é limitada, escolher o *mix* de produtos adequado é crucial. Troy Hendrix, o supervisor de produção contratado recentemente, é um seguidor ávido da filosofia da teoria das restrições e do planejamento baseado em gargalos. Ele acredita que a rentabilidade pode ser realmente favorecida se os recursos gargalo forem explorados para determinar o *mix* de produtos.

   a. Qual é o lucro se o método de margem de lucros tradicional for usado para determinar o *mix* de produtos da CEC?

   b. Qual é o lucro se a abordagem baseada em gargalos, defendida por Troy, for usada para selecionar o *mix* de produtos?

   c. Calcule o aumento nos lucros, tanto em dólares como em termos de ganhos percentuais, usando os princípios da TOC para determinar o *mix* de produtos.

5. O Centro Médico Dália tem 30 salas de trabalho, 15 salas de trabalho e parto combinados, três salas de parto e uma sala especial para partos, reservada para partos complicados. Todas essas instalações operam dia e noite. O tempo gasto nas salas de trabalho varia de horas a dias, com uma média de cerca de um dia. O parto descomplicado médio requer cerca de uma hora em uma sala de parto.

   Durante um período excepcionalmente movimentado de três dias, 115 bebês saudáveis nasceram no Centro Médico Dália ou foram por ele recebidos. Sessenta bebês nasceram em salas de trabalho e parto separados, 45 nasceram salas de trabalho e parto combinados, seis nasceram em viagem para o hospital e apenas quatro bebês precisaram de uma sala de trabalho e da sala de partos complicados. Qual das instalações (salas de trabalho, salas de trabalho e parto ou salas de parto) teve a maior taxa de utilização?

6. Um processo atende, no presente, uma média de 50 clientes por dia. Observações nas últimas semanas mostram que sua utilização é de cerca de 90 por cento, levando em conta uma reserva de capacidade de apenas dez por cento. Se se espera que a demanda seja de 75 por cento do nível atual em cinco anos e a gerência deseja ter uma reserva de capacidade de apenas cinco por cento, que necessidade de capacidade deve ser planejado?

7. Uma companhia de transporte aéreo deve planejar sua capacidade de frota e sua programação de longo prazo para o uso de aeronaves. Para um segmento de vôo, o número médio de clientes por dia é 70, que representa uma taxa de utilização de 65 por cento do equipamento designado para o segmento de vôo. Se se espera que a demanda aumente para 84 clientes para esse segmento de vôo em três anos, que necessidade de capacidade deve ser planejada? Suponha que a gerência considere que uma reserva de capacidade de 25 por cento é apropriado.

8. Um fornecedor de freio de automóvel opera em dois turnos de oito horas, cinco dias por semana, 52 semanas por ano. A Tabela 7.4 mostra os padrões de tempo, tamanhos de lote e previsões de demanda para três componentes. Por causa das incertezas sobre a demanda, o gerente de operações obteve três previsões da demanda (pessimista, esperada e otimista). O gerente acredita que uma reserva de capacidade de 20 por cento seja melhor.

   a. Qual é o número mínimo de máquinas necessárias? O número esperado? O número máximo?

   b. Se a operação, no presente, tem três máquinas e o gerente está disposto a expandir a capacidade em 20 por cento por meio de opções de curto prazo no evento em que a demanda otimista ocorre, qual é a lacuna de capacidade?

9. A Bem Alto & Distante é uma fabricante de pipas e birutas. Os dados relevantes sobre uma operação gargalo na oficina para o próximo ano fiscal são apresentados na tabela seguinte:

TABELA 7.4 Informações sobre capacidade para um fornecedor de freios de automóveis

	Padrão de tempo			Previsão da demanda		
Componente	Processamento (h/lote)	Setup (h/espera)	Tamanho do lote (unidades/lote)	Pessimista	Esperada	Otimista
A	0,05	1,0	60	15.000	18.000	25.000
B	0,20	4,5	80	10.000	13.000	17.000
C	0,05	8,2	120	17.000	25.000	40.000

Item	Pipas	Birutas
Previsão de demanda	30.000 unidades/ano	12.000 unidades/ano
Tamanho do lote	20 unidades	70 unidades
Tempo de processamento padrão	0,3 hora/unidade	1,0 hora/unidade
Tempo de preparação padrão	3,0 horas/lote	4,0 horas/lote

A oficina opera dois turnos por dia, oito horas por turno, 200 dias por ano. Atualmente, a empresa opera quatro máquinas e deseja uma reserva de capacidade de 25 por cento. Quantas máquinas devem ser compradas para atender à demanda do próximo ano sem recorrer a nenhuma solução de capacidade de curto prazo?

10. A Cavaleiro de Minério, Inc. fabrica bicicletas de passeio e *mountain bikes* em diversos tamanhos de armação, cores e combinações de componentes. Bicicletas idênticas são produzidas em lotes de 100. A demanda projetada, o tamanho do lote e os padrões de tempo são mostrados na tabela seguinte:

Item	Passeio	*Mountain*
Previsão de demanda	5.000 unidades/ano	10.000 unidades/ano
Tamanho do lote	100 unidades	100 unidades
Tempo de processamento padrão	0,25 hora/unidade	0,50 hora/unidade
Tempo de preparação padrão	2 horas/lote	3 horas/lote

A oficina, atualmente, funciona oito horas por dia, cinco dias por semana, 50 semanas por ano. Opera cinco estações de trabalho, cada uma fabricando uma bicicleta no tempo mostrado na tabela. A oficina mantém uma reserva de capacidade de 15 por cento. Quantas estações de trabalho serão requeridas no próximo ano para atender à demanda esperada sem usar horas extras e sem diminuir a reserva de capacidade corrente da empresa?

11. Arabelle está considerando expandir a área do pavimento de sua loja de importação de roupas de alta costura, a Estampas Francesas de Arabelle, aumentando seu espaço arrendado no shopping center mais caro, o Riacho da Cerejeira, de 2000 pés quadrados para 3000 pés quadrados. O shopping center Riacho da Cerejeira ostenta uma das razões mais altas de valor de vendas por metro quadrado. O aluguel (incluindo serviços de utilidade pública, fiança e outros custos) é de 110 dólares por pé quadrado ao ano. Os aumentos de salário relacionados à expansão da Estampas Francesas são mostrados na tabela seguinte, junto com projeções de vendas por pé quadrado. O custo de aquisição dos bens vendidos gera em média 70 por cento do preço das vendas. As vendas são sazonais, com um pico importante durante o período de feriados no fim do ano.

Ano	Trimestre	Vendas (por metro quadrado)	Salários com incremento
1	1	$ 90	$ 12.000
	2	60	8.000
	3	110	12.000
	4	240	24.000
2	1	99	12.000
	2	66	8.000
	3	121	12.000
	4	264	24.000

  a. Se a Arabelle expandir a Estampas Francesas no fim do ano 0, quais serão seus fluxos de caixa trimestrais, antes dos impostos, durante o ano 2?
  b. Projete os fluxos de caixa trimestrais antes dos impostos supondo que o padrão de vendas (aumento composto anualmente de dez por cento) continua durante o ano 3.

12. O parque de diversões Astro Mundial tem a oportunidade de expandir seu tamanho agora (no fim do ano 0) comprando a propriedade adjacente por 250 mil dólares e acrescentando atrações a um custo de 550 mil dólares. Espera-se que essa expansão aumente a freqüência em 30 por cento acima da freqüência projetada sem expansão. O preço do ingresso é 30 dólares, com um aumento planejado de cinco dólares para o início do ano 3. Espera-se que os custos operacionais adicionais sejam de 100 mil dólares por ano. A freqüência estimada para os próximos cinco anos, sem expansão, é a seguinte:

Ano	1	2	3	4	5
Freqüência	30.000	34.000	36.250	38.500	41.000

  a. Quais são os fluxos de caixa combinados antes dos impostos para os anos 0 a 5 que são atribuíveis à expansão do parque?
  b. Ignorando impostos, depreciação e valor temporal do dinheiro, determine quanto tempo será necessário para recuperar (restituir) o investimento.

13. Kim Epson opera um serviço completo de lava-rápido que funciona das oito da manhã às oito da noite, sete dias por semana. O lava-rápido tem duas estações: uma estação automática de lavagem e secagem e uma estação de limpeza manual do interior. A primeira pode lidar com 30 carros por hora. A estação de limpeza do interior pode lidar com 200 carros por dia. Tendo por referência uma revisão de operações re-

cente, Kim estima que a demanda futura pela estação de limpeza do interior para os sete dias da semana, expressa em número médio de carros por dia, seria a seguinte:

Dia	Seg.	Ter.	Qua.	Qui.	Sex.	Sab.	Dom.
Carros	160	180	150	140	280	300	250

Instalando equipamento adicional (a um custo de 50 mil dólares), Kim pode aumentar a capacidade da estação de limpeza do interior para 300 carros por dia. Cada lavagem de carro gera uma contribuição antes dos impostos de quatro dólares. Kim deve instalar o equipamento adicional se espera um período de recuperação, antes dos impostos, de três anos ou menos?

14. A Irmãos Roche está considerando uma expansão da capacidade de seu supermercado. O proprietário construirá o anexo, em troca de 200 mil dólares na conclusão e um arrendamento de cinco anos. O aumento no aluguel em razão do acréscimo é de 10 mil dólares por mês. Seguem-se as vendas anuais projetadas para o ano 5. A capacidade efetiva corrente é igual a 500 mil clientes por ano. Suponha um lucro antes dos impostos de dois por cento sobre as vendas.

Ano	1	2	3	4	5
Clientes	560.000	600.000	685.000	700.000	715.000
Vendas médias por cliente	$ 50,00	$ 53,00	$ 56,00	$ 60,00	$ 64,00

a. Se a Irmãos Roche expandir sua capacidade para atender a 700 mil clientes por ano agora (fim do ano 0), quais são os fluxos de caixa anuais projetados, antes dos impostos, com incrementos, atribuíveis a essa expansão?

b. Se a Irmãos Roche expandir sua capacidade para atender a 700 mil clientes por ano, no fim do ano 2, o proprietário construirá o mesmo anexo por 240 mil dólares e um arrendamento de três anos a 12 mil dólares por mês. Quais são os fluxos de caixa anuais projetados, antes dos impostos, com incrementos, atribuíveis a essa expansão alternativa?

PROBLEMAS AVANÇADOS

Os problemas 17, 20 e 21 exigem a leitura do Suplemento A, "Tomada de decisão". Os problemas 18 e 20 exigem a leitura do Suplemento J, "Análise financeira", no site de apoio do livro. Todos estão em inglês.

15. A Yost-Perry Indústrias (YPI) produz um *mix* de violões a preço acessível (A, B, C) que são fabricados e montados em quatro estações de processamento diferentes (W, X, Y, Z). A operação é um processo de trabalho por empreitada, com tempos de preparação pequenos que podem ser considerados insignificantes. As informações sobre o produto (preço, demanda semanal e tempos de processamento) e as seqüências do processo são mostradas na Figura 7.11. As matérias-primas e peças compradas (mostradas como uma taxa de consumo por unidade) são representadas por triângulos invertidos. A YPI pode fabricar e vender até o limite de sua demanda por semana, não incorrendo em penalidades por não atender à demanda total. Cada estação de trabalho é operada por um trabalhador altamente qualificado que trabalha exclusivamente nela e recebe 15 dólares por hora. A planta funciona em um turno de oito horas por dia e opera em uma semana de trabalho de cinco dias (isto é, 40 horas de produção por pessoa por semana). Os custos com gastos variáveis são de nove mil dólares/semana. Qual das quatro estações de trabalho, W, X, Y ou Z, tem a carga de trabalho agregado mais alta e, desse modo, atua como o gargalo para a Yost-Perry Indústrias?

16. A equipe de gerenciamento sênior da Yost-Perry Indústrias (YPI) deseja aumentar a rentabilidade da empresa recebendo o conjunto correto de encomendas. No presente, são tomadas decisões para receber a maior quantidade possível do produto com margem de lucro mais alta (até o limite de sua demanda), seguido pelo próximo produto com margem de lucro mais alta e assim por diante, até que toda capacidade disponível seja utilizada. Uma vez que a empresa não pode satisfazer toda a demanda, o *mix* de produtos deve ser escolhido cuidadosamente. Jay Perry, o supervisor de produção promovido recentemente é perito em teoria das restrições e planejamento baseado em gargalos. Ele acredita que a rentabilidade pode ser, de fato, favorecida se os recursos em gargalo forem explorados para determinar o *mix* de produtos. Qual é a alteração nos lucros se, em vez do método tradicional que a YPI tem usado até agora, for usada por Jay uma abordagem baseada em gargalos para selecionar o *mix* de produtos?

17. Um gerente está tentando decidir se compra uma máquina ou duas. Se apenas uma máquina for comprada e se tornar evidente que a demanda é excessiva, a segunda máquina poderá ser comprada posteriormente. No entanto, algumas vendas seriam perdidas, pois o tempo de espera pela entrega desse tipo de máquina é de seis meses. Além do mais, o custo por máquina será mais baixo se as duas máquinas forem compradas ao mesmo tempo. Estima-se que a probabilidade de demanda baixa seja de 0,30 e que a de demanda alta seja de 0,70. O valor presente líquido (VPL) após os impostos dos benefícios de se comprar as duas máquinas juntas é de 90 mil dólares se a demanda for baixa e de 170 mil dólares se a demanda for alta.

Se uma máquina for comprada e a demanda for baixa, o VPL é de 120.000 dólares. Se a demanda for alta, o gerente tem três opções. Não fazer nada, que tem um VPL de 120 mil dólares; terceirizar, com um VPL de 140 mil dólares; e comprar a segunda máquina, com um VPL de 130 mil dólares.

a. Desenhe uma árvore de decisão para esse problema.

b. Qual é a melhor decisão e qual é o resultado final esperado?

Produto A

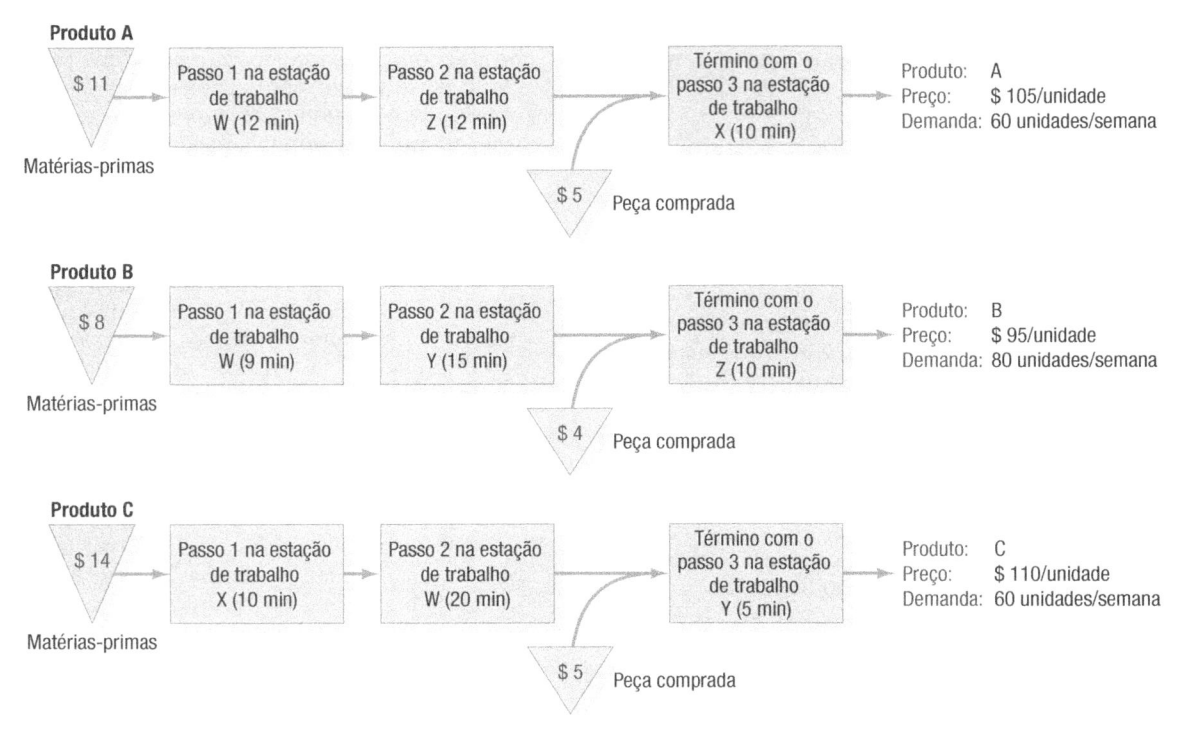

Matérias-primas ($11) → Passo 1 na estação de trabalho W (12 min) → Passo 2 na estação de trabalho Z (12 min) → Término com o passo 3 na estação de trabalho X (10 min) → Produto: A; Preço: $105/unidade; Demanda: 60 unidades/semana

Peça comprada: $5

Produto B

Matérias-primas ($8) → Passo 1 na estação de trabalho W (9 min) → Passo 2 na estação de trabalho Y (15 min) → Término com o passo 3 na estação de trabalho Z (10 min) → Produto: B; Preço: $95/unidade; Demanda: 80 unidades/semana

Peça comprada: $4

Produto C

Matérias-primas ($14) → Passo 1 na estação de trabalho X (10 min) → Passo 2 na estação de trabalho W (20 min) → Término com o passo 3 na estação de trabalho Y (5 min) → Produto: C; Preço: $110/unidade; Demanda: 60 unidades/semana

Peça comprada: $5

Figura 7.11 Fluxograma para a Yost-Perry Indústrias (YPI)

---

18. Há muitos anos, a Cidade Ribeirinha construiu uma planta de purificação de água para remover toxinas e filtrar a água potável da cidade. Por causa do crescimento populacional, a demanda por água no próximo ano será maior que a capacidade da planta de 456 milhões de litros por ano. Portanto, a cidade deve expandir a instalação. A demanda estimada ao longo dos próximos 20 anos é mostrada na Tabela 7.5.

A comissão de planejamento urbanístico da cidade está avaliando três alternativas.

- *Alternativa 1*: expandir o suficiente no fim do ano 0 para os próximos 20 anos, o que significa um aumento de 304 milhões de litros (760 – 456).
- *Alternativa 2*: expandir no fim do ano 0 e no fim do ano 10.
- *Alternativa 3*: expandir no fim dos anos 0, 5, 10 e 15.

Cada alternativa forneceria os 760 milhões de litros por ano necessários no fim de 20 anos, quando o valor da planta seria o mesmo, independentemente da alternativa escolhida. Economias de escala significativas podem ser alcançadas nos custos de construção: uma expansão de 76 milhões de litros custaria 18 milhões de dólares; uma expansão de 152 milhões de litros, 30 milhões de dólares; e uma expansão de 304 milhões de litros, apenas 50 milhões de dólares. O nível das taxas de juros futuras é incerto, levando a incerteza sobre a taxa de retorno mínimo. A cidade acredita que pode ser tão baixa quanto 12 por cento e tão alta quanto 16 por cento (veja o Suplemento A, "Tomada de decisão").

a. Calcule os fluxos de caixa para cada alternativa, em comparação com o caso básico de não fazer nada. (Nota: como um serviço de utilidade pública municipal, a operação não paga nenhum imposto.)

b. Qual alternativa minimiza o valor presente dos custos de construção ao longo dos próximos 20 anos se a taxa de desconto for 12 por cento? E 16 por cento?

c. Uma vez que a decisão envolve políticas públicas e acordos, que considerações políticas a comissão de planejamento deve enfrentar?

19. Surgiram duas novas alternativas para expandir o Restaurante Frango da Vovó (veja o Problema Resolvido 3). Elas envolvem mais automatização na cozinha e dão destaque a um processo de cozimento especial que retém o sabor da receita original de frango. Embora o processo seja mais capital-intensivo, reduziria os custos de mão-de-obra, assim, o lucro antes dos impostos para *todas* as vendas (não apenas das vendas da capacidade adicionada) subiria de 20 a 22 por cento. Esse ganho aumentaria o lucro antes dos impostos em dois por cento de cada dólar das vendas até 800 mil dólares (80 mil refeições × 10 dólares) e em 22 por cento de cada dólar das vendas entre 800 mil dólares e o novo limite de capacidade. Caso contrário, as novas alternativas são quase as mesmas das do Exemplo 7.5 e do Problema Resolvido 3.

- *Alternativa 1*: expandir tanto a cozinha como a área de jantar agora (no fim do ano 0), elevando a capacidade para 130 mil refeições por ano. O custo de construção, inclusive a nova automatização, seria de 336 mil dólares (em vez dos 200 mil dólares anteriores).

TABELA 7.5	Demanda por água				
Ano	Demanda	Ano	Demanda	Ano	Demanda
0	456	7	562,4	14	668,80
1	471,20	8	577,60	15	684
2	486,4	9	592,80	16	699,20
3	501,60	10	608	17	714,4
4	516,80	11	623,20	18	729,60
5	532	12	638,40	19	744,80
6	547,20	13	653,60	20	760

- *Alternativa 2*: expandir apenas a cozinha agora, elevando sua capacidade para 105.000 refeições por ano. No fim do ano 3, expandir tanto a cozinha e a área de jantar para o volume de 130 mil refeições por ano. Os custos de construção e equipamento seriam de 424 mil dólares, com 220 mil dólares no fim do ano 0 e o restante no fim do ano 3. Como no caso da alternativa 1, a margem de contribuição subiria para 22 por cento.

Com as duas novas alternativas, o valor residual seria insignificante. Compare os fluxos de caixa de todas as alternativas. O Restaurante Frango da Vovó deve expandir com a tecnologia nova ou com a antiga? Deve expandir agora ou mais tarde?

20. Os Fabricantes de Aço Acme tiveram uma razoável expansão nos negócios nos últimos cinco anos. A empresa fabrica uma grande variedade de produtos de aço, como grades, escadas e vigamento estrutural de aço para iluminação. O método manual corrente de manipulação de materiais está originando estoques e acúmulos excessivos. O Acme está considerando a compra de um sistema de guincho aéreo montado sobre trilhos ou de uma empilhadeira para aumentar a capacidade e melhorar a eficiência na fabricação.

O resultado anual do sistema, antes dos impostos, depende da demanda futura. Se a demanda permanecer no nível corrente, cuja probabilidade é de 0,50, a economia anual do guincho aéreo será de dez mil dólares. Se a demanda aumentar, o guincho economizará 25 mil dólares anualmente por causa das eficiências operacionais acrescidas às novas vendas. Finalmente, se a demanda cair, o guincho resultará em uma perda anual estimada de 65 mil dólares. Estima-se que a probabilidade de demanda mais alta seja de 0, e de demanda mais baixa seja de 0,20.

Se a empilhadeira for comprada, o resultado anual será de cinco mil dólares se a demanda permanecer inalterada, de dez mil dólares se a demanda subir e – 25 mil dólares se a demanda cair.

a. Desenhe uma árvore de decisão para esse problema e calcule o valor esperado do resultado final para cada alternativa.

b. Qual é a melhor alternativa, tendo por referência os valores esperados?

21. O vice-presidente de operações da Corporação Dintell, um fornecedor importante de *airbags* automotivos para o banco do passageiro, está considerando uma expansão de 50 milhões de dólares no complexo de produção da empresa Fortaleza de Valor. As projeções econômicas mais recentes indicam uma probabilidade de 0,60 de que o mercado total seja de 400 milhões de dólares por ano ao longo dos próximos cinco anos e uma probabilidade de 0,40 de que o mercado seja de apenas 200 milhões de dólares por ano durante o mesmo período. O departamento de marketing estima que a Dintell tenha uma probabilidade de 0,50 de conquistar 40 por cento do mercado e uma probabilidade igual de obter apenas 30 por cento do mercado. Estima-se que o custo dos bens vendidos seja de 70 por cento das vendas. Para propósitos de planejamento, a empresa usa, no presente, uma taxa de desconto de 12 por cento, uma alíquota de imposto de 40 por cento e o planejamento de depreciação MACRS. Os critérios para decisões de investimento na Dintell são (1) o valor presente líquido esperado deve ser maior que zero; (2) deve haver pelo menos uma chance de 70 por cento de que o valor presente líquido seja positivo; e (3) deve haver uma chance não maior que 10 por cento de que a empresa perca mais de 20 por cento do valor inicial.

a. Tendo por referência os critérios mencionados, determine se a Dintell deve financiar o projeto.

b. Que efeito sobre a decisão exerce uma probabilidade de 0,70 de conquistar 40 por cento do mercado?

c. Que efeito sobre a decisão exerce um aumento na taxa de desconto para 15? Uma diminuição para dez por cento?

d. Que efeito sobre a decisão exerce a necessidade de outros dez milhões de dólares no terceiro ano?

CASO — Juan Uribe Ensino Afetivo

A escola Juan Uribe Ensino Afetivo nasceu de um desejo de criança do empreendedor Juan Uribe: aprender inglês brincando.

Em 1994, Juan começou a lecionar a língua inglesa para o público infantil. Seu jeito diferente de ensino encantava não só as crianças, mas também seus pais, que, por sua vez, o indicavam para vários outros pais. Com isso, a procura pelos serviços educacionais de Juan foi aumentando até que ele não conseguia mais atender, sozinho, a toda a demanda. Foi assim que o professor convidou sua irmã, Sosô, para trabalhar com ele. Ela rapidamente assimilou a maneira que Juan tinha de ensinar e, em 1996, teve seu primeiro aluno.

Os irmãos começaram, então, a estruturar algo maior. Sosô dedicou-se ao planejamento da empresa, que estava crescendo, e Juan, a contratar e a formar profissionais que pudessem assimilar e reproduzir o modelo de ensino inovador que ele havia desenvolvido.

Já em 1997, Juan e Sosô aliaram suas competências, o amor pelas crianças e ao ensino de idiomas, para fundaram a Juan Uribe Ensino Afetivo, uma escola de inglês voltada exclusivamente para crianças de 2 a 12 anos. Nessa escola, as aulas são lecionadas com o intuito de fazer com que o aluno adquira a língua da maneira mais natural possível. Para atingir esse objetivo, os educadores montam aulas criativas e estabelecem uma relação de confiança com o aluno que vai além da esperada para um simples professor. Há uma comunicação aberta não só com os alunos, mas também com os pais, o que é fundamental para que o processo de aprendizagem funcione. Além disso, as aula são preparadas com o uso de jogos, leitura de histórias, músicas, visitas a lojas e a supermercados e encenações, tudo para potencializar o desejo de aprender. O resultado é uma experiência diferente a cada aula, o que permite ao aluno desenvolver prazer e espontaneidade ao expressar-se em inglês.

O sucesso do método inovador da Juan Uribe trouxe um crescimento acelerado para a escola, que se expandia sem um planejamento de longo prazo. Os dois irmãos empreendedores estavam envolvidos intensamente com as operações do dia-a-dia — dar aulas, selecionar e supervisionar professores, apresentar e promover o método para os pais —, que foi necessário a ajuda de uma consultoria que forneceu orientação geral do negócio para que Juan e Sosô conseguissem mais tempo para planejar o futuro do empreendimento.

Os professores deixaram de ser chamados de professores e passaram a incorporar outro papel: o de educador. Os educadores, em sua maioria, foram valorizados e passaram a receber uma remuneração fixa, e não mais por hora-aula o que faz com que o educador recebe mesmo se não estiver dado aulas. A idéia era mostrar, de forma concreta, a importância do comprometimento e da preparação do profissional fora da sala de aula. Conseqüentemente, o trabalho que antes era visto como 'extra', como relatórios, reuniões e até o próprio planejamento das aulas em si, transformou-se em atividades estratégicas que garantem a qualidade do curso.

Além disso, foi desenhado um plano de carreira para os educadores, que consistia na correção de seus ganhos à medida que amadureciam suas competências. O resultado do trabalho foi uma diminuição da rotatividade dos educadores e uma melhora na satisfação geral, além de uma maior consistência na qualidade das aulas.

A escola oferece, além de aulas individuais, a possibilidade de aulas em grupo (com, no máximo, quatro crianças), e os valores diferem em relação ao local que as aulas acontecem: se é na escola ou na residência dos clientes. A Juan Uribe enfrenta dois tipos de restrições: (1) para as aulas realizadas na escola, a quantidade de salas é um problema, principalmente nos horários de pico, e (2) para as aulas nas residências dos clientes, a restrição é o tempo de deslocamento. Para cada hora de aula dada na casa de um cliente, são necessários entre 15 e 30 minutos de deslocamento.

Atualmente, a escola está localizada no Itaim, bairro nobre da cidade de São Paulo. Ela conta com seis salas temáticas, cada uma com um tema diferente. Os educadores dispõem de um sala cheia de brinquedos, livros, jogos e bichinhos de pelúcia para prepararem suas aulas, e todo esse arsenal está separado por finalidade. O material utilizado em cada aula é definido pelo próprio educador que chega a escolher até 15 itens por aula.

A escola conta hoje com 15 educadores contratados, que trabalham, em média, 40 horas semanais. Para aulas individuais nos domicílios, cada educador gasta duas horas de aula, uma hora de trabalho pedagógico e 45 minutos de transporte. Da mesma forma, para aulas em grupo na escola, o professor gasta 2,5 horas de aula e 1,5 horas de trabalho pedagógico. O trabalho pedagógico consiste na preparaçã, planejamento, avaliação e registros da aula, bem como a comunicação com a família. Esse tempo de planejamento pode mudar de acordo com a experiência e competência do educador.

A Juan Uribe continua a crescer e seus desafios ficam cada vez mais complexos. Juan e Sosô frequentemente se perguntam se vale a pena oferecer novos cursos de idiomas (francês, italiano, alemão, entre outros) ou se deveriam aceitar alunos com idade acima de 12 anos. Outra possibilidade de crescimento é por meio da criação de franquias, o que, porém, pode ocasionar perdas na qualidade. Para expandir com novas escolas próprias, haveria a necessidade de um grande investimento. Valeria a pena ir para outras cidades? O modelo de crescimento deveria contemplar mais aulas nas residências ou na própria escola? Todas essas dúvidas tiram o sono de Juan e Sosô.

QUESTÕES

1. Qual é o número máximo de alunos por semana que a Juan Uribe poderia atender na própria escola? E se as aulas fossem realizadas nas residências dos clientes? Lembre-se que a escola conta com apenas 15 educadores trabalhando 40 horas semanais.

2. Supondo que as aulas em grupos de quatro alunos sejam 25% mais baratas — por aluno — que as aulas individuais nas residências, calcule qual seria o maior faturamento, lembrando que a escola só tem seis salas de aula disponíveis? (Para efeito de cálculo, considere que uma aula individual na residência custe 100 unidades monetárias.

3. Quais seriam os principais gargalos de crescimento para a Juan Uribe?

4. Discuta com seus colegas os dilemas apresentados no parágrafo final do caso. Aponte os cuidados que Juan e Sosô devem ter no planejamento do crescimento da escola.

Caso desenvolvido por Adriana Garcia Hashigoshi Cuschnir, Juan Uribe e professor André Luís de Castro Moura Duarte do Ibmec São Paulo, baseado nas informações disponíveis em <www.juanuribe.com.br>, site no qual se tem acesso a mais informações sobre a escola.

REFERÊNCIAS SELECIONADAS

BAKKE, Nils Arne; HELLBERG, Ronald. "The challenges of capacity planning", *International Journal of Production Economics*, vol. 31-30, 1993, p. 243-264.

BOWMAN, Edward H. "Scale of operations: an empirical study", *Operations Research*, jun. 1958, p. 320-328.

BOYLE, Matthew. "Why FedEx is flying high", *Fortune*, nov. 2004, p. 145-150.

GOLDRATT, E. M.; COX, J. *The goal*, 2 ed. rev. New York: North River Press, 1992.

HAMMESFAHR, R.; JACK, D.; POPE, James A.; ARDALAN, Alireza. "Strategic planning for production capacity", *International Journal of Operations and Production Management*, vol. 13, n. 5, 1993, p. 41-53.

HARTVIGSEN, David. *SimQuick: process simulation with Excel*, 2 ed. Upper Saddle River, NJ: Prentice Hall, 2004.

"How Goliaths can act like Davids", *Business Week/Enterprise*, 1993, p. 192-200.

"Intel's $ 10 billion gamble", *Fortune*, 11 nov. 2002, p. 90-102.

KLASSEN, Kenneth J.; ROHLEDER, Thomas R. "Combining operations and marketing to manage capacity and demand in services", *The Service Industries Journal*, vol. 21, n. 2, 2001, p. 130.

"Logan's roadhouse", *Business Week*, 27 maio 1996, p. 113.

RITZMAN, Larry P.; SAFIZADEH, M. Hossein. "Linking process choice with plant-level decisions about capital and human resources", *Production and Operations Management*, vol. 8, n. 4, 1999, p. 374-392.

SIMONS, Jacob, Jr.; SIMPSON III, Wendell P. "An exposition of multiple constraint scheduling as implemented in the goal system (Formerly Disaster™)", *Production and Operations Management*, vol 8, n. 1, primavera 1997, p. 3-22.

SRIKANTH, M. L.; CAVALLARO, H. E.; CAVALLARO Jr., H. E. *Regaining competitiveness: putting the goal to work*, 2 ed. rev. Guilford, CT: Spectrum Publishing Company, 1995.

SRIKANTH, Mokshagundam L; UMBLE, Michael. *Synchronous management: profit-based manufacturing for the 21st century*, vol 1. Guilford, CT: Spectrum Publishing Company, 1997.

SUPLEMENTO C

Filas de espera

OBJETIVOS DE APRENDIZAGEM

Depois de ler este suplemento, você será capaz de:

1. Reconhecer os elementos de um problema de fila de espera em uma situação real.
2. Descrever os modelos de servidor único, de servidores múltiplos e de fonte finita.
3. Explicar como usar modelos das filas de espera para avaliar as características operacionais de um processo.
4. Explicar como os modelos de filas de espera podem ser utilizados para tomar decisões administrativas.

Qualquer pessoa que já tenha esperado em um semáforo ou em um cartório experimentou a dinâmica das filas de espera. Talvez um dos melhores exemplos de administração eficaz de filas de espera seja o da Disneylândia. Em um dia, o parque pode ter apenas 25 mil clientes, mas, em outro dia, os números podem chegar a 90 mil. Uma análise cuidadosa de fluxos de processos, tecnologia para equipamento de transporte de pessoas (manuseio de materiais), capacidade e *arranjo-físico* mantém os tempos de espera pelas atrações em níveis aceitáveis.

A análise de filas de espera é de interesse de administradores porque afeta o projeto do processo, a capacidade de planejamento, o desempenho do processo e, em última instância, o desempenho de cadeias de valor. Neste suplemento, discutiremos por que as filas de espera se formam, os usos dos modelos das filas de espera na administração de operações e a estrutura dos modelos das filas de espera. Também discutiremos as decisões a que os administradores recorrem com os modelos. As filas de espera também podem ser analisadas utilizando-se simulação de computador. Um software como o SimQuick ou planilhas do Excel podem ser usados para analisar os problemas neste suplemento.

POR QUE SE FORMAM FILAS DE ESPERA

Uma **fila de espera** é um ou mais 'clientes' esperando por atendimento. Os clientes podem ser pessoas ou objetos inanimados, como máquinas precisando de manutenção, pedidos de vendas esperando por transporte ou artigos de estoque esperando para serem usados. Uma fila de espera se forma em virtude de um desequilíbrio temporário entre a demanda por serviço e a capacidade do sistema de fornecer o serviço. Na maioria dos problemas reais de filas de espera, a taxa de demanda varia; isto é, os clientes chegam em intervalos imprevisíveis. Mais freqüentemente, a taxa de fornecimento do serviço também varia, dependendo das necessidades do cliente. Suponha que os clientes de um banco que chegam a uma taxa média de 15 por hora ao longo do dia e que o banco possa processar uma média de 20 clientes por hora. Por que uma fila de espera se formaria? A resposta é que a taxa de chegada dos clientes varia ao longo do dia e o tempo requerido para atender a um cliente pode variar. Durante uma hora, a partir de meio-dia, por exemplo, 30 clientes podem chegar ao banco. Alguns deles podem precisar de um atendimento especial, demandando tempos acima da média. A fila de espera pode aumentar para 15 clientes por um período de tempo antes de desaparecer, no fim. Ainda que o gerente do banco prepare de antemão capacidade mais que suficiente, em média, as filas de espera ainda podem crescer.

As filas de espera podem crescer mesmo que o tempo para atender a um cliente seja constante. Por exemplo, um trem do metrô é controlado por computador para chegar às estações ao longo de seu itinerário. Cada trem é programado para chegar a uma estação a cada 15 minutos, por exemplo. Mesmo com o tempo de serviço constante, as filas de espera crescem enquanto os passageiros esperam pelo próximo trem ou não podem embarcar no trem por causa do tamanho da multidão em um período movimentado do dia. Conseqüentemente, a variabilidade na taxa de demanda determina os tamanhos das filas de espera nesse caso. Em geral, se não há variabilidade na demanda ou nas taxas de serviço e é fornecida capacidade suficiente, não se formam filas de espera.

USOS DA TEORIA DAS FILAS DE ESPERA

A teoria das filas de espera se aplica a prestadores de serviços, assim como a empresas manufatureiras, relacionando chegada do cliente e características de processamento do sistema de serviços a características de produto do sistema de serviços. Em nossa discussão, usamos o termo *serviço* de maneira ampla — o ato de fazer um trabalho para um cliente. O sistema de serviço pode ser cortar cabelo em um salão de cabeleireiro, solucionar reclamações do cliente ou atender a uma encomenda de fabricação de peças em uma determinada máquina. Outros exemplos de clientes e serviços incluem filas de freqüentadores de teatro esperando para comprar ingressos, caminhões esperando para serem descarregados em um armazém, máquinas esperando para serem consertadas por uma equipe de manutenção e pacientes esperando para serem examinados por um médico. Independentemente da situação, problemas de filas de espera têm vários elementos comuns.

ESTRUTURA DOS PROBLEMAS DAS FILAS DE ESPERA

A análise dos problemas de filas de espera começa com uma descrição dos elementos básicos da situação. Cada situação específica terá características diferentes, mas quatro elementos são comuns a todas as situações:

1. Um input, ou **população de clientes**, que gera clientes potenciais.
2. Uma fila de espera de clientes.
3. A **instalação de serviço**, consistindo em uma pessoa (ou equipe), uma máquina (ou grupo de máquinas) ou ambos, necessários para executar o serviço para o cliente.
4. Uma **regra de prioridade**, que seleciona o próximo cliente a ser atendido pela instalação de serviço.

A Figura C.1 mostra esses elementos básicos. Os triângulos, círculos e quadrados mostram uma diversidade de clientes com necessidades diferentes. O **sistema de serviço** descreve o número de filas e a disposição das instalações. Após o serviço ter sido executado, os clientes atendidos deixam o sistema.

POPULAÇÃO DE CLIENTES

Uma população de clientes é a fonte de entrada do sistema de serviço. Se o número potencial de novos clientes no sistema de serviço é consideravelmente afetado pelo número dos clientes que já estão no sistema, diz-se que a fonte de entrada é *finita*. Por exemplo, suponha que a uma equipe de manutenção seja atribuída a responsabilidade pelo conserto de dez máquinas. A população de clientes para a equipe de manutenção é de dez máquinas funcionando perfeitamente. A população gera clientes para a equipe de manutenção como uma função das taxas de falhas nas máquinas. À medida que mais máquinas falham e entram no sistema de serviço, seja esperando por serviço seja sendo consertadas, a população de clientes fica menor e a taxa na qual pode gerar outro cliente cai. Conseqüentemente, diz-se que a população de clientes é finita.

Por outro lado, uma população de clientes *infinita* é aquela cujo número de clientes no sistema não afeta a taxa na qual a população gera novos clientes. Por exemplo, considere uma operação de encomenda pelo correio para a qual a população de clientes consiste em compradores que receberam um catálogo de produtos vendidos pela empresa. Uma vez que a população é tão grande e apenas uma fração pequena dos compradores faz encomendas a cada vez, o número de novas encomendas que gera não é consideravelmente afetado pelo

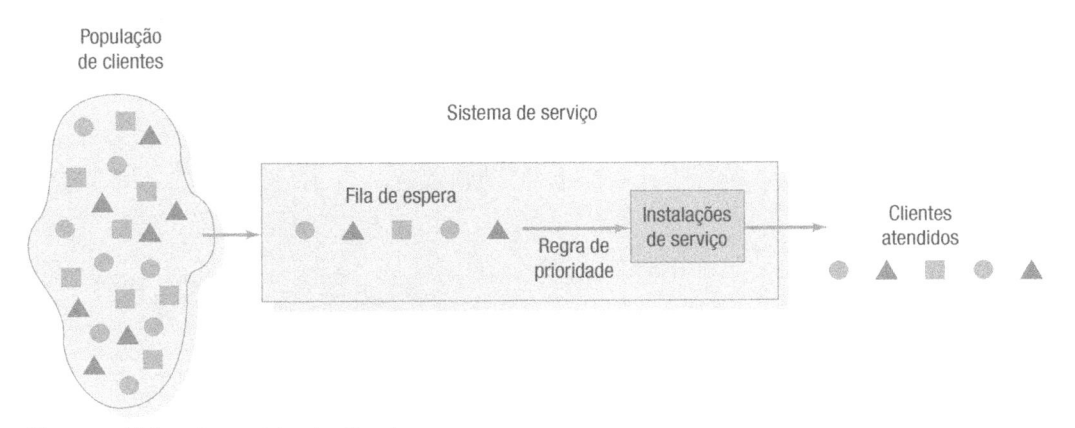

Figura C.1 Elementos básicos dos modelos das filas de espera

número de encomendas esperando por atendimento ou sendo processadas pelo sistema de serviço. Nesse caso, diz-se que a população de clientes é infinita.

Clientes em filas de espera podem ser *pacientes* ou *impacientes* — e isso não tem nada que ver com o estado dos ânimos que eles apresentam enquanto aguardam na fila por muito tempo em um dia extremamente ensolarado. No contexto em que abordamos os problemas de filas de espera, um cliente paciente é aquele que entra no sistema e nele permanece até ser atendido; um cliente impaciente é aquele que ou decide não entrar no sistema (recusa-se a entrar) ou deixa o sistema antes de ser atendido (volta atrás). Para os métodos usados neste suplemento, fazemos a suposição simplificadora de que todos os clientes são pacientes.

O SISTEMA DE SERVIÇO

O sistema de serviço pode ser descrito pelo número de filas e pela disposição das instalações.

Número de filas As filas de espera podem ser projetadas para ser uma *fila única* ou *filas múltiplas*. A Figura C.2 mostra um exemplo de cada disposição. Geralmente, filas únicas são utilizadas em balcões de companhias de transporte aéreo, em bancos e em alguns restaurantes de *fast-food*; ao passo que filas múltiplas são utilizadas em mercearias, em operações de banco com *drive-through* e em lojas de descontos. Quando servidores múltiplos estão disponíveis e cada um pode lidar com transações gerais, a disposição em fila única mantém os servidores uniformemente ocupados e dá aos clientes uma sensação de imparcialidade. Os clientes acreditam que estão sendo atendidos de acordo com a ordem de chegada e não de acordo com a habilidade de supor um tempo de espera quando selecionaram uma fila específica. O projeto de filas múltiplas é melhor quando alguns dos servidores fornecem um conjunto limitado de serviços. Nessa disposição, os clientes selecionam os serviços de que precisam e esperam na fila em que esse serviço é fornecido, por exemplo, uma mercearia que oferece filas especiais para clientes que pagam com dinheiro ou que levam menos de dez itens.

Normalmente, as filas não são organizadas em 'linhas'. As máquinas que precisam de conserto no pavimento de fabricação de uma fábrica podem ser deixadas no lugar correto e a equipe de manutenção se dirige a elas. Entretanto, podemos pensar nessas máquinas formando uma fila única ou filas múltiplas, dependendo do número de equipes de conserto e de suas especialidades. De modo semelhante, os passageiros que telefonam para uma pizzaria também formam uma fila, embora esperem em locais diferentes.

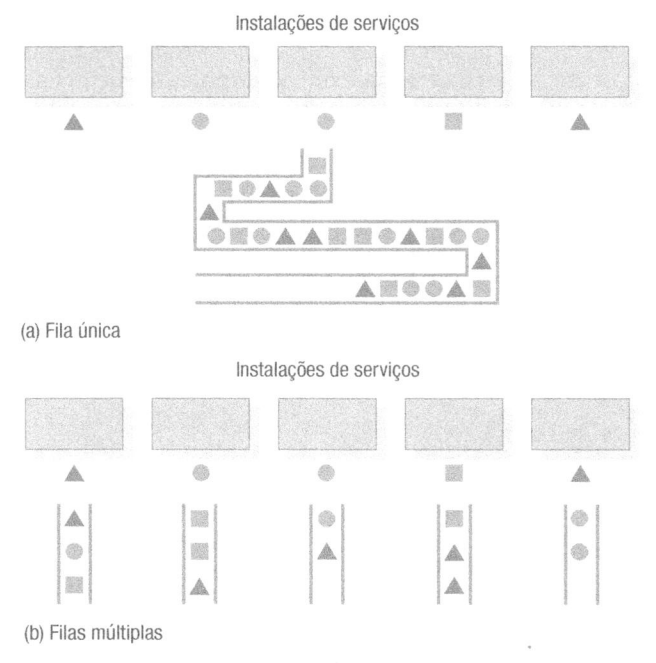

Figura C.2 Disposições de filas de espera

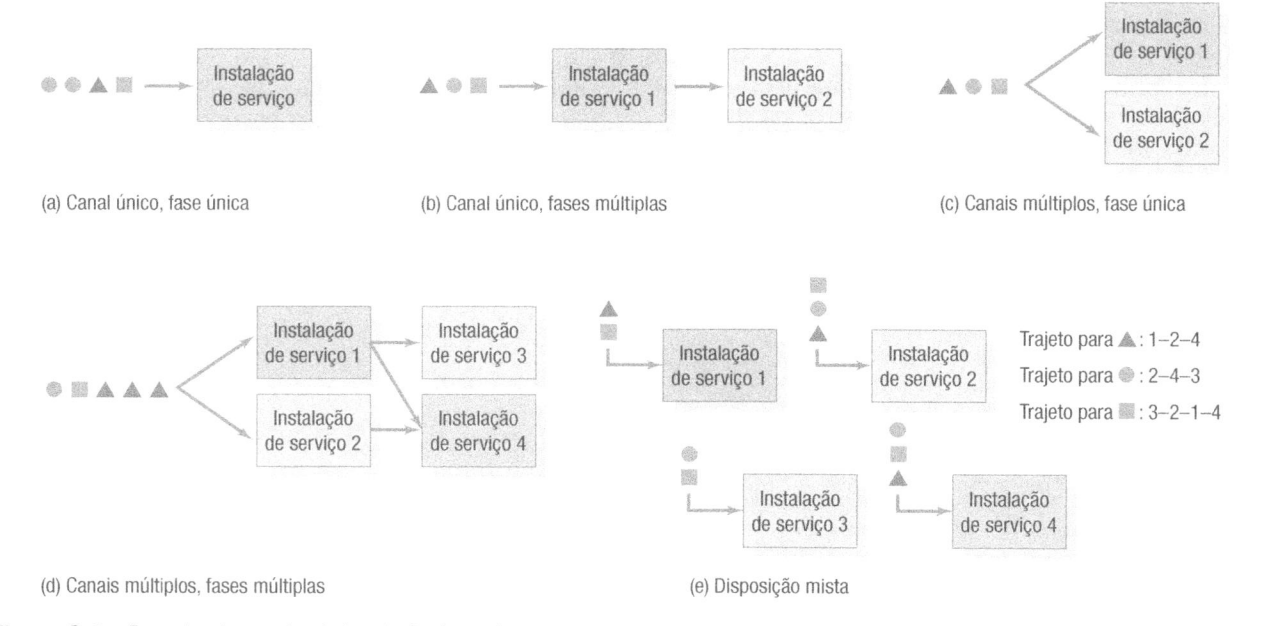

Figura C.3 Exemplos de arranjos de instalação de serviço

Arranjos de instalações de serviço Instalações de serviço consistem em pessoal e equipamento necessário para prestar o serviço ao cliente. O arranjo da instalação de serviço é descrito pelo número de canais e fases. Um **canal** é uma ou mais instalações requeridas para fornecer um dado serviço. Uma **fase** é um passo único ao fornecer o serviço. Alguns serviços requerem uma fase única, enquanto outros requerem uma seqüência de fases. Conseqüentemente, uma instalação de serviço usa determinada quantidade de combinação de canais e fases. Os gerentes devem escolher uma disposição baseada na quantidade de clientes e na natureza dos serviços prestados. A Figura C.3 mostra exemplos dos cinco tipos básicos de arranjos de instalação de serviço.

No sistema de *canal único, fase única*, todos os serviços demandados por um cliente podem ser fornecidos por uma instalação de servidor único. Os clientes formam uma fila única e, um de cada vez, passam pela instalação de serviço. Os exemplos são uma lavagem de carro *drive-through* e uma máquina que deve processar vários lotes de peças.

A disposição *canal único, fases múltiplas* é usada quando os serviços são mais bem executados em seqüência, por mais de uma instalação, ainda que o volume de clientes ou outras restrições limitem o projeto a um canal. Os clientes formam uma fila única e seguem, em seqüência, de uma instalação de serviço à próxima. Um exemplo dessa disposição é o *drive-through* do McDonald's, no qual a primeira instalação anota o pedido, a segunda recebe o dinheiro e a terceira entrega a comida.

A disposição *canais múltiplos, fase única* é usada quando a demanda é grande o suficiente para permitir o fornecimento do mesmo serviço em mais de uma instalação ou quando os serviços oferecidos pelas instalações são diferentes. Os clientes formam uma ou mais filas, dependendo do projeto. No projeto de fila única, os clientes são atendidos pelo primeiro servidor disponível, como na sala de espera de um banco. Se cada canal tem sua própria fila de espera, os clientes esperam até que o servidor de sua fila possa atendê-los, como nas instalações *drive-through* de um banco.

A disposição *canais múltiplos, fases múltiplas* ocorre quando os clientes podem ser servidos por uma das instalações de primeira fase, mas, em seguida, solicitam o serviço de uma instalação de segunda fase e assim por diante. Em alguns casos, os clientes não podem trocar os canais após o início do serviço; em outros, eles podem. Um exemplo dessa disposição é uma lavanderia. As lavadoras de roupa são as instalações de primeira fase, e as secadoras, as de segunda fase. Algumas das lavadoras e secadoras de roupa podem ser projetadas para cargas muito grandes, fornecendo ao cliente, por meio disso, uma escolha de canais.

O problema mais complexo de fila de espera envolve clientes que têm seqüências exclusivas de serviços requeridos; conseqüentemente, o serviço não pode ser nitidamente descrito em fases. Uma disposição *mista* é usada nesse caso. Na combinação mista, as filas de espera podem crescer diante de cada instalação, como em uma oficina de trabalho, em que cada atividade personalizada pode requerer o uso de várias máquinas e de itinerários diferentes.

Pessoas que viajam diariamente para o trabalho esperam em fila para comprar passagens na Grande Estação Central da cidade de Nova York. Esse é um exemplo de um projeto de serviço de canal múltiplo, fase única.

REGRA DE PRIORIDADE

A regra de prioridade determina qual o próximo cliente a ser atendido. A maioria dos sistemas de serviços com os quais você se depara usa a regra do primeiro a chegar, primeiro a ser atendido (PCPA). O cliente à frente da fila de espera tem maior prioridade, e o cliente que chegou por último tem menor prioridade. Outras normas de prioridade podem ser adotadas na escolha do cliente a ser atendido, como a data de vencimento mais antiga (DVA) ou o cliente com o menor tempo de processamento esperado (TPE).[1]

Uma **norma de preferência** é uma regra que permite que um cliente de prioridade mais alta interrompa o serviço de outro cliente. Por exemplo, na sala de pronto-socorro de um hospital, os pacientes que correm maior risco de morte recebem tratamento primeiro, independentemente da ordem de chegada. A modelagem de sistemas com normas de prioridade complexas normalmente é feita usando simulação de computador.

DISTRIBUIÇÕES DE PROBABILIDADE

As causas de variação nos problemas de filas de espera advêm das chegadas aleatórias dos clientes e das variações nos tempos de serviço. Cada uma dessas causas pode ser descrita com uma distribuição de probabilidade.

DISTRIBUIÇÃO DE CHEGADA

Os clientes chegam às instalações de serviço aleatoriamente. A variabilidade das chegadas dos clientes, muitas vezes, pode ser descrita por uma distribuição de Poisson, que especifica a probabilidade de que n clientes cheguem em períodos de tempo T:

$$P_n = \frac{(\lambda T)^n}{n!} e^{-\lambda T} \text{ para } n = 0, 1, 2, \ldots$$

onde

---

[1] Focalizamos o PCPA neste suplemento e discutiremos DVA e TPE no Capítulo 16, "Programação".

P_n = probabilidade de n chegadas em períodos de tempo T
λ = número médio de chegadas de clientes por período
e = 2,7183

A média de distribuição de Poisson é λT e a variância também é λT. A distribuição de Poisson é uma distribuição discreta; isto é, as probabilidades são para um número específico de chegadas por unidade de tempo.

EXEMPLO C.1 — Calculando a probabilidade de chegadas de clientes

A gerência está reprojetando o processo de atendimento ao cliente em uma grande loja de departamentos. É importante acomodar quatro clientes. Os clientes chegam ao balcão à taxa de dois clientes por hora. Qual é a probabilidade de que quatro clientes cheguem durante uma hora?

SOLUÇÃO
Nesse caso, λ = dois clientes por hora, T = uma hora e n = quatro clientes. A probabilidade de que quatro clientes cheguem a qualquer hora é

$$P_4 = \frac{[2(1)]^4}{4!} e^{-2(1)} = \frac{16}{24} e^{-2} = 0{,}090$$

Ponto de decisão O gerente do balcão de atendimento ao cliente pode usar essa informação para determinar os requisitos de espaço para a área do balcão e a área de espera. Há uma probabilidade relativamente pequena de que quatro clientes cheguem a qualquer hora. Conseqüentemente, a capacidade de assentos para dois ou três clientes seria mais que adequada, a menos que o tempo para atender a cada cliente seja longo. Justifica-se análise adicional dos tempos de atendimento.

Outro modo de especificar a distribuição de chegadas é fazê-la em termos dos **tempos entre chegadas** — isto é, o tempo entre as chegadas dos clientes. Se a população de clientes gera clientes de acordo com uma distribuição de Poisson, a *distribuição exponencial* descreve a probabilidade de que o próximo cliente chegue nos próximos períodos T. Como a distribuição exponencial também descreve tempos de atendimento, discutiremos os detalhes dessa distribuição na próxima seção.

DISTRIBUIÇÃO DO TEMPO DE ATENDIMENTO

A distribuição exponencial descreve a probabilidade de que o tempo de atendimento ao cliente em uma instalação específica não seja maior que períodos de tempo T. A probabilidade pode ser calculada usando-se a fórmula

$$P(t \leq T) = 1 - e^{-\mu T}$$

onde

μ = número médio de clientes que concluem o atendimento por período
t = tempo de atendimento ao cliente
T = meta de tempo de atendimento

A média da distribuição de tempo de atendimento é $1/\mu$ e a variância é $(1/\mu)^2$. À medida que T aumenta, a probabilidade de que o tempo de atendimento ao cliente seja menor que T se aproxima de 1,0.

Por uma questão de simplicidade, examinemos uma disposição de canal único, fase única.

EXEMPLO C.2 — Calculando a probabilidade do tempo de serviço

A gerência da grande loja de departamentos no Exemplo C.1 deve determinar se é necessário mais treinamento para o balconista do atendimento ao cliente. O balconista do atendimento ao cliente pode atender a uma média de três clientes por hora. Qual é a probabilidade de que um cliente necessite de menos de dez minutos de atendimento?

SOLUÇÃO
Devemos ter todos os dados nas mesmas unidades de tempo. Uma vez que μ = três clientes por *hora*, convertemos os minutos para horas, ou T = dez minutos = 10/60 hora = 0,167 hora. Assim,

$$P(t \leq T) = 1 - e^{-\mu T}$$
$$P(t \leq 0{,}167 \text{ hora}) = 1 - e^{-3(0{,}167)} = 1 - 0{,}61 = 0{,}39$$

Ponto de decisão A probabilidade de que o balconista necessite de apenas dez minutos ou menos que isso não é alta, o que cria a possibilidade de que os clientes possam enfrentar longas demoras. A gerência deveria considerar treinamento adicional para o balconista, de modo a reduzir o tempo necessário para atender à solicitação de um cliente.

Algumas características da distribuição exponencial nem sempre correspondem a uma situação real. O modelo de distribuição exponencial é baseado na suposição de que cada tempo de atendimento é independente dos tempos que o precederam. Na vida real, entretanto, a produtividade pode aumentar à medida que os servidores humanos aprendem sobre o trabalho. Outra suposição subjacente ao modelo é de que tempos de atendimento muito pequenos, assim como muito grandes, são possíveis. Contudo, em situações reais, muitas vezes é requerido um tempo fixo para a fase inicial, uma limitação no tempo de atendimento total ou um tempo de atendimento quase constante.

USANDO MODELOS DAS FILAS DE ESPERA PARA ANALISAR OPERAÇÕES

Gerentes de operações podem usar modelos das filas de espera para equilibrar os ganhos que podem ser obtidos aumentando a eficiência do sistema de serviço em relação aos custos de se fazê-lo. Além do mais, os gerentes devem considerar os custos de *não* se fazer melhorias no sistema: filas de espera longas ou tempos de espera longos podem fazer com que os clientes se recusem a esperar ou saiam da fila. Os gerentes devem, portanto, se preocupar com as seguintes características operacionais do sistema.

1. *Comprimento da fila*: o número de clientes na fila de espera reflete uma entre duas condições. Filas pequenas podem significar bom atendimento ao cliente ou capacidade excessiva. De modo semelhante, filas longas podem indicar baixa eficiência do servidor ou a necessidade de aumentar a capacidade.
2. *Número de clientes no sistema*: o número de clientes na fila e sendo atendidos também se relaciona à eficiência e à capacidade do atendimento. Um número grande de clientes no sistema causa congestionamento e pode resultar em insatisfação do cliente, a menos que se acrescente mais capacidade.
3. *Tempo de espera na fila*: filas longas nem sempre significam tempos de espera longos. Se a taxa de atendimento é rápida, uma fila longa pode ser atendida de maneira eficiente. Contudo, quando o tempo de espera parece longo, os clientes consideram a qualidade do serviço insatisfatória. Os gerentes podem tentar mudar a taxa de chegada dos clientes ou projetar o sistema para fazer com que tempos de espera longos pareçam mais curtos que realmente são. Por exemplo, na Disneylândia, os clientes na fila para uma atração são entretidos por vídeos e informados sobre os tempos de espera previstos, o que parece ajudá-los a tolerar a espera.
4. *Tempo total no sistema*: o tempo total decorrido da entrada no sistema até sua saída do sistema pode indicar problemas com os clientes, eficiência do servidor ou capacidade. Se alguns clientes estiverem gastando tempo demais no sistema de serviço, pode ser necessário alterar a norma de prioridade, aumentar a produtividade ou ajustar a capacidade de algum modo.
5. *Utilização da instalação de serviço*: a utilização coletiva das instalações de serviço reflete o percentual de tempo em que estão ocupados. A meta da gerência é manter utilização e rentabilidade altas sem afetar desfavoravelmente outras características operacionais.

O melhor método para se analisar um problema de fila de espera é relacionar as cinco características operacionais e suas alternativas a valores monetários (reais ou dólares). Entretanto, estabelecer um valor em dinheiro para certas características (como o tempo de espera de um comprador em uma mercearia) é difícil. Nesses casos, um analista deve pesar o custo de implementar a alternativa em consideração contra uma avaliação subjetiva do custo de *não* fazer a alteração.

Agora apresentamos três modelos e alguns exemplos de como modelos das filas de espera podem ajudar os gerentes de operações a tomarem decisões. Analisamos problemas que requerem os modelos de servidor único, servidores múltiplos e fonte finita, todos eles com fase única. No fim deste suplemento, serão citadas referências a modelos mais avançados.

MODELO DE SERVIDOR ÚNICO

O modelo mais simples de fila de espera envolve um servidor único e uma fila única de clientes. Para especificar mais o modelo, fazemos as seguintes suposições:

1. A população de clientes é infinita e todos os clientes são pacientes.
2. Os clientes chegam de acordo com uma distribuição de Poisson, com uma média de taxa de chegada de λ.
3. A distribuição do atendimento é exponencial, com uma média de taxa de atendimento de μ.
4. A média de taxa de atendimento ultrapassa a média da taxa de chegada.
5. Os clientes são atendidos de acordo com o princípio de primeiro a chegar, primeiro a ser atendido.
6. O comprimento da fila de espera é indefinido.

Com essas suposições, podemos aplicar várias fórmulas para descrever as características operacionais do sistema:

ρ = utilização média do sistema
$= \dfrac{\lambda}{\mu}$

P_n = probabilidade de que n clientes estejam no sistema
$= (1 - \rho)\rho^n$

L = número médio de clientes no sistema de serviços
$= \dfrac{\lambda}{\mu - \lambda}$

L_q = número médio de clientes na fila de espera
$= \rho L$

W = tempo médio gasto no sistema, incluindo atendimento
$= \dfrac{1}{\mu - \lambda}$

W_q = tempo de espera médio na fila
$= \rho W$

> **EXEMPLO C.3**
>
> ### Calculando as características operacionais de um sistema de canal único, fase única

O Active Model C.1, disponível no site de apoio do livro, fornece insights sobre o modelo de servidor único e sua aplicação neste problema.

A gerente de uma mercearia na afastada comunidade de Sunnyville está interessada em oferecer bom atendimento aos idosos que compram em sua loja. Atualmente, a loja tem um caixa exclusivo para idosos. Em média, 30 idosos por hora chegam ao caixa, de acordo com uma distribuição de Poisson, e são atendidos a uma taxa média de 3,5 clientes por hora, com tempos de serviço exponenciais. Encontre as características operacionais seguintes:

a. probabilidade de zero cliente no sistema;
b. utilização média do funcionário do caixa;
c. número médio de clientes no sistema;
d. número médio de clientes na fila;
e. tempo médio gasto no sistema;
f. tempo médio de espera na fila.

SOLUÇÃO

O caixa pode ser modelado como um sistema de canal único, fase única. A Figura C.4 mostra os resultados do Solucionador de Filas de Espera do OM Explorer. Cálculos manuais das equações para o *modelo de servidor único* são demonstrados no Problema Resolvido 1, no fim deste suplemento.

Servidores	(Supõe-se que o número de servidores *s* seja 1 no modelo de servidor único)	
Taxa de chegada (λ)	30	
Taxa de atendimento (μ)	35	
Probabilidade de zero cliente no sistema (P_0)		0,1429
Probabilidade de [exatamente ▼] 0 clientes no sistema		0,1429
Utilização média do servidor (ρ)		0,8571
Número médio de clientes no sistema (L)		6,0000
Número médio de clientes na fila (L_q)		5,1429
Tempo de espera/atendimento médio no sistema (W)		0,2000
Tempo de espera médio na fila (W_q)		0,1714

Figura C.4   Solucionador de filas de espera para o sistema de canal único, fase única

Tanto o tempo de espera médio no sistema (*W*) quanto o tempo médio gasto esperando na fila (W_q) são expressos em horas. Para converter os resultados em minutos, simplesmente multiplique por 60 minutos/hora. Por exemplo, $W = 0{,}20(60) = 12{,}00$ minutos e $W_q = 0{,}1714(60) = 10{,}28$ minutos.

MODELO DE SERVIDOR MÚLTIPLO

Com o modelo de servidor múltiplo, os clientes formam uma fila única e escolhem um dos *s* servidores quando um está disponível. O sistema de serviço tem apenas uma fase. Fazemos as seguintes suposições além das que fizemos para o modelo de servidor único: há *s* servidores idênticos, e a distribuição de atendimento para cada servidor é exponencial com a média do tempo de serviço de $1/\mu$. O termo $s\mu$ sempre deve exceder λ.

Com essas suposições, podemos aplicar várias fórmulas para descrever as características operacionais do sistema de serviço:

ρ = utilização média do sistema

$$= \frac{\lambda}{s\mu}$$

P_0 = probabilidade de que zero cliente esteja no sistema

$$= \left[\sum_{n=0}^{s-1} \frac{(\lambda/\mu)^n}{n!} + \frac{(\lambda/\mu)^s}{s!} \left(\frac{1}{1-\rho} \right) \right]^{-1}$$

P_n = probabilidade de que *n* clientes estejam no sistema

$$= \begin{cases} \dfrac{(\lambda/\mu)^n}{n!} P_0 & 0 < n < s \\ \dfrac{(\lambda/\mu)^n}{s! s^{n-s}} P_0 & n \geq s \end{cases}$$

L_q = número médio de clientes na fila de espera

$$= \frac{P_0 (\lambda/\mu)^s \rho}{s!(1-\rho)^2}$$

W_q = tempo médio de espera dos clientes na fila

$$= \frac{L_q}{\lambda}$$

W = tempo médio gasto no sistema, incluindo serviço

$$= W_q + \frac{1}{\mu}$$

L = número médio de clientes no sistema de serviço

$$= \lambda W$$

Analisando taxas de serviço com o modelo de servidor único

EXEMPLO C.4

A gerente da mercearia de Sunnyville no Exemplo C.3 deseja responder às seguintes perguntas:
a. Que taxa de serviço seria necessária para que os clientes gastem em média apenas oito minutos no sistema?
b. Para essa taxa de atendimento, qual é a probabilidade de haver mais de quatro clientes no sistema?
c. Qual a taxa de atendimento necessária para que se tenha apenas uma chance de dez por cento de haver mais de quatro clientes no sistema?

SOLUÇÃO
O Solucionador de Filas de Espera do OM Explorer pode ser usado repetidamente para responder às perguntas. Aqui mostraremos apenas como resolver o problema manualmente.

a. Usamos a equação para o tempo médio no sistema e encontramos μ.

$$W = \frac{1}{\mu - \lambda}$$

$$8 \text{ minutos} = 0{,}133 \text{ hora} = \frac{1}{\mu - 30}$$

$$0{,}133\mu - 0{,}133(30) = 1$$

$$\mu = 37{,}52 \text{ clientes por hora}$$

b. A probabilidade de haver mais de quatro clientes no sistema é igual a 1 menos a probabilidade de quatro ou menos clientes no sistema.

$$P = 1 - \sum_{n=0}^{4} P_n$$

$$= 1 - \sum_{n=0}^{4} (1-\rho)\rho^n$$

e

$$\rho = \frac{30}{37{,}52} = 0{,}80$$

Assim,

$$P = 1 - 0{,}2(1 + 0{,}8 + 0{,}8^2 + 0{,}8^3 + 0{,}8^4)$$
$$= 1 - 0{,}672 = 0{,}328$$

Portanto, há quase 33 por cento de chances de que mais que quatro clientes estejam no sistema.

c. Usamos a mesma lógica que na parte (b), à exceção de que μ é agora uma variável de decisão. O modo mais fácil de proceder é, primeiramente, encontrar a utilização média correta e, em seguida, achar a taxa de atendimento.

$$P = 1 - (1-\rho)(1 + \rho + \rho^2 + \rho^3 + \rho^4)$$
$$= 1 - (1 + \rho + \rho^2 + \rho^3 + \rho^4) + \rho(1 + \rho + \rho^2 + \rho^3 + \rho^4)$$
$$= 1 - 1 - \rho - \rho^2 - \rho^3 - \rho^4 + \rho + \rho^2 + \rho^3 + \rho^4 + \rho^5$$
$$= \rho^5$$

ou

$$\rho = P^{1/5}$$

Se $P = 0{,}10$,

$$\rho = (0{,}10)^{1/5} = 0{,}63$$

Portanto, para uma taxa de utilização de 63 por cento, a probabilidade de haver mais de quatro clientes no sistema é de dez por cento. Para $\lambda = 30$, a média da taxa de serviço deve ser

$$\frac{30}{\mu} = 0{,}63$$

$$\mu = 47{,}62 \text{ clientes por hora}$$

Ponto de decisão A taxa de atendimento teria de aumentar moderadamente para atingir a meta de oito minutos. Entretanto, a probabilidade de haver mais que quatro clientes no sistema é muito alta. Agora, a gerente deve encontrar um modo de aumentar a taxa de serviço de 35 por hora para aproximadamente 48 por hora. Ela pode aumentar a taxa de atendimento de muitos modos diferentes, desde empregar um estudante de ensino médio para ajudar a embalar os mantimentos até instalar um equipamento eletrônico de ponta de venda que leia os preços nas informações em código de barra de cada item.

O Tutor C.1, disponível no site de apoio do livro, traz um novo exemplo do modelo de servidor único.

EXEMPLO C.5 — Avaliando o tempo ocioso e os custos operacionais por hora com o modelo de servidores múltiplos

A gerência do terminal do Serviço Americano de Remessas em Verona, Wisconsin, está preocupada com a quantidade de tempo que os caminhões permanecem ociosos, esperando para ser descarregados. O terminal opera com quatro zonas de descarga. Cada zona requer uma equipe de dois funcionários, e cada equipe custa 30 dólares por hora. O custo estimado de um caminhão ocioso é de 50 dólares por hora. Os caminhões chegam a uma taxa média de três por hora, de acordo com uma distribuição de Poisson. Em média, uma equipe pode descarregar um veículo de carga em uma hora, com tempos de serviço exponenciais. Qual é o custo total, a cada hora, de operação do sistema?

SOLUÇÃO

O *modelo de servidores múltiplos* é apropriado. Para encontrar o custo total da mão-de-obra e dos caminhões ociosos, devemos calcular o número médio de caminhões no sistema.

A Figura C.5 mostra os resultados para o problema do Serviço Americano de Remessas usando o Solucionador de Filas de Espera do OM Explorer. Cálculos manuais usando as equações para o *modelo de servidores múltiplos* são demonstrados no Problema Resolvido 2, no fim deste suplemento. Os resultados mostram que o projeto de quatro zonas será utilizado durante 75 por cento do tempo e que o número médio de caminhões sendo atendidos ou esperando na fila é de 4,53 caminhões. Podemos agora calcular os custos, a cada hora, da mão-de-obra e dos caminhões ociosos:

Custo da mão-de-obra:	$ 30(s) = $ 30(4)	= $ 120,00
Custo do caminhão ocioso:	$ 50(L) = $ 50(4,53)	= 226,50
	Custo total por hora	= $ 346,50

Servidores	4
Taxa de chegada (λ)	3
Taxa de atendimento (μ)	1
Probabilidade de zero cliente no sistema (P_0)	0,0377
Probabilidade de exatamente 0 cliente no sistema	0,0377
Utilização média de servidores (p)	0,7500
Número médio de clientes no sistema (L)	4,5283
Número médio de clientes na fila (L_q)	1,5283
Tempo médio de espera/atendimento no sistema (W)	1,5094
Tempo médio de espera na fila (W_q)	0,5094

Figura C.5 Solucionador de filas de espera para o modelo de múltiplos servidores

Ponto de decisão A gerência deve agora avaliar se o valor de 346,50 dólares por dia para essa operação é aceitável. Tentar reduzir os custos eliminando equipes apenas aumentaria o tempo de espera dos caminhões, o que é mais caro, por hora, que as equipes. Entretanto, a taxa de serviço pode ser aumentada por meio de métodos de trabalho melhores; por exemplo, L pode ser reduzido, e os custos operacionais diários serão menores.

LEI DE LITTLE

Uma das leis mais práticas e fundamentais teorias das filas de espera é a **Lei de Little**, que relaciona o número de clientes em um sistema de fila de espera com o tempo de espera dos clientes. Usando a mesma notação que utilizamos para os modelos de servidor único e servidor múltiplo, a Lei de Little pode ser expressa como $L = \lambda W$ ou $L_q = \lambda W_q$. Essa relação é válida para uma ampla variedade de processos de chegada, distribuições de tempo de atendimento e números de servidores. A vantagem prática da Lei de Little é que você só precisa conhecer dois dos parâmetros para estimar o terceiro. Por exemplo, considere o gerente de uma unidade de licenciamento de veículos que recebe muitas reclamações sobre o tempo que as pessoas devem gastar renovando suas licenças ou obtendo novas placas. Seria difícil obter dados sobre os tempos que os clientes individuais passam na instalação. O gerente, porém, pode ter um assistente que monitore o número de pessoas que chegam à instalação a cada hora e calcule a média (λ). O gerente também pode contar periodicamente o número de pessoas na sala de espera e sendo atendidas nas estações e calcular a média (L). Usando a Lei de Little, o gerente pode estimar W, o tempo médio que cada cliente gastou na instalação. Se for excessivo, é possível se concentrar no acréscimo de capacidade ou no aperfeiçoamento dos métodos de trabalho para reduzir o tempo gasto atendendo aos clientes.

De modo semelhante, a Lei de Little pode ser usada para processos de fabricação. Suponha que um gerente de produção conheça o tempo médio empregado em uma unidade de produto ao longo de um processo de fabricação (W) e o número médio de unidades por hora que chegam ao processo (λ). O gerente pode estimar, então, o trabalho em processo médio (L) usando a Lei de Little. Conhecendo a relação entre taxa de chegada, tempo empregado e trabalho em processo, ele tem uma referência para medir os efeitos das melhorias do processo sobre o trabalho em processo na instalação. Por exemplo, acrescentar alguma capacidade a um estrangulamento no processo pode reduzir o tempo empregado do produto, reduzindo, desse modo, o estoque de trabalho em processo.

Embora a Lei de Little seja aplicável em muitas situações tanto no ambiente de serviços como no ambiente industrial, não é aplicável a situações em que a população de clientes é finita, o que abordaremos em seguida.

MODELO DA FONTE FINITA

Agora consideramos uma situação em que todas as suposições do modelo de servidor único são apropriadas, à exceção de uma. Nesse caso, a população de clientes é finita, havendo apenas N clientes potenciais. Se N é maior que 30 clientes, o modelo de servidor único com a suposição de uma população de clientes infinita é adequado. Caso contrário, o modelo da fonte finita deve ser usado. As fórmulas usadas para calcular as características operacionais desse sistema de serviço incluem o seguinte:

EXEMPLO C.6

Analisando custos de manutenção com o modelo da fonte finita

A Worthington Gear Company instalou um banco de dez robôs há cerca de três anos. Os robôs aumentaram muito a produtividade do trabalho da empresa, mas, recentemente, a atenção foi focalizada na manutenção. A empresa não faz nenhuma manutenção preventiva nos robôs por causa da variabilidade na distribuição de avarias. Cada máquina tem uma distribuição exponencial de avarias (ou entre as chegadas) com um tempo médio de 200 horas entre falhas. Cada hora–máquina perdida com tempo de reparo custa 30 dólares, o que significa que a empresa tem de reagir rapidamente a falhas na máquina. A empresa emprega uma pessoa na manutenção, que precisa de dez horas em média para consertar um robô. Os tempos de manutenção reais estão exponencialmente distribuídos. A taxa salarial é de dez dólares por hora para a pessoa da manutenção, que pode ser colocada para trabalhar de modo produtivo em outro lugar, quando não está consertando robôs. Determine o custo diário do trabalho e do tempo de reparo dos robôs.

SOLUÇÃO

O *modelo da fonte finita* é apropriado para essa análise porque a população de clientes consiste em apenas dez máquinas e as outras suposições são satisfeitas. Aqui, $\lambda = 1/200$ ou 0,005 avaria por hora e $\mu = 1/10 = 0{,}10$ robôs por hora. Para calcular o custo da mão-de-obra e do tempo de reparo do robô, precisamos estimar a utilização média da pessoa da manutenção e L, o número médio de robôs no sistema de manutenção. A Figura C.6 mostra os resultados para o problema da Worthington Gear usando o Solucionador de Filas de Espera do OM Explorer. Cálculos manuais usando as equações para o *modelo de fonte finita* são demonstrados no Problema Resolvido 3, no fim deste suplemento. Os resultados mostram que a pessoa da manutenção é utilizada apenas 46,20 por cento do tempo e o número médio de robôs esperando na fila ou sendo consertados é de 0,76 robôs. Entretanto, um robô com falhas gastará uma média de 16,43 horas no sistema de reparo, das quais 6,43 horas serão gastas esperando por atendimento.

O custo diário da mão-de-obra e do tempo de reparo dos robôs é:

Custo da mão-de-obra:	($ 10/hora) (8 horas/dia) (0,462 utilização) =	$ 36,96
Custo do robô ocioso:	(0,76 robô)($ 30/hora do robô)(8 horas/dia) =	$ 182,40
	Custo diário total =	$ 219,36

Clientes	10
Taxa de chegada (λ)	0,005
Taxa de atendimento (μ)	0,1

Probabilidade de zero clientes no sistema	0,5380
Probabilidade de menos de ▼ 0 clientes no sistema	#N/A
Utilização média do servidor (ρ)	0,4620
Número médio de clientes no sistema (L)	0,7593
Número médio de clientes na fila (L_q)	0,2972
Tempo de espera/atendimento médio no sistema (W)	16,4330
Tempo de espera médio na fila (W_q)	6,4330

Figura C.6 Solucionador de filas de espera para o modelo de fonte finita

Ponto de decisão O custo da mão-de-obra para conserto dos robôs é apenas 20 por cento do custo da inatividade dos robôs. A gerência pode considerar ter uma segunda pessoa para conserto à disposição no caso de dois ou mais robôs estarem esperando por conserto ao mesmo tempo.

O Active Model C.3, disponível no site de apoio do livro, oferece recursos adicionais sobre o modelo da fonte finita e sua aplicação neste problema.

O Tutor C.3, disponível no site de apoio do livro, traz um novo exemplo de estudo do modelo da fonte finita.

P_0 = probabilidade de que zero cliente esteja no sistema

$$= \left[\sum_{n=0}^{N} \frac{N!}{(N-n)!} \left(\frac{\lambda}{\mu}\right)^n \right]^{-1}$$

ρ = utilização média do servidor
$= 1 - \rho_0$

L_q = número médio de clientes na fila de espera
$= N - \frac{\lambda + \mu}{\lambda}(1 - \rho_0)$

L = número médio de clientes no sistema de serviço
$= N - \frac{\mu}{\lambda}(1 - \rho_0)$

W_q = tempo de espera médio na fila
$= L_q\,[(N-L)\,\lambda]^{-1}$

W = tempo médio gasto no sistema, incluindo atendimento
$= L\,[(N-L)\,\lambda]^{-1}$

ÁREAS DE DECISÃO PARA A GERÊNCIA

Após analisar um problema de fila de espera, a gerência pode melhorar o sistema de serviço fazendo alterações em uma ou mais das áreas seguintes.

1. *Taxas de chegada*: a gerência, muitas vezes, pode afetar a taxa de chegadas de clientes, λ, por meio de propagandas, promoções especiais ou determinação de preços diferenciais. Por exemplo, uma companhia telefônica usa estratégias de preços diferenciados para deslocar a realização de chamadas interurbanas residenciais durante o dia para a noite.

2. *Número de instalações de serviço*: aumentando o número de instalações de serviço, como depósitos de ferramenta, barracas de pedágio ou caixas automáticos de banco; ou dedicando algumas instalações em uma fase a um conjunto exclusivo de serviços, a gerência pode aumentar a capacidade do sistema.

3. *Número de fases*: os gerentes podem decidir alocar tarefas de atendimento para as fases seguintes se determinarem que duas instalações de serviço sucessivas podem ser mais eficientes que uma. Por exemplo, em linhas de montagem, uma decisão diz respeito ao número de fases ou trabalhadores necessários ao longo da linha de montagem. Determinar o número de trabalhadores necessários na linha também envolve designar certo conjunto de elementos de trabalho para cada um. Alterar a disposição da instalação pode aumentar a taxa de atendimento, μ, de cada instalação e a capacidade do sistema.

4. *Número de servidores por instalação*: os gerentes podem influenciar a taxa de atendimento designando mais de uma pessoa para uma instalação de serviço.

5. *Eficiência do servidor*: ajustando a razão capital–trabalho, planejando métodos de trabalho aperfeiçoados ou instituindo programas de incentivo, a gerência pode aumentar a eficiência dos servidores designados para uma instalação de serviço. Essas mudanças são refletidas em μ.

6. *Regra de prioridade*: os gerentes estabelecem a regra de prioridade a ser usada, decidem se haverá uma regra de prioridade diferente para cada instalação de serviço e decidem se permitirão preferência (e, nesse caso, sob que condições). Essas decisões afetam os tempos de espera dos clientes e a utilização dos servidores.

7. *Disposição da fila*: os gerentes podem influenciar os tempos de espera do cliente e a utilização dos servidores decidindo se haverá uma fila única ou uma fila para cada instalação em uma determinada fase do serviço.

	Modelo de servidor único	Modelo de servidores múltiplos	Modelo de fonte finita
Utilização média do sistema	$\rho = \dfrac{\lambda}{\mu}$	$\rho = \dfrac{\lambda}{s\mu}$	$r = 1 - P_0$
Probabilidade de que n clientes estejam no sistema	$P_n = (1-r)r^n$	$P_n = \begin{cases} \dfrac{(\lambda/\mu)^n}{n!}P_0 & 0 < n < s \\ \dfrac{(\lambda/\mu)^n}{s!\,s^{n-s}}P_0 & n \geq s \end{cases}$	
Probabilidade de que zero cliente esteja no sistema	$P_0 = 1 - r$	$P_0 = \left[\sum_{n=0}^{s-1} \dfrac{(\lambda/\mu)^n}{n!} + \dfrac{(\lambda/\mu)^s}{s!}\left(\dfrac{1}{1-\rho}\right)\right]^{-1}$	$P_0 = \left[\sum_{n=0}^{N} \dfrac{N!}{(N-n)!}\left(\dfrac{\lambda}{\mu}\right)^n\right]^{-1}$
Número médio de clientes no sistema de serviço	$L = \dfrac{\lambda}{\mu - \lambda}$	$L = \lambda W$	$L = N - \dfrac{\mu}{\lambda}(1-P_0)$
Número médio de clientes na fila de espera	$L_q = r\,L$	$L_q = \dfrac{P_0(\lambda/\mu)^s\,\rho}{s!(1-\rho)^2}$	$L_q = N - \dfrac{\lambda+\mu}{\lambda}(1-P_0)$
Tempo médio gasto no sistema, inclusive atendimento	$W = \dfrac{1}{\mu - \lambda}$	$W = W_q + \dfrac{1}{\mu}$	$W = L[(N-L)\lambda]^{-1}$
Tempo médio de espera na fila	$W_q = r\,W$	$W_q = \dfrac{L_q}{\lambda}$	$W_q = L_q[(N-L)\lambda]^{-1}$

Evidentemente, esses fatores estão relacionados. Um ajuste na taxa de chegada do cliente, λ, pode ter dee ser acompanhado por um aumento na taxa de atendimento, μ, de algum modo. As decisões sobre o número de instalações, o número de fases e as disposições da fila de espera também estão relacionados.

Para cada um dos problemas que analisamos com os modelos das filas de espera, as chegadas tiveram uma distribuição de Poisson (ou tempos entre chegadas exponenciais), os tempos de atendimento tiveram uma distribuição exponencial, as instalações de serviço tiveram uma disposição simples e a norma de prioridade foi de primeiro a chegar, primeiro a ser atendido. A teoria das filas de espera foi usada para desenvolver outros modelos em que esses critérios não são satisfeitos, mas esses modelos são complexos. Freqüentemente, a natureza da população de clientes, as restrições da fila, a regra de prioridade, a distribuição do tempo de atendimento e a disposição das instalações são tais que a teoria das filas de espera não é mais útil. Nesses casos, muitas vezes, se utiliza a simulação.

EQUAÇÕES-CHAVE

1. Distribuição de Poisson de chegada de clientes:
$$P_n = \frac{(\lambda T)^n}{n!} e^{-\lambda T}$$

2. Distribuição exponencial de tempo de atendimento:
$$P[t \leq T] = 1 - e^{-\mu T}$$

PALAVRAS-CHAVE

canal
fase
fila de espera
instalação de serviço
Lei de Little
norma de preferência
população de clientes
regra de prioridade
sistema de serviço
tempos entre chegadas

PROBLEMA RESOLVIDO 1

Um fotógrafo tira fotografias para passaporte a uma taxa média de 20 fotografias por hora. Ele deve esperar até que o cliente pisque ou franza a testa, então o tempo para tirar uma fotografia está exponencialmente distribuído. Os clientes chegam a uma taxa média, de acordo com a distribuição de Poisson, de 19 por hora.

a. Qual é a utilização do fotógrafo?
b. Quanto tempo o cliente médio passará com o fotógrafo?

SOLUÇÃO

a. As suposições nas instruções do problema são coerentes com um modelo de servidor único. A utilização é
$$\rho = \frac{\lambda}{\mu} = \frac{19}{20} = 0,95$$

b. O tempo médio gasto pelo cliente com o fotógrafo é
$$W = \frac{1}{\mu - \lambda} = \frac{1}{20 - 19} = 1 \text{ hora}$$

PROBLEMA RESOLVIDO 2

A Sala de Cinema Mega Multiplex possui três balconistas atendendo clientes com desconto especial, tendo por referência o princípio de primeiro a chegar, primeiro a ser atendido. O tempo de atendimento por cliente está exponencialmente distribuído com uma média de dois clientes por minuto. Os clientes com desconto especial esperam em uma fila única em um saguão grande, e as chegadas seguem a distribuição de Poisson com uma média de 81 clientes por hora. Os *trailers* são exibidos dez minutos antes do começo de cada sessão. Se o tempo médio na área de descontos especiais ultrapassa dez minutos, os clientes ficam insatisfeitos.

a. Qual é a utilização média dos balconistas para descontos especiais?
b. Qual é o tempo médio gasto na área de descontos especiais?

SOLUÇÃO

a. A instrução do problema é coerente com o modelo de servidores múltiplos e a taxa de utilização média é
$$\rho = \frac{\lambda}{s\mu} = \frac{81 \text{ clientes por hora}}{(3 \text{ servidores})\left(\dfrac{60 \text{ minutos}}{2 \text{ minutos por cliente}}\right)} = 0,90$$

Os balconistas para descontos especiais estão ocupados 90 por cento do tempo.

b. O tempo médio gasto no sistema, W, é
$$W = W_q + \frac{1}{\mu}$$

Aqui,
$$W_q = \frac{L_q}{\lambda} \quad L_q = \frac{P_0(\lambda/\mu)^s \rho}{s!(1-\rho)^2} \quad \text{e}$$

$$P_0 = \left[\sum_{n=0}^{s-1} \frac{(\lambda/\mu)^n}{n!} + \frac{(\lambda/\mu)^s}{s!}\left(\frac{1}{1-\rho}\right)\right]^{-1}$$

Devemos encontrar P_0, L_q e W_q, nessa ordem, antes que possamos encontrar W:

$$P_0 = \left[\sum_{n=0}^{s-1} \frac{(\lambda/\mu)^n}{n!} + \frac{(\lambda/\mu)^s}{s!}\left(\frac{1}{1-\rho}\right)\right]^{-1}$$

$$= \frac{1}{1 + \dfrac{(81/30)}{1} + \dfrac{(2,7)^2}{2} + \left[\dfrac{(2,7)^3}{6}\left(\dfrac{1}{1-0,9}\right)\right]}$$

$$= \frac{1}{1 + 2,7 + 3,645 + 32,805} = \frac{1}{40,15} = 0,0249$$

$$L_q = \frac{P_0(\lambda/\mu)^s \rho}{s!(1-\rho)^2} = \frac{0,0249(81/30)^3(0,9)}{3!(1-0,9)^2} = \frac{0,4411}{6(0,01)} = 7,352 \text{ clientes}$$

$$W_q = \frac{L_q}{\lambda} = \frac{7,352 \text{ clientes}}{81 \text{ clientes por hora}} = 0,0908 \text{ hora}$$

$$W = W_q + \frac{1}{\mu} = 0,0908 \text{ hora} + \frac{1}{30} \text{ hora} = (0,1241 \text{ hora})\left(\frac{60 \text{ minutos}}{\text{hora}}\right)$$

$$= 7,45 \text{ minutos}$$

Com os três balconistas para descontos especiais, os clientes gastarão uma média de 7,45 minutos na área de descontos especiais.

PROBLEMA RESOLVIDO 3

A Mina de Carvão Separação presta serviços a seis trens com tempos entre chegadas distribuídos exponencialmente à média de 30 horas. O tempo requerido para encher um trem com carvão varia de acordo com o número de vagões, demoras relacionadas ao clima e avarias no equipamento. O tempo para encher um trem pode ser aproximado por uma distribuição exponencial com uma média de 6 horas e 40 minutos. A estrada de ferro exige que a mina de carvão pague grandes encargos de sobre estadia no caso de um trem passar mais de 24 horas na mina. Qual é o tempo médio que um trem passará na mina?

SOLUÇÃO

A instrução do problema descreve um modelo de fonte finita, com $N = 6$. O tempo médio passado na mina é $W = L[(N-L)\lambda]^{-1}$, com $1/\lambda = 30$ horas/trem, $\lambda = 0,8$ trem/dia e $\mu = 3,6$ trens/dia. Nesse caso,

$$P_0 = \left[\sum_{n=0}^{N} \frac{N!}{(N-n)!}\left(\frac{\lambda}{\mu}\right)^n\right]^{-1} = \frac{1}{\sum_{n=0}^{6} \frac{6!}{(6-n)!}\left(\frac{0,8}{3,6}\right)^n}$$

$$= \frac{1}{\left[\frac{6!}{6!}\left(\frac{0,8}{3,6}\right)^0\right] + \left[\frac{6!}{5!}\left(\frac{0,8}{3,6}\right)^1\right] + \left[\frac{6!}{4!}\left(\frac{0,8}{3,6}\right)^2\right] + \left[\frac{6!}{3!}\left(\frac{0,8}{3,6}\right)^3\right] + \left[\frac{6!}{2!}\left(\frac{0,8}{3,6}\right)^4\right] + \left[\frac{6!}{1!}\left(\frac{0,8}{3,6}\right)^5\right] + \left[\frac{6!}{0!}\left(\frac{0,8}{3,6}\right)^6\right]}$$

$$= \frac{1}{1+1,33+1,48+1,32+0,88+0,39+0,09} = \frac{1}{6,49} = 0,1541$$

$$L = N - \frac{\mu}{\lambda}(1-P_0) = 6 - \left[\frac{3,6}{0,8}(1-0,1541)\right] = 2,193 \text{ trens}$$

$$W = L[(N-L)\lambda]^{-1} = \frac{2,193}{(3,807)0,8} = 0,72 \text{ dia}$$

Os trens que chegam passarão 0,72 dia na mina de carvão.

PROBLEMAS

Softwares como o OM Explorer, o Active Models e o POM for Windows estão disponíveis no site de apoio do livro. Verifique com seu professor a melhor maneira de usá-los. Em muitos casos, ele preferirá que você entenda como fazer os cálculos manualmente. No máximo, o software pode oferecer uma verificação dos seus cálculos. Quando os cálculos são muito complexos e o objetivo é interpretar os resultados na tomada de decisões, o software substitui completamente os cálculos manuais. Além disso, ele também pode ser um valioso recurso depois que você concluir o curso.

1. A empresa de advocacia Salomão, Ferreira e Sansão produz muitos documentos legais que devem ser submetidos a um processador de textos, para os clientes e para a empresa. As solicitações são de oito páginas de documentos por minuto e chegam de acordo com uma distribuição de Poisson. A secretária pode digitar dez páginas de texto por hora, em média, de acordo com uma distribuição exponencial.
   a. Qual é a taxa de utilização média da secretária?
   b. Qual é a probabilidade de que mais que quatro páginas estejam esperando ou sendo digitadas?
   c. Qual é o número médio de páginas esperando para serem verificadas por um processador de textos?

2. O Fliperama do Benny tem seis máquinas de videogame. O tempo médio entre falhas nas máquinas é de 50 horas. Jimmy, o técnico de manutenção, pode consertar uma máquina em 15 horas, na média. As máquinas têm uma distribuição de falhas exponencial e Jimmy tem uma distribuição de tempo de atendimento exponencial.
   a. Qual é a utilização de Jimmy?
   b. Qual é o número médio de máquinas com defeito, isto é, esperando para ser consertadas ou sendo consertadas?
   c. Qual é o tempo médio que uma máquina permanece com defeito?

3. A Moore, Aiken e Payne é uma clínica odontológica que atende às necessidades do público geral de acordo com o princípio de primeiro a chegar, primeiro a ser atendido. A clínica tem três cadeiras odontológicas, cada uma utilizada por um dentista. Os pacientes chegam à taxa de cinco por hora, de acordo com uma distribuição de Poisson, e não se recusam a entrar na fila nem desistem de esperar. O tempo médio requerido para um exame odontológico é de 30 minutos, de acordo com uma distribuição exponencial.
   a. Qual é a probabilidade de que não haja nenhum paciente na clínica?
   b. Qual é a probabilidade de que seis ou mais pacientes estejam na clínica?
   c. Qual é o número médio de pacientes esperando?
   d. Qual é o tempo médio total que um paciente passa na clínica?

4. O Salão de Beleza Estilo Fantástico é dirigido por duas estilistas, Jenny Perez e Jill Sloan, cada uma capaz de atender cinco clientes por hora, em média. Oito clientes, em média, chegam ao salão a cada hora.
   a. Se todos os clientes que chegam esperam em uma fila única pela próxima estilista disponível, quanto tempo um cliente esperaria na fila, em média, antes de ser atendido?
   b. Suponha que 50 por cento dos clientes que chegam querem ser atendidos apenas por Perez e que os outros 50 por cento querem apenas Sloan. Quanto tempo um cliente esperaria na fila, em média, antes de ser atendido por Perez? E por Sloan? Qual é o tempo de espera médio pelo cliente na fila?
   c. Você observa uma diferença nas respostas às partes (a) e (b)? Em caso afirmativo, por quê? Explique.

5. Você é o gerente de um banco em que três caixas prestam serviços aos clientes. Em média, cada caixa leva três minutos para atender a um cliente. Os clientes chegam, em média, a uma taxa de 50 por hora. Tendo recebido, recentemente, reclamações de alguns clientes que esperaram muito tempo antes de ser atendidos, seu chefe solicita que você avalie o sistema de serviço. Você deve responder às seguintes perguntas:
   a. Qual é a utilização média do sistema de serviço dos três caixas?
   b. Qual a probabilidade de que nenhum cliente esteja sendo atendido por um caixa ou esteja esperando na fila?
   c. Qual é o número médio de clientes esperando na fila?
   d. Em média, por quanto tempo um cliente espera na fila antes de ser atendido?
   e. Em média, quantos clientes estariam no posto do caixa e na fila?

6. Jake Tweet é o apresentador de um programa de entrevistas de psicologia na rádio KRAN. O conselho de Jake dura em média dez minutos por telefonema dos ouvintes, mas varia de acordo com uma distribuição exponencial. O tempo médio entre os telefonemas é de 25 minutos, exponencialmente distribuídos. Gerar telefonemas nesse mercado local é difícil, por isso, Jake não quer perder nenhum telefonema por causa de sinais de ocupado. A estação de rádio tem apenas três linhas de telefone. Qual é a probabilidade de que um ouvinte ouça um sinal de ocupado?

7. O supervisor da Oficina Máquina de Precisão quer determinar a política de preenchimento de vagas que minimiza os custos operacionais totais. A taxa de chegada média ao depósito de ferramentas, onde as ferramentas são distribuídas aos trabalhadores, é de oito operadores de máquinas por hora. O pagamento de cada operador de máquinas é de 20 dólares por hora. O supervisor pode compor o quadro de funcionários do depósito com um atendente júnior que recebe cinco dólares por hora e pode atender a dez chegadas por hora, ou com um atendente sênior que recebe 12 dólares por hora e pode atender a 16 chegadas por hora. Qual atendente deve ser selecionado e qual seria o custo total estimado a cada hora?

8. A filha do proprietário de um restaurante local de hambúrgueres está se preparando para abrir um novo restaurante de *fast-food* chamado Hambúrgueres Ligeiros. Tendo por referência as taxas de chegada nos estabelecimentos de seu pai, ela espera que os clientes cheguem à janela *drive-up* de acordo com uma distribuição de Poisson, com uma média de 20 clientes por hora. A taxa de atendimento é flexível; entretanto, espera-se que os tempos de atendimento sigam uma distribuição exponencial. A janela *drive-up* é uma operação de servidor único.
   a. Que taxa de serviço é necessária para manter o número médio de clientes no sistema de serviço (na fila de espera e sendo atendidos) em quatro?
   b. Para a taxa de serviço na parte (a), qual é a probabilidade de que mais de quatro clientes estejam na fila e sendo atendidos?
   c. Para a taxa de serviço na parte (a), qual é o tempo de espera médio na fila para cada cliente? Essa média parece satisfatória para um negócio de *fast-food*?

PROBLEMAS AVANÇADOS

9. Três funcionários do departamento de manutenção são responsáveis por consertar os videogames no Mago do Fliperama, uma casa de jogos eletrônicos. Um trabalhador da manutenção pode consertar uma máquina a cada oito horas, em média, com uma distribuição exponencial. Uma média de um videogame falha a cada três horas, de acordo com uma distribuição de Poisson. Cada máquina inativa custa, para o Mago, dez dólares por hora em receita perdida. Um novo trabalhador da manutenção custaria dez dólares por hora.
   O gerente deve contratar um novo grupo de funcionários? Em caso afirmativo, quantos? O que você recomendaria ao gerente, tendo por referência sua análise?

10. A faculdade de negócios e administração pública da Universidade de Benton tem uma copiadora em cada andar para o uso da faculdade. O uso intenso das cinco copiadoras causa falhas freqüentes. Os registros de manutenção mostram que uma máquina falha a cada 2,5 dias (ou $\lambda = 0{,}40$ falha/dia). A faculdade tem um contrato de manutenção com o revendedor autorizado das copiadoras. Uma vez que as máquinas falham tão freqüentemente, o revendedor designou uma pessoa para consertá-las na faculdade. Essa pessoa pode consertar uma média de 2,5 máquinas por dia. Usando o modelo da fonte finita, responda às seguintes perguntas:
    a. Qual é a média de utilização da pessoa da manutenção?
    b. Em média, quantas copiadoras estão sendo consertadas ou esperando para ser consertadas?
    c. Qual é o tempo médio gasto por uma copiadora no sistema de conserto (esperando e sendo reparada)?

11. Você está encarregado de uma mina a céu aberto que fornece areia e material para a fabricação de concreto para os locais de construção de sua empresa. Caminhões vazios dos locais de construção, que podem carregar areia ou material para fabricar concreto,

chegam às enormes pilhas de areia de material para fabricação de concreto da mina e esperam em fila para entrar na estação. Lá, eles são enchidos com material e, em seguida, são pesados, registram a saída e prosseguem para um local de construção. Atualmente, nove caminhões vazios chegam por hora, em média. Uma vez que um caminhão tenha entrado em uma estação de carregamento, são necessários seis minutos para que seja enchido, pesado e tenha sua saída registrada. Preocupado por que os caminhões estão passando tempo demais esperando e sendo enchidos, você está avaliando duas alternativas para reduzir o tempo médio que os caminhões passam no sistema. A primeira alternativa é adicionar aparadores aos caminhões (de modo que mais material possa ser carregado) e acrescentar um ajudante na estação de carregamento (de maneira que o tempo de enchimento possa ser reduzido) a um custo total de 50 mil dólares. A taxa de chegada dos caminhões se alteraria para seis por hora e o tempo de enchimento seria reduzido para quatro minutos. A segunda alternativa é adicionar outra estação de carregamento a um custo de 80 mil dólares. Os caminhões esperariam em uma fila única e o caminhão à frente da fila se moveria para a próxima estação disponível.

Que alternativa você recomendaria se quisesse reduzir o tempo de espera médio corrente no sistema?

REFERÊNCIAS SELECIONADAS

COOPER, Robert B. *Introduction to queuing theory*, 2. ed. New York: Elsevier-North Holland, 1980.

HARTVIGSEN, David. *SimQuick: process simulation with Excel*, 2. ed. Upper Saddle River, NJ: Prentice Hall, 2004.

HILLIER, F. S; LIEBERMAN, G. S.. *Introduction to operations research*, 2. ed. San Francisco: Holden-Day, 1975.

LITTLE, J. D. C. "A proof for the queuing formula: $L = \lambda W$", *Operations Research*, vol. 9, 1961, p. 383-387.

MOORE, P. M. *Queues, inventories and maintenance*. Nova York: John Wiley & Sons, 1958.

SAATY, T. L. *Elements of queuing theory with applications*. Nova York: McGraw-Hill, 1961.

8

OBJETIVOS DE APRENDIZAGEM

Depois de ler este capítulo, você será capaz de:

1. Definir planejamento de layout.
2. Identificar quatro tipos básicos de layout.
3. Identificar critérios de desempenho para avaliar layouts.
4. Explicar como as células ajudam a criar layouts híbridos.
5. Descrever como projetar layouts de fluxo flexível.
6. Identificar estratégias diferentes para layouts de armazéns e escritórios.
7. Descrever como balancear operações para processos e layout por produtos.

A internet revolucionou o modo pelo qual as empresas tradicionais planejam seus processos, até no que se refere ao planejamento de layout. O River Town Crossings Mall agrupou lojas de companhia para melhorar a comparação de lojas, uma comodidade que o varejo na Web já oferece aos consumidores on-line.

Capítulo 8
Layout do processo

RiverTown Crossings

Uma mãe de 35 anos de idade não sabe, mas a Internet tornou seus passeios ao shopping um pouco mais fáceis. Em 2000, o RiverTown Crossings abriu suas portas em Grandville, Michigan e, desde então, ela raramente circula por outras seções do shopping além de uma — a que inclui a Abercrombie Kids, a Gap Kids, a Gymboree e outras lojas de roupas para crianças. Nessa ala, ela pode encontrar e comprar quase tudo que precisa. Em um esforço para competir com o fascínio das compras on-line, a proprietária do shopping, a General Growth Properties, Inc., escolheu um layout que segue em sentido oposto àquele que há décadas é ditado pela sabedoria do varejo: ela reuniu lojas concorrentes. Os compradores estavam demandando esses clusters muito antes que o varejo pela Web decolasse, e a General Growth começasse a testar a idéia três anos atrás. Agora, todos os seus shoppings têm clusters.

Preocupados com um futuro em que os compradores apontam e clicam, em vez de estacionar, caminhar e esperar na fila, os planejadores estão finalmente tentando tornar mais conveniente a oportunidade de fazer compras em shopping centers. Alguns donos de loja estão reformulando os layouts existentes ao remover acessórios grandes, como vasos de plantas e chafarizes, para desimpedir as linhas de visão da fachada das lojas. Outros estão acrescentando diretórios mais fáceis de entender que os atuais mapas dos shoppings. Alguns, em fase de projeto, estão optando por reunir lojas-âncora — um layout que reduz a caminhada. Outros estão tentando oferecer aos compradores características da Web por meio de diretórios de alta tecnologia. No Dayton Mall, em Ohio, quiosques eletrônicos bem iluminados dão aos compradores acesso a e-mail e permitem que procurem por lojas que possuem determinadas mercadorias, como suéteres. Os quiosques também possuem impressoras para que os compradores possam imprimir um mapa e, assim, poderem localizar e chegar mais facilmente à loja escolhida.

Sob os novos projetos de layout está um antigo segredo do varejo: o shopping center tradicional foi projetado para ser difícil. Essa inconveniência planejada fazia com que os clientes que quisessem comparar preços caminhassem de um extremo a outro do shopping, assim, teriam todas as oportunidades possíveis para fazer compras impulsivas durante o trajeto. Muitos planejadores davam poucas opções de escolha aos usuários e os dirigiam diretamente em sua direção, usando rotas em espiral delimitadas por plantas, tapetes e outros acessórios na frente das lojas.

Revisar o layout de um shopping center já existente para torná-lo mais prático é algo extremamente dispendioso. A maioria deles é como selva de escadas rolantes, chafarizes e áreas de lazer — e esses são os obstáculos fáceis. O problema mais difícil é imaginar como reagrupar lojas semelhantes que provavelmente estão operando de acordo com contratos de aluguel de longo prazo. Afinal de contas, um projetista de shopping não pode simplesmente ordenar que quatro locatários de lojas de sapatos peguem seus estoques e toda a infra-estrutura que possuem e se mudem. E muitos varejistas ainda preferem se manter distantes dos concorrentes. A loja Hallmark Gold Crown de RiverTown está localizada no extremo norte do primeiro piso de um shopping, enquanto a loja American Greetings está no extremo sul do segundo piso. A estratégia de localização da Hallmark Cards requer espaço entre suas lojas e os concorrentes.

Fonte: "Making malls (gasp!) convenient", *Wall Street Journal,* 8 fev. 2000. Wall Street Journal, Eastern Edition, by Bartley, Robert L. Copyright 2000 by Dow Jones & Co., Inc. Reproduzido com permissão de Dow Jones & Co. Inc. no formato de livro-texto por meio do Copyright Clearance Center. Reimpresso com permissão do Wall Street Journal, Copyright © 2000 Down Jones & Company, Inc. Todos os direitos reservados no mundo inteiro.

Revisar layouts, ou arranjos físicos, é outro modo de melhorar processos. Os layouts colocam outras decisões sobre processos em forma tangível, física, convertendo estruturas de processos, fluxogramas e planos de capacidade em lojas tradicionais. O novo layout da RiverTown Crossings demonstra o impacto do layout sobre as atitudes e a satisfação do cliente. Neste capítulo, abordaremos o **planejamento de layouts**, que envolve decisões em relação à disposição física dos centros de atividade econômica necessárias aos vários processos de uma instalação. Um **centro de atividade econômica** pode ser qualquer coisa que utilize espaço: uma pessoa ou grupo de pessoas, uma área de recepção ao cliente, um guichê de caixa de banco, uma máquina, uma estação de trabalho, um departamento, um corredor, um aposento de armazenagem e assim por diante. A meta do planejamento de layout é permitir que clientes, trabalhadores e equipamentos operem de maneira mais eficaz.

Começamos definindo quatro tipos básicos de layout e medidas de desempenho associadas. Após examinar layouts híbridos, consideramos diversas técnicas e ambientes para layouts por processo. Layouts de armazém e escritório recebem atenção especial, devido a seu predomínio. Concluímos com o projeto de layouts por produto.

Os layouts afetam não apenas o fluxo de trabalho entre os processos em uma instalação, mas também os processos em outros lugares de uma cadeia de valor. Considere um fabricante usufruindo volumes mais altos, o que modificou seu layout para permitir mais fluxos em linha. O novo layout tem várias linhas de produção, cada uma com área própria para descarga das peças e matérias-primas compradas. Com o novo layout, os fornecedores podem entregar artigos diretamente na linha de produção, em vez de em uma área central de recepção para armazenamento. Os fornecedores agora entregam quantidades pequenas, mais freqüentemente, e para uma programação de produção específica. O novo layout também possibilita fluxos de produção mais constantes, o que resulta em uma melhor previsão das necessidades de capacidade para o processo de entrega. Desse modo, as decisões de layout de processo devem ser tomadas considerando-se seus efeitos sobre toda a cadeia de valor.

ADMINISTRANDO O LAYOUT DOS PROCESSOS POR TODA A ORGANIZAÇÃO

Os layouts são encontrados em todas as áreas de um negócio porque toda instalação tem um. Bons layouts podem melhorar a coordenação entre departamentos e áreas funcionais. Cada processo em uma instalação possui um layout que deve ser cuidadosamente projetado. Os layouts de operações de varejo, como o shopping center em RiverTown Crossings ou uma das lojas The Limited, podem afetar a atitude do consumidor e, conseqüentemente, as vendas. O modo como um processo de fabricação ou armazenagem é projetado afeta os custos de manipulação de materiais, os tempos de produção total e a produtividade do trabalhador. Reprojetar layouts pode requerer investimentos significativos em capital, que precisam ser analisados de uma perspectiva contábil e financeira. Os layouts também afetam as atitudes dos funcionários, seja em uma linha de produção seja em um escritório.

USANDO OPERAÇÕES PARA COMPETIR
- Operações como arma competitiva
- Estratégia de operações
- Administração de projetos

ADMINISTRANDO PROCESSOS
- Estratégia de processos
- Análise de processos
- Desempenho e qualidade do processo
- Administração das restrições
- **Layout do processo**
- Sistemas de produção enxuta

ADMINISTRANDO CADEIAS DE VALOR
- Estratégia da cadeia de suprimentos
- Localização
- Administração de estoques
- Previsão de demanda
- Planejamento de vendas e operações
- Planejamento de recursos
- Programação

PLANEJAMENTO DE LAYOUT

Os planos de layout convertem decisões mais amplas sobre prioridades competitivas, estratégia do processo, qualidade e capacidade dos processos em arranjos físicos reais de pessoas, equipamentos e espaços. Antes de um gerente tomar decisões em relação à disposição física, quatro questões devem ser abordadas.

1. *Quais centros o layout deve incluir?* Os centros devem refletir decisões do processo e maximizar a produtividade. Por exemplo, um balcão de informações ao cliente próximo à entrada de um banco ou hotel pode orientar melhor os clientes em relação aos serviços desejados.

2. *De quanto espaço e capacidade cada centro precisa?* Espaço inadequado pode reduzir a produtividade, privar os funcionários de privacidade e até mesmo criar riscos à segurança. Entretanto, espaço excessivo

PRÁTICA GERENCIAL 8.1 — VAREJISTAS COMBINAM LAYOUTS COM ESTRATÉGIAS

THE LIMITED

A companhia The Limited, Inc., um varejista especializado em roupas com mais de 4.500 lojas espalhadas por toda a América do Norte, usa a aparência de suas lojas para combinar com sua estratégia. Antes um estabelecimento pequeno voltado para adolescentes, a loja quadruplicou seu tamanho e mudou sua aparência para a de uma boutique européia, a fim de atrair clientes mais velhos. De pisos de madeira com veios a vitrines pretas envernizadas, a loja atua como um palco para roupas esportivas modernas para mulheres. A Limited gastou milhões em uma aparência nova, com o objetivo de que a aparência incite os clientes a gastar mais tempo em suas lojas e a pagar mais pela mercadoria.

Em 1999, criaram o segmento Limited Too, um varejista em rápido crescimento que vende roupas, roupa de banho, roupa íntima, estilo de vida e produtos de cuidados pessoais para garotas de 7 a 14 anos ativas e atentas à moda. O layout dessas lojas é bastante diferente. Eles são coloridos e divertidos, com uma atmosfera de alto astral. A iluminação, que inclui globos de luz feitos à mão com mosaicos coloridos de vidro em pedaços, aumenta a excitação. A Limited Too acrescentou um novo elemento de alta tecnologia às lojas selecionadas: iluminação digital de espectro completo. Usa um sistema baseado em diodo emissor de luz (LED). Esse sistema gera cores e efeitos luminosos coloridos por meio de LEDs vermelhos, verdes e azuis controlados por microprocessador. A Limited Too está usando a iluminação digital para realçar sua assinatura e o elemento do layout mais atraente aos olhos: uma projeção em parede côncava de estuque de um pôster 3D que tem 5 pés de altura e cerca de 50 pés de comprimento. As luzes digitais de cores variáveis dão vida ao estuque do pôster e refletem o espírito brincalhão, juvenil da loja.

WAL-MART

O Wal-Mart, gigante dos descontos e maior varejista dos Estados Unidos, atrai os clientes que estão preocupados tanto com o serviço quanto com os preços baixos. Com corredores largos, prateleiras menos apertadas, áreas de estar para os clientes e mostruários atraentes, a loja se parece mais com uma loja de departamentos de alto nível que com uma loja de descontos. Como nas lojas de departamento, os mostruários organizam produtos relacionados — como cortinas para chuveiro, toalhas e acessórios de cerâmica para banheiros — em 'vinhetas' visuais que estimulam as vendas de 'múltiplos' de produtos relacionados. De modo diferente das lojas de departamento, entretanto, a loja tem os mesmos preços baixos e seleção ampla oferecidos em todos os seus estabelecimentos. Muitos executivos do varejo consideram o Wal-Mart o líder em atenção aos detalhes de layout que ajudam a influenciar as atitudes dos compradores. A cadeia é particularmente perita em alcançar o delicado equilíbrio necessário para convencer os clientes de que seus preços são baixos sem fazer as pessoas sentirem que suas lojas são comuns.

O site do Wal-Mart (www.walmart.com) fornece uma fachada virtual que é bastante coerente com a experiência de compras em sua loja física tradicional. Do mesmo modo que na Amazon.com, por trás da arquitetura do site está a planta baixa de sua grande loja local: produtos organizados por departamentos em corredores, com caixas registradoras e atendimento ao consumidor na porta. Embora o site possa ser exatamente adequado para seus clientes-alvo, alguns críticos acreditam que ele reflete o legado de um modelo mental refletido em seus esforços no mundo virtual.

Fontes: "Lighting goes high-tech", *Chain Store Age,* 1 jan. 2000; "The business logic of site architecture", *The Industry Standard,* 17 abr. 2000.

é desperdício, pode reduzir a produtividade e pode isolar os funcionários desnecessariamente.

3. *Como o espaço de cada centro deve ser configurado?* A quantidade de espaço, sua forma e os elementos de um centro estão relacionados. Por exemplo, a colocação de uma mesa e uma cadeira em relação a outra mobília é determinada pelo tamanho e pela forma do escritório, bem como pelas atividades ali desempenhadas. Fornecer uma atmosfera agradável também deve ser considerado parte das decisões de configuração de layout, especialmente em estabelecimentos de varejo e escritórios.

4. *Onde cada centro deve estar localizado?* A localização pode afetar significativamente a produtividade. Por exemplo, funcionários que devem interagir freqüentemente um com o outro, face a face, devem ser dispostos em um local central, em vez de em locais distantes e separados, para reduzir o tempo perdido movimentando-se de um lado para outro.

A localização de um centro tem duas dimensões: (1) localização relativa, ou a disposição de um centro em relação a outros centros; (2) localização absoluta, ou o espaço específico que o centro ocupa dentro da instalação. Ambos afetam o desempenho do centro. Observe o layout de uma mercearia na Figura 8.1(a). Ela mostra a localização de cinco departamentos, com o espaço destinado ao departamento de mantimentos secos duas vezes superior ao espaço de cada um dos outros departamentos. A localização da comida congelada em relação ao pão é a mesma que a localização das carnes em relação às hortaliças. Por isso, a distância entre o primeiro par de departamentos é igual à distância entre o segundo par de departamentos. A localização relativa é normalmente a questão crucial quando o tempo de deslocamento, o custo de manipulação de materiais e a efetividade da comunicação são importantes.

Agora observe o plano na Figura 8.1(b). Embora as localizações relativas sejam as mesmas, as localizações absolutas se alteraram. Esse layout modificado pode se mostrar impraticável. Por exemplo, o custo de se deslocar as carnes para o canto superior esquerdo pode ser excessivo; ou os clientes podem reagir negativamente à colocação das hortaliças no canto inferior esquerdo, preferindo que estejam próximas à entrada.

Figura 8.1 Localizações relativas idênticas e localizações absolutas diferentes

QUESTÕES ESTRATÉGICAS

As escolhas de layout podem ajudar imensamente na comunicação dos planos de produto e prioridades competitivas de uma organização. Como a seção Prática Gerencial 8.1 ilustra, se um varejista planeja melhorar a qualidade de sua mercadoria, o layout da loja deve transmitir mais exclusividade e luxo.

O layout tem muitas implicações práticas e estratégicas. Alterar um layout pode afetar uma organização e o quão bem ela atinge suas prioridades competitivas de diferentes maneiras:

- aumentando a satisfação do cliente e as vendas em uma loja de varejo;
- facilitando o fluxo de materiais e informações;
- aumentando a utilização eficiente de trabalho e equipamento;
- reduzindo riscos para os trabalhadores;
- aumentando o ânimo dos funcionários;
- melhorando a comunicação.

O tipo de operação determina os requisitos de layout. Por exemplo, em armazéns, os fluxos de materiais e os custos de operação de estoques são considerações dominantes. Em lojas de varejo, o conforto do cliente e as vendas podem predominar, ao passo que a efetividade da comunicação e a construção de equipes podem ser cruciais em um escritório.

TIPOS DE LAYOUT

A escolha do tipo de layout depende em grande medida da estrutura do processo — a posição dos processos na matriz de contato com o cliente para os fornecedores de serviço e na matriz de produto-processo para os processos de fabricação. Os quatro tipos básicos de layout incluem (1) por processo ou funcional ou *job shop*; (2) por produto; (3) híbrido; e (4) de posição fixa.

Layouts por processos Processos da linha de frente e tarefas com fluxos de trabalho muito diferentes têm volume baixo e personalização alta. Para esses processos, o gerente deve escolher um **layout por processo**, que organiza os recursos (funcionários e equipamentos) por função, em vez de por serviço ou produto. Por exemplo, nos processos de trabalho em metal mostrados na Figura 8.2(a), todas as brocas estão localizadas em uma área da oficina e todas as máquinas de polimento estão localizadas em outra área. O layout por processo é mais comum quando a operação deve, intermitentemente, atender a muitos tipos de clientes diferentes ou fabricar muitos produtos ou peças diferentes. Os níveis de demanda são muito baixos ou imprevisíveis para que a gerência reserve recursos humanos e de capital exclusivamente para um tipo específico de cliente ou linha de produto. As vantagens do layout por processo em relação ao layout por produto, ilustrado pela Figura 8.2(b), em que os centros são dispostos em uma seqüência linear, incluem recursos de propósito geral e menos capitais intensivos, mais flexibilidade para lidar com mudanças no *mix* de produtos, supervisão mais especializada dos funcionários quando o conteúdo da atividade requerer considerável conhecimento técnico e maior utilização de equipamento. Quando os volumes são baixos, dedicar recursos para cada serviço ou produto (como feito em um layout por processo), requerer mais equipamento que reunir os requisitos para todos os produtos.[1] Um desafio importante ao projetar um layout por processo é localizar centros de forma que eles tragam alguma ordem ao caos aparente dos diferentes processos com fluxos de trabalho flexíveis.

Layouts por produto Processos de *back office* e de linha normalmente têm fluxos de trabalho lineares e tarefas repetitivas. Para esses processos, o gerente deve dedicar recursos a serviços, produtos ou tarefas individuais. Essa estratégia é alcançada por um **layout por produto**, ilustrado pela Figura 8.2(b), em que estações de trabalho ou departamentos são dispostos em uma seqüência linear, como em um lava-rápido automatizado, no qual o cliente ou produto se move ao longo de um fluxo regular, contínuo. Os recursos são dispostos em torno da rota do cliente ou produto, em vez de distribuídos entre muitos deles. Embora os layouts por produto, muitas vezes, sigam uma linha reta, a linha reta não é sempre a melhor opção e os layouts podem assumir a forma de um L, de um O, de um S ou de um U. O layout é freqüentemente chamado de *linha de produção* ou *linha de montagem*. A diferença entre as duas é que uma linha de montagem é limitada a processos de montagem, ao passo que uma linha de produção pode ser usada para executar outros processos, como trabalhos com máquina.

Esses layouts muitas vezes contam, em grande medida, com recursos especializados e capital elevado. Quando os volumes são altos, as vantagens dos layouts por produto sobre os layouts por processo incluem tempos de processamento mais rápido, estoques mais baixos e menos

---

[1] Entretanto, a gerência não permite que a utilização seja muito alta. Um excesso de capacidade para processos diferentes absorve as demandas mais imprevisíveis de serviços e produtos personalizados.

Figura 8.2 Dois tipos de layout

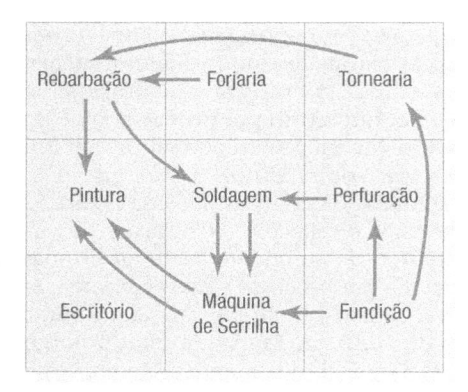

(a) Layout por processo

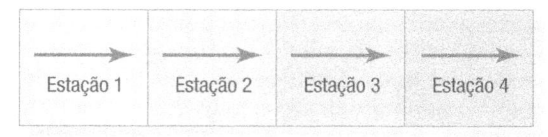

(b) Layout por produto

tempo improdutivo perdido com *setup* e manipulação de materiais. Menor necessidade de dissociar uma operação da seguinte permite que a gerência reduza os estoques. Os japoneses se referem a um processo de linha como *operações sobrepostas*, por meio das quais os materiais se movem diretamente de uma operação para a próxima sem aguardar em filas.

Para os layouts por produto, decidir onde localizar os centros é fácil porque as operações devem ocorrer em uma ordem determinada. Os centros podem simplesmente ser ordenados para seguir o fluxo do trabalho, o que assegura que todos os pares de centros em interação estejam o mais próximo possível ou que tenham uma fronteira comum. O desafio do layout por produto é agrupar as atividades em estações de trabalho e alcançar a taxa de produção desejada com o mínimo de recursos. A composição e o número de estações de trabalho são decisões cruciais, que exploraremos adiante neste capítulo.

Layouts híbridos Freqüentemente, o layout combina elementos tanto de processos diferentes como de fluxos por produto. Essa estratégia intermediária requer um **layout híbrido**, no qual algumas partes da instalação são dispostas em um layout por processo e outras são dispostas em um layout por produto. Layouts híbridos são usados em instalações que têm tanto operações de fabricação como de montagem, como seria o caso se ambos os tipos de layout mostrados na Figura 8.2 estivessem no mesmo edifício. As operações de fabricação — em que os componentes são elaborados a partir de matérias-primas — têm um fluxo desordenado, ao passo que as operações de montagem — em que os componentes são reunidos em produtos acabados — têm um fluxo por produto. Os gerentes de operações também criam planos híbridos quando introduzem células e automatização flexível, tal como

um sistema de manufatura flexível (*flexible manufacturing system* — FMS). Uma *célula* é duas ou mais estações de trabalho diferentes localizadas próximas uma da outra, por meio das quais um número limitado de peças ou modelos é processado com fluxos em linha. Abordamos dois tipos especiais de células — células de GT (*Group Technology* – tecnologia de grupo) e células de OWMM (*One-Worker, Multiple-Machines* — um operador, múltiplas máquinas) — adiante neste capítulo. Um FMS é um grupo de estações de trabalho controladas por computador, nas quais os materiais são automaticamente manipulados, e as máquinas, carregadas. Essas tecnologias ajudam a alcançar repetitividade, até mesmo quando os volumes de produto forem muito baixos para justificar a dedicação de uma única linha a um produto, reunindo todos os recursos necessários para compor uma série de peças em um centro.

Layout de posição fixa O quarto tipo básico de layout é o **layout de posição fixa**. Nessa disposição, o local de serviço ou fabricação é fixo; os funcionários, junto com seu equipamento, vêm ao local para fazer seu trabalho. Muitos projetos têm essa disposição. Esse tipo de layout faz sentido quando o produto for particularmente pesado ou difícil de mover, como na construção de um novo complexo de escritórios, na construção naval, na montagem de locomotivas, na fabricação de embarcações de grande força elemotriz, na construção de represas ou no conserto de fornos domésticos. Um layout de posição fixa minimiza o número de vezes que o produto deve ser movido e, muitas vezes, é a única solução possível.

CRITÉRIOS DE DESEMPENHO

Outras escolhas fundamentais enfrentadas pelo planejador de layout dizem respeito a *critérios de desempenho*, o que pode incluir um ou mais dos seguintes fatores:

- satisfação do cliente;
- nível de investimento de capital;
- requisitos para manuseio de materiais;
- facilidade de operação de estoques;
- ambiente e 'atmosfera' de trabalho;
- facilidade de manutenção de equipamento;
- atitudes dos funcionários e do cliente interno;
- flexibilidade necessária;
- conveniência do cliente e nível de vendas.

Os gerentes devem decidir, no início do processo, que fatores enfatizar a fim de alcançar uma boa solução de layout. Na maioria dos casos, são utilizados diversos critérios múltiplos. Por exemplo, um gerente de armazém pode enfatizar a facilidade de operar estoques, a flexibilidade e a quantidade de espaço necessárias (investimento em capital).

Satisfação do cliente Quando o contato com o cliente (seja externo ou interno) é alto, e o cliente está presente e ativamente envolvido com a prestação de um serviço, a satisfação do cliente é uma medida-chave de desempenho. O layout usa 'linguagem espacial' para comunicar as prioridades competitivas associadas ao serviço. Lealdade do cliente, conexão emocional, conforto do cliente e nível de vendas podem ser todos influenciados pelo layout. Por exemplo, um gerente de loja de varejo pode enfatizar a atmosfera, a satisfação do cliente, a flexibilidade e as vendas como os critérios de desempenho mais importantes. As vendas são particularmente importantes para o layout de instalações de varejo, em que os gerentes colocam artigos com maior rentabilidade por centímetro de espaço da estante nas áreas de exposição mais proeminentes e artigos de compras impulsivas próximos à entrada do balcão do caixa. Um bom layout depende de como as várias medidas de satisfação do cliente são satisfeitas e de quão bem comunicam as prioridades competitivas que o proprietário deseja que os clientes experimentem. Naturalmente, investimentos em capital e considerações sobre flexibilidade também entram na equação.

Investimentos em capital Espaço físico, necessidades de equipamento e níveis de estoque são recursos que a empresa compra ou aluga. Essas despesas são um critério importante em todos os ambientes. Se um layout de escritório pretende ter repartições para aumentar a privacidade, o custo sobe. Até mesmo aumentar o espaço para organizar os gabinetes pode somar. Um arquivo lateral de quatro gavetas ocupa cerca de 9 pés quadrados, incluindo o espaço necessário para abri-lo. A 25 dólares por pé quadrado, isso se traduz em um 'aluguel' do espaço físico de 225 dólares por ano.

Manuseio de materiais As localizações relativas dos centros devem restringir grandes fluxos a distâncias curtas. Os centros entre os quais viagens ou interações freqüentes são requeridas devem ser colocados próximos um do outro. Em uma fábrica, essa abordagem minimiza custos de manuseio de materiais. Em um armazém, custos de operação do estoque são reduzidos armazenando artigos normalmente necessários para o mesmo pedido próximos um ao outro. Em uma loja de varejo, o conforto do cliente aumenta se os artigos são agrupados previsivelmente para minimizar a busca do cliente e o tempo de viagem. Em um escritório, a comunicação e a cooperação sempre melhoram quando pessoas ou departamentos que devem interagir freqüentemente estão localizados próximos um ao outro, uma vez que chamadas telefônicas e memorandos podem ser substitutos insatisfatórios para comunicação face a face. A separação espacial é uma grande razão pela qual a coordenação interfuncional entre departamentos pode ser desafiadora.

Flexibilidade Um layout flexível permite que uma empresa se adapte rapidamente às necessidades e preferências variáveis do cliente e é melhor para muitas situações. **Flexibilidade de layout** significa que a instalação permanece adequada após a ocorrência de mudanças significativas ou que pode ser adaptada de forma fácil e barata em resposta a mudanças. As mudanças podem estar na combinação de clientes atendidos por uma loja, bens fabricados em uma planta, requisitos de espaço em um armazém ou estrutura organizacional em um escritório. Usar mobília e divisórias modulares, em vez de paredes permanentes, é um modo de minimizar o custo de mudanças de layout no escritório. Isso também pode ocorrer com baias amplas (menos colunas), pisos são resistentes ao desgaste e conexões elétricas adicionais em uma planta.

Para varejistas, o auge da flexibilidade são os quiosques que exibem novidades e uma variedade de artigos especias à venda nos corredores centrais dos shopping centers. Eles têm uma organização variável de mercadorias que transforma passagens uma vez utilitárias em pontos ativos de varejo. Os quiosques estão exatamente onde os clientes têm que passar e criam um fluxo de compras não programadas.

Outros critérios Outros critérios que podem ser importantes incluem produtividade do trabalho, manutenção de máquinas, ambiente de trabalho e estrutura organizacional. A produtividade do trabalho pode ser afetada se certas estações de trabalho puderem ser operadas por pessoal comum em alguns layouts, mas não em outros. O tempo de paralização gasto esperando por materiais pode ser causado por dificuldades de manuseio de materiais resultantes de layout insatisfatório.

CRIANDO LAYOUTS HÍBRIDOS

Quando os volumes não forem altos o suficiente para justificar a dedicação de uma linha única de trabalhadores múltiplos a um único tipo de cliente ou produto, os gerentes ainda podem ser capazes de obter os benefícios do layout por produto — manipulação de materiais mais simples, configurações baixas e custos de trabalho reduzidos —, criando layouts por processo em algumas partes da instalação. Duas técnicas para se criar layouts híbridos são células de um operador, máquinas múltiplas (OWMM) e células de tecnologia de grupo (GT).

UM OPERADOR, MÁQUINAS MÚLTIPLAS

Se os volumes não são suficientes para manter vários trabalhadores ocupados em uma linha de produção, o gerente pode configurar uma linha pequena o suficiente para manter um trabalhador ocupado. Uma célula de uma pessoa é a teoria por trás da **célula de um operador, máquinas múltiplas (OWMM)**, em que um trabalhador opera várias máquinas diferentes simultaneamente para alcançar um fluxo por produto. Ter um trabalhador operando várias máquinas idênticas não é incomum. Contudo, com uma célula OWMM, várias máquinas diferentes estão na linha.

A Figura 8.3 ilustra uma célula OWMM de cinco máquinas que está sendo usada para fabricar uma peça de flange de metal, com as máquinas rodeando um operador no centro. (A forma de U também é comum.) O operador se move em torno do círculo, executando tarefas (normalmente carregando e descarregando) que não foram automatizadas. Produtos ou peças diferentes podem ser fabricados em uma célula de OWMM mudando as configurações das máquinas. Se a configuração de uma máquina é especialmente demorada para uma peça, a gerência pode acrescentar uma máquina duplicada à célula para ser usada sempre que essa peça estiver sendo produzida.

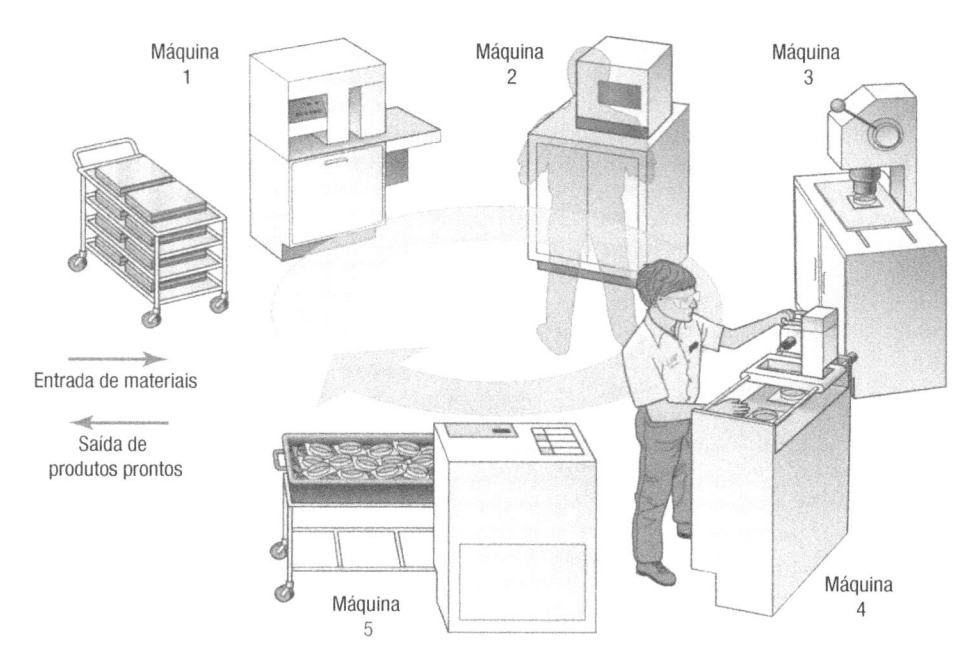

Figura 8.3 Célula de um operador, máquinas múltiplas (OWMM)

Uma disposição OWMM reduz tanto os requisitos de estoque como os de mão-de-obra. O estoque é reduzido porque, em vez de se amontoarem em filas, os materiais se movem diretamente para a próxima operação. A mão-de-obra é reduzida porque mais trabalho é automatizado. O acréscimo de vários dispositivos automatizados de baixo custo pode maximizar o número de máquinas incluídas em uma disposição OWMM: dispositivo de troca de ferramentas automático, carregadores e descarregadores, dispositivos para iniciar e interromper e dispositivos à prova de falhas que detectam peças ou produtos defeituosos. Os fabricantes japoneses estão aplicando o conceito de OWMM amplamente em virtude de seu desejo de alcançar estoques baixos.

TECNOLOGIA DE GRUPO

Uma segunda opção para utilizar layout por produto para processos de baixo volume é a **tecnologia de grupo** (**GT**). Essa técnica de fabricação cria células que não se limitam a apenas um trabalhador e tem um modo exclusivo de selecionar o trabalho a ser feito pela célula. O método de GT agrupa peças ou produtos com características semelhantes em *famílias* e reserva grupos de máquinas para sua fabricação. As famílias de componentes podem ser definidas com base em requisitos de tamanho, forma, fabricação ou trajeto ou de acordo com a demanda. A meta é identificar um conjunto de produtos com requisitos de processamento semelhantes e minimizar as trocas e ajustes das máquinas. Por exemplo, todos os parafusos podem ser designados para a mesma família porque todos requerem os mesmos passos de processamento básicos, independentemente do tamanho ou da forma.

Uma vez que as peças tenham sido agrupadas em famílias, o próximo passo é organizar as máquinas operacionais necessárias para executar os processos básicos dessas peças em células separadas. As máquinas em cada célula requerem poucos ajustes para acomodar mudanças de produto de uma peça para a próxima da mesma família. Ao simplificar o roteiro de produção, as células de GT reduzem o tempo de uma tarefa na oficina. As filas de materiais esperando para ser trabalhados são encurtadas ou eliminadas. Freqüentemente, o manuseio de materiais é automatizado, de modo que, após carregar matérias-primas na célula, um trabalhador não manuseia peças manufaturadas até que o trabalho tenha sido concluído.

A Figura 8.4 compara fluxos do processo antes e após a criação de células de GT. A Figura 8.4(a) mostra o piso de uma oficina em que as máquinas são agrupadas de acordo com a função: tornearia, serrilha, perfuração, afiação e montagem. Depois de torneada, uma peça é movida para uma das máquinas de serrilhar, em que espera em fila até que tenha uma prioridade mais alta que qualquer outra tarefa que compete pela capacidade da máquina. Quando a operação de serrilhar a peça é terminada, a peça é movida para uma máquina de perfuração e assim por diante. As filas podem ser longas, criando períodos de demora significativos. Os fluxos de materiais são desorganizados porque as peças sendo processadas em qualquer área da oficina têm muitos itinerários diferentes.

Em contraste, o gerente da oficina mostrada na Figura 8.4(b) identificou três famílias de produto que re-

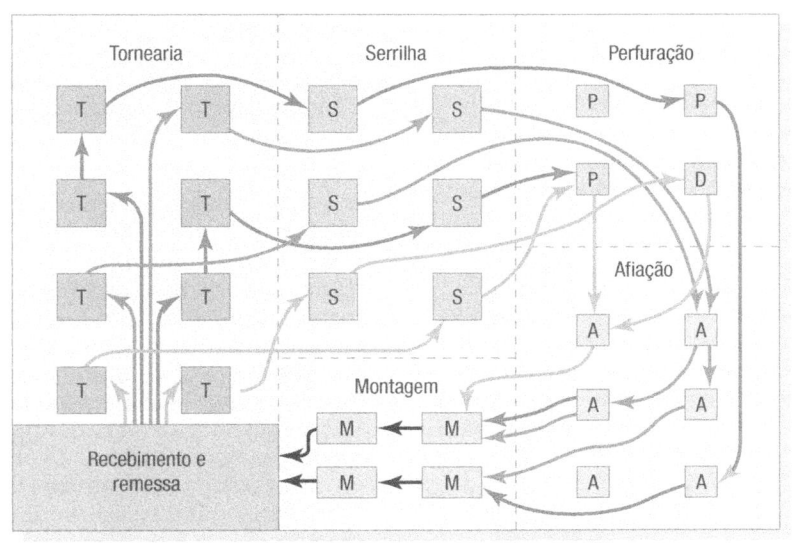

(a) Processos desordenados em uma oficina de trabalho sem células de GT

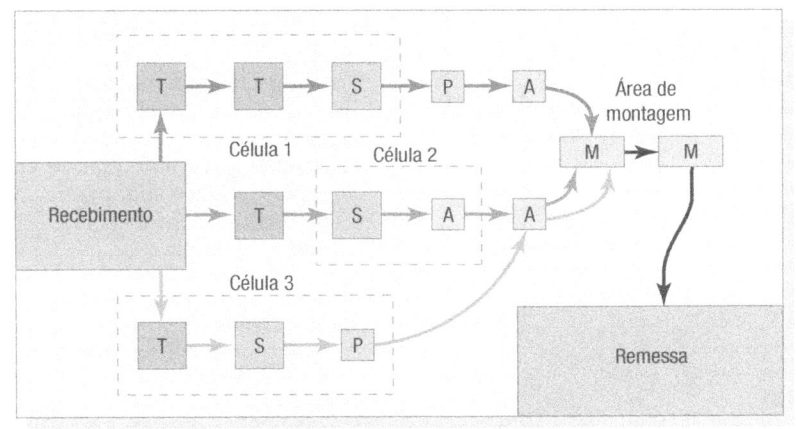

(b) Fluxos de linha em uma oficina de trabalho com três células de GT

Figura 8.4 Fluxos de processo antes e após o uso de células de GT

Fonte: Mikell P. Groover. *Automation, Production Systems, and Computer-Aided Manufacturing.* 1st Edition, © 1980. Reimpresso sob permissão de Pearson Education, Inc., Upper Saddle River, NJ.

presentam a maioria da produção da empresa. Uma família sempre requer duas operações de tornearia seguidas por uma operação nas máquinas de serrilha. A segunda família sempre requer uma operação de serrilha seguida por uma operação de afiação. A terceira família requer o uso de um torno mecânico, uma máquina de serrilhar e uma prensa de perfuração. Por uma questão de simplicidade, apenas os fluxos de peças designados para essas três famílias são mostrados. As peças restantes são fabricadas em máquinas fora das células e ainda têm roteiros desordenados. Algum equipamento pode ter de ser duplicado, como quando uma máquina for requerida para uma ou mais células e para operações fora das células. Assim, criando três células de GT, o gerente definitivamente criou mais fluxos em linha e simplificou roteiros de produção.

PROJETANDO LAYOUTS POR PROCESSO

A abordagem para se projetar um layout depende da escolha entre um layout por processo e um layout por produto. Um formato de posição fixa basicamente elimina o problema de layout, ao passo que o projeto de layout híbrido parcialmente usa princípios de layout por processo e usa parcialmente princípios de layout por produto.

O layout por processo envolve três passos básicos, seja para um projeto para um novo layout, seja para a revisão de um layout existente: (1) coletar informações; (2) desenvolver um plano geral; e (3) projetar um layout detalhado.

PASSO 1: COLETAR INFORMAÇÕES

O Escritório de Administração Orçamentária (EAO), que é uma divisão importante em um governo de um grande estado norte-americano, é composto por 120 funcionários designados para seis departamentos diferentes. É uma de várias divisões ocupando uma torre de escritório relativamente nova. As cargas de trabalho expandiram, de modo que 30 novos funcionários devem ser contratados e, de alguma maneira, abrigados no espaço alocado para o EAO. Enquanto se altera o layout, também faz sentido revisar o layout para se ter certeza de que esteja disposto de modo tão eficaz quanto possível. A meta é melhorar a comunicação entre pessoas que devem interagir e criar um bom ambiente de trabalho. Três tipos de informação são necessários para começar a projetar o layout revisado para o EAO: (1) requisitos de espaço por centro; (2) espaço disponível; e (3) fatores de proximidade.

Requisitos de espaço por centro   O EAO agrupou seus processos em seis departamentos diferentes: administração, serviços sociais, instituições, contabilidade, educação e auditoria interna. Os requisitos de espaço exatos de cada departamento, em pés quadrados, são os seguintes:

Departamento	Área necessária (ft²)
1. Administração	3500
2. Serviços sociais	2600
3. Instituições	2400
4. Contabilidade	1600
5. Educação	1500
6. Auditoria interna	3400
	Total 15.000

O projetista do layout deve vincular requisitos do espaço à capacidade e aos planos de preenchimento de vagas; calcular o equipamento e as necessidades de espaço específicas para cada centro; e levar em consideração espaços de circulação, como corredores e semelhantes. No EAO, deve-se encontrar um modo de incluir todos os 150 funcionários em sua área designada. Consultar os gerentes e funcionários envolvidos pode ajudar a evitar resistência excessiva à mudança e a suavizar a transição.

Espaço disponível   Um **plano geral** aloca espaço e indica a disposição de cada departamento. Para descrever um novo layout da instalação, o plano apenas precisa fornecer as dimensões e distribuições de espaço da instalação. Quando um layout de uma instalação existente estiver sendo modificado, o plano geral atual também é necessário. O espaço disponível do EAO é de 150 pés por 100 pés ou 15.000 pés quadrados. O projetista pode começar o projeto dividindo a quantidade total de espaço em seis blocos iguais (2.500 pés quadrados cada). A aproximação de espaço uniforme mostrada na Figura 8.5 é suficiente até a etapa de detalhamento do layout, quando é designado mais espaço para os departamentos maiores (como a administração) que para departamentos menores.

Fatores de proximidade   O projetista do layout também deve saber que alguns centros precisam ser localizados próximos um do outro. A tabela seguinte mostra a **matriz de proximidade** do EAO, que fornece uma medida da importância relativa de cada par de centros proximamente localizados. O indicador usado depende do tipo de processos envolvidos e do ambiente organizacional. O gerente pode usar um julgamento qualitativo em uma escala de 0 a 10 para considerar múltiplos critérios de desempenho, como no caso do EAO. Apenas a porção à direita da matriz é usada. Os fatores de proximidade são indicadores da necessidade de proximidade tendo por referência uma análise dos fluxos de informação e a necessidade de reuniões face a face. Eles fornecem indícios sobre quais departamentos devem ser localizados próximos uns dos outros. Por exemplo, no caso do EAO, a interação mais importante é entre os departamentos de administração e auditoria interna que obtiveram a maior pontuação (10). Esse fator de proximidade é dado na primeira linha e na última coluna. Desse modo, o projetista deve localizar os departamentos 1 e 6 próximos um do outro, que não é a disposição no layout atual. As entradas tanto nas colunas como nas linhas resultam em cinco classificações de fatores para cada departamento.

Departamento	Fatores de proximidade					
	1	2	3	4	5	6
1. Administração	—	3	6	5	6	10
2. Serviços sociais		—	8	1	1	
3. Instituições			—	3	9	
4. Contabilidade				—	2	
5. Educação					—	1
6. Auditoria interna						—

Em uma fábrica, o fator de proximidade pode ser o número de viagens (ou alguma outra medida de movimentação de materiais) entre cada par de centros ou estações de trabalho por dia. Essas informações podem ser coletadas por meio da realização de amostragem estatística, pesquisa com supervisores e responsáveis pela movimentação

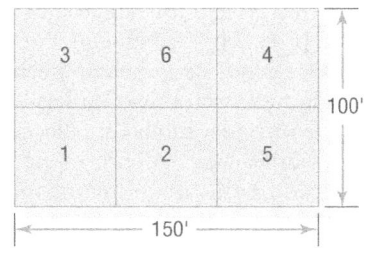

Figura 8.5   Plano geral atual para o Escritório de Administração Orçamentária

EXEMPLO 8.1 — Desenvolvendo um plano geral

Formule um plano geral aceitável para o Escritório de Administração Orçamentária, usando o método de tentativa e erro. A meta é localizar os departamentos que tenham a maior interação entre eles (maior fator de proximidade) o mais próximo possível do outro.

SOLUÇÃO

Um bom lugar para começar é com as maiores pontuações de proximidade (por exemplo, de 8 para cima). Começando com as maiores pontuações e elaborando uma lista, você pode planejar localizar os departamentos como se segue:

a. Departamentos 1 e 6 juntos,
b. Departamentos 3 e 5 juntos,
c. Departamentos 2 e 3 juntos.

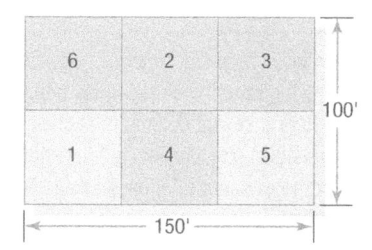

6	2	3
1	4	5

(100' altura, 150' largura)

Figura 8.6 Plano geral proposto

Os departamentos 1 e 5 devem permanecer em seus locais atuais por causa das 'outras considerações'.

Se depois de várias tentativas você não puder satisfazer todos os três requisitos, desista de um ou mais e tente novamente. Se você pode satisfazer todos os três facilmente, adicione mais requisitos (por exemplo, as interações abaixo de 8).

O plano geral na Figura 8.6 mostra uma solução de tentativa e erro que satisfaz todos os três requisitos. Começamos mantendo os departamentos 1 e 5 em seus locais originais. Como o primeiro requisito é localizar os departamentos 1 e 6 próximos um do outro, colocamos 6 no canto superior esquerdo do layout. O segundo requisito é ter os departamentos 3 e 5 próximos um do outro, assim, posicionamos o 3 no espaço exatamente acima do 5 e assim por diante.

Ponto de decisão: Essa solução se ajustou facilmente a esse problema específico, mas pode não ser o melhor layout. A gerência deseja considerar vários planos alternativos antes de fazer uma escolha final e precisa de alguma medida de efetividade para comparar os layouts alternativos.

---

de materiais ou da utilização de roteiros e freqüências de pedidos dos itens comumente fabricados na planta.

Outras considerações Por fim, as informações coletadas para o EAO incluem critérios de desempenho que dependem da localização *absoluta* de um departamento. O EAO tem dois critérios baseados em localização absoluta.

1. Educação (departamento 5) deve permanecer onde está porque está próximo à biblioteca do escritório.

2. Administração (departamento 1) deve permanecer onde está porque esse local tem a maior sala de conferência, que a administração usa com freqüência. Transferir a sala de conferência seria dispendioso.

Níveis de barulho e preferências da gerência são outras fontes potenciais de critérios de desempenho que dependem da localização absoluta. A matriz de proximidade pode não refletir esses critérios porque reflete apenas considerações de localização *relativa*. O projetista de layout deve enumerar esses critérios separadamente.

PASSO 2: DESENVOLVER UM PLANO GERAL

O segundo passo do projeto de layout é desenvolver um plano geral que atenda da melhor maneira possível aos critérios de desempenho e aos requisitos da área. O modo mais elementar de fazê-lo é por tentativa e erro. Uma vez que o êxito depende da capacidade do projetista de identifcar padrões nos dados, essa abordagem não garante a seleção da melhor solução ou mesmo da solução aproximadamente melhor. Quando complementada pelo uso de um computador para avaliar soluções, entretanto, pesquisas mostram que essa abordagem se compara muito favoravelmente com técnicas computadorizads mais sofisticadas.

APLICANDO O MÉTODO DE DISTÂNCIA PONDERADA

Quando a localização *relativa* for uma preocupação fundamental, como quando é necessário assegurar fluxos efetivos de informações, comunicação, manuseio de material e operação de estoques, o **método da distância ponderada** pode ser usado para comparar planos sumários alternativos, uma vez que ele é um modelo matemático usado para avaliar layouts por processo tendo por referência fatores de proximidade. Uma abordagem semelhante, às vezes chamada de *método de carga-distância*, pode ser usada para avaliar localização de instalações. O objetivo é selecionar um layout (ou localização de instalação) que minimize as distâncias ponderadas totais. A distância entre dois pontos é expressa atribuindo os pontos a coordenadas indicadas em um diagrama ou mapa. Uma abordagem alternativa é usar tempo em vez de distância.

Medidas de distância Para um cálculo aproximado, que representa tudo o que é necessário para o método da distância ponderada, pode-se usar uma medida de distância euclidiana ou Manhattan (ou City Block). A **distância euclidiana** é a distância em linha reta, ou o menor caminho possível, entre dois pontos. Para calcular essa distância, criamos um gráfico. A distância entre dois pontos, por exemplo, pontos A e B, é

$$d_{AB} = \sqrt{(x_A - x_B)^2 + (y_A - y_B)^2}$$

onde

d_{AB} = distância entre os pontos A e B
x_A = coordenada x do ponto A
y_A = coordenada y do ponto A
x_B = coordenada x do ponto B
x_B = coordenada y do ponto B

A **distância Manhattan (ou City Block)** mede a distância entre dois pontos com uma série de ângulos de 90 graus, como ao longo dos quarteirões de uma cidade. A distância percorrida na direção x é o valor absoluto da diferença das coordenadas x. Acrescentando esse resultado ao valor absoluto da diferença das coordenadas y, temos

$$d_{AB} = |x_A - x_B| + |y_A - y_B|$$

Para obter um auxílio ao calcular as distâncias usando as medidas indicadas, veja o Tutorial 8.1 no OM Explorer.

EXEMPLO 8.2 — **Calculando o *score* da distância ponderada**

O quanto, em termos do *score* da *dp*, o plano geral proposto mostrado na Figura 8.6 é melhor que o plano atual mostrado na Figura 8.5? Use a medida de distância Manhattan.

SOLUÇÃO
A tabela a seguir enumera cada par de departamentos que tem um fator de proximidade diferente de zero na matriz de proximidade. Para a terceira coluna, calcule as distâncias Manhattan entre os departamentos no layout corrente. Por exemplo, os departamentos 3 e 5, no plano corrente, estão no canto superior esquerdo e canto inferior direito do edifício, respectivamente. A distância entre os centros desses blocos é de três unidades (duas horizontalmente e uma verticalmente). Para a quarta coluna, multiplicamos os pesos (fatores de proximidade) pelas distâncias, e, em seguida, adicionamos os resultados para um *score* total da *dp* de 112 para o plano atual. Cálculos semelhantes para o plano proposto geram um *score* da *dp* de apenas 82. Por exemplo, entre os departamentos 3 e 5, há apenas uma unidade de distância (uma verticalmente e zero horizontalmente).

Pares de departamentos	Fator de proximidade (w)	Plano atual		Plano proposto	
		Distância (d)	*Score* da distância ponderada (dp dd)	Distância (d)	*Score* da distância ponderada (dp dpd)
1, 2	3	1	3	2	6
1, 3	6	1	6	3	18
1, 4	5	3	15	1	5
1, 5	6	2	12	2	12
1, 6	10	2	20	1	10
2, 3	8	2	16	1	8
2, 4	1	2	2	1	1
2, 5	1	1	1	2	2
3, 4	3	2	6	2	6
3, 5	9	3	27	1	9
4, 5	2	1	2	1	2
5, 6	1	2	2	3	3
			Total 112		Total 82

Para ser exato, poderíamos multiplicar os dois *scors* totais da *dp* por 15,24, porque cada unidade de distância representa 15,24 metros. Contudo, a diferença relativa entre os dois totais permaneceria inalterada.

Ponto de decisão O *score* da *dp* para o layout proposto provoca uma queda considerável de 112 para 82, mas a gerência não tem certeza de que a melhoria excede em valor o custo de se transferir quatro dos seis departamentos (isto é, todos os departamentos, exceto 1 e 5).

● Distância Manhattan   ○ Distância Euclidiana

Par de departamento	Fator de Proximidade	Distância	Score
1, 6	10	1	10
3, 5	9	1	9
2, 3	8	1	8
1, 3	6	1	6
1, 5	6	2	12
1, 4	5	3	15
1, 2	3	2	6
3, 4	3	2	6
4, 5	2	1	2
2, 4	1	1	1
2, 5	1	2	2
5, 6	1	3	3
Total			80

6	2	4
1	3	5

Figura 8.7 Segundo plano geral proposto (analisado com software de layout por processo)

Calculando o score da distância ponderada O projetista procura minimizar o *score* da distância ponderada (*dp*) localizando proximamente os centros que tenham fatores de proximidade mais altos.

Para calcular o *score* da *dp* de um layout, usamos qualquer uma das medidas de distância e simplesmente multiplicamos os fatores de proximidade pelas distâncias entre os centros. A soma desses produtos se torna o *score* final da *dp* do layout — quanto mais baixo for esse *score* final, melhor. A localização de um centro é definida por suas coordenadas *x* e *y*.

Embora o *score* da *dp* para o layout proposto no Exemplo 8.2 represente uma melhoria de quase 27 por cento, o projetista pode ser capaz de fazer melhor. Além disso, ele deve determinar se o layout revisado vale o custo de se transferir quatro dos seis departamentos. Se os custos de transferência forem muito altos, uma proposta mais econômica deve ser encontrada.

O OM Explorer pode ajudar a identificar algumas propostas ainda mais atrativas. Por exemplo, uma opção é modificar o plano proposto mudando a localização dos departamentos 3 e 4. O produto na Figura 8.7 mostra que o *score* da *dp* para essa segunda revisão não apenas cai para 80, mas requer que apenas três departamentos sejam mudados em comparação com o layout original na Figura 8.5. Talvez esse segundo plano proposto seja a melhor solução.

PASSO 3: PROJETAR UM LAYOUT DETALHADO

Após encontrar um plano geral satisfatório, o projetista do layout deve elaborar uma representação detalhada do plano, mostrando o tamanho e a forma exata de cada centro; a disposição dos elementos (por exemplo, mesas, máquinas e áreas de armazenamento); e a localização de corredores, escadas e outros espaços de serviço. Essas representações visuais podem ser desenhos bidimensionais, modelos tridimensionais ou gráficos gerados por computador. Esse passo ajuda os tomadores de decisão a discutir a proposta e os problemas que poderiam, de outro modo, ser negligenciados. Essas representações visuais podem ser particularmente importantes quando se avaliam processos de elevado grau de contato com o cliente.

OUTRAS FERRAMENTAS DE APOIO À DECISÃO

Muitos outros pacotes de software avançados estão agora disponíveis para projetar layouts por processo mais complexos. O **ALDEP** (*Automated Layout Design Program* — **programa de projeto de layout automatizado**) é um pacote de software que constrói um bom layout a partir do zero, adicionando um departamento de cada vez. Pelo fato de ser um método heurístico, geralmente fornece boas — mas não necessariamente as melhores — soluções.

Outro pacote de software potente, a **CRAFT** (*Computerized relative allocation of facilities technique* — **técnica computadorizada de alocação relativa de instalações**), é um método heurístico que começa com a matriz de proximidade e um layout proposto inicial. Ao trabalhar a partir de um plano geral inicial (ou solução de partida), a CRAFT avalia todas as trocas possíveis entre departamentos. A troca que causa a maior redução no *score* total da *dp* é incorporada em uma nova solução de partida. Esse processo continua até que nenhuma outra troca possa ser encontrada para reduzir o *score* da *dp*.

LAYOUTS DE ARMAZÉM

Os armazéns são um dos centros nervosos invisíveis do comércio eletrônico. São semelhantes a fábricas em que os materiais são deslocados entre centros de trabalho.

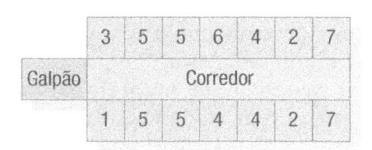

Galpão	3	5	5	6	4	2	7
	Corredor						
	1	5	5	4	4	2	7

Figura 8.8 Layout de armazém do tipo *out-and-back*

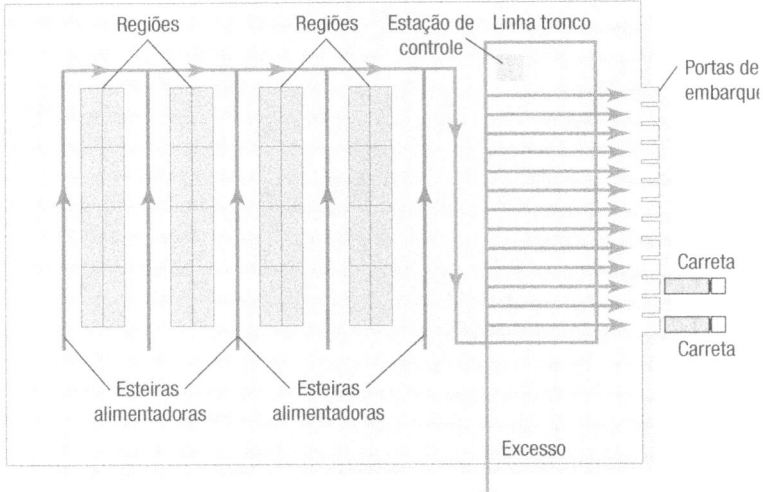

Figura 8.9 Sistema de região para um armazém

Muito da discussão precedente sobre layouts por processo se aplica a armazéns. Os armazéns, porém, são um caso especial, porque o processo central de um armazém é o de armazenamento. Basicamente, um armazém recebe artigos no galpão e os desloca para uma área de armazenamento. Posteriormente, operadores de estoque recolhem o estoque para atender a pedidos de clientes individuais.

Várias opções estão disponíveis para layouts de armazém. Em primeiro lugar, vários modos de utilização do espaço oferecem opções adicionais de layout. Por exemplo, um armazém com estantes de 82.000 pés quadrados e 32 pés de altura pode lidar com o mesmo volume que um armazém de teto baixo, de 107.000 pés quadrados, com a maior produtividade de operação de estoques do armazém de teto alto compensando os custos adicionais de prateleira e equipamento. Outro projeto de economia de espaço designa todos os materiais que chegam para o espaço disponível mais próximo, em vez de para uma área predeterminada onde todos os artigos semelhantes são agrupados. Um sistema de computador rastreia a localização de cada artigo. Quando é o momento de reaver um artigo, o sistema imprime sua localização na nota de transporte e identifica a rota mais curta para o operador de estoques.

Em segundo lugar, diferentes padrões de layout oferecem ainda mais opções. O padrão de layout mais básico é o padrão *out-and-back*, como ilustrado na Figura 8.8. Os artigos são selecionados um de cada vez, com o operador de estoques viajando de um lado para outro do galpão até a área de armazenamento. Na Figura 8.8, a área de armazenamento 1 pode ser onde as torradeiras são armazenadas, a área de armazenamento 2 pode ser para aparelhos de ar condicionado, e assim por diante. Alguns artigos requerem mais espaço que outros, dependendo de seu tamanho e dos requisitos de estoque. Em geral, os artigos de maior volume são armazenados mais próximos ao galpão com esse padrão de layout. Em um *sistema por rotas (route colection system)*, o operador de estoque seleciona diversos artigos a serem enviados a um cliente. Em um *sistema por lotes (batch piking system)*, o operador de estoque agrupa a quantidade de um artigo requerido para atender a um grupo de pedidos de clientes para serem transportados no mesmo caminhão ou vagão ferroviário. Por fim, no *sistema por região (zone system)*, o operador de estoque agrupa todos os artigos necessários em sua região determinada e os posiciona em uma esteira transportadora mecanizada. A Figura 8.9 ilustra o sistema de região para um armazém. A esteira transportadora é formada por cinco esteiras alimentadoras e uma linha-tronco. Quando a mercadoria chega à estação de controle, um operador a dirige ao caminhão correto para remessa de longo curso. A vantagem do sistema de região é que os operadores não precisam percorrer todo o armazém para satisfazer os pedidos. Eles são responsáveis apenas por suas próprias regiões.

LAYOUTS DE ESCRITÓRIO

Mais de 40 por cento da mão-de-obra dos Estados Unidos está empregada em escritórios e o layout do escritório pode afetar tanto a produtividade como a qualidade do trabalho. Em uma pesquisa recente, três quartos dos 1.400 funcionários entrevistados disseram que a produtividade poderia ser aumentada por melhorias em seus ambientes de trabalho.

Proximidade A acessibilidade a colegas de trabalho e supervisores pode aumentar a comunicação e desenvolver interesse mútuo. As comunicações tendem a se tornar mais formais quando os indivíduos são colocados em posições mais distantes. O famoso estudo de Hawthorne, de 1939, mostrou que o ambiente físico de trabalho influencia a formação de grupos. No estudo, a gerência usou linguagem espacial para dizer aos trabalhadores no grupo experimental que eles eram importantes. Estudos mais recentes confirmam que a proximidade com outros pode ajudar a esclarecer o que é esperado de um funcionário no trabalho em muitas formas.

A maioria dos procedimentos formais para projetar layouts de escritório tenta maximizar a proximidade dos trabalhadores cujas atividades requerem interação freqüente. Essa abordagem pode ser implementada com o método de distância ponderada. Certos procedimentos podem ser usados para identificar grupos naturais de trabalhadores a serem tratados como um centro em um plano geral de layout. A meta dessas abordagens é projetar layouts em torno de fluxos de trabalho e de padrões de comunicação.

Privacidade Outro fator-chave em projeto de escritórios — o qual é, de algum modo, culturalmente dependente — é a privacidade. Perturbações externas e aglomerações podem prejudicar o desempenho de um trabalhador. Nas sedes mundiais de Sperry Rand e McDonald's, as reações dos funcionários a escritórios abertos foram favoráveis. Entretanto, quando uma empresa de jornalismo tentou aumentar a proximidade do trabalhador mudando os espaços de trabalho individuais para um escritório sem divisórias, os resultados foram decepcionantes. Estudos em vários departamentos de governos estaduais revelaram um vínculo forte entre privacidade e satisfação com o supervisor e com a atividade.

Opções de layout de escritório Fornecer tanto proximidade como privacidade aos funcionários apresenta um dilema para a gerência. A proximidade é obtida abrindo a área de trabalho. A privacidade é obtida por meio de padrões espaciais mais liberais, tetos, portas, repartições e tapete espesso que absorvem barulho — recursos caros que reduzem a flexibilidade do layout. Desse modo, a gerência geralmente deve chegar a um meio termo entre proximidade e privacidade. Não há um tipo único de espaço que seja apropriado a todos os trabalhadores. Por exemplo, a Microsoft em Redmond, Washington, constatou que os desenvolvedores de software trabalham melhor em um espaço tranqüilo e reservado. Contudo, o pessoal de vendas e o de marketing trabalham em uma mistura de espaços reservados e abertos; a ênfase é facilitar interações entre o pessoal de vendas e o do marketing e fornecer bons espaços para reuniões com os clientes. Seus escritórios de apoio ao produto possuem cerca de 90 por cento de espaço aberto.

Quatro abordagens diferentes estão disponíveis: layouts tradicionais, *office landscaping*, *activity settings* e *electronic cottage*. A escolha requer uma compreensão dos requisitos de trabalho, da própria mão-de-obra e da filosofia de trabalho da alta gerência.

Layouts tradicionais requerem escritórios fechados para a gerência e para os funcionários cujo trabalho exige privacidade e áreas abertas (ou cercados) para todos os outros. O layout resultante pode ser caracterizado por longos corredores alinhados com portas fechadas, gerando isolamento considerável e por áreas abertas preenchidas uniformemente com filas de mesas. Em layouts tradicionais, cada pessoa tem um lugar designado. Com esses layouts, a localização, a área e a mobília indicam a condição da pessoa na organização.

Uma abordagem desenvolvida na Alemanha durante o final dos anos 1950 coloca todo mundo (inclusive a alta gerência) em uma área aberta. A idéia é alcançar maior cooperação entre os funcionários em todos os níveis. Uma extensão desse conceito é chamada de *office landscaping*: plantas ornamentais, telas e repartições portáteis aumentam a privacidade e agrupam ou separam grupos. Estações de trabalho e acessórios móveis ajudam a manter a flexibilidade. Uma vez que as estações de trabalho (ou cubículos) são apenas parcialmente privados, os funcionários poderiam ter dificuldades em se concentrar ou poderiam se sentir desconfortáveis para, eventualmente, discutir assuntos pessoais ou temas polêmicos. Os custos de construção são cerca de 40 por cento menores que os de planos tradicionais, e os custos de recomposição são menores ainda.

Os *activity settings* representam um conceito relativamente novo para alcançar tanto proximidade como privacidade. A série completa de necessidades de trabalho é coberta por locais de trabalho múltiplos, inclusive uma biblioteca, instalação de teleconferência, área de recepção, sala de conferência, área gráfica especial e terminais compartilhados. Os funcionários se movem de um *activity setting* para o seguinte quando seu trabalho exigir. Cada funcionário também possui um escritório pequeno e pessoal, como uma base particular. A seção Prática Gerencial 8.2 descreve uma transição recente para o conceito de *activitiy settings*.

Cada vez mais, os funcionários trabalham em casa ou em escritórios em seu bairro e conectam-se ao escritório central utilizando computadores e redes de comunicação, como a Internet e extranets. Conhecida como 'trabalho a distância' ou *electronic cottage*, essa abordagem representa uma versão atual das indústrias caseiras que existiram antes da Revolução Industrial. Além de economizar tempo de comutação, oferece flexibilidade dos horários de trabalho. Muitos homens e mulheres trabalhadores que têm filhos, por exemplo, preferem essa opção. Mais de nove milhões de americanos já testaram esse sistema, trabalhando pelo menos parte da semana em casa. O trabalho a distância, porém, pode apresentar desvantagens, como falta de equipamento, muitas perturbações familiares e poucas oportunidades para interação.

PROJETANDO LAYOUTS POR PRODUTO

Layouts por produto levantam questões de gerenciamento completamente diferentes das questões de layouts por processo. Muitas vezes chamado de linha de produção ou montagem, um layout por produto dispõe estações de trabalho em seqüência. O produto se move de uma estação para a próxima até seu acabamento no fim da linha. Normalmente, um trabalhador opera cada estação executando tarefas repetitivas. Um estoque pequeno é armazenado entre as estações, assim, as estações não podem operar independentemente. Desse modo, a linha é tão rápida quanto sua estação de trabalho mais lenta. Em outras palavras, se a estação mais lenta precisa de cinco minutos por cliente ou unidade, o produto mais rápido possível da linha é de um cliente ou unidade a cada cinco minutos.

PRÁTICA GERENCIAL 8.2 — TRANSIÇÃO DO LAYOUT TRADICIONAL PARA OS *ACTIVITIES SETTINGS* NA ABB

A ABB, uma líder global em energia e tecnologias de automação, tem aproximadamente 100 mil funcionários localizados perto dos clientes em quase 100 países. Apenas a ABB dos Estados Unidos possui mais de 100 locações. Uma delas é um novo prédio de escritórios em Westerville, Ohio, especializado na automação e no processo de controle de equipamentos. É o lar de mais de 200 engenheiros, cientistas, técnicos, especialistas em marketing, especialistas em recursos humanos e administradores de cadeias de suprimentos. Eles prestam serviços a funcionários e clientes no mundo inteiro, tais como desenvolvimento de software para novos equipamentos, diagnóstico de problemas de equipamentos, treinamento de clientes e funcionários em novas instalações e conserto de peças de equipamento do cliente. Quase todos os funcionários tinham, anteriormente, escritórios individuais com portas e divisórias do chão ao teto em seu espaço de escritório. Agora, eles têm espaços de escritório menores, variando dos menores de 7' por 9' aos maiores de 10' por 12'. A altura das paredes variam de 4' metro a 7' metros, as mais altas, para as estações da gerência. As estações de trabalho são construídas com divisórias e mobiliário modulares e, assim, podem ser reajustadas de acordo com as necessidades futuras. Elas, basicamente, fornecem área para mesa de trabalho, um telefone, um computador e área de arquivamento limitada. Há um pequeno espaço disponível para cadeiras adicionais. Embora suas novas estações de trabalho sejam muito menores e menos reservadas, quase todos os funcionários preferem verdadeiramente seu novo espaço de escritório por várias razões.

Os funcionários contribuíram com informações sobre suas necessidades de escritório antes de se mudarem. Um 'capitão de andar' designado para cada pavimento consultou os funcionários sobre suas necessidades de espaço e de equipamento e sobre requisitos de proximidade. O envolvimento no projeto da instalação deu às pessoas uma sensação de 'compra' e propriedade. Todos têm acesso a áreas comuns, inclusive salas de conferência, salas de aula para clientes e funcionários, instalações especiais para trabalho de laboratório, cafés, copiadoras, arquivos centrais, cabines telefônicas para conversas particulares, cavaletes móveis com *flipcharts* e quadros brancos. A biblioteca de engenharia anterior não é mais necessária, porque agora tudo pode ser obtido on-line. Muitas salas de conferência são íntimas, com apenas três ou quatro cadeiras. A Sala América, muitas vezes chamada de 'sala de reunião da diretoria', é a maior e pode facilmente acomodar 40 pessoas. As apresentações podem ser feitas em uma tela de projeção em uma extremidade da sala ou em uma tela de plasma na outra extremidade. A sala pode ser facilmente dividida em duas, se duas salas de reunião menores forem necessárias no momento.

Os funcionários agora se comunicam mais facilmente com seus colegas. A instalação é sem fio, assim, as pessoas podem levar os laptops de suas estações de trabalho para outra área, para uma mudança de cenário. O espaço está agradavelmente mobiliado com peças de arte e plantas. As janelas são amplas, com luz afluindo de muitas direções. Um sistema de controle de ruídos canaliza os sons para determinadas áreas e pode ser regulado para reduzir o som de áreas particularmente ruidosas. Os espaços comuns são acolhedores e confortáveis.

Embora as estações de trabalho sejam pequenas e parcialmente privadas, "postos avançados" estão disponíveis. Essa área comum tem cadeiras confortáveis equipadas com braços que fornecem uma superfície para escrever ou para laptops. As pessoas se reúnem confortavelmente para conversas face a face, em vez de se comunicar por e-mail.

Até mesmo as salas de conferência possuem seu próprio nome para aumentar a sensação de familiaridade. No térreo, recebem o nome de árvores, porque a indústria de celulose e papel (tais como fábricas de papel) é um dos grandes clientes da ABB. O segundo andar abriga o marketing e a engenharia; as salas de conferência recebem o nome de cientistas, físicos e matemáticos. O terceiro andar é para a administração corporativa, com salas que recebem os nomes de destinos internacionais. A ABB também é equipada no mundo todo com o *Sametime*, uma plataforma de Mensagens Instantâneas Lotus da IBM e de conferências via Web para colaboração em tempo real com funcionários, equipes, fornecedores e clientes que estão geograficamente dispersos. O administrador da cadeia de suprimentos na instalação de Westerville, por exemplo, pode conversar virtualmente por meio de troca de informações de texto, áudio ou vídeo em tempo real. Ele participa de conferências na Web para compartilhar informações, uma aplicação ou utilizar o recurso de *white board* para apresentações. Muitos engenheiros da instalação usam esses recursos para se comunicar com seus colegas europeus, otimizando da melhor maneira possível o tempo de todos. Essas conferências virtuais ampliam a escolha de comunicações para além do telefone, mensagens e reuniões face a face. Também melhoram os tempos de resposta ao cliente.

Usando o modelo *activities settings*, a nova instalação de 111.000 pés metros quadrados fornece não apenas espaço de trabalho efetivo para seus funcionários, mas economiza milhares de dólares de investimento em relação ao que seria necessário adotando um projeto de escritório tradicional.

Fonte: Conversa com Charles Rowland na ABB. Disponível em: <www.abb.com>.

BALANCEAMENTO DE LINHA

Balanceamento de linha é a atribuição de trabalho a estações em uma linha de modo a alcançar a taxa de produção desejada com o menor número de estações de trabalho. Normalmente, um trabalhador é designado para uma estação. Desse modo, a linha que produz no ritmo desejado com o menor número de trabalhadores é a mais eficiente. A realização dessa meta é muito semelhante à teoria das restrições, porque ambas as abordagens estão preocupadas com gargalos. O balanceamento de linha difere no modo como aborda os gargalos. Em vez de aceitar novos pedidos dos clientes para utilizar melhor a capacidade do gargalo ou estabelecer uma programação que priorize a utilização do recurso gargalo, o balanceamento de linha adota uma terceira abordagem: cria estações de trabalho com cargas de trabalho distribuídas o mais uniformemente possível e procura criar estações de trabalho de modo que a capacidade utilizada do gargalo não seja muito maior que as das outras estações de trabalho da linha. Outra diferença é que o balanceamento de linha se aplica apenas a processos em linha que realizam montagem ou a atividades que possam ser agrupadas de muitas formas para criar tarefas para cada estação de trabalho da linha.

O balanceamento de linha deve ser executado quando uma linha for inicialmente projetada, quando uma linha for rebalanceada para mudar sua taxa de produção por hora ou quando o produto ou o processo se alteram. A meta é obter estações de trabalho com cargas de trabalho bem equilibradas (por exemplo, o tempo de processamento de cada estação é de aproximadamente cinco minutos para cada cliente ou unidade processada).

O analista começa separando o trabalho em **elementos de trabalho**, que são as menores unidades de trabalho que podem ser executadas independentemente. O analista obtém, assim, o tempo-padrão para cada elemento e identifica os elementos de trabalho, chamados **precedentes**, que devem ser feitos antes que o próximo elemento possa começar.

Diagrama de precedência A maioria das linhas deve satisfazer alguns requisitos de precedência tecnológica, isto é, certos elementos de trabalho devem ser feitos antes de o próximo começar. Entretanto, a maioria das linhas também leva em conta alguma latitude e mais de uma seqüência de operações. Para lhe ajudar a visualizar melhor os elementos precedentes, vamos examinar rapidamente a construção de um **diagrama de precedência**.[2] Indicamos os elementos de trabalho por círculos, com o tempo requerido para executar o trabalho mostrado abaixo de cada círculo. As setas conduzem dos elementos precedentes imediatos ao próximo elemento de trabalho. O Exemplo 8.3 ilustra um processo de fabricação, mas um *back office* com um processo de fluxo em linha pode ser abordado de modo semelhante.

Taxa de produção desejada A meta do balanceamento de linha é equiparar a taxa de produção ao preenchimento de vagas ou plano de produção. Por exemplo, se o plano requer quatro mil unidades (clientes ou produtos) por semana e a linha opera 80 horas por semana, a taxa de produção desejada idealmente seria de 50 unidades (4.000/80) por hora. Combinar produção e demanda assegura entregas pontuais e previne a formação de estoque indesejado ou atrasos de clientes. Os gerentes, porém, devem evitar rebalancear uma linha muito freqüentemente porque, toda vez que uma linha é rebalanceada, muitas atividades dos trabalhadores da linha devem ser reprojetadas, prejudicando temporariamente a produtividade e, algumas vezes, até mesmo requerendo um novo layout detalhado para algumas estações.

Tempo de ciclo Após determinar a taxa de produção desejada para uma linha, o analista pode calcular o tempo do ciclo da linha. O **tempo de ciclo** de uma linha é o tempo máximo concedido para se produzir uma unidade em cada estação.[3] Se o tempo requerido para se produzir elementos em uma estação excede o tempo de ciclo da linha, a estação será um gargalo, impedindo a linha de alcançar sua taxa de produção desejada. O tempo de ciclo definido como meta é o equivalente à taxa de produção desejada por hora:

$$c = \frac{1}{r}$$

onde

c = tempo de ciclo em horas por unidade
r = taxa de produção desejada em unidades por hora

Por exemplo, se a taxa de produção desejada da linha é de 60 unidades por hora, o tempo do ciclo é $c = 1/60$ unidade por hora, ou um minuto.

Mínimo teórico Para alcançar a taxa de produção desejada, os gerentes usam o balanceamento de linha para designar cada elemento de trabalho a uma estação, certificando-se de satisfazer todos os requisitos de precedência e de minimizar o número de estações, n, formadas. Se cada estação é operada por um trabalhador diferente, minimizar n também maximiza a produtividade do trabalhador. O equilíbrio perfeito é alcançado quando a soma dos tempos dos elementos de trabalho de cada estação é igual ao tempo de ciclo, c, e nenhuma estação tem tempo ocioso. Por exemplo, se a soma dos tempos de cada elemento de trabalho da estação é um minuto, e esse também for o tempo de ciclo, a linha alcança um equilíbrio perfeito. Embora o equilíbrio perfeito normalmente seja inatingível na prática, devido à desigualdade dos tempos dos elementos de trabalho e à inflexibilidade dos requisitos de precedência, ele estabelece um marco de referência, ou meta, para o menor número possível de estações. O TM (*Theoretical Minimum* — **mínimo teórico**) para o número de estações é

$$TM = \frac{\Sigma t}{c}$$

onde

Σt = tempo total exigido para montar cada unidade (a soma de todos os tempos-padrão dos elementos de trabalho)
c = tempo de ciclo

---

[2] Relações de precedência e diagramas de precedência são importantes no contexto, totalmente diferente, de administração de projetos.

[3] Exceto no contexto de balanceamento de linha, o *tempo de ciclo* tem um significado diferente. É o tempo decorrido entre o início e a conclusão de uma tarefa. Alguns pesquisadores e profissionais preferem o termo *lead time*.

EXEMPLO 8.3 — Construindo um diagrama de precedência

A Grama Verde, Inc., fabricante de gramado e equipamentos para jardim, está projetando uma linha de montagem para fabricar um novo pulverizador de fertilizante, o grande difusor. Usando as informações a seguir sobre o processo de fabricação, construa um diagrama de precedência para o grande difusor.

Elemento de trabalho	Descrição	Tempo (s)	Precedente(s) imediato(s)
A	Aparafusar o suporte no depósito alimentador	40	Nenhum
B	Inserir a haste da roda centrífuga	30	A
C	Fixar o eixo de rodas	50	A
D	Fixar o misturador mecânico	40	B
E	Fixar o volante de direção	6	B
F	Fixar a roda livre	25	C
G	Ajustar a estaca inferior	15	C
H	Fixar a direção	20	D, E
I	Ajustar a placa identificadora	18	F, G
		Total 244	

SOLUÇÃO

A Figura 8.10 mostra o diagrama completo. Começamos com o elemento de trabalho A, que não tem nenhum precedente imediato. Em seguida, acrescentamos os elementos B e C, para os quais o elemento A é o único precedente imediato. Após inserir padrões de tempo e setas indicando a precedência, adicionamos os elementos D e E e assim por diante. O diagrama simplifica a interpretação. O elemento de trabalho F, por exemplo, pode ser feito em qualquer lugar da linha depois que o elemento C for concluído. Entretanto, o elemento I deve aguardar a conclusão dos elementos F e G.

Ponto de decisão A gerência agora tem informações suficientes para elaborar um layout por produto que agrupe elementos de trabalho para formar estações, tendo por meta equilibrar as cargas de trabalho e, no processo, minimizar o número de estações de trabalho requeridas.

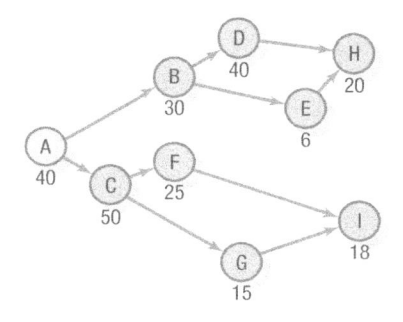

Figura 8.10 Diagrama de precedência para montagem do grande difusor

Por exemplo, se a soma dos tempos dos elementos de trabalho é 15 minutos e o tempo de ciclo é 1 minuto, TM = 15/1, ou 15 estações. Quaisquer valores fracionários obtidos para TM são arredondados porque é impossível ter estações fracionárias.

Tempo ocioso, eficiência e perda por desbalanceamento Minimizar n automaticamente assegura (1) tempo ocioso mínimo; (2) eficiência máxima; e (3) perda por desbalanceamento mínima. O tempo ocioso é o tempo improdutivo total para todas as estações na montagem de cada unidade:

$$\text{tempo ocioso} = nc - \Sigma t$$

onde
- n = número de estações
- c = tempo de ciclo
- Σt = tempo-padrão total requerido para montar cada unidade

Eficiência é a razão entre tempo produtivo e tempo total, expressa como um percentual:

$$\text{eficiência (\%)} = \frac{\Sigma t}{nc}(100)$$

Perda por desbalanceamento é o quanto a eficiência fica abaixo de 100 por cento:

$$\text{perda por desbalanceamento (\%)} = 100 - \text{eficiência}$$

Contanto que c seja fixo, podemos otimizar todas as três metas minimizando n.

Encontrando uma solução Freqüentemente, muitas soluções de linhas de montagem são possíveis, até mesmo para problemas simples como os da Grama Verde. A meta é agrupar elementos de trabalho em estações de trabalho de forma que (1) o número de esta-

Calculando o tempo de ciclo, o mínimo teórico e a eficiência | EXEMPLO 8.4

A gerente de fábrica da Grama Verde acabou de receber as últimas previsões do marketing sobre as vendas do grande difusor para o próximo ano. Ela deseja que sua linha de produção seja projetada para fabricar 2.400 pulverizadores por semana para, pelo menos, os próximos três meses. A fábrica funcionará 40 horas por semana.

a. Qual deve ser o tempo de ciclo da linha?
b. Qual é o menor número de estações de trabalho que ela pode esperar ao projetar a linha para esse tempo de ciclo?
c. Suponha que ela encontre uma solução que requeira apenas cinco estações. Qual seria a eficiência da linha?

SOLUÇÃO

a. Primeiro converta a taxa de produção desejada (2.400 unidades por semana) para uma taxa por hora dividindo a taxa de produção semanal por 40 horas por semana para obter $r = 60$ unidades por hora. Assim, o tempo de ciclo é

$$c = \frac{1}{r} = \frac{1}{60} \text{ hora/unidade} = 1 \text{ minuto/unidade}$$

b. Agora calcule o mínimo teórico para o número de estações dividindo o tempo total, Σt, pelo tempo de ciclo, $c = 1$ minuto $= 60$ segundos. Supondo equilíbrio perfeito, temos

$$TM = \frac{\Sigma t}{c} = \frac{244 \text{ segundos}}{60 \text{ segundos}} = 4,067 \text{ ou } 5 \text{ estações}$$

c. Agora calcule a eficiência para uma linha com cinco estações, supondo, por enquanto, que essa solução possa ser encontrada:

$$\text{eficiência (\%)} = \frac{\Sigma t}{nc}(100) = \frac{244}{5(60)}(100) = 81,3\%$$

Ponto de decisão Dessa maneira, se a gerente encontra uma solução com cinco estações, esse é o número mínimo possível de estações. Entretanto, a eficiência (muitas vezes chamada de *eficiência máxima teórica*) será de apenas 81,3 por cento. Talvez a linha deva funcionar menos de 40 horas por semana e os funcionários devam ser transferidos para outros tipos de trabalho quando a linha não estiver operando.

ções de trabalho requerido seja minimizado; e que (2) a precedência e os requisitos de tempo de ciclo não sejam transgredidos. Aqui, utilizamos o método de tentativa e erro para encontrar uma solução, embora pacotes de software comerciais também estejam disponíveis. A Figura 8.11 mostra uma boa solução que cria apenas cinco estações de trabalho. Sabemos que cinco é o mínimo possível, porque cinco é o mínimo teórico encontrado no Exemplo 8.4. Todos os requisitos de precedência e de tempo de ciclo também são satisfeitos. Por exemplo, a estação de trabalho E5 consiste nos elementos de trabalho E, H e I, os quais o trabalhador executará em cada unidade que acompanha a linha de montagem. O tempo de processamento por unidade é de 44 segundos (6 + 20 + 18), que não excede o tempo do ciclo de 60 segundos (veja o Exemplo 8.4). Além disso, os precedentes imediatos desses três elementos de trabalho são atribuídos para essa estação de trabalho ou estações de trabalho anteriores. Dessa forma, seus requisitos de precedência são satisfeitos. Por exemplo, o trabalhador na estação de trabalho E5 pode fabricar o elemento I a qualquer momento, mas não começará o elemento H até que o elemento E seja concluído.

OUTRAS CONSIDERAÇÕES

Além de balancear uma linha para um tempo de ciclo dado, os gerentes também devem considerar quatro outras opções: (1) ritmo; (2) fatores comportamentais; (3) número de modelos fabricados; e (4) tempos de ciclo.

Ritmo O movimento do produto de uma estação à próxima tão logo o tempo de ciclo tenha expirado é chamado de **ritmo**. Ritmar processos de fabricação permite que a manipulação de materiais seja automatizada e requer uma área de armazenamento de estoques menor. Contudo, é menos flexível ao lidar com demoras inesperadas que requerem a redução da velocidade da linha inteira ou a retirada do trabalho inacabado da linha para ser completado posteriormente.

Fatores comportamentais O aspecto mais controverso dos layouts por produto é a resposta comportamental. Estudos mostram que a instalação de linhas de produção aumenta o absenteísmo, a rotação de empregados e as queixas. Produção ritmada e especialização elevada (por exemplo, tempos de ciclo menores que dois minutos) reduzem a satisfação no trabalho. Os trabalhadores geralmente favorecem *buffers* de estoques como um meio de evitar o ritmo mecânico. Um estudo até mostrou que a produtividade aumenta em linhas não ritmadas.

Número de modelos fabricados Uma linha de modelo misto fabrica vários artigos que pertencem à mesma família. Em contraste, uma linha de modelo único fabrica um modelo sem variações. A produção de modelos mistos permite que uma fábrica alcance tanto produção

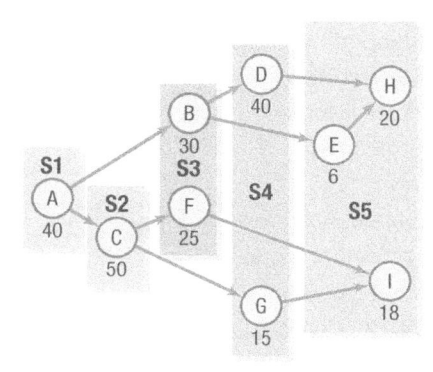

Figura 8.11 Solução do diagrama de precedência do grande difusor

de alto volume *como* variedade do produto. Entretanto, complica a programação e aumenta a necessidade de boa comunicação sobre as peças específicas a serem produzidas em cada estação.

Tempos de ciclo O tempo de ciclo de uma linha depende da taxa de produção desejada (ou, às vezes, do número máximo de estações de trabalho permitidas). Por sua vez, a linha de eficiência máxima varia consideravelmente com o tempo de ciclo escolhido. Desse modo, explorar uma série de tempos de ciclo faz sentido. Um gerente poderia prosseguir com uma solução particularmente eficiente ainda que ela não corresponda à taxa de produção. O gerente pode compensar o desajuste variando o número de horas em que a linha opera por horas extras, turnos estendidos ou turnos adicionais. Linhas múltiplas poderiam até ser a solução.

EQUAÇÕES-CHAVE

1. Distância euclidiana: $d_{AB} = \sqrt{(x_A - x_B)^2 + (y_A - y_B)^2}$
2. Distância Manhattan (ou City Block):

$$d_{AB} = |x_A - x_B| + |y_A - y_B|$$

3. Tempo do ciclo: $c = \dfrac{1}{r}$
4. Número mínimo teórico de estações de trabalho:

$$TM = \frac{\Sigma t}{c}$$

5. Tempo ocioso (em segundos): $nc - \Sigma t$
6. Eficiência (%): $\dfrac{\Sigma t}{nc}(100)$
7. Perda por desbalanceamento (%): $100 - $ eficiência

PALAVRAS-CHAVE

balanceamento de linha
célula de um operador, máquinas múltiplas (OWMM)
centro de atividade econômica
diagrama de precedência
distância euclidiana
distância Manhattan (ou City Block)
elementos de trabalho
flexibilidade de layout
layout de posição fixa
layout híbrido
layout por processo
layout por produto
linha de modelo misto
matriz de proximidade
método da distância ponderada
mínimo teórico (MT)
perda por desbalanceamento
plano geral
precedentes imediatos
programa de projeto de layout automatizado (ALDEP)
projeto de layout
ritmo
técnica computadorizada de alocação relativa de instalações (CRAFT)
tecnologia de grupo (GT)
tempo de ciclo

PROBLEMA RESOLVIDO 1

Um contratante está avaliando o layout atual, por processo, de sua oficina de máquinas. A Figura 8.12 mostra o layout atual, e a tabela mostra a matriz de proximidade para a instalação medida como o número de viagens por dia entre pares de departamentos. Regras de segurança e saúde requerem que os departamentos E e F permaneçam em seus locais atuais.

Departamento	Viagens entre departamentos					
	A	B	C	D	E	F
A	—	8	3		9	5
B		—		3		
C			—		8	9
D				—		3
E					—	3
F						—

a. Use tentativa e erro para encontrar um layout melhor.

b. Quanto seu layout é melhor que o layout corrente em termos do *score* da *dp*? Use a distância Manhattan (ou City Block).

SOLUÇÃO

a. Além de manter os departamentos E e F em seus locais atuais, um bom plano localizaria os pares de departamentos seguintes próximos um ao outro: A e E, C e F, A e B e C e E. A Figura 8.13 foi elaborada por tentativa e erro e satisfaz todos esses requisi-

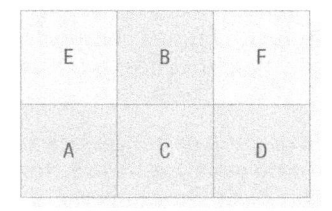

E	B	F
A	C	D

Figura 8.12 Layout atual

tos. Comece colocando E e F em seus locais atuais. Em seguida, uma vez que C deve estar o mais próximo possível tanto de E como de F, coloque C entre eles. Coloque A abaixo de E e B próximo a A. Todas as preocupações com as maiores movimentações agora foram ajustadas. O departamento D, localizado no espaço restante, não precisa ser transferido.

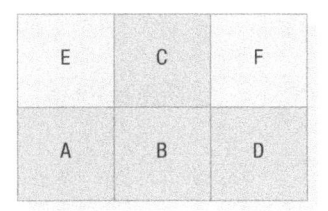

E	C	F
A	B	D

Figura 8.13 Layout proposto

		Plano atual		Plano proposto	
Pares de departamentos	Número de viagens (1)	Distância (2)	*Score* da *dp* (1) × (2)	Distância (3)	*Score* da *dp* (1) × (3)
A, B	8	2	16	1	8
A, C	3	1	3	2	6
A, E	9	1	9	1	9
A, F	5	3	15	3	15
B, D	3	2	6	1	3
C, E	8	2	16	1	8
C, F	9	2	18	1	9
D, F	3	1	3	1	3
E, F	3	2	6	2	6
			dp = 92		*dp* = 67

b. A tabela revela que o *score* da *dp* cai de 92 no plano atual para 67 no plano revisado, uma redução de 27 por cento.

PROBLEMA RESOLVIDO 2

Uma empresa está configurando uma linha de montagem para fabricar 192 unidades por turno de oito horas. A tabela a seguir identifica os elementos de trabalho, tempos e precedentes imediatos.

Elemento de trabalho	Tempo(s)	Precedente(s) imediato(s)
A	40	Nenhum
B	80	A
C	30	D, E, F
D	25	B
E	20	B
F	15	B
G	120	A
H	145	G
I	130	H
J	115	C, I
Total	720	

a. Qual é o tempo de ciclo desejado (em segundos)?

b. Qual é o número mínimo teórico de estações?

c. Use o método de tentativa e erro para elaborar uma solução e mostre sua solução em um diagrama de precedência.

d. Qual é a eficiência e a perda por desbalanceamento da solução encontrada?

SOLUÇÃO

a. Substituindo na fórmula de tempo de ciclo, obtemos

$$c = \frac{1}{r} = \frac{8 \text{ horas}}{192 \text{ unidades}}(3.600 \text{ segundos/hora}) =$$

$$= 150 \text{ segundos/unidade}$$

b. A soma dos tempos dos elementos de trabalho é 720 segundos, assim

$$TM = \frac{\Sigma t}{c} = \frac{720 \text{ segundos/unidade}}{150 \text{ segundos/unidade/estação}} =$$

$$= 4,8 \quad \text{ou} \quad 5 \text{ estações}$$

O que pode não ser realizável.

c. O diagrama de precedência é mostrado na Figura 8.14. Cada linha da tabela a seguir mostra elementos de trabalho designados para cada uma das cinco estações de trabalho na solução proposta.

Estação	Candidato(s)	Escolha	Tempo do elemento de trabalho (s)	Tempo cumulativo (s)	Tempo ocioso ($c = 150$ s)
E1	A	A	40	40	110
	B	B	80	120	30
	D, E, F	D	25	145	5
E2	E, F, G	G	120	120	30
	E, F	E	20	140	10
E3	F, H	H	145	145	5
E4	F, I	I	130	130	20
	F	F	15	145	5
E5	C	C	30	30	120
	J	J	115	145	5

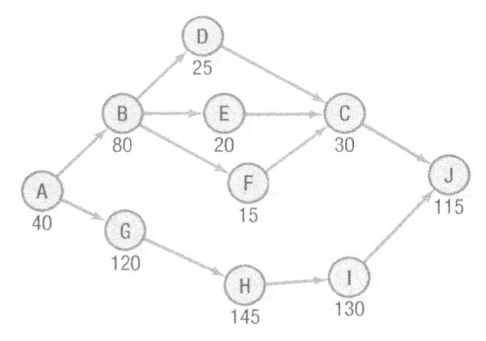

Figura 8.14 Diagrama de precedência

d. Calculando a eficiência, temos

$$\text{eficiência} = \frac{\sum t}{nc}(100) = \frac{720 \text{ segundos/unidade}}{5[150 \text{ segundos/unidade}]}(100) = 96\%$$

Desse modo, a perda por desbalanceamento é de apenas quatro por cento (100 − 96).

QUESTÕES PARA DISCUSSÃO

1. Identifique os tipos de critérios de desempenho de layout que poderiam ser mais importantes nos seguintes locais:
   a. Aeroporto
   b. Banco
   c. Sala de aula
   d. Escritório de *designers* de produto
   e. Empresa de advocacia
   f. Fabricação de componentes de metal laminado
   g. Estacionamento
   h. Departamento de recursos humanos
2. Descreva dois processos com os quais você esteja familiarizado, um com um layout por processo e um com um layout por produto. Como esses projetos de layout se relacionam com a estrutura do processo? Explique.

PROBLEMAS

Softwares como o OM Explorer, o Active Models e o POM for Windows estão disponíveis no site de apoio do livro. Verifique com seu professor a melhor maneira de usá-los. Em muitos casos, o professor prefererirá que você entenda como realizar os cálculos manualmente. O software pode, no máximo, oferecer uma verificação de seus cálculos. Quando os cálculos são muito complexos e o objetivo é interpretar os resultados na tomada de decisões, o software substitui completamente os cálculos manuais. O software também pode ser um recurso valioso depois que você concluir o curso.

1. A empresa João-de-Barro Máquinas é uma oficina de trabalho especializada em peças de precisão para empresas da indústria aeroespacial. A Figura 8.15 mostra o plano geral atual para os principais centros de fabricação da instalação de 75.000 pés quadrados. Recorra à matriz de proximidade a seguir e use a distância Manhattan (ou City Block) (a distância atual da inspeção até o transporte e o recebimento é de três unidades) para calcular a mudança no *score* da *dp*, se a João-de-Barro trocar os locais do depósito de ferramentas e da inspeção.

Matriz de proximidade						
	Viagens entre departamentos					
Departamento	1	2	3	4	5	6
1. Rebolo e afiação	—	8	3		9	5
2. Máquina de controle numérico		—	3			
3. Transporte e recebimento			—		8	9
4. Tornos e furadeiras				—		3
5. Depósito de ferramentas					—	3
6. Inspeção						—

2. Use o método de tentativa e erro para encontrar um plano geral particularmente bom para a João-de-Barro Máquinas (veja o Problema Resolvido 1).

Figura 8.15 Layout atual

3	4	2
1	5	6

Em virtude dos custos excessivos de recolocação, o transporte e o recebimento (departamento 3) devem permanecer em seu local atual. Compare os *scores* da *dp* para avaliar seu novo layout, supondo novamente distância Manhattan (ou City Block).

3. O diretor do grupo de sistemas de informação na Consultoria Conway deve designar seis novos analistas para os escritórios. A matriz de proximidade seguinte mostra a freqüência esperada de contato entre os analistas. O plano geral da Figura 8.16 mostra os locais de escritório disponíveis (1–6) para os seis analistas (A–F). Suponha que os escritórios têm tamanhos iguais e que a distância é Manhattan (ou City Block). Devido a suas tarefas, o analista A deve ser designado para o local 4 e o analista D para o local 3. Quais são os melhores locais para os outros quatro analistas? Qual é o *score* da *dp* para seu layout?

Matriz de proximidade						
Contatos entre analistas						
Analista	A	B	C	D	E	F
Analista A	—		6			
Analista B		—	12			
Analista C			—	2	7	
Analista D				—		4
Analista E					—	
Analista F						—

1	2	3
4	5	6

Figura 8.16 Plano geral da consultoria Conway

4. Richard Garber é diretor de projetos da empresa Matthews e Novak Projetos. Garber foi convocado para projetar o layout de um prédio comercial construído recentemente. A partir de amostragens estatísticas ao longo dos últimos três meses, Garber elaborou a matriz de proximidade mostrada a seguir para viagens diárias entre os escritórios do departamento.

Matriz de proximidade					
Viagens entre departamentos					
Departamento	A	B	C	D	E	F
A	—	25	90			185
B		—			105	
C			—		125	125
D				—	25	
E					—	105
F						—

a. Se os outros fatores permanecerem iguais, quais são os dois escritórios que devem ser localizados mais próximos?
b. A Figura 8.17 mostra um layout alternativo para o departamento. Qual é o *score* total da distância ponderada para esse plano tendo por referência distância Manhattan (ou City Block) e supondo que os escritórios A e B estão a três unidades de distância?
c. Qual é a troca entre dois departamentos que aumentará mais o *score* total da distância ponderada?

5. Uma empresa com quatro departamentos tem a matriz de proximidade mostrada a seguir e o plano geral atual ilustrado na Figura 8.18.

a. Qual é o *score* da distância ponderada para o layout atual (considerando distância Manhattan — ou City Block)?

Matriz de proximidade			
Viagens entre departamentos			
Departamento	A	B	C	D
A	—	12	10	8
B		—	20	6
C			—	0
D				—

C	F	A
B	E	D

Figura 8.17 Layout alternativo

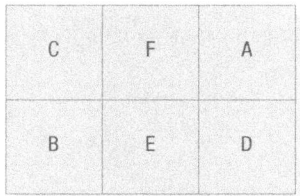

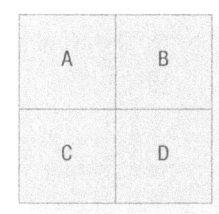

A	B
C	D

Figura 8.18 Plano geral atual

b. Elabore um layout melhor. Qual o *score* total da distância ponderada?

6. O departamento de engenharia de uma universidade em Nova Jersey deve designar seis membros da faculdade a seus novos escritórios. A matriz de proximidade a seguir indica o número esperado de contatos entre os professores por dia. Os espaços de escritórios disponíveis (1–6) para os seis membros da faculdade são mostrados na Figura 8.19. Suponha

que os escritórios tenham tamanhos iguais. A distância entre os escritórios 1 e 2 (e entre os escritórios 1 e 3) é de 1 unidade.

Matriz de proximidade

Contatos entre os professores

Professor	A	B	C	D	E	F
A	—		4			
B		—		12		10
C			—	2	7	
D				—		4
E					—	
F						—

a. Por causa de suas posições acadêmicas, ao professor A deve ser atribuído o escritório 1; ao professor C, o escritório 2; e ao professor D, o escritório 6. A que membros da faculdade devem ser atribuídos os escritórios 3, 4, e 5, respectivamente, para minimizar o *score* total da distância ponderada (supondo distância Manhattan — ou City Block)?

b. Qual é o *score* da distância ponderada de sua solução?

Figura 8.19 Espaço disponível

7. Use tentativa e erro para balancear a linha de montagem descrita na tabela seguinte e na Figura 8.20, de modo que produza 40 unidades por hora.

a. Qual é o tempo de ciclo?

b. Qual é o número mínimo teórico de estações de trabalho?

c. Que elementos de trabalho são designados para cada estação de trabalho?

d. Quais são os percentuais de eficiência resultante e perda por desbalanceamento?

Elemento de trabalho	Tempo (s)	Precedente(s) imediato(s)
A	40	Nenhum
B	80	A
C	30	A
D	25	B
E	20	C
F	15	B
G	60	B
H	45	D
I	10	E, G
J	75	F
K	15	H, I, J
Total	415	

8. Johnson Cogs deseja configurar uma linha para atender 60 clientes por hora. Os elementos de trabalho e suas relações de precedência são mostrados na tabela seguinte.

a. Qual é o número mínimo teórico de estações?

b. Quantas estações são necessárias usando tentativa e erro para encontrar uma solução?

c. Suponha que seja obtida uma solução que necessite de cinco estações. Qual é sua eficiência?

Elemento de trabalho	Tempo (s)	Precedente(s) imediato(s)
A	40	Nenhum
B	30	A
C	50	A
D	40	B
E	6	B
F	25	C
G	15	C
H	20	D, E
I	18	F, G
J	30	H, I
Total	274	

9. A *linha de acabamento* da PW é uma pequena linha de montagem subordinada que, junto com outras linhas, alimenta a linha final de chassi. A linha de montagem inteira, que consiste em mais de 900 estações de trabalho, fabrica os novos carros E da PW. A linha de acabamento envolve apenas 13 elementos de trabalho e deve lidar com 20 carros por hora. Além das restrições de precedência habituais, há duas restrições

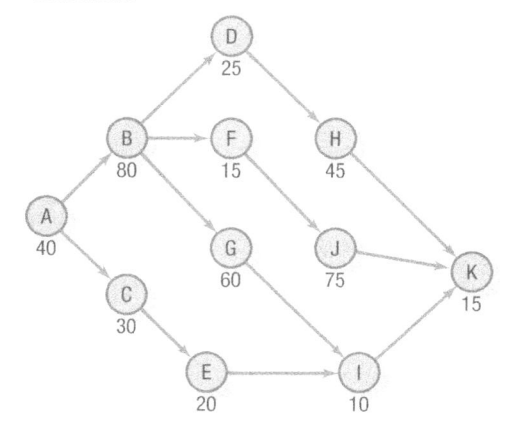

Figura 8.20 Diagrama de precedência

de região. Primeiro, os elementos de trabalho K e L devem ser designados para a mesma estação; ambos usam um componente comum e designá-los para a mesma estação preserva espaço de armazenamento. Segundo, os elementos de trabalho H e J não podem ser realizados na mesma estação. Os dados sobre os elementos de trabalho são os seguintes:

Elemento de trabalho	Tempo (s)	Precedente(s) imediato(s)
A	1,8	Nenhum
B	0,4	Nenhum
C	1,6	Nenhum
D	1,5	A
E	0,7	A
F	0,5	E
G	0,8	B
H	1,4	C
I	1,4	D
J	1,4	F, G
K	0,5	H
L	1,0	J
M	0,8	I, K, L

a. Trace um diagrama de precedência.

b. Que tempo de ciclo (em minutos) resulta da taxa de produção desejada?

c. Qual é o número mínimo teórico de estações?

d. Usando tentativa e erro, balanceie a linha o melhor que puder.

e. Qual é a eficiência de sua solução?

PROBLEMAS AVANÇADOS

10. A Eletrônica CCI fabrica vários produtos para a indústria de comunicações. Uma de suas plantas fabrica um dispositivo para perceber quando ocorrem chamadas telefônicas. Uma matriz de proximidade (fornecendo fluxos em ambas as direções) é mostrada na Tabela 8.1; o layout atual aparece na Figura 8.21. A gerência está razoavelmente satisfeita com o layout atual, embora tenha recebido algumas reclamações sobre a disposição dos departamentos D, G, K e L. Use informações da matriz de–para a fim de criar uma matriz de proximidade e, em seguida, encontre um plano geral revisado para transferir os quatro departamentos em relação aos quais as reclamações foram feitas. Mostre que o *score* da distância ponderada foi aperfeiçoado. Suponha distância Manhattan (ou City Block).

11. Uma linha de montagem ritmada foi projetada para fabricar calculadoras, como mostram os seguintes dados:

Estação	Elemento de trabalho designado	Tempo do elemento de trabalho (min)
E1	A	2,7
E2	D, E	0,6; 0,9
E3	C	3,0
E4	B, F, G	0,7; 0,7; 0,9
E5	H, I, J	0,7; 0,3; 1,2
E6	K	2,4

a. Qual é a taxa de produção máxima por hora dessa linha? (*Sugestão*: a velocidade máxima da linha é a de sua estação de trabalho mais lenta.)

b. Qual tempo de ciclo corresponde a essa taxa de produção máxima?

c. Se um trabalhador está em cada estação e a linha opera a essa taxa de produção máxima, quanto tempo ocioso é perdido durante cada turno de dez horas?

d. Qual é a eficiência da linha?

12. O gerente da Rádios Amadores Amorzinho quer organizar as tarefas envolvidas na preparação e na entrega de rádios amadores. O gerente planeja fabricar 60 rádios por dia de trabalho de dez horas. A tabela a seguir apresenta os tempos dos elementos de trabalho e as relações de precedência.

Elemento de trabalho	Tempo (min)	Precedente(s) imediato(s)
A	3	Nenhum
B	5	A
C	2	B
D	7	B
E	7	C, D
F	6	E
G	2	D, E
H	3	F
I	8	G
J	6	H
K	3	I, J
L	8	K

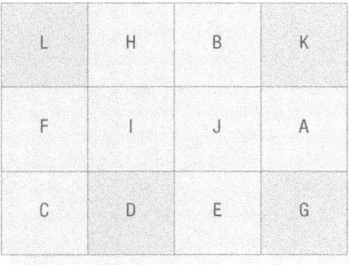

L	H	B	K
F	I	J	A
C	D	E	G

Figura 8.21 Plano geral atual

a. Construa um diagrama de precedência para esse processo.
b. Qual tempo de ciclo corresponde à taxa de produção desejada?
c. Tente identificar a melhor solução possível de balanceamento de linha. Quais elementos de trabalho são designados para cada estação?
d. Qual é o impacto em sua solução se o tempo para fabricar o elemento D aumentar em três minutos? E se diminuir três minutos?

13. O administrador associado do Hospital Fique Bem deseja avaliar o layout da clínica de pacientes externos. A Tabela 8.2 mostra os fluxos entre os departamentos (pacientes/dia); a Figura 8.22 mostra o layout atual.

a. Determine a efetividade do layout atual, como medido pelo *score* total da *dp*, usando distâncias Manhattan (ou City Block).
b. Tente encontrar o melhor layout possível baseado na mesma medida de efetividade.
c. Qual é o impacto sobre sua nova solução se tiver que ser revisada para manter o departamento 1 em seu local atual?
d. Como o layout elaborado na parte (c) deve ser revisado se o fluxo interdepartamental entre a sala de exame e o departamento de radiografia for aumentado em 50 por cento? Diminuído em 50 por cento?

TABELA 8.2 Matriz de proximidade

Departamento	Viagens entre departamentos							
	1	2	3	4	5	6	7	8
1. Recepção	—	25	35	5	10	15		20
2. Escritório comercial		—	5	10	15			15
3. Sala de exame			—	20	30	20		10
4. Radiografia				—	25	15		25
5. Laboratório					—	20		25
6. Cirurgia						—	40	
7. Pós-cirurgia							—	15
8. Escritório do médico								—

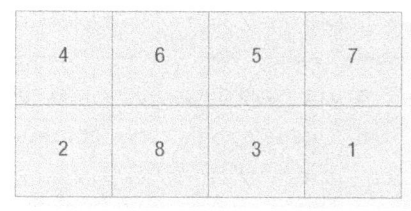

4	6	5	7
2	8	3	1

Figura 8.22 Layout atual

TABELA 8.1 Matriz de–para

Departamento	Viagens entre departamentos										
	A	B	C	D	E	F	G	H	I	J	K	L
A. Fabricação de condutor de rede	—											80
B. Fabricação de condutores e montagem parcial		—							50	70		
C. Montagem final			—		120							
D. Armazenagem de estoque				—	40							
E. Pré-soldagem				80	—						90	
F. Prova final						—	120					
G. Armazenagem de estoque		30					—	40	50			
H. Enroscamento de bobina								—	80			
I. Montagem de bobina			70	40					—		60	
J. Preparação de rede		90								—		
K. Soldagem			80								—	
L. Inserção de rede			60									—

CASO

Projeto de layout: o escritório regional de uma construtora de edifícios residenciais

A Plaenge Empreendimentos Ltda tem uma história marcada pela conquista da solidez no mercado de imóveis residenciais de construção vertical (edifícios) no Brasil. A empresa integra o Grupo Plaenge, formado por empresas que atuam, também, em outros segmentos além da incorporação residencial, como construção civil, projetos e montagens industriais. O grupo é composto por cinco empresas coligadas, que já contam com mais de três milhões de metros quadrados construídos em obras e instalações no país e no exterior, e sua atuação no mercado data de mais de três décadas, sendo que sua atuação no segmento de construções residenciais verticais iniciou-se em 1974.

Muitas implantações de melhoria na empresa demandaram projetos de mudança organizacional dos mais diversos tipos, abrangendo desde treinamentos de equipes específicas a mudanças nos processos organizacionais. Mesmo com as grandes mudanças sendo implantadas em todo o grupo empresarial, a mudança de layout desenvolvida no escritório regional de Campo Grande, em 2002, não estava diretamente associada ao planejamento dessas macromudanças. Segundo o diretor da regional, o objetivo específico era a integração das pessoas em seu ambiente de trabalho — por meio da descentralização das tarefas —, além do estabelecimento de uma nova ótica para o trabalho em equipe a partir da criação de 'times' e da introdução de novas funções, como os *gerentes de contratos*, responsáveis pelo acompanhamento dos contratos assinados com clientes de determinado empreendimento.

O escritório, localizado desde sua fundação (em 1988) na região central da cidade, contava com uma pequena planta de distribuição de espaços de trabalho. Seu formato, de salas individuais ou compartilhadas separadas por alvenarias e portas, foi modificado para uma planta totalmente integrada, em uma nova configuração desenhada nos formatos de 'ilhas de trabalho'. Cada 'ilha' é composta por quatro postos de trabalho agrupados, separados por uma divisória com altura de 1,2 metros, o que não permite ao funcionário enxergar os outros postos se estiver sentado; para isso, entretanto, basta levantar-se. Todas as ilhas de trabalho estão instaladas em um ambiente aberto (sem divisórias ou outro tipo de barreira), caracterizadas pela padronização do mobiliário, o que torna o ambiente visualmente mais uniforme. Em relação à comunicação visual, não foi instalado nenhum tipo de identificação de setores ou funções.

Antes da implementação, havia vinte e oito postos de trabalho: quatro gerentes, dois membros das equipes e os integrantes das gerências, o que representa uma estrutura hierárquica de três níveis: diretor, gerentes e membros das equipes. Cada gerência era formada por uma pequena equipe, sendo que a maior delas — a gerência de *engenharia* — possuía uma equipe de atuação predominantemente externa, composta por funcionários que trabalhavam em escritórios instalados nos canteiros das obras, totalizando nove funcionários entre engenheiros *residentes* e *de produção*. A essa equipe foram dedicados três postos de trabalho disponíveis para uso no escritório, em regime de compartilhamento.

No que se refere à natureza do trabalho, cada uma das equipes do *staff* possui atribuições distintas, porém relacionadas, referentes a: suporte de informática, área técnica de engenharia, acompanhamento de contratos, acompanhamento do atendimento aos clientes e soluções para novos negócios. Os atendimentos a pessoas externas à organização — como clientes e fornecedores — eram realizados inicialmente em salas de apoio temporárias e posteriormente foram criados novos ambientes destinados especificamente a esse fim. Mesmo assim, alguns atendimentos ocorriam (e ocorrem) no ambiente de espaços abertos, onde havia algumas cadeiras para acomodar os clientes externos. Isso por que existem pessoas externas que são reconhecidas como 'mais próximas', quer seja pelo funcionário quer seja por elas mesmas, e esse tipo de acomodação apresentar um caráter de informalidade no atendimento.

Atualmente o local onde foi implantando o layout de escritórios abertos abriga as áreas de engenharia, DAC (departamento de atendimento ao cliente), que atende pós-venda e pós-ocupação do imóvel, contas a pagar, marketing, imprensa e CI (central de informática). Os gerentes de contratos (que atendem aos clientes) continuam com o espaço exclusivo, localizado na entrada do escritório, implantado ao lado do espaço de vendas na ocasião da mudança. Foram mantidas salas separadas para a diretoria, gerência da regional e setor de recursos humanos. Além disso, foram construídas mais quatro salas, separadas por vidro, cada uma com pequenas mesas para reuniões com fornecedores ou com computadores para atendimento a clientes. Existe, também, uma sala de reuniões com capacidade para até dez pessoas, e uma sala de treinamentos (nos fundos do prédio) com capacidade para 22 pessoas e equipada com computador, televisão e *data-show*, onde são realizadas reuniões maiores e treinamentos. Hoje, 42 funcionários efetivos trabalham no escritório: um diretor, um gerente da regional, um gerente de relacionamento com cliente, dois gerentes de engenharia, um gerente comercial e *staff*, além de outros funcionários terceirizados, das áreas de vigilância e limpeza.

QUESTÕES

1. Classifique o novo layout do escritório regional da Plaenge. Identifique suas principais vantagens em relação a outros tipos de layout.

2. Como medir a eficiência desse novo layout? Quais critérios de desempenho você imagina que foram considerados em seu nobo projeto?

3. O layout tem implicações práticas e estratégicas e alterar um layout pode afetar uma organização e o quão bem ela atinge suas prioridades competitivas. O novo layout do escritório regional da Plaenge atende o objetivo específico definido pelo diretor regional: integrar as pessoas em seu ambiente de trabalho, promover a descentralização das tarefas e procurar estabelecer uma nova ótica para o trabalho. Explique.

Caso desenvolvido por Adriane. A. F. S. Lopes de Queiroz, gerente do escritório de projetos da Unimed Campo Grande e pela professora Susana C. Farias Pereira,FGV/EAESP.
Fonte: QUEIROZ, A. F. S. Influências da Mudança de Layout: uma análise das relações do indivíduo com o seu ambiente de trabalho. São Paulo: FGV/EAESP, 2002. 114p. (Dissertação de Mestrado apresentada ao Curso de Pós-Graduação da FGV/EAESP).

REFERÊNCIAS SELECIONADAS

BARRY, Curt. "One warehouse or two?" *Catalog Age*, 1 mar. 2002.

BERRY, L.; CARBONE, L.; HAECKEL, S. "Managing the total customer experience", *MIT Sloan Management Review*, v. 43, n. 3, primavera 2002, p. 85-89.

BITNER, Mary Jo. "Evaluating service encounters: the effects of physical surroundings and employee responde", *Journal of Marketing*, v. 54, abr. 1990, p. 69-82.

BITNER, Mary Jo. "Servicescapes: The impact of physical surroundings on customers and employees", *Journal of Marketing*, v. 56, abr. 1992, p. 57-71.

"Bloomie's tries losing the attitude", *Business Week*, 13 nov. 1995, p. 52.

BOZER, Y. A.; MELLER, R. D. "A reexamination of the distance-based layout problem", *IIE Transactions*, v. 29, n. 7, 1997, p. 549-580.

CARBONE, L.; HAECKEL, S. "Engineering customer experience", *Marketing Management*, v. 3, n. 3, inverno 1994, p. 8-19.

"Cool offices", *Fortune*, 9 dez. 1996, p. 204-210.

"Cummins engine flexes its factory", *Harvard Business Review*, mar./abr. 1990, p. 120-127.

"Deck the malls with kiosks", *Business Week*, 13 dez. 1999, p. 86.

FAALAND, B. H.; KLASTORIN, T. D.; SCHMITT, T. G.; SHTUB, A. "Assembly line balancing with resource dependent task times", *Decision Sciences*, v. 23, n. 2, 1992, p. 343-363.

FRANCIS, Richard L., MCGINNIS, Jr., Leon F.; WHITE, John A. *Facility layout and location: an analytical approach*, 2 ed. Englewood Cliffs, NJ: Prentice Hall, 1992.

FRAZIER, G. V.; SPRIGGS, M. T. "Achieving competitive advantage through group technology", *Business Horizons*, v. 39, n. 3, 1996, p. 83-90.

GUPTA, S.; VAJIC, M. "The contextual and dialectical nature of experiences", p. 33-51. In FITZSIMMONS; FITZSIMMONS (eds.), *New service development*. Thousand Oaks, CA: Sage Publications Inc., 1999.

HERAGU, Sunderesh. *Facilities design*. Boston, MA: PWS Publishing Company, 1997.

"How Nokia thrives by breaking the rules", *Wall Street Journal*, 3 jan. 2003.

HYER, N. L.; BROWN, K. H. "The discipline of real cells", *Journal of Operations Management*, v. 17, n. 5, 1999, p. 557-574.

"Making malls (gasp!) convenient", *Wall Street Journal*, 8 fev. 2000.

OLDHAM, G. R.; BRASS, D. J. "Employee reactions to an open-plan office: a naturally occurring quasi-experiment", *Administrative Science Quarterly*, v. 24, 1979, p. 267-294.

PESCH, Michael J.; JARVIS, Larry; TROYER, Loren. "Turning around the rust belt factory: the $ 1,98 solution", *Production and Inventory Management Journal*, segundo trimestre 1993.

PINE, B.; GILMORE, J. *The experience economy*. Boston, MA: Harvard Business School Press, 1999.

PINTO, Peter D.; DANNENBRING, David; KHUMAWALA, Basheer. "Assembly line balancing with processing alternatives", *Management Science*, v. 29, n. 7, 1983, p. 817-830.

PULLMAN, Madeleine E.; GROSS, Michael A. "Making the connection: an exploration of the relationship between customer loyalty and experience design elements", Working Paper, Colorado State University, fev. 2003.

"Retailing: confronting the challenges that face bricks-and-mortar stores". In: *Harvard Business Review*, jul./ago 1999, p. 159.

SCHULER, Randall S.; RITZMAN, Larry P.; DAVIS, Vicki L. "Merging prescriptive and behavioral approaches for office layout", *Journal of Operations Management*, v. 1, n. 3, 1981, p. 131-142.

STONE, Phillip J.; LUCHETTI, Robert. "Your office is where you are", *Harvard Business Review*, mar./abr. 1985, p. 102-117.

SULE, D. R. *Manufacturing facilities: location, planning, and design.* Boston, MA: PWS Publishing Company, 1994.

SURESH, N. C.; KAY, J. M. (eds). *Group technology and cellular manufacturing: a state-of-the-art synthesis of research and practice.* Boston, MA: Kluwer Academic Publishers, 1997.

"The most devastating retailer in the world", *The New Yorker*, set. 2000.

"Tools of the Remote Trade", *Business Week*, 27 mar. 2000, p. F20.

WAKEFIELD, K.; BLODGETT, G. "The effect of the servicescape on customers' behavioral intentions in leisure service settings", *Journal of Services Marketing*, v. 10, n. 6, 1996, p. 45-61.

WASSERMAN, V.; RAFAELI, A.; KLUGER, A. "Aesthetic symbols as emotional cues", p. 140-165. In FINEMAN, S. (ed.), *Emotion in organizations.* Londres: Sage Publications, 2000.

"Will this open space work?", *Harvard Business Review*, maio/jun. 1999, p. 28.

WINARCHICK, C.; CALDWELL, R. D. "Physical interactive simulation: a hands-on approach to facilities improvements", *IIE Solutions*, v. 29, n. 5, 1997, p. 34-42.

WOLF, M. J. *The entertainment economy: how megamedia forces are transforming our lives.* Nova York: Times Books, Random House, 1999.

9

OBJETIVOS DE APRENDIZAGEM

Depois de ler este capítulo, você será capaz de:

1. Identificar as características e vantagens estratégicas dos sistemas de produção enxuta.

2. Descrever como os sistemas de produção enxuta podem facilitar a melhoria contínua das operações.

3. Compreender o sistema kanban para criar uma programação de produção em um sistema de produção enxuta.

4. Compreender o mapeamento do fluxo de valor e seu papel na redução do desperdício.

5. Explicar as questões de implementação associadas à aplicação de sistemas de produção enxuta.

Uma funcionária auxilia na montagem de um veículo na Toyota City, no centro do Japão. A linha de produção da Toyota está entre os sistemas de fabricação enxuta mais admirados no mundo.

Capítulo 9
Sistemas de produção enxuta

Sistemas de Produção da Toyota

Se você tivesse que escolher uma empresa que seja exemplar na excelência em fabricação de automóveis, provavelmente seria a Toyota. Presente no mundo inteiro, em 2004, a Toyota tinha um investimento total de 16,6 bilhões de dólares em 12 fábricas que empregavam 37.351 associados, produzindo 1,44 milhão de veículos só nos Estados Unidos. A Toyota esteve na vanguarda das empresas que desenvolveram sistemas de fabricação enxuta (sistema *lean* de produção). Hoje, o TPS (*Toyota Production System* — Sistema de Produção da Toyota) é um dos sistemas de fabricação existentes mais admirados do mundo. A replicação do sistema, entretanto, é cheia de dificuldades. O que torna o sistema confiável e por que a Toyota foi capaz de usar o sistema de modo tão bem-sucedido em muitas plantas diferentes, ao passo que outros fabricantes de carro não o conseguiram?

A maioria dos leigos vê o TPS como um conjunto de ferramentas e procedimentos que são facilmente perceptíveis durante uma excursão pela planta. Ainda que sejam importantes para o êxito do TPS, não são a chave. O que a maioria das pessoas desconsidera é que, por meio do processo de melhoria contínua, a Toyota construiu uma organização que aprende ao longo do curso de 50 anos. Os sistemas de produção enxuta exigem melhorias constantes para aumentar a eficiência e reduzir o desperdício. A Toyota criou um sistema que estimula os funcionários a tentar encontrar maneiras melhores de executar suas tarefas. De fato, a Toyota organiza todas as suas operações como experimentos e ensina os funcionários em todos os níveis a utilizar o método científico de solução de problemas.

Quatro princípios formam a base do TPS. Primeiro, todas as tarefas devem estar completamente especificadas no que se refere ao conteúdo, seqüência, ritmo e resultado. O detalhe é importante, porque, do contrário, não há um alicerce para as melhorias. Segundo, toda relação entre cliente e fornecedor deve ser direta, especificando claramente as pessoas envolvidas, a forma e a quantidade dos serviços ou bens a serem fornecidos, o modo pelo qual os pedidos são feitos por cada cliente e o tempo esperado em que os pedidos serão atendidos. As relações entre fornecedor e cliente podem ser internas (funcionário com funcionário) ou externas (empresa com empresa). Terceiro, o trajeto para cada serviço e produto deve ser simples e direto. Isto é, serviços e bens não circulam para a próxima pessoa ou máquina disponível, mas para uma pessoa ou máquina específica. Com esse princípio, os funcionários podem determinar, por exemplo, se um problema de capacidade existe em uma estação de trabalho específica e, em seguida, analisar maneiras para resolvê-lo.

Os três primeiros princípios definem o sistema em detalhe, especificando como os funcionários trabalham, interagem uns com os outros e como os fluxos de trabalho são projetados. Entretanto, essas especificações, na realidade, são 'hipóteses' sobre o modo como o sistema deve funcionar. Por exemplo, se algo sair errado em uma estação de trabalho por várias vezes, a hipótese sobre os métodos que o funcionário usa para executar o trabalho é rejeitada. O quarto princípio, então, é o de que qualquer melhoria no sistema deve ser feita conforme o método científico, sob a orientação de um professor, no nível organizacional mais baixo possível. O método científico envolve definir claramente uma hipótese verificável na forma "se fizermos as mudanças específicas seguintes, esperamos alcançar esse resultado específico". A hipótese deve ser testada sob uma variedade de condições. Trabalhar com um professor, que é freqüentemente o supervisor dos funcionários, é uma chave para se tornar uma organização que aprende. Os funcionários aprendem o método científico e, no fim, se tornam professores de outros. Por fim, promover melhorias no nível mais baixo da organização significa que os funcionários que estão realmente executando o trabalho estão ativamente envolvidos em promover as melhorias. Os gerentes são aconselhados a apenas treinar os funcionários — não a solucionar os problemas por eles.

Esses quatro princípios são enganosamente simples. Contudo, apesar de serem difíceis, não são impossíveis de replicar. As organizações que os implementam com êxito desfrutam dos benefícios de um sistema de produção enxuta que se adapta à mudança. Para a Toyota, seu sistema a tornou uma líder inovadora na indústria automobilística e atuou como uma pedra angular de seu êxito.

Fonte: Steven Spear e H. Kent Bowen, "Decoding the DNA of the Toyota Production System", *Harvard Business Review*, set./out. 1999, p. 97-106; Steven J. Spear, "Learning to lead at Toyota", *Harvard Business Review*, mai. 2004, p. 78-86. Disponível em: <www.toyota.com>. Acesso em: ago. 2005.

O TPS (*Toyota Production System* — Sistema de Produção da Toyota) é um exemplo excelente de uma abordagem para projetar cadeias de valor conhecida como **sistemas de produção enxuta** ou **sistemas *lean* de produção**, que são sistemas de operações que maximizam o valor adicionado por cada uma das atividades de uma empresa por meio da eliminação de recursos desnecessários e demoras excessivas. Os sistemas de produção enxuta incluem a estratégia de operações da empresa, o projeto do processo, a administração da qualidade, a administração das restrições, o projeto do layout, o projeto da cadeia de suprimentos e a tecnologia e administração dos estoques que podem ser usados tanto por empresas prestadoras de serviços como por empresas manufatureiras. Como um fabricante, cada empresa de serviços recebe um pedido de um cliente; em seguida, entrega um serviço e recolhe os rendimentos. Cada empresa de serviços compra serviços ou artigos, recebe e paga por eles e contrata e paga os funcionários. Cada uma dessas atividades é consideravelmente semelhante às de empresas manufatureiras. Elas também, normalmente, acomodam quantidades enormes de sobras. Na primeira parte deste capítulo, apresentaremos muitas formas de melhorar processos, independentemente de serem processos de fabricação ou não. Esses mesmos princípios podem ser aplicados para tornar os processos de serviço enxutos, sejam eles projetos de *front-office*, *hybrid-office* ou *back-office*. Concluiremos a primeira parte do texto por meio, neste capítulo, da continuação dessa discussão sobre administração de processos.

Um dos sistemas mais populares que incorpora os elementos genéricos dos sistemas de produção enxuta é o sistema *just-in-time*. A **filosofia *just-in-time* (JIT)** é simples, mas eficaz — elimina o desperdício reduzindo o excesso de capacidade ou estoque e removendo atividades que não agregam valor. As metas são gerar serviços e produtos quando necessário e aumentar continuamente os benefícios de valor agregado das operações. Um **sistema JIT** organiza os recursos, fluxos de informação e regras de decisão que possibilitam a uma empresa concretizar os benefícios dos princípios JIT. Começaremos identificando as características dos sistemas de produção enxuta para processos de serviço e fabricação. Em seguida, discutiremos como os sistemas de produção enxuta podem ser usados para melhorar continuamente as operações. Também abordaremos algumas das questões de implementação que as empresas enfrentam.

SISTEMAS DE PRODUÇÃO ENXUTA POR TODA A ORGANIZAÇÃO

Os sistemas de produção enxuta afetam os laços internos de uma empresa entre seus processos essenciais e de apoio e entre seus laços externos com clientes e fornecedores. O projeto de cadeias de valor usando a abordagem de sistemas de produção enxuta é importante para vários departamentos e áreas funcionais por toda a organização. O marketing conta com os sistemas de produção enxuta para entregar serviços ou produtos de alta qualidade pontualmente e a preços razoáveis. Os recursos humanos devem colocar no lugar certo os sistemas de incentivo corretos que gratificam a equipe de trabalho. Esse departamento também deve recrutar, treinar e avaliar os funcionários necessários para criar uma força de trabalho flexível que pode operar com êxito um sistema de produção enxuta. A engenharia deve projetar produtos que usem mais peças comuns, de modo que sejam requeridos menos processos de preparação e que fábricas focadas possam ser usadas. O departamento de operações é responsável por manter laços fortes com fornecedores e por usar o sistema de produção enxuta na manufatura de bens ou serviços. A contabilidade deve ajustar seu faturamento e práticas contábeis de custos para tirar proveito dos sistemas de produção enxuta. Por fim, a alta gerência deve adotar a filosofia de produção enxuta e torná-la parte da cultura e da aprendizagem organizacional, como foi feito pela Toyota no estudo de caso na abertura do capítulo.

USANDO OPERAÇÕES PARA COMPETIR

Operações como arma competitiva
Estratégia de operações
Administração de projetos

ADMINISTRANDO PROCESSOS

Estratégia de processo
Análise de processos
Desempenho e qualidade do processo
Administração das restrições
Layout do processo
Sistemas de produção enxuta

ADMINISTRANDO CADEIAS DE VALOR

Estratégia de cadeia de suprimentos
Localização
Administração de estoques
Previsão de demanda
Planejamento de vendas e operações
Planejamento de recursos
Programação

CARACTERÍSTICAS DOS SISTEMAS DE PRODUÇÃO ENXUTA PARA SERVIÇOS E MANUFATURAS

Nesta seção, discutiremos as seguintes características dos sistemas de produção enxuta: método puxado de fluxo de trabalho, qualidade consistente desde a origem, tamanho de lotes pequeno, cargas uniformes nas estações de trabalho, componentes e métodos de trabalho padronizados, proximidade com fornecedores, força de trabalho flexível, fluxos em linha, automação, práticas dos cinco S e manutenção preventiva.

MÉTODO PUXADO DE FLUXO DE TRABALHO

Os sistemas de produção enxuta utilizam o método 'puxado' (*pull*) de fluxo de trabalho. Entretanto, outro método popular é o método 'empurrado' (*push*) de fluxo de trabalho. Para estabelecermos uma diferença entre os dois, utilizemos um exemplo de serviço que envolve um passatempo favorito: comer. Considere uma cantina em uma esquina movimentada do centro da cidade. Durante os períodos movimentados, por volta de meio-dia e às seis da tarde, filas se formam, com clientes famintos, ávidos por se alimentar e partir em seguida para outras atividades. A cantina oferece opções de frango (assado ou bem frito), rosbife, costeleta de porco, hambúrgueres, cachorros-quentes, salada, sopa (frango, ervilha e de mariscos), pão (três tipos), bebidas e sobremesas (tortas, sorvete e biscoitos). Requer-se coordenação cuidadosa entre o *front-office* da cantina, em que seus funcionários interagem com os clientes; e o *back-office*, a cozinha, onde a comida é preparada e, em seguida, colocada ao longo do bufê da cantina. Uma vez que é necessário tempo considerável para cozinhar alguns dos itens da comida, a cantina usa o **método empurrado**, que envolve preparar a comida vendida aos clientes antes que eles façam o pedido. Os itens da comida preparada na cantina são, na verdade, um 'estoque de comida' e o método empurrado é empregado para assegurar que um estoque adequado esteja disponível. Afinal de contas, escassez de comida poderia causar tumultos (lembre-se de que os clientes estão com fome), ao passo que preparar uma quantidade excessiva de comida seria um desperdício porque não seria consumida. Para se assegurar de que nenhuma dessas situações ocorrerá, a cantina deve prever com precisão o número de clientes que espera atender.

Agora considere um restaurante cinco estrelas em que você está sentado a uma mesa e recebe um menu de pratos, antepastos, sopas, saladas e sobremesas requintados. Você pode escolher entre filé *mignon*, bife *porterhouse*, atum *yellowfin*, garoupa e postas de cordeiro. A seleção de várias saladas é preparada em sua mesa. Embora alguns antepastos, sopas e sobremesas possam ser preparados com antecedência e aquecidos logo antes de servir, o prato principal e as saladas não podem. Seu pedido de salada e do prato principal sinaliza ao chefe de cozinha que comece a preparar seus pedidos específicos. Para esses itens, o restaurante está usando o **método puxado**. Quando esse método é adotado, a demanda do cliente ativa a produção de um bem ou serviço. As empresas que trabalham seguindo esse método devem ser capazes de atender às demandas do cliente dentro de um período de tempo aceitável. A cantina teria dificuldades em usar o método puxado porque não poderia esperar até que um item estivesse quase no fim antes de pedir à cozinha para começar a processar outra fornada.

A escolha entre os métodos empurrado e puxado é, muitas vezes, situacional. Empresas com processos altamente repetitivos e fluxos de trabalho bem definidos de itens padronizados freqüentemente usam o método puxado porque ele permite controle mais cuidadoso de estoque e dos produtos nas estações de trabalho. O restaurante cinco estrelas usa o método puxado para controlar custos de estoque (o frescor e o gosto da comida). Empresas com processos que envolvem longos tempos de espera e previsões razoavelmente precisas de demanda, diversos produtos que requerem processos comuns e clientes que não esperarão muito pelo produto tendem a usar um método empurrado. Esse é, muitas vezes, o caso da cantina e de muitas fábricas. Empresas usando uma estratégia de montagem por encomenda, algumas vezes, usam ambos os métodos: o método empurrado para fabricar os componentes padronizados e o método puxado para atender ao pedido do cliente por uma combinação específica dos componentes.

Clientes fazem o prato em um bufê de restaurante. Uma vez que os itens da refeição devem ser preparados com antecedência, o restaurante usa um método 'empurrado' de fluxo de trabalho.

QUALIDADE NA ORIGEM

Satisfazer constantemente as expectativas do cliente é uma característica importante dos sistemas de produção enxuta. Um modo de alcançar essa meta é aderir a uma prática chamada *qualidade na fonte*, que é um esforço de toda a organização para melhorar a qualidade dos produtos da empresa por meio da atuação dos funcionários como seus próprios inspetores de qualidade. A meta para os trabalhadores é nunca passar unidades defeituosas para o próximo processo. Por exemplo, uma operação de soldagem no departamento de antenas da Texas Instruments tinha uma taxa de defeitos que variava de zero a 50 por cento diariamente, atingindo a média de cerca de 20 por cento. Para compensar, os planejadores de produção aumentaram os tamanhos de lote, que apenas aumentaram os níveis de estoque e não reduziram o número de artigos defeituosos. Os engenheiros da empresa descobriram, então, por meio de experimentos, que a temperatura do gás era uma variável crítica na fabricação de itens sem defeitos. Eles, em seguida, criaram gráficos de controle estatístico para que os próprios operadores do equipamento da empresa monitorassem a temperatura e a ajustassem. Os rendimentos do processo imediatamente melhoraram e se estabilizaram em 95 por cento e a Texas Instrument foi, por fim, capaz de implementar um sistema de produção enxuta.

Uma abordagem para implementar a qualidade na origem é usar métodos **poka-yoke** ou à prova de falhas, cujo objetivo é projetar sistemas à prova de erros que evitem ou minimizem o erro humano. Considere, por exemplo, uma empresa que fabrique produtos modulares. Ela pode usar o método *poka-yoke* fabricando partes diferentes do produto modular de modo que permita que sejam montadas de apenas um modo — o modo correto. De maneira semelhante, as caixas de transporte de uma empresa podem ser projetadas para serem vedadas apenas de um certo modo para minimizar danos e eliminar todas as chances de erros. Os sistemas *poka-yoke* funcionam bem na prática. Outra abordagem para implementar qualidade na origem é uma prática japonesa chamada *jidoka* e *andon*, que confere às máquinas e a seus operadores a capacidade de detectar a ocorrência de qualquer anormalidade. Os funcionários são, então, autorizados a sinalizar para pedir ajuda ou parar, se necessário, a linha de produção, o que pode, porém, custar à empresa alguns milhares de dólares por cada minuto que a produção é suspensa. Não é preciso dizer que a gerência deve perceber a responsabilidade enorme que esse método atribui aos funcionários e deve prepará-los corretamente.

LOTES PEQUENOS

Os sistemas de produção enxuta usam tamanhos de lote tão pequenos quanto possível. Um **lote** é uma quantidade de itens processados juntos. Lotes pequenos têm a vantagem de reduzir o nível médio de estoque em relação a lotes grandes, além de atravessarem o sistema mais rápido que grandes lotes. Ainda, se forem descobertos quaisquer itens defeituosos, lotes grandes causam atrasos maiores porque o lote inteiro deve ser examinado para encontrar todos os itens que precisam ser reprocessados. Por fim, pequenos lotes ajudam a alcançar uma carga de trabalho uniforme no sistema. Grandes lotes usam grande parte da capacidade das estações de trabalho e, assim, complicam o agendamento. Lotes pequenos podem ser distribuídos de modo mais eficaz, possibilitando aos planejadores utilizarem as capacidades de modo mais eficiente.

Embora lotes pequenos sejam benéficos às operações, eles têm a desvantagem de uma maior freqüência de preparações. Uma **preparação** (*setup*) é o grupo de atividades necessárias para mudar ou reajustar um processo entre lotes sucessivos de itens, muitas vezes chamado *transição*. Normalmente, uma preparação leva o mesmo tempo, independentemente do tamanho do lote. Conseqüentemente, muitos lotes pequenos, em vez de vários lotes grandes, podem resultar em desperdício na forma de funcionários e equipamentos inativos. Os tempos de preparação devem ser breves para concretizar os benefícios da produção em lotes pequenos.

Atingir tempos menores de preparação muitas vezes requer estreita cooperação entre a engenharia, a gerência e a mão-de-obra. Por exemplo, alterar matrizes em prensas grandes para formar peças de automóveis a partir de chapas de metal pode levar de três a quatro horas. Na fábrica da Honda de Marysville, Ohio — onde quatro linhas de estamparia produzem todos os painéis exteriores e os principais painéis internos da carroceria para a produção do Accord —, as equipes trabalharam com o objetivo de reduzir o tempo de troca para as ferramentas de massa. Em decorrência disso, uma mudança completa de ferramentas em uma prensa gigante de 2.400 toneladas leva atualmente menos de oito minutos. A meta de **preparação de um dígito** significa ter um tempo de preparação inferior a dez minutos. Algumas técnicas usadas para reduzir tempos de preparação na fábrica de Marysville incluem a utilização de correias transportadoras para o armazenamento de ferrramentas, o deslocamento de grandes ferramentas com guindastes, a simplificação de ferrramentas, o estabelecimento de controles de máquinas, a utilização de microcomputadores para alimentar e posicionar automaticamente o trabalho e a preparação das trocas enquanto a tarefa atual estiver sendo processada.

CARGAS UNIFORMES DAS ESTAÇÕES DE TRABALHO

Um sistema de produção enxuta funciona melhor se a carga diária nas estações de trabalho individuais for relativamente uniforme. Os processos de serviço podem alcançar cargas uniformes na estação de trabalho usando sistemas de reserva. Por exemplo, os hospitais agendam horários de cirurgias com antecedência, de modo que as instalações e os bens facilitadores possam estar prontos quando for o momento. A carga sobre as salas de cirurgia e sobre os cirurgiões pode ser uniformizada para se fazer melhor uso desses recursos. Outra abordagem é usar a determinação de preços diferenciados de serviços para administrar a demanda. Cargas uniformes são a razão por trás das promoções de viagens, pelas linhas aéreas, no fim de semana ou de vôos noturnos que começam no fim do dia e terminam no início da manhã. A eficiência pode ser percebida quando a carga sobre os recursos da empresa pode ser administrada.

Para os processos de fabricação, cargas uniformes podem ser alcançadas montando-se o mesmo tipo e número de unidades a cada dia, criando-se, assim, uma demanda diária uniforme em todas as estações de trabalho. O planejamento da capacidade, que reconhece restrições de capacidade em estações de trabalho críticas, e o balanceamento de linha são usados para desenvolver o plano-mestre de produção. Por exemplo, na Toyota, o plano de produção pode requerer 4.500 veículos por semana para o mês seguinte. Isso exige dois turnos integrais, cinco dias por semana, produzindo 900 veículos a cada dia ou 450 por turno. Três modelos são produzidos: Camry (C), Avalon (A) e Sienna (S). Suponha que a Toyota precise de 200 Camrys, 150 Avalons e 100 Siennas por turno para satisfazer a demanda de mercado. Para fabricar 450 unidades em um turno de 480 minutos, a linha deve produzir um veículo a cada 480/450 = 1,067 minuto.

Para nossos estudos, atentaremos basicamente a três maneiras de criar um plano-mestre de produção para os veículos. Primeiro, com a produção de lotes grandes, todas as necessidades diárias de um modelo são produzidas em um grupo antes que outro modelo seja iniciado. A seqüência de 200 C, 150 A e 100 S seria repetida uma vez por turno. Não apenas esses lotes grandes aumentariam o nível médio cíclico do estoque, mas também originariam necessidades aglomeradas em todas as estações de trabalho que alimentam a linha de montagem.

A segunda opção usa o **modelo misto de montagem**, gerando uma mistura de modelos em pequenos lotes. Note que as necessidades de produção são na razão de 4 C para 3 A para 2 S, encontrada por meio da divisão das necessidades de produção do modelo pelo maior divisor comum, ou 50. Desse modo, o planejador da Toyota pode desenvolver um ciclo de produção que consista em nove unidades: 4 C, 3 A e 2 S. O ciclo se repetiria em 9(1,067) = 9,60 minutos, para um total de 50 vezes por turno (480 min/9,60 min = 50).

Uma seqüência de C–S–C–A–C–A–C–S–A, repetida 50 vezes por turno, alcançaria o mesmo produto total que as outras opções. Essa terceira opção é factível apenas se os tempos de preparação forem breves. A seqüência gera uma taxa constante de necessidades de componentes para os vários modelos e permite o uso de tamanhos pequenos de lote nas estações de trabalho que alimentam a linha. Conseqüentemente, as necessidades de capacidade nessas estações são muito niveladas e podem ser comparadas a capacidades reais durante a fase de planejamento, e modificações no ciclo de produção, necessidades de produção ou capacidades podem ser feitas quando necessário.

COMPONENTES E MÉTODOS DE TRABALHO PADRONIZADOS

Em operações de serviço altamente repetitivas, pode-se ganhar grande eficiência analisando métodos de trabalho e documentando as melhorias para que todos os funcionários as utilizem. Por exemplo, a UPS monitora constantemente seus métodos de trabalho e os revisa quando necessário para melhorar o serviço. Na fabricação, a padronização de componentes, chamada de *comunalidade* ou *modularidade de peças*, aumenta a repetitividade. Por exemplo, uma empresa que fabrica dez produtos a partir de mil componentes diferentes poderia reprojetar seus produtos de maneira que eles consistam em apenas cem componentes diferentes com maiores necessidades diárias. Uma vez que as necessidades por componentes aumentam, o mesmo ocorre com a repetitividade; isto é, cada trabalhador executa uma tarefa ou método de trabalho padronizado com mais freqüência a cada dia. A produtividade tende a aumentar porque, com a repetição aumentada, os trabalhadores aprendem a executar suas tarefas de modo mais eficaz. Padronizar componentes e métodos de trabalho ajuda uma empresa a alcançar os objetivos de produtividade alta e de estoque baixo de um sistema de produção enxuta.

PROXIMIDADE COM FORNECEDORES

Uma vez que os sistemas de produção enxuta operam com baixos níveis de estoque ou capacidade em excesso, as empresas que os utilizam precisam ter relações próximas com seus fornecedores. Os suprimentos devem ser enviados freqüentemente, apresentar tempos de espera curtos, chegar pontualmente e ser de alta qualidade. Um contrato pode até mesmo requerer que um fornecedor entregue bens a uma instalação várias vezes por dia. Gerentes de compras têm três modos de estreitar os laços da empresa com seus fornecedores: reduzir o número de seus fornecedores, usar fornecedores locais e melhorar as relações com o fornecedor.

Normalmente, uma das primeiras ações empreendidas quando um sistema de produção enxuta é implementado é a redução do número de fornecedores. A Xerox, por exemplo, reduziu o número de seus fornecedores de cinco mil para apenas 300. Essa abordagem pressiona muito esses fornecedores para que entreguem componentes de alta qualidade pontualmente. Para compensar, os usuários de sistemas de produção enxuta ampliam seus contratos com esses fornecedores e lhes dão informações sobre pedidos da empresa com antecedência. Além disso, incluem seus fornecedores no início das fases do projeto do produto para evitar problemas após o início da produção. Eles também trabalham com os vendedores de seus fornecedores, tentando alcançar fluxos sincronizados de estoque em toda a cadeia de suprimentos.

Os fabricantes que usam sistemas de produção enxuta geralmente utilizam fornecedores locais. Por exemplo, quando a GM localizou seu complexo Saturno em Tennessee, muitos fornecedores se aglomeraram nas proximidades. A Harley-Davidson reduziu o número de seus fornecedores e deu preferência aos que estavam próximos a suas plantas: três quartos dos fornecedores de sua fábrica de motores de Milwaukee estão localizados em um raio de 175 milhas, por exemplo. A proximidade geográfica significa que a empresa pode reduzir a necessidade de estoques de segurança. As empresas que não têm fornecedores próximos devem contar com um sistema de entrega de fornecedores muito confiável. Por exemplo, a New United Motor Manufacturing Incorporated (NUMMI), o empreendimento conjunto entre a GM e a Toyota, na Califórnia, tem fornecedores em Indiana, Ohio e Michigan. Por meio de um sistema cuidadosamente coordenado envolvendo trens e vagões que transportam caminhões, os fornecedores entregam peças suficientes para exatamente um dia de produção todos os dias.

Os usuários de sistemas de produção enxuta também consideram que uma orientação cooperativa em relação aos fornecedores é essencial. A filosofia do sistema de produção enxuta é procurar formas de aumentar a eficiência e de reduzir os estoques por toda a cadeia de suprimentos. A cooperação estreita entre as empresas e seus fornecedores pode ser um jogo de soma positiva para todos. Melhor comunicação sobre as necessidades de componentes, por exemplo, possibilita um planejamento de estoque e uma programação de entrega mais eficiente pelos fornecedores, aumentando, por meio disso, as margens de lucro do fornecedor. Os clientes podem, então, negociar preços mais baixos de componentes. Relações mais fortes com o fornecedor não podem ser estabelecidas e mantidas se as empresas vêem seus fornecedores como adversários quando os contratos são negociados. Pelo contrário, eles devem considerar os fornecedores como parceiros em um empreendimento, em que ambas as partes têm interesse em manter uma relação rentável, de longo prazo.

FORÇA DE TRABALHO FLEXÍVEL

Trabalhadores em forças de trabalho flexíveis podem ser treinados para executar mais de uma tarefa. Um benefício da flexibilidade é a capacidade de deslocar trabalhadores entre estações de trabalho para ajudar a diminuir estrangulamentos quando eles surgem, sem a necessidade de amortecedores de estoque — um aspecto importante do fluxo uniforme de sistemas de produção enxuta. Além do mais, os trabalhadores podem fazer o trabalho dos que estão de férias ou doentes. Embora atribuir aos trabalhadores tarefas que eles normalmente não executam, o que pode reduzir temporariamente sua eficiência, um pouco de rotação de atividades tende a mitigar o tédio e a reanimar os trabalhadores.

Quanto mais personalizado for o serviço ou produto, maior é a necessidade da empresa ter uma força de trabalho com habilidades múltiplas. Por exemplo, oficinas de aparelhos de som requerem pessoal amplamente treinado que possam identificar uma grande variedade de problemas de componentes quando o cliente trouxer a unidade defeituosa à loja e que possa consertá-la. Ou, projetos de *back-office*, como operações de processamento de correspondência em uma grande agência dos correios, têm funcionários com atividades mais estreitamente definidas por causa da natureza repetitiva das tarefas que devem executar. Esses funcionários não têm que adquirir tantas habilidades alternativas. Em situações como as do departamento de antenas da Texas Instruments, transferir trabalhadores para outras atividades pode exigir que eles sejam submetidos a treinamento amplo e dispendioso.

FLUXOS EM LINHA

Gerentes de processos de serviço de *hybrid-office* e *back-office* podem organizar seus funcionários e equipamentos para proporcionar fluxos de trabalho uniformes ao longo do processo e, por meio disso, eliminar o tempo desperdiçado dos funcionários. Os bancos usam essa estratégia em suas operações de processamento de cheques, como faz a UPS em seu processo de classificação de remessas. Fluxos em linha podem reduzir a freqüência dos *setups*. Se os volumes de produtos específicos são grandes o suficiente, grupos de máquinas e trabalhadores podem ser organizados em um layout de fluxo em linha para eliminar completamente as preparações. Se o volume for insuficiente para manter uma linha de fabricação de produtos semelhantes ativa, a *tecnologia de grupo* pode ser usada para projetar linhas de produção pequenas que fabricam, em volume, famílias de componentes com características comuns. As mudanças de um componente em uma família de produto para o próximo componente na mesma família são mínimas.

Outra tática usada para reduzir ou eliminar preparações é a abordagem OWMM (*one-worker, multiple-machines* — um operador, múltiplas máquinas), que, essencialmente, é uma linha de uma pessoa. Um trabalhador opera várias máquinas, com cada máquina desenvolvendo o processo a um passo de cada vez. Visto que o mesmo produto é fabricado repetidamente, as preparações são eliminadas.

AUTOMAÇÃO

A automação desempenha um papel importante nos sistemas de produção enxuta e é fundamental para operações de baixo custo. O dinheiro liberado por causa de reduções de estoque ou outras eficiências pode ser investido em automação para reduzir custos. Os benefícios, naturalmente, são lucros maiores, maior participação de mercado (porque os preços podem ser reduzidos) ou ambos. A automação pode desempenhar um papel importante quando fornece serviços enxutos. Por exemplo, os bancos oferecem caixas eletrônicos que fornecem vários serviços bancários demandados 24 horas por dia. A automação deve ser planejada cuidadosamente, entretanto. Muitos gerentes acreditam que, se alguma automação é desejável, mais é melhor, o que nem sempre é o caso. Quando a GM iniciou a Buick City, por exemplo, instalou 250 robôs, alguns com sistemas de visão para ajustar pára-brisas. Infelizmente, os robôs saltavam os carros pretos porque eles não conseguiam 'enxergá-los'. Novos softwares, por fim, resolveram o problema. Entretanto, 30 robôs foram substituídos por humanos porque a GM constatou que os humanos executam melhor algumas atividades.

TABELA 9.1	Definição dos cinco S
Termo 5S	**Definição**
1. Senso de utilização	Separar itens necessários dos desnecessários (inclusive ferramentas, peças, materiais e documentos) e descartar os desnecessários.
2. Senso de arrumação ou ordenação	Dispor organizadamente o que restou, com um lugar para cada coisa e cada coisa em seu lugar. Organizar a área de trabalho de modo que seja fácil encontrar o que é necessário.
3. Senso de limpeza	Limpar e lavar a área de trabalho e fazê-la brilhar.
4. Senso de padronização	Estabelecer programação e métodos para executar a limpeza e a separação. Formalizar a limpeza que resulta da prática dos três primeiros S, de modo que a limpeza permanente e o estado de prontidão sejam mantidos.
5. Senso de disciplina	Criar disciplina para executar as primeiras quatro práticas, por meio das quais todos compreendem, obedecem e praticam as regras quando estão na fábrica. Implementar mecanismos para sustentar os ganhos envolvendo as pessoas e as reconhecendo por meio de um sistema de medida de desempenho.

Funcionários da United Parcel Service trabalham em uma pequena linha de embalagem automatizada no centro aéreo de um bilhão de dólares em Louisville, Kentucky. As embalagens (no centro da foto) são depositadas automaticamente no compartimento dedicado a seus destinos.

CINCO S

Cinco S (5S) é uma metodologia para organizar, limpar, desenvolver e sustentar um ambiente de trabalho produtivo. Ela representa cinco termos relacionados, cada um iniciado com a letra S, que descrevem práticas no local de trabalho úteis para controles visuais e produção enxuta. Essas cinco práticas de senso de utilização, senso de arrumação ou ordenação, senso de limpeza, senso de padronização e senso de disciplina são executadas sistematicamente para alcançar sistemas de produção enxuta. Elas não são algo que possa ser feito como um programa autônomo. Como tal, representam um fundamento essencial dos sistemas de produção enxuta. A Tabela 9.1 mostra os termos[1] que representam os 5S e o que eles envolvem.

É geralmente aceito que os 5S formem um fundamento importante da redução de desperdícios e da remoção de tarefas, atividades e materiais desnecessários. A implementação de práticas 5S pode levar à redução de custos, à melhoria da pontualidade de entregas e da produtividade, ao aumento da qualidade do produto e a um ambiente de trabalho seguro.

MANUTENÇÃO PREVENTIVA

Uma vez que os sistemas de produção enxuta enfatizam fluxos de trabalho bem sintonizados e pequena folga de capacidade ou amortecedor de estoque entre estações de trabalho, o tempo ocioso não planejado de uma máquina pode causar interrupções. A manutenção preventiva pode reduzir a freqüência e a duração do tempo ocioso das máquinas. Após executar suas atividades de manutenção de rotina, os técnicos podem testar outras peças da máquina que podem precisar ser substituídas. Substituir peças durante períodos de manutenção regularmente agendados é mais fácil e mais rápido que lidar com falhas de máquinas durante a produção. A manutenção é feita em um cronograma que equilibra o custo do programa de manutenção preventiva em relação aos riscos e custos de falha das máquinas. A manutenção preventiva de rotina é importante para empresas de serviços

---
[1] As palavras japonesas para esses termos 5S são: *seiri, seiton, seiso, seiketsu* e *shitsuke*, respectivamente.

Um monotrilho se dirige ao Cas-telo da Cinderela e à montanha-russa Espacial na Disneylândia da Flórida. A manutenção preventiva garante serviço confiável aos clientes.

que contam bastante com o maquinário. Por exemplo, os brinquedos na Disneylândia precisam de manutenção preventiva de rotina para evitar que se quebrem e que os clientes sejam machucados.

Outra tática é tornar os trabalhadores responsáveis pela manutenção de rotina de seu próprio equipamento e estimular o orgulho do funcionário em manter suas máquinas em boas condições. Essa tática, contudo, normalmente é limitada a serviços gerais de manutenção, lubrificação rotineira e ajustes. Manter máquinas de alta tecnologia requer especialistas treinados. Entretanto, executar até mesmo tarefas simples de manutenção avança muito em direção ao aperfeiçoamento do desempenho das máquinas.

A seção Prática Gerencial 9.1 mostra como os princípios de sistemas de produção enxuta foram usados pela New Balance Athletic Shoe Company para criar um tipo diferente de empresa manufatureira na indústria de sapatos.

MELHORIA CONTÍNUA USANDO UMA ABORDAGEM DE SISTEMAS DE PRODUÇÃO ENXUTA

Dirigindo a atenção para áreas que precisam de melhoria, os sistemas de produção enxuta levam à melhoria contínua em qualidade e produtividade. O termo japonês para essa abordagem da melhoria de processos é o *kaizen*. A chave para o *kaizen* é a compreensão de que o excesso de capacidade ou estoque esconde problemas subjacentes aos processos que geram um serviço ou produto. Os sistemas de produção enxuta fornecem o mecanismo para que a gerência descubra problemas reduzindo sistematicamente capacidades ou estoques em excesso até que os problemas sejam expostos. Por exemplo, a Figura 9.1 caracteriza a filosofia por trás da melhoria contínua com sistemas de produção enxuta. Em serviços, a superfície da água representa capacidade do sistema, tal como quantidade de pessoal. Na fabricação, a superfície da água representa níveis de estoque de produtos e componentes. As pedras representam os problemas encontrados na execução de serviços ou produtos. Quando a superfície da água é alta o suficiente, o barco passa sobre as pedras porque o nível alto de capacidade ou estoque encobre os problemas. À medida que a capacidade ou o estoque diminuem, as pedras são expostas. Em última instância, o barco atingirá uma pedra se a superfície da água cair demasiadamente. Por meio de sistemas de produção enxuta, trabalhadores, supervisores, engenheiros e analistas aplicam métodos de melhoria contínua para destruir a pedra exposta. A coordenação requerida para o sistema puxado de fluxos materiais em sistemas de produção enxuta identifica problemas a tempo de se tomar ação corretiva.

Manter estoques baixos, pressionando periodicamente o sistema para identificar problemas, e focalizar os elementos do sistema de produção enxuta está no âmago da melhoria contínua. Por exemplo, uma fábrica da Kawasaki, em Nebraska, periodicamente reduz seus estoques de segurança para quase zero. Os problemas na planta são expostos, registrados e, posteriormente, designados para os funcionários como projetos de melhoria. Depois que as melhorias são feitas, os estoques são permanentemente reduzidos para o novo nível. Muitas empresas usam esse processo de tentativa e erro para elaborar operações de fabricação mais eficientes. Processos de serviço, como programação, faturamento, recebimento de pedidos, contabilidade e planejamento financeiro também podem ser melhorados com sistemas de produção enxuta. Em operações de serviço, uma abordagem comum usada por gerentes é colocar tensão no sistema, reduzindo o número de funcionários que executam uma atividade específica, ou uma série de atividades específicas, até que o processo comece a reduzir a velocidade ou a se aproximar de uma interrupção. Os problemas podem ser identificados e os modos de solucioná-los podem ser investigados. Outras táticas *kaizen* também podem ser usadas. Eliminar o problema de resíduos em excesso pode requerer melhorar os processos de trabalho da empresa, fornecendo aos funcionários treinamento adicional ou encontrando fornecedores de qualidade mais alta. Eliminar desequilíbrios de capacidade pode envolver a revisão do plano-mestre de produção da empresa e aumentar a flexibilidade de sua força de trabalho.

PRÁTICA GERENCIAL 9.1 — SISTEMAS DE PRODUÇÃO ENXUTA NA NEW BALANCE ATHLETIC SHOE COMPANY

A New Balance (NB), sediada em Boston, fabrica e comercializa uma linha completa de calçados e vestuários de alto padrão para homens, mulheres e crianças em 120 países, com vendas totais de $ 1,3 bilhão em 2003. Fundada em 1906 para fazer suportes de arco, o presidente e diretor-geral Jim Davis comprou a New Balance no dia da Maratona de Boston, em 1972. A NB permanece a única empresa de calçados atléticos que oferece numerações múltiplas em toda a sua linha de calçados, e é também a única empresa nessa indústria que retém cerca de 25 por cento de sua produção total nos Estados Unidos. A despeito de uma linha de produto tão ampla e de diferenças do custo de trabalho entre os Estados Unidos e a China, como a New Balance mantém sua rentabilidade e crescimento? Ela segue os princípios de fabricação enxuta e envia remessas diretamente aos varejistas e clientes sem os intermediários intervenientes que podem gerar descontos em seus produtos.

A maior e mais antiga planta da NB nos Estados Unidos está em Lawrence, Massachusetts. O grupo de pesquisa e de desenvolvimento da empresa também está localizado ali, assim, as operações de design e fabricação da empresa estão firmemente integradas. A planta de Lawrence fabrica todos os estilos exclusivos do mercado norte-americano. A maioria dos novos designs é fabricada primeiro em Lawrence e, em seguida, transferida para outras plantas da NB norte-americanas, as quais seguem os mesmos métodos de produção. Durante os últimos anos, a NB migrou do método tradicional da indústria de calçados em lote e em linha, em direção a um fluxo de produção celular, em pequenos lotes. Alguns passos de produção permanecem manuais, embora a NB automatize processos onde for possível.

A fabricação de calçados começa na sala de corte, onde 60 partes superiores por par de calçado são cortadas do estoque nivelado. Em seguida, os calçados são montados em lotes de 12 unidades do mesmo estilo e tamanho. Até recentemente, cerca de 50 por cento do valor de calçados de um dia tinha de ser produzido na sala de corte antes que um lote pudesse ser movido para a próxima operação no processo. Depois que um sistema de produção enxuta foi implementado, entretanto, os tamanhos de lote foram drasticamente reduzidos. As peças, em seguida, são montadas nas partes superiores do calçado na primeira fase da costura automatizada, com peças que não podem ser automatizadas sendo processadas em uma célula de costura manual. As partes superiores quase terminadas são esticadas em uma fôrma (a 'fôrma' do sapateiro), que normalmente determina o número do sapato. Nesse ponto é importante atentar para o ajuste adequado. Os operadores que receberam treinamento cruzado nunca passam adiante uma unidade defeituosa e sempre verificam o trabalho do operador anterior, assim como o seu próprio. Por fim, as partes superiores são unidas às solas com uma cola, que é rapidamente vulcanizada usando calor.

Uma operadora move uma pilha de calçados esportivos parcialmente montados da estação de costura da fábrica da New Balance em Skowhegan, Maine. Ela e outros cinco membros de sua equipe executaram um plano de modo que cada pessoa recebe treinamento cruzado nas habilidades da outra. Idéias semelhantes para aumentar a capacidade, que são discutidas durante encontros quinzenais entre trabalhadores e supervisores, levaram à melhoria do desempenho na New Balance.

Quando decide quantos calçados de cada estilo programar, a NB pensa sobre 'ordens de vendas' e não 'ordens de produção'. Em vez de promover calçados no mercado, a NB usa mais uma estratégia puxada. Em outras palavras, seus programas de fabricação são orientados pela demanda do mercado. Usando conceitos e técnicas de produção enxuta, a NB reduziu os tamanhos de lote em um fator de oito e os tempos de ciclo de fabricação em um fator de quatro. Ainda que esses níveis de redução variem um pouco porque a empresa fabrica muitos produtos diferentes, o fluxo de trabalho da NB continua uniforme. Junto com a promoção do trabalho em equipe e de uma cultura de melhoria contínua, a jornada de fabricação de produção enxuta da NB permitiu que a empresa crescesse da pequena produtora de especialidades que era em 1972 para a companhia global que é hoje. Junto com a Reebok, detém a posição número dois na indústria de calçados esportivos, com a Nike liderando o grupo.

Fonte: Robert W. Hall, "New Balance Athletic Shoe Company", *Target*, vol. 20, n. 5, 2004, p. 5-10. Reimpresso/Extraído da *Target* com permissão da Association for Manufacturing Excellence (AME). Disponível em <www.ame.org>.

O SISTEMA KANBAN

Um dos aspectos dos sistemas de produção enxuta que mais recebe publicidade, e do TPS, em particular, é o sistema *kanban* desenvolvido pela Toyota. **Kanban**, que significa 'cartão' ou 'registro visível' em japonês, refere-se a cartões usados para controlar o fluxo de produção dentro de uma fábrica. No sistema kanban mais básico, um cartão é fixado em cada contêiner de itens produzidos. O contêiner guarda um determinado percentual das necessidades diárias de produção para um item. Quando o usuário das peças esvazia um contêiner, o cartão é removido do contêiner e colocado em um painel. O contêiner vazio é, então, levado para a área de armazenamento e o cartão sinaliza a necessidade

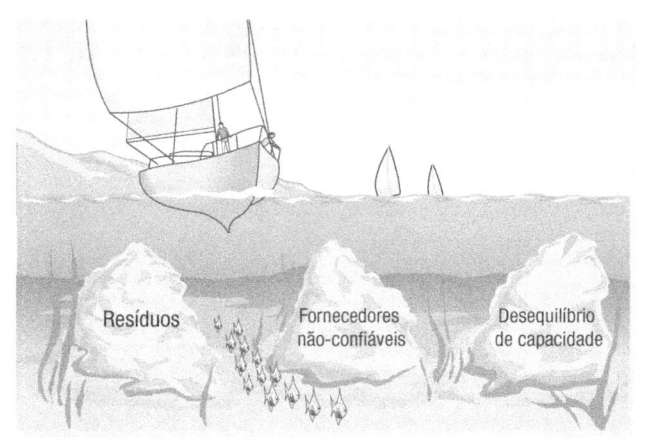

Figura 9.1 Melhoria contínua com sistemas de produção enxuta

de se produzir outro contêiner da peça. Quando o contêiner é reabastecido, o cartão é colocado de volta no contêiner, que é, em seguida, restituído a uma área de armazenamento. O ciclo começa novamente quando o usuário das peças recupera o contêiner com o cartão anexado.

A Figura 9.2 mostra como um sistema kanban de cartão único funciona quando uma célula de fabricação alimenta duas linhas de montagem. Conforme uma linha de montagem precisa de mais peças, o cartão kanban para essas peças é levado ao painel e um contêiner cheio de peças é removido da área de armazenamento. O painel acumula cartões para as linhas de montagem e um programador organiza a seqüência da produção de peças de reabastecimento. Nesse exemplo, a célula de fabricação gerará o produto 2 antes de gerar o produto 1. A célula consiste em três operações diferentes, mas a operação 2 tem duas estações de trabalho. Uma vez que a produção foi iniciada na célula, o produto começa na operação 1, mas pode ser encaminhado para qualquer uma das estações de trabalho executando a operação 2, dependendo da carga de trabalho no momento. Por fim, o produto é processado na operação 3, antes de ser levado para a área de armazenamento.

REGRAS GERAIS DE OPERAÇÃO

As regras operacionais para o sistema de cartão único são simples e projetadas para facilitar o fluxo de materiais enquanto se mantém o controle dos níveis de estoque.

1. Cada contêiner deve ter um cartão.
2. A linha de montagem sempre retira materiais da célula de fabricação, que nunca introduz peças na linha de montagem porque, mais cedo ou mais tarde, peças que ainda não são necessárias para produção serão fornecidas.
3. Os contêineres de peças nunca devem ser removidos de uma área de armazenamento sem que um kanban tenha sido afixado no primeiro painel.
4. Os contêineres devem sempre conter o mesmo número de peças boas. O uso de contêineres não-padronizados ou de contêineres preenchidos irregularmente interrompe o fluxo de produção da linha de montagem.
5. Apenas peças não-defeituosas devem ser passadas ao longo da linha de montagem para fazer o melhor uso dos materiais e do tempo do trabalhador. Essa regra reforça a noção de se desenvolver qualidade na origem, que é uma característica importante dos sistemas de produção enxuta.
6. A produção total não deve exceder a quantidade total autorizada nos kanbans do sistema.

A Toyota usa um sistema de dois cartões, baseado em um cartão de retirada e um cartão de ordem de produção, para controlar as quantidades de retirada mais cuidadosamente. O cartão de retirada especifica o item e a quantidade que o usuário do item deve retirar do produtor do item, bem como os locais de armazenamento tanto do usuário como do produtor. O cartão de ordem de produção especifica o item e a quantidade a serem produzidos, os materiais requeridos e onde encontrá-los, e onde armazenar o item acabado. Os materiais não podem ser retirados sem um cartão de retirada, e a produção não pode ser iniciada sem um cartão de ordem de produção. Os cartões são fixados nos contêineres quando a produção começa.

DETERMINANDO O NÚMERO DE CONTÊINERES

O número de contêineres permitidos no TPS determina a quantidade de estoque permitido. A gerência deve tomar duas decisões: (1) o número de unidades a serem guardadas por cada contêiner; e (2) o número de contêineres circulando de um lado para outro entre a estação do fornecedor e a estação do usuário. A primeira decisão corresponde a determinar o tamanho do lote, o que requer balancear o custo de preparação com o custo de manter estoque armazenado, entre outras considerações.

O número de contêineres circulando de um lado para outro entre duas estações afeta diretamente as quantidades do estoque do material em processo e do estoque de segurança. Os contêineres gastam algum tempo na produção, em uma fila de espera, em um local de armazenamento ou em trânsito. A chave para determinar o número de contêineres necessários é estimar o tempo empregado médio, necessário para produzir um contêiner de peças. O tempo empregado é uma função do tempo de processamento por contêiner na estação do fornecedor, do tempo de espera durante o processo de produção e do tempo requerido para manipulação de materiais. O número de contêineres necessários para manter a estação do usuário é igual à demanda média durante o tempo empregado, mais algum estoque de segurança para levar em consideração circunstâncias inesperadas, dividido pelo número de unidades em um contêiner. Assim, o número de contêineres é

$$\kappa = \frac{\text{demanda média durante o tempo de processamento} + \text{estoque de segurança}}{\text{número de unidades por contêiner}}$$

$$= \frac{d(\bar{\omega}+\bar{\rho})(1+\alpha)}{c}$$

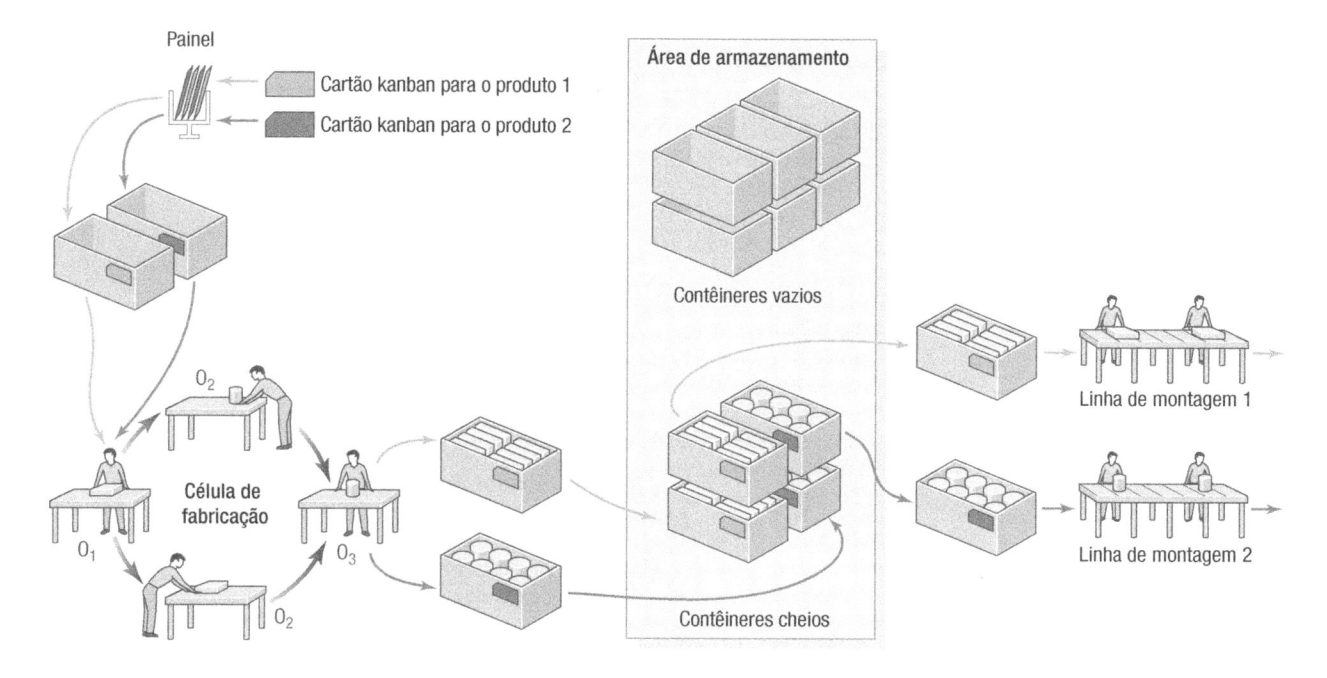

Figura 9.2 Sistema kanban de cartão único

onde

- κ = número de contêineres para uma peça
- d = diária esperada para a peça, em unidades
- $\bar{\omega}$ = tempo de espera médio durante o processo de produção mais tempo de manipulação de materiais por contêiner, em frações de um dia
- $\bar{\rho}$ = tempo de processamento médio por contêiner, em frações de um dia
- c = quantidade em um contêiner-padrão para a peça
- α = uma variável da política adotada que acrescenta estoque de segurança para cobrir circunstâncias inesperadas (a Toyota usa um valor não superior a dez por cento)

O número de contêineres deve, naturalmente, ser um número inteiro. Arredondar κ para cima fornece mais estoque que o desejado, ao passo que arredondar κ para baixo fornece menos.

A quantidade do contêiner, c, e o fator de eficiência, α, são variáveis que a gerência pode usar para controlar o estoque. Ajustar c muda os tamanhos do lote, e ajustar α altera a quantidade de estoque de segurança. O sistema kanban permite que a gerência regule com mais exatidão o fluxo de materiais no sistema de um modo direto. Por exemplo, remover cartões do sistema reduz o número de contêineres de peça autorizados, reduzindo, desse modo, o estoque da peça. Assim, um benefício importante é a simplicidade do sistema, por meio da qual a mistura de produtos ou as mudanças de volume podem ser facilmente executadas ajustando o número de kanbans no sistema.

A seção Prática Gerencial 9.2 ilustra como o University of Pittsburgh Medical Center Shadyside usou princípios dos sistemas kanban, metodologia 5S, layouts celulares e processos de fluxo contínuo para melhorar significativamente o desempenho em seu departamento de patologia.

OUTROS SINAIS DE KANBAN

Cartões não são o único modo de sinalizar a necessidade de mais produção de uma peça. Outros métodos, menos formais, são possíveis, inclusive sistemas com contêineres e sem contêineres.

Sistema de contêineres Algumas vezes, o próprio contêiner pode ser usado como um dispositivo sinalizador: um recipiente vazio sinaliza a necessidade de enchê-lo. A Unisys adotou essa abordagem para itens de baixo valor. A quantidade de estoque da peça é ajustada acrescentando ou removendo contêineres. Esse sistema funciona bem quando o recipiente for especialmente projetado para uma peça específica e outras partes não puderem ser colocadas acidentalmente no contêiner. Esse é o caso quando o recipiente é, na verdade, uma paleta ou instalação usada para posicionar a peça durante o processamento de precisão.

Sistema sem contêineres Sistemas que não requerem contêineres também têm sido projetados. Em operações de linha de montagem, os operadores usam suas próprias áreas de bancadas de trabalho para colocar unidades completadas sobre quadrados pintados, uma unidade por quadrado. Cada quadrado pintado representa um contêiner, e o número de quadrados pintados na bancada de cada operador é calculado para equilibrar o fluxo de

> **EXEMPLO 9.1** — **Determinando o número apropriado de contêineres**
>
> A Companhia de Peças de Automóveis de Westerville produz conjuntos de eixos oscilantes para uso em sistemas de suspensão e direção de caminhões de trações nas quatro rodas. Um contêiner habitual de peças passa 0,02 dia em processo e 0,08 dia em manipulação de materiais e espera durante seu ciclo de fabricação. A demanda diária pela peça é de duas mil unidades. A gerência acredita que a demanda pelo conjunto de eixos oscilantes seja incerta o suficiente para justificar um estoque de segurança equivalente a dez por cento de seu estoque permitido.
>
> a. Se cada contêiner contém 22 peças, quantos contêineres devem ser permitidos?
> b. Suponha que uma proposta para revisar o layout da planta reduza a manipulação de materiais e o tempo de espera por contêiner para 0,06 dia. Quantos contêineres seriam necessários?
>
> **SOLUÇÃO**
>
> a. Se d = 2.000 unidades/dia, $\bar{p}$ = 0,02 dia, α = 0,10, $\bar{\omega}$ = 0,8 dia e c = 22 unidades,
>
> $$\kappa = \frac{2.000(0,08+0,02)(1,10)}{22} = \frac{220}{22} = 10 \text{ contêiners}$$
>
> b. A Figura 9.3 do OM Explorer mostra que o número de contêineres cai para oito.
>
> **Solucionador — número de contêineres**
> Insira dados na área sombreada
>
> | | |
> |---|---|
> | Demanda diária esperada | 2000 |
> | Quantidade no contêiner padrão | 22 |
> | Tempo de espera do contêiner (dias) | 0,06 |
> | Tempo de processamento (dias) | 0,02 |
> | Variável de políticas | 10% |
> | Contêineres necessários | 8 |
>
> **Figura 9.3** Solucionador do OM Explorer para o número de contêineres
>
> **Ponto de decisão** O tempo empregado médio por recipiente é $\bar{\omega}+\bar{p}$. Com um tempo empregado de 0,10 dia, são necessários dez recipientes. Contudo, se o layout aperfeiçoado da instalação reduz o tempo de manipulação de materiais e o tempo de espera, $\bar{\omega}$, para 0,06 dia, apenas oito recipientes são necessários. O estoque permitido máximo do conjunto de braços oscilantes é κc unidades. Desse modo, na parte (a), o estoque permitido máximo é de 220 unidades, mas, na parte (b), é de apenas 176 unidades. Reduzir $\bar{\omega}+\bar{p}$ em 20% reduz o estoque da peça em 20%. A gerência deve equilibrar o custo de refazer o layout (uma carga de um tempo) em relação aos benefícios de longo prazo da redução de estoque.

linha. Quando o usuário seguinte remove uma unidade de um dos quadrados do produtor, o quadrado vazio sinaliza a necessidade de produzir outra unidade.

O McDonald's usa um sistema sem contêineres. A informação inserida pelo receptor de pedidos na caixa registradora é transmitida aos cozinheiros e montadores, que produzem os sanduíches solicitados pelo cliente.

MAPEAMENTO DO FLUXO DE VALOR

O **mapeamento do fluxo de valor (MFV)** é uma ferramenta qualitativa de produção enxuta amplamente usada com o objetivo de eliminar desperdício ou *muda* (desperdício, em japonês). O desperdício em muitos processos pode chegar a 60 por cento. O mapeamento do fluxo de valor é útil porque cria um 'mapa' visual de cada processo envolvido no fluxo de materiais e informações na cadeia de valores de um produto. Esses mapas consistem em um *desenho de estado atual*, um *desenho de estado futuro* e um plano de implementação. O mapeamento do fluxo de valor abarca a cadeia de valor inteira, do recebimento de matérias-primas da empresa à entrega do bem acabado ao cliente. Desse modo, tende a ser mais amplo em escopo, exibindo muito mais informações que um mapa de processo típico ou um fluxograma usado com esforços de melhoria de processos Seis Sigmas. Criar uma ilustração de representação tão grande ajuda os gerentes a identificar a fonte de atividades desperdiçadoras que não agregam valor.

O mapeamento de fluxo de valor segue os passos mostrados na Figura 9.4. O primeiro passo é focalizar uma família de produto para a qual o mapeamento possa ser feito. Em seguida, desenha-se um mapa do estado corrente da situação de produção existente: os analistas começam da ponta do cliente e trabalham contra a corrente para desenhar o mapa à mão e registrar os tempos de processo real, em vez de contar com informações não obtidas por observação direta. As informações para desenhar os fluxos de material e de informações podem ser reunidas a partir dos trabalhadores, inclusive os dados relacionados a cada processo: tempo do ciclo (C/T), tempo de preparação ou *setup* (C/O), tempo de uso (tempo de máquina sob demanda disponível — expresso como um percentual), tamanhos de lote de produção, número de pessoas requeridas para operar o processo, número de variações de produto, tamanho do lote (para mover o produto para a próxima fase), tempo de trabalho (sem interrupções) e taxa de resíduos. O mapeamento do fluxo de valor usa um conjunto padrão de ícones para fluxo de material, fluxo de informações e informações gerais (para indicar operadores, amortecedores de estoque de segurança e assim por diante). Ainda que o glossário completo seja extenso, um conjunto representativo desses ícones é mostrado na Figura 9.5. Esses ícones

PRÁTICA GERENCIAL 9.2 — SISTEMAS DE PRODUÇÃO ENXUTA NO UNIVERSITY OF PITTSBURGH MEDICAL CENTER EM SHADYSIDE

O University of Pittsburgh Medical Center (UPMC) em Shadyside é um hospital de tratamento avançado com 486 leitos e um corpo de mais de 600 médicos de tratamento primário e especialistas. Sempre buscando melhorar, o UPMC aplicou pela primeira vez os princípios do Sistema de Produção da Toyota em 2001, em uma unidade cirúrgica de 40 leitos e sistematizou os conceitos em uma abordagem de produção enxuta chamada Iniciativa de Projeto Clínico (IPC). Essa abordagem focaliza a averiguação da raiz de um problema por meio de observação direta, além da eliminação dessa raiz projetando soluções visíveis, simples e claras. Essas soluções são, então, testadas em uma área pequena e melhoradas até que os resultados de custo e clínicos desejados, que são realçados junto com a satisfação do pessoal e do paciente, sejam alcançados. Uma vez aperfeiçoado, o processo melhorado é estendido a outras áreas do hospital.

O UPMC usou a metodologia IPC recentemente para acelerar o tempo de giro no laboratório de patologia. O layout e os fluxos de trabalho do laboratório foram baseados em um sistema empurrado de lote e linha que levava a tempos de espera longos, complexidade no restreamento e deslocamento de lotes grandes, demoras ao descobrir problemas de qualidade e custos de armazenamento altos. Antes de fazer a transição para o sistema de produção enxuta, o UPMC promoveu um seminário sobre conceitos *lean* para o pessoal do laboratório e, em seguida, um exercício de 5S para organizar melhor o departamento. Os espaços de balcão foram desobstruídos de modo que o equipamento do laboratório pudesse ser reorganizado. Itens desnecessários foram identificados com etiquetas vermelhas e removidos. Controles visuais foram usados para dispor os itens restantes de maneira organizada e fácil de usar.

O exercício 5S de limpar a casa elevou o ânimo do pessoal. Os cartões kanban com informações de novos pedidos foram fixados na maioria dos itens. Quando o momento de refazer um pedido é alcançado, o cartão é removido e pendurado em um painel. Refazer um pedido de suprimentos agora leva apenas alguns minutos por dia. Falta de estoque e pedidos urgentes dispendiosos foram eliminados e o nível de estoque total de suprimentos foi reduzido de 50 por cento para 60 por cento.

Para mudar de um sistema de lote e linha para um baseado em fluxos de linha, o equipamento foi deslocado no laboratório para criar um layout celular. A nova disposição permite que amostras de tecido sen- do processadas se movam pela célula do laboratório do engaste, ao corte, ao forno e à lâmina de coloração. As amostras se movem mais rapidamente e poucas ou nenhuma amostra esperam entre os passos. Em decorrência disso, o tempo total necessário para preparar e analisar amostras de tecido caiu de um ou dois dias para menos de um dia. A redução do tempo de giro significa que os médicos recebem os resultados da patologia mais rápido, o que, por sua vez, acelera o diagnóstico e leva a tempos menores de permanência dos pacientes. Além disso, o laboratório executa a mesma quantidade de trabalho com 28 por cento menos pessoas e menos erros, uma vez que os erros de qualidade são descobertos imediatamente.

Fonte: "The anatomy of innovation", *Lean Enterprise Institute*. Disponível em: <www.lean.org.>.

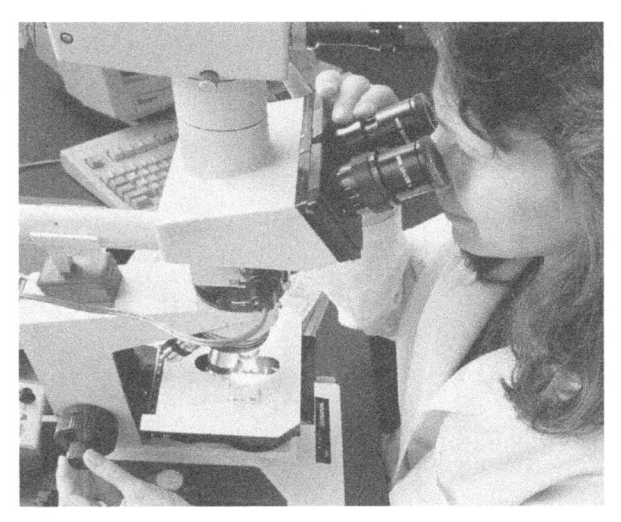

Depois que o laboratório de patologia do University of Pittsburgh Medical Center adotou uma abordagem de operações de produção enxuta baseada em um sistema de linha *versus* um sistema de lote e linha, o tempo necessário para processar amostras caiu de dias para horas apenas. Os diagnósticos foram feitos mais rapidamente em decorrência disso e o tempo de permanência dos pacientes no hospital foi reduzido.

---

fornecem uma linguagem comum para descrever em detalhes como uma instalação deve operar para criar um fluxo melhor.

Usamos os ícones do MFV para ilustrar, na Figura 9.6, como poderia ser um mapa de estado atual para uma empresa de fabricação de mancais hipotética, que recebe lâminas de matéria-prima da Companhia de Aço Kline toda segunda-feira para uma família de produto de retentores (embalagens em que rolamentos de esferas são guardados) e, em seguida, transporta seu produto acabado diariamente para um cliente de manufatura automotiva de importância secundária chamado GNK Empreendimentos. A família de produtos da empresa de fabricação de mancais sob consideração consiste em dois tipos de retentores — grandes (G) e pequenos (P) — que são acondicionados para transporte em bandejas retornáveis com 60 retentores em cada bandeja. O processo de fabricação consiste em uma operação de compressão, uma célula de perfuração e moldagem e uma operação de acabamento final, após a qual os dois tipos de retentores são organizados para transporte. As características do processo e os amortecedores de estoque diante de cada processo são mostrados no mapa de estado atual da Figura 9.6. Um operador ocupa cada estação. Embora o tempo de processamento total para cada retentor seja de apenas um minuto, são necessários 16 dias acumula-

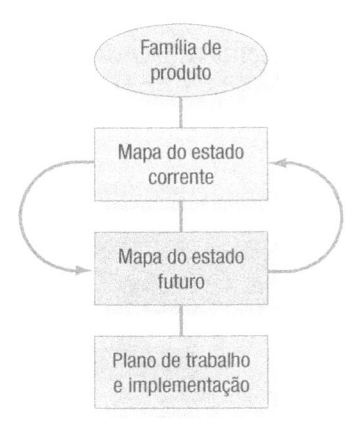

Figura 9.4 Passos do mapeamento do fluxo de valor

Fonte: Mike Rother e John Shook, "Learning to see", Brookline, MA: The Lean Enterprise Institute, 2003, p. 9.

dos de *lead time*. Evidentemente, existem oportunidades para se reconfigurar os processos existentes e eliminar estoques.

Os fluxos de processo mostrados na parte inferior da Figura 9.6 são semelhantes aos fluxogramas discutidos no Capítulo 5, "Análise de processos", à exceção de que aqui são apresentadas informações mais detalhadas para cada processo. Entretanto, o que realmente diferencia os mapas de fluxo de valor dos fluxogramas é a inclusão de fluxos de informação na parte superior da Figura 9.6, que planejam e coordenam todas as atividades do processo. Os mapas de fluxo de valor são mais abrangentes que os fluxogramas de processo e combinam planejamento e sistemas de controle (discutidos em detalhes no Capítulo 15) com fluxogramas detalhados (discutidos no Capítulo 5) para criar uma visão de cadeia de suprimentos abrangente que inclui tanto fluxos de informação como de materiais entre a empresa e seus fornecedores e clientes.

Uma vez que o mapa de estado corrente é concluído, os analistas podem usar princípios de sistemas de produção enxuta como nivelamento de carga, agendamento puxado, cartões kanban etc. para criar um mapa de estado futuro com fluxos de produto mais racionalizados. O desenho de estado futuro destaca fontes de desperdício e como eliminá-las. As setas entre o estado corrente e o futuro na Figura 9.4 vão em ambas as direções, indicando que o desenvolvimento dos estados correntes e futuros são esforços sobrepostos. Por fim, o último passo tem por objetivo preparar e usar ativamente um plano de implementação para alcançar o estado futuro. Pode levar apenas alguns dias entre a criação de um mapa de estado futuro e o ponto em que a implementação de uma família de produto único pode começar. Nessa fase, o mapa de estado futuro se torna essencialmente um esquema de serviços para implementar um sistema de produção enxuta e é regulado mais exatamente como progressos de implementação. Quando o estado futuro se torna realidade, um novo mapa de estado futuro é desenhado, indicando, desse modo, melhoria contínua no nível de fluxo de valor.

À diferença da Teoria de Restrições (veja o Capítulo 7), que aceita os gargalos existentes no sistema e se esforça para maximizar a produção total dado esse conjunto de restrição(ões), o mapeamento de fluxo de valor se empenha em entender por meio de mapas de estado corrente e de estado futuro como os processos existentes podem ser modificados para eliminar gargalos e outras atividades desperdiçadoras. A meta é aproximar a taxa de produção do processo inteiro da taxa de demanda desejada do cliente. Os benefícios de se aplicar essa ferramenta para o processo de remoção de desperdício incluem redução de *lead times* e de estoque em processo, redução nas taxas de refugos e de retrabalho, e custos de mão-de-obra indiretos mais baixos.

JIT II

O conceito de JIT II foi concebido e implementado pela Bose Corporation, uma produtora de sistemas de som e de alto-falantes profissionais de alta qualidade. Em um sistema JIT II, o fornecedor é trazido para a planta para ser um membro ativo do escritório de compras do cliente. O *representante na planta* está no local em tempo integral à custa do fornecedor e é autorizado a planejar e planificar o reabastecimento de materiais do fornecedor. Esse arranjo é um exemplo de estoques administrados pelo vendedor. Normalmente, as obrigações do representante incluem emitir ordens de compra para sua própria empresa em nome do comprador, trabalhar em idéias de projeto para ajudar a reduzir custos e melhorar os processos de fabricação, e administrar cronogramas de produção para os fornecedores, contratantes de materiais e outros subempreiteiros. O representante na planta substitui o comprador, o vendedor e, muitas vezes, o planejador de materiais em uma configuração JIT típica. Desse modo, o JIT II promove interações extremamente próximas com os fornecedores. As qualificações para que um fornecedor seja incluído no programa são rigorosas.

Em geral, o JIT II pode oferecer benefícios tanto para os compradores como para os fornecedores porque propicia a estrutura organizacional necessária para aprimorar a coordenação do fornecedor por meio da integração dos processos de logística, produção e compra. Várias corporações grandes implementaram o JIT II em suas cadeias de suprimentos, incluindo IBM, Intel, Honeywell, Roadway Express, Ingersoll-Rand e Westinghouse, entre outras.

BENEFÍCIOS OPERACIONAIS E QUESTÕES DE IMPLEMENTAÇÃO

Quando uma organização precisa fazer melhorias drásticas, um sistema de produção enxuta pode ser a solução. Os sistemas de produção enxuta podem ser parte integral de uma estratégia corporativa baseada em velocidade porque reduzem tempos de ciclo, melhoram o giro dos estoques e aumentam a produtividade da mão-de-obra. Estudos recentes também mostram que

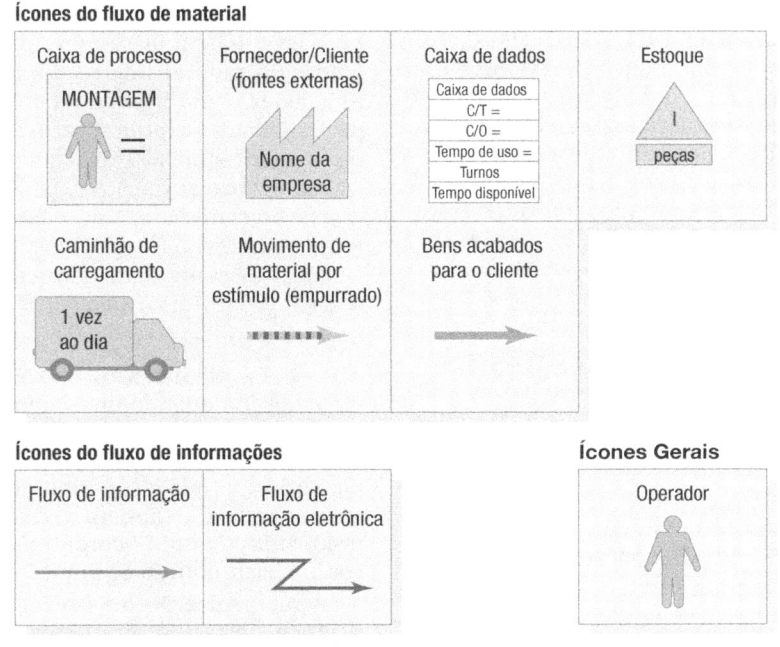

Figura 9.5 Conjunto selecionado de ícones de mapeamento do fluxo de valor

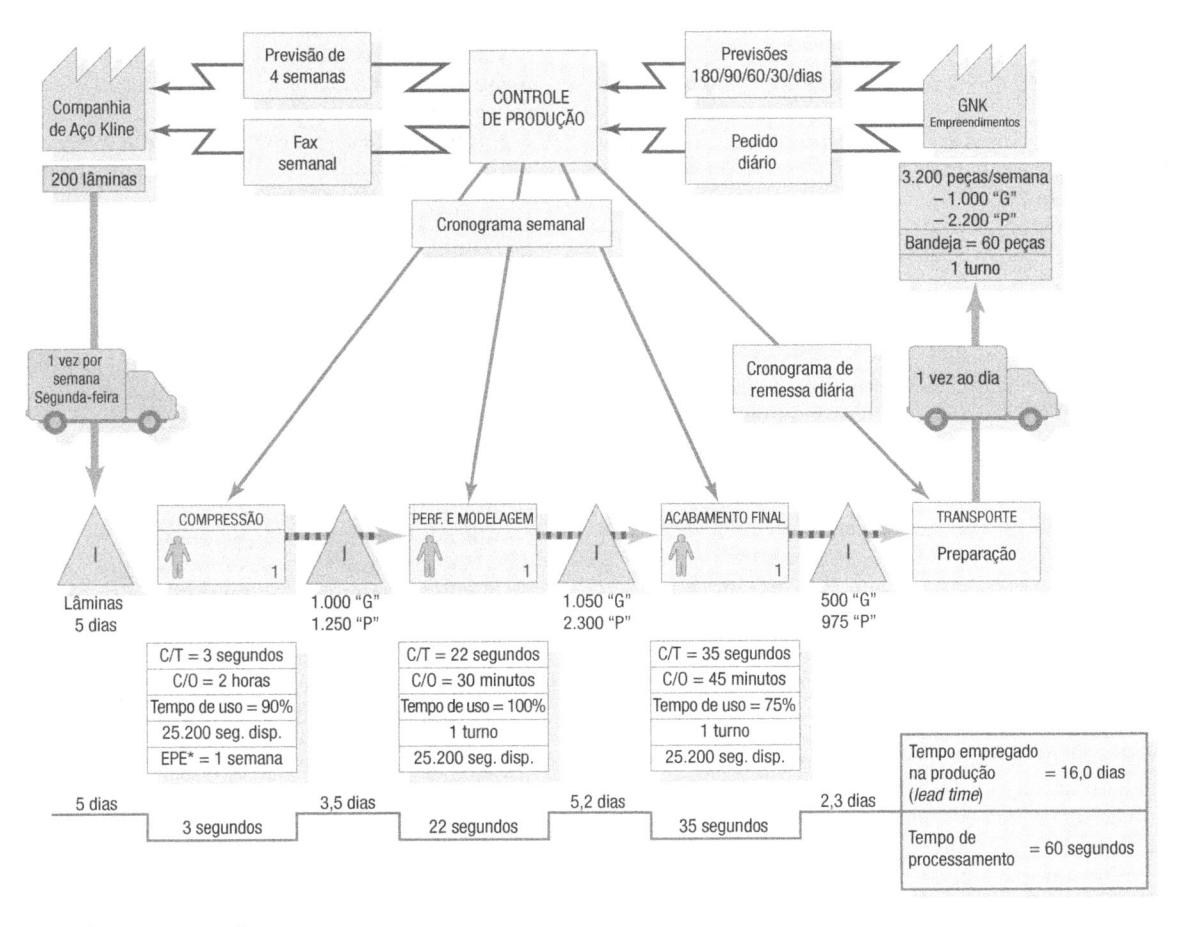

* EPE = 1 significa cada peça a cada semana

Figura 9.6 Um mapa de estado corrente característico para uma família de retentores em uma fábrica de mancais

práticas representando componentes diferentes de sistemas de produção enxuta como JIT, TQM, TPM (*Total Preventive Maintenance* — manutenção preventiva total) e HRM (*Human Resources Management* — gerenciamento de recursos humanos), tanto individualmente como de modo agregado, melhoram o desempenho de plantas manufatureiras. Os sistemas de produção enxuta também envolvem uma quantidade considerável de participação dos funcionários por meio de sessões interativas de pequenos grupos, o que resulta em melhorias em muitos aspectos das operações, entre as quais a qualidade do serviço ou produto não é a menor.

Embora os benefícios dos sistemas de produção enxuta possam ser excepcionais, problemas ainda podem surgir após um sistema de produção enxuta ter sido operado por muito tempo. Até mesmo os japoneses, que foram pioneiros na prática de JIT na indústria automobilística, não estão imunes a problemas: Tóquio está experimentando engarrafamentos monumentais, em grande medida, devido a entregas de caminhão a fabricantes JIT. Além disso, como a seção Prática Gerencial 9.3 mostra, a implementação de um sistema de produção enxuta pode requerer muito tempo. Por conseguinte, abordaremos, nesta seção, algumas das questões das quais os gerentes devem estar cientes quando implementam um sistema de produção enxuta.

CONSIDERAÇÕES ORGANIZACIONAIS

Implementar um sistema de produção enxuta requer que a gerência considere assuntos como o estresse do trabalhador, cooperação e confiança entre trabalhadores, e gerência e sistemas de recompensa e classificações de mão-de-obra.

Custos humanos de sistemas de produção enxuta Sistemas de produção enxuta podem ser unidos ao controle estatístico de processo (CEP) para reduzir variações nos resultados. Entretanto, essa combinação requer um alto grau de arregimentação e, muitas vezes, exerce pressão sobre a força de trabalho. Por exemplo, no Sistema Produção da Toyota, os trabalhadores devem obedecer a tempos de ciclo específicos e, com o CEP, devem seguir métodos de solução de problemas determinados. Esses sistemas podem fazer os trabalhadores se sentirem pressionados e estressados, causando perdas de produtividade ou reduções na qualidade. Além do mais, os trabalhadores podem sentir a perda de um pouco de autonomia em razão dos vínculos estreitos nos fluxos de trabalho entre as estações com pequeno ou nenhuma sobra de capacidade ou estoques de segurança. Os gerentes podem atenuar alguns desses efeitos levando em conta algumas folgas no sistema — sejam estoques de mercadoria de segurança ou folgas de capacidade — e enfatizando fluxos de trabalho, em vez do ritmo do trabalhador. Os gerentes também podem promover o uso de equipes de trabalho e permitir que determinem as atribuições de tarefas dentro de seus domínios de responsabilidade.

Cooperação e confiança Em um sistema de produção enxuta, trabalhadores e supervisores de primeira linha devem assumir responsabilidades antes atribuídas a administradores intermediários e ao pessoal auxiliar. Atividades como agendamento, remessa e melhoria da produtividade se tornam parte das obrigações do pessoal de nível mais baixo. Conseqüentemente, as relações de trabalho na organização devem ser reorientadas de modo que favoreçam a cooperação e a confiança mútua entre a força de trabalho e a gerência. Contudo, pode ser difícil alcançar esse ambiente, particularmente considerando-se a relação histórica adversa entre os dois grupos.

Sistemas de recompensa e classificações de atividades Em alguns casos, o sistema de recompensas deve ser renovado quando um sistema de produção enxuta é implementado. Na General Motors, por exemplo, um plano para reduzir o estoque em uma planta se tornou problemático porque o superintendente de produção se recusou a reduzir o número de peças desnecessárias sendo produzidas. Por quê? Porque seu salário era baseado no volume de produção da planta.

A reorganização de sistemas de recompensa não é o único obstáculo. Contratos de trabalho tradicionalmente enfraqueceram a capacidade de uma empresa de designar trabalhadores para outras tarefas à medida que surge a necessidade. Por exemplo, uma planta de automóvel típica nos Estados Unidos tem vários sindicatos e dezenas de classificações de atividades. Geralmente, as pessoas em cada classificação têm permissão para executar apenas uma variedade limitada de tarefas. Em alguns casos, as empresas conseguiram dar a esses funcionários mais flexibilidade concordando com outros tipos de concessões e benefícios dos sindicatos. Em outros, porém, empresas transferiram suas plantas para se aproveitarem de trabalho não-sindicalizado ou estrangeiro.

CONSIDERAÇÕES SOBRE PROCESSOS

As empresas que usam sistemas de produção enxuta normalmente têm alguns fluxos de trabalho dominantes. Para aproveitar práticas enxutas, as empresas podem ter de mudar os layouts existentes. Certas estações de trabalho podem ter de ser posicionadas mais proximamente, e células de máquinas dedicadas a famílias de componentes específicos podem ter de ser estabelecidas. Uma pesquisa de 68 empresas que usam sistemas de produção enxuta indicou que o fator mais importante na implementação bem-sucedida é alterar os fluxos e layouts de produto para um desenho celular. Entretanto, reorganizar uma planta para aprimorar a prática de produção enxuta pode ser dispendioso. Por exemplo, muitas plantas, atualmente, recebem matérias-primas e peças compradas e transportadas por ferrovias, mas, para facilitar remessas menores e mais freqüentes, seriam preferíveis entregas de caminhão. Galpões de carregamento podem ter de ser reconstruídos ou expandidos, e certas operações transferidas para se ajustarem à mudança no modo de transporte e quantidades de materiais que chegam.

PRÁTICA GERENCIAL

9.3 IMPLEMENTANDO PRINCÍPIOS DE FABRICAÇÃO ENXUTA NA CESSNA

A Cessna Aircrafts é um fabricante importante de jatos comerciais; aviões de uso geral; aeronave particular equipada com monomotor, movido por pistão. A Cessna produziu mais de 184 mil aeronaves até agora. Mais da metade das aeronaves do sistema de navegação geral em uso atualmente, de fato, foi fabricada pela Cessna. O preço dos aviões varia de 150 mil dólares para uma aeronave equipada com um monomotor, movido por pistão, a mais de 17 milhões de dólares para um jato comercial. Entretanto, em 1986, a empresa decidiu abandonar a produção de aviões monomotores porque o custo do seguro de danos a terceiros era muito alto. Sempre que um avião da Cessna sofria um acidente, a empresa era processada — mesmo quando o impacto não estava relacionado com o desempenho do avião (por exemplo, era devido a erro do piloto, a más condições climáticas e outros). Depois que a legislação federal, em 1994, limitou a responsabilidade dos fabricantes de aeronaves, a Cessna decidiu voltar ao jogo e construiu uma nova planta em Independence, Kansas. Era uma oportunidade para incorporar um sistema novo, de fabricação *enxuta* para uma linha de produto que não tinha mudado muito ao longo dos anos, com exceção da cabine do piloto e um motor novo, eficiente, que havia sido terceirizado. Para fazê-lo, porém, a Cessna precisou aprender como passar de uma mentalidade artesanal, que tinha quando fabricou pela última vez uma aeronave pequena, a uma mentalidade industrial moderna, o que envolvia um modo totalmente novo de fazer as coisas.

A Cessna adotou três práticas de produção enxuta em sua nova planta. Primeiro, a gerência se comprometeu com o conceito de equipe. O trabalho em equipe favorece a flexibilidade da força de trabalho, pois os membros de uma equipe aprendem sobre as obrigações uns dos outros e podem se deslocar por todas as linhas de montagem, quando necessário. Entretanto, em virtude de uma escassez de empregados tecnicamente qualificados na indústria, a Cessna precisou contratar funcionários pouco qualificados no trabalho com metal em chapa. A produtividade inicialmente decaiu, mas trabalhadores aposentados de linhas de montagem foram convocados para atuar como mentores para transmitir às novas equipes as habilidades e a confiança de que precisavam para executar suas tarefas. Foram necessários quatro anos para trazer as equipes ao ponto em que fossem hábeis em resolução de conflito, solução de problemas e flexibilidade.

Segundo, a Cessna providenciou para que vários de seus fornecedores administrassem seus estoques. Por exemplo, dois engenheiros de campo da Honeywell, que também auxiliam com problemas após a instalação, mantêm um estoque de aviônica de 30 dias no valor de 30 milhões de dólares no local. Além disso, um armazém próximo foi aberto para abrigar os estoques de vários fornecedores. As operações de armazém estão sendo integradas com o cronograma da planta de modo que o estoque seja entregue diariamente para a linha de produção. Os fornecedores que inicialmente rejeitaram a idéia, posteriormente, perceberam suas vantagens.

Por fim, a Cessna incorporou células de fabricação e tecnologia de grupo em seu processo de fabricação e se afastou de uma abordagem de processo de série que sustentava uma estratégia de fabricar para estocar. No passado, a Cessna manteve uma rede de revendedores

Aviões monomotor da Cessna saem da linha de montagem em Independence, Kansas. Três versões de aviões monomotores são produzidas na planta do sudeste do Kansas, usando os conceitos de sistemas de fabricação enxuta.

que recebia o que lhes era enviado. Isso requeria estoques grandes para sustentar as demandas dos revendedores. Se superestimasse a demanda e produzisse muitos aviões, a empresa tinha de oferecer aos revendedores incentivos de compra para se desembaraçar do excesso de estoque. Hoje, a Cessna monta por encomenda. Essa mudança na estratégia de fabricação exigiu uma mudança no processo de fabricação, assim como no modo como a empresa negocia com seus revendedores.

A Cessna fez a transição do trabalho artesanal para a fabricação moderna, mas não sem muito trabalho. Embora seu investimento em estoque tenha mostrado melhoras, a Cessna ainda precisa do dobro de horas, em relação ao que precisava nos anos 1980, para construir um modelo 172. A capacidade teórica da planta é de dois mil aviões por ano, mas a meta anual quatro anos após o começo das operações foi de apenas 975 aviões por ano. A lentidão do estabelecimento do negócio foi devida, em grande medida, a uma força de trabalho nova. Essa experiência da Cessna mostra que a mudança para a fabricação enxuta é um compromisso de longo prazo. A Cessna continuou a fundamentar esse compromisso e, em 2004, abriu campo para uma nova expansão de 20,4 milhões de dólares para sua instalação de Independence. Quando a expansão for concluída, sustentará a produção e a entrega da linha de produto da Cessna de aeronaves equipadas com monomotor e de seu novo jato comercial de início de carreira, o Citation Mustang.

Fonte: Phillip Siekman, "Cessna tackles lean manufacturing", *Fortune*, 1º mai. 2000, p. 1222 B-1222 Z. Disponível em: <www.cessna.com>. Acesso em: ago. 2005.

ESTOQUE E PROGRAMAÇÃO

Empresas manufatureiras precisam ter planos-mestres de produção estáveis, preparações curtas e provisões de materiais e componentes freqüentes e confiáveis para alcançar o potencial pleno do conceito dos sistemas de produção enxuta.

Estabilidade da programação Programas de produção diária em ambientes de elevado volume de manufatura para estoque devem ser estáveis por períodos prolongados. Na Toyota, o plano-mestre de produção é especificado em frações dos dias ao longo de um período de três meses e é revisado apenas uma vez por mês. O primeiro mês do cronograma é congelado para evitar mudanças perturbadoras no cronograma de produção diária para cada estação de trabalho; isto é, as estações de trabalho executam o mesmo cronograma de trabalho todos os dias do mês. No princípio de cada mês, kanbans são reimpressos para a nova taxa de produção diária. Programas estáveis são necessários de modo que as linhas de produção possam ser balanceadas e novas tarefas encontradas para funcionários que, de outra maneira, não seriam utilizados como poderiam ser. Sistemas de produção enxuta usados em ambientes de volume elevado, de manufatura para estoque, não podem responder rapidamente a alterações no agendamento porque há pequena capacidade de estoque ou folga disponível para absorver essas alterações.

Preparações (setups) Se se pretende que as vantagens de estoque de um sistema de produção enxuta sejam concretizadas, é recomendável o uso de tamanhos de lote pequenos. Entretanto, uma vez que os lotes pequenos requerem um número grande de *setups*, as empresas devem reduzir significativamente os tempos de *setups*. Algumas empresas não são capazes de alcançar tempos de instalação pequenos e, portanto, precisam adotar a produção em lotes grandes, anulando algumas das vantagens das práticas de produção enxuta. Além disso, sistemas de produção enxuta são vulneráveis a transições longas para novos produtos, pois os baixos níveis de estoque de bens acabados serão insuficientes para cobrir a demanda enquanto o sistema estiver operando com atividade reduzida. Se os tempos de *setup* não puderem ser reduzidos, grandes estoques de bens acabados do produto antigo devem ser acumulados para compensar. Na indústria automobilística, o custo de cada semana que uma planta permanece fechada para mudança de um modelo novo é entre 16 milhões de dólares e 20 milhões de dólares em lucros antes do imposto de renda.

Compra e logística Se remessas pequenas, porém freqüentes, de itens comprados não podem ser providenciadas junto aos fornecedores, não é possível realizar grandes economias de estoque para esses artigos. Por exemplo, nos Estados Unidos, pode-se evidenciar que esses arranjos são difíceis em virtude da dispersão geográfica dos fornecedores.

As remessas de matérias-primas e componentes devem ser confiáveis por causa dos níveis baixos de estoque nos sistemas de produção enxuta. Uma planta pode ser fechada por causa de falta de materiais. Por exemplo, uma greve na fábrica da GM em Lordstown, Ohio, fez com que a fábrica Saturno, em Spring Hill, Tennessee, fechasse, resultando na perda de produção de mil carros por dia. Lordstown fornece peças para a Saturno, que não coloca as peças em estoque pelo fato de adotar práticas de produção enxuta. De modo semelhante, a recuperação se torna mais prolongada e difícil em um sistema de produção enxuta depois que cadeias de suprimentos são desorganizadas, que foi o que aconteceu logo após o 11 de Setembro.

EQUAÇÕES-CHAVE

Número de contêineres:

$$\kappa = \frac{\text{demanda média durante o tempo de processamento} + \text{estoque de segurança}}{\text{número de unidades por contêiner}}$$

$$= \frac{d(\bar{\omega}+\bar{\rho})(1+\alpha)}{c}$$

PALAVRAS-CHAVE

cinco S (5S)
filosofia *just-in-time* (JIT)
kanban
lote
mapeamento do fluxo de valor (MFV)
método empurrado (*push*)
método puxado (*pull*)
modelo misto de montagem
poka-yoke
preparação (*setup*)
preparação de um dígito
sistema JIT
sistemas de produção enxuta (ou sistemas *lean* de produção)

PROBLEMA RESOLVIDO

Uma empresa usando um sistema kanban tem um grupo de máquinas ineficiente. Por exemplo, a demanda diária pela peça L105A é de 3.000 unidades. O tempo médio de espera por um contêiner de peças é de 0,8 dia. O tempo de processamento de um contêiner de L105A é de 0,2 dia, e um contêiner guarda 270 unidades. Atualmente, 20 recipientes são usados para esse item.

a. Qual é o valor da variável, α?

b. Qual é o estoque planejado total (material em processo e produto acabado) para o item L105A?

c. Suponha que a variável, α, seja 0. Quantos contêineres seriam necessários agora? Qual é o efeito da variável α nesse exemplo?

SOLUÇÃO

a. Usamos a equação para o número de contêineres e, em seguida, encontramos α:

$$\kappa = \frac{d(\bar{\omega}+\bar{\rho})(1+\alpha)}{c}$$

$$= \frac{3.000(0,8+0,2)(1+\alpha)}{270} = 20$$

e

$$(1+\alpha) = \frac{20(270)}{3.000(0,8+0,2)} = 1,8$$

$$\alpha = 1,8 - 1 = 0,8$$

b. Com 20 contêineres no sistema e cada contêiner guardando 270 unidades, o estoque planejado total é 20(270) = 5.400 unidades.

c. Se $\alpha = 0$

$$\kappa = \frac{3.000(0,8+0,2)(1+0)}{270} = 11,11 \text{ ou } 12 \text{ contêiners}$$

A variável de políticas se ajusta ao número de contêineres. Nesse caso, a diferença é bastante dramática porque $\bar{\omega} + \bar{\rho}$ é razoavelmente grande e o número de unidades por contêiner é pequeno em relação à demanda diária.

QUESTÕES PARA DISCUSSÃO

1. Compare e diferencie as duas situações seguintes:
   a. O sistema de produção enxuta de uma empresa enfatiza o trabalho em equipe. Os funcionários se sentem mais envolvidos e, portanto, a produtividade e a qualidade aumentam na empresa. O problema é que os trabalhadores também experimentaram uma perda de autonomia individual.
   b. Um professor de filosofia, letras clássicas e história acredita que todos os alunos querem aprender. Para encorajar os alunos a trabalharem juntos e aprenderem uns com os outros — aumentando, dessa maneira, o envolvimento, a produtividade e a qualidade da experiência de aprendizado —, o professor declara que todos os alunos da sala receberão a mesma nota e que ela será baseada no desempenho do grupo.

2. Que elementos dos sistemas de produção enxuta seriam mais difíceis para os fabricantes implementarem? Por quê?

3. Identifique um processo de serviço ou fabricação com o qual você esteja familiarizado e desenhe um mapa do fluxo de valor do estado corrente para representar as informações existentes e os fluxos de materiais.

PROBLEMAS

Softwares como o OM Explorer, o Active Models e o POM for Windows estão disponíveis no site de apoio do livro. Verifique com seu professor a melhor maneira de usá-los. Em muitos casos, o professor pode preferir que você entenda como fazer os cálculos manualmente. Quando muito, o software pode oferecer uma verificação de seus cálculos. Quando os cálculos são muito complexos e o objetivo é interpretar os resultados na tomada de decisões, o software substitui completamente os cálculos manuais. O software pode ser também um valioso recurso depois que você concluir o curso.

1. A empresa de motocicletas Harvey produz três modelos: a Tigre, uma moto de direção segura na terra; a LX2000, uma moto de corrida ágil; e a Dourado, uma grande moto para viagens longas. O cronograma-mestre de produção desse mês requer a produção de 54 Dourados, 42 LX2000 e 30 Tigres por turnos de sete horas.
   a. Que tempo de ciclo médio é requerido para que a linha de montagem alcance a cota de produção em sete horas?
   b. Se o modelo de programação mista for usado, quanto de cada modelo será produzido antes de o ciclo de produção ser repetido?
   c. Determine uma seqüência de produção satisfatória para o caso extremo da produção em lotes pequenos: uma unidade.
   d. O design de um novo modelo, a Chita, inclui características dos modelos Tigre, LX2000 e Golden. O design resultante tem um caráter não-definido e espera-se que atraia algumas vendas dos outros modelos. Determine um cronograma de modelo misto que resulte em 52 Golden, 39 LX2000, 26 Tigres e 13 Chitas por turno de sete horas. Embora o número total de motocicletas produzidas por dia aumente apenas ligeiramente, que problema poderia ser esperado ao implementar essa mudança do programa de produção indicada na parte (b)?

2. Uma célula de fabricação na Rodas Dentadas de Spradley usa o método puxado para fornecer motores para uma linha de montagem. George Jitson está encarregado da linha de montagem, que requer 500 motores por dia. Os contêineres normalmente esperam 0,20 dia na célula de fabricação. Cada contêiner guarda 20 motores e um contêiner requer 1,8 dia do tempo da máquina. Os tempos de instalação são insignificantes. Se a variável de políticas para acontecimentos imprevistos é fixada em cinco por cento, quantos contêineres Jitson deve permitir para o sistema de reabastecimento de motores?

3. Pede-se que você analise o sistema kanban de LeWin, um fabricante francês de dispositivos de jogos. Uma das estações de trabalho que alimenta a linha de montagem fabrica a peça M670N. A demanda diária por M670N é de 1.800 unidades. O tempo de proces-

samento médio por unidade é de 0,003 dia. Os registros de LeWin mostram que o contêiner médio passa 1,05 dia esperando na estação de trabalho alimentadora. O contêiner para M670N pode guardar 300 unidades. Doze contêineres são permitidos para a peça. Lembre-se de que $\bar{p}$ é o tempo de processamento médio por contêiner, não por peça individual.

    a. Encontre o valor da variável, α, que expressa a quantidade de estoque de segurança contida no sistema.

    b. Use o valor inferido de α na parte (a) para determinar a redução requerida no tempo de espera se um contêiner for removido. Suponha que todos os outros parâmetros permanecem constantes.

4. Uma linha de montagem requer dois componentes: pecinha e coisinha. As pecinhas são fabricadas pelo centro 1, e as coisinhas, pelo centro 2. Cada unidade do item final requer três pecinhas e duas coisinhas, como mostrado na Figura 9.7. A cota de produção diária na linha de montagem é de 800 itens finais.

    O contêiner para pecinhas guarda 80 unidades. A variável para o centro 1 é fixada em 0,09. O tempo de espera médio para um contêiner de pecinhas é de 0,09 dia e é necessário 0,06 dia para gerar um contêiner. O contêiner para coisinhas guarda 50 unidades e a variável de políticas para o centro 2 é de 0,08. O tempo de espera médio por contêiner de coisinhas é de 0,14 dias e o tempo requerido para processar um contêiner é de 0,20 dia.

    a. Quantos contêineres são necessários para pecinhas?

    b. Quantos contêineres são necessários para coisinhas?

5. A Gestalt, Inc. usa um sistema kanban em sua instalação de produção de automóveis na Alemanha. Essa instalação opera oito horas por dia para produzir o Jitterbug, uma substituição para o obsoleto, mas imensamente popular, Jitney Beetle. Suponha que uma determinada peça requeira 150 segundos de processamento na célula da máquina 33B, e um contêiner de peças apresente um tempo de espera ali de 1,6 hora. A gerência permite um amortecedor de dez por cento para ocorrências inesperadas. Cada contêiner guarda 30 peças e oito contêineres são permitidos. Quanta demanda diária pode ser satisfeita com esse sistema? (Sugestão: lembre-se de que $\bar{p}$ é o tempo de processamento médio por contêiner, não por peça individual.)

6. Um supervisor do serviço de correios dos Estados Unidos está procurando maneiras de reduzir a pressão no departamento de separação. Com a disposição existente, as cartas seladas são retiradas pela máquina e inseridas em caixas com 375 cartas por caixa. As caixas são, em seguida, entregues a balconistas do correio, que lêem e conferem o CEP em uma máquina de separação automatizada à taxa de uma caixa por 375 segundos. Para superar a tensão causada quando a máquina de retirar selos ultrapassa os balconistas da separação, um sistema puxado é proposto. Quando os balconistas estiverem prontos para processar outra caixa de correspondências, eles puxarão a caixa da área da máquina de retirada. Quantas caixas devem circular entre os balconistas da classificação e a máquina de retirada se 90 mil cartas devem ser classificadas durante um turno de oito horas, a variável do estoque de segurança, α, é 0,18 e o tempo de espera médio mais o tempo de manipulação de materiais é de 25 minutos por caixa?

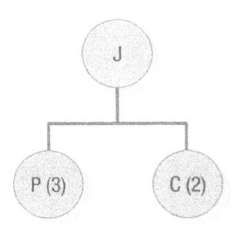

Figura 9.7 Componentes para o item final J

7. O cronograma de produção na Mazda requer que 1.200 Mazdas sejam produzidos durante cada um dos 22 dias de produção em janeiro, e que 900 Mazdas sejam produzidos durante cada um dos 20 dias de produção em fevereiro. A Mazda usa um sistema kanban para se comunicar com a Gesundheit, um fornecedor de pneus próximo. A Mazda compra quatro peças por veículo da Gesundheit. A variável de políticas de estoque de segurança, α, é 0,15. O tamanho do contêiner (um caminhão de entrega) é de 200 pneus. O tempo de espera médio mais o tempo de manipulação de materiais são de 0,16 dia por contêiner. As linhas de montagem são rebalanceadas no ínicio de cada mês. O tempo de processamento médio por contêiner em janeiro é de 0,10 dia. O tempo de processamento em fevereiro atingirá a média de 0,125 dia por contêiner. Quantos contêineres devem ser permitidos para janeiro? Quantos para fevereiro?

8. A Jitsmart é um varejista de miniaturas de personagens de plástico. As miniaturas são compradas da Brinquedos Legais, Inc., e chegam em caixas de 48 unidades. As caixas cheias são armazenadas em prateleiras altas, fora do alcance dos clientes. Um pequeno estoque é mantido em prateleiras na galeria das crianças. O esvaziamento do estoque da prateleira mais baixa sinaliza a necessidade de pegar uma caixa de miniaturas para reabastecer o estoque. Um cartão de novo pedido é, então, removido da caixa e enviado à Brinquedos Legais para autorizar o reabastecimento de um contêiner de miniaturas. A taxa de demanda média pela miniatura de um personagem popular, o Agente 99, é de 39 unidades por dia. O tempo empregado total (espera mais processamento) é de 11 dias. A variável de políticas de estoque de segurança do Jitsmart, α, é 0,25. Qual é o nível de estoque permitido para o Jitsmart?

CASO — O Sistema de produção enxuta da Volkswagen

As operações da Volkswagen começaram no Brasil em 1953, em um pequeno armazém do Ipiranga, tradicional bairro da cidade de São Paulo, com uma equipe de apenas 12 funcionários que fabricaram, com peças importadas da Alemanha, os primeiros Fuscas brasileiros. Em novembro de 1959, a fábrica Anchieta, em São Bernardo do Campo (Grande São Paulo) foi oficialmente inaugurada e desde então a empresa iniciou um enorme trabalho para desenvolver fornecedores nacionais. Em 1961, cerca de 95 por cento das peças do Fusca e da Kombi já eram fornecidas por empresas locais.

Em julho de 1970, após atingir os primeiros recordes de produção e vendas, a marca chegou ao primeiro milhão de veículos. Em 1968, o Fusca representava 76 por cento do mercado nacional de automóveis e, em março de 1972, alcançava o número histórico de um milhão de unidades vendidas no país.

Com o passar dos anos, a empresa continuou crescendo e, no ano de 1987, juntou-se a Ford na América Latina para a fundação da Autolatina, uma empresa que visava a subtrair custos e aproveitar ao máximo todos os recursos que as duas marcas poderiam oferecer.

Contudo, em 1992, com a abertura do mercado brasileiro, tal junção não fazia mais sentido. A competição passou a ser mais acirrada, uma vez que várias novas companhias entraram no mercado de forma bastante agressiva (entre elas, as japonesas Honda e Toyota e as européias Peugeot e Renault) e esse foi o sinal que a VW precisava para reagir e não sofrer como as gigantes General Motors e Ford (estão sofrendo) no mercado americano. Assim, em 1994, a união entre VW e Ford teve seu fim.

A partir de 1999 a Volkswagen do Brasil começou o desenvolvimento de seu sistema de produção enxuta, que foi implantado por meio do sistema de produção Volkswagen e que tinha uma premissa de foco no cliente por meio do cumprimento dos prazos estabelecidos, de produtos com maior qualidade e de preços mais competitivos. O sistema de produção enxuta da Volkswagen (SPVW) espera que todos os funcionários sejam treinados constantemente, contribuam com suas idéias e proponham soluções. O sistema tem como objetivo aumentar a produtividade da companhia como um todo, deixar os funcionários mais satisfeitos, aumentar a comunicação interna e contribuir para agilidade e diminuição de estoques.

O SPVW aborda nove elementos fundamentais para o sucesso da empresa:

trabalho em equipe: as equipes multifuncionais de trabalho, compostas por 8 a 12 pessoas, reúnem-se semanalmente para discutir e propor soluções para os problemas enfrentados pela empresa;

gerenciamento visual: todas as informações importantes e necessárias são transmitidas de forma clara, simples e rápida para os setores de trabalho. Indicadores de absenteísmo, produtividade, custos e instruções de trabalho devem estar visíveis para todos os funcionários de um setor;

organização do posto de trabalho: a VW utiliza a técnica dos 5Ss para garantir autodisciplina, segurança, limpeza, transparência e organização em cada área de trabalho da empresa;

trabalho padronizado: os métodos de trabalho em cada etapa do processo produtivo são uniformizados, garantindo, assim, a qualidade, a segurança e a produtividade desejadas;

solução de problemas: por meio das ferramentas de qualidade, da utilização do ciclo PDCA e da participação de todos os funcionários, há uma busca constante por melhoria contínua e pelas raízes de cada problema;

sistemas de materiais: o desperdício é eliminado com a redução dos níveis de estoques e de custos por meio da utilização do sistema *kanban*;

processos padronizados de qualidade: a prevenção de problemas é o foco, por meio de *poka-yokes*, instruções de trabalho bem definidas, avaliação objetiva de resultados e controle estatístico do processo (CEP);

manutenção produtiva total (MPT): os funcionário, por meio do MPT da VW, não só operam seus equipamentos e máquinas com cuidado, mas os preservam de maneira pró-ativa. O objetivo é garantir consistência no volume produzido, redução de estoques e altos índices de qualidade e produtividade;

qualificação e treinamento: o aprimoramento contínuo de cada funcionário no desempenho de suas funções é o objetivo.

Portanto, por meio dos métodos do sistema de produção enxuta, as plantas brasileiras da VW buscam produzir conforme a demanda, fabricando lotes menores, visando à redução dos estoques e à diminuição da capacidade ociosa no chão da fábrica. Não obstante, não pode ser esquecido o especial momento da economia brasileira que corrobora para o desempenho da indústria automobilística. Por essas e outras a Volkswagen foi eleita, em 2007, a melhor empresa da esfera automobilística do Brasil pela Consultoria Trevisan, e apresentou um crescimento nas vendas na ordem de 31,3 por cento no mesmo ano.

QUESTÕES

1. Após estudar o capítulo, como você poderia contribuir para a melhoria do sistema de produção enxuta (SPVW) aplicado pela Volkswagen no Brasil? Você acrescentaria algum novo elemento aos nove apresentados?

2. Quais são os desafios a serem enfrentados pela VW na implementação do SPVW?

Caso desenvolvido por Antonio César Moreno Annunciato e pelo professor André Luís de Castro Moura Duarte, do Ibmec São Paulo, com base nas informações disponíveis no site da empresa (http://www.vw.com.br) e no artigo de Fábio L. Carneiro, *O sistema de produção enxuta e sua implantação na Volkswagen do Brasil*; disponível em <http://www.ogerente.com.br/prod/artigos/producao-artigos-enxuta_VW.htm>

REFERÊNCIAS SELECIONADAS

ANSBERRY, Clare. "Hurry-up inventory method hurts where it once helped", *Wall Street Journal Online*, 25 jun. 2002.

BECKETT, W. K.; DANG, K. "Synchronous manufacturing, new methods, new mind set", *Journal of Business Strategy*, vol. 12, 1992, p. 53-56.

BILLESBACH, Thomas J. "A study of the implementation of *just-in-time* in the United States", *Production and Inventory Management Journal*, terceiro trimestre 1991, p. 1-4.

DIXON, Lance. "Tomorrow's ideas take flight in today's leading edge corporations", *APICS — The Performance Advantage*, jul. 1996, p. 60.

FUIME, Orrest. "*Lean* accounting and finance", *Target*, vol. 18, n. 4, quarto trimestre 2002, p. 6–14.

GOLHAR, D. Y.; STAM, C. L. "The *just-in-time* philosophy: a literature review", *International Journal of Production Research*, vol. 29, 1991, p. 657-676.

GREENBLATT, Sherwin. "Continuous improvement in supply chain management", *Chief Executive*, jun. 1993, p. 40-43.

HALL, Robert W. "New Balance Athletic Shoe Company", *Target*, vol. 20, n. 5, 2004, p. 5-10.

KLEIN, J. A. "The human costs of manufacturing reform", *Harvard Business Review*, mar./abr. 1989, p. 60-66.

MANUFACTURING Engineering Website. Disponível em: <www.mfgeng.com/5S.htm>.

MASCITELLI, Ron. "*Lean* thinking: it's about efficient value creation", *Target*, vol. 16, n. 2, segundo trimestre 2000, p. 22-26.

MILLSTEIN, Mitchell. "How to make your MRP system flow", *APICS — The Performance Advantage*, jul. 2000, p. 47-49.

MOODY, Patricia E. "Bose Corporation: hi-fi leader stretches to meet growth challenges", *Target*, inverno 1991, p. 17-22.

ROTHER, Mike; SHOOK, John. *Learning to see*. Brookline, MA: The Lean Enterprise Institute, 2003.

SCHALLER, Jeff. "A 'Just Do It Now' philosophy rapidly creates a lean culture, produces dramatic results at Novametix Medical Systems", *Target*, vol. 18, n. 2, segundo trimestre 2002, p. 4-54.

SHAH, Rachna; WARD, Peter T. "Lean manufacturing: context, practice bundles, and performance", *Journal of Operations Management*, vol. 21, 2003, p. 129-149.

SPEAR, Steven J. "Learning to lead at Toyota", *Harvard Business Review*, mai. 2004, p. 78-86.

STEWART, Douglas M; GROUT, John R. "The human side of mistake proofing", *Production and Operations Management*, vol. 10, n. 4, inverno 2001, p. 440-459.

SYBERG, Keith. "Best practices (BP) program: Honda of America Manufacturing", *Target*, vol. 15, n. 2, segundo trimestre 1999, p. 46-48.

TONKIN, Lea. "System Sensor's lean journey", *Target*, vol. 18, n. 2, segundo trimestre 2002, p. 44-47.

10

PARTE 3

Administrando cadeias de valor

OBJETIVOS DE APRENDIZAGEM

Depois de ler este capítulo, você será capaz de:

1. Identificar a natureza das cadeias de suprimentos para fornecedores de serviços, bem como para fabricantes.

2. Definir as questões-chave de projetos associadas a processos de cadeia de suprimentos.

3. Definir os indicadores críticos de cadeias de suprimentos.

4. Explicar a importância estratégica do modelo de cadeia de suprimentos e dar exemplos reais de sua aplicação em situações de serviço, bem como em situações de manufatura.

5. Descrever como a Internet possibilita o desenvolvimento de cadeias de suprimento virtuais.

6. Explicar como cadeias de suprimento eficientes diferem de cadeias de suprimentos responsivas e os ambientes que melhor se adaptam a cada tipo de cadeia de suprimentos.

Um computador feito sob encomenda em seu caminho pelo sistema ultra-eficiente da cadeia de suprimentos da Dell.

Capítulo 10
Estratégia de cadeia de suprimentos

Dell Inc.

A Dell Inc., uma empresa de personalização em massa de computadores pessoais com faturamento anual de 51,1 bilhões de dólares, vem apresentando crescimento e rentabilidade surpreendentes em uma indústria de margens de lucro tradicionalmente baixas. Em 1996, a Dell vendia laptops, microcomputadores de mesa e servidores à razão de um milhão de dólares por dia. Hoje, só o site da Dell vende mais de 50 milhões em produtos por dia. Esse sucesso permite que ela seja considerada um líder entre os fabricantes de computadores pessoais. Qual é o segredo da Dell? A resposta está em uma única palavra: velocidade. A encomenda de um cliente de um computador personalizado pode estar em um caminhão de entrega em 36 horas. Essa capacidade permite que a empresa mantenha os custos das peças e os estoques baixos, possibilitando um preço de venda de 10 a 15 por cento menor que os preços dos concorrentes. O foco da Dell está na rapidez com que o estoque se move, não na quantidade em estoque.

Fatores fundamentais no atendimento das encomendas dos clientes são as operações de fabricação da Dell e o desempenho de seus fornecedores. Seu processo de fabricação é flexível o bastante para postergar o pedido de componentes e a montagem de computadores até que uma encomenda seja registrada. Além disso, o plano de armazenamento da Dell requer que a maioria de seus componentes seja armazenada a 15 minutos de suas plantas em Austin (Texas), Limerick (Irlanda) e Penang (Malásia). Os 33 fornecedores principais da Dell, que fornecem 90 por cento de seus bens, usam um site para dados sobre como se ajustar aos padrões da Dell, que encomendas enviar e o melhor modo de transportá-las. A Dell conecta o site do fornecedor ao seu site de colocação de pedidos de modo que, quando os clientes fazem suas encomendas, os fornecedores sabem imediatamente quando enviar componentes, como placas-mãe ou telas de cristal líquido.

Em sua planta em Austin, a Dell, na verdade, não precisa pedir os componentes porque os fornecedores reabastecem o armazém e administram seus próprios estoques. A Dell usa os componentes quando necessário e não recebe a fatura dos mesmos até que deixem o armazém. Esse sistema de fornecedores e operações de fabricação proporciona uma grande vantagem sobre os concorrentes. Por exemplo, um pacote de software chamado Factory Planner administra o cronograma da fábrica de modo que as máquinas sejam construídas enquanto as peças necessárias para as próximas duas horas de pedidos estão sendo transportadas dos centros dos fornecedores. O centro tem 15 minutos para confirmar se tem as peças necessárias e uma hora e 15 minutos para enviá-las à planta.

As operações eficientes da Dell reportam a seus fornecedores de serviços que também são usados para reduzir custos e o tempo de entrega. Por exemplo, a Dell pode enviar um e-mail para a UPS solicitando que um monitor de computador da Sony seja enviado a determinado cliente como parte de um sistema de computador comprado. A UPS retira um monitor dos estoques do fornecedor e programa para que ele chegue com o computador pessoal, economizando custos de transporte e estocagem da Dell.

Ao administrar cuidadosamente sua cadeia de suprimentos, a Dell opera de modo mais eficaz que qualquer outra empresa de computadores.

Fontes: "The power of virtual integration: an interview with Dell computer's Michael Dell", *Harvard Business Review*, mar./abr. 1998, p. 72-85; Daniel Roth, "Dell's big new act", *Fortune*, 6 dez. 1999, p. 152-156; Stacy Perman, "Automate or die", *Business Week*, jul. 2001; "Dell welcomes millions to its web site". Disponível em: <www.dell.com, 2004>.

A Dell Inc. é um excelente exemplo de como uma empresa administra sua cadeia de valor para obter vantagens competitivas. As cadeias de valor envolvem vínculos internos entre os processos essenciais da empresa, seus processos de apoio e os vínculos externos com os processos de seus clientes e fornecedores. A estratégia de operações e as prioridades competitivas da empresa guiam as escolhas da cadeia de valor. Até agora, neste livro, enfatizamos que a análise de processos individuais deve ser realizada dentro do contexto de suas cadeias de valor. Assim, a sinergia de processos individuais fornece valor aos clientes.

Depois de discutirmos o processo de desenvolvimento de novos serviços ou produtos no Capítulo 2, "Estratégia de operações", abordaremos agora o que é geralmente chamado de **cadeia de suprimentos**, ou seja, a rede de serviços, materiais e fluxos de informação que liga os processos de relacionamento com clientes, de atendimento de pedidos e de relacionamento com fornecedores da empresa e de seus fornecedores e clientes.[1] É importante notar, entretanto, que uma empresa pode ter múltiplas cadeias de suprimentos, dependendo da linha de serviços ou produtos que oferece. Um fornecedor em uma cadeia de suprimentos pode não ser fornecedor em outra cadeia de suprimentos porque o serviço ou produto pode ser diferente ou o fornecedor pode simplesmente não ter as condições necessárias para negociar um contrato bem-sucedido.

A **administração de cadeia de suprimentos** consiste em desenvolver uma estratégia para organizar, controlar e determinar os recursos envolvidos no fluxo de serviços e materiais no interior da cadeia de suprimentos. Uma **estratégia de cadeia de suprimentos**, um aspecto essencial da administração de cadeias de suprimentos, busca projetar a cadeia de suprimentos de uma empresa para satisfazer as prioridades competitivas da estratégia de operações da empresa. Para compreender melhor os assuntos estratégicos com os quais os administradores de cadeias de suprimentos se defrontam, começamos com um comentário sobre as perspectivas organizacionais da estratégia de cadeia de suprimentos e de sua importância para os fornecedores de serviço, bem como para os fabricantes. Em seguida, fornecemos uma visão geral sobre a natureza das cadeias de suprimentos para fornecedores de serviços e para fabricantes. Discutimos, então, as medidas operacionais e financeiras do desempenho das cadeias de suprimentos e a dinâmica das cadeias de suprimentos, seguidas pelo modo como o desenvolvimento de cadeias de suprimentos integradas e o projeto efetivo dos processos de relacionamento com clientes, atendimento de pedidos e de relacionamento com fornecedores podem amenizar alguns dos efeitos negativos dessa dinâmica. Por fim, discutimos estratégias de cadeias de suprimentos que as empresas usam para obter vantagens competitivas.

ESTRATÉGIA DE CADEIAS DE SUPRIMENTO POR TODA A ORGANIZAÇÃO

As cadeias de suprimentos são encontradas em toda a organização. É difícil antever um processo em uma empresa que não seja afetado de algum modo por uma cadeia de suprimentos. Elas devem ser administradas para coordenar os insumos (inputs) com os produtos (outputs) em uma empresa de modo a alcançar as prioridades competitivas apropriadas dos processos da empresa. A Internet oferece às empresas uma alternativa aos métodos tradicionais de administração da cadeia de suprimentos. Entretanto, a empresa deve estar comprometida com a reengenharia de seus fluxos de informação por toda a organização, particularmente nos processos de relacionamento com clientes, atendimento de pedidos e relacionamento com o fornecedor. Esses processos cruzam todas as áreas funcionais tradicionais da empresa.

Uma estratégia de cadeia de suprimentos é essencial para empresas prestadoras de serviços, assim como para fabricantes. De fato, os fornecedores de serviços estão começando a perceber os benefícios potenciais de fazer a reengenharia dos processos da cadeia de suprimentos. Por exemplo, os hospitais mantiveram notoriamente abordagens antiquadas de compra e administração de materiais. Mesmo com o advento de organizações de compra em grupos e de grupos de compra centralizada, como a Premier Inc., um hospital típico reúne todos os pedidos de material e equipamento médicos, que variam de luvas de látex a mesas de operação. Muitas vezes, a mercadoria é escolhida de uma pilha de catálogos obsoletos. Os preços devem ser verificados e os pedidos enviados por telefone ou fax para, literalmente, milhares de distribuidores e fornecedores.

Esse processo pode ser melhorado? A Columbia/HCA Health Corporation acha que sim. Ela está instituindo empreendimentos separados para criar um mercado eletrônico para a realização de pedidos on-line. Os sistemas ligarão fornecedores de centenas de milhares de suprimentos médicos e cirúrgicos. Evidentemente, para desfrutar completamente das vantagens do mercado, os hospitais terão de promover a reengenharia de seus processos de relacionamento com os fornecedores para concretizar os benefícios. Contudo, os benefícios potenciais são consideráveis.

USANDO OPERAÇÕES PARA COMPETIR

↓

Operações como arma competitiva
Estratégia de operações
Administração de projetos

ADMINISTRANDO PROCESSOS

↓

Estratégia de processos
Análise de processos
Desempenho e qualidade do processo
Administração das restrições
Layout do processo
Sistemas de produção enxuta

ADMINISTRANDO CADEIAS DE VALOR

↓

Estratégia de cadeia de suprimentos
Localização
Administração de estoque
Previsão de demanda
Planejamento de vendas e operações
Planejamento de recursos
Programação

---

[1] Os termos *cadeia de valor* e *cadeia de suprimentos* são, algumas vezes, usados de modo intercambiável. (N. T.)

CADEIAS DE SUPRIMENTOS PARA SERVIÇOS E MANUFATURA

Toda empresa ou organização é membro de alguma cadeia de suprimentos. Nesta seção, mostramos as semelhanças e diferenças com referência a cadeias de suprimentos para serviços e manufatura.

SERVIÇOS

O projeto de cadeia de serviços para um prestador de serviços é guiado pela necessidade de fornecer apoio aos elementos essenciais dos vários pacotes de serviço que entrega. Lembre-se de que um *pacote de serviços* consiste em instalações de apoio, bens facilitadores, serviços explícitos e serviços implícitos. Para compreender a conexão entre cadeias de suprimentos e pacotes de serviços, considere o exemplo da Flowers-on-Demand, uma rede varejista de flores com 27 lojas espalhadas pela área metropolitana da grande Boston.[2] Os clientes podem encomendar arranjos florais personalizados visitando uma das lojas, usando um número de ligação gratuita ou acessando o site do florista. O número 0800 e o site são operados por uma empresa local de serviços de Internet, que recebe as encomendas e as repassa ao florista. Os arranjos são produzidos em um centro de distribuição e as entregas são feitas usando mensageiros locais, ou FedEx, se a entrega estiver fora da área de Boston. Os arranjos são sempre elaborados com flores frescas, procedentes do mundo inteiro.

O que diferencia a Flowers-on-Demand dos serviços de entrega de flores tradicionais, que atendem por telefone, como Teleflora ou a FTD, é que ela prepara todos os arranjos e pode remeter encomendas de fora da área para entrega no dia seguinte em qualquer lugar do país. Os elementos de seu pacote de serviços incluem o seguinte:

- *Instalações de apoio*: lojas de varejo, um centro de entrega, computadores, equipamento de ponto de venda e funcionários.
- *Bens facilitadores*: flores originárias de qualquer parte do mundo, bem como os materiais utilizados nos arranjos, como vasos, cestas, cartões e materiais de embalagem.
- *Serviços explícitos*: arranjo das flores por encomenda do cliente e entrega do arranjo como especificado pelo cliente.
- *Serviços implícitos*: conveniência, que é facilitada pela localização dos pontos de revenda no varejo e pela oportunidade de fazer encomendas pela Internet ou pelo número de ligação gratuita, e pelo atendimento cordial da equipe atenciosa e prestativa.

A cadeia de suprimentos deve apoiar o pacote de serviços da Flowers-on-Demand. A Figura 10.1 ilustra uma cadeia de suprimentos simplificada para o florista, mostrando como os fornecedores apóiam vários elementos do pacote de serviços. Cada um dos fornecedores, naturalmente, tem sua própria cadeia de suprimentos (não mostrada). Por exemplo, o fornecedor dos materiais do arranjo pode obter cestas de um fornecedor e vasos de outro. Os fornecedores da cadeia de suprimentos do florista desempenham um papel integral em sua capacidade de satisfazer suas prioridades competitivas para o pacote de serviços, como qualidade superior, velocidade de entrega e personalização.

A seção "Prática Gerencial 10.1" mostra como a 7-Eleven Japan reprojetou sua cadeia de suprimentos para obter uma vantagem competitiva em um ambiente de serviço dinâmico.

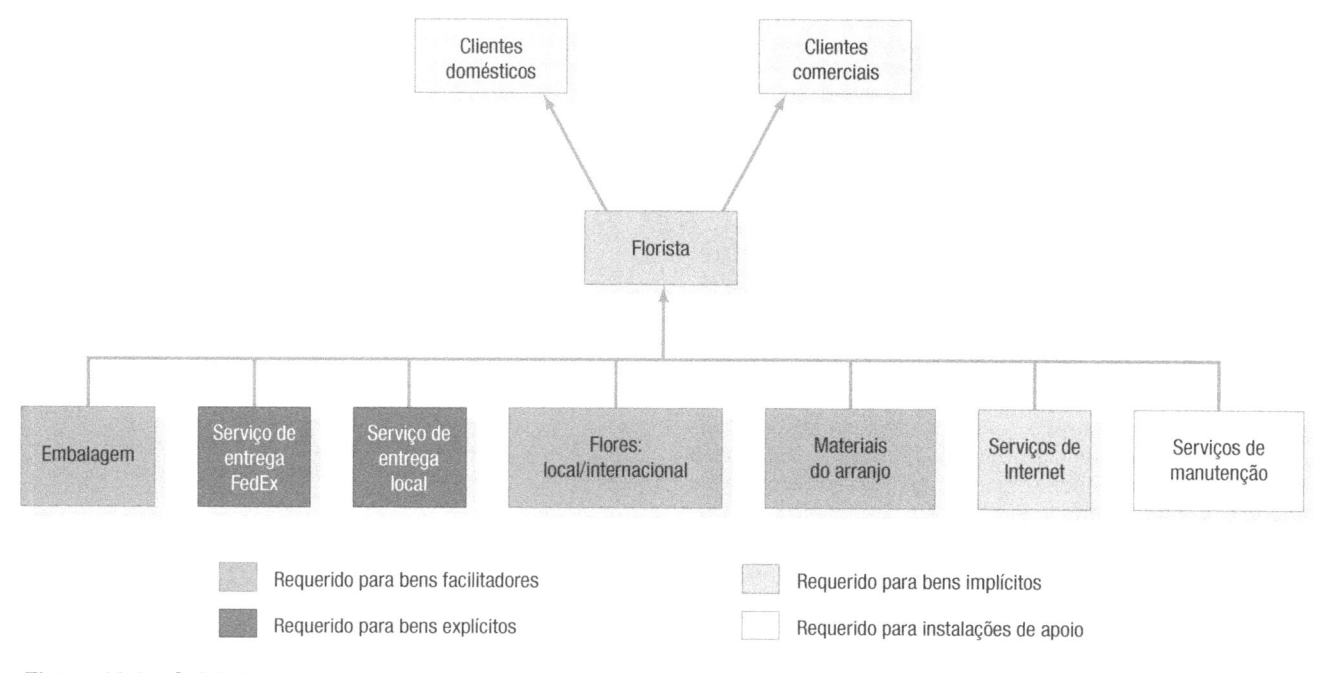

Figura 10.1 Cadeia de suprimentos para um florista

[2] O florista descrito é real; entretanto, o nome foi alterado.

PRÁTICA GERENCIAL 10.1 — EXCELÊNCIA DA CADEIA DE SUPRIMENTOS NA 7-ELEVEN DO JAPÃO

A 7-Eleven do Japão (SEJ) é uma cadeia de lojas de conveniência de 21 bilhões de dólares com baixas taxas de falta de estoque, estoques reduzidos e uma margem de lucro bruto de 30 por cento. A SEJ está provavelmente em sua melhor forma, embora deva atender a nove mil lojas de varejo todos os dias com sua cadeia de suprimentos. Desde que a SEJ começou suas atividades, no início dos anos 1970, o fundador, Toshifumi Suzuki, atualizou os processos da SEJ para satisfazer melhor a demanda dos clientes por comodidade, qualidade e serviço. Essas atualizações envolveram reprojetar a cadeia de suprimentos para responder a alterações rápidas na demanda total, não simplesmente para focalizar entregas rápidas ou a preço reduzido. Seus sistemas de informação em tempo real detectam alterações nas preferências do cliente e rastreiam dados sobre vendas e características demográficas do consumidor em cada loja. Os pedidos podem ser processados eletronicamente em menos de sete minutos e enviados a 230 centros de distribuição que trabalham exclusivamente para a SEJ. Se um tipo particular de *bento* (caixa de almoço para viagem) foi totalmente vendido por volta de meio-dia, o estoque adicional pode estar na loja no início da tarde. Se estiver chovendo e os *bentos* não forem muito demandados, as entregas são reduzidas. Entretanto, o sistema de informações lembra aos operadores para colocarem guarda-chuvas à venda perto da caixa registradora. Essa sensibilidade às demandas do cliente se tornou possível por meio de um sistema de coleta de dados em pontos de venda e de um sistema eletrônico de pedidos que liga lojas individuais a uma área de distribuição central.

Uma vez que os clientes dão grande importância ao frescor dos alimentos, a empresa faz múltiplas entregas diárias. As lojas recebem quatro grupos de estoque fresco a cada dia e os funcionários reconfiguram as prateleiras da loja pelo menos três vezes todos os dias para fornecer a segmentos de clientes diferentes e a demandas em horas diferentes. A SEJ programa entregas para cada loja dentro de um intervalo de dez minutos. Os motoristas de caminhão levam consigo cartões com códigos de barra que são escaneados nos computadores da loja quando eles chegam com uma entrega. Se um caminhão estiver atrasado por mais de 30 minutos, o transportador paga uma multa igual à margem bruta dos produtos transportados para a loja. O sistema de informações rastreia o desempenho dos motoristas. Se um motorista estiver persistentemente atrasado, os gerentes inspecionarão essa rota específica e possivelmente acrescentarão outro caminhão para tornar a carga mais leve.

A SEJ poderia não alcançar esse desempenho se contasse exclusivamente com os caminhões para logística. As ruas e estradas no Japão são congestionadas; os caminhões podem se atrasar em engarrafamentos. Para lidar com o problema, os tipos de veículos usados foram ampliados de caminhões para motocicletas, barcos e até mesmo helicópteros. Esses vários modos de transporte dão à cadeia de suprimentos um nível maior de agilidade. Por exemplo, menos de seis horas após o terremoto de Kobe, em 1995, quando caminhões de socorro estavam se movendo a três quilômetros por hora nas estradas, a SEJ enviou sete helicópteros e 125 motocicletas para entregar 64 mil bolas de arroz para a cidade. Alcançar a agilidade para responder a mudanças rapidamente resultou em uma cadeia de suprimentos que é objeto de inveja dos concorrentes da SEJ.

O sistema de cadeia de suprimentos altamente sincronizado da 7-Eleven do Japão utiliza dados do ponta de venda para detectar alterações nas preferências do consumidor minuto a minuto em cada uma de suas milhares de lojas. Entregas múltiplas são feitas diariamente às lojas em veículos que variam de caminhões a motocicletas, barcos e até mesmo helicópteros — tudo o que for necessário para atravessar o trânsito nas movimentadas ruas do Japão.

Fontes: "Seven-Eleven: over the counter e-commerce", *The Economist*, 27 maio 2001; "Demand chain excellence: a tale of two retailers", *Supply Chain Management Review*, 1 mar. 2001, p. 40; Hau L. Lee, "The triple-a supply chain", *Harvard Business Review*, out. 2004, p. 102-112.

MANUFATURA

Um propósito fundamental do projeto de cadeia de suprimentos para a manufatura é controlar estoques por meio da administração do fluxo de materiais. O fabricante típico gasta mais de 60 por cento de sua renda total de vendas em serviços e materiais comprados, ao passo que o fornecedor de serviços típico gasta apenas de 30 a 40 por cento. Uma vez que os materiais abrangem um componente tão grande dos dólares das vendas, os fabricantes podem obter grandes lucros com uma redução pequena no custo dos materiais, o que torna a administração de cadeias de suprimentos uma arma competitiva de inestimável importância.

Estoque é uma reserva de materiais utilizada para satisfazer a demanda do cliente ou para sustentar a produção de serviços ou bens. A Figura 10.2 mostra como os estoques são criados por meio da analogia de um reservatório de água. O fluxo de água no reservatório eleva o nível da água. O fluxo para dentro do reservatório representa

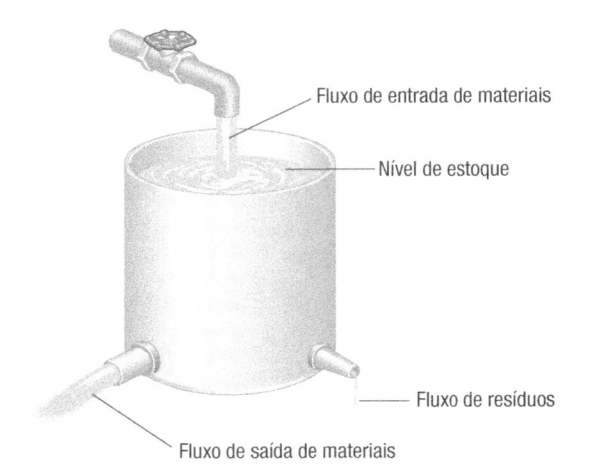

Figura 10.2 Formação de estoque

a entrada de materiais, como aço, peças de componente, material de escritório ou um produto acabado. O nível da água representa a quantidade de estoque guardada em uma planta, instalação de serviço, armazém ou ponto de revenda do varejo. O fluxo de água a partir do reservatório reduz o nível da água. O fluxo de água para fora representa a demanda por materiais no estoque, como pedidos do cliente por uma bicicleta Huffy ou requisitos de materiais, como sabão, alimentos ou mobília. Outro fluxo externo possível é o de resíduos, que também reduz o nível de estoque utilizável. Juntas, as taxas de fluxos de entrada e de saída determinam o nível de estoque. Os estoques aumentam quando entra mais material do reservatório do que sai; eles diminuem quando sai mais material do que entra. A Figura 10.2 também mostra claramente por que as empresas utilizam a metodologia Seis Sigmas e a TQM (*Total Quality Management* — administração de qualidade total) para reduzir materiais defeituosos: quanto maiores os fluxos de resíduos, maiores serão os fluxos de insumo de materiais requeridos para um determinado nível de produto.

Existem três categorias agregadas de estoque que são úteis para propósitos de contabilidade. **Matérias-primas** (**MP**) são os estoques necessários para a geração de serviços ou bens. São considerados insumos para os processos de transformação da empresa. O **WIP** (*Work in Process* — **estoque em processo**) consiste em itens, como componentes ou montagens, necessários para gerar um produto final na fabricação. O WIP também está presente em algumas operações de serviço, como oficinas de conserto, restaurantes, centros de processamento de cheques e serviços de entrega de pacotes. **Bens acabados** (**BA**) em fábricas, armazéns e pontos de revenda de varejo são os itens vendidos para os clientes da empresa. Os bens acabados de uma empresa podem ser, na verdade, as matérias-primas para outra.

A Figura 10.3 mostra como o estoque pode ser guardado de modos diferentes e em vários pontos de armazenamento. Neste exemplo, matérias-primas — os bens acabados do fornecedor — são guardadas tanto pelo fornecedor como pelo fabricante. As matérias-primas na planta passam por um ou mais processos, que as transformam em vários níveis de estoque de WIP. O processamento final desse estoque de bens produz o estoque de bens acabados. Os bens acabados podem ser guardados na planta, no centro de distribuição (que pode ser um armazém de propriedade do fabricante ou do varejista) e nos locais de varejo.

A cadeia de suprimentos para uma fábrica pode ser complicada, como ilustra a Figura 10.4. Entretanto, a cadeia de suprimentos representada é uma simplificação excessiva, pois muitas empresas possuem centenas, se não milhares, de fornecedores. Neste exemplo, a empresa detém a propriedade de seus serviços de distribuição e de transporte. Contudo, as empresas que montam seus produtos de acordo com especificações do cliente normalmente não têm centros de distribuição como parte de suas cadeias de suprimentos. Essas empresas, muitas vezes, enviam os produtos diretamente para seus clientes. Os fornecedores são freqüentemente identificados por sua posição na cadeia de suprimentos. Aqui, fornecedores da primeira camada fornecem materiais ou serviços que são diretamente usados pela empresa; fornecedores da segunda camada fornecem para os fornecedores da primeira camada e assim por diante.

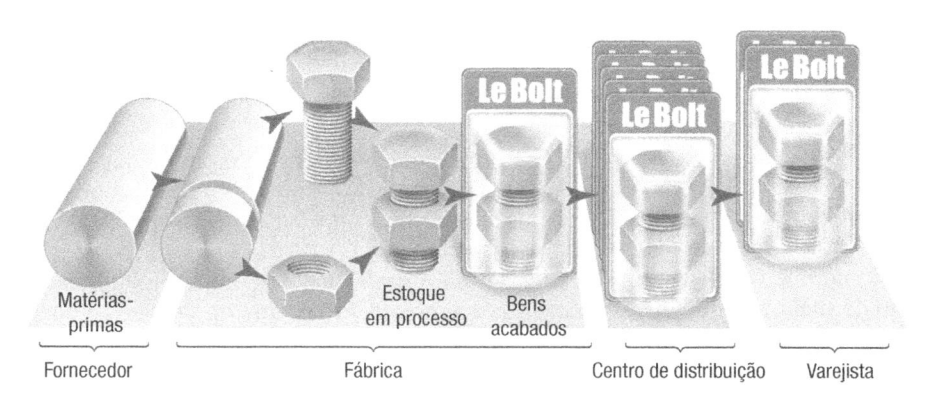

Figura 10.3 Estoque em sucessivos pontos de armazenamento

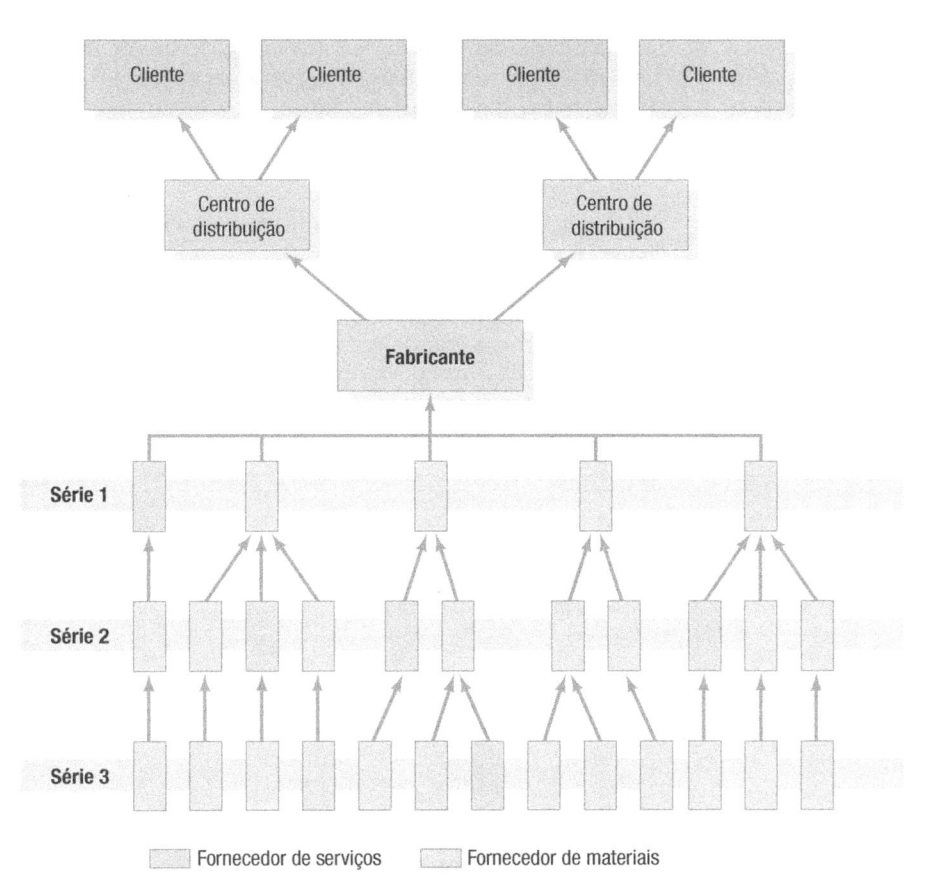

Figura 10.4 Cadeia de suprimentos para uma fábrica

O valor do gerenciamento da cadeia de suprimentos se torna evidente quando a complexidade da cadeia de suprimentos é reconhecida. Como mostramos anteriormente, o fluxo de materiais determina níveis de estoque. O desempenho de numerosos fornecedores e do processo de relacionamento com os fornecedores da empresa determina o fluxo de entrada de materiais. O desempenho do atendimento de pedidos da empresa e dos processos de relacionamento com clientes da empresa determina o fluxo de saída de produtos.

MEDIDAS DE DESEMPENHO DA CADEIA DE SUPRIMENTOS

Nesta seção, primeiro definimos as medidas de estoque típicas usadas para monitorar o desempenho da cadeia de suprimentos. Em seguida, apresentamos algumas medidas de processo. Por fim, relacionamos algumas medidas de desempenho de cadeias de suprimentos geralmente usadas em várias medidas financeiras importantes.

MEDIDAS DE ESTOQUE

Todos os métodos de medida de estoque começam com uma contagem física de unidades, volume ou peso. Entretanto, medidas de estoques são relatadas de três modos básicos: (1) valor médio do estoque agregado; (2) semanas de suprimentos; e (3) giro de estoque.

O **valor médio do estoque agregado** é o valor total de todos os itens guardados em estoque por uma empresa. Expressamos os valores em dólares dessa medida de estoque a preço de custo porque depois podemos somar os valores dos itens individuais em matérias-primas, estoque em processo e bens acabados: as vendas finais em dólares têm significado apenas para serviços ou produtos finais e não podem ser usadas para todos os itens de estoque. É uma média porque normalmente representa o investimento em estoque durante algum período de tempo. Suponha que um varejista guarde os itens A e B em estoque. Uma unidade do item A pode valer apenas alguns dólares, ao passo que uma unidade do item B pode ser avaliada em centenas de dólares por causa do trabalho, da tecnologia e de outras operações de valor agregado executadas na fabricação do produto. Essa medida para um estoque que consiste apenas dos itens A e B é

$$\text{valor médio do estoque agregado} = \begin{pmatrix} \text{número de unidades do item A normalmente em estoque} \end{pmatrix} \begin{pmatrix} \text{valor de cada unidade do item A} \end{pmatrix}$$

$$\begin{pmatrix} \text{número de unidades do item B normalmente em estoque} \end{pmatrix} \begin{pmatrix} \text{valor de cada unidade do item B} \end{pmatrix}$$

Somados todos os itens em um estoque, esse valor total informa aos gerentes quanto dos recursos da empresa está preso em estoque. As fábricas normalmente têm cerca de 25 por cento de seus recursos totais em estoque, ao passo que atacadistas e varejistas têm, em média, cerca de 75 por cento.

Até certo ponto, os gerentes podem decidir se o valor de estoque agregado é muito baixo ou muito alto por meio de comparações históricas, da indústria ou de avaliações gerenciais. Entretanto, uma medida de desempenho melhor levaria em conta a demanda porque ela mostraria quanto tempo o estoque permanece na empresa. **Semanas de suprimento** é uma medida de estoque obtida pela divisão do valor de estoque agregado médio pelo custo das vendas semanais. (Em algumas operações de estoque baixo, dias ou mesmo horas são uma unidade de tempo melhor para medir estoque.) A fórmula (expressa em semanas) é

$$\text{semanas de suprimento} = \frac{\text{valor médio do estoque agregado}}{\text{vendas semanais (a preço de custo)}}$$

Embora o numerador inclua o valor de todos os itens que uma empresa guarda em estoque (matérias-primas, WIP e bens acabados), o denominador representa apenas

---

EXEMPLO 10.1 — **Calculando medidas de estoque**

A empresa Águia Máquinas manteve em média dois milhões de dólares em estoque no último ano e o custo das mercadorias vendidas foi de dez milhões de dólares. A Figura 10.5 mostra a saída de estoques de matérias-primas, de estoques em processo e de produtos acabados.

O melhor giro de estoque na indústria da empresa é de seis giros por ano. Se a empresa tem 52 semanas comerciais por ano, quantas semanas de suprimentos foram mantidas em estoque? Qual foi o giro de estoque? O que a empresa deve fazer?

	Custo dos bens vendidos		$ 10 mil	
	Semanas de operação		52	
	Número do item	Nível médio	Valor unitário (em dólares)	Valor total (em dólares)
Matérias-primas	1	1.400	50,00	70.000
	2	1.000	32,00	32.000
	3	400	60,00	24.000
	4	2.400	10,00	24.000
	5	800	15,00	12.000
Estoque em processo	6	320	700,00	224.000
	7	160	900,00	144.000
	8	280	750,00	210.000
	9	240	800,00	192.000
	10	400	1.000,00	400.000
Produtos acabados	11	60	2.000,00	120.000
	12	40	3.500,00	140.000
	13	50	2.800,00	140.000
	14	20	5.000,00	100.000
	15	40	4.200,00	168.000
Total				2.000.000
Vendas médias semanais a preço de custo			192.308	
Semanas de suprimentos			10,4	
Giro de estoque			5,0	

Figura 10.5 Calculando medidas de estoque usando o Inventory Estimator Solver

SOLUÇÃO

O valor médio do estoque agregado de 2 milhões de dólares se traduz em 10,4 semanas de suprimentos e cinco giros por ano, calculados como segue:

$$\frac{\text{semanas}}{\text{de suprimento}} = \frac{\$ 2 \text{ milhões}}{\$ 10 \text{ milhões}/(52 \text{ semanas})} = 10,4 \text{ semanas}$$

$$\text{giros de estoque} = \frac{\$ 10 \text{ milhões}}{\$ 2 \text{ milhões}} = 5 \text{ giros por ano}$$

Ponto de decisão A análise indica que a gerência deve aumentar o giro de estoque em 20 por cento e melhorar seu processo de atendimento de pedidos para reduzir o estoque de produtos acabados. As operações da cadeia de suprimentos também podem ser melhoradas para reduzir a necessidade de armazenamento de grande quantidade de estoque de matérias-primas e de estoque em processo. Isso levará a uma redução de estoque de cerca de 16 por cento para alcançar a meta de seis giros por ano. Entretanto, os estoques não precisariam ser tão reduzidos se as vendas aumentassem. Se o departamento de vendas define como meta um aumento nas vendas de oito por cento (10,8 milhões de dólares), os estoques precisam ser reduzidos em apenas dez por cento (1,8 milhão de dólares) para se obter seis giros por ano. A gerência agora pode fazer análises de sensibilidade para verificar qual o efeito de reduções no estoque de itens específicos ou de aumentos nas vendas anuais sobre semanas de suprimentos ou giro de estoque.

os bens acabados vendidos — a preço de custo, em lugar do preço de venda após remarcações ou descontos. Esse custo é chamado de *custo das mercadorias vendidas*.

Giro de estoques (ou giros) é uma medida de estoque obtida por meio da divisão das vendas anuais a preço de custo pelo valor médio do estoque agregado mantido durante o ano, ou

$$\text{giro de estoque} = \frac{\text{vendas anuais (a preço de custo)}}{\text{valor médio do estoque agregado}}$$

O 'melhor' nível de estoque, mesmo quando expresso como giro, não pode ser determinado com facilidade. Um bom ponto de partida é estabelecer marcos de referência (*benchmarks*) em relação às principais empresas em uma indústria.

MEDIDAS DE PROCESSO

Três processos importantes relacionados a cadeias de suprimentos são: relacionamento com clientes, atendimento de pedidos e relacionamento com fornecedores. É importante monitorar o desempenho desses processos internos, bem como o da própria cadeia de suprimentos completa. Os gerentes de cadeias de suprimentos monitoram o desempenho medindo custos, tempo e qualidade. A Tabela 10.1 contém exemplos de medidas operacionais para os três processos. Observe que muitas das medidas para os processos internos também medem o desempenho da cadeia de suprimentos porque os processos internos têm interfaces com fornecedores e clientes. Por exemplo, o tempo para atender a um pedido ou o percentual de serviços mal feitos e de itens devolvidos reflete sobre o desempenho da empresa, assim como o de seus fornecedores.

Os gerentes coletam dados sobre essas medidas periodicamente e as rastreiam para observar mudanças no nível ou direção. Os gráficos de controle estatístico do processo podem ser usados para determinar se as mudanças são estatisticamente significantes.

LIGAÇÕES COM MEDIDAS FINANCEIRAS

O modo como a cadeia de suprimentos é administrada tem um enorme impacto financeiro sobre a empresa. O estoque é um investimento porque é necessário para uso futuro. Contudo, ele amarra recursos que poderiam ser usados mais proveitosamente em outras operações.

Retorno sobre os ativos Gerenciar a cadeia de suprimentos de modo a reduzir o investimento em estoque agregado reduzirá a parcela *de ativos totais* do balanço da empresa. Uma medida financeira importante é o ROA (*Return of Assets* — retorno sobre os ativos), que é a receita líquida dividida por ativos totais. Por conseguinte, reduzir o investimento em estoque agregado aumentará o ROA. Entretanto, o objetivo deve ser a quantidade adequada de estoque, não a menor quantidade. O ROA também pode ser aumentado por meio da redução dos custos de operação da cadeia de valor, o que aumentará a receita líquida. As técnicas para reduzir custos de estoque, de transporte e de operação relacionados ao uso de recursos e à programação são discutidas nos capítulos que se seguem.

Capital de giro (*working capital*) Semanas de estoque e giro de estoque são refletidos em outra medida financeira, o *capital de giro*, que é o dinheiro usado para custear operações em andamento. Semanas de suprimentos decrescentes ou giro de estoque crescente reduzem o capital de giro necessário para custear estoques. Reduções no capital de giro podem ser efetuadas melhorando o relacionamento com os clientes, o atendimento de pedidos ou os processos de relacionamento com o fornecedor. Por

TABELA 10.1 Medidas de processo de cadeias de suprimentos

Relacionamento com o cliente	Atendimento do pedido	Relacionamento com o fornecedor
• Percentual de pedidos recebidos corretamente.	• Percentual de pedidos incompletos enviados.	• Percentual de entregas pontuais do fornecedor.
• Tempo para completar a colocação de um pedido.	• Percentual de pedidos enviados pontualmente.	• Tempos de suprimento.
• Satisfação do cliente com o processo de colocação de pedido.	• Tempo para atender o pedido.	• Percentual de defeitos em serviços e materiais comprados.
	• Percentual de serviços mal feitos ou de itens devolvidos.	• Custo de serviços e materiais comprados.
	• Custo de produção do serviço ou item.	• Níveis de estoque de suprimentos e de componentes comprados.
	• Satisfação do cliente com o processo de atendimento do pedido.	
	• Níveis de estoque de bens em processo e produtos acabados.	

exemplo, reduzir o tempo de entrega do fornecedor tem o efeito de reduzir semanas de suprimentos e giros de estoque crescentes; combinar fluxos de entrada e saída de materiais é mais fácil porque podem ser usadas previsões de demanda mais confiáveis e de menor alcance. De modo semelhante, melhorias nas outras medidas da Tabela 10.1 podem ser rastreadas para as melhorias no capital de giro.

Custo das mercadorias vendidas Ser capaz de comprar materiais a um preço melhor e de processá-los ou transformá-los mais eficazmente melhorará a medida de custo das mercadorias vendidas e, em última instância, sua renda líquida. Essas melhorias também terão um efeito sobre a *margem de contribuição*, que é a diferença entre o preço e os custos variáveis para se produzir um serviço ou bem. Reduzir os custos de produção, do material e da má qualidade aumenta a margem de contribuição, levando-se em conta lucros maiores. As margens de contribuição são, muitas vezes, usadas como insumos para decisões em relação a portfólio de serviços ou bens que a empresa oferece.

Receita total Medidas de desempenho de cadeias de suprimentos relacionadas ao tempo também têm implicações financeiras. Muitos fornecedores de serviço e fabricantes medem o percentual de entregas no prazo de seus serviços ou bens a seus clientes, bem como de serviços e materiais de seus fornecedores. Aumentar o percentual de entregas no prazo aos clientes aumentará a *receita total* porque clientes satisfeitos comprarão mais serviços e bens da empresa. Aumentar o percentual de entregas no prazo dos fornecedores tem o efeito de reduzir os custos de estoques, o que tem implicações para o custo das mercadorias vendidas e para as margens de contribuição.

Fluxo de caixa A Internet traz para primeiro plano outra medida financeira relacionada ao tempo: o *cash-to-cash*, que é a defasagem de tempo entre o pagamento pelos serviços e materiais necessários para gerar um serviço ou bem e o recebimento do pagamento pelo serviço ou bem. Quanto menor a defasagem de tempo, melhor a posição do fluxo de caixa da empresa, porque precisa de menos capital de giro. A empresa pode, então, usar os recursos liberados para outros projetos ou investimentos. Fazer a reengenharia do processo de colocação de pedidos, de modo que o pagamento pelo serviço ou bem seja feito no momento em que o pedido é feito, pode reduzir a defasagem de tempo. Por contraste, emitir a fatura após o serviço ser executado ou o pedido ser enviado aumenta a necessidade por capital de giro. O ideal é ter uma situação negativa de *cash-to-cash*, o que é possível quando o cliente paga pelo serviço ou bem antes que a empresa tenha de pagar pelos recursos e materiais necessários para produzi-lo. Nesse caso, a empresa deve ter estoques de fornecedores em consignação, o que permite pagar pelos materiais quando os utiliza. A Dell, discutida na abertura do capítulo, é um exemplo excelente de uma empresa com uma situação de *cash-to-cash* negativa.

DINÂMICA DA CADEIA DE SUPRIMENTOS

A dinâmica da cadeia de suprimentos pode causar estragos nas medidas de desempenho da cadeia. Cada empresa em uma cadeia depende de outras para fornecer serviços, materiais ou informações a seus clientes externos imediatos. Uma vez que as empresas são normalmente de propriedade e administração independentes, as ações dos membros a jusante (*downstream*) na cadeia de suprimentos (posicionados mais próximos do usuário final do serviço ou produto) podem afetar as operações dos membros a montante (*upstream*) na cadeia. A razão é que os membros a jusante de uma cadeia de suprimentos devem reagir às demandas feitas pelos membros a montante na cadeia. Essas demandas são uma função das políticas dessas empresas para reabastecer seus estoques, dos níveis reais desses estoques, das demandas de seus clientes e da precisão das informações com que têm de

O efeito chicote pode causar interrupções dispendiosas para os membros no início de uma cadeia de valor à medida que as divergências nos pedidos aumentam. Processos de fabricação de papelão, como esse da instalação da Weyerhauser Company, são vulneráveis ao efeito chicote.

trabalhar. Quando se examina os padrões de pedidos de empresas em uma cadeia de suprimentos, muitas vezes se percebe que a variabilidade nas quantidades de pedidos aumenta quando se prossegue em direção a montante da cadeia. Esse aumento na variabilidade é chamado de **efeito chicote**, o qual recebe seu nome da ação de um chicote — o cabo do chicote inicia a ação; entretanto, a extremidade do chicote experimenta a ação mais violenta. A menor alteração nas demandas do cliente pode atingir a cadeia inteira, com cada membro recebendo mais variabilidade nas demandas do membro imediatamente abaixo na cadeia.

A Figura 10.6 mostra o efeito chicote em uma cadeia de suprimentos para lenço de papel facial. Os pedidos do varejista ao fabricante exibem mais variabilidade que as demandas reais dos consumidores de lenço de papel facial. Os pedidos do fabricante ao fornecedor de embalagem têm mais variabilidade que os pedidos do varejista. Por fim, os pedidos do fornecedor de embalagem ao fornecedor de papelão têm a maior variabilidade. Como os padrões de oferta não correspondem aos padrões de demanda, os estoques se acumulam em algumas empresas e a escassez ocorre em outras. As empresas com estoque em excesso interrompem os pedidos, e as que enfrentam escassez remetem pedidos com presteza. As culpadas são as mudanças inesperadas nas demandas ou as ofertas baseadas em várias causas.

CAUSAS EXTERNAS

Uma empresa tem menor controle sobre seus clientes e fornecedores externos, que podem periodicamente causar interrupções. Entre as interrupções externas típicas estão as seguintes:

- *Alterações no volume*: os clientes podem alterar a quantidade de serviço ou produto pedida para uma data específica ou demandar inesperadamente mais de um serviço ou produto padrão. Se o mercado demanda *lead times* menores, a empresa precisa de uma reação rápida de seus fornecedores. Por exemplo, uma companhia elétrica experimentando um dia surpreendentemente quente pode solicitar auxílio imediato de outra companhia elétrica para evitar um escurecimento parcial.

- *Alterações na linha de serviço e produtos*: os clientes podem mudar a combinação de produtos em um pedido e causar um efeito propagador por toda a cadeia de suprimentos. Por exemplo, uma cadeia de lojas de aparelhos elétricos pode alterar a combinação de máquinas de lavar em seus pedidos de 60 por cento da marca Whirlpool e de 40 por cento da marca Kitchen Aid para 40 por cento da Whirlpool e 60 por cento da Kitchen Aid. Essa decisão altera o cronograma de produção da planta da Whirlpool que fabrica ambas as marcas, causando desequilíbrios em seus estoques. Além disso, a empresa que fabrica as placas laterais para as máquinas de lavar deve mudar seu cronograma, afetando, por meio disso, seus fornecedores.

- *Entregas atrasadas*: entregas atrasadas de materiais ou atrasos em serviços essenciais podem forçar uma empresa a trocar seu cronograma de produção de um modelo de produto para outro. Empresas que fornecem itens de modelos específicos podem ter seus cronogramas desorganizados. Por exemplo, a planta da Whirlpool pode achar que um fornecedor de componentes para seu modelo A de máquina de lavar não conseguiria fornecer a peça pontualmente. Para evitar fechar a linha de montagem, que é uma ação cara, a Whirlpool pode decidir mudar para a produção do modelo B. Repentinamente, a demanda de peças específicas do modelo B para os fornecedores aumenta.

- *Remessas parciais*: os fornecedores que enviam remessas parciais o fazem por causa de interrupções em suas próprias plantas. Os efeitos de remessas parciais são semelhantes aos de remessas atrasadas, a menos que contenham o suficiente para permitir que a empresa opere até a próxima remessa.

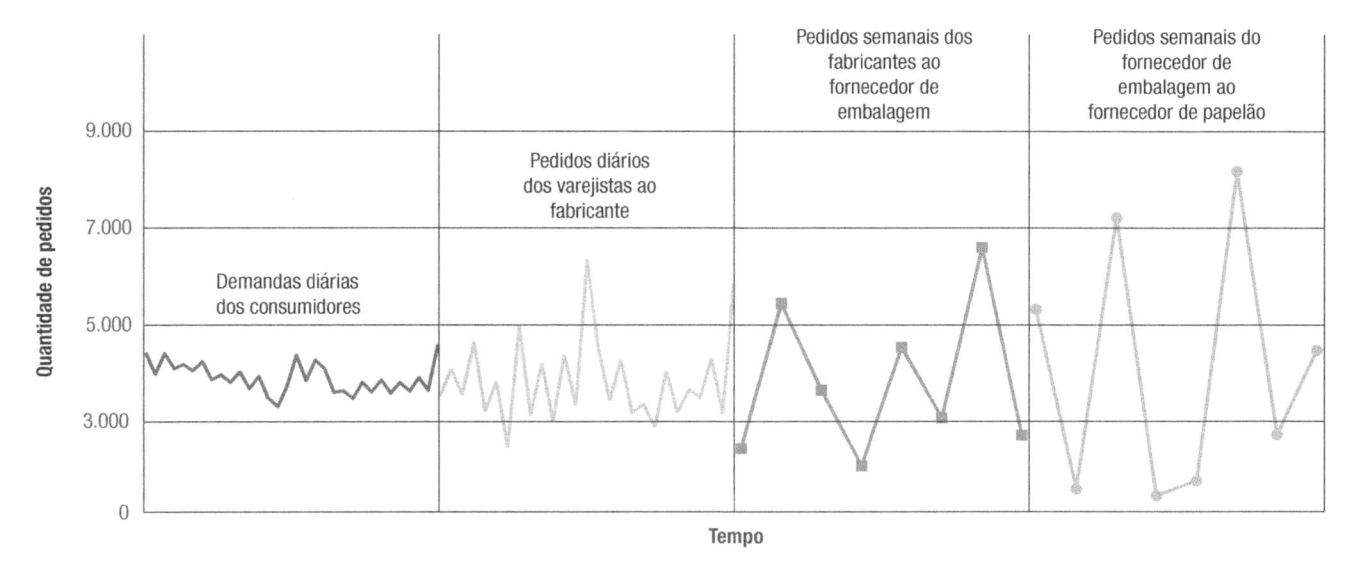

Figura 10.6 Dinâmica da cadeia de suprimentos para lenço de papel facial

CAUSAS INTERNAS

Uma fala famosa de uma caricatura do cartum Pogo é "Nós vimos o inimigo, e somos nós!". Infelizmente, essa declaração é verdadeira para muitas empresas quando se trata de interrupções na cadeia de suprimentos. As próprias operações da empresa podem ser a causa ou a fonte da dinâmica constante na cadeia de suprimentos. As interrupções internas típicas incluem o seguinte:

- *Escassez gerada internamente*: uma escassez de peças fabricadas por uma empresa pode ocorrer por causa de quebras nas máquinas ou de trabalhadores inexperientes. Essa escassez pode causar uma alteração no cronograma de produção da empresa, afetando os fornecedores. Uma greve em uma fábrica reduzirá a necessidade por serviços de transporte de mercadorias por caminhões, por exemplo. A escassez de mão-de-obra devido à alta rotatividade tem um efeito semelhante.

- *Alterações na engenharia*: alterações no projeto de serviços ou produtos podem ter um impacto direto sobre os fornecedores. Por exemplo, mudar as linhas de alimentação da TV a cabo para tecnologia de fibra ótica aumenta os benefícios para os clientes da empresa de TV a cabo, mas afeta a demanda por cabo. De modo semelhante, a redução da complexidade da montagem de painéis pode não ser (funcionalmente) perceptível para os compradores de um automóvel, mas alterará a demanda pelas peças terceirizadas que entram no painel.

- *Introdução de novos serviços ou produtos*: novos serviços ou produtos sempre afetam a cadeia de suprimentos. Uma empresa decide o número de introduções, assim como seu ritmo e, conseqüentemente, introduz uma dinâmica na cadeia de suprimentos. Novos serviços ou produtos podem requerer uma nova cadeia de suprimentos ou até mesmo acréscimo de novos membros a uma cadeia já existente. Por exemplo, a introdução de um novo serviço de transporte refrigerado afetará os fornecedores de caminhões refrigerados e os itens de manutenção para o novo serviço.

- *Promoções de serviço ou produto*: uma prática comum de empresas que geram serviços ou produtos padronizados é usar descontos de preço para aumentar as vendas. Essa prática cria um pico na demanda que é notado por toda a cadeia de suprimentos. A Campbell Soup Company descobriu os picos quando seu programa anual de descontos substanciais nos preços fez com que os clientes comprassem grandes quantidades de sopa de galinha, ocasionando horas extras de produção em sua planta de processamento de galinha. A prática de comprar necessidades imediatas em excesso para aproveitar descontos no preço é chamada de *compras antecipadas*.

Programas de determinação de preços, entretanto, podem induzir a eficiências na cadeia de suprimentos, se desencorajarem atividades que aumentam os custos. Por exemplo, a Campbell iniciou um *programa estratégico de precificação* que ofereceu incentivos financeiros aos clientes para fazer os pedidos de modo mais eficaz por meio do comprometimento com pedidos eletrônicos, da aceitação de entregas diretas na planta ou do recolhimento de pedidos pela própria empresa e da compra de caminhões e *pallets* cheios do produto. Os pedidos do cliente são atribuídos a categorias de preços baseadas nos custos em que a Campbell incorre para atendê-los. A Campbell reparte as economias com seus clientes, criando, dessa maneira, uma situação de soma positiva para todos.

- *Erros de informação*: erros de previsão de demanda podem fazer com que uma empresa peça muitos, ou muito poucos, serviços e materiais. Além disso, erros de previsão podem resultar na aceleração de pedidos expedidos que forçam os fornecedores a reagir mais rapidamente para evitar escassez na cadeia de suprimentos. Além do mais, erros na contagem física dos itens em estoque podem provocar escassez (levando a compras de pânico) ou estoque excessivo (levando a uma diminuição no ritmo das compras). Por fim, vínculos de comunicação entre compradores e fornecedores podem ser imperfeitos. Por exemplo, imprecisões nas quantidades pedidas e atrasos nos fluxos de informação afetarão a dinâmica da cadeia de suprimentos.

Muitas interrupções são causadas simplesmente por coordenação ineficiente da cadeia de suprimentos, uma vez que há muitas empresas e operações distintas envolvidas. É, portanto, impraticável pensar em eliminar todas as interrupções. Entretanto, o desafio para os gerentes da cadeia de suprimentos é remover o maior número de interrupções possível e minimizar o impacto das interrupções que não podem ser eliminadas.

CADEIAS DE SUPRIMENTOS INTEGRADAS

Um ponto de partida para minimizar interrupções na cadeia de suprimentos é desenvolver uma cadeia de suprimentos com alto grau de integração funcional e organizacional. Essa integração não acontece da noite para o dia; deve incluir ligações entre a empresa e seus fornecedores e clientes, como mostrado na Figura 10.7. O relacionamento com o fornecedor, que inclui compra; atendimento de pedido, o qual inclui produção e distribuição; e processos de relacionamento com clientes, assim como ligações internas e externas, são integrados à rotina de negócios. A empresa adota uma orientação para o cliente. Entretanto, em vez de simplesmente reagir à demanda do cliente, a empresa se empenha em trabalhar com seus clientes de forma que todos se beneficiem dos fluxos aperfeiçoados de serviços e materiais. De modo semelhante, a empresa deve desenvolver uma melhor compreensão da organização, das capacidades e dos pontos fortes e fracos de seus fornecedores — e incluir seus fornecedores no início do projeto de novos serviços ou produtos.

O projeto de uma cadeia de suprimentos integrada é complexo. Já fornecemos alguns critérios-chave de decisões sobre projeto no nível do processo nas partes 1 e 2 do livro. O relacionamento com clientes, o atendimento

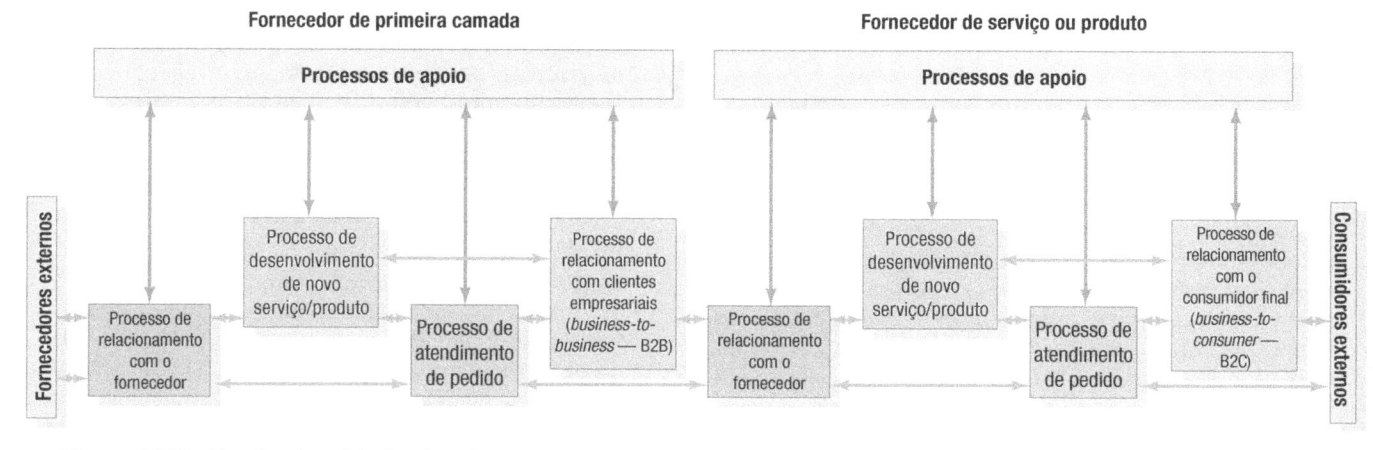

Figura 10.7 Ligações da cadeia de valor externa

de pedidos e os processos de relacionamento com os fornecedores precisam ser analisados da perspectiva de estrutura do processo, melhoria do processo, layout e capacidade, por exemplo. É importante saber que uma cadeia de suprimentos integrada fornece uma estrutura para as decisões operacionais em uma empresa. Agora nos voltamos para a discussão de algumas considerações adicionais relacionadas ao projeto e ao gerenciamento dos processos em uma cadeia de suprimentos integrada.

O PROCESSO DE RELACIONAMENTO COM O CLIENTE

O processo de relacionamento com o cliente trata da interface entre a empresa e seus clientes a jusante na cadeia de suprimentos. A finalidade do processo de relacionamento com o cliente é identificar, atrair e construir relacionamentos com eles e facilitar a transmissão e o rastreamento de pedidos. Subprocessos críticos envolvem:

- *Processo de marketing:* o processo de marketing envolve questões sobre como determinar o público-alvo, como atingi-lo, que serviços ou produtos oferecer e como determinar o preço dos mesmos e como administrar campanhas promocionais.
- *Processo de colocação de pedidos:* os processos de colocação de pedidos envolvem as atividades requeridas para executar uma venda, registrar as particularidades do pedido, confirmar a aceitação do pedido e rastrear o curso do pedido até que seja concluído. Muitas vezes, a empresa tem uma força de vendas que visita clientes correntes e em potencial para promover uma venda.

O COMÉRCIO ELETRÔNICO E O PROCESSO DE MARKETING

O **comércio eletrônico** tem um impacto enorme sobre as etapas iniciais e finais da cadeia de suprimentos. Particularmente, alterou consideravelmente o modo como as empresas projetam seu processo de relacionamento com clientes e os subprocessos de marketing e colocação de pedidos. Nesta seção, focalizamos duas tecnologias de comércio eletrônico que se relacionam ao processo de marketing: os sistemas entre empresa e consumidor final (B2C) e entre empresas (B2B).

Sistemas entre empresa e consumidor final Os sistemas entre empresa e consumidor final (B2C), que permitem que os clientes façam negócios pela Internet, são corriqueiros atualmente. O comércio eletrônico B2C oferece um novo canal de distribuição para as empresas, e os consumidores podem evitar ir a lojas de departamento lotadas e serem obrigados a enfrentar longas filas no caixa e falta de vagas no estacionamento. Muitas das vantagens do comércio eletrônico foram exploradas em primeiro lugar pelos 'negócios eletrônicos' de varejo, como Amazon.com, E*TRADE e Auto-by-tel. Essas três empresas criaram versões eletrônicas de livrarias, empresas de corretagem e revendedores de automóveis tradicionais. A Internet está alterando operações, processos e estruturas de custo até mesmo para varejistas tradicionais, e o crescimento total em sua utilização tem sido considerável. Hoje, qualquer pessoa com um computador e uma conexão à Internet pode abrir uma loja no ciberespaço.

Muitos varejistas e empresas de catálogo importantes abriram 'lojas' virtuais com milhares de corredores virtuais e milhões de artigos. Esse canal possibilita aos clientes comprarem muito mais em uma hora que possivelmente em um estabelecimento varejista tradicional. O comércio eletrônico é, particularmente, atraente para produtos que o consumidor não precisa examinar cuidadosamente ou tocar. A Internet oferece uma vantagem sobre a experiência na loja no que se refere a bens de conveniência de marcas com alto valor.

Sistemas entre empresas O maior crescimento, entretanto, tem ocorrido nos sistemas de comércio eletrônico entre empresas, o chamado comércio B2B (*business-to-business*). De fato, esse tipo de comércio atualmente ultrapassa as negociações entre empresa e consumidor final, com o comércio entre empresas representando mais de 70 por cento da economia tradicional.

Considere a Fruit of the Loom, Inc., um fabricante de roupas que depende de seus atacadistas para enviar produtos a vários clientes varejistas. Ela colocou seus atacadistas na Web e ofereceu a cada um deles um sistema de computador completo que exibe catálogos coloridos, recebe pedidos eletrônicos dia e noite e administra estoques. Se o estoque de um de seus distribuidores está esgotado, o armazém central da empresa é notificado para que reabasteça o estoque diretamente para o cliente. Construir esse sistema integrado de comércio eletrônico levou apenas alguns meses. Os clientes varejistas da empresa precisam apenas de uma conexão de Internet e um navegador Web.

O COMÉRCIO ELETRÔNICO E O PROCESSO DE COLOCAÇÃO DE PEDIDO

A Internet possibilita às empresas promoverem a reengenharia de seu processo de colocação de pedido para beneficiar tanto o cliente como a empresa. Por exemplo, um viajante pode chegar ao Ritz-Carlton em Maui e solicitar um quarto sem uma reserva antecipada. Um funcionário do hotel coletará as informações apropriadas relacionadas ao pedido, inclusive as datas de estada, apartamento ou outro tipo de quarto solicitado, quarto de solteiro ou de casal, cama *king-size* ou cama de casal, fumante ou não-fumante, e, em seguida, verificará se há quartos disponíveis. Essa abordagem é dispendiosa por causa do tempo requerido do funcionário, particularmente em horários de pico, para não mencionar o risco de que o hotel seja incapaz de atender ao cliente. Ou o viajante pode usar o site do hotel com várias semanas de antecedência, fornecer as mesmas informações e obter a confirmação da reserva. Essas duas versões do processo de colocação de pedido para o hotel envolvem quantidades diferentes de tempo do funcionário e fornecem níveis diferentes de serviço ao cliente. A Internet fornece as seguintes vantagens para o processo de colocação de pedidos da empresa.

- *Redução de custo*: usar a Internet pode reduzir os custos de processamento de pedidos porque permite maior participação do cliente, que pode selecionar os serviços ou produtos que deseja e colocar um pedido para a empresa sem ter falado com ninguém. Essa abordagem reduz a necessidade de centrais de atendimento ao cliente, que são grandes empregadoras de mão-de-obra e, muitas vezes, levam mais tempo para colocar pedidos.

- *Aumento do fluxo de renda*: o site da empresa pode permitir aos clientes inserirem informações de cartão de crédito ou números do pedido de compra como parte do processo de colocação de pedido. Essa abordagem reduz as defasagens de tempo muitas vezes associadas ao envio da conta ao cliente ou com a espera de cheques enviados via correio.

- *Acesso total*: outra vantagem oferecida pela Internet às empresas é a oportunidade de aceitar pedidos 24 horas por dia. As empresas tradicionais recebem pedidos apenas durante o horário comercial. As empresas com acesso pela Internet podem reduzir o tempo necessário para satisfazer os clientes, que podem ir às compras a qualquer hora. Esse acesso dá a essas empresas uma vantagem competitiva sobre as empresas tradicionais.

- *Flexibilidade na precificação*: empresas com serviços e produtos anunciados na Web podem alterar os preços facilmente, à medida que houver necessidade, evitando, dessa maneira, o custo e a demora da publicação de novos catálogos. Os clientes que colocam pedidos têm os preços correntes para considerar quando farão suas escolhas. Da perspectiva da cadeia de suprimentos, a Dell Inc. usa esse recurso para controlar a escassez de componentes. Em razão de sua abordagem de venda direta e de precificação promocional, a Dell pode direcionar os clientes para certas configurações de computadores para as quais existem amplos estoques.

O PROCESSO DE ATENDIMENTO DE PEDIDO

O processo de atendimento de pedido está estreitamente ligado ao processo de relacionamento com o cliente. De fato, em muitos casos, eles ocorrem simultaneamente. Por exemplo, uma cliente da loja convencional da Barnes & Noble pediu um livro e a loja o entregou quando ela pagou a conta no balcão de atendimento. Entretanto, a Barnes & Noble também tem uma página Web, na qual os processos de colocação de pedido e de atendimento de pedido são distintos, mas ligados. Os clientes que compram em seu site devem aceitar uma certa demora no recebimento dos livros, que a Barnes & Noble procura minimizar em sua cadeia de suprimentos.

Na Dell, os processos de colocação e de atendimento de pedido estão estreitamente ligados. Os oito passos de seu processo de atendimento de pedido são mostrados na Figura 10.8.

1. Os clientes podem se comunicar com a Dell e comprar dela de três modos: pelo site, por telefone e pessoalmente. Os últimos dois modos envolvem contato humano real. Um representante experiente recebe o pedido do cliente, examina as informações e as insere no sistema.

2. As informações do pedido são transmitidas ao sistema de estoque. Os materiais são recebidos dos fornecedores e colocados em prateleiras na área de fabricação. A Dell recebe apenas os materiais que está imediatamente pronta para usar — aqueles especificados pelo cliente.

3. Todas as informações de configuração exclusiva de produto do cliente estão contidas no Traveler, que é uma planilha que acompanha o sistema que o cliente pediu ao longo de sua montagem e transporte.

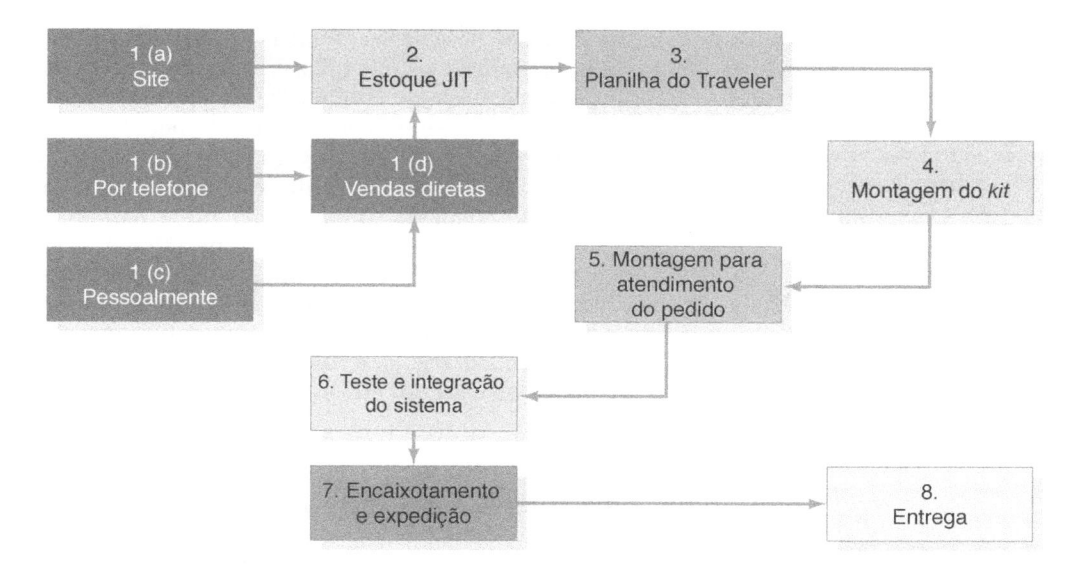

Figura 10.8 Processo de atendimento de pedidos da Dell

4. Quando o Traveler é extraído, todas as peças e componentes internos requeridos para fabricar o sistema são escolhidos e colocados em um fardo, ou *kit*. Esse procedimento é chamado de *montagen do kit*.

5. Uma equipe de operadores usa o *kit* para montar e testar inicialmente o sistema inteiro.

6. Os sistemas são, em seguida, amplamente testados usando-se procedimentos de diagnóstico da Dell. O hardware e o software padrão ou feitos sob encomenda são instalados na fábrica e testados.

7. Os sistemas acabados são colocados em caixas junto com a documentação e os manuais e depois fechados e colocados em caminhões para envio ao cliente.

8. O sistema é entregue ao cliente. O ciclo completo de montagem de acordo com o pedido leva apenas algumas horas.

A Dell se empenha em eliminar todas as atividades que não agregam valor para aumentar a velocidade da fabricação e da entrega do pedido do cliente enquanto mantém níveis elevados de qualidade e produtividade. Algumas vezes, esse processo requer uma vistoria séria do processo de atendimento de pedido. Por exemplo, a Dell instalou robôs e equipamento automático em sua planta em Nashville, que recebe diretamente pedidos on-line e fabrica, testa e embala o produto para envio.

Projetar o processo de atendimento de pedido certamente pode ter implicações competitivas. Já discutimos muitas das atividades de atendimento de pedidos associadas à produção de um serviço ou produto em capítulos anteriores. No restante desta seção, discutiremos várias táticas e instrumentos que podem ajudar a administrar os processos de atendimento de pedido envolvendo fluxos materiais entre a empresa e seus clientes externos.

LOCALIZAÇÃO DO ESTOQUE

Uma decisão fundamental sobre cadeia de suprimentos que afeta o desempenho dos processos de atendimento de pedidos é onde localizar um estoque de bens acabados. A localização dos estoques pode ter implicações estratégicas, como no caso de empresas internacionais que localizam centros de distribuição (CD) em países estrangeiros para se antecipar à competição local, reduzindo os tempos de entrega ao cliente. Entretanto, o problema para qualquer empresa que fabrica produtos padronizados é onde localizar o estoque na cadeia de suprimentos. Em uma extremidade, a empresa pode usar a **localização centralizada**, que significa manter todo o estoque de um produto em um único local, tal como a fábrica ou armazém de uma empresa, e enviar o produto diretamente a cada um de seus clientes. A vantagem estaria no que é chamado de **agrupamento de estoque**, uma redução na quantidade de estoque e no estoque de segurança por causa da fusão de demandas incertas e variáveis dos clientes. Uma demanda de um cliente maior que a esperada pode ser compensada por uma demanda de outro cliente menor que a esperada, de modo que a demanda total permaneça bastante estável. Discutiremos os métodos para determinar a quantidade de estoque de segurança no Capítulo 12, "Administração de estoques". Uma desvantagem em colocar o estoque em uma localização central, contudo, é o custo adicionado ao transporte de quantidades menores, não econômicas, diretamente para os clientes por longas distâncias.

Outra abordagem é usar a **localização avançada**, que significa localizar o estoque mais próximo aos clientes em um armazém, CD, atacadista ou varejista. A localização avançada pode ter duas vantagens para o processo de atendimento de pedido — tempos de entrega mais rápidos e custos de transporte reduzidos —, que podem estimular as vendas. Como o estoque é localizado mais próximo ao cliente, como em um CD, o efeito de agrupamento dos estoques é reduzido porque o estoque de segurança para o produto deve aumentar para se precaver de demandas incertas em cada CD, em vez de em um único local. Entretanto, o tempo para entregar o produto ao cliente é reduzido. Por conseguinte, o atendimento ao cliente é mais rápido e a empresa pode se beneficiar de remessas maiores, menos dispendiosas para o CD da fábrica, à custa de estoques totais maiores.

ESTOQUE GERIDO PELO FORNECEDOR

Uma tática que emprega um caso extremo de localização avançada são os VMIs (*Vendor-managed-inventorie* – **estoques geridos pelo fornecedor**), um sistema no qual o fornecedor tem acesso aos dados de estoque do cliente e é responsável por manter o nível de estoque requerido pelo cliente. O estoque está no site do cliente e, muitas vezes, o fornecedor mantém a posse do estoque até que seja usado pelo cliente. Empresas como Wal-Mart e Dell alavancam sua posição de mercado ao autorizar o VMI. Os estoques geridos pelo fornecedor têm vários elementos-chave.

- *Colaboração*: para que o VMI seja bem-sucedido, os clientes devem estar dispostos a permitir que o fornecedor tenha acesso a seu estoque. A implicação é que o fornecedor assume um papel administrativo importante em seu gerenciamento. Portanto, é indispensável que haja, entre ambas as partes, um relacionamento baseado na confiança e responsabilidade mútuas.
- *Redução de custos*: fornecedores e clientes eliminam a necessidade de excesso de estoque por meio de melhor planejamento operacional. O VMI reduz custos eliminando custos administrativos e de estoque. Os custos de colocação de pedido também são reduzidos.
- *Atendimento ao consumidor*: o fornecedor está freqüentemente no local e conhece melhor as operações do cliente, melhorando tempos de resposta e reduzindo faltas de estoque.
- *Acordo escrito*: é importante que ambas as partes compreendam integralmente as responsabilidades de cada associado. Áreas como procedimentos de faturamento, métodos de previsão e cronogramas de reposição devem estar claramente especificados. Além disso, a responsabilidade por estoque obsoleto resultante de revisões de previsões e de alterações na duração dos contratos deve ser incluída.

O VMI pode ser usado por prestadores de serviços e fabricantes. AT&T, Roadway Express, Wal-Mart, Dell, Westinghouse e Bose estão entre as empresas que o utilizam.

PROGRAMA DE REPOSIÇÃO CONTÍNUA

Para que seja eficaz, a execução do VMI requer um programa formal. Vários desses programas estão disponíveis. A seção "Prática Gerencial 10.2" explica um programa usado pela Campbell Soup Company, chamado de CRP (*Continuous Replenishment Program* — **programa de reposição contínua**), no qual o fornecedor monitora os níveis de estoque do cliente e repõe o estoque quando necessário. A IBM, a Heinz Pet Products e a Purina estão entre as muitas empresas que utilizam essa abordagem de localização avançada de estoque. O CRP ajuda a reduzir os estoques e impulsiona a eficiência na armazenagem e no transporte.

Os êxitos do CRP estimularam o desenvolvimento de um programa chamado CPFR (*Collaborative Planning, Forecasting, and Replenishment* — planejamento, previsão e reposição colaborativos), que permite que o fornecedor e o cliente planejem quantidades de reposição conjuntamente. Em um processo interativo, o cliente e o fornecedor podem regular e coordenar suas previsões de demandas para cada produto específico.

IDENTIFICAÇÃO POR RADIOFREQÜÊNCIA

Um requisito importante para a execução dos processos de atendimento de pedido é informação precisa em relação à quantidade e à localização dos estoques. Uma nova aplicação de uma tecnologia antiga apresenta alguns benefícios tentadores. A **RFID** (*Radio Frequency Identification* — **identificação por radiofreqüência**) é um método utilizado para identificar produtos por meio do uso de sinais de rádio a partir de uma etiqueta anexa a um produto. Essa etiqueta armazena informações sobre o produto e envia sinais a um dispositivo que pode ler as informações e até mesmo gravar novas informações nela. Os dados das etiquetas podem ser transmitidos via rádio de um lugar a outro por meio de redes de EPC (*Eletronic Product Code* — código eletrônico de produto) e pela Internet, tornando teoricamente possível identificar de modo exclusivo cada item que a empresa fabrica e rastreá-lo até que a etiqueta seja destruída.

Wal-Mart e Gillette, entre diversos grandes varejistas, fabricantes, agências do governo e fornecedores, estão em processo de implementação de RFID em suas cadeias de suprimentos. No caso do Wal-Mart, as etiquetas de RFID em caixas e *pallets* serão lidas quando o estoque entrar em um armazém e quando essas caixas e *pallets* forem para a loja de varejo. O Wal-Mart usará os dados para tirar conclusões sobre quando trazer estoque adicional à loja e para calcular se uma loja pediu um produto em excesso ou se ele está parado no estoque ou no centro de distribuição. Os dados também podem ajudar cerca de 30 mil fornecedores a verificar níveis de estoque e vendas. O uso de dados de RFID pode aumentar o nível de atendimento do fornecedor ao Wal-Mart. A redução de furtos é outra vantagem importante da tecnologia de RFID. A Gillette espera usar o RFID para reduzir a quantidade de roubo de lâminas de barbear, que corresponde a cerca de 30 por cento.

Se o RFID será universalmente aceito, ainda não se sabe. A sincronização completa de dados usando padrões da indústria é crítica para assegurar que informações precisas e coerentes sobre o produto sejam trocadas entre parceiros de negócios. Ainda há muito trabalho a ser feito. De acordo com os gerentes do Wal-Mart, o melhor modo de impulsionar o RFID é reunir todas as lojas de varejo no projeto.

PRÁTICA GERENCIAL

10.2 REPOSIÇÃO CONTÍNUA NA CAMPBELL SOUP COMPANY

A Campbell Soup Company fabrica produtos que são sensíveis ao preço. Uma prioridade competitiva importante para a empresa são as operações de baixo custo, que se estendem para toda a cadeia de suprimentos. A Campbell opera em um ambiente com um elevado grau de certeza. Apenas cinco por cento de seus produtos são novos a cada ano; o restante está no mercado há anos, tornando a previsão de demanda fácil. Ainda que a Campbell já tivesse níveis altos de atendimento ao consumidor — 98 por cento do tempo os produtos da Campbell estavam disponíveis nos estoques dos varejistas —, a gerência acreditou que era possível promover melhorias nos custos. Ela examinou a cadeia de suprimentos inteira para determinar onde o desempenho poderia ser melhorado.

O resultado foi um programa chamado CRP, que reduziu os estoques dos varejistas em uma média de quatro para duas semanas de suprimentos. Essa redução corresponde a economias da ordem de um por cento de vendas no varejo. Embora os lucros do varejista médio sejam de apenas dois por cento das vendas, o resultado foi de um aumento de 50 por cento em seus lucros na venda de produtos da Campbell. Em virtude desse aumento na rentabilidade, os varejistas compraram uma linha mais ampla de produtos da Campbell, aumentando, assim, as vendas da empresa. O programa trabalha do seguinte modo.

- Toda manhã a Campbell usa a EDI (*Eletronic Data Interchange* — troca eletrônica de dados) para se conectar com os varejistas.
- Os varejistas informam à Campbell sobre demandas por seus produtos e os níveis de estoque correntes em seus centros de distribuição.
- A Campbell determina quais produtos necessitam de reposição, tendo por referência os limites superior e inferior de estoques estabelecidos com cada varejista.
- A Campbell faz diariamente entregas dos produtos necessários.

A Campbell deve evitar ações que interrompam a cadeia de suprimentos. Por exemplo, varejistas no programa de reposição contínua tiveram de renunciar às compras antecipadas, por meio das quais os varejistas na indústria freqüentemente compram o excesso de estoque a preços de desconto, de maneira que possam oferecer promoções nos preços. A compra antecipada causa propagações na cadeia de suprimentos, aumentando os custos de todos, que é o que aconteceu com a sopa de galinha. A Campbell oferecia descontos substanciais uma vez ao ano e os varejistas os aproveitavam, comprando, algumas vezes, suprimentos para o ano inteiro. Por causa do aumento na demanda, a fábrica de processamento de galinha precisou trabalhar com horas extras. Quando isso aconteceu, os custos na cadeia de suprimentos inteira aumentaram — os custos de produção da Campbell aumentaram e os varejistas tiveram de pagar pelo armazenamento de grandes estoques de sopa de galinha. Com o sistema de reposição contínua, esses custos adicionais são eliminados e todos ganham.

A Campbell Soup Company conseguiu extrair mais lucros para seus varejistas monitorando eletronicamente o estoque de cada varejista e lhe enviando sopa quando necessário. Entretanto, a "compra antecipada", por meio da qual os varejistas podiam comprar grandes quantidades de sopa com desconto, teve que ser interrompida. A prática levou a surtos na demanda que causaram caos no sistema da Campbell.

O sucesso do CRP levou a Campbell a buscar modos adicionais de melhorar a eficiência da cadeia de suprimentos. Uma melhoria são giros de pedidos mais rápidos para os clientes que participam de um novo programa, o CPFR, que é um movimento que vem ganhando terreno no ramo de supermercados. O programa permite que a Campbell determine quantidades de reposição de comum acordo com o varejista e, assim, elimine o estoque desnecessário e melhore o atendimento ao consumidor.

Para combater padrões ineficientes de pedidos de clientes, a Campbell também iniciou um 'programa estratégico de precificação' que recompensa os clientes por fazer pedidos eletronicamente e em quantidades que enchem caminhões e *pallets*, em vez de pedidos esporádicos. Os clientes obtêm abatimentos nos preços para que eles mesmos recolham os bens. A Campbell observou uma mudança significativa nos padrões de pedidos de seus clientes por causa do programa e cerca de dois terços de seus clientes agora satisfazem os critérios para o melhor grupo de determinação de preços. O programa estratégico de precificação gerou um lucro de vários milhões de dólares em economia para a Campbell e seus parceiros comerciais.

Fontes: Marshall L. Fisher, "What is the right supply chain for your product?", *Harvard Business Review*, mar./abr. 1997, p. 105-116; Leslie Hansen Harps, "Shopping for supply chain excellence". Disponível em: <inboundlogistics.com>, 2002; Dan Gilmore, "Campbell Soup solves demand planning problem", *Supply Chain Digest*, fev. 2004. Disponível em: <www.scdigest.com>; e <www.campbellsoup.com>, 2005.

PROCESSOS DE DISTRIBUIÇÃO

Um aspecto-chave do atendimento de pedido é o processo de distribuição que leva o produto ou serviço ao cliente. Três decisões importantes determinam o projeto e a implementação dos processos de distribuição.

- *Propriedade*: a empresa tem maior controle sobre o processo de distribuição se for proprietária e operá-lo, tornando-se, assim, uma *transportadora privada*. Embora essa abordagem possa ajudar a alcançar melhor as prioridades competitivas da empresa, os custos de equipamento, mão-de-obra, instalações e manutenção podem ser altos. A empresa pode, em vez disso, deixar a distribuição para uma *transportadora contratada*, negociando com ela serviços específicos. Esses serviços podem envolver uma parte importante do processo de atendimento de pedido. Por exemplo, a unidade de Soluções de Cadeia de Suprimentos da UPS controla mais de 1 milhão de pés quadrados de espaço de armazém para ajudar a administrar estoques para clientes próximos a Xangai e Guangzhou, na China. Os clientes usam a UPS para transportar produtos para o armazém e, então, a UPS administra as entregas para os locais específicos na China.

- *Seleção do modal*: os cinco modais básicos de transporte são caminhão, trem, navio, oleoduto e avião. Os motivadores da seleção devem ser as prioridades competitivas da empresa. Os caminhões oferecem a maior flexibilidade porque podem ir aonde quer que as estradas vão. Os tempos de trânsito são bons e as taxas são normalmente melhores que as dos trens, para quantidades pequenas e curtas distâncias. O transporte ferroviário pode deslocar grandes quantidades a preço baixo; entretanto, os tempos de trânsito são longos e, muitas vezes, variáveis. O transporte pela água fornece capacidade alta e custos baixos e é necessário para remessas ao exterior de itens volumosos; contudo, os tempos de trânsito são lentos e o transporte por estradas ou ferrovias, muitas vezes, é necessário para levar o produto a seu destino final. O transporte por oleodutos é altamente especializado e é usado para líquidos, gases ou sólidos em forma de pasta fluida. Embora tenha flexibilidade geográfica limitada, transportar por meio de oleodutos não requer embalagens e os custos operacionais por quilômetro são baixos. Por fim, o transporte aéreo é o mais rápido e o mais caro por quilômetro. Apesar disso, entregar um produto ao cliente rapidamente usando transporte aéreo pode realmente reduzir os custos totais quando os custos de manuseio de estoque e de armazenagem são levados em consideração para modais alternativos. O custo dos recursos presos em alguns estoques em trânsito pode ser considerável.

- *Cross-docking*: operações de baixo custo e velocidade de entrega podem ser acentuadas com uma técnica chamada **cross-docking**, que é o acondicionamento de produtos em remessas de entrada, de modo que possam ser facilmente selecionados em armazéns intermediários para remessas de saída, tendo por referência seus destinos finais; os produtos são levados do veículo que chega ao ponto de embarque ao veículo que está no ponto de saída sem serem armazenados no estoque. Por exemplo, um caminhão de Nebraska levando remessas para clientes em Ohio, Pensilvânia e Virgínia chega a um armazém em Columbus, Ohio, onde o pessoal do armazém descarrega seu conteúdo e o recarrega em caminhões que seguem para destinos em Ohio, Pensilvânia e Virgínia. As remessas que chegam devem ser estreitamente coordenadas com remessas que saem para que o despacho rápido funcione. O armazém se torna uma área de concentração de curto prazo para se organizarem remessas eficientes para os clientes. Os benefícios do *cross-docking* incluem reduções no investimento em estoque, requisitos de espaço de armazenamento, custos de manuseio e *lead times*, assim como aumento no giro de estoque e fluxo de caixa acelerado.

PROCESSO DE RELACIONAMENTO COM O FORNECEDOR

O processo de relacionamento com o fornecedor focaliza a interação da empresa e de fornecedores a montante na cadeia. Os principais subprocessos incluem os seguintes:

- *Processo de aquisição de serviços ou produtos de fornecedores externos*: o processo de aquisição de materiais classifica, seleciona, administra os contratos e avalia os fornecedores.

- *Processo de projeto colaborativo*: o processo de projeto colaborativo focaliza o planejamento de novos serviços ou produtos conjuntamente com fornecedores-chave. Esse processo busca eliminar atrasos e erros dispendiosos incorridos quando muitos fornecedores projetam pacotes de serviços ou componentes manufaturados simultânea, mas independentemente. Sem o compartilhamento de informações entre os fornecedores, o resultado final pode ficar longe da meta.

- *Processo de negociação*: o processo de negociação focaliza a obtenção de um contrato efetivo que satisfaça os requisitos de preço, qualidade e entrega do processo de relacionamento de clientes internos com o fornecedor.

- *Processo de compra*: o processo de compra está relacionado à obtenção real do serviço ou material do fornecedor. Esse processo inclui a criação, a administração e a aprovação dos pedidos de compra.

- *Processo de troca de informações*: esse processo facilita a troca de informações operacionais pertinentes, como previsões, cronogramas e níveis de estoque entre a empresa e seu fornecedor.

Nesta seção, focalizamos várias áreas de decisão importantes que afetam o planejamento do processo de relacionamento com o fornecedor. Começamos nossa discussão com as ponderações que as empresas fazem ao selecionar e certificar fornecedores, uma atividade importante no processo de aquisição. Em seguida, discutimos a natureza das relações com o fornecedor, o que reflete nos processos de negociação e de projeto colaborativo. A próxima área de decisão é a compra eletrônica, que afeta os processos de compra e troca de informações. Discutimos, então, as implicações da compra centralizada *versus* localizada, o que afeta os processos de negociação e compra. Por fim, discutimos a técnica de análise de valor, que está no âmago do processo de projeto colaborativo.

ESCOLHA E CERTIFICAÇÃO DE FORNECEDORES

Compra é a atividade que decide quais fornecedores usar, negocia contratos e determina se será comprado localmente. As empresas buscam continuamente melhores compras e novos materiais dos fornecedores. A unidade de compra de uma empresa é responsável por selecionar melhores fornecedores e por conduzir programas de certificação. Essas duas atividades são importantes no processo de obtenção de recursos.

Escolha de fornecedor Para tomar decisões sobre seleção de novos fornecedores e para inspecionar o desempenho dos fornecedores atuais, a gerência deve examinar o segmento de mercado que deseja atender e relacionar suas necessidades à cadeia de suprimentos. As prioridades competitivas são um ponto de partida ao se elaborar uma lista de critérios de desempenho a ser usada. Por exemplo, se você fosse gerente de uma empresa de serviços alimentares, provavelmente usaria entrega pontual e qualidade como dois critérios principais para escolher fornecedores. Esses critérios refletem os requisitos que as cadeias de suprimentos de serviços de alimentação precisam atender.

Três critérios freqüentemente levados em consideração por empresas que selecionam novos fornecedores são preço, qualidade e entrega. Uma vez que as empresas gastam um percentual grande de sua renda total em itens comprados, encontrar fornecedores que cobram *preços baixos* é um objetivo-chave. Entretanto, a *qualidade* dos materiais do fornecedor também é importante. Os custos ocultos da má qualidade podem ser elevados, especialmente se os defeitos são descobertos somente depois de se adicionar valor considerável por operações subseqüentes. Para um varejista, qualidade insatisfatória da mercadoria pode significar perda da boa vontade do cliente e de vendas futuras. Por fim, *lead times* menores e *entrega* no prazo ajudam a empresa que compra a manter o atendimento ao consumidor aceitável com menos estoque. Por exemplo, o Centro Médico Maimonides, um hospital de 700 leitos no Brooklyn, compra muitos de seus materiais de um único fornecedor, que oferece *lead times* menores a partir de um armazém próximo. Isso permitiu que o Maimonides reduzisse seu estoque de cerca de 1.200 dólares para apenas 150 dólares por leito.

Um quarto critério está se tornando importante para a seleção de fornecedores — o impacto ambiental. Muitas empresas estão se comprometendo com a **compra verde**, o que envolve identificar, avaliar e administrar o fluxo de resíduo ambiental e encontrar modos de reduzi-lo e de minimizar seu impacto sobre o ambiente. Solicita-se que os fornecedores sejam ecologicamente conscientes quando projetam e fabricam seus produtos. Termos como *verde*, *biodegradável*, *natural* e *reciclado* devem ser evidenciados quando se propõe um contrato. Em um futuro não muito distante, esse critério pode ser um dos mais importantes para a seleção de fornecedores.

Certificação de fornecedor Programas de certificação de fornecedores verificam se os fornecedores potenciais têm capacidade de fornecer os serviços ou materiais que a empresa compradora requer. A certificação normalmente envolve visitas ao local por uma equipe interfuncional da empresa compradora, que faz uma avaliação aprofundada da capacidade do fornecedor de satisfazer as metas de custo, qualidade, entrega e flexibilidade das perspectivas de sistema de processo e de informação. A equipe pode consistir em membros das operações, compra, engenharia, sistemas de informação e contabilidade. Cada aspecto da geração dos serviços ou materiais é investigado. A equipe observa os processos do fornecedor em ação e examina a documentação em busca de perfeição e precisão. Uma vez certificado, o fornecedor pode ser utilizado pelo setor de compras sem a necessidade de checagens adicionais. O desempenho é monitorado e os registros de desempenho são mantidos. Após certo período, ou se o desempenho cair, o fornecedor pode ter de ser certificado novamente.

RELAÇÕES COM FORNECEDORES

A natureza das relações mantidas com os fornecedores pode afetar a qualidade, a adequação e o preço dos serviços e produtos da empresa. A orientação da empresa com respeito às relações com o fornecedor afetará os processos de negociação e projeto colaborativo.

Orientação competitiva A **orientação competitiva** considera as negociações entre comprador e vendedor como um jogo de soma zero: se um lado perde, o outro ganha. As vantagens de curto prazo são mais valorizadas que os compromissos de longo prazo. O comprador pode tentar fazer baixar o preço do fornecedor até o nível de sobrevivência mais baixo ou empurrar a demanda para níveis elevados durante períodos de expansão econômica e fazer encomendas mínimas durante as recessões. Por outro lado, o fornecedor pressiona para obter preços mais altos para níveis específicos de qualidade, atendimento ao consumidor e flexibilidade de volume. A definição de qual parte ganha depende em grande medida de quem tem mais influência.

O poder de compra determina a influência de uma empresa. Uma empresa tem poder de compra quando seu volume representa uma parte significativa das vendas do fornecedor, ou o serviço ou produto comprado é padronizado, e muitos substitutos estão disponíveis. Por exemplo, a Premier, Inc., uma cooperativa com 1.759 hospitais associados, gasta dez bilhões de dólares por ano em serviços e materiais para seus membros. Os fornecedores estão apreensivos porque, para manter seus negócios, têm de oferecer à Premier preços muito mais baixos que oferecem a seus outros clientes. A Premier comprará de quem oferecer o menor preço sem muita lealdade a qualquer fornecedor. Os analistas estimam que a Premier ajudou a reduzir o custo do sistema de saúde em dois bilhões de dólares por ano por causa de seus esforços.

Orientação cooperativa   A **orientação cooperativa** enfatiza que comprador e vendedor são parceiros, cada um ajudando o outro tanto quanto possível. Uma orientação cooperativa significa compromisso de longo prazo, trabalho conjunto na qualidade e nos projetos de serviço ou produto e apoio do comprador ao desenvolvimento tecnológico, administrativo e das competências do fornecedor. Uma orientação cooperativa favorece menos fornecedores de um serviço ou item específico, sendo um ou dois o número ideal. À medida que os volumes de pedidos aumentam, o fornecedor ganha economias de escala, o que reduz os custos. Quando os contratos são grandes e uma relação de longo prazo é assegurada, o fornecedor pode até mesmo construir uma nova instalação e contratar uma nova força de trabalho, talvez se mudando para perto da planta do comprador. Os fornecedores se tornam quase uma extensão do comprador.

Uma orientação cooperativa significa que o comprador compartilha mais informações com o fornecedor sobre suas intenções de compras futuras. Essa visibilidade para o futuro permite que os fornecedores façam previsões melhores e mais confiáveis sobre a demanda futura. O comprador visita as plantas dos fornecedores e cultiva atitudes cooperativas. O comprador pode até mesmo sugerir modos de melhorar as operações dos fornecedores. Essa cooperação estreita com os fornecedores pode significar que o comprador não precisa inspecionar os materiais que chegam. Além disso, pode envolver mais o fornecedor no projeto de serviços ou produtos, implementando idéias de redução de custo e repartindo economias.

Uma vantagem de reduzir o número de fornecedores na cadeia de suprimentos é uma redução na complexidade de sua administração. Entretanto, reduzir o número de fornecedores para um serviço ou produto pode aumentar o risco de uma interrupção na oferta. Também significa menos oportunidades de fazer um bom negócio, a menos que o comprador tenha muita influência. A **aquisição de serviços ou produtos de uma única fonte** (*sole sourcing*), que é a concessão de um contrato de um serviço ou produto para apenas um fornecedor, pode ampliar quaisquer problemas que possam surgir com ele.

Tanto a orientação competitiva como a cooperativa têm suas vantagens e desvantagens. A chave é usar a abordagem que atende melhor às prioridades competitivas da empresa. Algumas utilizam uma estratégia mista, aplicando uma abordagem competitiva a seus suprimentos que são *commodities* e uma abordagem cooperativa a seus serviços e materiais complexos, de alto valor ou volumes elevados.

COMPRA ELETRÔNICA

Embora nem todas as oportunidades de compra envolvam a Internet, a emergência do mercado virtual tem, de fato, proporcionado às empresas muitas oportunidades para melhorar seus processos de compra e de troca de informações. Nesta seção, discutimos quatro abordagens de compra eletrônica: (1) troca eletrônica de dados, (2) centros de catálogos, (3) bolsas; e (4) leilões.

Troca eletrônica de dados   A forma mais usada de compra eletrônica atualmente é a **EDI** (*Eletronic Data Interchance* — **troca eletrônica de dados**), uma tecnologia que possibilita a transmissão de documentos comerciais rotineiros e padronizados de computador a computador, por telefone ou linhas diretas alugadas. Softwares especiais de comunicações convertem os documentos de e para uma forma genérica, permitindo que as organizações troquem informações ainda que tenham componentes de hardware e software diferentes. Faturas, pedidos de compra e informações sobre pagamentos são alguns dos documentos de rotina com os quais a EDI pode lidar — ela substitui o telefonema ou a remessa do documento pelo correio.

Um sistema de compra eletrônica com EDI pode funcionar da seguinte maneira: os compradores navegam por um catálogo eletrônico e clicam em produtos que serão comprados de um fornecedor. Um computador envia o pedido diretamente ao fornecedor. O computador do fornecedor verifica o crédito do comprador e se os produtos estão disponíveis. Os departamentos de armazenagem e de transporte do fornecedor são notificados eletronicamente e os produtos são preparados para remessa. Por fim, o departamento de contabilidade do fornecedor emite a fatura do comprador eletronicamente. A economia (que varia de 5 a 125 dólares por documento) é considerável levando-se em conta as centenas ou milhares de documentos com os quais muitas empresas normalmente lidam diariamente.

Centros de catálogos   Os **centros de catálogos** podem ser usados para reduzir os custos de colocação de pedidos aos fornecedores, assim como os custos dos próprios serviços ou bens. Os fornecedores divulgam seu catálogo de produtos em um portal e os compradores selecionam o que precisam e compram eletronicamente. O portal conecta a empresa a centenas de fornecedores potenciais pela Internet, economizando os custos de EDI, que requer conexões individuais com fornecedores individuais. Além do mais, a empresa compradora pode negociar preços de itens com fornecedores individuais, como materiais de escritório, equipamentos técnicos, serviços e assim por diante. O catálogo que os funcionários da empresa compradora examinam consiste apenas nos itens aprovados e com os preços que o comprador negociou anteriormente com seus fornecedores. Os funcionários usam seus computadores para selecionar os produtos de que precisam e o sistema gera os pedidos de compra, que são eletronicamente despachados para os fornecedores.

Bolsa Uma **bolsa** é um mercado eletrônico em que empresas compradoras e vendedoras se reúnem para fazer negócios. A bolsa mantém relacionamentos com compradores e vendedores, facilitando os negócios, sem o aspecto de negociações contratuais ou de outros tipos de condições de longo prazo. Elas são, muitas vezes, usadas para compras 'pontuais' para satisfazer uma necessidade imediata ao menor custo possível. *Commodities* como petróleo, aço ou energia se ajustam a essa categoria. Entretanto, as bolsas também podem ser usadas para a maioria dos produtos. Por exemplo, a Marriott International e a Hyatt Corporation formaram uma bolsa para comprar suprimentos para hotéis. Os hotéis tradicionalmente compravam materiais de milhares de empresas usando fax, telefone e formulários em quatro vias. Colocar pedidos era dispendioso, com pouca oportunidade de se comparar preços. A nova bolsa, que apresenta milhares de suprimentos de muitas empresas, favorece as compras em um único lugar para os hotéis que usam o serviço.

Leilões Uma extensão da bolsa é o **leilão**, em que a empresa dá lances competitivos para comprar algo. Por exemplo, um site pode ser criado para uma indústria específica e empresas com capacidade ou materiais em excesso podem colocá-los à venda para o arrematador. Os lances podem ser fechados ou abertos à competição. Indústrias em que os leilões são importantes incluem aço, substâncias químicas e a indústria de hipotecas residenciais, em que instituições financeiras podem fazer lances para hipotecas. Na esfera B2C, temos exemplos desse tipo de compra que incluem empresas como a EBay e a Priceline.com.

Uma abordagem que tem recebido atenção considerável é o chamado *leilão reverso*, em que os fornecedores dão lances para contratos com os compradores. Um desses sites é o FreeMarkets, um mercado eletrônico no qual empresas da Fortune 500 colocam contratos de fornecimento em licitação aberta. Cada lance é publicado e, assim, os fornecedores podem ver o quanto sua próxima oferta deve ser mais baixa para ter chance de ganhar o contrato. Cada contrato tem um prospecto eletrônico que fornece todas as especificações, condições e outros requisitos que não são negociáveis. A única coisa que resta para ser determinada é o custo para o comprador. A economia pode ser significativa. Por exemplo, uma empresa publicou um contrato para peças de plástico com um preço de referência inicial de 745 mil dólares, que era o preço mais recente para esse contrato. Vinte e cinco fornecedores disputaram o contrato durante um período de lances de 20 minutos. Nos primeiros minutos, o preço era de 738 mil dólares, em seguida caiu para 612 mil dólares. Nos 30 segundos finais do leilão, o preço foi para 585 mil dólares e, por fim, para 518 mil dólares após 13 minutos de prorrogação dos lances. Em pouco mais de meia hora, a empresa economizou cerca de 31 por cento. A aplicação do conceito de leilão reverso tem crescido. Ford, GM e DaimlerChrysler reúnem um mercado de leilão reverso para obter peças de fornecedores. Mercados semelhantes estão se formando em torno da compra e da venda de papel, plástico, aço, largura de banda (*bandwidth*), substâncias químicas etc.

Nossa discussão sobre essas abordagens de compras eletrônicas não deve deixá-lo com a impressão de que o custo é a única coisa que as empresas levam em consideração. Bolsas e leilões são mais úteis para *commodities*, quase-*commodities*, ou itens esporádicos que requerem apenas relações de curto prazo com os fornecedores. Entretanto, os fornecedores devem ser considerados parceiros quando o material necessário é significativo e constante por períodos prolongados. O envolvimento do fornecedor no projeto do serviço ou produto e na melhoria do desempenho da cadeia de suprimentos requer relações de longo prazo não encontradas na determinação de preços competitivos na Internet.

COMPRAS CENTRALIZADAS *VERSUS* COMPRAS LOCALIZADAS

Quando uma empresa tem várias instalações (lojas, hospitais ou fábricas, por exemplo), a gerência deve se decidir entre compras localizadas ou centralizadas. Essa decisão tem implicações para o controle dos fluxos da cadeia de suprimentos e dos processos de negociação e compra.

A compra centralizada tem a vantagem de aumentar o poder de compra. A economia pode ser significativa, freqüentemente da ordem de dez por cento ou mais. Poder de compra aumentado pode significar melhor atendimento, assegurar disponibilidade de suprimentos a longo prazo ou desenvolver uma nova competência do fornecedor. Empresas com fornecedores estrangeiros favorecem a centralização porque as habilidades especializadas (por exemplo, conhecimento de idiomas e culturas estrangeiros) necessárias para se comprar do exterior podem ser centralizadas em um local. Os compradores também precisam conhecer a legislação internacional comercial e os contratos com relação à transferência de serviços e bens. Outra tendência que favorece a centralização é o crescimento de sistemas de informação informatizados e da Internet, o que dá aos especialistas da sede acesso a dados antes disponíveis apenas no nível local.

Provavelmente, a maior desvantagem da compra centralizada é a perda de controle no nível local. A compra centralizada é indesejável para produtos exclusivos a uma instalação específica. Esses produtos devem ser comprados localmente sempre que possível. O mesmo é válido para compras que devem estar estreitamente sincronizadas com os cronogramas de produção. A compra localizada também é vantajosa quando a empresa tem instalações importantes em países estrangeiros, porque os gerentes nacionais no exterior, muitas vezes cidadãos locais, conhecem muito melhor a cultura local que o pessoal do escritório da sede. Além disso, a compra centralizada freqüentemente significa *lead times* mais longos e mais um nível na hierarquia da empresa.

Talvez a melhor solução seja uma estratégia conciliatória, por meio da qual tanto a autonomia local como a compra centralizada sejam possíveis. Por exemplo, o grupo de compra corporativa da IBM negocia contratos de maneira centralizada apenas a pedido de plantas locais. A gerência de uma das plantas, em seguida, monitora o contrato para todas as plantas participantes.

ANÁLISE DE VALOR

Um esforço sistemático para reduzir o custo ou melhorar o desempenho de serviços ou produtos, comprados ou fabricados, é chamado de **análise de valor**. Trata-se de um exame profundo dos serviços, materiais, processos, sistemas de informação e fluxos de material envolvidos na produção de um serviço ou um produto. Os benefícios incluem menores custos de produção, materiais e distribuição; melhores margens de lucro; e maior satisfação do cliente. Uma vez que as equipes que envolvem pessoal de compras, produção e engenharia tanto da empresa como de seus fornecedores principais desempenham um papel-chave na análise de valor, outro benefício potencial é o aumento da motivação dos funcionários.

A análise de valor encoraja os funcionários da empresa e seus fornecedores a se questionarem sobre: Qual é a função do serviço ou do produto? A função é necessária? É possível identificar uma peça padrão de custo mais baixo que sirva ao propósito? O serviço ou o produto podem ser simplificados ou suas especificações afrouxadas para se alcançar um preço mais baixo? O serviço ou o produto podem ser projetados de maneira que possam ser produzidos de modo mais eficaz ou mais rápido? As características que o cliente mais valoriza podem ser acrescentadas ao serviço ou produto? A análise de valor deve ser parte de um esforço ininterrupto para melhorar o desempenho da cadeia de suprimentos e aumentar o valor do serviço ou do produto para o cliente.

A análise de valor pode focalizar exclusivamente os processos internos com algum êxito, mas o potencial verdadeiro está também em sua aplicação a toda a cadeia de valor. Uma abordagem que muitas empresas estão utilizando em seu processo de projeto colaborativo é chamada de **envolvimento antecipado do fornecedor**, um programa que inclui os fornecedores na fase inicial do projeto de um serviço ou produto. Os fornecedores oferecem sugestões para alterações no projeto e escolhas de materiais que resultarão em operações mais eficientes e de maior qualidade. Na indústria automotiva, um nível muito mais alto de envolvimento antecipado do fornecedor é conhecido como ***presourcing***, por meio do qual os fornecedores são selecionados na fase de desenvolvimento do conceito do produto e recebem responsabilidade significativa, se não total, pelo projeto de certos componentes ou sistemas do produto. Os fornecedores contratados previamente também assumem responsabilidade pelo custo, qualidade e entrega pontual dos produtos que fabricam.

Agora que discutimos o processo de relacionamento com o fornecedor, coloque-se na posição de gerência da Starwood na seção "Desafio Gerencial" a seguir. Como você lidaria com os desafios de adquirir a roupa de cama e o tecido absorvente?

ESTRATÉGIAS DE CADEIA DE SUPRIMENTOS

Nesta seção, discutimos várias estratégias de cadeias de suprimentos contemporâneas e demonstramos como elas podem sustentar as estratégias de operações das empresas.

FOCO ESTRATÉGICO

Uma cadeia de suprimentos é, naturalmente, uma rede de empresas. Desse modo, cada empresa na cadeia deve construir suas próprias cadeias de suprimentos para sustentar as prioridades competitivas de seus serviços ou produtos. Embora diversas tecnologias, como troca eletrônica de dados, Internet, projeto informatizado, fabricação flexível e armazenagem automatizada, tenham sido aplicadas a todas as etapas da cadeia de suprimentos, o desempenho de muitas cadeias permanece desanimador. Um estudo sobre a indústria de alimentos dos Estados Unidos estimou que a coordenação insatisfatória entre os parceiros de cadeia de suprimentos desperdiça 30 bilhões de dólares anualmente. Uma causa possível das deficiências é que os gerentes não compreendem a natureza da demanda por seus serviços ou produtos e, portanto, não conseguem criar estratégias de cadeias de suprimentos para satisfazer essas demandas. Dois modelos distintos usados para vantagem competitiva são *cadeias de suprimentos eficientes* e *cadeias de suprimentos responsivas* (Fisher, 1997). A Tabela 10.2 mostra os ambientes que melhor se adaptam a cada modelo.

TABELA 10.2 Ambientes que melhor se adaptam às cadeias de suprimentos eficiente e responsiva

Fator	Cadeias de suprimentos eficientes	Cadeias de suprimentos responsivas
Demanda	Previsível; erros de previsão baixos	Imprevisível; erros de previsão altos
Prioridades competitivas	Baixo custo, qualidade constante, entrega pontual	Velocidade de desenvolvimento, tempos de entrega curtos, personalização, flexibilidade de volume, variedade, qualidade superior
Introdução de novo serviço/produto	Rara	Freqüente
Margens de contribuição	Baixas	Altas
Variedade de produtos	Pequena	Grande

CAPÍTULO 10 • Estratégia de cadeia de suprimentos

DESAFIO GERENCIAL — ESTRATÉGIA DE CADEIA DE SUPRIMENTOS NA STARWOOD

Toalhas de Banho. Televisões. Produtos frescos. Uniformes. Superficialmente, esses itens parecem não ter qualquer relação um com o outro. Certo, eles existem na maioria das casas, embora provavelmente tenham sido comprados independentemente um do outro. No entanto, para o gerente da cadeia de suprimentos empregada na indústria de hospedagem, eles não apenas têm uma relação entre si, mas sua compra pode ser crítica para adquirir vantagens competitivas.

Pergunte a Paul Davis, vice-presidente de aquisição estratégica para operações norte-americanas da Starwood. Com centenas de hotéis e resorts nos Estados Unidos, Canadá e Caribe, a meta de Davis é criar a melhor organização de cadeia de suprimentos da indústria de hospedagem. Os produtos obtidos por sua organização incluem não apenas bens que podem ser reabastecidos, como produtos frescos e artigos alimentícios, mas também se estendem à negociação de contratos nacionais para bens não perecíveis, como toalhas de banho, eletrônicos, traje dos funcionários, energia e serviços.

É fácil confundir processos de cadeia de suprimentos com a aquisição rotineira de bens e serviços. A cadeia de suprimentos da Starwood certamente inclui contratação, mas é muito mais que isso: consiste no relacionamento com clientes, atendimento de pedido e processos de relacionamento com o fornecedor. Existem ligações fortes entre os fornecedores de serviços, materiais e informações, a montante da cadeia de suprimentos da empresa, e os clientes dos hotéis e resorts da Starwood. Se os relacionamentos a montante não são cuidadosamente administrados, a entrega, a jusante, de consistência, qualidade e valor para os hóspedes da Starwood pode ser prejudicada. Em decorrência disso, imprimi-se um esforço significativo nos subprocessos do processo de relacionamento com o fornecedor como projeto colaborativo, aquisição de produtos ou serviços de fornecedores externos, negociação, contratação e troca de informações.

Qualquer evento entre vários possíveis provocará o envolvimento da equipe de cadeia de suprimentos de Paul Davis:

- Os contratos existentes expiram.
- Marcas de hotel específicas buscam novos produtos.
- Equipes internas de projeto geram novas idéias.
- Fornecedores trazem novas idéias para a Starwood.
- Novas categorias de produtos são desenvolvidas e precisam de avaliação.
- Um hotel específico precisa de ajuda com um contrato de serviço local.

Quando um produto ou serviço precisa ser adquirido, as especificações são dirigidas pelos clientes internos como chefes de cozinha, administração interna e manutenção. Se o produto ou serviço ainda não existe, fornecedores domésticos e internacionais que poderiam ser capazes de criar o produto são procurados, assim como fornecedores regionais e locais. Algumas vezes, adquirir um produto existente significa simplesmente renovar um contrato com um fornecedor atual. Outras situações requerem a criação de uma nova categoria que não foi obtida antes ou a utilização de terceiros para ajudar a localizar novas fontes.

A cadeia de hotéis da Starwood transformou a aquisição estratégica em arte. Ela compra produtos complexos e de alto valor de um conjunto seleto de fornecedores e itens de *commodities* usando métodos mais convencionais, como lances competitivos. A cadeia também trabalha proximamente com seus fornecedores para ajudar a melhorar não apenas suas próprias margens de lucros, mas as deles também.

O empenho e cuidado devidos são sempre realizados enviando aos fornecedores potenciais um 'pedido de informação' seja em papel ou formulário eletrônico. As respostas dos fornecedores são inseridas em um banco de dados e ajudam a Starwood a fazer uma classificação prévia. Procura-se uma boa correspondência, requerendo-se que o fornecedor satisfaça a requisitos mínimos de viabilidade financeira, qualidade, abrangência de operações, referências e eliminação de risco legal. Com uma seleção apropriada de potenciais fornecedores, a Starwood, então, toma um entre dois caminhos. O primeiro é conduzir um leilão reverso em que os fornecedores previamente selecionados fazem lances uns contra os outros. Esse método é usado com contratos de menor duração para artigos de *commodity* que apresentam baixa visibilidade externa pelo cliente. Uniformes de cozinha, chaves de quartos de hotel e tinta são adquiridos desse modo. A segunda opção é emitir uma RFP (*Request for Proposal* — solicitação de proposta), que requer que o fornecedor apresente suas melhores ofertas desde o princípio para análise.

Após o exame da equipe de cadeia de suprimentos, o fornecedor que ganha o leilão ou que emerge da RFP revisa as atividades à medida que um melhor ajuste resulta das negociações. Ao longo do processo de desenvolvimento de relacionamento com o fornecedor, a Starwood conhece os fornecedores, mas o relacionamento se torna muito mais pessoal nesse momento, uma vez que ambas as partes se movem em direção à conclusão das negociações do contrato.

A Starwood mantém uma orientação cooperativa com respeito a suas relações com o fornecedor, construindo uma parceria para maximizar valor para cada parte, a fim de assegurar que cada lado esteja satisfeito com requisitos de preço, qualidade e entrega sobre o qual concordaram no processo de negociação do contrato. Quando as negociações são concluídas, as diferentes marcas são notificadas e os processos de compra e troca de informações têm início.

Nesse momento, você pode pensar que o trabalho da equipe de cadeia de suprimentos está terminado. No entanto, administrar o relacionamento existente após a tinta do contrato ter se secado talvez seja a tarefa mais desafiadora de todas. O contrato envolvendo aquisição de roupa de cama e de produtos de tecido absorvente é um exemplo perfeito. Logo após o contrato ter sido finalizado, um fornecedor alternativo abordou a Starwood com uma oferta de fornecimento de bens de qualidade comparável a um custo muito mais baixo. Os gerentes da cadeia de suprimentos tinham uma escolha a fazer: continuar a trabalhar com o fornecedor existente ou rescindir o contrato com o fornecedor atual e começar a comprar do novo.

Desafios gerenciais para aquisição de materiais e serviços na Starwood

1. A Starwood deve manter uma orientação cooperativa ou uma orientação competitiva com seus fornecedores para o tipo de produtos descritos aqui?
2. Que tipos de informação a Starwood deve trocar com seu fornecedor de roupa de cama e de tecidos absorventes? O que a Starwood arrisca compartilhando informações demais?
3. Como você abordaria a aquisição de roupa de cama e de tecidos absorventes? Isto é, você usaria um leilão reverso ou solicitação de proposta? Sob que circunstâncias você trocaria de fornecedores?
4. Além de executar a análise de valor dos serviços que seus estabelecimentos oferecem, a Starwood avalia o desempenho de seus fornecedores em relação a indicadores de contrato. Usando o fornecedor de roupa de cama e de tecido absorvente como um exemplo, descreva alguns dos indicadores que a Starwood deve usar.

Cadeias de suprimentos eficientes A natureza da demanda pelos serviços ou produtos da empresa é um fator-chave para a escolha da melhor estratégia de cadeia de suprimentos. As cadeias de suprimentos eficientes funcionam melhor em ambientes em que a demanda é altamente previsível, como a demanda por produtos básicos comprados em mercearias ou a demanda por um serviço de entregas. O foco da cadeia de suprimentos está nos fluxos eficientes de serviços e materiais e na manutenção dos estoques em um nível mínimo. Por causa dos mercados que as empresas atendem, os modelos do serviço ou produto duram por muito tempo, novos acréscimos são raros e a variedade é pequena. Essas empresas normalmente produzem para mercados nos quais o preço é crucial para se ganhar um pedido. As margens de contribuição são baixas, e a eficiência é importante. Por conseguinte, as prioridades competitivas da empresa são operações de baixo custo, qualidade constante e entrega pontual.

Cadeias de suprimentos responsivas Cadeias de suprimentos responsivas são projetadas para reagir rapidamente a fim de minimizar o risco de incertezas na demanda. Elas funcionam melhor quando as empresas oferecem uma grande variedade de serviços ou produtos e a previsibilidade requerida é baixa. Para se manter competitivas, as empresas nessa cadeia de suprimentos muitas vezes introduzem novos serviços ou produtos. Entretanto, em virtude do caráter inovador de seus serviços ou produtos, elas gozam de margens de contribuição elevadas. As prioridades competitivas típicas são rapidez de desenvolvimento, tempos de entrega rápidos, personalização, variedade, flexibilidade de volume e qualidade superior. As empresas podem nem mesmo saber que serviços ou produtos precisam fornecer até que os clientes coloquem pedidos. Além do mais, a demanda pode ser de curta duração, como no caso de produtos de moda. O foco das cadeias de suprimentos responsivas é o tempo de resposta, que ajuda a evitar o acúmulo de estoques dispendiosos que, em última instância, devem ser vendidos com descontos substanciais. A seção "Prática Gerencial 10.3" mostra como um varejista de roupas europeu usou uma cadeia de suprimentos responsiva para adquirir vantagens competitivas.

Combinando cadeias de suprimentos eficientes e responsivas Uma empresa pode precisar utilizar ambos os tipos de cadeias de suprimentos, especialmente quando focaliza suas operações em segmentos de mercado específicos ou quando pode segmentar a cadeia de suprimentos para alcançar dois requisitos diferentes. Por exemplo, a cadeia de suprimentos para um produto padrão, como um navio petroleiro, tem requisitos diferentes dos de um produto personalizado, como um navio de cruzeiro de luxo, embora ambas sejam embarcações transatlânticas e possam ser fabricadas pela mesma empresa. É possível também verificar elementos de eficiência e responsividade na mesma cadeia de suprimentos. Por exemplo, a Gillette usa uma cadeia eficiente para fabricar seus produtos de modo que possa utilizar um processo de fabricação que requer uso intenso de capital e, em seguida, utiliza uma cadeia responsiva para que os processos de embalagem e de entrega sejam responsivos aos varejistas. A operação de embalagem envolve personalização na forma de impressão em idiomas diferentes. Da mesma maneira que os processos podem ser divididos em partes, com estruturas de processo diferentes para cada uma, os processos de cadeia de suprimentos podem ser segmentados para se alcançar o desempenho ideal.

O modelo de cadeias de suprimentos eficientes e responsivas A Tabela 10.3 contém as características de projeto básicas para cadeias de suprimentos eficientes e responsivas. Quanto mais a jusante de uma cadeia de suprimentos eficiente uma empresa estiver, é mais provável que tenha uma estratégia de fluxo de linha que sustente volumes altos de serviços ou produtos padronizados. Por conseguinte, os fornecedores de cadeias de suprimentos eficientes devem ter pouco excesso de capacidade porque a alta utilização mantém o custo por unidade baixo. Giros de estoque elevados são desejados porque o investimento em estoque deve ser baixo para que os custos também sejam. As empresas devem trabalhar com seus for-

PRÁTICA GERENCIAL

10.3 UMA CADEIA DE SUPRIMENTOS RESPONSIVA AJUDA UM VAREJISTA DE ROUPAS EUROPEU A AGRADAR OS CLIENTES

Suponha que você queira comprar artigos de última moda, como roupa de malha masculina ou um vestido preto com tonalidades vermelhas e beges, com um nível de qualidade mais próximo ao da Banana Republic que da Gap e a preços de acordo com a Old Navy. Você está com sorte se estiver fazendo compras na Zara, uma rede com 650 lojas de varejo de roupa localizadas na Europa, nas Américas e no Oriente Médio que atende os gostos europeus mais exigentes e preocupados com estilo. A Zara é parte da Inditex, um conglomerado de varejo de 2,8 bilhões de dólares, que tem 1.315 lojas em 50 países. A Zara contribui com 70 por cento das vendas da Inditex, que cresceram a uma taxa anual de 31 por cento em 2001 e continuam a crescer quando concorrentes, como a Gap e a H&M da Suécia, reduzem os gastos. Qual é seu segredo?

No varejo de moda, nada é tão importante como o tempo de lançamento do produto no mercado — não de propaganda (a Zara anuncia apenas duas vezes por ano), promoções de vendas (a Zara usa promoções moderadamente) ou custos de mão-de-obra. Em vez de se transferir para países em desenvolvimento para fabricar seus produtos a custo baixo, a Zara projetou uma cadeia de suprimentos que pode responder rapidamente a alterações nas preferências do cliente. As fábricas que escolheu tinham de ser flexíveis e equipadas para resposta rápida — algo que teria sido difícil de conseguir se as fábricas estivessem localizadas na América do Sul ou na Ásia.

Tudo começa no novo grupo de desenvolvimento de produto, que é localizado na sede da Zara em La Coruña, Espanha. Ali, cerca de 200 designers e gerentes de produto decidem o que criar, dadas as informações fornecidas pelos 650 gerentes de loja em todo o mundo. O grupo desenvolve mais de dez mil novos produtos todos os anos, muito mais que a concorrência. Os desenhistas compõem suas idéias em computadores e as enviam para as fábricas, que estão localizadas em frente à sede da Zara. Dentro de alguns dias, as operações de corte, tintura, costura e passagem a ferro começam.

Um elemento-chave da cadeia de suprimentos é um armazém de quatro andares, de 5 milhões de pés quadrados (o equivalente a 90 campos de futebol americano) que é conectado a 14 fábricas por uma série de túneis, cada um equipado com uma ferrovia e sistema de cabo. Casacos, calças, vestidos e outros produtos fabricados nas plantas são colocados em prateleiras e transportados por cabos através dos túneis para o armazém, onde a mercadoria é selecionada, classificada, redirecionada, selecionada novamente e, em seguida, levada a uma área especial onde cada loja da Zara tem sua própria área na plataforma. Assim que o pedido de uma loja é concluído, é embalado e remetido a seu destino — de caminhão, se for um destino europeu, ou de avião, se estiver fora da Europa. A grande maioria dos produtos fica apenas a algumas horas do armazém.

A gerência da Zara acredita que flexibilidade e velocidade são as duas principais prioridades competitivas de sua cadeia de suprimentos. O tempo decorrido entre o desenvolvimento de um novo produto de vestuário e sua colocação à venda em uma loja é de apenas três semanas. Em contraste, a Gap precisa de nove meses para o mesmo ciclo. Esse desempenho, porém, tem um preço. Os custos de fabricação da Zara são de 15 a 20 por cento mais altos que os de seus rivais. O ponto-chave é que o negócio ainda é altamente lucrativo. A Zara mantém uma margem de lucro de dez por cento, que está na média da melhor margem da indústria.

Fontes: Miguel Helft, "Fashion fast forward", *Business Week*, maio 2002; Kasra Ferdows, Michael A. Lewis e Jose A. D. Machuca, "Rapid fire fulfillment", *Harvard Business Review*, nov. 2004, p. 104-110.

Tabela 10.3 Características de modelo para cadeias de suprimentos eficientes e responsivas

Fator	Cadeias de suprimentos eficientes	Cadeias de suprimentos responsivas
Estratégia de operação	Fazer para estoque ou serviços ou produtos padronizados; enfatiza volumes elevados	Montagem por encomenda, fabricação por encomenda, ou serviços ou produtos personalizados; enfatiza variedade
Amortecedor de capacidade	Baixo	Alto
Investimento em estoque	Baixo; possibilita giros de estoque elevados	O necessário para possibilitar tempos de entrega curtos
Tempo de espera pela entrega	Encurtar, mas não aumentar os custos	Encurtar agressivamente
Seleção do fornecedor	Enfatiza preços baixos, qualidade constante, entrega pontual	Enfatiza tempo de entrega curto, personalização, variedade, flexibilidade de volume, qualidade superior

necedores para encurtar os *lead times*, mas devem tomar cuidado para usar táticas que não aumentem consideravelmente os custos. Por exemplo, os *lead times* de um fornecedor podem ser encurtados por meio da mudança do transporte ferroviário para o transporte aéreo; entretanto, o custo adicionado pode não compensar a economia obtida com os *lead times* mais curtos. Os fornecedores devem ser selecionados com ênfase em preços baixos, qualidade constante e entrega pontual. Por causa do baixo excesso de capacidade, interrupções em uma cadeia de suprimentos eficiente podem ser dispendiosas e devem ser evitadas.

Por contraste, empresas em uma cadeia de suprimentos responsiva devem ser flexíveis e ter excesso de capacidade. Os estoques em WIP devem ser localizados na cadeia para sustentar rapidez de entrega, mas estoques de bens acabados caros devem ser evitados. As empresas devem trabalhar agressivamente com seus fornecedores para encurtar os *lead times* porque isso permite que esperem por mais tempo antes de se comprometerem com o pedido de um cliente — dá-lhes maior flexibilidade, em outras palavras. As empresas devem selecionar fornecedores para sustentar as prioridades competitivas dos serviços ou produtos fornecidos, o que, nesse caso, inclui a capacidade de fornecer entregas rápidas, personalizar serviços ou componentes, ajustar volumes rapidamente para estar conforme os ciclos de demanda, oferecer variedade e fornecer qualidade superior. Nossa discussão sobre a Dell, Inc. no início deste capítulo é um exemplo do uso de uma cadeia de suprimentos responsiva para vantagens competitivas.

O desempenho insatisfatório de uma cadeia de suprimentos muitas vezes é o resultado da utilização do modelo incorreto para os serviços ou produtos fornecidos. Um erro comum é utilizar uma cadeia de suprimentos eficiente em um ambiente que requer uma cadeia de suprimentos responsiva. Com o passar do tempo, uma empresa pode acrescentar opções a seu serviço ou produto básico, ou introduzir variações, de forma que a variedade de suas ofertas aumente dramaticamente e a demanda por qualquer serviço ou produto caia previsivelmente. Além disso, a empresa continua a medir o desempenho de sua cadeia de suprimentos como sempre o faz, enfatizando a eficiência, mesmo quando as margens de contribuição permitem um modelo de cadeia de suprimentos responsiva. Claramente, alinhar as operações de cadeia de suprimentos com as prioridades competitivas da empresa tem implicações estratégicas.

PERSONALIZAÇÃO EM MASSA

A estratégia de operações de uma empresa aborda certas prioridades competitivas que ganharão pedidos dos clientes. Freqüentemente, os clientes querem mais que uma seleção ampla de serviços ou produtos-padrão; eles desejam um serviço ou produto personalizado — e o querem rápido. Por exemplo, suponha que você queira pintar sua sala de estar de uma cor nova. Você precisa de uma cor complementar à mobília, decoração de parede e tapete existentes. Você vai à loja de tintas local e seleciona uma cor a partir de uma pilha de mostruários. A loja pode lhe entregar toda a tinta de que você precisa na cor selecionada enquanto você espera. Mas de que modo ela pode lhe fornecer esse serviço economicamente? Certamente ela não pode fornecer milhares de cores em quantidades suficientes para qualquer obra. A loja armazena as cores e pigmentos básicos separadamente e os mistura quando necessário, fornecendo, assim, uma variedade ilimitada de cores sem manter o estoque requerido para se ajustar às necessidades específicas de cores do cliente. O varejista de tintas está praticando uma estratégia conhecida como **personalização em massa**, por meio da qual processos flexíveis da empresa geram uma ampla variedade de serviços ou produtos personalizados a custos razoavelmente baixos. Em essência, a empresa permite que os clientes selecionem entre diversas opções-padrão para gerar o serviço ou produto de sua escolha.

Vantagens competitivas   Uma estratégia de personalização em massa tem três vantagens competitivas importantes.[3]

- *Gerenciamento do relacionamento com clientes*: a personalização em massa requer informações detalhadas dos clientes de forma que o serviço ou produto ideal possa ser gerado. A empresa pode aprender muito sobre seus clientes a partir dos dados que recebe. Uma vez que os dados sobre os clientes estão no banco de dados, a empresa pode rastreá-los ao longo do tempo. Por exemplo, no site da empresa de brinquedos infantis My Twinn, as crianças podem criar sua própria boneca na tela, selecionando seu penteado, cor da pele, do cabelo e dos olhos, características faciais e roupa. Os artesãos podem até mesmo ajustar o rosto da boneca ao rosto da criança a partir de uma fotografia que se fornecer. Uma vez que o cliente tenha recebido a boneca montada por encomenda, a My Twinn continua a comercializar roupas e acessórios à medida que a 'boneca' cresce com sua gêmea. Esses relacionamentos próximos com clientes, baseados em uma estratégia de personalização em massa, oferecem vantagens competitivas significativas.

- *Eliminação de estoque de bens acabados*: fabricar sob encomenda do cliente é mais eficiente que fabricar de acordo com uma previsão porque as previsões não são perfeitas. O truque é ter tudo de que você precisa para fabricar a encomenda rapidamente. Uma tecnologia que algumas empresas usam para seu processo de colocação de pedidos é um sistema de software chamado *configurator*, que dá a empresas e clientes acesso fácil a dados relevantes das opções disponíveis de serviço ou produto. Tanto a Dell como a Gateway usam *configurators* que permitem que os clientes projetem seu próprio computador a partir de um conjunto de componentes-padrão que estão no estoque. Uma vez que o pedido é colocado, o produto é montado e, em seguida, entregue. Usando promoção de vendas, a empresa pode exercer algum controle sobre os requisitos de estoque de componentes desviando os clientes de opções que estão em falta no estoque em favor de opções que lá estão. Esse recurso tira a pressão da cadeia de suprimentos enquanto mantém o cliente satisfeito.

---

[3] Laurie J. Flynn, "Built to order", *Knowledge Management*, 11 dez. 2000. Disponível em: <http://www.destinationkm.com>.

Os fornecedores de serviços também se aproveitam da personalização em massa para reduzir o nível de estoque. A British Airways está tentando personalizar o atendimento aos clientes uma vez que eles estejam a bordo. Ela tem um sistema de software que rastreia as preferências de seus clientes, até mesmo as revistas que eles lêem. Essas informações permitem que a linha aérea planeje com mais precisão o que acondicionar em cada vôo. De posse dessas informações, a linha aérea economiza uma quantia significativa de dinheiro porque não carrega cortesias que os passageiros não querem.

- *Aumento do valor percebido de serviços ou produtos*: com a personalização em massa, os clientes podem ter o que desejarem do jeito que desejarem. Tome, por exemplo, o Swatchmobile ultraleve de dois assentos, o produto europeu de um empreendimento conjunto entre a DaimlerChrysler e o fabricante suíço de relógios Swatch. Os clientes podem usar um menu de mistura e combinação de componentes para projetar seu próprio carro. Com apenas 13 fornecedores que oferecem os módulos principais, o carro pode ser montado em apenas 4,5 horas, bem menos que as 20 horas requeridas para a montagem da maioria dos carros não-modulares. A personalização em massa evita confusão e demoras excessivas na entrega, reduzindo, desse modo, os custos. Em geral, a personalização em massa, muitas vezes, tem um valor mais alto na opinião do cliente que realmente custa para fabricação. Essa percepção permite às empresas cobrar preços que fornecem uma boa margem.

Projeto de cadeia de suprimentos Como a personalização em massa afeta o projeto de cadeias de suprimentos? Abordamos três considerações importantes. Primeiro, o projeto de processo subjacente é uma estratégia de montagem sob encomenda. Essa estratégia envolve duas etapas no fornecimento do serviço ou produto. Inicialmente, componentes padronizados são fabricados ou comprados e mantidos no estoque. Essa etapa é importante porque possibilita que a empresa fabrique ou compre esses produtos padronizados em grandes volumes para manter os custos baixos. Na segunda etapa, a empresa monta esses componentes padronizados sob encomenda de um cliente específico. Na personalização em massa, essa fase deve ser flexível para lidar com um número grande de combinações em potencial e deve ser capaz de fabricar a encomenda de modo rápido e preciso. Por exemplo, para as bonecas personalizadas da My Twinn, os clientes podem escolher entre mais de 325 mil combinações de bonecas diferentes. Para assegurar a precisão, o site conduz o cliente pelas escolhas requeridas e permite que o cliente veja a boneca à medida que várias opções são escolhidas. A seção "Prática Gerencial 10.4" mostra como a Lands' End implementou a personalização em massa e como a tecnologia de computador e de processos desempenhou um papel importante.

Segundo, o serviço ou produto deve ter um projeto modular que possibilite a 'personalização' que o cliente deseja. Essa abordagem requer atenção cuidadosa aos modelos de serviço ou produto de modo que a montagem possa ser feita de maneira econômica e rápida em resposta ao pedido de um cliente. Este conceito é útil para fornecedores de serviço assim como para fabricantes. Por exemplo, a rede de hotéis de alto padrão Ritz-Carlton registra as preferências expressas pelos clientes durante sua estada e as utiliza para atender aos clientes sob medida em sua próxima visita. Pedidos de produtos como travesseiros hipoalergênicos, toalhas adicionais ou até mesmo biscoitos de chocolate são registrados para uso futuro. Quando o cliente se registra no hotel, serviços especiais e bens facilitadores são adicionados ao pacote de serviços personalizado.

Por fim, personalizadores em massa bem-sucedidos postergam a tarefa de diferenciar um serviço ou produto para um cliente específico até o último momento possível. A **postergação** é um conceito organizacional por meio do qual algumas das atividades finais no fornecimento de um serviço ou produto são adiadas até que os pedidos sejam recebidos. Fazer isso permite maior aplicação de módulos padronizados do pacote de serviços ou bens antes que a personalização específica seja feita. A postergação é uma decisão-chave porque específica onde, no processo orientado por volume, operações padronizadas são separadas de operações de montagem, orientadas por encomenda. Algumas vezes, a personalização final ocorre na última etapa. Por exemplo, a Travelocity, uma agência de viagens on-line, foi construída em torno do sistema de reservas de viagens Sabre — um enorme sistema de banco de dados padronizado de procura e registro de itinerários de viagem. Usando um engenhoso sistema de interface com o cliente, a Travelocity posterga a montagem real dos itinerários até o último momento quando o cliente participa ativamente da escolha de um pacote final. A Travelocity usa seus bancos de dados de modo empreendedor para enviar aos clientes, por correio eletrônico, informações de viagem, assim como para manter páginas de viagem personalizadas para eles.

Funcionários da divisão do Smart da DaimlerChrysler montam um carro Smart Roadstar na fábrica da empresa em Hambach, França. A empresa tem um acordo de exclusividade com seus fornecedores, que fornecem o equipamento e o pessoal da planta de modo que eles possam responder rapidamente a alterações nos requisitos, sustentando, dessa maneira, a personalização em massa do Swatchmobile.

PRÁTICA GERENCIAL 10.4 PERSONALIZAÇÃO EM MASSA NA LANDS' END

Você já achou que sua calça jeans poderia ser um pouco mais folgada aqui e menos folgada ali, um pouco mais curta ou um pouco mais comprida? Você já se perguntou como seria uma calça jeans feita para seu corpo? Nesse caso, a Lands' End, um varejista de catálogo e on-line de Dodgeville, Wisconsin, está procurando por você. Veja como você pode conseguir uma calça jeans personalizada: você preenche um formulário on-line informando um breve perfil baseado em algumas perguntas simples em relação a especificações como altura, peso, número de sapato e vários outros detalhes relacionados à forma de seu corpo e hábitos de exercício — nada que requeira medidas complicadas. Suas informações são usadas por um programa sofisticado da Archetype Solutions, Inc. para criar um modelo matemático de seu corpo. A razão pela qual você não tem de fornecer muitos dados sobre seu corpo é que o sistema faz uso de um banco de dados enorme, de mais de cinco milhões de grupos detalhados de medidas corporais, para calcular todas as outras medidas necessárias para sua calça jeans. Você também seleciona opções de bolso, estilos de corte e cores. Clique em 'Submit' (Enviar) e de duas a três semanas você pode esperar que sua calça jeans seja entregue em sua casa. Mais uma coisa — você precisa pagar. Espere gastar de 20 a 30 dólares a mais que a versão padrão de sua calça jeans.

Sua parte no processo é bastante simples. Entretanto, nos bastidores é bastante diferente. A Lands' End decidiu experimentar a personalização em massa de calça jeans e calças largas de tecido de algodão apenas para gerar publicidade e aumentar as vendas de seus outros produtos. Foi uma surpresa quando a gerência descobriu que as vendas on-line de tecido de algodão personalizadas superaram bastante as projeções e que 25 por cento dos novos clientes compraram roupa personalizada. Como a personalização em massa funciona na Lands' End? Todas as noites a Lands' End reúne os pedidos publicados em seu site e os envia eletronicamente à Archetype, onde o software replica adequadamente o tamanho do corpo e a distribuição de peso do cliente, fatores das preferências de corte individuais e ajusta os padrões de tecido básico. Os arquivos são, em seguida, enviados para um fabricante por contrato no México. O fornecedor transfere os padrões individuais numericamente para um equipamento de corte controlado que corta uma camada de tecido de cada vez. Após várias peças de calças terem sido cortadas, elas são ensacadas e transferidas para um processo de costura de oito máquinas, por onde as calças passam uma de cada vez. A última estação do processo verifica cinco medidas críticas em cada calça. Se alguma estiver incorreta, as calças são descartadas e refeitas. As peças de roupa são embarcadas a granel para um centro de distribuição para passarem pela aduana dos Estados Unidos e, em seguida, serem classificadas, embaladas e enviadas diretamente aos clientes.

Entretanto, o sucesso não veio sem algumas dores de cabeça. A Lands' End precisou treinar seus parceiros industriais mexicanos, os quais tiveram de mudar para novas máquinas. O novo processo industrial é muito diferente de fabricar quantidades em massa, que conta com processamento de lotes. Contudo, a estratégia de personalização em massa está se mostrando lucrativa. A Lands' End está expandindo a estratégia para camisas sociais e calças sob medida com associados na República Dominicana e expandindo a capacidade para calça jeans e tecido de algodão no Extremo Oriente.

Fontes: David Drickhammer, "A leg up on mass customization", *Industry Week*, 1 set. 2002; Anne D'Innocenzio, "Lands' End adds more size options online", *The Mercury News*, 9 set. 2002. Disponível em: <www.landsend.com>.

A estratégia de montagem sob encomenda pode ser estendida para cadeias de suprimentos. Os custos de estoque e transporte muitas vezes determinam a proporção em que um fabricante usa a postergação na cadeia de suprimentos. Com a postergação, os fabricantes podem evitar o aumento do estoque. Algumas empresas aproveitam-se de um processo chamado **chanel assembly**, por meio do qual membros do canal de distribuição agem como se fossem estações de montagem da fábrica. Os centros de distribuição ou armazéns podem executar as operações de personalização de última hora depois que pedidos específicos forem recebidos. Essa abordagem é particularmente útil quando a personalização requerida tem alguma razão geográfica, como diferenças de idioma ou requisitos técnicos. A Hewlett Packard é um bom exemplo. A empresa posterga a montagem de impressoras que precisem de uma fonte de alimentação específica para um país e manual do usuário em idioma específico até a última etapa do processo, que é executada pelo distribuidor na região onde a impressora está sendo entregue. Em geral, além das vantagens de estoque, a vantagem da postergação no canal de distribuição é que as plantas da empresa podem focalizar os aspectos padronizados do produto, enquanto o distribuidor pode focalizar a personalização de um produto que pode requerer componentes adicionais de fornecedores locais.

CADEIAS DE SUPRIMENTOS ENXUTAS

Como discutimos no Capítulo 9, "Sistemas de produção enxuta", o sistema de produção da Toyota tem sido divulgado como o principal exemplo de um sistema de fabricação enxuta. O truque é aplicar esse caráter 'enxuto' (*lean*) à cadeia de suprimentos. Uma diferença importante, entretanto, é que a empresa agora deve lidar com clientes e fornecedores independentes em vez de seus próprios processos internos. Um ponto de partida é desenvolver uma cadeia de suprimentos integrada, que já discutimos, e aplicar sistemas de produção enxuta a todos os seus processos internos. Além disso, três atividades-chave são requeridas para se obter uma cadeia de suprimentos enxuta.

- *Strategic sourcing*: não importa se a empresa é um prestador de serviços ou um fabricante, um passo essencial é identificar produtos ou serviços que são de alto valor ou complexidade e comprá-los de um grupo seleto de fornecedores com quem a empresa estabelece um relacionamento estreito. Esses fornecedores estratégicos devem oferecer qualidade e desempenho de entrega altos. *Commodities* com valor baixo podem ser obtidas usando abordagens convencionais como licitação competitiva e leilões reversos.

- *Gerenciamento de custos*: a abordagem tradicional para reduzir os custos da cadeia de suprimentos é focalizar a redução dos preços por meio de árduas negociações. Limitando o número de fornecedores, a abordagem de cadeia de suprimentos enxuta dá à empresa mais tempo para trabalhar com seus fornecedores estratégicos para reduzir custos por meio da alteração da estrutura de custos, não por meio da negociação de preços. Em termos realistas, reduzir a margem de lucro do fornecedor não é uma estratégia de longo prazo eficaz. Ajudar o fornecedor a reduzir seus custos, enquanto mantém suas margens intactas, permite que se mantenha lucrativo, assim como reduz preços para o comprador. Esse método necessita da formulação de padrões de custo e, em seguida, da colaboração com o fornecedor para reduzir custos. Tal colaboração é difícil de obter porque requer confiança mútua, integridade e confidencialidade entre a empresa e o fornecedor. Entretanto, um programa efetivo de gerenciamento de custos ajuda a identificar áreas em que melhorias podem ser feitas.

- *Desenvolvimento de fornecedor*: desenvolver uma cadeia de suprimentos enxuta é um esforço de longo prazo porque, em parte, requer uma mudança da negociação de preços para a gestão de custos. Além disso, a empresa pode ter que empregar seu próprio pessoal para trabalhar com o fornecedor a fim de alcançar operações enxutas. Esses esforços, embora inicialmente dispendiosos, podem resultar em aperfeiçoamentos consideráveis em melhorias do processo, produtividade operacional, qualidade e desempenho da entrega. Evidentemente, esse esforço deve focalizar os fornecedores estratégicos da empresa.

A Delphi, líder mundial de 28 bilhões de dólares em tecnologia de sistemas e componentes de transporte e eletrônica móvel, está experimentando os benefícios de uma cadeia de suprimentos enxuta.[4] Os fornecedores envolvidos no processo estão executando as mesmas melhorias de dois dígitos que a Delphi, o que inclui reduções de 20 a 50 por cento nos custos da mão-de-obra, aumentos na produtividade de 30 a 60 por cento e melhoria da produção correta de novos produtos (*first-time quality* — FTQ) de 10 para 45 por cento.

OUTSOURCING E OFFSHORING

Todas as empresas compram pelo menos alguns insumos para seus processos (como serviços profissionais, matérias-primas ou peças manufaturadas) de outros produtores. A maioria das empresas também compra serviços para fabricar os produtos para seus clientes. Quantos dos processos que geram esses produtos e serviços comprados uma empresa deve possuir e operar em vez disso? A resposta para essa pergunta determina a extensão da integração vertical da empresa. Quanto mais processos na cadeia de valor a própria organização executar, mais verticalmente integrada será. Se ela própria não executar alguns processos, deve contar com **terceirização local** (*outsourcing*) ou pagar fornecedores e distribuidores para executar esses processos e fornecer os serviços e materiais necessários. Quando os gerentes optam por mais integração vertical, por definição, ocorre menos terceirização. Essas decisões são algumas vezes chamadas de **decisões de fazer ou comprar** (*make or buy descisions*), com uma decisão de *fazer* significando mais integração e uma decisão de *comprar* significando mais terceirização. Depois de decidir o que terceirizar e o que fabricar internamente, a gerência deve encontrar modos de coordenar e integrar os vários processos e fornecedores envolvidos.

Integração vertical A integração vertical pode ocorrer em duas direções. A **integração a montante** (*backward integration*) representa o movimento da empresa na direção das fontes de matérias-primas, peças e serviços por meio de aquisições, como no caso de uma importante cadeia de mercearias que tenha suas fábricas para produzir marcas próprias de sorvete, massa de pizza congelada e creme de amendoim. **Integração a jusante** (*forward integration*) significa que a empresa adquire mais canais de distribuição, como seus próprios centros de distribuição (armazéns) e lojas de varejo. Também pode significar que a empresa vai ainda mais longe adquirindo seus clientes comerciais. Uma empresa escolhe a integração vertical quando tem a experiência, o volume e os recursos para atingir melhor as prioridades competitivas que os de fora. Fazer o trabalho dentro de sua estrutura organizacional pode significar melhor qualidade e entrega mais adequada, assim como aproveitar melhor os recursos humanos da empresa, o equipamento e o espaço. A integração vertical ampla é geralmente atrativa quando os volumes de insumo são altos, porque volumes altos permitem a especialização de tarefas e maior eficiência. Também é atrativa se a empresa tem as habilidades relevantes e percebe os processos que está integrando como particularmente importantes para seu êxito futuro.

A gerência deve identificar, cultivar e explorar suas competências essenciais para ser bem-sucedida na competição global. Lembre-se de que as competências essenciais são a aprendizagem coletiva da empresa, especialmente sua capacidade para coordenar processos diversos e integrar tecnologias múltiplas. Eles definem a empresa e fornecem a razão para sua existência. A gerência deve estar constantemente atenta ao encorajamento de competências essenciais, talvez olhando *upstream* em direção a seus fornecedores e *downstream* em direção a seus clientes e adquirindo aqueles processos que sustentam suas competências essenciais — os que permitem que a empresa organize o trabalho e forneça valor melhor que seus concorrentes. Fazer de outra maneira apresenta um risco de a empresa perder controle sobre áreas críticas de seus negócios.

---
[4] R. David Nelson, "How Delphi went lean", *Supply Chain Management Review*, nov./dez. 2004, p. 32-37.

Outsourcing Apesar dos argumentos a favor de maior integração vertical, muitas empresas estão terceirizando processos importantes. O banco NCNB em Charlotte, Carolina do Norte, terceirizou o processamento de transações de cartão e economizou cinco milhões de dólares por ano. A Merrill Lynch, a Sears Roebuck e a Texaco terceirizam suas operações de classificação e preparação de correspondência para entrega e de fotocópia para a Pitney Bowes Management Services. Muitas empresas fazem o mesmo com folha de pagamento, segurança, limpeza e outros tipos de serviços, em vez de empregar pessoal para fornecer esses serviços. Uma pesquisa recente mostrou que 35 por cento de mais de mil grandes corporações aumentaram a quantidade de atividades terceirizadas. Terceirizar é particularmente atraente para aqueles que têm volumes baixos. Por exemplo, a LoanCity.com, uma empresa de hipoteca on-line, foi fundada em agosto de 1999. Começou suas atividades com renda nula, mas planejou atender a mais de um milhão de clientes em alguns anos. Qualquer operação on-line desse tamanho exigiria um computador central poderoso, que, por sua vez, exigiria alguns milhões de dólares em hardware, licenças de software e um contingente de cerca de 20 especialistas. Em vez disso, a empresa contratou um ASP (*Application Service Provider* — provedor de serviço de aplicação) para instalar e executar os vários pacotes de software de negócios necessários para lidar com seus processos de vendas, contabilidade e recursos humanos. Os funcionários da LoanCity usam a Internet para se conectar às aplicações de que precisam alojadas em máquinas localizadas no ASP.

O que motivou essas empresas a terceirizar em vez de integrar verticalmente? Elas perceberam que outra empresa pode executar o processo terceirizado de modo mais eficaz e com melhor qualidade que elas mesmas. Elas optaram por adicionar fornecedores externos a suas cadeias de suprimentos, em vez de manter fornecedores internos. Entretanto, a decisão de terceirizar é séria, porque a empresa pode perder as habilidades e o conhecimento necessários para conduzir o processo. Toda aprendizagem sobre melhorias do processo é deixada para a empresa terceirizada, o que torna difícil até mesmo reintegrar esse processo à empresa.

Offshoring A estratégia de globalizar uma empresa acrescenta uma nova dimensão ao desenvolvimento de cadeias de suprimentos. **Terceirização no exterior** (*offshoring*) é uma estratégia de cadeia de suprimentos que envolve transferir processos para outro país. Como tal, a terceirização no exterior é mais abrangente que a terceirização local porque também inclui integração vertical por meio da localização de processos internos em outros países. As empresas são motivadas a iniciar operações de terceirização no exterior pelo potencial de mercado e pelas vantagens de custo que oferece. A empresa pode ser capaz de criar novos mercados por causa de sua presença em outros países e de sua capacidade de oferecer preços competitivos devido a suas eficiências de custos. Prioridades competitivas, além de custos baixos, como velocidade de entrega para clientes distantes, também podem motivar a decisão. Como no caso dos custos, vários fatores motivam a estratégia de *offshoring*.

- *Custos de mão-de-obra comparativos*: alguns países têm uma vantagem enorme quando se trata de custos de mão-de-obra. Dois países com uma vantagem importante são a Índia e a China. Na Índia, o salário para um programador de computador é cerca de um sexto do salário de um programador com habilidades equivalentes nos Estados Unidos. Não é de se admirar que empresas transfiram processos de programação para a Índia. Na China, os salários mensais médios são menos de quatro por cento dos salários no Japão. Em geral, as empresas podem economizar de 30 a 50 por cento em custos de mão-de-obra por meio da transferência de processos para países com baixo custo da mão-de-obra.

- *Custos de logística*: mesmo que os custos da mão-de-obra não sejam favoráveis, ainda pode ser menos dispendioso terceirizar processos para outros países para reduzir os custos logísticos de entrega de produtos para clientes internacionais. Por exemplo, a Hewlett-Packard transferiu a montagem final de um servidor de computador para Cingapura e Austrália, dois locais de custos mais altos, para se aproximar de clientes alvo na Austrália e no sudeste asiático. A economia em custos logísticos compensa os custos de mão-de-obra mais altos nesses países.

- *Taxas de importação e impostos*: alguns países oferecem incentivos fiscais para empresas que comercializam dentro de suas fronteiras. As taxas de importação também podem ser um obstáculo para empresas que consideram fazer negócios em um país. Algumas vezes, elas são altas o suficiente para que a empresa decida montar os produtos nesse país em vez de exportar os produtos para ele. A Hewlett-Packard decidiu montar um produto na Índia com peças importadas para vender a clientes indianos por essa razão.

- *Leis trabalhistas e sindicatos*: alguns países têm menos sindicatos ou restrições ao uso flexível da mão-de-obra. A capacidade de usar trabalhadores para executar várias tarefas diferentes sem restrições pode ser importante para empresas tentando alcançar flexibilidade nas operações. Entretanto, as empresas devem estar cientes das leis trabalhistas e dos costumes locais e se esforçar para alcançar um nível elevado de comportamento ético quando faz negócios em outros países.

- *Internet:* a Internet reduz os custos de transação de se administrar associados ou operações distantes.

Embora o *offshoring* pareça oferecer algumas grandes vantagens, também apresenta algumas armadilhas que a empresa deve investigar cuidadosamente antes de usar essa estratégia.

- *Puxar a tomada muito depressa*: um dos principais erros é decidir terceirizar um processo no exterior antes de fazer um esforço de boa-fé para ajustar o existente. Discutimos muitos modos de melhorar processos nas partes 1 e 2 deste livro; esses métodos devem ser explorados primeiro. Nem sempre a terceirização local ou no exterior é a resposta, ainda que o salário local seja muito mais alto que em outros países. A Canon, por exemplo, decidiu manter seu processo de fabricação no Japão, em vez de transferi-lo para países de custo mais baixo no sudeste asiático. A estratégia é competir em inovações tecnológicas por meio de sua linha de máquinas fotográficas de ponta. Para alcançar essa estratégia, a Canon manteve seu novo processo de desenvolvimento de produto e seu processo de fabricação próximos um do outro para favorecer a velocidade de novas introduções de produto e da comunicação entre engenheiros e gerentes de fabricação. A Canon melhorou seu processo de fabricação removendo suas linhas de montagem e substituindo-as por células de fabricação, melhorando assim o trabalho em equipe, reduzindo os custos de estoque e produção e aumentando sua capacidade de fabricar produtos inovadores mais rápido. A mensagem: certifique-se de que o *offshoring* é realmente necessário à realização de sua estratégia de operações.

- *Transferência de tecnologia*: muitas vezes, uma estratégia de terceirização no exterior envolve criar um empreendimento conjunto com uma empresa em outro país. Com um empreendimento conjunto, duas empresas concordam em produzir um serviço ou produto. Normalmente, ocorre uma transferência de tecnologia para conferir velocidade ao parceiro no que se refere ao serviço ou produto. O perigo é que a empresa com a vantagem tecnológica esteja preparando a outra empresa para ser uma futura concorrente. Por exemplo, a GM estabeleceu uma parceria com a Shanghai Auto Industry Corporation (SAIC) para fabricar Buicks. A SAIC obteve uma licença para usar o *know-how* da GM na forma de desenhos, esquemas de serviços, dados matemáticos e arquivos de computador. À medida que a GM desenvolve a capacidade de projetos de engenharia local, transfere conhecimento técnico ao pessoal chinês. Como a SAIC está planejando desenvolver e produzir seus próprios carros, é possível que a GM e outros sócios em empreendimentos conjuntos com a SAIC estejam criando um novo concorrente na China.

- *Integração de processo*: a despeito dos recursos da Internet, é difícil integrar completamente processos de terceirização no exterior com outros processos da empresa. Tempo, distância e comunicação podem ser obstáculos verdadeiramente intransponíveis. Administrar processos de terceirização no exterior não é o mesmo que administrar processos locais. Muitas vezes, deve-se gastar tempo administrativo considerável para coordenar processos de *offshoring*.

CADEIAS DE SUPRIMENTOS VIRTUAIS

O advento da Internet abriu um conjunto completamente novo de oportunidades para o projeto de cadeias de suprimentos. Muitas empresas reprojetam suas cadeias para terceirizar alguma parte de seu processo de atendimento de pedidos com ajuda de pacotes de suporte de tecnologia da informação sofisticados, baseados na Web. De fato, essas empresas administram os aspectos de atendimento de pedidos de seus negócios como se o processo fosse realmente interno. A Nike, por exemplo, coordena a fabricação e a distribuição de seu vestuário esportivo e sapatos atléticos mundialmente sem deter a propriedade das instalações responsáveis por esses processos. Essa abordagem permite que a Nike focalize seus processos básicos de relacionamento com clientes e de desenvolvimento de novo produto. Cerca de 30 por cento de todos os varejistas da Internet adotam a idéia de cadeias de suprimentos virtuais usando uma técnica chamada *drop shipping*, por meio da qual um varejista passa os pedidos do cliente diretamente a um atacadista ou fabricante, que envia o pedido diretamente ao cliente com a etiqueta do varejista no produto. Esses varejistas terceirizam suas operações de armazenagem para evitar os custos de manter seus próprios estoques.

Entre os benefícios de se usar cadeias de suprimentos virtuais estão os seguintes:

- *Investimento reduzido em estoques e infra-estrutura de atendimento de pedidos*: o investimento em estoque, equipamento, armazéns e pessoal para operar um processo de atendimento de pedido é significativo. A empresa deve gerar volumes altos para ser bem-sucedida.

- *Maior variedade de serviço ou produto*: sem as despesas gerais de um processo de atendimento de pedido próprio, a empresa pode ter a liberdade de escolher entre uma grande variedade de atacadistas, prestadores de serviços e fabricantes, fornecendo à empresa, assim, a flexibilidade para se ajustar a prioridades competitivas dinâmicas.

- *Custos mais baixos devido a economias de escala*: o fornecedor normalmente lida com mais volume do que a empresa que faz a terceirização porque o fornecedor pode ter vários clientes para o mesmo serviço ou produto. Esse volume adicionado abre a possibilidade de que os custos da empresa terceirizada sejam muito mais baixos que se o processo de atendimento de pedidos fosse feito internamente.

- *Custos de transporte mais baixos*: os varejistas percebem a vantagem de custos de transporte mais baixos. Tradicionalmente, eles pagam custos de transporte para adquirir os bens de um atacadista e, em seguida, pagam para que os bens sejam transportados para o cliente. Com o despacho direto em uma cadeia de suprimentos virtual, o único custo de transporte é enviar os bens do atacadista ao cliente.

As cadeias de suprimentos virtuais não são uma panacéia para todos os problemas que os fornecedores de serviço ou fabricantes enfrentam no projeto de suas cadeias de suprimentos. Primeiro, a falta de transparência nas informações entre uma empresa e seu parceiro de processamento de pedidos pode causar problemas de atendimento ao cliente. Por exemplo, a empresa precisa saber se o parceiro de processamento de pedido tem o estoque para efetuar uma venda ou capacidade suficiente para fornecer um serviço crítico. Adquirir o software apropriado pode ser proibitivo. Segundo, terceirizar o processo de atendimento de pedido torna a empresa que faz a terceirização vulnerável ao *racionamento de pedidos* pelo parceiro de processamento de pedidos. O racionamento de pedido ocorre quando o parceiro não tem capacidade ou estoque suficiente para satisfazer todos os pedidos de seus clientes e, então, impõe algum processo de racionamento para todos os clientes. Por fim, o aumento da transparência nas informações entre a empresa e seu parceiro apresenta o risco de que o parceiro use as informações para ignorar completamente a empresa e ir diretamente aos clientes.

Os projetistas de cadeias de suprimentos devem escolher entre a abordagem tradicional, que mantém o processo de atendimento de pedidos internamente e a cadeia de suprimentos virtual. A abordagem tradicional é favorecida nessas circunstâncias:

- *Os volumes de vendas são altos*: os volumes são necessários para compensar os altos custos de infra-estrutura. Também podem ser um movimento estratégico. Se uma empresa quer crescer e dominar sua indústria, manter o processo de atendimento de pedidos internamente é importante.

- *A integração dos pedidos é importante*: as cadeias de suprimentos virtuais perdem seu atrativo se forem necessários muitos fornecedores para atender o pedido de um único cliente. A coordenação é difícil e os custos de transporte aumentam por causa da falta de eficiência na remessa. Com a abordagem tradicional, a empresa tem seus próprios armazéns e pode coordenar os suprimentos de um grupo grande de fornecedores. Entretanto, a necessidade de integração de pedidos em cadeias de suprimentos virtuais abre a oportunidade para 3PL (*third-party logistics* — operadores logísticos). Por exemplo, a FedEx se associou à Cisco para coordenar as remessas de muitos fornecedores independentes para se certificar de que todos os componentes de sistemas importantes chegassem ao cliente dentro de um curto período de tempo.

- *A capacidade de atendimento de pequenos pedidos pelos fornecedores é importante*: manter o processo de atendimento de pedidos, particularmente em operações de armazenagem, pode ser necessário se for importante para os clientes que lidam com quantidades pequenas, e os fornecedores não tiverem a capacidade de lidar com pedidos pequenos. Embora a tecnologia de atendimento de pedidos pequenos esteja se tornando mais comum, fabricantes em muitas indústrias ainda não têm essa capacidade. A indústria de bens duráveis é um bom exemplo.

A abordagem da cadeia de suprimentos virtual é favorecida nessas circunstâncias:

- *A demanda é altamente volátil*: a demanda volátil apresenta riscos para a manutenção de estoques, o que pode se mostrar dispendioso para uma empresa. Uma abordagem mais rentável pode ser encontrar um fornecedor que esteja fornecendo o mesmo item de estoque para outras empresas com incertezas em relação à demanda semelhantes. Os fornecedores podem regularizar as flutuações aleatórias nas demandas de múltiplos clientes e fornecer o item a um preço rentável, com menos risco de falta de estoque.

- *Variedade alta do serviço ou produto é importante*: associar-se a um fornecedor pode ampliar, consideralvelmente, o fornecimento de serviços ou produtos. Por exemplo, uma loja típica Circuit City tem em estoque de 500 a 3 mil títulos de filmes. Quando projetou a presença da empresa na Internet, a gerência descobriu que os compradores pela Internet esperavam ter cerca de 55 mil títulos entre os quais escolher. A solução foi se associar a outra empresa para fornecer a variedade do produto. Os compradores usando o CircuitCity.com agora podem colocar pedidos para títulos de filmes, que serão atendidos por estoques virtuais.

A decisão entre uma abordagem tradicional do processo de atendimento de pedidos e cadeias de suprimentos virtuais são considerações importantes para uma empresa. Essa escolha envolve duas outras implicações: primeiro, as cadeias de suprimentos virtuais cedem o controle direto do processo de atendimento de pedido a outras empresas. Por conseguinte, é importante ter a relação contratual apropriada com membros da cadeia de suprimentos virtual. Alianças estratégicas, sociedades e contratos de longo prazo proporcionam muito mais controle que os contratos de curto prazo. Quanto mais importante uma atividade for para a realização das prioridades competitivas da empresa, maior o grau de controle desejado pela empresa. Segundo, cadeias de suprimentos virtuais munem a empresa com mais flexibilidade para alterar o projeto de seus pacotes de serviço ou de seus produtos porque não envolvem o investimento pesado em despesas no processo de atendimento do pedido. A empresa precisa equilibrar as necessidades de controle e de flexibilidade ao escolher seu modelo de cadeia de suprimentos.

O conceito de cadeias de suprimentos virtuais remete às cadeias de valor, que incluem ligações para processos de apoio. A seção "Prática Gerencial 10.5" mostra como uma empresa encontrou um nicho por meio da prestação de serviços a corporações importantes, tornando-se, assim, uma fornecedora importante nas cadeias de valor de seus clientes.

PRÁTICA GERENCIAL

10.5 A HCL CORPORATION FORNECE PROCESSOS DE SERVIÇO EM CADEIAS DE VALOR VIRTUAIS

A HCL Corporation é um grupo transnacional de 600 milhões de dólares com sociedades em computadores, rede, automação de escritório, integração de sistemas, serviços de software, consultoria e educação baseada em computador. Com seus principais centros de tecnologia localizados na Índia, a empresa possui empreendimentos conjuntos, sociedades e alianças estratégicas com inúmeros gigantes internacionais, incluindo Hewlett Packard, Perot Systems Corporation, Microsoft, Cisco e Cigna Corporation. A HCL trabalha com seus clientes para projetar certos processos comerciais e, em seguida, os opera a partir de locais distantes ao redor do mundo. Com a ajuda de tecnologia avançada e conexões de Internet de alta velocidade, os processos se tornam parte da cadeia de valor virtual do cliente. Os processos que a HCL administra para clientes em cadeias de valor virtuais incluem serviços de suporte de processo e serviços de centro de contato, entre muitos outros em vendas e marketing e desenvolvimento de software.

Suporte de processo

A HCL proporciona aos clientes a oportunidade de terceirizar no exterior (*offshoring*) serviços de suporte de processo, como de recursos humanos, contabilidade e serviços de negociação.

- *Serviços de recursos humanos*: representantes de serviço da HCL no país têm conhecimento sobre políticas de recursos humanos, regras e regulamentos específicos ao país, além de habilidades de comunicação e do idioma. Os serviços que a HCL pode fornecer incluem administração de benefícios e de auxílio saúde, gerenciamento de registro de funcionários, preenchimento e administração de vistos, gerenciamento de *curriculum vitae* e folha de pagamentos. A HCL também pode fornecer um serviço de assistência de secretariado completo, ativado pela Web, aos clientes. Por exemplo, uma tarefa de um consumidor de um cliente da HCL, uma empresa de serviços de secretariado on-line no Reino Unido, vai para um *back office* da HCL localizado na Índia, onde segue um processo definido e é devolvida a uma equipe na empresa do cliente e, em seguida, finalmente retorna ao consumidor do cliente. Esses serviços são fornecidos dia e noite usando um centro localizado na Índia; entretanto, o centro poderia ter sido localizado em qualquer lugar no mundo.
- *Serviços de contabilidade*: os clientes podem terceirizar completamente seus processos de contabilidade e os serviços podem ser executados em qualquer lugar do mundo. Para realizar essa façanha, a HCL precisa ter experiência em relação aos requisitos específicos de adequação e regulatórios do cliente. Serviços típicos incluem contas a pagar, contabilidade geral, faturamento, crédito e arrecadações, contas a receber, contabilidade de ativos fixos e contabilidade de viagem e despesa.
- *Serviços de negociação*: velocidade e precisão são importantes para esses serviços. A HCL precisa ser responsiva aos pedidos dos clientes de seu cliente. Os serviços típicos incluem manutenção de banco de dados, respostas a mensagens eletrônicas, correspondência com o cliente, captura de formulários, processamento de reclamações e seguro.

Muitas empresas terceirizam no exterior seus serviços de negociação, que podem ser fornecidos de locais em qualquer parte do mundo. Aqui, os funcionários processam dados sobre seguro saúde de uma empresa americana em um escritório em Acra, a capital de Gana.

Serviços de centro de contato

As empresas podem terceirizar no exterior seus serviços de contato com o cliente; entretanto, é uma decisão importante por causa do nível elevado de interação pessoal com os clientes. A HCL e outras empresas nesse negócio devem ter pessoal com níveis altos de habilidades de idioma, interação e de sensibilidade a sotaques. Uma vantagem importante dos serviços de centros de contato ativados pela Web é que o cliente tem acesso 24/7, o que fortalece muito negócios globais. Os serviços típicos incluem pesquisas, assistência técnica, captura de pedido, cobrança, verificação, telefonemas de autorização e consultas ao cliente.

A HCL Corporation é apenas um exemplo de uma empresa que encontrou um nicho tornando factíveis cadeias de valor virtuais para várias empresas importantes.

Fontes: Disponível em: <www.perotsystems.com>, 2001; HCL Perot Systems; Disponível em: <www.hcltech.com>, 2004.

EQUAÇÕES-CHAVE

1. $\text{semanas de suprimento} = \dfrac{\text{valor médio do estoque agregado}}{\text{vendas semanais (a preço de custo)}}$

2. $\text{giro de estoque} = \dfrac{\text{vendas anuais (a preço de custo)}}{\text{valor médio do estoque agregado}}$

PALAVRAS-CHAVE

administração de cadeia de suprimentos
agrupamento de estoque
análise de valor
aquisição de serviços ou produtos de uma única fonte (*sole sourcing*)
bens acabados (BA)
bolsa
cadeia de suprimentos
centros de catálogo
channel assembly
comércio eletrônico
compra
compra verde
cross-docking
decisão de fazer ou comprar
efeito chicote
envolvimento antecipado do fornecedor
estoque
estoque em processo (WIP)
estoques geridos pelo fornecedor (VMI)
estratégia de cadeia de suprimentos
giro de estoque
identificação por radiofreqüência (RFID)
integração *downstream*
integração *upstream*
leilão
localização avançada
localização centralizada
matérias-primas (MP)
orientação competitiva
orientação cooperativa
personalização em massa
postergação
presourcing
programa de reposição contínua (CRP)
semanas de suprimento
terceirização local (*outsourcing*)
terceirização no exterior (*offshoring*)
troca eletrônica de dados (EDI)
valor médio do estoque agregado

PROBLEMA RESOLVIDO

O custo da mercadoria vendida por uma empresa no último ano foi de 3.410.000 dólares e a empresa opera 52 semanas por ano. Ela tem sete produtos em estoque: três matérias-primas, dois itens de estoque em processo e dois produtos acabados. A tabela a seguir contém o nível de estoque médio do último ano para cada produto, junto com seu valor.

a. Qual é o valor de estoque médio agregado?
b. Quais são as semanas de suprimento mantidas pela empresa?
c. Qual foi o giro de estoque no último ano?

Categoria	Número da peça	Nível médio	Valor unitário (em dólares)
Matérias-primas	1	15.000	3,00
	2	2.500	5,00
	3	3.000	1,00
Estoque em processo	4	5.000	14,00
	5	4.000	18,00
Bens acabados	6	2.000	48,00
	7	1.000	62,00

SOLUÇÃO

a.

Número da peça	Nível médio		Valor unitário (em dólares)		Valor total (em dólares)
1	15.000	×	3,00	=	45.000
2	2.500	×	5,00	=	12.500
3	3.000	×	1,00	=	3.000
4	5.000	×	14,00	=	70.000
5	4.000	×	18,00	=	72.000
6	2.000	×	48,00	=	96.000
7	1.000	×	62,00	=	62.000
Valor de estoque agregado médio				=	360.500

b. Vendas semanais médias a preço de custo = $ 3.410.000 / 52 semanas = $ 65.577/semana

$$\text{semanas de suprimento} = \dfrac{\text{valor médio do estoque agregado}}{\text{vendas semanais (a preço de custo)}} = \dfrac{\$\,360.500}{\$\,65.577} = 5{,}5 \text{ semanas}$$

c. $\text{giro de estoque} = \dfrac{\text{vendas anuais (a preço de custo)}}{\text{valor médio do estoque agregado}} = \dfrac{\$\,3.410.000}{\$\,360.500} = 9{,}5\text{ giros}$

QUESTÕES PARA DISCUSSÃO

1. Sob a Iniciativa da Indústria de Defesa para Ética e Conduta nos Negócios (*Defense Industry Initiative on Business Ethics and Conduct*), 46 fornecedores concordaram em estabelecer códigos de ética internos, conduzir sessões de treinamento e relatar suspeitas de corrupção.

   a. Essa iniciativa é um exemplo de movimento em direção a relações competitivas ou cooperativas com fornecedores?

   b. Suponha que você é o gerente de contratos de defesa e tem uma amiga no exército que é sua conhecida há 20 anos. Como um gesto de amizade, ela oferece informações internas úteis sobre a licitação de um fornecedor concorrente. O que você faria se sua empresa fosse parte do projeto de ética da indústria? O que você faria se sua empresa não fosse parte dele?

   c. Para construir uma relação de soma positiva com seus fornecedores, as forças armadas fizeram contratos solicitando que os fornecedores fossem reembolsados pelos custos de treinamento de fornecedores e de programas para elevar a motivação dos funcionários. De acordo com esse contrato, sua empresa decidiu dar uma festa particular para 'elevar o ânimo' dos funcionários. Uma vez que as despesas seriam reembolsadas, os organizadores da festa não foram especialmente cuidadosos em fazer os arranjos e se entusiasmaram. Alugaram o auditório da cidade e contrataram um grupo musical nacionalmente conhecido para entreter os convidados. Além disso, os organizadores não fizeram um bom trabalho de negociação do contrato e acabaram pagando cinco vezes a taxa corrente para esses serviços. A conta da festa agora chega a sua mesa: 250 mil dólares! Sob os termos do contrato, sua empresa está autorizada a reembolsar a quantia completa. O que você deve fazer?

2. A DaimlerChrysler e a General Motors competem ativamente entre si em muitos mercados de automóveis e de caminhões. Quando Jose Ignacio Lopez era vice-presidente de compras da GM, ele deixou claro que seus compradores não deveriam aceitar convites para almoçar com os fornecedores. Thomas Stalcamp, diretor de compras da Chrysler antes da fusão com a Daimler, instruiu seus compradores a levar os fornecedores para almoçar. Pondere sobre essas duas diretivas considerando a administração e o projeto de cadeia de suprimentos.

3. A cadeia de varejo Wal-Mart goza de grande poder de compra sobre seus fornecedores. A cadeia de varejo Limited é proprietária da Mast Industries, que é responsável pela fabricação de muitos dos produtos de moda vendidos nas lojas Limited. A Limited gaba-se da possibilidade de passar do conceito de um novo item de vestuário para a estante da loja em mil horas. Compare e diferencie as implicações para a estratégia de cadeia de suprimentos desses dois sistemas de varejo.

4. A Canon, um fabricante japonês de equipamentos fotográficos, decidiu contra o *offshoring* e manteve seus processos de fabricação e de desenvolvimento de novos produtos no Japão, que tem custos de mão-de-obra relativamente altos. Em contraste, a GM, sediada nos Estados Unidos, tem um empreendimento conjunto com a Shangai Auto Industry Corporation para fabricar carros na China. Dada nossa discussão sobre estratégias de terceirização e cadeia de suprimentos, explique por que essas duas empresas escolheram abordagens diferentes para suas cadeias de suprimentos.

PROBLEMAS

Softwares como o OM Explorer, o Active Models e o POM for Windows estão disponíveis no site de apoio deste livro. Verifique com seu professor a melhor maneira de usá-los. Em muitos casos, ele preferirá que você entenda como fazer os cálculos manualmente. Quando muito, o software pode oferecer uma verificação de seus cálculos. Quando os cálculos são muito complexos e o objetivo é interpretar os resultados na tomada de decisões, o software substitui completamente os cálculos manuais e, além disso, ele pode também ser um valioso recurso depois que você concluir o curso.

1. A Buzzrite, um varejista de roupas informais, encerrou o ano corrente com vendas anuais (a preço de custo) de 48 milhões de dólares. Durante o ano, o estoque de vestuário girou seis vezes. Para o ano seguinte, a Buzzrite planeja aumentar as vendas anuais (a preço de custo) em 25 por cento.

   a. Qual é o aumento no valor médio de estoque agregado requerido se a Buzzrite mantiver o mesmo giro de estoque durante o ano seguinte?

   b. Que alteração nos giros de estoque a Buzzrite deve realizar se, por meio do melhor gerenciamento da cadeia de suprimentos, quiser sustentar as vendas do ano seguinte sem aumentar o valor médio de estoque agregado?

2. Jack Jones, o gerente de materiais da Empreendimentos de Precisão, está começando a procurar modos de reduzir estoques. Um balanço contábil recente mostra o seguinte investimento em estoque por categoria: matérias-primas, 3.129.500 dólares; estoque em processo, 6.237.000 dólares; e produtos acabados, 2.686.500 dólares. O custo de bens vendidos desse ano será de cerca de 32,5 milhões de dólares. Supondo 52 semanas comerciais por ano, expresse o estoque total como

   a. semanas de suprimentos

   b. giros de estoque

3. Uma linha de produto tem dez giros por ano e um volume de vendas anual (a preço de custo) de 985 mil dólares. Quanto estoque está sendo guardado, em média?

4. A Corporação Uivo fornece rolamentos de esferas de liga metálica para fabricantes de automóveis em Detroit. Por causa de seu processo de fabricação especializado, é necessária uma quantidade considerável de estoque em processo e matérias-primas. Os níveis de estoque correntes são 2.470.000 dólares e 1.566.000, respectivamente. Além disso, o estoque de produtos acabados é de 1.200.000 dólares e espera-se que as vendas (a preço de

custo) para o ano corrente sejam de cerca de 48 milhões de dólares. Expresse o estoque total como

a. semanas de suprimentos

b. giros de estoque

5. Os dados seguintes foram coletados por um varejista:

Custo das mercadorias	$ 3.500.000
Lucro bruto	$ 700.000
Custos operacionais	$ 500.000
Lucro operacional	$ 200.000
Estoque total	$ 1.200.000
Ativos fixos	$ 750.000
Dívida de longo prazo	$ 300.000

Supondo 52 semanas comerciais por ano, expresse o estoque total como

a. semanas de suprimentos

b. giros de estoque

PROBLEMAS AVANÇADOS

Os problemas 6 e 7 requerem leitura prévia do Suplemento A "Tomada de decisão".

6. A Companhia Bennet compra uma de suas matérias-primas essenciais de três fornecedores. A política corrente da Bennet é distribuir as compras igualmente entre os três. O filho do proprietário, Benjamin Bennet, graduou-se recentemente na faculdade de negócios. Ele propõe que esses fornecedores sejam avaliados (números altos significam um bom desempenho) de acordo com seis critérios ponderados de desempenho como mostrado na Tabela 10.4. Uma pontuação total limite de 0,60 é proposta aos fornecedores em processo de triagem. A política de compras deve ser revisada para pedidos de matérias-primas de fornecedores com pontuações de desempenho maiores que a pontuação total limite, proporcionalmente à pontuação de avaliação de desempenho que receberem.

a. Use uma matriz de preferência para calcular a pontuação ponderada total para cada fornecedor.

b. Que fornecedor passou (ou que fornecedores passaram) pelo limite total de pontuação? Sob a política proposta pelo jovem Bennet, que proporção de pedidos cada fornecedor deve receber?

c. Quais são as vantagens da política proposta sobre a política atual?

7. A Beagle Fabricante de Roupas usa uma pontuação ponderada para a avaliação e seleção de seus fornecedores de produtos de vestuário de última moda. Cada fornecedor é avaliado em uma escala de 10 pontos (10 = mais alto) de acordo com quatro critérios diferentes: preço, qualidade, entrega e flexibilidade (para se ajustar a mudanças na quantidade e no ritmo). Em virtude da volatilidade do negócio em que a Beagle opera, a flexibilidade recebe duas vezes o peso de cada um dos outros três critérios, que são igualmente ponderados. A Tabela 10.5 mostra as pontuações de três fornecedores potenciais para os quatro critérios de desempenho. Tendo por referência a pontuação ponderada mais alta, que fornecedor deve ser selecionado?

8. A Legítima, Inc. opera 52 semanas por ano e seu custo de bens vendidos no último ano foi de 6.500.000 dólares. A empresa tem oito produtos em estoque: quatro matérias-primas, dois itens de estoque em processo e dois produtos acabados. A Tabela 10.6 mostra os níveis de estoque médios no último ano para esses produtos, junto com seus valores unitários.

a. Qual é o valor médio de estoque agregado?

b. Quantas semanas de suprimento a empresa tem?

c. Qual foi o giro de estoque no último ano?

Tabela 10.4 Pontuação de desempenho dos fornecedores da Bennet

		Avaliação		
Critério de desempenho	Peso	Fornecedor A	Fornecedor B	Fornecedor
1. Preço	0,2	0,6	0,5	0,9
2. Qualidade	0,2	0,6	0,4	0,8
3. Entrega	0,3	0,6	0,3	0,8
4. Instalações de fabricação	0,1	0,5	0,9	0,6
5. Política de garantia e direitos	0,1	0,7	0,8	0,6
6. Posição financeira	0,1	0,9	0,9	0,7

TABELA 10.5 Pontuações de desempenho dos fornecedores da Beagle

Critério	Fornecedor A	Fornecedor B	Fornecedor
Preço	8	6	6
Qualidade	9	7	7
Entrega	7	9	6
Flexibilidade	5	8	9

CAPÍTULO 10 • Estratégia de cadeia de suprimentos   345

Tabela 10.6   Produtos em estoque na Legítima

Categoria	Número da peça	Média de unidades em estoque	Valor por unidade (dólares)
Matérias-primas	RM-1	20.000	1
	RM-2	5.000	5
	RM-3	3.000	6
	RM-4	1.000	8
Estoque em processo	WIP-1	6.000	10
	WIP-2	8.000	12
Produtos acabados	FG-1	1.000	65
	FG-2	500	88

CASO — O consórcio modular: caso Volkswagen Resende

O histórico da VW Caminhões e Ônibus teve inicio em 1980, quando assumiu todas as operações de caminhões da Chrysler Brasil. Essa foi a primeira e única experiência mundial do grupo nesse segmento de mercado, principalmente por causa da característica 'suigeneres' do mercado brasileiro, em que, aproximadamente 50 por cento de todo o transporte de cargas no país era feito via terrestre.

Logo no ano seguinte, em 1981, a Volkswagen lançou sua própria marca de caminhões médios e leves — com o suporte do know-how da Chrysler —, com um modesto market share de três por cento a quatro por cento. Em 1987, a Volkswagen beneficiou-se novamente da experiência em projetos e manufatura de caminhões de terceiros quando foi criada a Autolatina (aliança estratégica entre Ford e Volkswagen para o mercado automotivo da América do Sul). Toda a produção de caminhões foi transferida para a fábrica da Ford localizada no bairro do Ipiranga, na cidade de São Paulo. A marca Volkswagen assume, em 1994, uma respeitada parcela de 12 por cento do mercado de caminhões.

Em 1995, após o fim da parceria com a Ford, a VW ficou sem a fábrica de caminhões, sem uma unidade produtora de motores para seus veículos populares e com toda sua capacidade instalada de produção no limite. Isso significava que a empresa precisava urgentemente de uma fábrica capaz de manter a produção de caminhões no Brasil. Outra importante constatação foi a de que a VW não detinha competência estabelecida de manufatura nesse segmento de mercado, que havia sido dominado e guardado a sete chaves pela Ford nos últimos nove anos.

Naquela época, o responsável pela operação latino-americana da Volkswagen era o executivo basco Jose Ignácio Lopez de Arriortúa, ex-comandante da área de suprimentos da GM. Em novembro de 1994, Lopez propôs a estratégia de trazer os fornecedores para dentro da fábrica, a fim de que eles agregassem seus componentes diretamente na linha de montagem. Assim, a VW seria a única montadora mundial que não executaria nenhuma atividade de montagem e que cuidaria somente da logística, da qualidade e da engenharia de manufatura. A idéia era que a VW se transformasse em uma organização de marketing e vendas, desenvolvendo novos produtos e controlando a cadeia de valor agregado.

Nascia, então, o conceito do consórcio modular: uma partilha de lucros e perdas entre todos os protagonistas da cadeia de suprimentos. Difíceis questões deveriam ser resolvidas rapidamente, como a definição do local da nova fábrica e a seleção de futuros parceiros.

A construção da fábrica foi realizada em 153 dias e representou um investimento de 300 milhões de dólares. A capacidade produtiva era de um veículo a cada dez minutos, ou 30 mil por ano.

Em novembro de 1996, a Volkswagen iniciou a operação em sua nova fábrica de caminhões e ônibus em Resende, dentro do moderno conceito de consórcio modular. Como resultado, apenas 290 dos 1.750 empregados eram da VW que, em minoria, inspecionam os veículos ao final do processo. Com essa abordagem revolucionária para a montagem automotiva, a VW esperava aumentar tanto a produtividade quanto a qualidade. Ao mesmo tempo, a empresa estava dividindo os riscos dessa nova aventura com seus maiores fornecedores, que tiveram de assumir os custos operacionais fixos da planta. Em contrapartida, os sub-contratados esperavam desenvolver e manter uma relação longa e lucrativa com a VW.

CONCEITO DA PLANTA

Todo o planejamento do processo foi orientado para uma montagem rápida e flexível de caminhões e ônibus com design modulares. A fábrica possui uma infra-estrutura integrada, o que permite redução nos custos variável e fixo.

Apesar de os parceiros possuírem diferentes culturas, o trabalho é desenvolvido como se todos estivessem no mesmo ponto, ou seja, compartilhando do mesmo objetivo. Esse é um aspecto relevante, ainda mais se considerarmos que se um parceiro atrasar o processo em linha, seu atraso compromete toda a produção e, portanto, os outros parceiros são afetados.

Não há armazéns para estoque; todas as peças e componentes estão próximos da linha de montagem. A fábrica recebe, por exemplo, motores da Cummins/MWM cinco a seis vezes ao dia. O estoque de produto acabado é baixíssimo, tanto na fábrica quanto nas concessionárias, e a previsão de vendas é feita com base no que se vende nas concessionárias.

As compras para a produção são centralizadas na unidade de negócio, ou seja, a VW compra todas as peças, exceto as dos parceiros. Na produção, todos os equipamentos utilizados por mais de um parceiro são da VW. A linha de montagem é única e é utilizada tanto para a montagem de caminhões quanto para a de ônibus, dependendo das necessidades do mercado. A planta está preparada para assimilar a produção de novos modelos de caminhões e ônibus. Até o final do ano 2000, a planta de Resende já havia produzido um total de 53 mil unidades entre caminhões e ônibus.

OS PARCEIROS MODULARES

No sistema Consórcio Modular, oito fornecedores (incluindo a VW) são responsáveis pela montagem completa de conjuntos, como eixos, suspensão e molas, rodas e pneus, caixa de câmbio e motores, e cabines. Com essa parceria, a Volkswagen se concentra nas atividades de projeto, desenvolvimento, certificação dos veículos, qualidade e pós-venda. A empresa assume a responsabilidade sobre o produto e, perante o cliente final, a responsabilidade na montagem do veículo é dos fornecedores.

Os fornecedores escolhidos para compor o consórcio foram Maxion, Meritor, Remon, Eisenmann, Delga, VDO/Mannesmann, MWM/Cummins, parceiros já conhecidos pela Volkswagen ao redor do mundo em outros negócios. Todos eles possuem espaço na planta, fornecem seus próprios trabalhadores para adicionar componentes ao caminhão na linha de montagem e compartilham dos riscos do investimento em equipamentos e ferramental. Existe uma padronização de salários e de benefícios para os funcionários diretamente ligados a VW.

Esse sistema permite a redução de custos de produção e de investimentos, diminui estoques e tempo de produção dos veículos, aumenta a eficiência e a produtividade, além de tornar mais flexível a montagem dos produtos e garantir maior qualidade ao produto final.

INDICADORES DE DESEMPENHO

A VW utiliza um parâmetro, chamado Audit, para avaliar e pontuar a qualidade de seus produtos. Ao final da linha de montagem é feito o Audit, que pode ser entendido como um processo de avaliação de qualidade. Nesse momento, são avaliadas as partes funcional e de acabamento (cabines).

O Audit pode variar de 0 a 5. Quanto menor esse indicador, melhor o veículo em termos de qualidade. No início do ano 2000, o Audit na fábrica de Resende estava em torno de 2,1. A maior incidência de problemas, que acarretavam em um novo trabalho estava na cabine, cujo projeto era antigo e já tinha passado por diversas reformulações. O Audit da cabine é acima de 2,0, enquanto os demais itens, individualmente, apresentam um índice de 1,0. Na Europa o Audit é 1,3 para carros e no Brasil, o Audit é de 1,9.

CONSIDERAÇÕES FINAIS

Em meados de dezembro de 2000, face à renovação do contrato com os parceiros do consórcio modular, após cinco anos de trabalho conjunto, o diretor industrial da divisão de caminhões e ônibus da Volkswagen do Brasil Ltda, localizada em Resende, no Rio de Janeiro, sabia que mudanças eram inevitáveis. Os índices de vendas, os ganhos de market share e os indicadores de desempenho mostravam que a produção modular e o trabalho em parceria com fornecedores-chave estavam dando certo em Resende. Uma vez que uma parceria extremamente significativa já havia sido estabelecida e que os parceiros não são fornecedores convencionais — e sim fornecedores que participam interativamente da montagem do veículo —, o cenário ideal seria a renovação dos contratos com os fornecedores.

O momento era muito propício a mudanças, afinal, a renovação de um contrato desse porte ocorre somente a cada cinco anos.

QUESTÕES

1. Analise as possibilidades para o futuro da divisão e do próprio modelo de consórcio modular de gestão de cadeia de suprimento, considerando três questões fundamentais: o que mudar (identificação dos problemas); para o que mudar (construção da solução); e como causar a mudança (montagem do plano de implementação).

2. Comente os principais desafios do relacionamento da VW com os parceiros do Consórcio Modular.

3. A VW deve compartilhar informações estratégicas com os parceiros? Quais são os riscos?

4. É possível que a VW eleve o nível de parceria com seus fornecedores? Como?

Caso elaborado por Susana Carla Farias Pereira, Luiz Carlos Di Serio, Marta Maia e Mauro Sampaio, professores da FGV-EAESP, com base nas informações disponíveis no artigo dos próprios autores do caso, "The Future of the Modular Consortium: The Case of Volkswagen", 2002 BALAS Conference, Business Association of Latin América, 2002; em CORREA, H.L. Os modelos modulares de gestão da cadeia de suprimento. São Paulo: EAESP/FGV/NPP Núcleo de pesquisas e Publicações, 2002; e no site da ANFAVEA — Associação Nacional dos Fabricantes dos Veículos Automotores, <http://www.anfavea.com.br/Index.html>, 2008.

REFERÊNCIAS SELECIONADAS

BOWERSOX, D. J.; CLOSS, D. J. *Gestão logística da cadeia de suprimentos*. São Paulo: Editora Bookman, 2006.

CHAMPION, David. "Mastering the value chain", *Harvard Business Review*, jun. 2001, p. 109-115.

CONNER, Martin P. "The supply chain's role in leveraging product life cycle management", *Supply Chain Management Review*, mar. 2004, p. 36-43.

COOK, Robert L.; GIBSON, Brian; MACCURDY, Douglas. "A lean approach to cross-docking", *Supply Chain Management Review*, mar. 2005, p. 54-59.

DURAY, Rebecca; WARD, Peter. T.; MILLIGAN, Glenn W.; BERRY, William L. "Approaches to mass customization: configurations and empirical validation", *Journal of Operations Management*, v. 18, 2000, p. 605-625.

DURAY, Rebecca. "Mass customization origins: mass or custom manufacturing?", *International Journal of Operations and Production Management*, v. 22, n. 3, 2002, p. 314-328.

ELLRAM, Lisa M.; LIU, Baohong. "The financial impact of supply management", *Supply Chain Management Review*, nov./dez. 2002, p. 30-37.

FARRELL, Diana. "Beyond offshoring: assess your company's global potential", *Harvard Business Review*, dez. 2004, p. 82-90.

FISHER, Marshall L. "What is the right supply chain for your product?", *Harvard Business Review*, mar./abr. 1997, p. 105-116.

FREUND, Brian C.; FREUND, June M. "Hands-on VMI", *APICS — the performance advantage*, mar. 2003, p. 34-39.

FUGATE, Brian S.; MENTZER, John T. "Dell's supply chain DNA", *Supply Chain Management Review*, out. 2004, p. 20-24.

HAMMER, Michael. "The superefficient company", *Harvard Business Review*, set. 2001, p. 82-91.

HANDFIELD, Robert, S. Walton; SROUFE, Robert; MELNYK, Steven. "Applying environmental criteria to supplier assessment: a study of the application of the analytical hierarchy process", *European Journal of Operational Research*, v. 41, n. 1, 2002, p. 70-87.

HARTVIGSEN, David. *SimQuick: process simulation with Excel*, 2. ed. Upper Saddle River, NJ: Prentice Hall, 2004.

LEE, Hau L. "The triple-A supply chain", *Harvard Business Review*, out. 2004, p. 102-112.

LEE, Hau L.; BILLINGTON, Corey. "Managing supply chain inventory: pitfalls and opportunities", *Sloan Management Review*, 1992, p. 65-73.

LIKER, Jeffrey K.; CHOI, Thomas Y. "Building deep supplier relationships", *Harvard Business Review*, dez. 2004, p. 104-113.

MALONI, M.; BENTON, W. C. "Power influences in the supply chain", *Journal of Business Logistics*, v. 21, 2000, p. 49-73.

MELNYK, Steven; HANDFIELD, Robert. "Green speak", *Purchasing Today*, v. 7, n. 7, 1996, p. 32-36.

MELNYK, Steven; SROUFE, Robert; CALANTONE, Roger. "Assessing the impact of environmental management systems on corporate and environmental performance", *Journal of Operations Management*, v. 21, n. 3, 2003.

METERSKY, Jeff; KILGORE, J. Michael. "How to improve your inventory deployment", *Supply Chain Management Review*, out. 2004, p. 26-32.

MOEENI, Farhad. "Quality decision making, input technologies, and IT education", *Decision Line*, maio 2004, p. 14-17.

RANDALL, Taylor, NETESSINE, Serguei; RUDI, Nils. "Should you take the virtual fulfillment path?", *Supply Chain Management Review*, nov./dez. 2002, p. 54-58.

SIEKMAN, Philip. "The smart car is looking more so", *Fortune*, 15 abr. 2002, p. 310I-310P.

STEERMAN, Hank. "A practical look at CPFR: the Sears-Michelin experience", *Supply Chain Management Review*, jul./ago. 2003, p. 46-53.

SULLIVAN, Laurie. "Wal-Mart's way", *Informationweek.com*, 27 set. 2004, p. 37-50.

TRENT, Robert J. "What everyone needs to know about SCM", *Supply Chain Management Review*, mar. 2004, p. 52-59.

VENKATESAN, Ravi. "Strategic sourcing: to make or not to make", *Harvard Business Review*, nov./dez. 1992, p. 98-107.

11

OBJETIVOS DE APRENDIZAGEM

Depois de ler este capítulo, você será capaz de:

1. Explicar como decisões de localização se relacionam ao projeto de cadeia de valor.

2. Identificar fatores que afetam escolhas de localização.

3. Compreender o papel dos sistemas de informação geográfica na tomada de decisão sobre localização.

4. Compreender técnicas de localização para instalações únicas.

5. Explicar como aplicar o método do centro de gravidade, o da carga-distância (*load-distance*), o da análise do ponto de equilíbrio, o método do transporte e outros métodos de localização para múltiplas instalações.

Taxas de câmbio flutuantes e outros fatores econômicos levaram a Bavarian Motor Works (BMW) a considerar a fabricação fora da Europa. A questão era: Onde? Após amplo estudo e diversas concessões governamentais, Spartanburg, Carolina do Sul, tornou-se a fabricante exclusiva do carro de passeio BMW Z4 e dos veículos para atividades esportivas BMW X5.

Capítulo 11

Localização

Bavarian Motor Works (BMW)

A Bavarian Motor Works (BMW), fundada em 1917 e sediada em Munique, Alemanha, é uma fabricante de marcas seletas de segmento de alta qualidade, como BMW, MINI e Rolls-Royce Motor Cars, no mercado automobilístico internacional. Quando se defrontou com taxas de câmbio flutuantes e custos crescentes da produção no final dos anos 1980, a BMW decidiu que era hora de considerar a operação de uma nova instalação de produção fora dos limites da Europa. Uma abordagem do tipo 'folha em branco' foi utilizada para compilar uma lista de 250 locais de potenciais plantas pelo mundo inteiro. Análises mais detalhadas restringiram a lista a dez opções viáveis. Uma planta localizada nos Estados Unidos foi preferida devido à proximidade de um grande segmento de mercado para os automóveis da BMW.

A seleção do local da planta envolveu muitos fatores que tiveram de ser analisados antes da construção. A BMW considerou o ambiente de trabalho em cada país, as necessidades e restrições geográficas e suas relações com os governos dos países em que os potenciais locais estavam localizados. Em relação ao ambiente de trabalho, era necessária uma força de trabalho tecnologicamente capaz, devido à natureza complexa do processo industrial automotivo. Uma vez que o custo de treinar um único trabalhador na indústria automotiva está entre dez e 20 mil dólares, esse fator foi particularmente crítico. Além disso, a BMW decidiu que se a planta fosse localizada nos Estados Unidos, deveria estar em um estado de 'direito trabalhista' para satisfazer aos sindicatos americanos. Alguns fatores geográficos também tiveram que ser examinados, pois milhares de peças de automóveis precisavam ser entregues tanto por fornecedores nacionais como estrangeiros. A fim de manter os custos da cadeia de suprimentos baixos, foi decidido que a nova localização deveria ter amplo acesso a rodovias e estradas interestaduais, e estar razoavelmente próxima a um porto a partir do qual tanto suprimentos como automóveis acabados pudessem ser facilmente transportados. Outra consideração foi o fácil acesso a um aeroporto para os executivos da BMW que estão sempre indo e vindo da sede alemã. O fator de localização final estava relacionado ao governo. A BMW quis se mudar para uma localização que fosse 'amigável comercialmente' em relação a concessões em assuntos como melhorias de infra-estrutura, redução de impostos, triagem de funcionários e programas de educação. A meta total era tornar a relação entre a BMW e a comunidade local o mais mutuamente benéfica possível, por meio de um esforço de melhoria coordenado.

Após um processo de busca de três anos e meio que avaliou rigorosamente as dez opções viáveis em relação a todos esses fatores de localização, a BMW finalmente decidiu construir uma nova instalação de produção de 2 milhões de pés quadrados em Spartanburg, Carolina do Sul. A decisão final foi tomada tendo-se por referência uma boa correspondência entre os critérios de seleção mencionados anteriormente e o ambiente em Spartanburg. Os legisladores da Carolina do Sul se mostraram flexíveis e abertos no que se refere ao modo como o estado trataria as necessidades anunciadas pela BMW. Por exemplo, eles concordaram em adquirir os 500 acres necessários para construir a planta (requerendo que fossem aprovados 25 milhões de dólares em títulos), melhorar o sistema de estradas em torno da instalação (requerendo dez milhões de dólares), estender a pista, e modernizar o terminal do aeroporto de Spartanburg (40 milhões de dólares de despesa). A legislatura também concordou em fornecer incentivos fiscais, em reduzir impostos sobre propriedade e em estabelecer um programa de triagem e treinamento de funcionários para assegurar que tivessem disponível a combinação correta de trabalhadores. (Somente o processamento das inscrições mostrou ser uma tarefa assustadora, pois mais de 50 mil inscrições foram recebidas.) A Carolina do Sul pode não ter recebido a classificação mais alta em cada um dos critérios de decisão, mas, tomada como um todo, a localização de Spartanburg foi a melhor para a BMW.

Essa localização demonstrou ser satisfatória. A planta, que foi aberta em 1994, em seguida passou por uma expansão de 200 milhões de dólares em 1996, uma expansão de 50 milhões de dólares em 1999 e uma expansão de 300 milhões de dólares em 2000. Ela agora emprega aproximadamente 4.700 trabalhadores que fabricam mais de 500 veículos por dia. A Corporação Industrial da BMW na Carolina do Sul é hoje parte da rede de fabricação global do Grupo BMW e é a planta de fabricação exclusiva para todos os veículos de passeio Z4 e de atividades esportivas X5. A Carolina do Sul também colheu recompensas na forma de crescimento dos negócios (a BMW trouxe consigo 39 de seus fornecedores), emprego (aproximadamente 12 mil novos postos de trabalho foram criados) e melhorias na comunidade — uma história de sucesso em todos os aspectos.

Fontes: "Manager's journal: Why BMW cruised into Spartanburg", *Wall Street Journal*, 6 jul. 1992, p. A10; "BMW announces its plans for a plant in South Carolina", *Wall Street Journal*, 24 jun. 1992, p. B2; P. Galuszka, "The south shall rise again", *Chief Executive*, nov. 2004, p. 50-54; Southern Business & Development, Disponível em: <www.sb-d.com>, jun. 2005. Disponível em: <www.bmwusfactory.com>, jun. 2005.

Localização de instalação é o processo que determina os locais geográficos para as operações de uma empresa. As escolhas de localização podem ser extremamente importantes e têm um impacto profundo sobre a cadeia de valor da empresa. Por exemplo, elas podem afetar o processo de relacionamento com o fornecedor: a economia global em expansão dá às empresas maior acesso a fornecedores ao redor do mundo, muitos dos quais podem oferecer custos de insumo mais baixos ou serviços e produtos de melhor qualidade. Entretanto, quando as instalações industriais são terceirizadas no exterior, localizar-se longe dos fornecedores pode levar a custos de transporte e dificuldades de coordenação maiores. O processo de relacionamento com clientes também pode ser afetado pelas decisões de localização da empresa. Se o cliente deve estar fisicamente presente no processo, é improvável que uma localização seja aceitável se o tempo ou a distância entre o fornecedor do serviço e o cliente for grande. Se, por outro lado, o contato com o cliente é mais passivo e impessoal, ou se são processados materiais ou informações, em vez de pessoas, a localização pode não ser um problema. A tecnologia da informação e a Internet podem, algumas vezes, ajudar a superar as desvantagens relacionadas à localização de uma empresa. Apesar disso, uma coisa é certa: a localização tem um impacto significativo sobre os custos operacionais da companhia, os preços que ela cobra por serviços e bens e sua capacidade de competir no mercado e de penetrar em novos segmentos de clientes.

Analisar padrões de localização a fim de descobrir a estratégia subjacente de uma empresa é fascinante. Por exemplo, por que a White Castle, muitas vezes, localiza os restaurantes próximos às fábricas? Por que salões de vendas de carros zero concorrentes se aglomeram em locais próximos? A estratégia da White Castle é fornecer para trabalhadores de produção. Em decorrência disso, tende a se localizar próximo à população alvo e longe dos concorrentes, como Wendy's e McDonald's. Por outro lado, gerentes de salões de vendas de carros zero quilômetro deliberadamente se localizam próximos uns dos outros porque os clientes preferem comparar preços em uma área. Em cada caso, a decisão de localização reflete uma estratégia específica.

Após reconhecer o impacto estratégico das decisões de localização sobre a implementação da estratégia de uma empresa e do projeto de cadeia de valor, primeiro consideramos os fatores qualitativos que influenciam nas escolhas de localização e suas implicações por toda a organização. Em seguida, examinamos uma tendência importante nos padrões de localização: o uso de GIS (*Geographical Information System* — sitema de informação geográfica) para identificar segmentos de mercado e como o atendimento a cada segmento pode afetar proveitosamente as decisões de localização da empresa. Terminamos apresentando algumas técnicas analíticas e baseadas no GIS para tomada de decisão de localização de instalações únicas e múltiplas.

DECISÕES DE LOCALIZAÇÃO POR TODA A ORGANIZAÇÃO

As decisões de localização afetam processos e departamentos por toda a organização. Ao localizar novas instalações de varejo, como lojas da Wendy's, o departamento de marketing deve avaliar cuidadosamente como a localização atrairá os clientes e, possivelmente, abrirá novos mercados. Transferir toda uma organização ou parte dela pode afetar significativamente as atitudes da força de trabalho da empresa e a capacidade da organização de operar eficazmente ao longo de linhas departamentais. A localização também tem implicações para o departamento de recursos humanos da empresa, que deve estar sintonizado com suas necessidades de contratação e treinamento. Localizar novas instalações ou transferir instalações existentes é normalmente dispendioso; dessa maneira, essas decisões devem ser cuidadosamente avaliadas pelos departamentos de contabilidade e finanças da organização. Por exemplo, quando a BMW localizou sua fábrica na Carolina do Sul, o ambiente econômico do Estado e os incentivos monetários oferecidos por seus legisladores foram significativos na compensação financeira associada à proposta da nova planta. Finalmente,

As lojas do Wal-Mart, o maior varejista mundial, se tornaram globais. Nesta foto, dois consumidores deixam uma loja no Wal-Mart na Cidade do México. A marca registrada da carinha amarela sorridente do Wal-Mart, os preços baixos e o foco no atendimento ao consumidor foram introduzidos primeiro nas grandes cidades dos Estados Unidos e, depois, no exterior, no Canadá, em Porto Rico, no Brasil, no Reino Unido, na Alemanha, na Coréia do Sul, no Japão, na China, assim como no México.

as operações também têm uma participação importante nas decisões de localização, porque ela precisa ser capaz de satisfazer à demanda atual do cliente e de fornecer a abordagem certa de contato com o cliente (tanto para clientes externos como para internos). Operações internacionais, como as do McDonald's, Ford e Wal-Mart, introduzem um novo conjunto de desafios porque iniciar e administrar instalações e funcionários em países estrangeiros pode ser extremamente demorado e difícil.

USANDO OPERAÇÕES PARA COMPETIR

Operações como arma competitiva
Estratégia de operações
Administração de projetos

ADMINISTRANDO PROCESSOS

Estratégia de processo
Análise de processos
Desempenho e qualidade do processo
Administração das restrições
Layout do processo
Sistemas de produção enxuta

ADMINISTRANDO CADEIAS DE VALOR

Estratégia de cadeia de suprimentos
Localização
Administração de estoques
Previsão de demanda
Planejamento de vendas e operações
Planejamento de recursos
Programação

FATORES QUE AFETAM AS DECISÕES DE LOCALIZAÇÃO

Gerentes, tanto de organizações de serviços como de manufaturas, devem examinar cuidadosamente muitos fatores quando avaliam se localizações específicas são desejáveis, inclusive sua proximidade dos clientes e dos fornecedores e os custos de mão-de-obra e transporte. Os gerentes geralmente podem desconsiderar fatores que não satisfazem a, pelo menos, uma das duas condições a seguir:

1. *O fator deve ser sensível à localização*: em outras palavras, os gerentes não devem considerar um fator que não seja afetado pela decisão de localização. Por exemplo, se as atitudes da comunidade são uniformemente satisfatórias em todas as localizações em consideração, as atitudes da comunidade não devem ser consideradas como um fator;

2. *O fator deve ter um impacto alto sobre a capacidade de a empresa cumprir seus objetivos*: por exemplo, embora instalações diferentes sejam localizadas a distâncias diferentes dos fornecedores, se as remessas podem acontecer durante a noite e a comunicação com eles é feita via fax ou e-mail, é provável que a distância não tenha um impacto grande sobre a capacidade de a empresa cumprir suas metas. Não deve, portanto, ser considerado um fator.

Os gerentes podem dividir os fatores de localização entre dominantes e secundários. Os fatores dominantes originam-se de prioridades competitivas (custo, qualidade, tempo e flexibilidade) e têm um impacto particularmente forte sobre as vendas ou os custos. Por exemplo, um clima de trabalho favorável e incentivos fiscais foram fatores dominantes que afetaram a decisão de localizar a planta da BMW em Spartanburg, Carolina do Sul. Fatores secundários também são importantes, mas a gerência pode amenizar ou até mesmo ignorar alguns desses fatores secundários se outros forem mais importantes. Desse modo, para a planta Saturno da GM, que fabrica muitas de suas peças *in loco*, o custo de transporte para a fábrica foi considerado menos importante e, portanto, um fator secundário.

FATORES DOMINANTES NA FABRICAÇÃO

Os seis grupos de fatores a seguir são preponderantes para as empresas, inclusive para a BMW, ao tomarem sua decisão de localização de novas fábricas.

1. Ambiente de trabalho favorável
2. Proximidade dos mercados
3. Qualidade de vida
4. Proximidade de fornecedores e recursos
5. Proximidade das instalações da matriz
6. Serviços de utilidade pública, impostos e custos de imóveis

Ambiente de trabalho favorável Um ambiente de trabalho favorável pode perfeitamente ser o fator mais importante para empresas que fazem uso intensivo de mão-de-obra, como indústrias de tecidos, móveis e eletrônicos. O ambiente de trabalho é função das taxas salariais, das necessidades de treinamento, das atitudes em relação ao trabalho, da produtividade do trabalhador e da força dos sindicatos. Muitos executivos percebem sindicatos fracos ou uma probabilidade baixa de esforços de organização de sindicatos como uma vantagem clara. Ter um ambiente favorável não se aplica apenas à força de trabalho já existente no local, mas, como ilustrado pela transferência da Divisão de Energia da General Electrics na Seção "Prática Gerencial 11.1", também aos funcionários que uma empresa espera transferir ou que serão atraídos para o novo local.

PRÁTICA GERENCIAL 11.1 — MUDANDO A DIVISÃO DE ENERGIA DA GENERAL ELECTRIC PARA UM NOVO LOCAL

A Divisão de Energia da General Electrics, com 4.700 funcionários, é uma das principais fornecedoras mundiais de tecnologia de geração de energia, serviços e sistemas de gerenciamento, e é a maior unidade individual de negócios dentro da GE, representando rendimentos de mais de 15 bilhões de dólares. A decisão, em 2001, de transferir a sede corporativa da Divisão de Energia de Schenectady, Nova York, para Atlanta, Geórgia, veio como uma surpresa, porque a GE tinha uma história de cem anos em Nova York, remontando aos tempos de Thomas Edison. Entretanto, uma mudança era necessária porque, entre outras razões, a base de clientes da GE se deslocou geograficamente ao longo do tempo e a transferência forneceria melhor acesso a eles.

A decisão de se mudar foi tomada tendo-se por referência condições de vida e clima mais favoráveis na Geórgia, junto com outros fatores como a proximidade de diversas companhias de serviço de energia elétrica (os principais compradores de turbinas da GE), acesso conveniente ao aeroporto de Hartsfield e, o mais importante, uma concentração disponível de trabalhadores tecnologicamente preparados. Além disso, entidades governamentais em Atlanta ofereceram a GE incentivos importantes para a transferência para a região. O processo de seleção levou quase seis anos para ser concluído devido ao elevado risco. Uma preocupação do presidente e diretor geral John Rice era de que muitos funcionários não estivessem dispostos a se mudar para a área de Atlanta. Contudo, Rice observou: "A qualidade de vida — moradia a baixo custo, boa recreação, bons eventos culturais e ambiente — era tão atrativa que poucos trabalhadores rejeitaram a oferta de transferência". Em decorrência disso, a mão-de-obra em Nova York foi consideravelmente reduzida, embora a planta ainda permaneça funcional como unidade industrial. A mudança foi bem-sucedida tanto para Atlanta como para a GE. A área de Atlanta viu um aumento no número de postos de trabalho, enquanto a GE experimentou crescimento sustentado dos negócios.

Um funcionário da Divisão de Energia da GE trabalha em um centro de diagnóstico remoto localizado dentro do edifício da sede da nova divisão em Atlanta, Geórgia. Apesar de uma história de cem anos em Schenectady, Nova York, a divisão se transferiu para Atlanta em 2001. Entre os fatores que levaram à mudança: os clientes da GE estão concentrados em Atlanta e arredores, e a cidade tem uma base ampla de talentosos trabalhadores tecnologicamente orientados.

Fontes: "Power system's relocation to Atlanta is official", *The Business Review*, 9 fev. 2001. Disponível em: <www.bizjournals.com/albany>; P. Galuszka, "The south shall rise again", *Chief Executive*, nov. 2004, p. 50-54.

Proximidade dos mercados Depois de determinar onde a demanda por serviços e bens é maior, a gerência deve selecionar um local para a instalação que satisfaça essa demanda. Localizar-se próximo aos mercados é particularmente importante quando os bens finais são volumosos ou pesados, e as tarifas de transporte de curso longo são altas. Por exemplo, fabricantes de produtos como tubos de plástico e metais pesados requerem proximidade de seus mercados.

Qualidade de vida Boas escolas, instalações recreativas, eventos culturais e um estilo de vida agradável contribuem para a **qualidade de vida**. Esse fator pode fazer diferença em decisões de localização. Nos Estados Unidos, durante as duas últimas décadas, mais de 50 por cento de novos empregos industriais foram criados em regiões não-urbanas. Uma alteração semelhante está ocorrendo no Japão e na Europa. As razões para esse movimento incluem alto custo de vida, taxas de crime elevadas e declínio geral na qualidade de vida em muitas cidades grandes.

Proximidade de fornecedores e recursos Empresas dependentes de insumos volumosos, perecíveis ou de matérias-primas pesadas enfatizam a proximidade de seus fornecedores e recursos. Nesses casos, os custos de transporte para a empresa se tornam um fator dominante, encorajando tais empresas a localizar as instalações próximas aos fornecedores. Por exemplo, localizar fábricas de papel próximo a florestas e localizar instalações de processamento de alimentos próximo a fazendas é prático. Outra vantagem da localização próxima aos fornecedores é a capacidade de manter estoques mais baixos.

Proximidade das instalações da matriz Em muitas empresas, as plantas fornecem peças para outras instalações ou contam com elas para gerenciamento e suporte de pessoal. Esses vínculos requerem coordenação e comunicação freqüentes, que podem se tornar mais difíceis à medida que a distância aumenta.

Serviços de utilidade pública, impostos e custos de imóveis Outros fatores de decisão de localização incluem custos de serviços de utilidade pública (telefone, energia e água), impostos locais e estaduais, incentivos de financiamento oferecidos por governos locais ou estaduais, custos de transferência e de terreno. Por exemplo, a localização da planta da Daimler Chrysler em Alabama para fabricar seus veículos da 'série M'; da planta da BMW na Carolina do Sul, na abertura deste capítulo, e de uma planta da Toyota em Georgetown, Kentucky, foram todas atraentes para essas empresas, em parte, devido aos incentivos dos governos locais.

Outros fatores Pode ser necessário considerar outros fatores ainda, inclusive espaço para expansão, custos de construção, acessibilidade a modos múltiplos de transporte, custo de reacomodar pessoas e materiais entre plantas, custos de seguro, concorrência de outras empresas pela força de trabalho, leis locais (como regulamentos de controle de poluição ou barulho), atitudes da comunidade e muitos outros. Para operações globais, as empresas precisam de uma boa infra-estrutura local e de funcionários locais que sejam educados e tenham boas habilidades. Muitas empresas estão concluindo que instalações industriais grandes, centralizadas em países de baixo custo com trabalhadores insuficientemente treinados não são sustentáveis. Instalações menores, flexíveis e localizadas nos países que a empresa atende permitem evitar problemas relacionados a barreiras comerciais, como tarifas e cotas, e o risco de que taxas de câmbio variáveis afetem adversamente suas vendas e lucros.

FATORES DOMINANTES EM SERVIÇOS

Os fatores mencionados para fabricantes também se aplicam a prestadores de serviços com um acréscimo importante: o impacto da localização sobre as vendas e a satisfação do cliente. Os clientes normalmente se importam com a proximidade de uma instalação de serviços, particularmente se o processo requer considerável contato com eles.

Proximidade dos clientes Localização é um fator-chave ao determinar a comodidade com que os clientes podem continuar comercializando com a empresa. Por exemplo, poucas pessoas freqüentarão uma lavanderia a seco ou um supermercado distante se outros estiverem mais acessíveis. Desse modo, a influência da localização sobre os rendimentos tende a ser o fator dominante. Além disso, a proximidade do cliente por si só não é suficiente — a chave é a proximidade de clientes que serão clientes da instalação e buscarão seus serviços. Por exemplo, a Mirage abriu o opulento cassino Beau Rivage em Biloxi, Mississippi, em 1999. Verificou-se que seus rendimentos foram mais baixos que as expectativas, porque o novo cassino não atendeu também às necessidades dos clientes locais, que iam até lá para ver e admirá-lo, mas jogavam em outro lugar. Os rendimentos aumentaram somente depois que a culinária em Beau Rivage foi adaptada aos gostos locais, os custos foram reduzidos, a capacidade do estacionamento com manobristas foi aumentada e outras mudanças foram realizadas. Estar perto dos clientes que correspondem ao mercado definido como meta e às ofertas de serviço de uma empresa é, desse modo, importante para a rentabilidade.

Custos de transporte e proximidade dos mercados Para operações de armazenamento e distribuição, custos de transporte e proximidade dos mercados são extremamente importantes. Com um armazém perto, muitas empresas podem manter o estoque mais próximo do cliente, reduzindo, desse modo, o tempo de entrega e promovendo vendas. Por exemplo, a Invacare Corporation de Elyria, Ohio, adquiriu uma vantagem competitiva na distribuição de produtos domésticos de tratamento de saúde ao descentralizar o estoque em 32 armazéns por todo o país. A Invacare vende cadeiras de rodas, leitos de hospital e outros itens de auxílio a pacientes — sendo que alguns ela fabrica e outros, compra de parceiros — para pequenos revendedores que vendem aos consumidores. Anteriormente, os revendedores — muitas vezes pequenas operações familiares — tinham de esperar três semanas pelas entregas, o que significava que seu dinheiro disponível em caixa estava preso em estoque excedente. Com a nova rede de distribuição da Invacare, os revendedores recebem entregas diárias de produtos de uma fonte. A estratégia de localização da Invacare mostra como a entrega adequada pode ser uma vantagem competitiva.

Localização dos concorrentes Uma complicação relacionada à estimativa do potencial de vendas de locais diferentes é o impacto dos concorrentes. A gerência deve não apenas considerar a localização corrente dos competidores, mas também tentar prever sua reação à nova localização da empresa. Evitar áreas onde os concorrentes já estão bem estabelecidos é decisivo. Entretanto, em algumas indústrias, como salões de vendas de carros novos e cadeias de *fast-food*, localizar-se próximo aos concorrentes é realmente vantajoso. A estratégia é criar uma **massa crítica**, por meio da qual várias empresas concorrentes agrupadas em um local atraem mais clientes que o número total que compraria nas mesmas lojas em locais dispersos. Ao reconhecer esse efeito, algumas empresas usam uma estratégia de seguir o líder quando selecionam novos locais.

Fatores específicos ao local Os varejistas também devem considerar o nível de atividade do varejo, a densidade residencial, o fluxo de trânsito e a visibilidade do local. A atividade varejista na área é importante porque os compradores, muitas vezes, decidem por impulso a fazer compras ou a comer em um restaurante. Fluxos de trânsito e visibilidade são importantes porque os clientes das empresas chegam em carros. A gerência considera possíveis congestionamentos no trânsito, volume do tráfego e direção por período do dia, semáforos, cruzamentos e a posição de canteiros centrais. A visibilidade envolve distância da rua e o tamanho de edifícios e sinais próximos. Uma densidade residencial elevada aumenta o comércio no período noturno e nos finais de semana se a população na área se ajusta ao segmento de mercado definido como meta e às prioridades competitivas da empresa.

SISTEMAS DE INFORMAÇÃO GEOGRÁFICA E DECISÕES DE LOCALIZAÇÃO

O **GIS** (*Geographical Information System* — **sistema de informação geográfica**) é um sistema de software, hardware e dados de computador que a empresa pode usar para manipular, analisar e apresentar informações relevantes para uma decisão de localização. O GIS também pode integrar sistemas diferentes para criar uma representação visual das escolhas de localização da empresa. Entre outras coisas, pode ser usado para (1) armazenar bancos de dados; (2) desenvolver mapas; e (3) criar modelos que possam obter informações de conjuntos de dados existentes, aplicar funções analíticas e inscrever resultados em novos conjuntos de dados obtidos. Reunidas, essas três funcionalidades de armazenamento de dados, desenvolvimento de mapas e modelagem são peças críticas de um GIS inteligente e usadas em proporções variadas em todas as aplicações do GIS. A Seção "Prática Gerencial 11.2" ilustra como cadeias de *fast-food* usam o GIS para selecionar sua localização.

Um sistema GIS pode ser uma ferramenta de tomada de decisão realmente útil, pois muitas das decisões tomadas por empresas hoje têm um aspecto geográfico. Um GIS armazena informações em vários bancos de dados que podem estar logicamente ligados a lugares, como vendas a clientes e localização, ou a uma área do censo ou ao percentual de residentes na área que gera certa quantia de riqueza por ano. As características demográficas de uma área incluem o número de pessoas na área estatística metropolitana, cidade ou CEP; renda média; número de famílias com filhos; e assim por diante. Todas essas características demográficas podem ser variáveis importantes na decisão do melhor modo de se alcançar o mercado definido como alvo. De modo semelhante, o sistema de estradas, inclusive pontes e rodovias, localização de aeroportos e portos próximos, e o terreno (montanhas, florestas, lagos e assim por diante) desempenham um papel importante nas decisões de localização da instalação. Como tal, um GIS pode ter um conjunto diverso de aplicações relacionadas à localização em atividades diferentes como varejo, negócios imobiliários, governo, transporte e logística.

Como também destacado na Seção "Prática Gerencial 11.2", dados governamentais podem fornecer um veio estatístico de informações usadas para tomar melhores decisões de localização baseadas no GIS. Por exemplo, o Serviço de Recenseamento dos Estados Unidos tem um mapa computadorizado do país inteiro detalhado minuto a minuto — chamado arquivo Tiger. Seu nome formal é arquivo de Referência e Codificação Geográfica Integrada Topograficamente. Ele registra, em forma digital, cada rodovia, rua, ponte e túnel nos 50 Estados. Quando combinado com um banco de dados, como os resultados do censo ou arquivos dos próprios clientes de uma empresa, o Tiger fornece funcionalidades do tipo GIS e dá aos usuários de computadores a capacidade de fazer várias perguntas do tipo 'e se' sobre alternativas de localização diferentes. Sites na internet como Yahoo!, Mapquest e Expedia, entre outros, permitem que as pessoas extraiam mapas, distâncias e tempos de viagem e rotas entre locais, como entre Toronto, Ontario, e San Diego, Califórnia. Além disso, mecanismos de busca como o Google podem ser integrados a características demográficas de população para criar informações de interesse sobre os domínios social e comercial. Sites estão usando mapas do Google para exibir locais de crimes e a localização de gasolina barata e de apartamentos para alugar.

Muitos tipos diferentes de pacotes de GIS estão disponíveis, como ArcInfo (da ESRI), MapInfo (da MapInfo), SAS/GIS (do SAS Institute, Inc.) e o SiteAmerica (da Tactician). Muitos desses sistemas são feitos sob medida para uma aplicação específica, como localizar lojas de varejo, dividir em novos os distritos legislativos, analisar dados logísticos e de marketing, gerenciamento ambiental e assim por diante. Entretanto, neste capítulo, exploramos o uso de um GIS específico, o MapPoint 2004 da Microsoft. Uma das características apropriadas do MapPoint é que os mapas e muitos dos dados do censo vêm com o próprio software, enquanto em muitos outros sistemas, os mapas e os dados são comprados separadamente do fornecedor de software do GIS. O MapPoint é um GIS fácil de usar e de custo razoavelmente baixo, que focaliza principalmente o uso comercial diário por analistas não-técnicos. Sua capacidade de exibir informações em mapas pode ser uma ferramenta de tomada de decisão eficaz.

USANDO O GIS PARA IDENTIFICAR LOCALIZAÇÕES E SEGMENTOS DEMOGRÁFICOS DE CLIENTES

O GIS pode ser útil para identificar localizações que se relacionam satisfatoriamente ao mercado definido como alvo, tendo por referência características demográficas do cliente. Quando combinado com outros modelos de localização, modelos de previsão de vendas e sistemas geodemográficos, pode fornecer a uma empresa um conjunto formidável de ferramentas de tomada de decisão para localização, como ilustrado na Seção "Prática Gerencial 11.3", sobre como a Starbucks tomou uma de suas decisões estratégicas mais importantes: a localização de suas lojas.

O vídeo sobre a Starbucks, disponível no site de apoio, mostra como fazer essa análise geodemográfica usando o MapPoint 2004.

Para compreender mais claramente a aplicação do GIS e de características demográficas às escolhas de localização feitas pela Starbucks, examinemos em mais detalhes a área de Hamilton, Ontario, mostrada no mapa da área comercial na Seção "Prática Gerencial 11.3". Os endereços das lojas da Starbucks dentro dos limites de 20 milhas de Hamilton foram obtidos do site da Starbucks e importados para o MapPoint. Essas localizações de loja são indicadas por círculos ao redor da xícara de café na Figura 11.1(a). Portanto, as características demográficas que vêm com o MapPoint foram sobrepostas no mapa. O mapa obtido desse modo mostra a densidade populacional por quilômetro quadrado para cada subdivisão do censo. Hamilton (a área mais escura) tem uma densidade populacional

PRÁTICA GERENCIAL 11.2 — COMO AS CADEIAS DE *FAST-FOOD* USAM O GIS PARA SELECIONAR LOCALIZAÇÕES

Até recentemente, cadeias de *fast-food* usavam consultores para analisar dados geodemográficos (descrição de diferentes características sobre as pessoas tendo por referência o local onde vivem ou trabalham) para planejamento estratégico e tomada de decisão sobre localização de franquias e marketing. Agora, com a disponibilidade de sistemas GIS fáceis de usar, que custam menos de cinco mil dólares e podem ser executados em um computador pessoal comum, cadeias de *fast-food* pequenas e grandes fazem as análises sozinhas. Por exemplo, a franquia Marco's, sediada em Toledo, Ohio, atualmente possui 127 pizzarias Marco's principalmente em Ohio, Indiana, Michigan e Nevada. A franquia Marco's usa soluções do GIS da MapInfo para identificar novos mercados onde o cenário de clientes e concorrentes é melhor para novos locais. As ferramentas da MapInfo e tecnologias on-line da AnySite fornecem mapeamento interativo e a funcionalidade de relatórios para examinar estratégias organizacionais de mercado e oportunidades individuais de localização. Esses programas podem estimar os dólares totais disponíveis em um mercado por meio da análise de dados sobre idade e renda locais do Serviço de Recenseamento dos Estados Unidos, assim como de dados sobre vendas das lojas em uma área — números que estão normalmente disponíveis por meio de fornecedores externos. Os programas também podem revelar o número e as localizações ótimas de lojas em um mercado e o valor das vendas que uma loja pode esperar. As análises podem ser realizadas para qualquer mercado dos Estados Unidos e podem classificar os mercados em ordem de viabilidade. Uma lista de locais realistas com alto potencial de vendas pode ser reunida, por vezes, em menos de um minuto. Outras cadeias de *fast-food* pequenas nos Estados Unidos, como Cousins Subs e 99 Restaurants and Pubs, estão usando o GIS interno e conseguindo um retorno considerável sobre os investimentos. Por exemplo, a 99 Restaurants and Pubs descobriu que poderia recuperar o investimento relacionado ao GIS em uma única semana.

Grandes cadeias de *fast-food* de âmbito nacional, a como Domino's Pizza, usam software de GIS para fazer a triagem de locais alternativos para novas franquias, determinar o modo como a mudança de uma loja em alguns quarteirões pode afetar as vendas e decidir quando devem transferir ou reformar as lojas existentes. Elas também podem usar o GIS para identificar zonas de entrega sobrepostas e zonas que não estão sendo cobertas. A AFC Enterprises, que é proprietária e concede franquias da cadeia de restaurantes Popeye's e Church's, usa o GIS para auxiliar na venda de franquias. O nível de informações detalhadas que pode fornecer aos licenciados em potencial pode fazer toda a diferença quando chegar o momento de fechar o negócio. A empresa desenvolveu um sistema baseado no GIS chamado AFC Online, que permite que os licenciados realizem suas próprias análises geográficas.

As redes Arby's e Burger King usam o GIS para analisar de onde vêm seus clientes e como eles chegam a suas lojas. Essa informação permite que eles determinem o efeito da intrusão de outros restaurantes *fast-food*, bem como da canibalização de seus próprios estabelecimentos. Geralmente, os consumidores percorrem apenas cinco milhas até chegar a um restaurante *fast-food*. Entretanto, o Arby's descobriu que os clientes que compravam sanduíches de rosbife tendiam a estar 20 por cento mais longe que os clientes que compravam o prato principal de frango. Desse modo, o Arby's é um restaurante mais conhecido pela oferta de produtos de rosbife que pela oferta de produtos de frango.

Por causa de sua capacidade de fornecer essas constatações, o GIS fornece uma ferramenta útil para expansão de cadeias de *fast-food* que precisam dominar rapidamente os detalhes demográficos de terrenos competitivos em milhares de localizações em todo o país. "Anos atrás, sujeitos como eu faziam isso intuitivamente", diz John Dawson, dirigente de desenvolvimento das marcas Dunkin, em Canton, Massachusetts, matriz da Dunkin' Donuts, da Baskin-Robbins e da Togo's. "Nós tínhamos de bater de porta em porta e ficar nas esquinas com tabuleiros e usar o bom senso. O processo levou muito tempo, foi muito árduo e cometemos muitos erros." Assim, em 1998, as marcas Dunkin', uma unidade da Allied Domecq PLC baseada no Reino Unido, começou a usar o software iSITE da geoVue Inc. Na época, as marcas Dunkin' estavam abrindo cerca de 300 lojas por ano. Hoje, têm mais de 12 mil locais no mundo todo e esperam acrescentar cerca de 800 por ano nos próximos anos. "Nossa meta é chegar a mais de mil por ano", diz Dawson. "E não podemos fazê-lo sem essas ferramentas."

Clientes esperam na fila do drive-thru em um restaurante do Burger King em Park Ridge, Illinois. O Burger King usa o GIS para verificar se outros restaurantes fast-food — ou outras lojas do Burger King — estão afetando adversamente as vendas de um de seus restaurantes.

Fontes: Disponível em: <www.gis.com/whatisgis/index.html>; Ed Rubinstein, "Chains chart their course of actions with geographic information systems", *Nation's Restaurant News*, v. 32, n. 6, 1998, p. 49; "MapInfo delivers location intelligence for Marco's Pizza", *Directions Magazine*, 14 dez. 2004. Disponível em: <www.directionsmag.com/press.releases/?duty=Show&id=10790>; Ryan Chittum, "Location, location, and technology: where to put that new store? Site-selection software may be able to help", *Wall Street Journal*, 18 jul. 2005, p. R7.

---

de 2.730 por quilômetro quadrado, enquanto Oakville tem uma densidade populacional de 1.024 por quilômetro quadrado. No entanto, Oakville tem mais lojas que Hamilton. Isso sugere que a localização de lojas não está sendo motivada apenas pela densidade populacional. A área mais densamente povoada ao redor Hamilton tem apenas uma loja da Starbucks; novas pesquisas revelaram que está em uma estrada que leva ao aeroporto. Por outro lado, Ancaster, no canto inferior esquerdo do mapa, tem uma loja Starbucks, embora sua densidade populacional seja de apenas 141 por quilômetro quadrado.

PRÁTICA GERENCIAL 11.3 DESAFIOS DE LOCALIZAÇÃO NA STARBUCKS

Um aspecto importante da estratégia de serviços da Starbucks é a localização de suas lojas. Em 2004, somente a cadeia abriu aproximadamente 1.300 lojas, totalizando mais de 9.400. Esse crescimento fenomenal é auxiliado pela nova tecnologia de seleção de localização. A Starbucks conta com a análise de localização para avaliar onde estabelecer novas lojas.

Quando a Starbucks iniciou suas atividades, um número relativamente pequeno de pessoas participava das decisões sobre novas lojas, que era mais um processo experimental que sistemático. À medida que a Starbucks crescia, entretanto, mais planejadores se envolveram no processo e usaram uma análise mais padronizada e formal. Se o potencial de um local não atende a determinado conjunto de parâmetros, os planejadores não desperdiçam tempo em considerações adicionais sobre esse local.

A estratégia original da Starbucks era se expandir em grandes áreas urbanas, concentrando-se em localizações principais e posicionando estabelecimentos um em frente ao outro; algumas vezes, até no mesmo quarteirão. Essa abordagem maximizou a participação de mercado da empresa em áreas com o potencial de volume mais alto — normalmente áreas urbanas afluentes. Depois, começaram a surgir demandas para que a Starbucks também estivesse localizada em áreas rurais. Ao longo dos últimos anos, a estratégia de expansão doméstica da Starbucks evoluiu definitivamente. Mercados em cidades menores e novos tipos de loja, como as localizadas no varejo e em aeroportos, estão sendo utilizados. Outra mudança em relação à estratégia original é a implementação de um sistema GIS geodemográfico como uma ferramenta para melhoria da produtividade e do processo. Esse sistema GIS determina o impacto da abertura de uma loja adicional um dia antes ou um dia depois sobre o andamento de um ano. O processo de aquisição de local da Starbucks inclui vários elementos que usam modelos espaciais, características geodemográficas, assim como os modelos de previsão de vendas baseados neles. Para identificar localizações em potencial, mapas, como o mapa da área comercial mostrado a seguir, são usados pela empresa para mostrar o tempo de caminhada em áreas comerciais que detecta pontos quentes para o consumo de café.

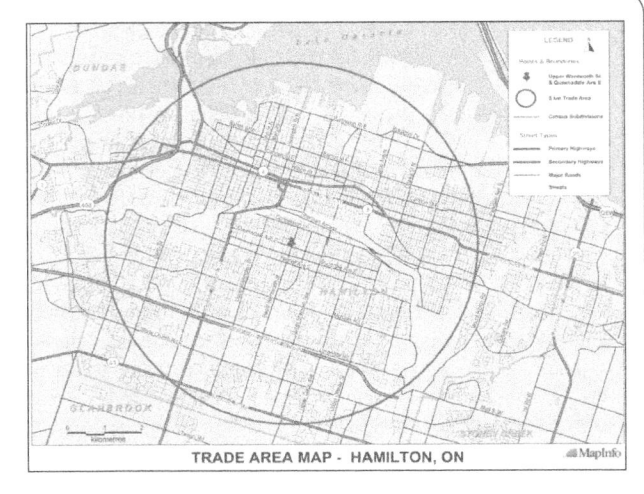

TRADE AREA MAP - HAMILTON, ON

Além de crescer nacionalmente, a Starbucks também se expandiu internacionalmente, abrindo lojas na Ásia, no Oriente Médio, na Europa e na América do Sul. Quando buscava locais potencialmente viáveis no exterior, a Starbucks encontrou desafios adicionais, como a falta de dados disponíveis e precisos. Em âmbito internacional, não há um conjunto de informações sobre o país inteiro. Além do mais, os sistemas disponíveis para usar esses dados variam. Não há nenhum lugar central para se obter informações sobre disponibilidade de dados em certos países, o que se traduz em problemas de comparabilidade e aumenta os riscos de erros em análises de expansão.

Embora a Starbucks continue a crescer rapidamente, já ocupou as melhores localizações em muitos mercados. A empresa, agora, é forçada a procurar localizações de volume mais baixo que ainda forneçam um bom retorno. Mais do que nunca, o uso da análise de localização limita os riscos da Starbucks e se tornou de grande importância para a empresa.

Fontes: "Location analysis tools help Starbucks brew up new ideas", *Business Geographics*. Disponível em: <www.geoplace.com>; Vijay Vishwanath e David Hardling, "The Starbucks effect", *Harvard Business Review*, mar./abr. 2000, p. 17-18; Starbucks Corporate Information page, Disponível em: <www.starbucks.com>, jun. 2005.

Examinamos, então, se a renda *per capita* pode explicar as localizações das lojas da Starbucks. O segundo mapa na Figura 11.1(b) mostra as características demográficas por renda familiar *per capita* média. Aplicando esses dados ao mapa, percebemos que Oakville e Ancaster (as cidades mais escuras na Figura 11.1 (b) têm uma renda *per capita* canadense de 96.545 dólares e 98.422 dólares, respectivamente. Burlington tem densidade populacional e renda *per capita* moderadas. Oakville tem cinco lojas, enquanto Burlington possui três, todas elas localizadas em estradas bem movimentadas. Assim, pelo menos nesse caso em particular, parece que a Starbucks localiza predominantemente suas lojas em áreas mais afluentes e é provável que ocorra expansão futura de lojas na área de Ancaster e ao redor da cidade, se a população crescer mais.

ENTRE AMPLIAÇÃO NO MESMO LOCAL, UMA NOVA LOCALIZAÇÃO OU MUDANÇA PARA OUTRO LOCAL

Os gerentes devem decidir primeiro se ampliarão no mesmo local, construirão outra instalação ou se mudarão para outro local. A ampliação no mesmo local tem a vantagem de manter as pessoas juntas, reduzindo custos de tempo e de construção e evitando a separação de operações. Contudo, quando uma empresa amplia uma instalação, em algum momento surgem deseconomias de escala. Gestão insatisfatória de materiais, aumento da

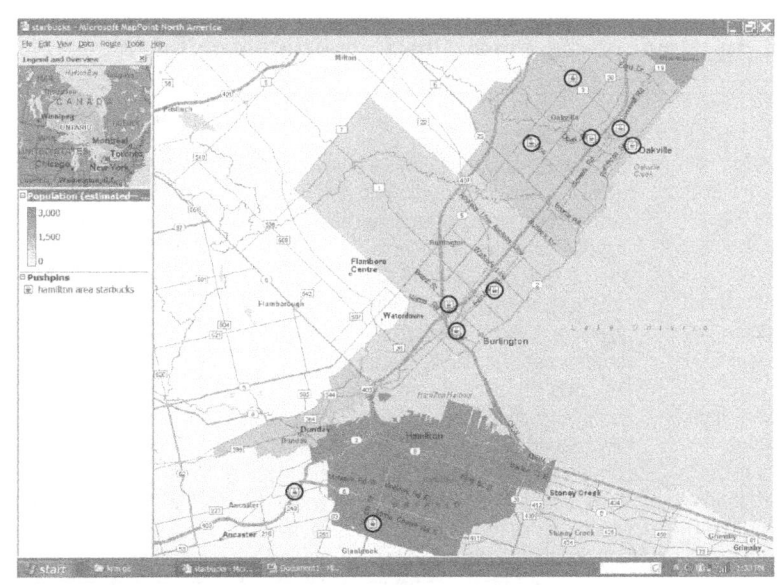

Figura 11.1 (a) Mapa populacional de Hamilton, Ontario

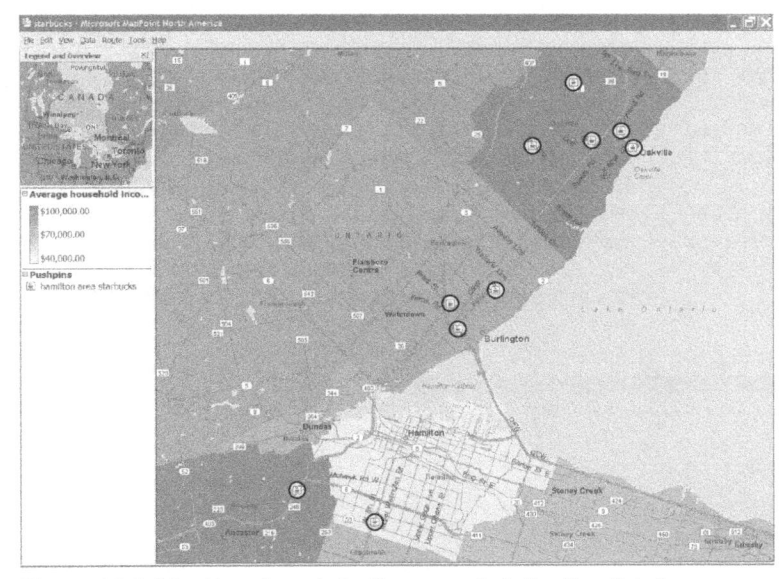

Figura 11.1 (b) Mapa de renda familiar *per capita* de Hamilton, Ontario

complexidade do controle de produção e a simples falta de espaço são razões para se construir uma nova planta ou transferir a planta existente.

As vantagens de construir uma nova planta ou de mudar para um novo espaço de varejo ou escritório são que a empresa não tem de contar com a produção de uma única planta. Uma nova planta permite que ela contrate mais funcionários, instale maquinário mais novo, mais produtivo e de melhor tecnologia, além de reduzir custos de transporte. A maioria das empresas que escolhe mudar-se é pequena (que apresentam menos de dez funcionários). Elas tendem a ser empresas de localização única com espaço restrito e que precisam reprojetar seus processos de produção e layout. Mais de 80 por cento de todas as mudanças são feitas dentro do limite de 20 milhas de distância da localização original da empresa, o que possibilita que elas retenham seus funcionários.

É menos dispendioso transferir uma empresa orientada para serviços do que uma empresa manufatureira. Uma vez que a proximidade dos clientes é importante, a localização das instalações de serviço deve ser constantemente reavaliada no contexto de populações móveis e de suas necessidades variáveis. Por vezes, uma combinação de todas as três opções — permanecer na mesma localização, mudar para outro local e abrir uma nova instalação — pode ser considerada simultaneamente, como ilustrado no Exemplo 11.1 para localizar EMS (*Emergency Medical Services* — serviços de emergência médica) em Tyler, Texas.

EXEMPLO 11.1 — Localização de serviços de emergência médica em Tyler

Tyler, Texas, tem duas instalações de serviços de emergência médica para atender às necessidades de sua população. As localizações das duas instalações existentes em Tyler são mostradas no mapa da Figura 11.2. Cada uma é indicada por uma cruz circulada. A densidade populacional para cada uma das áreas da cidade também é mostrada. As áreas mais escuras têm até cinco mil pessoas por milha quadrada. A parte sudeste de Tyler, área de censo 18,03, experimentou crescimento rápido, com sua população quase dobrando nos últimos 12 anos. Os habitantes dessa área reclamaram que leva muito tempo para que os veículos do serviço de emergência médica cheguem até eles.

Uma diretriz geral para localizar instalações de serviços de emergência médica em áreas urbanas é que um veículo de emergência deve ser capaz de responder a 95 por cento dos chamados dentro de dez minutos. Essa diretriz foi adotada pelo conselho da cidade de Tyler após avaliar essas reclamações. O conselho se encarregou de um estudo para investigar se essa meta estava sendo cumprida em áreas que têm uma densidade populacional de mil pessoas por milha quadrada. O conselho também decidiu que a área 7 do censo, na região oeste da cidade, com uma densidade populacional de 967 pessoas por milha quadrada, também deve ser incluída no estudo. Desse modo, as áreas do censo que são tão escuras quanto a área 7 do censo ou mais escuras que ela devem estar dentro de uma zona de tempo de percurso de dez minutos de uma instalação do serviço de emergência médica. O conselho está disposto a transferir as instalações existentes em Tyler, assim como a fundar uma nova localização, dando à cidade um total de três instalações.

Onde o serviço de emergência médica deve localizar as três instalações para cumprir suas metas de cobertura para Tyler? Suponha que cada instalação terá capacidade suficiente para atender às necessidades dos habitantes designados para sua área de cobertura.

SOLUÇÃO

Com o MapPoint, é fácil calcular uma zona de tempo de percurso apenas selecionando o ícone e clicando em "Ferramentas" na barra de menu, para selecionar a zona de tempo de percurso em termos do número de minutos do tempo de percurso. Os resultados são mostrados na Figura 11.3. A linha pontilhada mostra a zona de tempo de percurso para a instalação 1 e a linha preenchida mostra a zona de tempo de distância de percurso para a instalação 2. Esse mapeamento simples confirma as reclamações dos habitantes da área de censo 18,03, a maior parte dos quais não pode ser alcançada em dez minutos a partir do serviço de emergência médica 2. De fato, ao executar a função de tempo de percurso novamente, determina-se que são necessários 16 minutos para cobrir toda a área 18,03, o que claramente não é aceitável. Além disso, uma porção pequena das áreas de censo 1 e 20,06 também está dentro de uma zona de tempo de percurso de dez minutos do serviço de emergência médica 2. Em contraste, o serviço de emergência médica 1 está localizado bem centralmente e é quase capaz de cobrir a maior parte das áreas de censo do norte da cidade. Assim, o serviço de emergência médica 1 pode ser deixado onde está, mas a transferência do serviço de emergência médica 2 e a localização do novo serviço de emergência médica 3 ainda devem ser examinadas.

Vários conjuntos de localizações do serviço de emergência médica foram escolhidos por meio de uma abordagem de tentativa e erro e avaliados usando o MapPoint. As soluções de teste foram avaliadas na área que ficou descoberta pela zona de tempo de percurso e pela densidade populacional da área descoberta, o que é avaliado examinando-se o mapa das ruas. O vídeo disponível no site de apoio do livro explora melhor essas alternativas. Quanto maior o grau de cobertura alcançado, melhor é a solução. A melhor solução que pôde ser encontrada para as três instalações do serviço de emergência médica é ilustrada

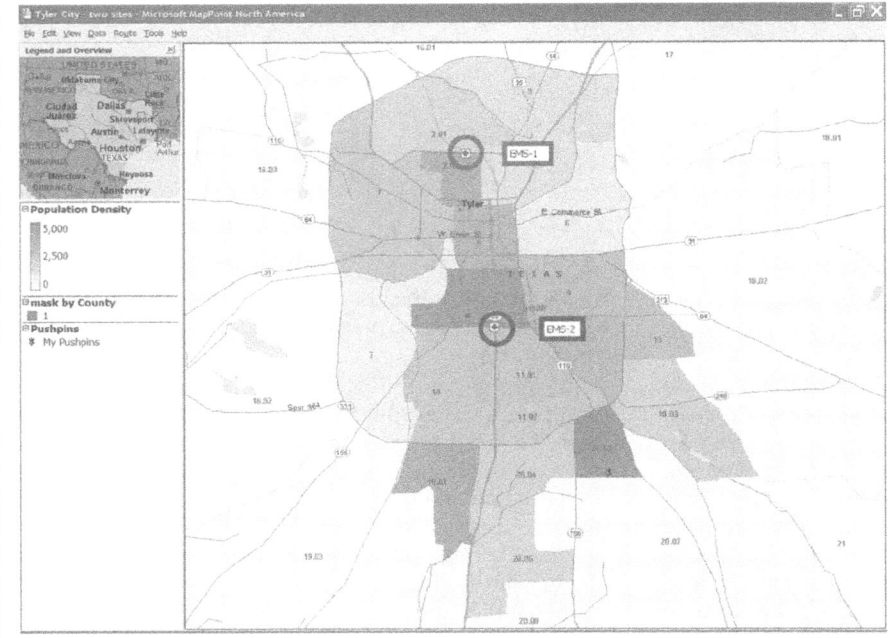

O vídeo sobre o serviço de emergência médica de Tyler, disponível no site de apoio do livro, mostra como fazer essa análise de mudança para outro local usando o MapPoint 2004.

Figura 11.2 Densidade populacional de Tyler, Texas

com o mapa na Figura 11.4, que mostra zonas de tempo de percurso em escalas de cinza diferentes para cada uma das três instalações. Infelizmente, uma pequena região da área de censo 20,06 (na parte inferior do mapa) ainda não está dentro de uma zona de tempo de percurso de dez minutos.

Entretanto, a área de censo inteira pode ser coberta em uma zona de tempo de percurso de 12 minutos. A população dessa área de censo é menos de cinco por cento da área sob investigação e a porção não coberta é um percentual pequeno da área de censo. Assim, pode-se observar claramente que mais de 95 por cento da população da área da cidade estará a dez minutos de uma instalação do serviço de emergência médica com a configuração recomendada.

Ponto de decisão   Manter o serviço de emergência médica 1 em sua localização atual e localizar o 2 na extremidade da área de censo 18,03, na região sudeste de Tyler. Criar uma terceira instalação próxima à interseção das áreas de censo 7, 10 e 19,01.

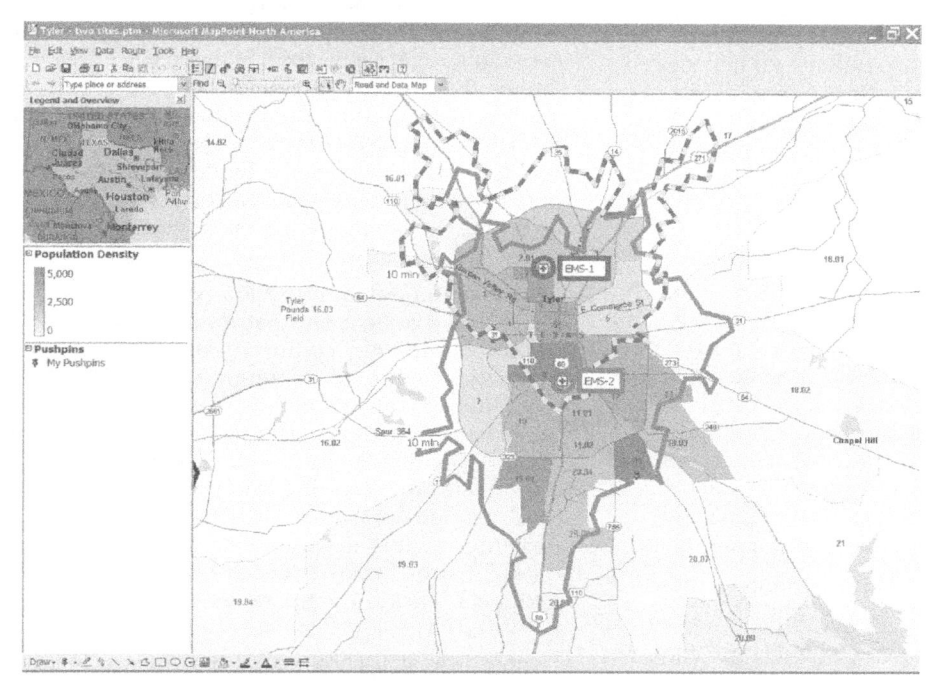

Figura 11.3   Tempos responsivos de percurso para o serviço de emergência médica para Tyler, Texas

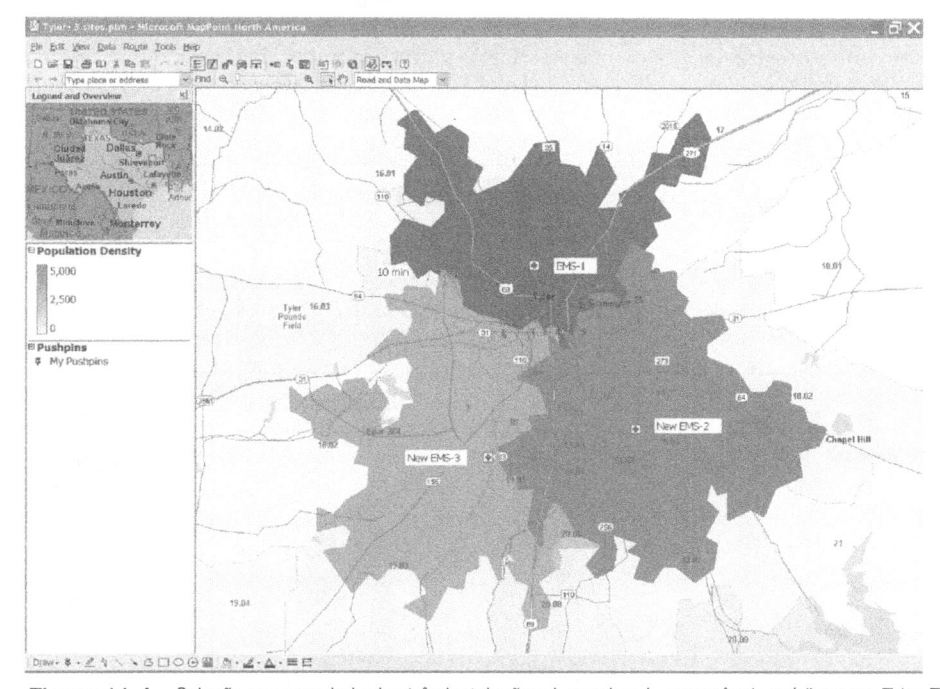

Figura 11.4   Solução recomendada das três instalações do serviço de emergência médica para Tyler, Texas

LOCALIZANDO UMA INSTALAÇÃO ÚNICA

Após examinar tendências e fatores importantes da localização, agora consideramos mais especificamente como uma empresa pode tomar decisões de localização. Nesta seção, consideramos o caso de localizar apenas uma nova instalação. Quando a instalação é parte de uma rede de instalações maior da empresa, supomos que não é interdependente; isto é, uma decisão de abrir um restaurante em Tampa, Flórida, é independente do fato de a cadeia ter um restaurante em Austin, Texas. Vamos começar considerando como decidir se uma nova localização é necessária e, em seguida, examinaremos um processo sistemático de seleção auxiliado pelo método conhecido como *método carga–distância* (*load–distance*) para lidar com a proximidade.

COMPARANDO VÁRIOS LOCAIS

Um processo sistemático de seleção começa depois que uma percepção ou evidência indica que a abertura de um estabelecimento de varejo, armazém, escritório ou planta em um novo local melhorará o desempenho. Uma equipe pode ser responsável pela decisão de seleção em uma grande corporação ou um indivíduo pode tomar a decisão em uma empresa pequena. O processo de selecionar uma nova localização de instalação envolve uma série de passos.

1. Identificar os fatores de localização importantes e categorizá-los como dominantes ou secundários.
2. Considerar regiões alternativas; em seguida, restringir as escolhas para comunidades alternativas e, por fim, para locais específicos.
3. Coletar dados sobre alternativas de consultores de localização, agências de desenvolvimento estatais, departamentos de planejamento municipais, câmaras de comércio, construtoras, empresas de energia elétrica, bancos e visitas *in loco*. Alguns desses dados e informações também podem estar contidos no GIS.
4. Analisar os dados coletados, começando com os fatores *quantitativos* — aqueles que podem ser medidos em dólares, como custos de transporte ou impostos anuais. Eles também podem ser medidos em termos de tempo de direção e quilômetros. Esses valores em dólares podem ser divididos em diferentes categorias de custo (por exemplo, transporte, mão-de-obra, construção e serviços de utilidade pública) e fontes de renda separadas (por exemplo, vendas, emissão de ações e títulos e ingressos de juros). Esses fatores financeiros podem ser convertidos em uma medida única de valor financeiro como custos totais, ROI (*Return on Investiment* — retorno sobre investimentos), ou valor presente líquido — VPL, e usados para comparar dois ou mais locais, especialmente se os custos de capital para a nova instalação também forem considerados.
5. Avaliar os fatores *qualitativos* pertencentes a cada local, que é aquele que não pode ser avaliado em termos de dólares, como atitudes da comunidade ou qualidade de vida. Para unir fatores quantitativos e qualitativos, alguns gerentes examinam o desempenho esperado de cada fator, enquanto outros atribuem a cada fator um peso de importância relativa e calculam uma classificação ponderada para cada local, usando uma matriz de preferência. O que é importante em uma situação pode não ter importância ou ser menos importante em outra. O local com a maior classificação ponderada é melhor.

Depois de avaliar completamente todos os locais potenciais, as pessoas responsáveis pela pesquisa preparam um relatório final contendo recomendações de local, junto com um resumo dos dados e das análises que servem de referência para as recomendações. Uma apresentação audiovisual das principais descobertas normalmente é entregue à alta gerência em grandes empresas.

EXEMPLO 11.2 — Calculando classificações ponderadas em uma matriz de preferência

Uma nova instalação médica, Observatório da Saúde, deve ser localizada em Erie, Pensilvânia. A tabela a seguir mostra os fatores de localização, valores e classificações (1 = insatisfatório, 5 = excelente) para um local potencial. Os pesos, nesse caso, somam até cem por cento. Uma classificação ponderada (*CP*) será calculada para cada local. Qual é a *CP* para esse local?

Fator de localização	Peso	Classificação
Milhas totais por paciente por mês	25	4
Utilização da instalação	20	3
Tempo médio por viagem de emergência	20	3
Acessibilidade pela via expressa	15	4
Custos de terreno e construção	10	1
Preferências dos funcionários	10	5

O Tutor 11.1, disponível no site de apoio do livro, fornece outro exemplo para o exercício de elaboração de uma matriz de preferência para decisões de localização.

> **SOLUÇÃO**
>
> A *CP* para esse local específico é calculada multiplicando cada valor do fator por sua classificação e adicionando os resultados:
>
> CP = (25 x 4) + (20 x 3) + (20 x 3) + (15 x 4) + (10 x 1) + (10 x 5)
> = 100 + 60 + 60 + 60 + 10 + 50
> = 340
>
> A *CP* total de 340 pode ser comparada com as classificações ponderadas totais de outros locais que estejam sendo avaliados.

APLICANDO O MÉTODO CARGA–DISTÂNCIA (*LOAD–DISTANCE*)

No processo sistemático de seleção, o analista deve identificar localizações candidatas atrativas e compará-las com base em fatores quantitativos. O método carga–distância é uma maneira de facilitar esse passo. Ele funciona de maneira muito semelhante ao modo como o método de distância ponderada projeta layouts de fluxo flexível. Vários fatores de localização relacionam-se diretamente à distância: proximidade dos mercados, distância média dos clientes definidos alvo, proximidade de fornecedores e recursos e proximidade de outras instalações da empresa. O **método carga–distância** (*load–distance*) é um modelo matemático usado para avaliar localizações tendo por referência fatores de proximidade. O objetivo é selecionar uma localização que minimize a soma das cargas vezes a distância percorrida pela carga. Tempo pode ser usado em vez de distância, caso desejado.

Calculando uma classificação de carga–distância
Suponha que uma empresa que esteja planejando uma nova localização queira selecionar um local que minimize as distâncias que as cargas, particularmente as maiores, devem percorrer desde um local até outro. Dependendo da indústria, uma *carga* pode ser remessas de fornecedores, remessas entre plantas ou para os clientes ou pode ser clientes ou funcionários movendo-se para a instalação ou dela. A empresa busca minimizar sua classificação de carga–distância (*cd*) geralmente escolhendo uma localização de modo que as cargas percorram distâncias curtas.

Para calcular a classificação *cd* para qualquer localização potencial, usamos a distância real entre dois pontos quaisquer usando um sistema de GIS e multiplicamos as cargas circulando pela instalação pelas distâncias percorridas. Alternadamente, distâncias retilínea ou euclidiana, como calculadas no Capítulo 8 "Layout do processo", também podem ser usadas como uma aproximação para distância usando a coordenada *x* e a coordenada *y*. Tempo de viagem, milhas reais ou distâncias retilíneas, quando se usa uma abordagem reticular, são todas medidas apropriadas para distância. A fórmula para a classificação de *cd* é

$$cd = \sum_i c_i d_i$$

Essas cargas podem ser expressas como o número de clientes potenciais que necessitam de presença física para uma instalação de serviço; as cargas podem ser toneladas ou número de viagens por semana para uma instalação industrial. A classificação é a soma desses produtos de carga–distância. Ao selecionar uma nova localização baseada nas classificações de *cd*, o atendimento ao cliente é melhorado ou os custos de transporte, reduzidos.

A meta é encontrar uma localização de instalação aceitável que minimize a classificação, em que a localização seja definida por suas coordenadas *x* e *y* ou pela longitude e pela latitude. Considerações práticas raramente permitem que os gerentes selecionem a localização exata com a menor classificação possível. Por exemplo, o terreno pode não estar disponível ali a um preço razoável ou outros fatores de localização podem tornar o local indesejável.

Centro de gravidade Analisar localizações diferentes com o modelo carga–distância é relativamente simples se algum processo sistemático de busca for seguido. O **centro de gravidade** é um bom ponto de partida para avaliar localizações na área definida como meta usando o método carga–distância. O primeiro passo é determinar as coordenadas *x* e *y* de localizações diferentes, seja na forma de longitude e latitude das localizações ou criando uma matriz (*x, y*) como foi feito na construção de layouts de fluxo flexível no Capítulo 8 "Layout do processo". O centro de gravidade da coordenada *x*, indicado por *x**, é encontrado multiplicando-se cada ponto de coordenada *x* (seja a longitude da localização, seja a coordenada *x* em uma matriz) por sua carga (c_i), somando esses produtos ($\Sigma c_i x_i$) e, em seguida, dividindo-se pela soma das cargas (Σc_i). O centro de gravidade da coordenada *y* (seja a latitude, seja a coordenada *y* em uma matriz), indicado por *y**, é encontrado do mesmo modo. As fórmulas são as seguintes:

$$x^* = \frac{\sum_i c_i x_i}{\sum_i c_i} \quad e \quad y^* = \frac{\sum_i c_i y_i}{\sum_i c_i}$$

Essa localização geralmente não é a ótima para as medidas de distância, mas ainda é um ponto de partida excelente. As classificações de carga–distância para localizações nas adjacências podem ser calculadas até que a solução esteja próxima da ótima.

EXEMPLO 11.3 — Encontrando o centro de gravidade para o Observatório da Saúde

A nova instalação do Observatório da Saúde tem como meta atender a sete áreas do censo em Erie, Pensilvânia. Os clientes partirão dos sete centros até a nova instalação quando precisarem de tratamentos de saúde. Qual é o centro de gravidade da área definida como meta para a instalação médica do Observatório da Saúde?

SOLUÇÃO

Usamos o MapPoint nessa solução, com as coordenadas representadas na forma de latitude e longitude em vez de uma matriz (x, y) para calcular o centro de gravidade. Primeiro, a área definida como alvo é exibida no mapa de Erie, Pensilvânia, usando o MapPoint. Na Figura 11.5, uma tachinha é colocada no centro geográfico aproximado das áreas do censo. O sensor de localização é, em seguida, ativado. Movendo o cursor sobre a tachinha, o sensor de localização registrará a longitude e a latitude para ela. A população de cada área do censo é adicionada ao mapa usando dados demográficos incorporados no MapPoint. Desse modo, obtemos a tabela a seguir, na qual latitudes e longitudes para cada uma das sete áreas do censo são representadas, junto com suas populações reais, em milhares.

Área do censo	População	Latitude	Longitude	População × Latitude	População × Longitude
15	2.711	42,134	− 80,041	114.225,27	− 216.991,15
16	4.161	42,129	− 80,023	175.298,77	− 332.975,70
17	2.988	42,122	− 80,055	125.860,54	− 239.204,34
25	2.512	42,112	− 80,066	105.785,34	− 201.125,79
26	4.342	42,117	− 80,052	182.872,01	− 347.585,78
27	6.687	42,116	− 80,023	281.629,69	− 535.113,80
28	6.789	42,107	− 80,051	285.864,42	− 543.466,24
Total	30.190			1.271.536,04	− 2.416.462,80

Em seguida, encontramos os valores do centro de gravidade x^* e y^*. Uma vez que as coordenadas são dadas como longitude e latitude, x^* é a longitude e y^* é a latitude para o centro de gravidade.

$$x^* = \frac{1.271.536,05}{30.190} = 42,1178$$

$$y^* = \frac{-2.416.462,81}{30.190} = -80,0418$$

O Active Model 11.1, disponível no site de apoio do livro, confirma esses cálculos para o centro de gravidade e também pode ajudá-lo a encontrar outras localizações alternativas.

Ponto de decisão O centro de gravidade é (42,12 Norte, 80,04 Oeste), e é mostrado no mapa como bastante central para a área definida como meta. O Problema Resolvido 3, no fim deste capítulo, ilustra um exemplo de utilização de matriz de coordenadas em vez de latitude e longitude para os problemas de centro de gravidade e de carga–distância.

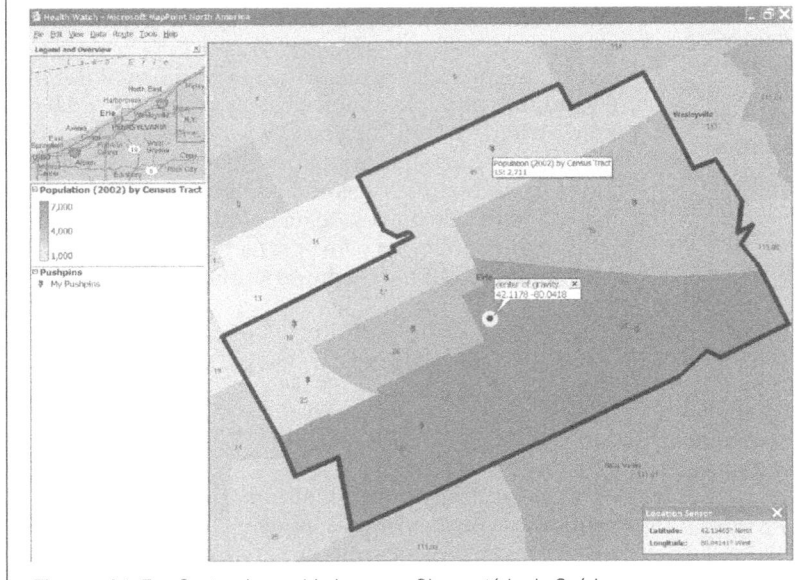

O Active Model 11.1, disponível no site de apoio do livro, explora as classificações de CD das localizações nas adjacências do centro de gravidade.

No site há também o Tutor 11.2, que fornece outro exemplo de como calcular o centro de gravidade.

Figura 11.5 Centro de gravidade para o Observatório da Saúde

USANDO A ANÁLISE DO PONTO DE EQUILÍBRIO

A análise do ponto de equilíbrio pode ajudar um gerente a comparar alternativas de localização tendo por referência fatores quantitativos que podem ser expressos em termos de custo total. Isso é particularmente útil quando o gerente quiser definir as faixas nas quais cada alternativa é melhor. Os passos básicos para soluções gráficas e algébricas são os seguintes.

1. Determinar os custos variáveis e os custos fixos para cada local. Lembre-se de que os *custos variáveis* são a porção do custo total que varia diretamente com o volume de produto. Lembre-se de que *custos fixos* são a porção do custo total que permanece constante independentemente dos níveis de produto.

2. Traçar as linhas de custo total — a soma de custos variáveis e fixos — para todos os locais em um único gráfico (para ajuda, veja o Tutor A.1 e o Tutor A.2 no OM Explorer).

3. Identificar as faixas aproximadas para as quais cada localização tem o custo mais baixo.

4. Resolver algebricamente os pontos de equilíbrio para as faixas relevantes.

EXEMPLO 11.4 — Análise do ponto de equilíbrio para localização

Um gerente de operações restringiu a busca por uma nova localização de instalação a quatro comunidades. Os custos fixos anuais (terreno, impostos sobre bens, seguro, equipamento e edifícios) e os custos variáveis (mão-de-obra, materiais, transporte e despesas gerais variáveis) são os seguintes:

Comunidade	Custos fixos por ano (em dólares)	Custos variáveis por unidade (em dólares)
A	150.000	62
B	300.000	38
C	500.000	24
D	600.000	30

Passo 1: Trace as curvas de custo total para todas as comunidades em um único gráfico. Identifique no gráfico a faixa aproximada na qual cada comunidade fornece o custo mais baixo.

Passo 2: Usando a análise do ponto de equilíbrio, calcule as quantidades de equilíbrio nas faixas relevantes. Se a demanda esperada é de 15 mil unidades por ano, qual é a melhor localização?

SOLUÇÃO

Passo 1: Para traçar uma linha de custo total de uma comunidade, primeiro vamos calcular o custo total para dois níveis de produção: $Q = 0$ e $Q = 20.000$ unidades por ano. Para o nível $Q = 0$, o custo total é simplesmente o custo fixo. Para o nível $Q = 20.000$, o custo total (custos fixos mais variáveis) são os mostrados na tabela a seguir:

A Figura 11.6 mostra o gráfico das linhas de custo total. A linha para a comunidade A vai de (0, 150) a (20, 1.390). O gráfico indica que a comunidade A é melhor para volumes baixos; a B, para volumes intermediários e a C, para volumes altos. Não devemos mais considerar a comunidade D, porque *tanto* seus custos fixos *como* variáveis são mais altos que os da comunidade C.

No site de apoio do livro você encontrará o Active Model 11.2, que fornece critérios para a definição das três faixas relevantes para este exemplo, e o Tutor 11.3, que fornece outro exemplo de prática da análise do ponto de equilíbrio para decisões de localização.

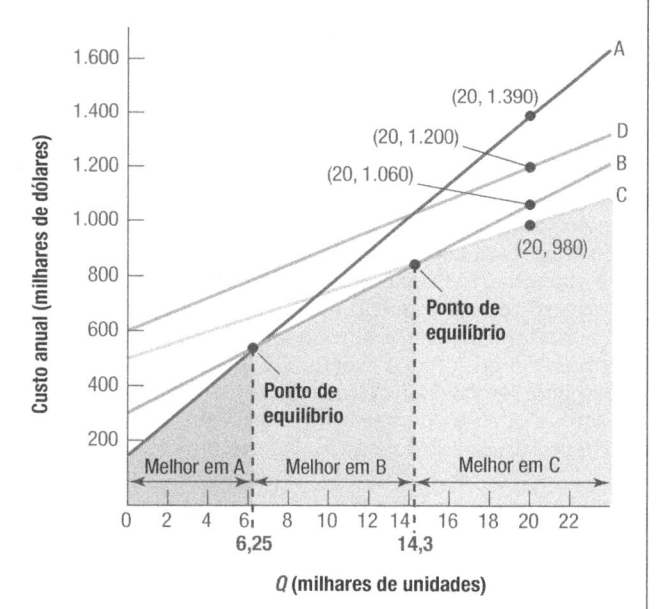

Figura 11.6 Análise do ponto de equilíbrio de quatro localizações possíveis

Comunidade	Custos fixos (em dólares)	Custos variáveis (em dólares) (Custo por unidade)(Nº de unidades)	Custo total (em dólares) (fixo + variável)
A	150.000	62(20.000) = 1.240.000	1.390.000
B	300.000	38(20.000) = 760.000	1.060.000
C	500.000	24(20.000) = 480.000	980.000
D	600.000	30(20.000) = 600.000	1.200.000

Passo 2: A quantidade do ponto de equilíbrio entre A e B se encontra na extremidade da primeira faixa, onde A é melhor, e no início da segunda faixa, onde B é melhor. Chegamos a esse resultado igualando as equações de custo total e resolvendo:

$$\text{(A)} \qquad \text{(B)}$$
$$\$\,150.000 + \$\,62Q = \$\,300.000 + \$\,38Q$$
$$Q = 6.250 \text{ unidades}$$

A quantidade de equilíbrio entre B e C se encontra na extremidade da faixa na qual B é melhor e no início da faixa final, onde C é melhor. Ela é:

$$\text{(B)} \qquad \text{(C)}$$
$$\$\,300.000 + \$\,38Q = \$\,500.000 + \$\,24Q$$
$$Q = 14.286 \text{ unidades}$$

Não são necessárias outras quantidades de equilíbrio. O ponto de equilíbrio entre A e C se encontra sobre a área sombreada, o que não representa o começo ou o fim de uma das três faixas relevantes.

Ponto de decisão A gerência localizou a nova instalação na Comunidade C, porque a previsão de demanda de 15 mil unidades por ano está na faixa de grande volume.

LOCALIZANDO UMA INSTALAÇÃO DENTRO DE UMA REDE DE INSTALAÇÕES

Quando uma empresa com uma rede de instalações existentes planeja uma nova instalação, existe uma das seguintes condições: as instalações operam independentemente (exemplos incluem uma cadeia de restaurantes, clínicas de saúde, bancos ou estabelecimentos de varejo) ou as instalações interagem (exemplos incluem plantas de fabricação de componentes, plantas de montagem e armazéns). Unidades operando independentemente podem ser localizadas tratando cada uma como uma única instalação separada, como descrito na seção anterior. Localizar instalações que se interagem introduz novos problemas, como o modo de distribuir o trabalho entre as instalações e o modo de determinar a melhor capacidade para cada uma. Alterar as distribuições de trabalho, por sua vez, afeta o tamanho (ou utilização de capacidade) das várias instalações. Assim, o problema da localização de instalações múltiplas tem três dimensões — localização, distribuição e capacidade — que devem ser resolvidas simultaneamente. Em muitos casos, o analista pode identificar uma solução executável simplesmente procurando padrões no custo, demanda e dados de capacidade e usando cálculos de tentativa e erro. Em outros casos, são necessárias abordagens mais formais.

O MÉTODO GIS PARA LOCALIZAR VÁRIAS INSTALAÇÕES

O uso de ferramentas GIS, muitas vezes, simplifica a busca por solução. Visualizar localizações e dados do cliente, assim como a estrutura de transporte de estradas e rodovias interestaduais, permite ao analista chegar rapidamente a uma solução razoável para os problemas de localização de várias instalações. Os métodos carga–distância e de centro de gravidade podem ser combinados com uso de bancos de dados de clientes no Excel a fim de chegar a localizações de teste para instalações, que podem, então, ser avaliadas em função do tempo ou distância anual a ser percorrida usando um GIS como o MapPoint e uma macro do Visual Basic no Excel. Uma estrutura de cinco passos que inclui o uso do GIS para localizar várias instalações múltiplas é resumida a seguir:

1. Mapear os dados para os clientes e instalações existentes no GIS.
2. Dividir visualmente a área operacional total no número de partes ou sub-regiões que igualam o número de instalações a serem localizadas.
3. Atribuir uma localização de instalação para cada região tendo por referência a densidade visual de concentração dos clientes ou outros fatores. Alternadamente, determinar o centro de gravidade para cada parte ou sub-região identificada no passo 2 como o ponto de localização inicial para a instalação nessa sub-região.
4. Procurar locais alternados em torno do centro de gravidade para escolher uma localização provável que satisfaça os critérios administrativos da empresa, como proximidade a áreas metropolitanas ou rodovias importantes.
5. Calcular classificações de carga–distância total e executar verificações de capacidade antes de finalizar as localizações para cada região.

Essa abordagem pode ter muitas aplicações, inclusive o projeto de redes de distribuição de cadeia de suprimentos, como ilustrado no Exemplo 11.5 e no vídeo disponível no site de apoio.

O MÉTODO DO TRANSPORTE

O **método do transporte** é uma abordagem quantitativa que pode ajudar a resolver problemas de localização de várias instalações. Ele é utilizado para determinar o padrão de distribuição que minimiza o custo de remessa de produtos de duas ou mais plantas, ou *fontes de suprimentos*, para dois ou mais armazéns, ou destinos.[1] Focalizamos a organização e a interpretação do problema, deixando o resto do processo de solução para um pacote de software de computador. O método do transporte é baseado em programação linear. Algoritmos mais eficientes para resolver esse problema podem ser encontrados em livros de texto que incluem métodos quantitativos e pesquisa operacional.

---

[1] Ele também pode ser utilizado para determinar um plano de vendas e operações ótimo (veja o Capítulo 14 "Planejamento de vendas e operações") ou uma distribuição ótima de contas de serviço para centros de atendimento.

Localizando várias instalações para a Witherspoon Automotiva

EXEMPLO 11.5

A Witherspoon Automotiva, uma empresa de reprocessamento de componentes automotivos e submontagem, entrega cargas completas de peças a seus clientes e retorna com uma remessa de peças automotivas usadas para desmonte e reprocessamento. Atualmente, a empresa opera em duas localizações no sudeste: Spartanburg, Carolina do Sul, e Orlando, Flórida. Cada uma dessas localizações tem uma instalação de reprocessamento, junto com um armazém anexo que serve como um centro de distribuição (CD). A instalação de Spartanburg cobre um total de 362 clientes em Geórgia, Carolina do Norte, Carolina do Sul e partes de Alabama, Tennessee e Virgínia. A instalação de Orlando cobre um total de 66 clientes principalmente na Flórida e uma parte pequena de Alabama e Geórgia. O CD de Spartanburg e o de Orlando enviaram 17.219 e 4.629 carregamentos completos, respectivamente, para seus clientes no último ano. As regiões operacionais e as localizações específicas dos clientes (na forma de tachinhas) cobertas por ambas as instalações são mostradas na Figura 11.7.

A gerência sênior na Witherspoon Automotiva decidiu fechar a instalação de Spartanburg por causa de sua idade e obsolescência, e dividiu a região de Spartanburg em duas novas regiões, cada uma com seu próprio centro de distribuição e fabricação. Além disso, os cinco importantes fatores de localização seguintes afetam sua decisão final:

1. A fim de promover uma qualidade de vida melhor para seus trabalhadores, as novas instalações devem ser localizadas em uma grande área metropolitana.
2. Os custos de distribuição são um determinante de lucros importante e, portanto, a classificação de carga–distância total deve ser minimizada a fim de diminuir os custos de distribuição.
3. Em virtude das deseconomias de escala experimentadas anteriormente com a planta de Spartanburg, o tamanho das duas novas instalações não deve exceder um máximo de 9.500 carregamentos de produto por ano.
4. Os carregamentos dos clientes distribuídos entre as duas instalações devem ser razoavelmente equilibrados, tendo por referência os dados de demanda do ano anterior.
5. O departamento de marketing indicou que vai desenvolver o mercado do norte do Alabama. Por conseguinte, a nova rede de distribuição deve ser capaz de acomodar até mil carregamentos completos adicionais por ano do mercado de Alabama.

Onde as duas novas instalações devem ser abertas, supondo que o CD de Orlando ficará onde está e que as diferenças de custo fixo ao abrir uma nova instalação são comparáveis entre a maioria dos locais em potencial na região?

SOLUÇÃO

Usando os dados em seu sistema e o MapPoint, os gerentes da Witherspoon Automotiva cobriram as localizações e o número de carregamentos completos entregues no ano passado para cada cliente na região de Spartanburg em um mapa. Um vídeo no site de apoio mostra como fazer essa análise usando o MapPoint. O mapa foi codificado arbitrariamente de modo que os clientes que receberam de 52 a 80 remessas no ano passado foram identificados de maneira diferente dos clientes com 10 a 37 remessas. Para alcançar um grau maior de agregação na base do cliente e também para dar a devida consideração ao fator de localização e qualidade de vida, o mapa

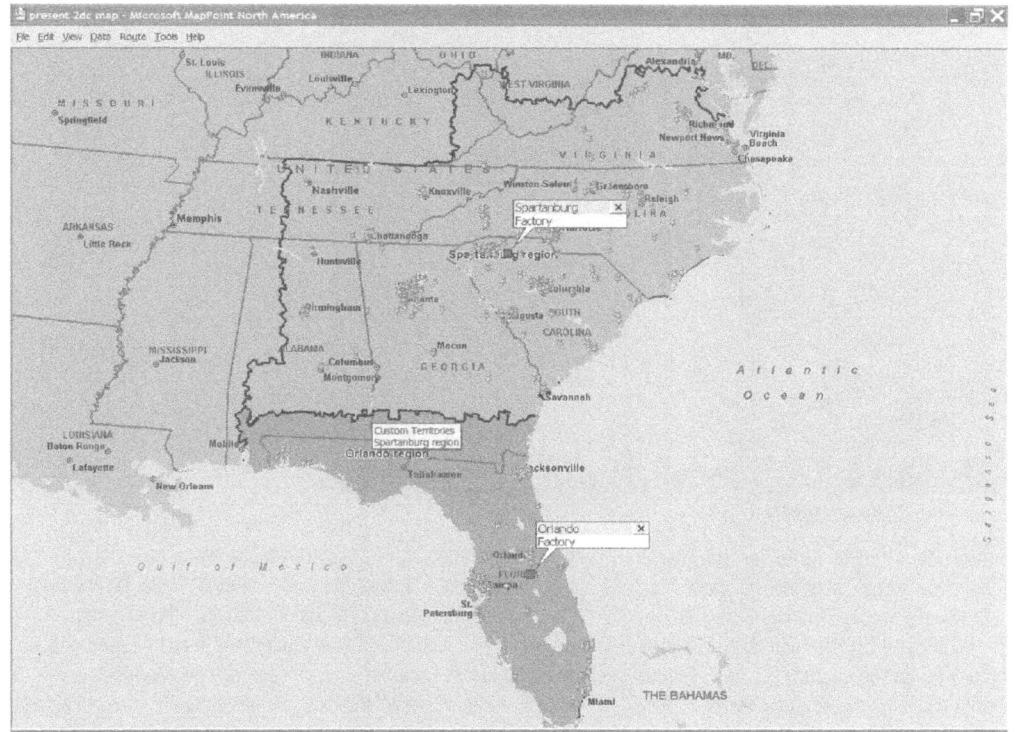

O vídeo sobre a Witherspoon Automotiva, disponível no site de apoio do livro, mostra como localizar várias instalações usando o MapPoint 2004.

Figura 11.7 Regiões operacionais e localização de clientes para a Witherspoon Automotiva

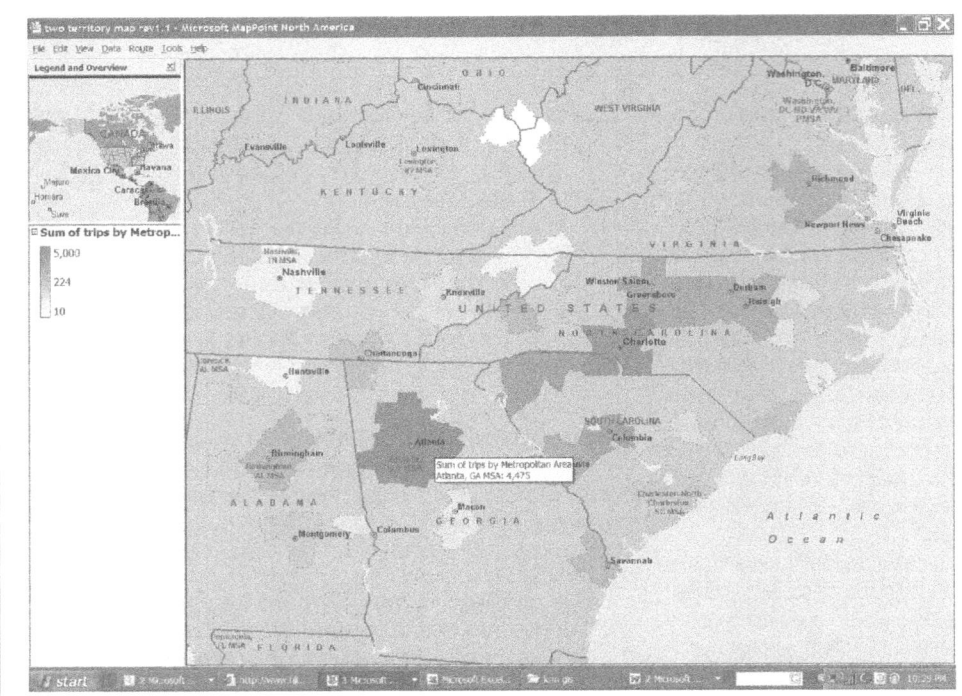

Figura 11.8 Concentração de carregamento para a Witherspoon

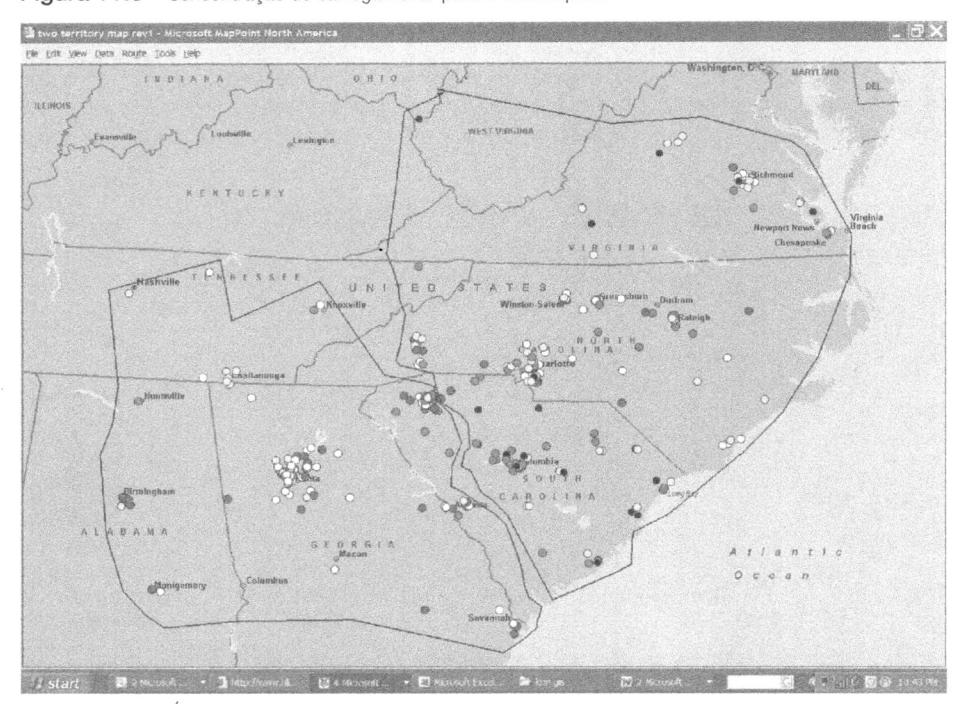

Figura 11.9 Áreas das Instalações da Whiterspoon

foi alterado para exibir dados para cada endereço de rua (cliente) para uma visão agregada que exibe os dados de cada Área Metropolitana Estatística (AME). (É simples mudar a representação dos dados no mapa do MapPoint.) Quanto mais escura a área sombreada, maior é o número de carregamentos na AME. Estava claro, visualmente, que Atlanta e Charlotte eram os principais mercados, com Colúmbia, na Carolina do Sul; Greenville, na Carolina do Sul; e Richmond, na Virgínia, também apresentando uma grande concentração de clientes. A partir desse mapa na Figura 11.8, foi fácil perceber que a área mais escura em Atlanta apresenta uma grande concentração de clientes em trânsito. Ela representa 4.475 carregamentos completos, que sustentariam facilmente metade de uma instalação. Uma vez que um dos objetivos principais era minimizar a classificação total de carga–distância, parece razoável que a gerência localize uma das duas novas instalações próximas a Atlanta. Essa decisão também alcançará dois outros objetivos da

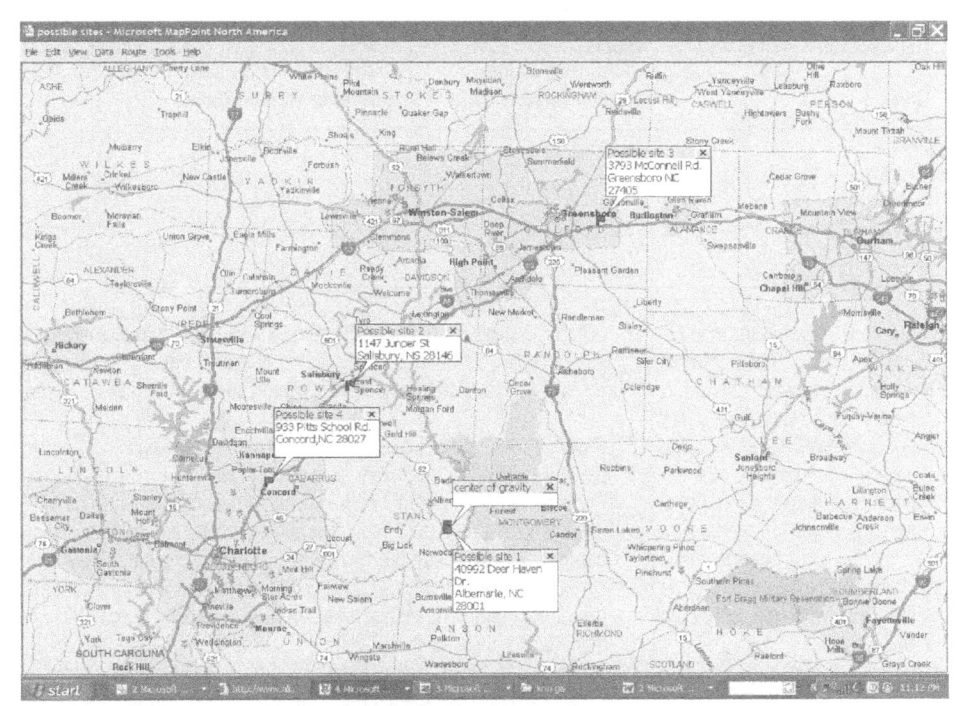

Figura 11.10 Locais potenciais para a segunda instalação da Whiterspoon

gerência, os de que a instalação esteja próxima a uma grande área metropolitana e de que também esteja bem localizada para servir à expansão proposta do mercado do norte do Alabama. A gerência declarou que, se decidisse localizar uma instalação próxima à área de Atlanta, seria em Buford, Geórgia.

O próximo passo foi dividir os clientes em duas regiões, cada uma com uma demanda total de menos de 9.500 carregamentos. Uma vez que pareceu claro que a área de Atlanta teria uma instalação, uma região foi circulada ao redor de Atlanta, como mostrado na Figura 11.9. Além disso, se o mercado do norte do Alabama se desenvolvesse como esperado, lidaria com mil carregamentos adicionais. Por causa desse potencial, a região de Atlanta pode lidar com apenas 8.500 cargas para os clientes atuais. Após um exame cuidadoso dos dados do mapa, foi decidido que Geórgia, Tennessee, Alabama e as partes de Carolina do Sul que estivessem dentro dos limites de 2,5 horas da instalação de Atlanta seriam atribuídos à região de Atlanta. A AME Augusta/Aiken, que se estende pela fronteira entre Geórgia e Carolina do Sul, também foi acrescentada a essa região para equilibrar as duas regiões. Essa perspectiva tem como resultado a atribuição de 8.397 carregamentos à região de Atlanta e de 8.822 viagens à segunda região e alcança uma divisão de 48,8 por cento a 51,2 por cento enquanto ainda concede capacidade à região de Atlanta para a expansão proposta do mercado do norte do Alabama.

A fim de identificar uma boa localização para a segunda instalação, o centro de gravidade para a segunda região foi determinado para encontrar um bom ponto de partida. Esse cálculo foi feito por gerentes da Witherspoon Automotiva por meio da seleção dos limites propostos para a segunda região e da importação de dados do cliente para o Excel. Em seguida, a gerência usou uma macro do Visual Basic for Applications (VBA), que acessou os dados no MapPoint para determinar o centro de gravidade. Um arquivo solucionador do OM Explorer chamado "Centro de Gravidade usando MS MapPoint 2004-Exemplo 11.5" está disponível no site de apoio do livro para executar essa função.

Uma análise do mapa na Figura 11.9 mostra que o centro da segunda região está ao redor de Durham, Carolina do Norte. O centro de gravidade, entretanto, está consideravelmente ao sul e ao oeste de Durham. O centro de gravidade da segunda região está perto de uma Reserva Florestal Nacional no município de Randolph, Carolina do Norte — não muito longe de Charlotte (veja a Figura 11.10). É de se esperar um resultado como esse porque os mercados de Charlotte e, em menor proporção, de Colúmbia, Carolina do Sul, têm uma porcentagem muito grande do volume de carregamento para essa região. Contudo, o centro de gravidade não parece ser um local promissor porque está próximo de apenas um cliente (veja a localização do centro de gravidade no mapa na Figura 11.10).

Dado esse dilema, a gerência da Witherspoon Automotiva decidiu escolher um local próximo ao centro de gravidade assim como vários locais na área geral do centro de gravidade que estão próximos à rodovia interestadual I-85 (porque quase toda viagem requereria que o motorista de caminhão se dirigisse primeiro à interestadual I-85 ou passasse próximo a ela). As classificações de carga–distância foram calculadas usando a milhagem percorrida e o tempo de percurso, tendo por referência a demanda do ano anterior para cada uma das localizações possíveis. Esse cálculo foi executado utilizando uma macro do Visual Basic for Applications (VBA) no Excel, que está disponível no site de apoio do livro como um arquivo solucionador do OM Explorer chamado "Calculador de Tempo e Distância de Percurso para a Localização de Várias Instalações Usando o MS MapPoint 2004-Exemplo 11.5". Sistemas GIS mais sofisticados têm essa capacidade, e acréscimos baratos ao MapPoint que podem executar esse cálculo também estão disponíveis. Os resultados a seguir foram obtidos para cálculos de carga–distância baseados em viagens de ida.

Local	Cidade	Carga–distância usando milhagem de ida	Carga–distância usando horas de viagem de ida
1	Albemarle	1.331.608	22.194
2	Salisbury	1.075.839	18.541
3	Greensboro	1.222.675	20.378
4	Concord	1.037.424	17.938

Quando os gerentes da Witherspoon Automotiva examinaram os resultados, notaram que as localizações de Concord e Salisbury proporcionariam o número de milhas e o tempo de percurso mínimo. O local de Albemarle, que é próximo ao centro de gravidade, é a pior das quatro possibilidades. Concord tem a vantagem adicional de ser próxima a Charlotte — cumprindo o objetivo administrativo de estar localizado próximo a uma cidade importante. Se a empresa localizar a instalação da região de Atlanta em Buford, Geórgia, e a instalação da região de Charlotte, em Concord, Carolina do Norte, poderia reduzir sua milhagem de ida em 1.770.461 milhas e reduzir o tempo de viagem de ida em 28.473 horas em relação ao arranjo presente com uma localização em Spartanburg, Carolina do Sul.

Outra característica atraente dessa solução é que os mercados de Greenville, Carolina do Sul, e de Augusta, Geórgia, estão quase tão próximos à instalação de Concord como estão da instalação de Buford. O gerenciamento pode transferir clientes nesses mercados para a região de Charlotte a um custo adicional baixo se o mercado do Norte do Alabama crescer mais rápido que o esperado.

Ponto de decisão A gerência da Witherspoon Automotiva decidiu localizar a primeira instalação em Buford e a segunda em Concord, junto ao corredor da I-85. Esses locais estão dentro da AME de Atlanta e Charlotte, respectivamente, e refletem os desejos da gerência de estar perto de uma grande área metropolitana. Criar dois centros de distribuição nas condições atuais, a região de Spartanburg reduzirá o número de milhas total para a Witherspoon Automotiva em mais de 3,5 milhões de milhas e reduzirá o tempo anual de percurso em quase 57 mil horas. Essa economia logística é significativa e satisfaz a todos os critérios de localização que tinham sido especificados no princípio do processo de tomada de decisão.

O método do transporte não resolve *todas* as facetas do problema de localização de múltiplas instalações. Ele apenas encontra o *melhor* padrão de transporte entre plantas e armazéns para um conjunto específico de localização de plantas, cada qual com uma capacidade determinada. O analista deve testar uma variedade de combinações de localização e capacidade e usar o método do transporte para encontrar a distribuição ótima para cada um. Os custos de distribuição (custos variáveis de transporte e, possivelmente, custos de produção variáveis) são apenas uma das informações importantes para avaliar uma combinação específica de localização e distribuição. Custos de investimento e outros custos fixos também devem ser considerados, junto com vários fatores qualitativos. Essa análise completa deve ser realizada para cada combinação de localização e capacidade razoável. Por causa da importância de se tomar uma decisão satisfatória, o custo adicional desse esforço vale a pena.

Criar a matriz inicial   O primeiro passo ao resolver um problema de transporte é formatá-lo em uma matriz padrão, algumas vezes chamada *tableau*. Os passos básicos para se criar a matriz inicial são os seguintes:

1. Criar uma linha para cada planta (existente ou nova) que está sendo considerada e uma coluna para cada armazém.
2. Adicionar uma coluna para capacidades da planta e uma linha para demandas de armazém e inserir os valores numéricos específicos.
3. Cada célula que não estiver na linha de necessidades ou na coluna de capacidade representa uma rota de transporte de uma planta para um armazém. Insira os custos unitários no canto superior direito de cada uma dessas células.

A Sunbelt Pool Company está crescendo rapidamente e cogita a construção de uma nova planta capaz de produzir 500 unidades. Uma localização possível é Atlanta. A Figura 11.11 mostra um quadro com a capacidade de planta, as necessidades de armazém e os custos de transporte da empresa. O quadro mostra, por exemplo, que o transporte de uma unidade da planta existente em Phoenix para o armazém 1, em San Antonio, Texas, custa cinco dólares. Supõe-se que os custos aumentem linearmente com o tamanho da remessa; isto é, o custo é o mesmo *por unidade*, independentemente do tamanho da remessa total.

No método do transporte, a soma das remessas em uma linha deve ser igual à capacidade da planta correspondente. Por exemplo, na Figura 11.11, as remessas totais da planta de Atlanta para os armazéns 1, 2 e 3 localizados em San Antonio, Texas; Hot Spring, Arkansas; e Sioux Falls, Dakota do Sul, respectivamente, devem totalizar 500. De modo semelhante, a soma de remessas de uma coluna deve ser igual às necessidades de demanda do armazém correspondente. Desse modo, as remessas para o armazém 1, em San Antonio, Texas, de Phoenix e Atlanta devem totalizar 200 unidades.

Plantas ou armazéns fictícios   O método do transporte também requer que a soma das capacidades seja igual à soma das demandas, o que é o caso em 900 unidades (veja a Figura 11.11). Em muitos problemas reais, a capacidade total pode exceder as necessidades ou

Planta	Armazém			Capacidade
	San Antonio, T (1)	Hot Springs, AR (2)	Sioux Falls, DS (3)	
Phoenix	5,00	6,00	5,40	400
Atlanta	7,00	4,60	6,60	500
Necessidades	200	400	300	900 / 900

Figura 11.11 Matriz inicial

vice-versa. Se a capacidade exceder as necessidades em r unidades, acrescentamos uma coluna adicional (um *armazém fictício*) com uma demanda de r unidades e colocamos os custos de transporte nas células recentemente criadas como 0. As remessas não são realmente enviadas e, desse modo, representam capacidade inutilizada da planta. De igual modo, se as necessidades excederem a capacidade em r unidades, acrescentaremos uma linha adicional (uma *planta fictícia*) com uma capacidade de r unidades. Atribuímos custos de transporte iguais aos custos de falta de estoque das novas células. Se os custos de falta de estoque são desconhecidos ou os mesmos para todos os armazéns, simplesmente atribuímos custos de transporte 0 por unidade para cada célula na linha fictícia. A solução ótima não será afetada porque a falta de r unidades é requerida em todos os casos. Acrescentar um armazém ou uma planta fictícios assegura que a soma das capacidades seja igual à soma das demandas. Alguns pacotes de software as acrescentam automaticamente quando inserimos os dados.

Encontrando uma solução Depois que o quadro inicial tiver sido organizado, a meta é encontrar o padrão de distribuição de menor custo que satisfaça todas as demandas e esgote todas as capacidades. Esse padrão pode ser encontrado utilizando-se o método do transporte, que garante a solução ótima. O quadro inicial é preenchido com uma solução possível que satisfaz todas as demandas do armazém e esgota todas as capacidades da planta. Em seguida, um novo quadro é criado, definindo uma nova solução que tenha um custo total mais baixo. Esse processo iterativo continua até que nenhuma melhoria possa ser feita na solução corrente, sinalizando que a solução ótima foi encontrada. Quando se usa um pacote informatizado, é preciso apenas inserir as informações no quadro inicial.

Outro procedimento é o método *simplex* (veja o Suplemento E, "Programação linear"), embora mais entradas sejam requeridas. O problema do transporte é, na verdade, um caso especial de programação linear, que pode ser modelado com uma variável de decisão para cada célula na matriz, uma restrição para cada linha na matriz (requerendo que a capacidade de cada planta seja completamente utilizada) e uma restrição para cada coluna na matriz (requerendo que cada demanda do armazém seja satisfeita).

Seja qual for o método utilizado, o número de remessas diferentes de zero na solução ótima nunca excederá a soma dos números de plantas e de armazéns menos um. A Sunbelt Pool Company tem duas plantas e três armazéns, portanto, não são necessários mais que quatro (ou 3 + 2 − 1) remessas na solução ótima.

O processo de solução mais ampla Outros custos e vários fatores qualitativos também devem ser considerados como partes adicionais de uma avaliação completa. Por exemplo, os lucros anuais obtidos com a expansão devem ser equilibrados em relação aos custos do terreno e de construção de uma nova planta em Atlanta. Desse modo, a gerência pode usar a abordagem da matriz de preferência (veja o Exemplo 11.1) para considerar o conjunto completo de localização de fatores.

O analista também deve avaliar outras combinações de capacidade e local. Por exemplo, uma possibilidade é expandir em Phoenix e construir uma planta menor em Atlanta. Ou uma nova planta pode ser construída em outra localização ou várias novas podem ser construídas. O analista deve repetir a análise para cada estratégia de localização provável.

OUTROS MÉTODOS DE ANÁLISE DE LOCALIZAÇÃO

Muitos problemas de análise de localização são ainda mais complexos que os discutidos até agora. Considere a complexidade enfrentada por um fabricante de médio porte quando distribui produtos por meio de armazéns, ou *centros de distribuição*, para vários centros de demanda. O problema é determinar o número, o tamanho, o padrão de distribuição e a localização dos armazéns. A situação pode envolver milhares de centros de demanda, centenas de localizações potenciais de armazéns, várias plantas e várias linhas de produto. As taxas de transporte dependem da direção de remessa, produto, quantidade, taxa de interrupções e área geográfica.

Tal complexidade requer o uso de um computador para uma avaliação abrangente. Três tipos básicos de modelos computacionais foram desenvolvidos para esse propósito: (1) heurística; (2) simulação; e (3) otimização.

Heurística Diretrizes de solução ou regras gerais, que encontram soluções factíveis — mas não necessariamente as melhores — para problemas, são chamadas de **heurística**.

EXEMPLO 11.6 — Interpretando a solução ótima

A solução ótima para a Sunbelt Pool Company é mostrada na Figura 11.12. O Tutor 11.4 também pode ser usado para resolver esses problemas e está configurado para lidar com até três fontes e quatro destinos (para problemas maiores, use o Solucionador de Método de Transporte). Com apenas duas fontes, tornamos a terceira linha 'fictícia' com uma capacidade de 0 e o quarto armazém 'fictício' com uma demanda de 0. Os números em negrito mostram as remessas ótimas. Verifique que a capacidade de planta está esgotada e que a demanda do armazém está satisfeita. Confirme ainda que o custo de transporte total da solução é 4.580 dólares.

Fontes	Destinos				Capacidade
	San Antonio, TX	Hot Springs, AR	Sioux Falls, SD	Fictícios	
Phoenix	5,00 **200**	6,00	5,40 **200**	0,00	400
Atlanta	7,00	4,60 **400**	6,60 **100**	0,00	500
Fictícios	0,00	0,00	0,00	0,00	0
Necessidades	200	400	300	0,00	900 900

Custos (em dólares): $ 1.000 $ 1.840 $ 1.740 $ 0
Custos totais: $ 4.580

Figura 11.12 Matriz ótima para a Sunbelt Pool Company

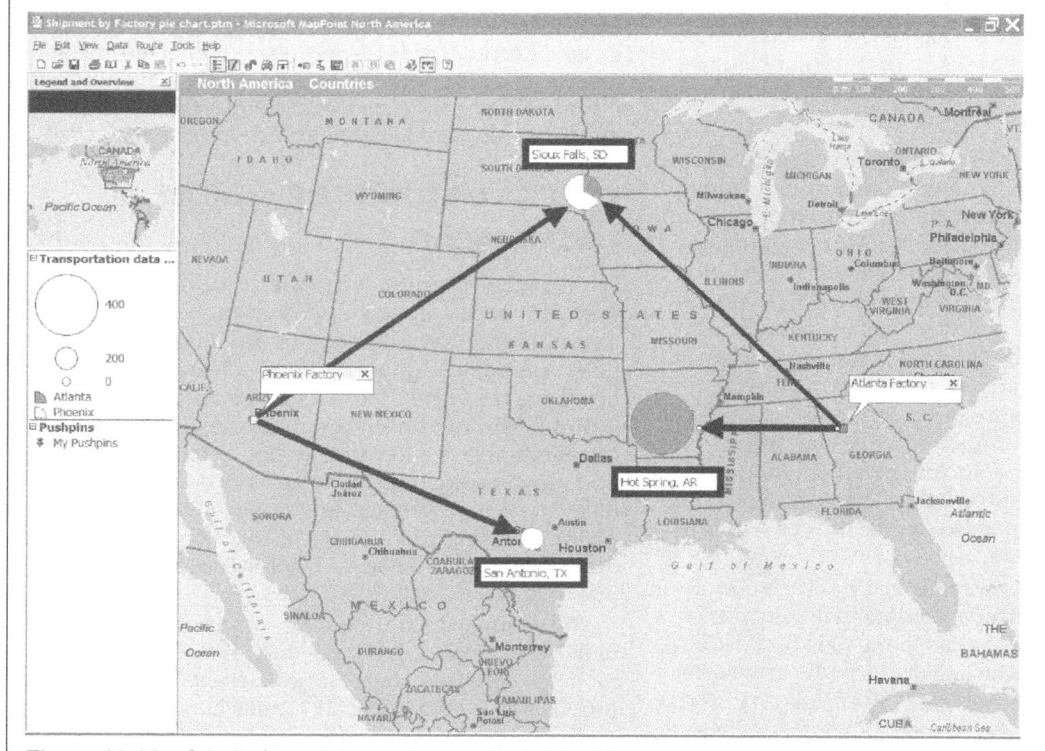

Figura 11.13 Solução ótima de transporte para a Sunbelt Pool Company

O Tutor 11.4, disponível no site de apoio, fornece outro exemplo de como aplicar o método do transporte a decisões de localização.

SOLUÇÃO

A rede existente de plantas e o modo como elas abastecem os três armazéns são mostrados no mapa da Figura 11.13, com a planta de Phoenix e suas remessas representadas em branco e a planta de Atlanta e suas remessas representadas em cinza. O tamanho dos círculos para os três armazéns representa as capacidades e o quanto dessa capacidade está sendo fornecido a partir de que planta. Phoenix transporta 200 unidades para o armazém 1, em San Antonio, e 200 unidades para o armazém 3, em Sioux Falls, esgotando sua capacidade de 400 unidades. Atlanta transporta 400 unidades, de sua capacidade de 500, para o armazém 2 em Hot Springs, e as cem unidades restantes para o armazém 3, em Sioux Falls. Toda demanda do armazém é satisfeita: o armazém 1 em San Antonio, é completamente abastecido por Phoenix e o armazém 2, em Hot Springs, por Atlanta. O armazém 3, em Sioux Falls, recebe 200 unidades de Phoenix e cem unidades de Atlanta, satisfazendo sua demanda de 300 unidades. O custo de transporte total é 200($ 5,00) + 200($ 5,40) + 400($ 4,60) + 100($ 6,60) = $ 4.580 dólares.

Ponto de decisão A gerência deve avaliar outras localizações de planta antes de se decidir pela melhor. A solução ótima não significa necessariamente que a melhor escolha seja abrir uma planta em Atlanta. Significa apenas que o melhor padrão de distribuição para as escolhas correntes sobre as outras duas dimensões desse problema de localização de várias instalações (isto é, uma capacidade de 400 unidades em Phoenix e a localização da nova planta em Atlanta) tem como resultado custos de transporte totais de 4.580 dólares.

Suas vantagens incluem eficiência e uma capacidade de lidar com percepções gerais sobre um problema. O procedimento de busca sistemática utilizando o centro de gravidade de uma área definida como meta, descrito anteriormente para problemas de localização de uma única instalação, é um procedimento heurístico típico. Uma das primeiras heurísticas a ser computadorizada para problemas de localização foi proposta há quatro décadas para lidar com várias centenas de locais potenciais de armazém e vários milhares de centros de demanda (Kuehn e Hamburguer, 1963). Muitos outros modelos heurísticos estão disponíveis hoje em dia para analisar uma variedade de situações.

Simulação Uma técnica de modelagem que reproduz o comportamento de um sistema é chamada **simulação**. A simulação permite que certas variáveis sejam manipuladas e mostra o efeito delas sobre a escolha de medidas operacionais. Os modelos de simulação permitem que o analista avalie alternativas de localização diferentes por meio de tentativa e erro. Cabe ao analista propor as alternativas mais razoáveis. Um modelo de simulação pode lidar com percepções mais realistas sobre um problema e envolve o analista no próprio processo de solução. Para cada execução, o analista introduz as instalações a serem abertas e o simulador normalmente toma as decisões de distribuição tendo por referência algumas suposições razoáveis que foram inseridas no programa de computador.

A Ralston-Purina Company usou simulação para ajudar a empresa na localização de armazéns para atender a 137 centros de demanda, cinco armazéns instalados na fábrica e quatro plantas. A demanda aleatória de cada centro de demanda por tipo de produto foi simulada durante um período. A demanda foi satisfeita pelo armazém mais próximo que tinha estoque disponível. Os dados foram gerados simulando níveis de estoque, custos de transporte, custos operacionais de armazém e pedidos a serem atendidos quando houvesse estoque. A Ralston-Purina implementou o resultado da simulação, que mostrou que a alternativa de menor custo seria consolidar os cinco armazéns instalados na fábrica em apenas três.

Otimização O método do transporte foi um dos primeiros procedimentos de otimização para resolver uma parte (o padrão de distribuição) dos problemas de localização de várias instalações. Em contraste com a heurística e a simulação, a **otimização** envolve procedimentos para determinar a *melhor* solução. Embora essa abordagem possa parecer preferível, ela apresenta uma limitação: os procedimentos de otimização geralmente utilizam visões simplificadas e menos realistas de um problema. Entretanto, a compensação pode ser significativa.

EQUAÇÕES-CHAVE

1. Classificação de carga–distância: $cd = \sum_i c_i d_i$

2. Centro de gravidade: $x^* = \dfrac{\sum_i c_i x_i}{\sum_i c_i}$ e $y^* = \dfrac{\sum_i c_i y_i}{\sum_i c_i}$

PALAVRAS-CHAVE

centro de gravidade
heurística
localização da instalação
massa crítica
método de carga-distância
método do transporte
otimização
qualidade de vida
simulação
sistema de informações geográficas

PROBLEMA RESOLVIDO 1

Um fabricante de produtos eletrônicos deve ampliar o negócio por meio da construção de uma segunda planta. A procura é restringida a quatro localizações; todas elas são aceitáveis para a gerência em termos de fatores dominantes. A avaliação desses locais no que se refere aos sete fatores de localização é mostrada na Tabela 11.1. Por exemplo, a localização A tem uma pontuação 5 (excelente) para ambiente de trabalho; o peso desse fator (20) é o mais alto.

Calcule a classificação ponderada para cada localização. Qual localização deve ser recomendada?

SOLUÇÃO

Tendo por referência as classificações ponderadas mostradas na Tabela 11.2, a localização C é o local preferido, embora a localização B tenha uma classificação muito próxima.

PROBLEMA RESOLVIDO 2

O gerente de operações da Cerveja Altas Milhas restringiu a procura por uma nova localização de instalação a sete comunidades. Os custos fixos anuais (terreno, impostos sobre bens, seguro, equipamento e edifícios) e os custos variáveis (mão-de-obra, materiais, transporte e despesas gerais variáveis) são mostrados na Tabela 11.3.

a. Quais das comunidades podem ser desconsideradas porque são suplantadas (tanto os custos variáveis como os fixos são mais altos) por outra comunidade?

b. Trace as curvas de custo total para todas as comunidades restantes em um único gráfico. Identifique no gráfico a faixa aproximada em que cada comunidade fornece o custo mais baixo.

c. Usando a análise do ponto de equilíbrio, calcule as quantidades de equilíbrio para determinar a faixa na qual cada comunidade fornece o custo mais baixo.

SOLUÇÃO

a. Aurora e Colorado Springs são dominadas por Fort Collins, porque tanto os custos fixos como os variáveis são mais altos para essas comunidades que para Fort Collins. Englewood é dominada por Golden.

b. A Figura 11.14 mostra que Fort Collins é melhor para volumes pequenos, Boulder para volumes intermediários, e Denver para grandes volumes. Embora Golden não seja dominada por nenhuma comunidade, é a segunda ou terceira escolha ao longo da faixa inteira. Golden não se torna a escolha de custo mais baixo para nenhum volume.

c. O ponto de equilíbrio entre Fort Collins e Boulder é

$$\$1.200.000 + \$15\,Q = \$2.000.000 + \$12\,Q$$
$$Q = 266.667 \text{ barris por ano}$$

TABELA 11.1 Informação sobre fatores para o fabricante de produtos eletrônicos

		Classificação de fator para cada localização			
Fator de localização	Peso do fator	A	B	C	D
1. Ambiente de trabalho	20	5	4	4	5
2. Qualidade de vida	16	2	3	4	1
3. Sistema de transporte	16	3	4	3	2
4. Proximidade dos mercados	14	5	3	4	4
5. Proximidade dos materiais	12	2	3	3	4
6. Impostos	12	2	5	5	4
7. Serviços de utilidade pública	10	5	4	3	3

TABELA 11.2 Calculando a classificação ponderada para produtos eletrônicos

		Classificação ponderada para cada localização			
Fator de localização	Peso do fator	A	B	C	D
1. Ambiente de trabalho	20	100	80	80	100
2. Qualidade de vida	16	32	48	64	16
3. Sistema de transporte	16	48	64	48	32
4. Proximidade dos mercados	14	70	42	56	56
5. Proximidade dos materiais	12	24	36	36	48
6. Impostos	12	24	60	60	48
7. Serviços de utilidade pública	10	50	40	30	30
	Totais 100	348	370	374	330

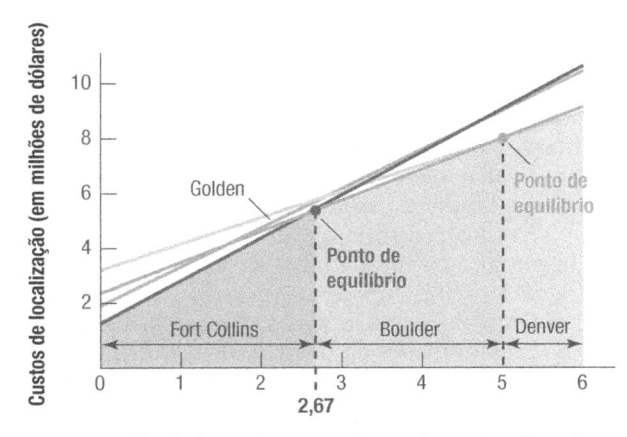

Figura 11.14 Análise do ponto de equilíbrio de quatro localizações candidatas

O ponto de equilíbrio entre Denver e Boulder é
$$\$\,3.000.000 + \$\,10Q = \$\,2.000.000 + \$\,12Q$$
$$Q = 500.000 \text{ barris por ano}$$

PROBLEMA RESOLVIDO 3

Um fornecedor da indústria de serviços de energia elétrica tem um produto pesado e os custos de transporte são altos. Uma área do mercado inclui a parte mais baixa da região dos Grandes Lagos e a porção superior da região do Sudeste. Mais de 600 mil toneladas devem ser transportadas para oito localizações principais de clientes como mostrado na Tabela 11.4.

a. Calcule o centro de gravidade, arredondando as coordenadas para o décimo mais próximo.

b. Calcule a classificação de carga–distância para essa localização, usando distância retilínea.

SOLUÇÃO

a. O centro de gravidade é (12,4; 9,2).

$$\sum_i c_i = 5+92+70+35+9+227+16+153 = 607$$

$$\sum_i c_i x_i = 5(7)+92(8)+70(11)+35(11)+9(12)+227(13) \\ +16(14)+153(15) = 7.504$$

$$x^* = \frac{\sum_i c_i y_i}{\sum_i c_i} = \frac{7.504}{607} = 12,4$$

$$\sum_i c_i y_i = 5(13)+92(12)+70(10)+35(7)+9(4)+227(11) \\ +16(10)+153(5) = 5.572$$

$$y^* = \frac{\sum_i c_i y_i}{\sum_i c_i} = \frac{5.572}{607} = 9,2$$

TABELA 11.3 Custos fixos e variáveis para a Cerveja Altas Milhas

Comunidade	Custos fixos por ano (em dólares)	Custos variáveis por barril (em dólares)
Aurora	1.600.000	17,00
Boulder	2.000.000	12,00
Colorado Springs	1.500.000	16,00
Denver	3.000.000	10,00
Englewood	1.800.000	15,00
Fort Collins	1.200.000	15,00
Golden	1.700.000	14,00

TABELA 11.4 Mercados para o fornecedor da indústria de serviços de energia elétrica

Localização do cliente	Toneladas transportadas	Coordenadas x, y
Three Rivers, MI	5.000	(7, 13)
Fort Wayne, IN	92.000	(8, 12)
Columbus, OH	70.000	(11, 10)
Ashland, KY	35.000	(11, 7)
Kingsport, TN	9.000	(12, 4)
Akron, OH	227.000	(13, 11)
Wheeling, WV	16.000	(14, 10)
Roanoke, VA	153.000	(15, 5)

b. A classificação de carga–distância é

$$cd = \sum_i c_i d_i = 5(5,4+3,8)+92(4,4+2,8)$$
$$+70(1,4+0,8)+35(1,4+2,2)+9(0,4+5,2)$$
$$+227(0,6+1,8)+16(1,6+0,8)+153(2,6+4,2)$$
$$= 2.662,4$$

onde

$$d_i = |x_1 - x^*| + |y_1 - y^*|$$

PROBLEMA RESOLVIDO 4

A Companhia Árido fabrica remos de canoa para atender a centros de distribuição em Worchester, Rochester e Dorchester a partir de plantas existentes em Battle Creek e Cherry Creek. Espera-se que a demanda anual aumente como projetado na linha inferior do quadro mostrado na Figura 11.15. A Árido está considerando localizar uma planta próxima à parte superior de Dee Creek. A capacidade anual para cada planta é mostrada na coluna direita do quadro. Os custos de transporte por remo são mostrados no quadro nas caixas pequenas. Por exemplo, o custo para transportar um remo de Battle Creek até Worchester é de 4,37 dólares. As distribuições ótimas também são mostradas. Por exemplo, Battle Creek envia 12 mil unidades para Rochester. Quais são os custos de transporte estimados associados a esse padrão de distribuição?

Fontes	Destino			Capacidade
	Worchester	Rochester	Dorchester	
Battle Creek	$ 4,37	$ 4,25 **12.000**	$ 4,89	12.000
Cherry Creek	$ 4,00 **6.000**	$ 5,00 **4.000**	$ 5,27	10.000
Dee Creek	$ 4,13	$ 4,50 **6.000**	$ 3,75 **12.000**	18.000
Demanda	6.000	22.000	12.000	40.000

Figura 11.15 Solução ótima para a Companhia Árido

SOLUÇÃO

O custo total é 167.000 dólares.

Remessa de 12 mil unidades de Battle Creek para Rochester a 4,25 dólares.	Custo =	51.000 dólares.
Remessa de seis mil unidades de Cherry Creek para Worchester a 4,00 dólares.	Custo =	24.000 dólares.
Remessa de quatro mil unidades de Cherry Creek para Rochester a 5,00 dólares.	Custo =	20.000 dólares.
Remessa de seis mil unidades de Dee Creek para Rochester a 4,50 dólares.	Custo =	27.000 dólares.
Remessa de 12 mil unidades de Dee Creek para Dorchester a 3,75 dólares.	Custo =	45.000 dólares.
	Total	167.000 dólares.

QUESTÕES PARA DISCUSSÃO

1. Dividam-se em grupos. Selecionem duas empresas, uma de serviços e uma de manufatura, que sejam conhecidas por alguns membros de sua equipe. Que fatores-chave cada organização deveria considerar ao localizar uma nova instalação? Que dados você deveria coletar antes de avaliar as opções de localização e como você coletaria esses dados? Explique.

2. O proprietário de um time de beisebol da liga principal está considerando transferir o time de sua cidade no meio oeste norte-americano para uma cidade no sudeste, que oferece um mercado maior, um novo estádio e possui maior potencial para a torcida dos fãs. Que outros fatores o proprietário deve considerar antes de realmente tomar a decisão de se mudar?

PROBLEMAS

Softwares como o OM Explorer, o Active Models e o POM for Windows estão disponíveis no site de apoio do livro. Verifique com seu professor a melhor maneira de usá-los. Em muitos casos, o professor preferirá que você entenda como fazer os cálculos manualmente. Quando muito, o software pode oferecer uma verificação de seus cálculos. Quando os cálculos são muito complexos e o objetivo é interpretar os resultados na tomada de decisões, o software substitui completamente os cálculos manuais. O software também pode ser um valioso recurso depois que você concluir o curso.

1. Calcule a classificação ponderada para cada localização (A, B, C e D) mostrada na Tabela 11.5. Que localização você recomendaria?

2. John e Jane são recém-casados e estão tentando escolher entre vários aluguéis disponíveis. As alternativas foram classificadas em uma escala de 1 a 5 (5 = melhor) em comparação com critérios ponderados de desempenho, como mostrado na Tabela 11.6. Os critérios incluíram aluguel, proximidade do trabalho, oportunidades recreativas, segurança e outras características da vizinhança associadas aos valores e ao estilo de vida do casal. A alternativa A é um apartamento, B é uma casa térrea, C é um condomínio e D é um andar térreo da casa dos pais de Jane.

Que localização é indicada pela matriz de preferência? Que fatores qualitativos poderiam fazer com que essa preferência mudasse?

3. Duas localizações alternativas estão sob consideração para uma nova planta: Jackson, Mississipi, e Dayton, Ohio. A localização de Jackson é superior no que se refere aos custos. Entretanto, a gerência acredita que o volume de vendas declinaria se essa localização fosse escolhida porque é mais distante do mercado e os clientes da empresa preferem fornecedores locais.

O preço de venda do produto é de 250 dólares por unidade nos dois casos. Use as informações a seguir para determinar que localização rende a contribuição de lucro total mais alta por ano.

Localização	Custo fixo anual (em dólares)	Custo variável por unidade (em dólares)	Previsão de demanda por ano
Jackson	1.500.000	50	30.000 unidades
Dayton	2.800.000	85	40.000 unidades

4. A Fall-Line, Inc. é um fabricante de Great Falls, Montana, de diversos modelos de esquis. Ela está considerando quatro localizações para uma nova planta: Aspen, Colorado; Medicine Lodge, Kansas; Broken Bow, Nebraska; e Wounded Knee, Dakota do Sul. Os custos fixos anuais e custos variáveis por par de esquis são mostrados na tabela na próxima página.

TABELA 11.5 Fatores para as localizações A-D

		Classificação de fator para cada localização			
Fator de localização	Peso do fator	A	B	C	D
1. Ambiente de trabalho	5	5	4	3	5
2. Qualidade de vida	30	2	3	5	1
3. Sistema de transporte	5	3	4	3	5
4. Proximidade dos mercados	25	5	3	4	4
5. Proximidade dos materiais	5	3	2	3	5
6. Impostos	15	2	5	5	4
7. Serviços de utilidade pública	15	5	4	2	1
	Total 100				

TABELA 11.6 Fatores para os recém-casados

		Classificação de fator para cada localização			
Fator de localização	Peso do fator	A	B	C	D
1. Aluguel	25	3	1	2	5
2. Qualidade de vida	20	2	5	5	4
3. Escolas	5	3	5	3	1
4. Proximidade do trabalho	10	5	3	4	3
5. Proximidade de recreação	15	4	4	5	2
6. Segurança da vizinhança	15	2	4	4	4
7. Serviços de utilidade pública	10	4	2	3	5
	Total 100				

Localização	Custos fixos anuais (em dólares)	Custo variável por par (em dólares)
Aspen	8.000.000	250
Medicine Lodge	2.400.000	130
Broken Bow	3.400.000	90
Wounded Knee	4.500.000	65

a. Trace as curvas de custo total para todas as comunidades em um único gráfico (veja o Problema Resolvido 2). Identifique no gráfico a faixa de volume ao longo da qual cada localização seria melhor.

b. Que quantidade de equilíbrio define cada faixa?

Embora os custos fixos e variáveis de Aspen sejam dominados pelos das outras comunidades, a Fall-Line acredita que tanto a demanda como o preço seriam mais altos para esquis fabricados em Aspen do que para os esquis fabricados nas outras localizações. A tabela a seguir mostra essas projeções.

Localização	Preço por par (em dólares)	Previsão de demanda por ano (em dólares)
Aspen	500	60.000 pares
Medicine Lodge	350	45.000 pares
Broken Bow	350	43.000 pares
Wounded Knee	350	40.000 pares

c. Determine que localização rende a contribuição total em lucros mais alta por ano.

d. Essa decisão de localização é sensível à precisão da previsão? Em que volume mínimo de vendas Aspen se torna a localização escolhida?

5. A Wiebe Trucking, Inc. está planejando um novo armazém para atender ao oeste. Denver, Santa Fé e Salt Lake City estão sendo considerados. Para cada localização, os custos fixos anuais (aluguel, equipamento e seguro) e os custos variáveis médios por remessa (mão-de-obra, transporte e serviços de utilidade pública) são listados na tabela a seguir. As projeções de vendas variam de 550 mil a 600 mil remessas por ano.

Localização	Custos fixos anuais (em dólares)	Custos variáveis por remessa (em dólares)
Denver	5.000.000	4,65
Santa Fé	4.200.000	6,25
Salt Lake City	3.500.000	7,25

a. Trace as curvas de custo total para todas as localizações em um único gráfico.

b. Que cidade fornece os custos totais mais baixos?

6. Sam Hutchins está planejando operar um quiosque de sanduíches especiais, mas está indeciso quanto a localizá-lo em um centro comercial no centro da cidade ou em um shopping center no subúrbio. Tendo por referência os dados seguintes, que localização você recomendaria?

Localização	Centro da cidade	Subúrbio
Aluguel anual, incluindo serviços de utilidade pública	12.000 dólares	8.000 dólares
Demanda anual esperada (sanduíches)	30.000	25.000
Custos variáveis médios por sanduíche	1,50 dólar	1,00 dólar
Preço de venda médio por sanduíche	3,25 dólares	2,85 dólares

7. Os três pontos a seguir são as localizações de instalações importantes em uma rede de transporte: (20, 20), (50, 10) e (50, 60). As coordenadas estão em milhas.

a. Calcule as distâncias euclidianas (em milhas) entre cada um dos três pares de instalações.

b. Calcule essas distâncias usando distâncias retilíneas.

8. A Escola Secundária Centura deve ser localizada no centro de gravidade de população de três comunidades: Boelus, população de 228; Cairo, população de 737; e Dannebrog, população de 356. A comunidade de Boelus é localizada em 106,72 °L, 46,31 °N; Cairo é localizada em 106,68 °L, 46,37 °N; e Dannebrog é localizada em 106,77 °L, 46,34 °N. Onde a Escola Secundária Centura deve ser localizada?

Obs.: As questões 9, 10 e 16 requerem o uso do Software MS MapPoint 2004.

9. A Pizza Ágil decidiu localizar um restaurante de entrega de pizzas em Fargo, Dakota do Norte. Eles querem estar localizados perto das áreas densamente povoadas da cidade. A gerência da Ágil criou um mapa da densidade populacional das várias áreas do censo em Fargo. O mapa pode ser encontrado no arquivo Agil.ptm, disponível no site de apoio do livro. Escolha um local que tenha o máximo de pessoas possível dentro de uma zona de tempo de percurso de cinco minutos. Imprima o mapa. Você pode desejar assistir ao vídeo sobre o EMS de Tyler disponível no site de apoio do livro antes de começar esse problema.

10. O Armazém do Escritório decidiu localizar sua nova instalação em Red Bluff, Califórnia. Um mapa de seus clientes pode ser encontrado no arquivo Armazém do Escritório.ptm no site de apoio do livro. As cargas entregues anualmente para cada cliente (expressas em toneladas de material) são:

Nome do cliente	Endereço	Toneladas de material entregues anualmente
Produtos-padrão	2808 Live Oak Road Red Bluff, CA 96080	4.000
Produtos nacionais	1437 Warren Ave Red Bluff, CA 96080	3.000
Corporação carrinho de golfe	630 Nicklaus Avenue Red Bluff, CA 96080	7.000
Corporação ápice	277 Gurnsey Dr. Red Bluff, CA 96080	2.000
Eletrônica veloz	1371 Trinity Avenue Red Bluff, CA 96080	1.000

Determine o centro de gravidade para os clientes do Armazém do Escritório em Red Bluff. Use o sensor de localização no MapPoint para determinar a longitude e a latitude para cada um dos clientes e, em seguida, use o Active Model 11.1.

11. A Pizza do Val está procurando uma localização central única para fabricar pizza somente para entrega. Essa cidade universitária é desenhada como uma matriz com ruas principais, como mostrado na Figura 11.16. O campus principal (A), localizado entre a 14ª Avenida e R, é a fonte de quatro mil pedidos de pizza por semana. Três *campi* menores (B, C e D) são localizados entre a 52ª e V, a 67ª e Z e a 70ª e Sul. Os pedidos dos *campi* menores representam uma média de mil pizzas por semana. Além disso, a sede da Patrulha Estadual (E), entre a 10ª e A, pede 500 pizzas por semana.

   a. Em qual cruzamento aproximadamente Val deve começar a procurar por um local apropriado? (Estime coordenadas para as maiores demandas para um quarto de milha mais próximo e, em seguida, encontre o centro de gravidade.)

   b. Qual é a classificação de carga–distância semanal retilínea para essa localização?

   c. Se a pessoa da entrega pode percorrer 1 milha em dois minutos nas ruas principais e $\frac{1}{4}$ milha por minuto nas ruas residenciais, sair da localização do centro de gravidade para a localização mais distante levará quanto tempo?

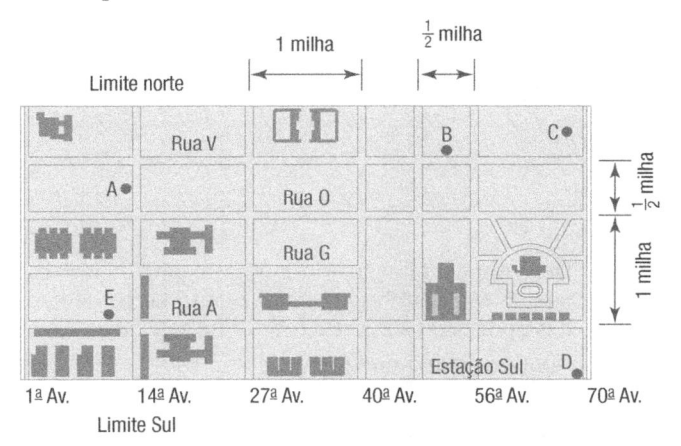

Figura 11.16 Mapa da área do *campus*

12. Uma agência do correio maior e mais moderna deve ser construída em um novo local em Davis, Califórnia. O crescimento dos subúrbios causou uma alteração na densidade populacional em comparação a 40 anos atrás, quando a instalação corrente foi construída. Annette Werk, a agente postal, pediu a seus assistentes que desenhassem um mapa dos sete pontos onde a correspondência é recolhida e entregue em grande quantidade. As coordenadas e o número de movimentações diárias entre os sete pontos e a atual localização da agência de correio, M, são mostrados na tabela seguinte. M continuará a funcionar como o principal ponto de recebimento e entrega de correspondências após a relocação.

Ponto principal	Número de movimentações por dia	Coordenadas x,y (milhas)
1	6	(2,8)
2	3	(6,1)
3	3	(8,5)
4	3	(13,3)
5	2	(15,10)
6	7	(6,14)
7	5	(18,1)
M	3	(10,3)

   a. Calcule o centro de gravidade como uma localização possível para a nova instalação (arredonde para o número inteiro mais próximo).

   b. Compare as classificações de carga–distância para a localização na parte (a) e a localização atual, usando distância retilínea.

13. A Manufatura Suprema está pesquisando que localização posicionaria melhor sua nova planta em relação a dois fornecedores (localizados nas cidades A e B) e a uma área de mercado (representada pela cidade C). A gerência limitou a procura por essa planta às três localizações e compilou as seguintes informações.

Localização	Coordenadas (milhas)	Toneladas por ano	Taxa de frete (dólares/ tonelada-milha)
A	(100,200)	4.000	3,00
B	(400,100)	3.000	1,00
C	(100,100)	4.000	3,00

   a. Qual das três localizações oferece o custo total mais baixo, tendo por referência distâncias euclidianas? [*Sugestão*: O custo anual do recebimento de produtos do fornecedor A para a nova planta é de 12 mil dólares por milha (quatro mil milhas por ano x 3,00 dólares por tonelada–milha).]

   b. Que localização é melhor, tendo por referência distâncias retilíneas?

   c. Quais são as coordenadas do centro de gravidade?

TABELA 11.7 Distâncias e custos para o fabricante de computadores

		Centro de distribuição (unidades/ano)		
		Chicago (10.000)	Atlanta (7.500)	Nova York (12.500)
Porto de entrada	Los Angeles			
	Distância (milhas)	1.800	2.600	3.200
	Custo de remessa (dólares/unidade)	0,0017/milhas	0,0017/milhas	0,0017/milhas
	São Francisco			
	Distância (milhas)	1.700	2.800	3.000
	Custo de remessa (dólares/unidade)	0,0020/milhas	0,0020/milhas	0,0020/milhas

14. Um fabricante norte-americano de computadores pessoais planeja localizar sua planta de montagem em Taiwan e enviar seus computadores de volta aos Estados Unidos, ora via Los Angeles, ora via São Francisco. Ele tem centros de distribuição em Atlanta, Nova York e Chicago e enviará a mercadoria para eles de qualquer cidade escolhida como porto de entrada na Costa Oeste. O custo de transporte total é o único critério para escolher o porto. Use o modelo de carga–distância e as informações na Tabela 11.7 para selecionar a cidade mais lucrativa.

PROBLEMAS AVANÇADOS

15. A Marca de Fogo fabrica molho picante em El Paso e Nova York. Os centros de distribuição estão localizados em Atlanta, Omaha e Seattle. Para as capacidades, localizações e custos de remessa por caixa mostrados na Figura 11.17, determine o padrão de remessa que minimizará os custos de transporte. Quais são os custos de transporte estimados associados a esse padrão de distribuição ótimo?

Fontes	Destino			Capacidade
	Atlanta	Omaha	Seattle	
El Paso	$ 4	$ 5	$ 6	12.000
Nova York	$ 3	$ 7	$ 9	10.000
Demanda	8.000	10.000	4.000	22.000

Figura 11.17 Solução ótima para a Marca de Fogo

16. A Metrô Suprimentos decidiu transferir seu armazém. Determine uma boa localização para ela tendo por referência a minimização do número de milhas percorridas. Os endereços e o número de viagens feitos para cada um dos clientes no último ano podem ser encontrados no arquivo Metrô Suprimentos.xls e exibidos no arquivo Metrô Suprimentos.ptm (um mapa do MapPoint) no site de apoio do livro. Para facilitar, o centro de gravidade foi exibido no mapa. Insira o endereço da rua da localização do armazém proposta na planilha Centros de Distribuição no arquivo Metrô Suprimentos.xls e execute a macro selecionando o botão na planilha "Clientes" para determinar o número de milhas de ida total (que é essencialmente a classificação carga–distância). Você pode desejar assistir ao vídeo da Witherspoon Automotiva no site de apoio do livro antes de começar este problema.

17. A Companhia Pelicano possui quatro centros de distribuição (A, B, C e D) que requerem 40.000, 60.000, 30.000 e 150.000 litros de óleo diesel, respectivamente, por mês para seus caminhões de carga. Três atacadistas de combustível (1, 2 e 3) indicaram sua disposição de fornecer 50.000, 70.000 e 60.000 litros de combustível, respectivamente. O custo total (transporte mais preço) de entrega de 1.000 galões de combustível de cada atacadista para cada centro de distribuição é mostrado na tabela a seguir:

	Centro de distribuição			
Atacadista	A	B	C	D
1	$ 1,30	$ 1,40	$ 1,80	$ 1,60
2	$ 1,30	$ 1,50	$ 1,80	$ 1,60
3	$ 1,60	$ 1,40	$ 1,70	$ 1,50

a. Determine a solução ótima. Mostre que todas as capacidades foram esgotadas e que todas as demandas podem ser satisfeitas com essa solução.

b. Qual é o custo total da solução?

18. A Companhia Ápice opera quatro fábricas que enviam produtos a cinco armazéns. Os custos de remessa, as

Fábrica	Custo de remessa por caixa para o armazém					Capacidade
	W1	W2	W3	W4	W5	
F1	$1 **60.000**	$3 **20.000**	$4	$5	$6	80.000
F2	$2	$2	$1 **50.000**	$4 **10.000**	$5	60.000
F3	$1	$5	$1	$3 **20.000**	$1 **40.000**	60.000
F4	$5	$2 **50.000**	$4	$5	$4	50.000
Demanda	60.000	70.000	50.000	30.000	40.000	250.000

Figura 11.18 Solução ótima para a Companhia Ápice

capacidades necessárias e as distribuições ótimas são mostrados na Figura 11.18. Qual é o custo total da solução ótima?

19. A Companhia Grande Fazendeiro beneficia alimentos para venda em lojas de descontos. Ela tem duas plantas: uma em Chicago e outra em Houston. A empresa também administra armazéns em Miami, Denver, Lincoln, Nebraska, e Jackson, Mississipi. Previsões indicam que a demanda logo excederá a oferta e que é necessária uma nova planta com uma capacidade de oito mil caixas por semana. A questão é onde localizar a nova planta. Dois locais potenciais são Buffalo, Nova York e Atlanta. Os dados a seguir sobre capacidades, demanda prevista e custos de remessa foram coletados.

Planta	Capacidade (caixas por semana)	Armazém	Demanda (caixas por semana)
Chicago	10.000	Miami	7.000
Houston	7.500	Denver	9.000
Nova planta	8.000	Lincoln	4.500
	Total 25.500	Jackson	5.000
			Total 25.500

	Custo de remessa para o armazém (em dólares)			
Planta	Miami	Denver	Lincoln	Jackson
Chicago	7,00	2,00	4,00	5,00
Houston	3,00	1,00	5,00	2,00
Buffalo (alternativa 1)	6,00	9,00	7,00	4,00
Atlanta (alternativa 2)	2,00	10,00	8,00	3,00

Para cada localização alternativa da nova planta, determine o padrão de remessa que minimizará os custos totais de remessa. Onde a nova planta deve ser localizada?

20. A Companhia Internacional Ajax administra quatro fábricas que enviam produtos para cinco armazéns. Os custos de remessa, necessidades e capacidades são mostrados na Figura 11.19. Use o método do transporte para encontrar o cronograma de remessa que minimiza o custo de remessa.

21. Considere em maiores detalhes a situação da Companhia Internacional Ajax descrita no problema 20. A Ajax decide fechar F3 por causa dos custos operacionais altos. Além disso, a companhia decide acrescentar 50 mil unidades de capacidade a F4. O gerente de logística está preocupado com o efeito dessa mudança sobre os custos de transporte. No momento, F3 envia 30 mil unidades a W4 e 50 mil unidades a W5, a um custo de $ 140 mil dólares [ou 30.000(3) + 50.000(1)]. Se esses armazéns fossem atendidos por F4, o custo aumentaria para 350 mil dólares [ou 30.000(5) + 50.000(4)]. Em decorrência disso, o gerente de logística da Ajax solicita um aumento orçamentário de 210 mil dólares (ou 350.000 dólares – 140.000 dólares).

   a. O gerente de logística deve obter o aumento orçamentário?

   b. Se não, quanto você deve incluir no orçamento para o aumento nos custos de remessa?

22. Considere o problema de localização da instalação da Companhia Grande Fazendeiro descrito no problema 19. A gerência está considerando um terceiro local, em Memphis. Os custos de remessa por caixa de Memphis são de três dólares para Miami, 11 dólares para Denver, seis dólares para Lincoln e cinco dólares para Jackson. Encontre o plano de custo mínimo para uma planta alternativa em Memphis. Esse resultado altera a decisão no problema 19?

Fábrica	Custo de transporte por caixa para o armazém						Capacidade
	W1	W2	W3	W4	W5	Fictícios	
F1	$ 1	$ 3	$ 3	$ 5	$ 6	$ 0	50.000
F2	$ 2	$ 2	$ 1	$ 4	$ 5	$ 0	80.000
F3	$ 1	$ 5	$ 1	$ 3	$ 1	$ 0	80.000
F4	$ 5	$ 2	$ 4	$ 5	$ 4	$ 0	40.000
Demanda	45.000	30.000	30.000	35.000	50.000	60.000	250.000

Figura 11.19 Matriz de transporte para a Companhia Internacional Ajax

23. A Corporação Gabinete fabrica e comercializa um produto automotivo anti-roubo, que ela estoca em vários armazéns em todo o país. Recentemente, seu grupo de pesquisa de mercado compilou uma previsão indicando que um aumento significativo na demanda ocorrerá no futuro próximo, estabilizando-se logo após. A companhia decide satisfazer essa demanda construindo nova capacidade de planta. A Gabinete já tem plantas em Baltimore e Milwaukee e não quer transferir essas instalações. Cada planta é capaz de gerar 600 mil unidades por ano.

Após um exame completo, a empresa desenvolveu três alternativas de local e de capacidade. A alternativa 1 é construir uma planta de 600 mil unidades em Portland; a alternativa 2 é construir uma planta de 600 mil unidades em San Antonio e a alternativa 3 é construir uma planta de 300 mil unidades em Portland e uma planta de 300 mil unidades em San Antonio. Os quatro armazéns da empresa distribuem o produto para varejistas. O estudo da pesquisa de mercado forneceu os dados seguintes:

Armazém	Demanda anual esperada
Atlanta (AT)	500.000
Columbus (CO)	300.000
Los Angeles (LA)	600.000
Seattle (SE)	400.000

O departamento de logística compilou a tabela de custo seguinte especificando o custo por unidade para enviar o produto de cada planta para cada armazém da maneira mais econômica, sujeita à confiabilidade dos vários portadores envolvidos.

Planta	Armazém (valores em dólares)			
	AT	CO	LA	SE
Baltimore	0,35	0,20	0,85	0,75
Milwaukee	0,55	0,15	0,70	0,65
Portland	0,85	0,60	0,30	0,10
San Antonio	0,55	0,40	0,40	0,55

Como parte da decisão de localização, a gerência quer uma estimativa do custo de distribuição total para cada alternativa. Use o método do transporte para calcular essas estimativas.

CASO

Papaiz: uma transferência de planta para a Bahia

Escolher um novo local de uma empresa ou de um negócio é uma decisão estratégica, normalmente de longo prazo e que impactará diretamente nas vendas, nos custos e, consequentemente, na margem de lucro da empresa.

A Papaiz é uma empresa brasileira com 56 anos, fundada pelo italiano Luigi Papaiz, e que sempre teve entre seus ideais a inovação e o constante investimento em máquinas e equipamentos industriais. Além de ser a líder no mercado nacional de cadeados e fechaduras, seus produtos são conhecidos no mundo inteiro e vendidos em mais de 40 países. O Grupo Papaiz conta ainda com uma empresa de esquadrias, a Udinese Metais, e uma filial canadense que é responsável pela distribuição dos produtos Papaiz nos Estados Unidos e no Canadá.

A empresa assumiu uma estratégia de diversificação com o lançamento constante de novos produtos, como peças coloridas e outros projetos elaborados com do auxílio de famosos estilistas. Esses novos projetos somam 15 por cento da produção total da empresa. O reposicionamento recente feito pela Papaiz inclui o rejuvenescimento da marca e aumento das exportações.

Em 1982, a Papaiz, buscando instalações mais modernas e um aumento de produtividade, transferiu sua planta industrial para Diadema, no estado de São Paulo. Atualmente, a líder do segmento na América Latina está buscando uma nova localização, e seu destino será o estado da Bahia, onde a empresa encontrou uma série de incentivos que propiciaram a escolha desse estado. Dessa vez, o grande motivador foi o custo da mão-de-obra, em especial por pressões dos competidores chineses.

Com essa mudança geográfica, a Papaiz visa a reduzir os custos em 30 por cento, mesmo investindo um montante de 12 milhões de reais na nova unidade. A mão-de-obra baiana chega a ser 30 por cento mais barata que a paulistana; contudo seja sabidamente menos qualificada, o que fará com que um montante considerável seja gasto na seleção e qualificação dessa mão de obra. Os valores gastos com a matéria-prima deverão permanecer os mesmos, porém, o custo com a logística de transporte poderá subir.

A unidade de Diadema continuará apenas com a área de ferramentaria, pois exige uma especialização que a mão-de-obra baiana ainda não tem, mas a total desativação dessa unidade estão nos planos futuros da empresa. A outra parte da unidade de Diadema deverá ser alugada para a montadora Mercedes-Benz no Brasil.

Com a ida para a Bahia, a empresa espera aumentar sua participação no mercado nordestino, que tem observado um forte crescimento no setor imobiliário. Somente nos primeiros seis meses de 2008, o crescimento nas vendas de imóveis na Bahia ficou 153 por cento maior que o mesmo período do ano anterior. Dessa maneira, a empresa ficará ao lado de um crescente mercado consumidor e buscará fortalecer sua imagem na região. Atualmente, a Papaiz exporta somente 15 por cento do total de sua produção e projeta que no ano de 2008 seu crescimento real será da ordem de 15 por cento.

QUESTÕES

1. Quais aspectos fizeram a Papaiz mudar de localização? Não se restrinja aos aspectos citados no texto. Pesquise e aponte novos aspectos importantes na definição de localização.

2. Faça uma tabela com os aspectos apontados na Questão 1 e atribua pesos de importância para cada aspecto.

3. Com base nos aspectos selecionados na Questão 2, faça uma comparação entre localizar uma planta da Papaiz no Rio Grande do Sul, na Zona Franca de Manaus e na Bahia.

Caso desenvolvido por Antonio César Moreno Annunciato e André Luís de Castro Moura Duarte do Ibmec São Paulo, baseados em informações disponíveis em <http://www.papaiz.com.br/papaiz/>, 2008; R. Salgado. "Papaiz transdere produção de SP para BA". Jornal Valor Econômico, ago. 2008, p.B6, 22–24.

REFERÊNCIAS SELECIONADAS

ANDEL, T. "Site selection tools dig data", *Transportation & Distribution*, v. 37, n. 6, 1996, pp. 77-81.

BARTNESS, A. D. "The plant location puzzle", *Harvard Business Review*, mar./abr. 1994, p. 20-30.

"BMW announces its plans for a plant in South Carolina", *Wall Street Journal*, 24 jun. 1992, p. B2.

CHITTUM, Ryan. "Location, location, and technology: where to put that new store? site-selection software may be able to help", *Wall Street Journal*, 18 jul. 2005, p. R7.

COOK, David P.; CHON-HUAT, Goh; CHUNG, Chen H. "Service typologies: a state of the art survey", *Production and Operations Management*, v. 8, n. 3, 1999, p. 318-338.

COOK, Thomas M.; RUSSELL, Robert A. *Introduction to management sciences*. Englewood Cliffs, NJ: Prentice Hall, 1993.

DEFOREST, M. E. "Thinking of a plant in Mexico?", *The Academy of Management Executive*, v. 8, n. 1, 1994, p. 33-40.

"Doing well by doing good", *The Economist*, 22 abr. 2000, p. 65-67.

DREZNER, Z. *Facility location: a survey of applications and methods*. Secaucus, NJ: Springer-Verlag, 1995.

FERDOWS, Kasra, "Making the most of foreign factories", *Fortune*, mar./abr. 1997, p. 73-88.

GALUSZKA, P. "The south shall rise again", *Chief Executive*, nov. 2004, p. 50-54.

"How legend lives up to its name." *Business Week*, 15 fev. 1999, p. 75-78.

KUEHN, Alfred A.; HAMBURGER, Michael J. "A heuristic program for locating warehouses", *Management Science*, v. 9, n. 4, 1963, p. 643-666.

"Location analysis tools help starbucks brew up new ideas", *Business Geographics*. Disponível em: <www.geoplace.com>.

Love, Robert F.; James G. Morris; George O. Weslowsky. *Facilities location: models and methods*. New York: North-Holland, 1988.

LOVELOCK, Christopher H.; YIP, George S. "Developing global strategies for service businesses", *California Management Review*, v. 38, n. 2, 1996, p. 64-86.

"Manager's journal: why BMW cruised into Spartanburg", *Wall Street Journal*, 6 jul. 1992, p. A10.

"MapInfo delivers location intelligence for Marco's Pizza", *Directions Magazine*, 14 dez. 2004. Disponível em: <www.directionsmag.com/press.releases/?duty=Show&id=10790>.

PORTER, Michael E. "The competitive advantage of nations", *Harvard Business Review*, mar./abr. 1990, p. 73-93.

"Power system's relocation to Atlanta is official", *The Business Review*, 9 fev. 2001.

ROTH, Aleda. "The second generation of quality: global supply-chain integration in Japan and the United States", *The Quality Yearbook: 1998 Edition*, J. W. Cortada e J. A. Woods (eds.). New York: McGraw-Hill, 1998.

RUBINSTEIN, Ed. "Chain chart their course of actions with geographic information systems", *Nation's Restaurant News*, v. 32, n. 6, 1998, p. 49.

SCHMENNER, Roger W. *Making Business location decisions*. Englewood Cliffs, NJ: Prentice Hall, 1982.

"The science of site selection", *National Real Estate Investor*, 11 out. 2002.

VISHWANATH, Vijay; David Hardling. "The Starbucks effect", *Harvard Business Review*, mar./abr. 2000, p. 17-18.

12

OBJETIVOS DE APRENDIZAGEM

Depois de ler este capítulo, você será capaz de:

1. Identificar as diferenças entre os vários tipos de estoque e como administrar suas quantidades.

2. Definir os custos críticos de estoque e sua importância para o êxito financeiro.

3. Definir os fatores-chave que determinam a escolha apropriada de um sistema de estoque.

4. Descrever os dilemas de custo e serviço envolvidos nas decisões de estoques.

5. Calcular o lote econômico e aplicá-lo a várias situações.

6. Formular políticas para os modelos de revisão contínua e revisão periódica de controle de estoque.

O estado da arte em tecnologia, como o uso de etiquetas de identificação por radiofreqüência, ajudam a deslocar a mercadoria de modo eficiente pelos centros de distribuição do Wal-Mart.

Capítulo 12
Administração de estoques

Gerenciamento de estoques no Wal-Mart

Você está no mercado para comprar refil de lâmina de barbear? Uma impressora? Material de primeiros socorros? Comida para cachorro? *Spray* para cabelo? Em caso afirmativo, você espera que a loja em que faz compras tenha o que quer. Entretanto, assegurar-se de que as prateleiras estejam abastecidas com dezenas de milhares de produtos não é um assunto nada simples para os gerentes de estoque do Wal-Mart, que tem 1.276 lojas próprias, 1.838 supercentros, 556 SAM'S Clubs e 92 mercados de bairro nos Estados Unidos e 1.617 lojas adicionais em outros nove países. Você pode imaginar que, em uma operação tão grande, algumas coisas podem se perder. Linda Dillman, diretora-executiva de informação do Wal-Mart, relata a história do *spray* de cabelo perdido em uma das lojas. A prateleira precisava ser reabastecida com um *spray* específico; entretanto, foram necessários três dias para encontrar a caixa no fundo da loja. A maioria dos clientes não troca *spray* de cabelo, assim, o Wal-Mart perdeu três dias de venda desse produto.

Saber o que está no estoque, em que quantidade e onde está sendo guardado é crítico para a administração efetiva de estoques. Sem informação precisa sobre estoque, as empresas podem cometer grandes erros fazendo pedidos em excesso ou insuficientes ou enviando produtos para o local errado. As empresas podem ter estoques grandes e, mesmo assim, enfrentar falta de estoque porque têm determinado produto em excesso e outros em quantidade insuficiente. O Wal-Mart, com 29 bilhões de dólares de estoque em excesso, certamente está ciente dos benefícios potenciais do gerenciamento de estoque aperfeiçoado e está constantemente experimentando modos de reduzir seus investimentos nesse quesito. Por exemplo, ele percebeu que o gerenciamento efetivo de estoques deve incluir a cadeia de suprimentos inteira. A empresa está implementando a RFID— tecnologia de identificação por radiofreqüência em sua cadeia de suprimentos. Os chips de RFID com pequenas antenas são afixados a caixas ou paletes de um produto. Quando passa perto de uma 'leitora', o chip é ativado e o código exclusivo de identificação do produto é transmitido para um sistema de controle de estoque. As leitoras usadas pelo Wal-Mart têm um alcance médio de 15 pés e as que estão instaladas nas portas do galpão informarão automaticamente às equipes de operações do Wal-Mart, assim como aos fornecedores, quando uma remessa chegar a um edifício, seja ele um centro de distribuição, seja uma loja. O Wal-Mart usa os dados para decidir quando trazer estoque adicional para a gôndola da loja e calcular se ela pediu quantidades elevadas de um produto (monitorando quanto tempo uma caixa do produto permanece no depósito antes que seu conteúdo seja esvaziado) ou se estoque em excesso permanece na cadeia de suprimentos (se a caixa não é retirada de um centro de distribuição durante dias). Melhor disponibilidade de mercadorias propicia ao consumidor uma vantagem importante.

O potencial dessa tecnologia é impressionante. Contudo, ela ainda está em sua fase inicial para aplicação no gerenciamento de estoques na cadeia de suprimentos. É necessário muito desenvolvimento tecnológico antes que os benefícios se tornem verdadeiramente evidentes. Parece, porém, que o Wal-Mart pode ter resolvido o problema do *spray* de cabelo perdido. Uma leitora RFID portátil poderia ter encontrado a caixa perdida em alguns minutos.

Fontes: Laurie Sullivan, "Wal-Mart's way", Informationweek.com 27 set. 2004, p. 36-50; Gus Whitcomb e Christi Gallagher, "Wal-Mart begins roll-out of electronic product codes in Dallas/Fort Worth Area". Disponível em <www.walmartstores.com>, 30 abr. 2004; Investor Information, *2005 Financial Reports*.

A **administração de estoques**, seu planejamento e seu controle a fim de satisfazer às prioridades competitivas da organização é um assunto importante para gerentes em todos os tipos de negócios. A gestão eficaz de estoques é essencial para concretizar o potencial pleno de qualquer cadeia de valor. Para empresas que operam com margens de lucro relativamente baixas, a gestão insatisfatória de estoques pode enfraquecer seriamente os negócios. O desafio é não reduzir os estoques até o final para reduzir custos nem ter estoque de sobra para atender a todas as demandas, mas ter a quantidade correta para alcançar as prioridades competitivas da empresa de modo mais eficaz. Esse tipo de eficiência pode ocorrer apenas se a quantidade certa de estoque estiver circulando através da

USANDO OPERAÇÕES PARA COMPETIR

Operações como arma competitiva
Estratégia de operações
Administração de projetos

ADMINISTRANDO PROCESSOS

Estratégia de processo
Análise de processos
Desempenho e qualidade do processo
Administração das restrições
Layout do Processo
Sistemas de produção enxuta

ADMINISTRANDO CADEIAS DE VALOR

Estratégia de cadeia de suprimentos
Localização
Administração de estoques
Previsão de demanda
Planejamento de vendas e operações
Planejamento de recursos
Programação

cadeia de valor — por meio de fornecedores, da empresa, de armazéns ou centros de distribuição e clientes. Essas decisões foram tão importantes para o Wal-Mart que ele decidiu usar tecnologia para melhorar os fluxos de informação na cadeia de suprimentos.

Gerenciar estoques é um processo que requer informações sobre as demandas esperadas, as quantidades de estoque disponíveis e pedidos para cada produto estocado pela empresa em todas as suas localizações, e a quantidade e o momento adequado para novos pedidos. O processo de gestão de estoques pode ser analisado e suas capacidades medidas em relação às prioridades competitivas da empresa, como alcançar operações de baixo custo (quanto do processo de administração de estoques deve ser automatizado?) ou manter qualidade constante (como os erros relacionados a quantidades disponíveis e previsões de demanda podem ser minimizados?). Neste capítulo, focalizamos os aspectos de tomada de decisão do processo. Começamos com uma visão geral do impacto do gerenciamento de estoques sobre a organização e, em seguida, discutimos os conceitos básicos de gerenciamento de estoques para todos os tipos de negócios. Um segmento importante do capítulo é dedicado a sistemas de controle de varejo e distribuição de estoque.

ADMINISTRAÇÃO DE ESTOQUE POR TODA A ORGANIZAÇÃO

Estoques são importantes para todos os tipos de organizações e seus funcionários, pois eles afetam profundamente as operações diárias, uma vez que devem ser contados, pagos e usados em operações para satisfazer clientes e administrados. Os estoques requerem um investimento de fundos, como para a compra de uma nova máquina. Somas de dinheiro investidas em estoque não estão disponíveis para investimento em outras coisas; portanto, representam uma redução drástica nos fluxos de caixa de uma organização. Entretanto, as empresas percebem que a disponibilidade de produtos é um argumento-chave de vendas em muitos mercados e crítico em muitos outros.

Desse modo, o estoque é benéfico ou prejudicial? Certamente, estoque disponível em excesso reduz a rentabilidade, e uma quantidade de estoque disponível muito pequena diminui a confiança do cliente. A gestão de estoques envolve, portanto, dilemas. Vamos descobrir como as empresas podem administrar estoques de modo eficaz por toda a organização.

CONCEITOS BÁSICOS DE ESTOQUE

O estoque é gerado quando o recebimento de materiais, peças ou bens acabados é superior à sua utilização ou saída; é esgotado quando a utilização é superior ao recebimento. Nesta seção, identificamos as pressões associadas à manutenção de estoques baixos e altos e definimos os diferentes tipos de estoque. Em seguida, discutimos táticas que podem ser utilizadas para reduzir estoques quando apropriado, identificamos os dilemas envolvidos na tomada de decisão de localização de estoque e discutimos como identificar os itens de estoque que precisam de mais atenção.

PRESSÕES PARA MANTER ESTOQUES BAIXOS

A tarefa do gerente de estoques é equilibrar as vantagens e desvantagens, tanto de estoques baixos como altos, e encontrar um meio-termo favorável entre os dois níveis. A razão principal para manter estoques baixos é que o estoque representa um investimento monetário temporário. Como tal, a empresa incorre em um custo de oportunidade, que chamamos custo de capital, procedente do dinheiro investido em estoque que poderia ser usado para outros propósitos. O **custo de armazenamento** (ou custo de posse) é a soma do custo de capital com os custos variáveis de se manter itens disponíveis, como custos e encargos de armazenamento e manuseio, seguro e custos de perdas. Quando esses componentes se alteram com os níveis de estoque, o custo de armazenamento também aumenta.

As empresas normalmente determinam o custo de armazenamento de um produto por período de tempo como um percentual de seu valor. O custo anual de manutenção de uma unidade em estoque geralmente varia de 15 a 35 por cento de seu valor.[1] Suponha que o custo de armazenamento de uma empresa é de 20 por cento. Se o valor médio de estoque total é de 20 por cento das vendas, o custo anual médio de se armazenar estoque é de quatro por cento [0,20(0,20)] das vendas totais. Esse custo é relativamente grande em termos de margens de lucro bruto, que freqüentemente são menores que dez por cento. Desse modo, os componentes de custo de armazenamento criam pressões para manter os estoques baixos.

Custo de capital O custo de capital é o custo de oportunidade de se investir em um ativo em relação ao retorno esperado dos ativos de risco semelhante. O estoque é um ativo; por conseguinte, devemos usar uma medida de custo que reflita adequadamente a abordagem de financiamento de ativos usada pela empresa. A maioria das empresas usa o WACC (*weighted avarage cost of capital* — custo do capital médio ponderado), que é a média do retorno requerido sobre o valor das ações e a taxa de juros da dívida de uma empresa, ponderada pela proporção de patrimônio líquido e dívida em seu portfólio. O custo de capital normalmente é o maior componente do custo de armazenamento, representando cerca de 15 por cento, dependendo do portfólio de capitalização particular da empresa. As empresas geralmente atualizam o WACC em uma base anual porque é utilizado para tomar muitas decisões financeiras.

Custos de armazenamento e manuseio O estoque ocupa espaço e deve ser deslocado para dentro e para fora do depósito. Pode-se incorrer em custos de armazenamento e manuseio quando uma empresa aluga espaço seja no longo ou no curto prazo. Incorre-se em custo quando uma empresa pode usar o espaço de armazenamento de modo produtivo de alguma outra maneira.

Encargos, seguro e perdas Mais encargos são pagos se os estoques de fim de ano são altos e o custo de guardar os estoques aumenta. A perda assume três formas: a primeira, *furto*, ou roubo de estoque por clientes ou funcionários, representa um percentual significativo das vendas para algumas empresas; a segunda, *obsolescência*, ocorre quando o estoque não pode ser usado ou vendido pelo valor integral, devido a mudanças de modelo, modificações de engenharia ou demanda inesperadamente baixa. A obsolescência é a responsável por grande despesa na indústria de varejo de roupas. Muitas vezes, os comerciantes precisam oferecer descontos drásticos em roupas da estação para muitos desses produtos no fim de uma estação. Por fim, a *deterioração* por meio de estrago ou dano físico resulta em valor perdido. Comidas e bebidas, por exemplo, perdem valor e podem até mesmo ter de ser descartadas quando sua data de validade for atingida. Quando a taxa de deterioração é alta, formar estoques grandes pode ser insensato.

PRESSÕES PARA MANTER ESTOQUES ALTOS

Dados os custos de armazenagem de estoques, por que não eliminá-lo completamente? Examinemos brevemente as pressões relacionadas à manutenção de estoques.

Atendimento ao cliente Gerar estoque pode acelerar e melhorar a pontualidade da entrega de bens da empresa. Níveis altos de estoque reduzem o potencial de faltas de estoque e de pedidos em espera, que são preocupações-chave de atacadistas e varejistas. Uma falta de estoque acontece quando um produto que geralmente está em estoque não está disponível para satisfazer a uma demanda no momento em que ela ocorre, tendo como resultado perda de vendas. Um pedido em espera é um pedido do cliente que não pode ser atendido quando prometido ou requerido, mas é satisfeito posteriormente. Os clientes não gostam de esperar pela satisfação de um pedido. Muitos deles farão seus negócios em outro lugar. Algumas vezes, os clientes recebem descontos pela inconveniência de esperar.

Custo do pedido Cada vez que uma empresa coloca um novo pedido, ela incorre em **custo do pedido** ou o custo de preparar um pedido de compra a um fornecedor ou um pedido de produção para a fábrica. Para o mesmo produto, o custo do pedido é o mesmo, independentemente do tamanho do pedido: o agente de compras deve se apressar para decidir o quanto pedir e, talvez, selecionar um fornecedor e negociar condições. Tempo também é gasto com registro de dados, manutenção de contato e recebimento do(s) produtos(s). No caso de um pedido de fabricação de um produto manufaturado, um *blueprint* e um roteiro com instruções, muitas vezes, devem acompanhar o pedido de fabricação. Entretanto, a Internet racionaliza o processo de pedido e reduz seus custos de colocação.

Custo de setup O custo envolvido na preparação de uma máquina para produzir um produto diferente é o **custo de *setup***. Ele inclui o trabalho e o tempo para fazer a troca, limpeza e, algumas vezes, novas ferramentas ou equipamentos. Custos de refugo ou retrabalho também são mais altos no início do período de produção. O custo de *setup* também é independente do tamanho do pedido, o que cria pressão para fabricar ou pedir uma grande quantidade dos produtos e mantê-los em estoque, em vez de lotes menores.

Utilização de mão-de-obra e equipamento Ao gerar mais estoque, a gerência pode aumentar a produtividade da força de trabalho e a utilização da instalação de três maneiras. Primeiro, colocar pedidos de produção maiores e menos freqüentes reduz o número de preparações improdutivas, que não agregam nenhum valor a um serviço ou produto. Segundo, o armazenamento de estoque reduz a chance de ocorrência da dispendiosa reprogramação dos pedidos de produção porque os componentes necessários para fabricar o produto não estão em estoque. Terceiro, formar estoques melhora a utilização de recursos, estabilizando a taxa de produção quando a demanda for cíclica ou sazonal. A empresa usa o estoque formado durante períodos de pouca atividade para lidar com a demanda adicional em períodos de pico. Essa abordagem minimiza a necessidade de turnos adicionais, contratações, demissões, horas extras e equipamento adicional.

---

[1] Stephen G. Timme e Christine Williams-Timme, "The real cost of holding inventory", *Supply Chain Management Review*, jul./ago 2003, p. 30-37. Este artigo fornece uma discussão detalhada do cálculo do custo ponderado de capital e das implicações de se subestimar o custo de armazenamento de estoque.

A administração de estoques começa com o conhecimento de quanto estoque disponível se tem. Nesta foto, um varejista usa um *scanner* portátil para verificar estoques nas prateleiras do supermercado.

Custo de transporte Algumas vezes, o custo de transporte pode ser reduzido por meio do aumento dos níveis de estoque. Ter estoque disponível permite que mais remessas sejam feitas por trem (vagões) e minimiza a necessidade de expedir remessas por modalidades de transporte mais caras. A *colocação antecipada* de estoque também pode reduzir os custos de transporte, embora o efeito de *combinação de estoques* seja reduzido e seja necessário mais estoque. Os custos de transporte de entrada também podem ser reduzidos, gerando mais estoque. Algumas vezes, vários produtos são pedidos ao mesmo fornecedor. Colocar esses pedidos ao mesmo tempo pode levar a descontos nos preços, reduzindo, dessa maneira, os custos de transporte e de matérias-primas.

Pagamentos a fornecedores Uma empresa, muitas vezes, pode reduzir os pagamentos totais aos fornecedores se puder tolerar níveis de estoque mais altos. Suponha que uma empresa seja informada de que um de seus princiais fornecedores está para aumentar seus preços. Nesse caso, pode ser mais barato para a empresa pedir uma quantidade maior que a habitual — na verdade, adiando o aumento do preço — ainda que o estoque aumente temporariamente. Uma empresa também pode se aproveitar de descontos por quantidade desse modo. Um **desconto por quantidade**, por meio do qual o preço por unidade cai quando o pedido for suficientemente grande, é um incentivo para pedir quantidades maiores. O Suplemento D "Modelos especiais de estoque" mostra como determinar quantidades de pedido nessa situação.

TIPOS DE ESTOQUES

Outra perspectiva em relação a estoques é classificá-los pelo modo como são criados. Nesse contexto, o estoque assume quatro formas: (1) cíclico; (2) estoque de segurança; (3) de antecipação; e (4) em trânsito. Eles não podem ser identificados fisicamente, isto é, um gerente de estoque não pode olhar para uma pilha de unidades de produto e identificar quais são cíclicos e quais estão em trânsito. Entretanto, conceitualmente, cada um dos quatro tipos começa a existir de modos completamente diferentes. Uma vez que você tenha entendido essas diferenças, pode determinar outras maneiras de se reduzir o estoque, o que discutiremos na próxima seção.

Estoque cíclico A porção do estoque total que varia diretamente com o tamanho do lote é chamada **estoque cíclico**. A determinação da freqüência de colocação de pedidos e da quantidade é chamada ***definição do lote***. Dois princípios se aplicam:

1. o tamanho do lote, Q, varia diretamente com o tempo decorrido (ou ciclo) entre pedidos. Se um lote é pedido a cada cinco semanas, o tamanho médio do lote deve ser igual à demanda de cinco semanas;

2. quanto mais longo o tempo entre pedidos para um dado produto, maior deve ser o estoque cíclico.

No princípio do intervalo, o estoque cíclico está em seu máximo, ou Q. No fim do intervalo, logo antes da chegada de um novo lote, o estoque cíclico cai para seu mínimo, ou 0. O estoque cíclico médio é a média desses dois extremos:

$$\text{estoque cíclico médio} = \frac{Q+0}{2} = \frac{Q}{2}$$

Essa fórmula é exata apenas quando a taxa de demanda é constante e uniforme. Entretanto, fornece uma estimativa razoavelmente boa mesmo quando as taxas de demanda não são constantes. Outros fatores além da taxa de demanda (por exemplo, perdas de refugos) também podem causar erros de estimativa quando essa fórmula simples for usada.

Estoque de segurança Para evitar problemas de atendimento ao cliente e custos escondidos de componentes indisponíveis, as empresas mantêm estoques de segurança. O **estoque de segurança** é o estoque excedente que protege contra incertezas da demanda, do tempo de espera pela entrega e das alterações na oferta. Os estoques

| EXEMPLO 12.1 | Estimando níveis de estoque |

Uma planta faz remessas mensais de furadeiras elétricas para um atacadista em tamanhos de lote médios de 280 furadeiras. A demanda média do atacadista é de 70 furadeiras por semana e o *lead time* da planta é de três semanas. O atacadista deve pagar pelo estoque a partir do momento em que a planta faz uma remessa. Se o atacadista estiver disposto a aumentar sua quantidade de compra para 350 unidades, a planta garantirá um *lead time* de duas semanas. Qual é o efeito sobre estoques cíclico e em trânsito?

SOLUÇÃO
Os estoques cíclico e em trânsito correntes são

$$\text{Estoque cíclico} = \frac{Q}{2} = \frac{280}{2} = 140 \text{ furadeiras}$$

$$\text{Estoque em trânsito} = \bar{D}_L = dL = (70 \text{ furadeiras/semana})(3 \text{ semanas})$$
$$= 210 \text{ furadeiras}$$

O Tutor 12.1, disponível no site de apoio do livro, fornece um novo exemplo de prática da estimativa de níveis de estoque.

A Figura 12.1 mostra os estoques cíclico e em trânsito se o atacadista aceitar a nova proposta.

1. Insira o tamanho médio do lote, a demanda média durante um período e o número de períodos de *lead time*:

Tamanho médio do lote	350
Demanda média	70
Lead time	2

2. Para calcular o estoque cíclico, simplesmente divida o tamanho médio do lote por 2. Para calcular o estoque em trânsito, multiplique a demanda média pelo *lead time*:

Estoque cíclico	175
Estoque em trânsito	140

Figura 12.1 Estimando níveis de estoque para estoques de ciclo e em trânsito usando o Tutor 12.1

Ponto de decisão O efeito da nova proposta sobre os estoques cíclico é aumentá-los em 35 unidades ou 25 por cento. A redução nos estoques em trânsito, contudo, é de 70 unidades ou 33 por cento. A proposta reduziria o investimento total em estoques cíclico e em trânsito. Além disso, é vantajoso ter *lead times* menores porque o atacadista tem de se envolver com compras com duas semanas de antecedência, em vez de três.

---

de segurança são desejáveis quando os fornecedores não conseguem entregar a quantidade desejada na data especificada ou produtos de qualidade aceitável, ou quando os produtos manufaturados requerem quantidades significativas de refugo ou reprocessamento. O estoque de segurança assegura que as operações não sejam interrompidas quando esses problemas acontecerem, permitindo que as operações subseqüentes continuem.

Para criar estoque de segurança, uma empresa coloca um pedido para entrega antes que o produto seja normalmente necessário.[2] O pedido de resuprimento, portanto, chega antes do tempo, fornecendo um amortecedor contra a incerteza. Por exemplo, suponha que o tempo médio de espera pela entrega de um fornecedor seja de três semanas, mas uma empresa coloca o pedido com cinco semanas de antecedência apenas para se assegurar. Essa política cria um estoque de segurança igual ao suprimento de duas semanas (5 – 3).

Estoque de antecipação O estoque usado para absorver taxas irregulares de demanda ou oferta, que as empresas muitas vezes enfrentam, é chamado *estoque de antecipação*. Padrões de demanda previsíveis, sazonais, levam ao uso de estoque de antecipação. A demanda irregular pode motivar um fabricante a armazenar estoque de antecipação durante os períodos de demanda baixa, de forma que os níveis de produto não tenham que ser muito aumentados quando a demanda chegar ao ponto máximo. O estoque de antecipação também pode ajudar quando os fornecedores forem ameaçados por uma greve ou tiverem limitações de capacidade severas.

Estoque em trânsito O estoque se movendo de um ponto a outro no sistema de fluxo de materiais é chamado **estoque em trânsito**. Os materiais se deslocam dos fornecedores até uma planta, de uma operação à próxima na planta, da planta a um centro de distribuição ou cliente e do centro de distribuição a um varejista. O estoque em trânsito consiste em pedidos que foram colocados, mas ainda não foram recebidos. Por exemplo, a NUMMI, empreendimento conjunto entre a General Motors e a Toyota, na Califórnia, usa peças produzidas no Meio Oeste. As remessas chegam diariamente à planta, mas o tempo de espera do transporte requereu um estoque em trânsito de peças em vagões ferroviários a caminho para o Meio Oeste a toda hora. O estoque em trânsito entre dois pontos, para transporte ou produção, pode ser medido como a demanda média durante o *lead time*, $\bar{D}_L$, que é a demanda média pelo produto por período (d) vezes o número de períodos do *lead time* do produto (L) para se mover entre dois pontos ou

$$\text{Estoque em trânsito} = \bar{D}_L = dL$$

Observe que o tamanho do lote não afeta diretamente o nível médio do estoque em trânsito. Aumentar Q aumenta o tamanho de cada pedido. Assim, se um pedido foi colocado, mas não recebido, há mais estoque em trânsito para esse *lead time*. Entretanto, esse aumento é cancelado por uma redução proporcional no número de pedidos colocados por ano. O tamanho de lote pode afetar *indiretamente* o estoque em trânsito, porém, se Q aumentar, causará um aumento no *lead time*. Aqui, $\bar{D}_L$ e, portanto, o estoque em trânsito aumentará.

A seção "Prática gerencial 12.1" mostra como a Amazon. com projetou um sistema de estoques para melhorar o serviço ao consumidor.

---

[2] Quando os pedidos são colocados em intervalos fixos, um segundo modo de criar estoque de segurança é utilizado. Cada novo pedido colocado é maior que a quantidade geralmente necessária até a próxima data de entrega.

PRÁTICA GERENCIAL 12.1 — MELHORANDO O SERVIÇO AO CLIENTE MEDIANTE GERENCIAMENTO DE ESTOQUE NA AMAZON.COM

A Amazon.com teve um período de férias difícil em 1999, devido, principalmente, à má administração de estoques e a operações de armazém caóticas que resultaram em uma grande quantidade de bens não vendidos. A maior parte dos clientes da Amazon estava satisfeita, mas a empresa comprou estoque em excesso, inclusive um suprimento de 50 semanas de telefones do Sapo Caco [do Muppet Show]! Desde então, a Amazon mudou seus métodos. Por exemplo, anteriormente, ela armazenava produtos como DVDs e aparelhos de DVD em estados diferentes, o que complicava reunir pedidos para um único cliente. Agora os produtos são agrupados em suas instalações de envio. Além disso, a Amazon agora prevê demandas por áreas do país. Computadores portáteis são previstos por CEP, e os estoques adequados são enviados ao armazém que atende a essa área. Essa abordagem reduz o tempo necessário para entregar um produto ao cliente.

Jeffrey Wilke, vice-presidente e gerente-geral de operações da Amazon, identificou quatro modos em que a Amazon aperfeiçoou o serviço ao cliente administrando melhor os estoques.

- Aumentou sua capacidade de armazenagem rapidamente. 3 milhões de pés quadrados de capacidade de armazenagem foram acrescentados em menos de um ano, o que permitiu que a Amazon desenvolvesse a quantidade apropriada de estoque cíclico, estoque de segurança e estoques de antecipação para atendimento aos clientes.
- Introduziu o estado da arte em automação e mecanização. Os depósitos da Amazon agora são eficientes e flexíveis o suficiente para deslocar produtos em contêiner, *pallets* ou lotes unitários, reduzindo, assim, os custos de manuseio.
- Vinculou as informações de pedido a um arquivo do cliente usando tecnologia da informação. Quando um cliente coloca um pedido em uma cesta de bens específica, o sistema captura os dados e os acrescenta a um banco de dados de compras anteriores desse cliente. Esse processo permite que a Amazon preveja compras futuras e customize a experiência de compra do cliente.
- Reproduziu o sistema em todos os seus centros de distribuição em que isso foi possível. A vinculação de capacidade, automatização e tecnologia da informação agora permitirá que a Amazon expanda sua variedade de produtos via novas sociedades e alianças. Por meio de replicação de sistema, a Amazon pode expandir de modo modular à medida que novos armazéns são acrescentados.

A Amazon também mudou sua estratégia de gerenciamento de estoque: ela agora usa uma combinação de operações de armazenagem internas e terceirizadas. Por exemplo, a Amazon terceirizou a distribuição de telefones celulares, computadores e livros, excluindo os das listas de *best-seller*. Telefones celulares requerem atendimento amplo e especializado ao consumidor, e computadores ocupam quantidades enormes de espaço do armazém. Outros produtos volumosos e difíceis de manejar, como aspiradores de pó, processadores de alimentos e serras de mesa, também são candidatos em potencial à terceirização. Essa mudança permite que a Amazon atente-se ao que faz melhor. Entretanto, pode se mostrar arriscada, uma vez que coloca a reputação conquistada com esforço pela Amazon nas mãos de outros. Contudo, ao reduzir os custos e aumentar suas margens de lucro por meio de melhor gerenciamento de estoque, a Amazon espera repassar um pouco de sua economia a seus clientes, aumentar seu número de compradores e minimizar quaisquer desvantagens que o novo sistema de estoque possa apresentar.

A Amazon.com aperfeiçoou seus sistemas de estoque dramaticamente ao longo da última década aumentando sua capacidade de armazenagem e introduzindo o estado da arte em mecanização para enviar produtos e rastrear as necessidades dos clientes. Embora a Amazon armazene muitos dos produtos que vende, agora terceiriza outros produtos para armazéns independentes.

Fontes: Nick Wingsfield, "Amazon vows to avoid mess of 1999 Christmas rush: too many Kermit phones", *Wall Street Journal*, 25 set. 2000, p. B1; Entrevista com Jeffrey Wilke, *Business Week*, 1 nov. 1999. Disponível em <www.ebiz.businessweek.com>; Greg Sandoval, "How lean can Amazon get?", *CNET News.com*, 19 abr. 2002.

TÁTICAS DE REDUÇÃO DE ESTOQUE

Os gerentes estão sempre ávidos por encontrar modos lucrativos de reduzir o estoque. Mais adiante, neste capítulo, examinamos vários modos de se encontrar tamanhos ótimos de lote. Nesta seção, discutimos algo mais fundamental — as táticas básicas (que chamamos *alavancas*) — para reduzir o estoque. Uma alavanca primária é aquela que deve ser ativada se se quer reduzir o estoque. Uma alavanca secundária reduz o custo de penalidade de se aplicar a alavanca primária e a necessidade de se ter estoque em primeiro lugar.

Estoque cíclico A alavanca primária para reduzir o estoque cíclico é simplesmente reduzir o tamanho do lote. Entretanto, fazer essas reduções em Q sem fazer quaisquer outras alterações pode ser devastador. Por exemplo, os custos de preparação podem disparar. Se essas alterações ocorrerem, duas alavancas secundárias podem ser usadas:

1. racionalizar os métodos de colocação de pedidos e de preparações, a fim de reduzir os custos de pedido e *setups* e permitir que Q seja reduzido;
2. aumentar a repetitividade para eliminar a necessidade de trocas. **Repetitividade** é a medida pela qual o mesmo trabalho pode ser feito novamente. A repetitividade pode ser aumentada por demanda elevada do produto; do uso de especialização; da dedicação de recursos exclusivamente para um produto; do uso da mesma peça em muitos produtos diferentes; por meio da *automação flexível*; do uso do conceito de *um operador, máquinas múltiplas*; ou por meio de *tecnologia de grupo*. Repetitividade aumentada pode justificar novos métodos de preparação, reduzir custos de transporte e permitir descontos por quantidade dos fornecedores.

Estoque de segurança A alavanca primária para reduzir o estoque de segurança é colocar os pedidos mais perto do período em que devem ser recebidos. Entretanto, essa abordagem pode levar a um serviço ao consumidor inaceitável, a menos que incertezas de demanda, oferta e entrega possam ser minimizadas. Quatro alavancas secundárias podem ser usadas nesse caso:

1. melhorar as previsões de demanda de modo que menos surpresas advenham dos clientes. Talvez os clientes possam até mesmo ser encorajados a pedir produtos antes de precisar deles;
2. reduzir os *lead times* de produtos comprados ou fabricados para reduzir a incerteza da demanda. Por exemplo, fornecedores locais com *lead times* curtos podem ser selecionados sempre que possível;
3. reduzir incertezas da oferta. É provável que os fornecedores sejam mais confiáveis se os planos de produção forem compartilhados com eles. As surpresas de refugo ou retrabalho inesperado podem ser reduzidas melhorando os processos de fabricação. A manutenção preventiva pode minimizar o tempo ocioso inesperado causado por falhas no equipamento;
4. contar mais com *buffers* de equipamento e trabalho, como excesso de capacidade e trabalhadores capacitados em várias especialidades. Esses *buffers* são importantes para empresas no setor de serviços porque elas geralmente não podem fazer estoque de seus serviços.

Estoque de antecipação A alavanca primária para reduzir o estoque de antecipação é simplesmente combinar a taxa de demanda com a taxa de produção. As alavancas secundárias podem ser usadas para regularizar a demanda do cliente de um dos seguintes modos:

1. acrescentar novos produtos com ciclos de demanda diferentes, de maneira que um pico na demanda por um produto compense a baixa sazonal de outro;
2. promover campanhas promocionais fora de temporada;
3. oferecer planos sazonais de determinação de preços.

Estoque em trânsito Um gerente de operações tem controle direto sobre os *lead times*, mas não sobre as taxas de demanda. Uma vez que o estoque em trânsito é uma função da demanda durante o *lead time*, a alavanca primária é reduzi-lo. Duas alavancas secundárias podem ajudar os gerentes a reduzir os *lead times*:

1. encontrar fornecedores mais responsivos e selecionar novos transportadores para remessas entre locais de armazenamento ou melhorar o manuseio de materiais dentro da planta. Introduzir um sistema de computador pode superar atrasos nas informações entre um centro de distribuição e o varejista;
2. reduzir Q, pelo menos nos casos em que o *lead time* depende do tamanho do lote. Tarefas menores geralmente requerem menos tempo para ser concluídas.

DISPOSIÇÃO DOS ESTOQUES

A disposição dos estoques de uma empresa sustenta suas prioridades competitivas. Os estoques podem ser mantidos nos níveis de matérias-primas, estoque em processo e bens acabados. Os gerentes tomam decisões de disposição de estoques designando um produto como especial ou padrão. **Especial** é um produto fabricado sob encomenda ou, se comprado, comprado sob encomenda. Apenas o suficiente é encomendado para atender ao último pedido do cliente. **Padrão** é um produto fabricado para ser estocado, ou encomendado para estoque, e normalmente o produto está disponível quando solicitado. Por exemplo, os varejistas geralmente lidam com produtos padrão e os mantêm em estoque nas gôndolas da loja para satisfazer à demanda do cliente. Esse é o caso no Wal-Mart ou no Marshall Field's, embora, ocasionalmente, seja possível pedir produtos que não estão normalmente em estoque. Espere aguardar um tempo pela entrega se o produto for um item especial. Restaurantes com bufê expõem produtos alimentícios padrão entre os quais os clientes podem escolher para fazer uma refeição. Por outro lado, um alfaiate lida com produtos especiais porque não conhece as medidas ou preferências de tecido exatas do cliente até que ele chegue à loja. Lidar com produtos especiais também é o caso em um restaurante refinado, em que uma refeição específica não pode ser preparada até que o cliente faça seu pedido ao garçom. Os ingredientes para a refeição estão disponíveis, mas a própria refeição é considerada um produto especial.

Manter um nível elevado de estoque de bens acabados permitirá que a empresa entregue os produtos rapidamente aos clientes, mas também requer um investimento, em dinheiro, mais alto em estoque. O posicionamento de estoque da Shamrock Chemicals, uma fabricante de materiais usados em tintas para impressão de Newark, Nova Jersey, ilustra esse dilema. A Shamrock pode enviar um produto no mesmo dia em que o cliente faz o pedido. Entretanto, uma vez que os bens acabados são tratados como padrão, em vez de especiais, a Shamrock é forçada a manter um estoque grande de bens acabados. Armazenar estoques de matérias-primas reduziria o custo de manutenção de estoque, mas às custas do tempo de resposta rápido ao cliente, que dá à Shamrock sua vantagem competitiva. A R.R. Donnelley, um grande fabricante de livros e outros materiais impressos, escolhe uma estratégia oposta, mantendo seu estoque no nível de matérias-primas (por exemplo, em estoque de papel enrolado e tinta). A razão é que os produtos fabricados pela

Donnelley são feitos sob encomenda e, portanto, considerados especiais. Cada trabalho de impressão gera um produto exclusivo. Manter os estoques o mais próximo possível do nível de matérias-primas dá à Donnelley grande flexibilidade para satisfazer várias das demandas do cliente.

IDENTIFICANDO ITENS CRÍTICOS DE ESTOQUE COM A ANÁLISE ABC

Milhares de produtos são mantidos em estoque por uma organização típica, mas apenas um pequeno percentual deles merece atenção mais cuidadosa e controle mais firme por parte da gerência. A **análise ABC** é o processo de dividir produtos em três categorias, de acordo com o seu valor financeiro, de modo que os gerentes possam se focalizar nos produtos que tenham o maior valor em dólares. Esse método é o equivalente a se criar um *diagrama de Pareto*, exceto pelo fato de que é aplicado a estoque, em vez de erros do processo. Como mostra a Figura 12.2, os produtos da categoria A geralmente representam apenas cerca de 20 por cento dos produtos, mas representam 80 por cento do valor em dinheiro. Os produtos da categoria B representam outros 30 por cento dos produtos, mas apenas 15 por cento do valor em dinheiro. Por fim, 50 por cento dos produtos cai na categoria C, representando somente cinco por cento do valor em dinheiro. A meta da análise ABC é identificar os níveis de estoque dos produtos da categoria A de modo que a gerência possa controlá-los firmemente usando as alavancas que discutimos há pouco.

A análise começa pela multiplicação da taxa de demanda anual para um produto pelo valor unitário em dinheiro (custo) para determinar seu valor total em dinheiro. Depois de classificar os produtos com base no valor total em dinheiro e de criar o diagrama de Pareto, o analista procura alterações 'naturais' na inclinação. As linhas divisoras entre categorias na Figura 12.2 não são precisas. Os produtos da categoria A poderiam estar um pouco mais acima ou mais abaixo de 20 por cento de todos os produtos, mas normalmente representam a maior parte do valor em dinheiro.

Um gerente assegura que os produtos da categoria A sejam freqüentemente inspecionados para reduzir o tamanho médio do lote e manter os registros de estoque correntes. Por contraste, os produtos da categoria B requerem um nível intermediário de controle. Para produtos da categoria C, é apropriado um controle muito mais frouxo. A falta de estoque de um produto da categoria C pode ser tão crucial como a de um produto da categoria A, mas o custo de armazenagem de produtos da categoria C tende a ser baixo. Essas características sugerem que níveis de estoque mais altos podem ser tolerados e que mais estoques de segurança, tamanhos de lote maiores e talvez até um sistema visual, que discutiremos posteriormente, podem ser o suficiente para produtos da categoria C. Veja o Problema Resolvido 2 para um exemplo detalhado de análise ABC.

O Tutor 12.2, disponível no site de apoio do livro, oferece um outro exemplo para a prática da análise ABC.

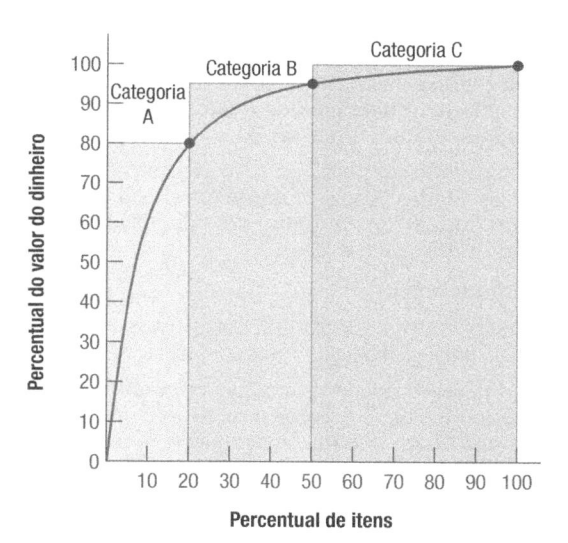

Figura 12.2 Gráfico típico da análise ABC

⬛ LOTE ECONÔMICO DE COMPRA

Lembre-se de que os gerentes enfrentam pressões conflitantes para manter estoques baixos o suficiente para evitar custos de armazenamento excessivos, mas altos o suficiente para reduzir os custos de pedido e preparação. Um bom ponto de partida para equilibrar essas pressões conflitantes e determinar o melhor nível de ciclo de estoque para um produto é encontrar a **EOQ** (*Economic Order Quantity* — **lote econômico de compra**), que é o tamanho de lote que minimiza os custos de pedido e armazenamento anuais totais. A abordagem para determinar a EOQ é baseada nas seguintes suposições:

1. a taxa de demanda para o produto é constante (por exemplo, sempre dez unidades por dia) e conhecida com certeza;
2. não há restrições (como capacidade de caminhão ou limitações de manuseio de materiais) quanto ao tamanho de cada lote;
3. os únicos dois custos relevantes são o custo de armazenagem e o custo fixo por lote para pedido ou preparação;
4. decisões para um produto podem ser tomadas independentemente de decisões para outros produtos. Em outras palavras, não há vantagem em combinar vários pedidos para o mesmo fornecedor;
5. o *lead time* é constante (por exemplo, sempre 14 dias) e conhecido com certeza. A quantidade recebida é exatamente a que foi pedida e chega simultaneamente, em vez de peça por peça.

O lote econômico de compra será ótimo quando todas as cinco suposições forem satisfeitas. Na realidade, poucas situações são tão simples. Entretanto, a EOQ é, muitas vezes, uma aproximação razoável do tamanho de lote apropriado, mesmo quando várias das suposições não se aplicam completamente. Aqui estão algumas diretrizes sobre quando usar ou modificar a EOQ.[3]

---
[3] Veja Alan R. Cannon e Richard E. Crandall, "The way things never were", *APICS — The Performance Advantage*, jan. 2004, p. 32-35, para uma discussão mais detalhada sobre a EOQ, sua relevância para JIT e quando usar a EOQ.

- Não utilize a EOQ

    se você utiliza a estratégia de fabricar sob encomenda e seu cliente especifica que o pedido inteiro deve ser entregue em uma remessa;

    se o tamanho do pedido é restringido por limitações de capacidade como o tamanho dos fornos da empresa, quantidade de equipamentos de teste ou número de caminhões de entrega.

- Modifique a EOQ

    se descontos por quantidade significativos forem oferecidos para pedidos de lotes maiores;

    se a reposição do estoque não for instantânea, o que pode acontecer se os produtos devem ser usados ou vendidos assim que forem acabados, sem esperar até que o lote inteiro seja concluído (veja o Suplemento D "Modelos especiais de estoque", para várias modificações úteis à EOQ).

- Use a EOQ

    se você segue uma estratégia de fabricar para estoque e o produto tem demanda relativamente estável;

    se os custos incidentais e de preparação ou custos de pedido são conhecidos e relativamente estáveis.

A EOQ nunca pretendeu ser uma ferramenta de otimização. Entretanto, se você precisa determinar um tamanho de lote razoável, pode ser útil em muitas situações.

CALCULANDO A EOQ

Começamos formulando o custo total para qualquer tamanho de lote Q. Em seguida, deduzimos a EOQ, que é o Q que minimiza o custo de ciclo de estoque anual total. Por fim, descrevemos como converter a EOQ em uma medida associada, o tempo decorrido entre pedidos.

Quando as suposições da EOQ forem satisfeitas, o ciclo de estoque se comporta como mostrado na Figura 12.3. Um ciclo começa com Q unidades mantidas em estoque, o que acontece quando um novo pedido é recebido. Durante o ciclo, o estoque disponível é usado a uma taxa constante e, uma vez que a demanda é conhecida com certeza e o *lead time* é uma constante, um novo lote pode ser pedido de forma que o estoque caia para 0 exatamente quando o novo lote for recebido. Uma vez que o estoque varia uniformemente entre Q e 0, o ciclo de estoque médio é igual à metade do tamanho do lote, Q.

O custo de armazenamento anual para essa quantidade de estoque, que aumenta de modo linear com Q, como a Figura 12.4(a) mostra, é

custo anual de armazenamento = (estoque cíclico médio)(custo de armazenamento unitário)

O custo de pedido anual é

custo de pedido anual = (número de pedidos/ano)(custo de pedido ou preparação)

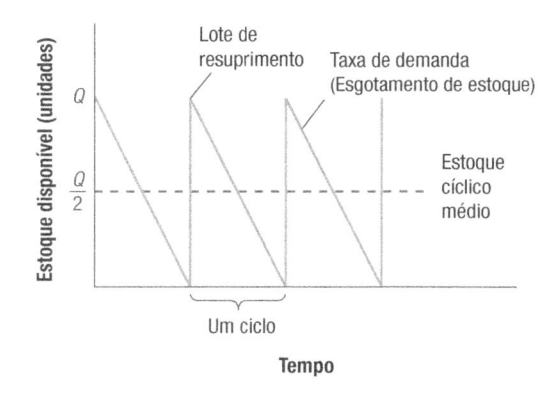

Figura 12.3 Níveis de estoque cíclico

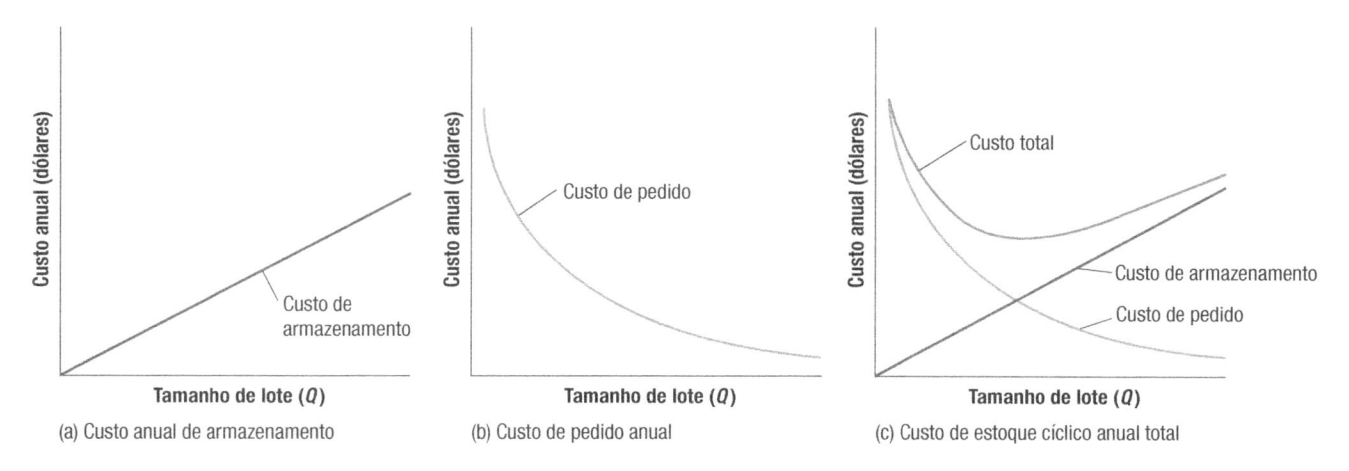

Figura 12.4 Gráficos de custos anuais de armazenamento e pedido e custos anuais totais

(a) Custo anual de armazenamento
(b) Custo de pedido anual
(c) Custo de estoque cíclico anual total

Determinação do custo de uma política de dimensionamento de lote — EXEMPLO 12.2

Um museu de história natural abriu uma loja de presentes há dois anos. Administrar estoques se tornou um problema. O giro de estoque baixo está comprimindo as margens de lucro e causando problemas de fluxo de caixa.

Um dos produtos mais vendidos na loja de presentes do museu é um alimentador de pássaros. As vendas são de 18 unidades por semana e o fornecedor cobra 60 dólares por unidade. O custo de se colocar um pedido ao fornecedor é de 45 dólares. O custo de armazenamento anual é de 25 por cento do valor do alimentador, e o museu funciona 52 semanas por ano. A gerência escolheu um tamanho de lote de 390 unidades, de modo que novos pedidos possam ser colocados com menos freqüência. Qual é o custo do estoque cíclico anual da política corrente de se usar um tamanho de lote de 390 unidades? Um tamanho de lote de 468 seria melhor?

SOLUÇÃO

Começamos calculando a demanda anual e o custo de armazenamento como

D = (18 unidades/semana)(52 semanas/ano) = 936 unidades
H = 0,25(\$ 60/unidade) = \$ 15

O custo do estoque cíclico anual total para a política corrente é

$$C = \frac{Q}{2}(H) + \frac{D}{Q}(S)$$
$$= \frac{390}{2}(\$15) + \frac{936}{390}(\$45)$$
$$= \$2.925 + \$108 = \$3.033$$

O custo do estoque cíclico anual total para o tamanho de lote alternativo é

$$C = \frac{468}{2}(\$15) + \frac{936}{468}(\$45) = \$3.510 + \$90$$
$$= \$3.600$$

Ponto de decisão O tamanho de lote de 468 unidades, que corresponde à provisão de um semestre, seria uma opção mais cara que a política atual. A economia em custos de pedido é mais que compensada pelo aumento nos custos de armazenamento. A gerência deve usar a função de custo do estoque cíclico anual total para explorar outras alternativas de tamanho de lote.

O número médio de pedidos por ano é igual à demanda anual dividida por Q. Por exemplo, se 1.200 unidades devem ser pedidas a cada ano e o tamanho de lote médio é de 100 unidades, 12 pedidos serão colocados durante o ano. O custo de pedido ou preparação anual se reduz de modo não-linear à medida que Q aumenta, como mostrado na Figura 12.4(b), uma vez que menos pedidos são colocados.

O custo de estoque cíclico anual total,[4] como representado no gráfico da Figura 12.4(c), é a soma dos dois componentes de custo:

custo total = custo de armazenamento anual + custo anual de pedido ou custo de preparação[5]

$$C = \frac{Q}{2}(H) + \frac{D}{Q}(S)$$

onde

C = custo de estoque cíclico anual total
Q = tamanho de lote, em unidades
H = custo de armazenamento de uma unidade em estoque por um ano, muitas vezes expresso como um percentual do valor do produto
D = demanda anual, em unidades por ano
S = custo de pedido ou preparação de um lote, em dólares por lote

A Figura 12.5 mostra o impacto da utilização de diferentes valores de Q para o alimentador de pássaro no Exemplo 12.2. Oito tamanhos de lote diferentes foram avaliados além do corrente. Tanto os custos de armazenamento como de pedido foram representados graficamente, mas sua soma — a curva de custo do estoque cíclico anual total — é o ponto mais importante. O gráfico mostra que o melhor tamanho de lote, ou EOQ, é o ponto mais baixo na curva de custo anual total ou entre 50 e 100 unidades. Evidentemente, reduzir a política de tamanho de lote corrente (Q = 390) pode ter como resultado economia significativa.

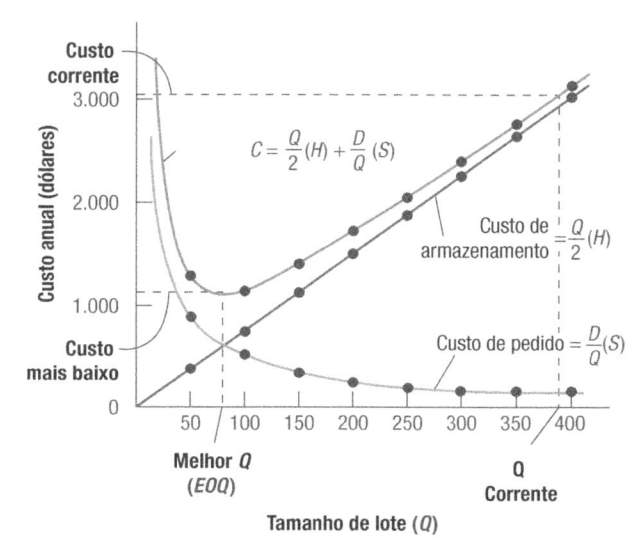

Figura 12.5 Função de custo do estoque cíclico anual total para o alimentador de pássaro

---

[4] Expressar o custo total em uma base anual normalmente é conveniente (embora não necessário). Qualquer horizonte de tempo pode ser selecionado, contanto que D e H cubram o mesmo período de tempo. Se o custo total é calculado em uma base mensal, D deve ser a demanda mensal e H deve ser o custo de armazenamento de uma unidade por um mês.

[5] O número de pedidos realmente colocados em qualquer ano é um número inteiro, embora a fórmula permita o uso de números fracionários. Entretanto, não é necessário arredondar, porque o que está sendo calculado é uma média para vários anos. Essas médias, muitas vezes, não são números inteiros.

Uma abordagem mais eficiente é utilizar a fórmula de EOQ:

$$EOQ = \sqrt{\frac{2DS}{H}}$$

Usamos o cálculo para obter a fórmula de EOQ a partir da função de custo do estoque cíclico anual total. Tomamos o primeiro resultado da função de custo do estoque cíclico anual total com respeito a Q, igualamos a 0 e resolvemos Q. Como a Figura 12.5 indica, a EOQ é a quantidade de pedido para a qual o custo de armazenamento anual é igual ao custo de pedido anual. Usando esse critério, também podemos obter a fórmula de EOQ igualando as fórmulas de custo de pedido anual e custo de armazenamento anual e resolvendo Q. O gráfico na Figura 12.5 também revela que, quando o custo de armazenamento anual para qualquer Q excede o custo de pedido anual, como no caso do pedido de 390 unidades, podemos concluir imediatamente que Q é muito grande. Um Q menor reduz o custo de armazenamento e aumenta o custo de pedido, equilibrando-os. De modo semelhante, se o custo de pedido anual excede o custo de armazenamento anual, Q deve ser aumentado.

Algumas vezes, políticas de estoque são baseadas no tempo entre pedidos de reposição, em vez do número de unidades no tamanho de lote. O **TBO** (*Time Between Orders* — **tempo entre pedidos**) para um tamanho de lote específico é o tempo médio decorrido entre o recebimento (ou colocação) de pedidos de reposição de Q unidades. Expresso como uma fração de um ano, o TBO é simplesmente Q dividido pela demanda anual. Quando usamos a EOQ e expressamos o tempo em termos de meses, o TBO é

$$TBO_{EOQ} = \frac{EOQ}{D}(12 \text{ meses/ano})$$

No Exemplo 12.3, mostramos como calcular o TBO para anos, meses, semanas e dias.

EXEMPLO 12.3 — **Encontrando EOQ, custo total e TBO**

Para os alimentadores de pássaro no Exemplo 12.2, calcule a EOQ e o custo do estoque cíclico anual total. Com que freqüência os pedidos serão colocados se a EOQ for usada?

SOLUÇÃO
Usando as fórmulas para EOQ e custo anual, obtemos

$$EOQ = \sqrt{\frac{2DS}{H}} = \sqrt{\frac{2(936)(45)}{15}} = 74,94 \text{ ou } 75 \text{ unidades}$$

Parâmetros

Tamanho de lote corrente (Q)	390	Lote econômico de compra	75
Demanda (D)	936		
Custo de pedido (S)	$ 45		
Custo de armazenamento unitário (H)	$ 15		

Custos anuais / **Custos anuais baseados na EOQ**

Pedidos por ano	2,4	Pedidos por ano	12,48
Custo de pedido anual	$ 108,00	Custo de pedido anual	$ 561,60
Custo de armazenamento anual	$ 2.925,00	Custo de armazenamento anual	$ 562,50
Custo de estoque anual	$ 3.033,00	Custo de estoque anual	$ 1.124,10

Figura 12.6 Custos do estoque cíclico anuais totais baseados na utilização da EOQ do Tutor 12.3

A Figura 12.6 mostra que o custo anual total é muito menor que o custo de 3.033 dólares da política corrente de colocar pedidos de 390 unidades. Quando a EOQ é usada, o tempo entre pedidos (TBO) pode ser expresso de vários modos para o mesmo período de tempo.

O Tutor 12.3, disponível no site de apoio do livro, fornece um novo exemplo de prática da aplicação do modelo EOQ.

O Active Model 12.1, disponível no site de apoio do livro, fornece um insight adicional do modelo EOQ e seu uso.

$$TBO_{EOQ} = \frac{EOQ}{D} = \frac{75}{936} = 0,080 \text{ ano}$$

$$TBO_{EOQ} = \frac{EOQ}{D}(12 \text{ meses/ano}) = \frac{75}{936}(12) = 0,96 \text{ mês}$$

$$TBO_{EOQ} = \frac{EOQ}{D}(52 \text{ semanas/ano}) = \frac{75}{936}(52) = 4,17 \text{ semanas}$$

$$TBO_{EOQ} = \frac{EOQ}{D}(365 \text{ dias/ano}) = \frac{75}{936}(365) = 29,25 \text{ dias}$$

Ponto de decisão Usando a EOQ, serão requeridos cerca de 12 pedidos por ano. Usando a política corrente de 390 unidades por pedido, uma média de 2,4 pedidos será necessária a cada ano (a cada cinco meses). A política atual economiza em custos de pedido, mas incorre em um custo muito maior para efetuar o estoque cíclico. Embora seja fácil perceber que opção é a melhor, tendo-se por referência os custos totais de pedido e armazenamento, outros fatores podem afetar a decisão final. Por exemplo, se o fornecedor reduzir o preço por unidade para pedidos grandes, pode ser melhor pedir a quantidade maior.

ENTENDENDO O EFEITO DAS MUDANÇAS

Submeter a fórmula de EOQ à análise de sensibilidade pode render percepções valiosas sobre a gestão de estoques. A análise de sensibilidade é uma técnica para mudar sistematicamente parâmetros cruciais para determinar os efeitos de uma mudança. Consideremos os efeitos sobre a EOQ quando substituímos valores diferentes no numerador ou no denominador da fórmula.

Uma mudança na taxa de demanda Uma vez que D está no numerador, a EOQ (e, portanto, o melhor nível de estoque cíclico) aumenta em proporção à raiz quadrada da demanda anual. Por essa razão, quando a demanda aumenta, o tamanho do lote também deve aumentar, mas mais lentamente que a demanda real.

Uma mudança nos custos de preparação Uma vez que S está no numerador, aumentar S aumenta a EOQ e, por conseguinte, o estoque cíclico médio. De modo inverso, reduzir S reduz a EOQ, possibilitando que tamanhos de lote menores sejam produzidos parcimoniosamente. Essa relação explica por que os fabricantes estão tão preocupados com a redução do tempo e dos custos de preparação. Quando as semanas de suprimento se reduzem, os giros de estoque aumentam. Quando o custo e o tempo de preparação se tornam insignificantes, um grande obstáculo à produção de lotes pequenos é removido.

Uma mudança nos custos de armazenamento Uma vez que H está no denominador, a EOQ diminui quando H aumenta. De modo inverso, quando H diminui, a EOQ aumenta. Tamanhos de lote maiores são justificados por custos de armazenamento mais baixos.

Erros na estimativa de D, H e S O custo total é completamente insensível a erros, mesmo quando as estimativas apresentam uma grande margem de erro. As razões são que os erros tendem a se compensar e que a raiz quadrada reduz o efeito do erro. Suponha que tenhamos estimado, incorretamente, o custo de armazenamento como o dobro de seu valor verdadeiro; isto é, calculamos EOQ usando $2H$, em vez de H. Para o Exemplo 12.3, esse erro de 100 por cento aumenta o custo do estoque cíclico total em apenas seis por cento, de 1.124 dólares para 1.192 dólares. Desse modo, a EOQ se encontra em uma faixa razoavelmente grande de tamanhos de lote aceitáveis, possibilitando que os gerentes se afastem um pouco da EOQ para acomodar contratos com fornecedores ou restrições de armazenagem.

EOQ E SISTEMAS DE PRODUÇÃO ENXUTA

Superficialmente, a EOQ parece ser diametralmente oposta aos princípios de sistemas de produção enxuta (*lean*), que contam com tamanhos de lote pequenos e níveis de estoque baixos. Entretanto, as mesmas melhorias de processo que levam a um sistema *lean* criam um ambiente que se aproxima das suposições bastante restritivas da EOQ. Por exemplo, as taxas de demanda anuais, mensais, diárias ou a cada hora são conhecidas com certeza razoável em sistemas *lean*, e a taxa de demanda é relativamente uniforme. Os sistemas *lean* também podem ter poucas restrições de processo se a empresa pratica o gerenciamento *de restrições*. Além disso, os sistemas *lean* se esforçam por obter *lead times* constantes e quantidades de entrega confiáveis dos fornecedores; ambos suposições da EOQ. Por conseguinte, a EOQ como uma ferramenta de dimensionamento de lote é completamente compatível com os princípios de sistemas *lean*.

SISTEMAS DE CONTROLE DE ESTOQUE

A EOQ e outros métodos de dimensionamento de lote respondem à importante pergunta: quanto devemos pedir? Outra pergunta importante que precisa de uma resposta é: quando devemos colocar o pedido? Um sistema de controle de estoque responde a ambas as perguntas. Ao selecionar um sistema de controle de estoque para uma aplicação específica, a natureza das demandas impostas sobre os itens do estoque é crucial. Uma distinção importante entre tipos de estoque é se um item está sujeito a demanda dependente ou independente. Varejistas, como JCPenney, e distribuidores devem administrar **itens de demanda independente**; isto é, itens para os quais a demanda é influenciada por condições de mercado e não está relacionada às decisões de estoque para qualquer outro item mantido em estoque. O estoque de demanda independente inclui:

- mercadoria de atacado e varejo;
- estoque de apoio ao serviço, como selos e etiquetas de correspondência para correios, material de escritório para empresas de advocacia e material de laboratório para pesquisa em universidades;
- estoques de distribuição de peças de reposição e produto;
- MRO (*Manteinance, Repair and Operating* — material de manutenção, reparos e operações); isto é, itens que não se tornam parte do serviço ou produto final, como uniformes dos funcionários, combustível, tinta e peças de conserto de máquinas.

Administrar o estoque de demanda independente pode ser complicado porque a demanda é influenciada por fatores externos. Por exemplo, o dono de uma livraria pode não ter certeza sobre quantos exemplares do último *best-seller* os clientes comprarão durante o próximo mês. Em decorrência disso, o gerente pode decidir estocar exemplares adicionais como salvaguarda. A demanda independente, como a demanda por vários títulos de livros, deve ser prevista.

Neste capítulo, focalizamos os sistemas de controle de estoque para itens de demanda independente, que é o tipo de demanda com a qual o dono de livraria, outros varejistas, prestadores de serviço e distribuidores se defrontam. Embora a demanda de qualquer cliente seja difícil de prever, a demanda menor de alguns clientes muitas vezes é compensada pela demanda maior de outros. Desse modo, a demanda total por qualquer item de demanda independente pode seguir um padrão relativamente regular, com algumas flutuações aleatórias. Os *itens de demanda dependente* são aqueles requeridos como componentes ou insumos para um serviço ou produto. A demanda dependente exibe um padrão muito diferente do da demanda independente e deve ser administrada com técnicas diferentes (veja o Capítulo 15, "Planejamento de recursos").

Nesta seção, discutimos e comparamos dois sistemas de controle de estoque: (1) o sistema de revisão contínua, chamado de sistema Q; e (2) o sistema de revisão periódica, chamado de sistema P. Encerramos com o exame de sistemas híbridos, que reúnem características tanto de sistemas P como Q.

SISTEMA DE REVISÃO CONTÍNUA

Um **sistema de revisão contínua (Q)**, algumas vezes chamado de sistema **ROP** (*Reorder Point System* — **sistema de ponto de reposição**) ou sistema de quantidade de pedido fixa, rastreia o estoque restante de um produto a cada vez que ocorre uma retirada para determinar se é o momento de fazer um novo pedido. Na prática, essas revisões são feitas freqüentemente (por exemplo, diariamente) e, muitas vezes, continuamente (após cada retirada). O advento de computadores e caixas registradoras eletrônicas ligadas a registros de estoque facilitam as revisões contínuas. A cada revisão, uma decisão é tomada sobre a posição de estoque de um item. Se essa posição for considerada muito baixa, o sistema aciona um novo pedido. A **IP** (*Inventory Position* — **posição de estoque**) mede a capacidade do item de satisfazer à demanda futura. Ela inclui **SR** (*Scheduled Receipts* — **recebimento programado**), que são pedidos que foram colocados, mas ainda não foram recebidos, mais o OH (*On-Hand Inventory* — estoque disponível) menos o BO (*Backorder* — pedidos em espera). Algumas vezes, os recebimentos programados são chamados de **pedidos abertos**. Mais especificamente,

posição de estoque = estoque disponível + recebimentos programados − pedidos em espera

IP = OH + SR − BO

Quando a posição de estoque alcança um nível mínimo predeterminado, chamado de **ponto de reposição (R)**, uma quantidade fixa Q do item é pedida. Em um sistema de revisão contínua, embora a quantidade de pedido Q seja fixa, o tempo entre os pedidos pode variar. Por essa razão, Q pode estar baseada na EOQ, em uma quantidade de redução nos preços (o tamanho de lote mínimo que se qualifica para um desconto por quantidade), em um tamanho de contêiner (como carregamento) ou em alguma outra quantidade selecionada pela gerência.

Selecionando o ponto de reposição quando a demanda é certa Para demonstrar o conceito de ponto de reposição, suponha que a demanda por alimentadores na loja de presentes do museu no Exemplo 12.3 é sempre 18 por semana, o *lead time* é, constante, de duas semanas e o fornecedor sempre envia o número exato pedido pontualmente. Com a demanda e o *lead time* certos, o comprador do museu pode esperar até que a posição de estoque caia para 36 unidades ou (18 unidades/semana) (duas semanas) para colocar um novo pedido. Assim, nesse caso, o ponto de reposição, R, é igual à demanda durante o *lead time*, sem concessão acrescentada para o estoque de segurança.

A Figura 12.7 mostra como o sistema funciona quando a demanda e o *lead time* são constantes. A linha de inclinação descendente representa o estoque disponível, que está diminuindo a uma taxa constante. Quando ele alcança o ponto de reposição R (a linha horizontal), um novo pedido para Q unidades é colocado. O estoque disponível continua a cair por todo o *lead time* L até que o pedido seja recebido. Nesse momento, que marca o fim do *lead time*, o estoque disponível aumenta em Q unidades. Um novo pedido chega exatamente quando o estoque cai para 0. O tempo entre pedidos (TBO) é o mesmo para cada ciclo.

A posição de estoque, IP, mostrada na Figura 12.7 corresponde ao estoque disponível, exceto durante o *lead time*. Logo após um novo pedido ser colocado, no princípio do *lead time*, a IP aumenta em Q, como mostrado pela linha pontilhada. A IP excede OH por essa mesma margem por todo o *lead time*.[6] No fim do *lead time*, quando os recebimentos programados se convertem em estoque disponível, IP = OH mais uma vez. O ponto-chave aqui é comparar IP, não OH, com R ao decidir se haverá reposição. Um erro comum é ignorar os recebimentos programados ou pedidos em espera.

Selecionando o ponto de reposição quando a demanda é incerta Na realidade, a demanda e os *lead times* não são sempre previsíveis. Por exemplo, o comprador do museu sabe que a demanda *média* é de 18 alimentadores por semana e que o *lead time médio* é de

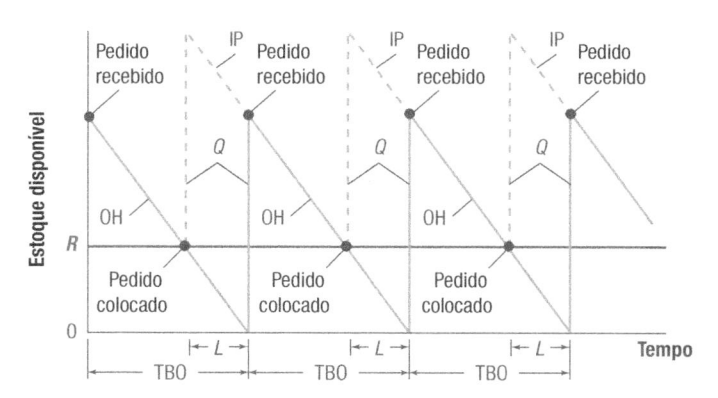

Figura 12.7 Sistema Q quando demanda e *lead time* são constantes e certos

---

[6] Uma exceção possível é a situação improvável em que mais de um recebimento programado está aberto ao mesmo tempo por causa de *lead times* longos.

CAPÍTULO 12 • Administração de estoques

EXEMPLO 12.4

Determinando se um pedido será colocado ou não

A demanda por sopa de galinha em um supermercado é sempre de 25 caixas por dia e o *lead time* é sempre de quatro dias. As prateleiras acabaram de ser reabastecidas com sopa de galinha, deixando um estoque disponível de apenas dez caixas. Não há pedidos em espera (*backorders*) atualmente, mas existe um pedido aberto para 200 caixas. Qual é a posição de estoque? Um novo pedido deve ser colocado?

SOLUÇÃO

R = Demanda média durante o *lead time* = $(25)(4)$ = 100 caixas
$IP = OH + SR - BO$
$= 10 + 200 - 0 = 210$ caixas

Ponto de decisão Uma vez que IP é superior a R (210 *versus* 100), não faça novo pedido. O estoque está quase esgotado, mas não é necessário um novo pedido porque o recebimento programado marcado está a caminho.

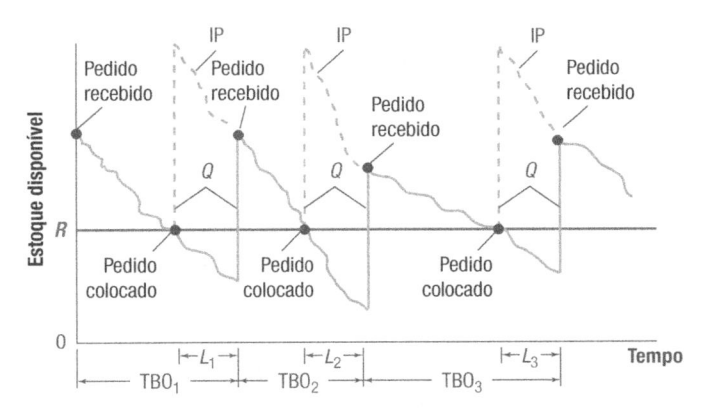

Figura 12.8 Sistema Q quando a demanda é incerta

duas semanas. Isto é, um número variável de alimentadores pode ser comprado durante o *lead time*, com uma demanda média durante o *lead time* de 36 alimentadores (supondo que a demanda de cada semana seja distribuída identicamente). Essa situação ocasiona a necessidade de estoques de segurança. Suponha que o comprador do museu defina R como 46 unidades, colocando, desse modo, pedidos antes que eles sejam geralmente necessários. Essa abordagem criará um estoque de segurança, ou estoque mantido além da demanda esperada, de dez unidades (46 – 36), para amortecer contra a demanda incerta. Em geral,

ponto de reposição = demanda média durante o *lead time* + estoque de segurança

A Figura 12.8 mostra como o sistema Q opera quando a demanda é variável e incerta. Supomos que a variabilidade nos *lead times* é insignificante e, portanto, pode ser tratada como uma constante, como fizemos no desenvolvimento do modelo da EOQ. A linha ondulada de inclinação descendente indica que a demanda varia a cada dia. Sua inclinação é mais acentuada no segundo ciclo, o que significa que a taxa de demanda é mais alta durante esse período de tempo. A taxa de demanda variável significa que o tempo entre pedidos se altera, assim, TBO1 ≠ TBO2 ≠ TBO3. Por causa da demanda incerta, as vendas durante o *lead time* são imprevisíveis e o estoque de segurança é acrescentado para resguardar contra a perda de vendas. Esse acréscimo é a razão pela qual R é mais alto na Figura 12.8 que na Figura 12.7. Também explica porque o estoque disponível normalmente não cai para 0 no momento em que o pedido de reposição chega. Quanto maior o estoque de segurança, e, portanto, maior o ponto de reposição R, é menos provável que haja falta de estoque.

Uma vez que a demanda média durante o *lead time* é variável e incerta, a verdadeira decisão a ser tomada quando se seleciona R diz respeito ao nível de estoque de segurança. Decidir entre um estoque de segurança grande ou pequeno é uma escolha entre serviço ao cliente e custos de armazenamento. Modelos de minimização de custos podem ser usados para encontrar o melhor estoque de segurança, mas requerem estimativas de falta de estoque e de custos de pedidos em espera, que normalmente são difíceis de se fazer com precisão. A abordagem usual para determinar R é o estabelecimento, pela gerência — tendo por referência o bom senso —, de uma política de nível de serviço razoável para o estoque e, em seguida, a determinação do nível de estoque de segurança que satisfaça essa política.

Escolhendo uma política de nível de serviço apropriada Os gerentes devem comparar os benefícios da manutenção de estoques de segurança com o custo de mantê-lo. Um modo de determinar o estoque de segurança é definir um **nível de serviço** ou **nível de ciclo de serviço** — a probabilidade desejada de não se esgotar o estoque em nenhum ciclo de pedido, que começa no momento em que um pedido é colocado e termina quando chega ao estoque. Em uma livraria, o gerente pode selecionar um nível de ciclo de serviço de 90 por cento para um livro. Em outras palavras, a probabilidade de que a demanda não ultrapassará a oferta durante o tempo de espera é de 90 por cento. Para o sistema Q, o tempo de espera também é o **intervalo de proteção** ou o período durante o qual o estoque de segurança deve proteger o usuário do esgotamento de estoque. A probabilidade de falta *durante o intervalo de proteção*, criando uma falta de estoque ou pedido em espera, é de apenas dez por cento (100 – 90). Esse risco de falta de estoque, que ocorre apenas durante o *lead time* no sistema Q, é maior que o risco total de uma falta de estoque porque o risco é inexistente fora do ciclo de pedido.

Para converter essa política em um nível de estoque de segurança específico, devemos saber como está distribuída a demanda durante o *lead time*. Se a demanda varia pouco em torno de sua média, o estoque de segurança pode ser pequeno. De modo inverso, se a demanda durante o *lead time* varia muito de um ciclo de pedido ao seguinte, o estoque de segurança deve ser grande. A variabilidade é medida com distribuições de probabilidade, que são especificadas por uma média e uma variância.

Encontrando o estoque de segurança Quando seleciona o estoque de segurança, o projetista, muitas vezes, supõe que a demanda durante o tempo de espera está distribuída normalmente, como mostrado na Figura 12.9. A demanda média durante o *lead time* é a linha central do gráfico, com 50 por cento da área sob a curva à esquerda e 50 por cento à direita. Desse modo, se fosse escolhido um nível de ciclo de serviço de 50 por cento, o ponto de reposição R seria a quantidade representada por essa linha central. Uma vez que R é igual à demanda média durante o *lead time* mais o estoque de segurança, o estoque de segurança é 0 quando R é igual a essa demanda média. A demanda é menor que a média de 50 por cento do tempo e, desse modo, não ter nenhum estoque de segurança será suficiente apenas para 50 por cento do tempo.

Para estabelecer um nível de serviço superior a 50 por cento, o ponto de reposição deve ser maior que a demanda média durante o *lead time*. Na Figura 12.9, isso requer o deslocamento do ponto de reposição para a direita da linha central, de forma que mais de 50 por cento da área sob a curva está à esquerda de R. Um nível de ciclo de serviço de 85 por cento é alcançado na Figura 12.9 com 85 por cento da área sob a curva à esquerda de

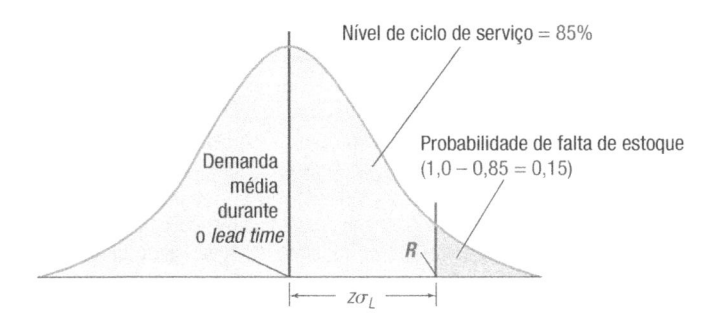

Figura 12.9 Encontrando o estoque de segurança com uma probabilidade de distribuição normal para um nível de ciclo de serviço de 85 por cento

R (mais claro) e apenas 15 por cento à direita (mais escuro). Calculamos o estoque de segurança multiplicando o número de desvios-padrão da média necessários para multiplicar o nível de ciclo de serviço, z, pelo desvio-padrão da demanda durante a distribuição de probabilidade do *lead time*,[7] σ_L:

$$\text{estoque de segurança} = z\sigma_L$$

Quanto mais alto o valor de z, mais altos o estoque de segurança e o nível de ciclo de serviço devem ser. Se $z = 0$, não há estoque de segurança e faltas de estoque ocorrerão durante 50 por cento dos ciclos de pedido.

Encontrar o ponto de reposição apropriado e o estoque de segurança na prática requer estimar a distribuição para a demanda durante o *lead time*. Algumas vezes, a demanda média durante o *lead time* e o desvio-padrão de

---

| EXEMPLO 12.5 | Encontrando o estoque de segurança e *R* |

Registros mostram que a demanda por detergente de máquina de lavar louça durante o *lead time* está normalmente distribuída, com uma média de 250 caixas e $\sigma_L = 22$. Que estoque de segurança deve ser mantido para um nível de ciclo de serviço de 99 por cento? Qual é *R*?

SOLUÇÃO
O primeiro passo é encontrar z, o número de desvios-padrão à direita da demanda média durante o *lead time* que coloca 99 por cento da área sob a curva à esquerda desse ponto (0,9900 no corpo da tabela no Apêndice "Distribuição normal"). O número mais próximo na tabela é 0,9901, que corresponde a 2,3 no título da linha e 0,03 no título da coluna. A soma desses valores dá um z de 2,33. Com essa informação, você pode calcular o estoque de segurança e o ponto de reposição:

Estoque de segurança = $z\sigma_L$ = 2,33 (22) = 51,3 ou 51 caixas
ponto de reposição = demanda média durante o *lead time*
 + estoque de segurança
 = 250 + 51 = 301 caixas

Arredondamos o estoque de segurança para o número inteiro mais próximo. Nesse caso, o nível de ciclo de serviço teórico será menos de 99 por cento. Elevar o estoque de segurança para 52 caixas renderá um nível de ciclo de serviço maior que 99 por cento.

Ponto de decisão A gerência pode controlar a quantidade de estoque de segurança escolhendo um nível de serviço. Outra abordagem para reduzir o estoque de segurança é reduzir o desvio-padrão de demanda durante o *lead time*, o que pode ser realizado pela coordenação mais próxima com clientes importantes por meio de tecnologia da informação.

---

[7] Alguns projetistas de estoque que usam sistemas manuais preferem trabalhar com o MAD (*Mean Absolute Deviation* — desvio absoluto médio) a trabalhar com o desvio-padrão porque é mais fácil de calcular. O MAD é simplesmente a média dos desvios absolutos entre as demandas reais e sua média. Para se aproximar do desvio-padrão, você deve simplesmente multiplicar o MAD por 1,25. Em seguida, calcule o estoque de segurança.

demanda durante o *lead time*, σ_L, não estão diretamente disponíveis e devem ser calculados por meio da combinação de informações sobre a taxa de demanda com informações sobre o *lead time*. Esse cálculo adicional é baseado nas duas razões seguintes:

1. pode ser mais fácil estimar a demanda primeiro e, em seguida, estimar o *lead time*. As informações sobre demanda advêm do cliente, ao passo que os *lead times* advêm do fornecedor;

2. é provável que os registros não sejam coletados por um intervalo de tempo que seja exatamente o mesmo que o *lead time*. O mesmo sistema de controle de estoque pode ser usado para administrar milhares de produtos diferentes, cada um com um *lead time* diferente. Por exemplo, se um relatório sobre a demanda é feito *semanalmente*, esses registros podem ser usados diretamente para calcular a média e o desvio-padrão de demanda durante o *lead time* se o *lead time* é de exatamente uma semana. Se, porém, o *lead time* é de três semanas, o cálculo é mais difícil.

Podemos chegar ao caso mais difícil fazendo algumas suposições razoáveis. Suponha que a demanda média, d, seja conhecida junto com o desvio-padrão da demanda, σ_t, durante algum intervalo de tempo t (por exemplo, dias ou semanas), onde t não é igual ao *lead time*. Além disso, suponha que as distribuições de probabilidade de demanda para cada intervalo de tempo t sejam idênticas e independentes uma das outras. Por exemplo, se o intervalo de tempo é uma semana, as distribuições de probabilidade de demanda são as mesmas a cada semana (d e σ_t) e a demanda total em uma semana não afeta a demanda total em outra semana. Faça com que L seja o *lead time* constante, expresso como um múltiplo (ou fração) de t. Se t representa uma semana e o *lead time* é de três semanas, $L = 3$. Sob essas suposições, a demanda média durante o *lead time* será a soma das médias para cada demanda de distribuições idênticas e independentes de L, ou $d + d + d + ... = dL$. Além disso, a variância da distribuição de demanda para o *lead time* será a soma das variâncias de L das distribuições de demanda idênticas e independentes, ou $\sigma_t^2 + \sigma_t^2 + \sigma_t^2 + ... = \sigma_t^2 L$. Por fim, o desvio-padrão da soma de duas ou mais variáveis aleatórias independentes distribuídas identicamente é a raiz quadrada da soma de suas variâncias, ou

$$\sigma_L = \sqrt{\sigma_t^2 L} = \sigma_t \sqrt{L}$$

A Figura 12.10 mostra como a distribuição de demanda do *lead time* é desenvolvida a partir das distribuições individuais de demandas semanais, em que $d = 75$, $\sigma_t = 15$ e $L = 3$ semanas. Nesse caso, a demanda média durante o *lead time* é $(75)(3) = 225$ unidades e $\sigma_L = 15 \sqrt{3} = 25,98$ ou 26.

Calculando os custos totais do sistema Q Os custos totais para o sistema de revisão contínua (Q) é a soma de três componentes de custo:

custo total = custo anual de manutenção do estoque cíclico + custo de pedido anual + custo anual de manutenção do estoque de segurança

$$C = \frac{Q}{2}(H) + \frac{D}{Q}(S) + Hz\sigma_L$$

O custo anual de manutenção do estoque cíclico e o custo de pedido anual são as mesmas equações que usamos para calcular o custo do estoque cíclico anual total nos exemplos 12.2 e 12.3. O custo anual de manutenção do estoque de segurança é calculado sob a suposição de que o estoque de segurança está disponível o tempo todo. Reportando-nos à Figura 12.8 em cada ciclo de pedido, algumas vezes experimentaremos uma demanda maior que a demanda média durante o *lead time* e, outras vezes, experimentaremos menos. Com a média ao longo do ano, podemos supor que o estoque de segurança estará disponível.

Selecionando o ponto de reposição quando a demanda e o *lead time* são incertos Na prática, muitas vezes, tanto a demanda como o *lead time* são incertos. A chave para determinar o ponto de reposição é desenvolver a demanda durante a distribuição de probabilidade de intervalo de proteção sob essas condições mais complicadas. Entretanto, uma vez que a distribuição é conhecida e um nível de ciclo de serviço desejado é especificado, podemos selecionar o ponto de reposição como fizemos antes, quando o *lead time* era constante. Se as distribuições teóricas para demanda por unidade de tempo e o *lead time* são conhecidos, a distribuição de probabilidade conjunta da demanda durante o *lead time* pode ser analiticamente deduzida com muito trabalho. Uma abordagem mais prática é usar simulação de computador. Um *lead time* é aleatoriamente deduzido da distribuição do *lead time* e, em seguida, demandas para cada período de *lead time* são aleatoriamente deduzidas da distribuição de demanda. A demanda total para esse *lead time* é registrada e o procedimento é repetido muitas

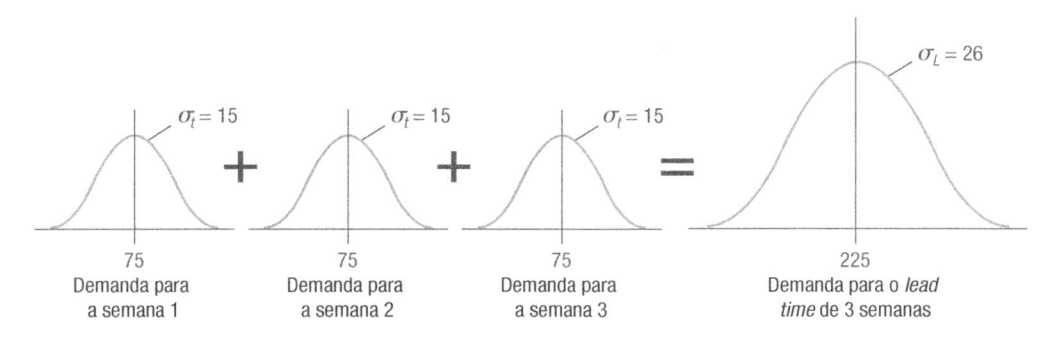

Figura 12.10 Desenvolvimento de distribuição de demanda para o *lead time*

> **EXEMPLO 12.6** — **Encontrando o estoque de segurança e *R* quando a distribuição da demanda para o *lead time* deve ser desenvolvida**
>
> Retornemos ao exemplo do alimentador de pássaro. Suponha que a demanda média seja de 18 unidades por semana com um desvio-padrão de cinco unidades. O *lead time* é constante em duas semanas. Determine o estoque de segurança e o ponto de reposição se a gerência quer um nível de ciclo de serviço de 90 por cento. Qual é o custo total do sistema *Q*?
>
> **SOLUÇÃO**
> Nesse caso, $t = 1$ semana, $\sigma_t = 5$, $d = 18$ unidades e $L = 2$ semanas, assim,
>
> $$\sigma_L = \sigma_t \sqrt{L} = 5\sqrt{2} = 7,1$$
>
> Consulte o corpo da tabela no Apêndice "Distribuição normal" para 0,9000, que corresponde a 90 por cento do nível de ciclo de serviço. O número mais próximo é 0,8997, que corresponde a um valor z de 1,28. Com essa informação, calculamos o estoque de segurança e o ponto de reposição como se segue:
>
> Estoque de segurança $= z\sigma_L = 1,28(7,1) = 9,1$ ou 9 unidades
> Ponto de reposição $= dL +$ estoque de segurança
> $= 2(18) + 9 = 45$ unidades
>
> Por conseguinte, o sistema *Q* para o alimentador de pássaro opera da seguinte maneira: sempre que a posição de estoque alcançar 45 unidades, peça a EOQ de 75 unidades. O custo total do sistema *Q* para o alimentador de pássaro é
>
> $C = 75/2 \ (\$ 15) + 936/75 \ (\$ 45) + 9 \ (\$ 15) = \$ 562,50 + \$ 561,60 + \$ 135,00 = \$ 1.259,10$
>
> **Ponto de decisão** Várias quantidades de pedido e estoque de segurança podem ser usadas no sistema *Q*. Por exemplo, a gerência pode especificar uma quantidade de pedido diferente (por causa de restrições de remessa) ou um estoque de segurança diferente (por causa de limitações de armazenamento). Os custos totais desses sistemas podem ser calculados, e a escolha entre custos e níveis de serviço pode ser avaliada.

vezes para se chegar a uma demanda durante a distribuição do *lead time*.

Demonstraremos essa abordagem usando distribuições de probabilidade discretas para a demanda e distribuições do *lead time*. As distribuições de probabilidade discretas podem ser usadas para distribuições de probabilidade teórica aproximadas e podem ser usadas em situações nas quais as demandas reais ou os *lead times* não seguem nenhuma das distribuições teóricas conhecidas. Uma distribuição de probabilidade discreta para *lead time* registra cada *lead time* possível em intervalos de tempo t (dias ou semanas, por exemplo) e sua probabilidade. Uma distribuição de probabilidade discreta para demanda registra cada demanda possível que pode ocorrer durante um intervalo de tempo de duração t e sua probabilidade. Considere as informações seguintes, que são baseadas nos dados do alimentador de pássaro do Exemplo 12.6. Suponha que o *lead time* tenha a distribuição de probabilidade mostrada na Tabela 12.1. O tempo de espera médio é de duas semanas, como no Exemplo 12.6. Contudo, agora há variabilidade considerável nos *lead times* reais que podem ser experimentados.

Agora, considere a distribuição seguinte para demanda como mostrado na Tabela 12.2. A demanda média por

TABELA 12.1 Distribuição de probabilidade do *lead time*

Tempo de espera (semanas)	Probabilidade do *lead time*
1	0,35
2	0,45
3	0,10
4	0,05
5	0,05

TABELA 12.2 Distribuição de probabilidade para demanda

Demanda (unidades por semana)	Probabilidade de demanda
10	0,10
13	0,20
18	0,40
23	0,20
26	0,10

	A	B	C	D	E	F	G	H	I	J	K	L	M	N	O	P
1	Distribuições de probabilidade de demanda					Números aleatórios										
2	(unidades por período)									Demanda por período no intervalo de proteção						
3	Probabilidade de demanda	Menor amplitude de probabilidade	Demanda (unidades)				Período 1	Período 2	Período 3	Período 4	Período 5	Período 6	Período 7	Período 8	Período 9	Período 10
4	0.10	0.00	10			0.1637	0.0833	0.5102	0.2518	0.5184	0.2025	0.7836	0.1628	0.5987	0.3116	0.4781
5	0.20	0.10	13			0.6769	0.8404	0.6872	0.0135	0.1993	0.6971	0.3746	0.4923	0.4031	0.1828	0.5277
6	0.40	0.30	18			0.6847	0.7367	0.9619	0.9626	0.5671	0.5760	0.6335	0.1021	0.6465	0.1341	0.3566
7	0.20	0.70	23			0.2129	0.6666	0.7249	0.4595	0.2043	0.6652	0.6160	0.3479	0.7499	0.5985	0.0808
8	0.10	0.90	26			0.2541	0.0365	0.4230	0.2839	0.7738	0.3001	0.8734	0.0667	0.8477	0.7052	0.0513
9						0.5016	0.6766	0.6239	0.3281	0.6489	0.4644	0.6653	0.5601	0.9461	0.5983	0.6157
10	Distribuições de probabilidade do lead time									0.7195	0.0047	0.6908	0.5194	0.4332	0.1357	0.9932
11										0.3818	0.7743	0.9017	0.2498	0.8027	0.1885	0.7843
12	Probabilidade do lead time	Menor amplitude	Intervalo de proteção							0.2327	0.6862	0.2880	0.2900	0.1826	0.0995	0.1947
13										0.9474	0.1487	0.0656	0.8645	0.4554	0.1548	0.6615
14	0.35	0.00	1							0.6635	0.1279	0.5530	0.1295	0.0743	0.8928	0.2884
15	0.45	0.35	2							0.7150	0.6383	0.4391	0.5368	0.7860	0.0648	0.5368
16	0.10	0.80	3			0.7255	0.8283	0.0944	0.8689	0.2304	0.4721	0.5777	0.0694	0.0299	0.4083	0.1546
17	0.05	0.90	4			0.0536	0.3992	0.1281	0.8438	0.1844	0.7781	0.6994	0.8040	0.5647	0.2609	0.2157
18	0.05	0.95	5			0.7607	0.6912	0.8048	0.3671	0.8267	0.8732	0.2523	0.0433	0.2588	0.4854	0.2447
19						0.2107	0.7238	0.9769	0.4767	0.4132	0.0630	0.7979	0.6091	0.5206	0.8320	0.5991
20	Demanda durante distribuições de intervalo de proteção					0.2335	0.4533	0.6874	0.9631	0.6808	0.8151	0.3555	0.5553	0.7274	0.4522	0.3312
21				Percentual		0.0386	0.3003	0.4065	0.3505	0.9062	0.5987	0.4494	0.8158	0.4851	0.2432	0.2846
22	BINS	Demanda	Frequência	cumulativo		0.5019	0.9661	0.2541	0.6851	0.2483	0.0343	0.4933	0.2734	0.1725	0.7055	0.5887
23	10	10	24	0.05		0.4108	0.8023	0.0978	0.0657	0.9296	0.6807	0.9976	0.2785	0.5228	0.2677	0.6724
24	22	16	84	0.22		0.3744	0.5385	0.7282	0.7645	0.8855	0.0943	0.6941	0.2202	0.0919	0.0393	0.0131
25	34	28	141	0.50		0.2122	0.7615	0.7820	0.0261	0.1679	0.0716	0.2459	0.2291	0.6456	0.6446	0.5195
26	46	40	145	0.79		0.0925	0.8525	0.2320	0.0427	0.7376	0.6809	0.4502	0.7044	0.5545	0.8276	0.4048
27	58	52	49	0.89		0.8343	0.6395	0.7648	0.8997	0.3425	0.3840	0.6041	0.8482	0.3168	0.8569	0.2660
28	70	64	23	0.93								0.9964	0.9124	0.9332	0.0995	0.1204
29	82	76	17	0.97								0.2084	0.4818	0.2383	0.0342	0.9235
30	94	88	10	0.99								0.2432	0.6588	0.2063	0.1991	0.6926
31	106	100	5	1.00								0.5117	0.1409	0.9094	0.3037	0.1828
32	118	112	2	1.00								0.1725	0.3838	0.6962	0.9058	0.6118
33	130	More	0	1.00		0.6475	0.7993	0.6954	0.2517	0.8252	0.0122	0.2091	0.0821	0.2956	0.7970	0.6666
34						0.2870	0.2413	0.1980	0.9134	0.7304	0.5016	0.5433	0.5863	0.9347	0.7322	0.9262
35		Total	500			0.1155	0.4369	0.6033	0.6577	0.9506	0.6063	0.8189	0.2593	0.5367	0.7205	0.6265
36						0.8156	0.0910	0.8654	0.3667	0.7712	0.5901	0.1183	0.2655	0.1137	0.7680	0.2330
37	Lower Bound	10							0.5123	0.5130	0.9228	0.5766	0.9350	0.9113	0.5257	0.7750	0.9551
38	Upper Bound	130							0.3492	0.0563	0.4335	0.2733	0.4960	0.8591	0.6733	0.7431	0.8072
39									0.3746	0.0315	0.7549	0.6415	0.0524	0.6159	0.9905	0.7097	0.1597
40	Range	120							0.5184	0.0015	0.4733	0.8386	0.3708	0.7001	0.1249	0.6756	0.9454
41									0.5126	0.3777	0.0219	0.9943	0.2587	0.8397	0.3581	0.4197	0.1695
42	Bins	10							0.3297	0.0735	0.4363	0.7587	0.3205	0.4638	0.7741	0.4405	0.2971
43										0.1646	0.4396	0.0534	0.1325	0.2512	0.5349	0.0922	0.6232
44	Bin Range	12							0.3501	0.2910	0.4212	0.0393	0.0922	0.7903	0.9088	0.2052	0.2047
45						0.7387	0.4378	0.0752	0.8870	0.1202	0.7112	0.6327	0.7573	0.9966	0.0188	0.2281
46						0.3492	0.9502	0.0280	0.7639	0.8914	0.5056	0.3405	0.4324	0.1394	0.1070	0.0724
47						0.5814	0.5982	0.5455	0.7837	0.4116	0.5398	0.8612	0.8702	0.3948	0.6403	0.1019
48						0.3771	0.2760	0.9884	0.8313	0.5897	0.6728	0.4663	0.5004	0.2913	0.9015	0.6352

Figura 12.11 Planilha do Excel mostrando como simular a demanda durante o intervalo de proteção para um sistema Q (continuação na p. 483)

semana é de 18 unidades e o desvio-padrão é de cinco (arredondado para o número inteiro mais próximo), como no Exemplo 12.6. A demanda durante a distribuição de probabilidade de intervalo de proteção pode ser estimada usando uma planilha eletrônica do Excel, como mostrado na Figura 12.11.

Com uma distribuição normal, o estoque de segurança é calculado primeiro e, em seguida, é acrescentado à demanda média durante o *lead time* para se obter o ponto de reposição; ao passo que, com uma distribuição discreta, a seqüência é inversa. Supomos que os níveis de demanda registrados na Figura 12.11 são os únicos níveis de demanda que podem ocorrer (não há nada entre os níveis). Em seguida, escolhemos R na lista de níveis de demanda na distribuição. A probabilidade cumulativa de demandas no valor escolhido para R, ou em um valor menor que R, deve ser igual ou superior ao nível de ciclo de serviço desejado e R é a menor de tal quantidade. Essa abordagem conservadora assegura que satisfaremos ou superaremos nossas metas de serviço de estoque. Por exemplo, se o nível de ciclo de serviço desejado para o alimentador de pássaro é de 90 por cento, definimos R como 64 unidades na Figura 12.11, o que, na verdade, nos dará um nível de ciclo de serviço de 93 por cento. Para calcular o nível de estoque de segurança, subtraia a demanda média durante o *lead time* na simulação de R. Em nosso exemplo, o estoque de segurança é 64 – 36 = 28 unidades.

Podemos agora especificar o sistema de revisão contínua completo (Q). A quantidade de pedido é determinada como antes; aqui, como no Exemplo 12.6, usamos

Ciclo de estoque	Tempo de espera (# períodos)	Período 1	Período 2	Período 3	Período 4	Período 5	Período 6	Período 7	Período 8	Período 9	Período 10	Total durante o intervalo de proteção
1	1	10	0	0	0	0	0	0	0	0	0	10
2	2	23	18	0	0	0	0	0	0	0	0	41
3	2	23	26	0	0	0	0	0	0	0	0	49
4	1	18	0	0	0	0	0	0	0	0	0	18
5	1	10	0	0	0	0	0	0	0	0	0	10
6	2	18	18	0	0	0	0	0	0	0	0	36
7	1	10	0	0	0	0	0	0	0	0	0	10
8	1	10	0	0	0	0	0	0	0	0	0	10
9	1	18	0	0	0	0	0	0	0	0	0	18
10	2	13	23	0	0	0	0	0	0	0	0	36
11	1	13	0	0	0	0	0	0	0	0	0	13
12	3	23	18	13	0	0	0	0	0	0	0	54
13	2	23	10	0	0	0	0	0	0	0	0	33
14	1	18	0	0	0	0	0	0	0	0	0	18
15	2	18	23	0	0	0	0	0	0	0	0	41
16	1	23	0	0	0	0	0	0	0	0	0	23
17	1	18	0	0	0	0	0	0	0	0	0	18
18	1	18	0	0	0	0	0	0	0	0	0	18
19	2	26	13	0	0	0	0	0	0	0	0	39
20	2	23	10	0	0	0	0	0	0	0	0	33
21	2	18	23	0	0	0	0	0	0	0	0	41
22	1	23	0	0	0	0	0	0	0	0	0	23
23	1	23	0	0	0	0	0	0	0	0	0	23
24	3	18	23	23	0	0	0	0	0	0	0	64
25	2	18	18	0	0	0	0	0	0	0	0	36
26	1	13	0	0	0	0	0	0	0	0	0	13
27	3	18	26	18	0	0	0	0	0	0	0	62
28	3	18	18	18	0	0	0	0	0	0	0	54
29	1	18	0	0	0	0	0	0	0	0	0	18
30	2	23	18	0	0	0	0	0	0	0	0	41
31	1	13	0	0	0	0	0	0	0	0	0	13
32	1	18	0	0	0	0	0	0	0	0	0	18
33	3	10	23	18	0	0	0	0	0	0	0	51
34	3	13	18	18	0	0	0	0	0	0	0	49
35	2	26	18	0	0	0	0	0	0	0	0	44
36	1	23	0	0	0	0	0	0	0	0	0	23
37	2	13	23	0	0	0	0	0	0	0	0	36
38	2	18	18	0	0	0	0	0	0	0	0	36
39	4	18	13	10	18	0	0	0	0	0	0	59
40	2	23	26	0	0	0	0	0	0	0	0	49
41	2	13	18	0	0	0	0	0	0	0	0	31
42	2	18	10	0	0	0	0	0	0	0	0	28
43	1	26	0	0	0	0	0	0	0	0	0	26
44	2	18	18	0	0	0	0	0	0	0	0	36
45	2	13	26	0	0	0	0	0	0	0	0	39

Notas (balões na figura):

Para obter a demanda por período, é necessário usar a função valor procurado. Com essa função, o valor de demanda correspondente será baseado no número aleatório e na combinação desse número com a distribuição de probabilidade de demanda. Insira a fórmula IF($S4>=1, PROCV (G4,$B$5:$C$8,2),0) na célula T4. Essa fórmula buscará o valor na Menor Amplitude de Probabilidade e as unidades de Demanda atribuídas a cada probabilidade. As unidades demandadas serão atribuídas tendo-se por referência o valor do número aleatório no período específico. Copie essas relações nas células T4:AC503. A entrada na célula U4 deve ser: IF ($S4>=2, PROCV (H4,$B$4:$B$4:$C$8,2),0).

A demanda total é simplesmente o somatório da demanda em cada período individual, o que pode ser obtido usando-se a função de soma: = SOMA(T4:AC4). Copie-a e cole-a como uma fórmula por meio das células AD4:AD503.

Figura 12.11 (continuação)

uma EOQ de 75 unidades. O ponto de reposição é de 64 unidades e o estoque de segurança é de 28 unidades. O custo total, C, desse sistema é

$$C = \frac{75}{2}(\$15 + \frac{936}{75}\$45) + 28(\$15) = \$562,50 + \$561,60 + \$420,00 =$$
$$= \$1.544,10$$

O OM Explorer tem duas planilhas do Solver que podem ser usadas para analisar os sistemas Q quando tanto a demanda como o *lead time* são incertos. O Simulador de Demanda Durante o Intervalo de Proteção pode ser usado para desenvolver a distribuição de probabilidade para o intervalo de proteção a partir do qual você pode escolher um valor apropriado de R para um dado nível de ciclo de serviço. Uma vez que o ponto de reposição e a quantidade de pedido tiverem sido especificados, o sistema Q pode ser simulado usando o Simulador de Sistema Q. (O Problema Resolvido 8 mostra uma aplicação desse solucionador.)

Sistema de duas caixas (ou sistemas de duas gavetas) O conceito de um sistema Q pode ser incorporado a um **sistema visual**, isto é, um sistema que permite que os funcionários coloquem pedidos quando o estoque alcançar visivelmente um certo marcador. Os sistemas visuais são fáceis de administrar porque os registros não são mantidos na posição de estoque corrente. A taxa histórica de uso pode ser simplesmente reconstruída a partir de pedidos de compra anteriores. Os sistemas visuais são planejados para serem usados com produtos de valor baixo que têm uma demanda constante, como elementos básicos ou material de escritório. Estoque em excesso é comum, mas o custo de armazenamento adicional é mínimo porque os produtos têm relativamente pouco valor.

Uma versão visual do sistema Q é o **sistema de duas caixas ou duas gavetas**, no qual o estoque de um produto é armazenado em dois locais diferentes. O estoque é primeiro retirado de uma caixa. Se a primeira caixa está vazia, a segunda caixa fornece uma reserva para cobrir a demanda até que um pedido de reposição chegue. Uma primeira caixa vazia sinaliza a necessidade de se colocar um novo pedido. Formulários de pedidos antecipadamente preenchidos e colocados próximo às caixas permitem que os trabalhadores enviem um pedido para compra ou até mesmo diretamente para o fornecedor. Quando o novo pedido chega, a segunda caixa volta a seu nível normal e o restante é colocado na primeira caixa. O sistema de duas caixas opera como um sistema Q, com o nível normal na segunda caixa sendo o ponto de reposição R. O sistema também pode ser implementado com apenas uma caixa por meio da indicação, na caixa, do nível de ponto de reposição.

SISTEMA DE REVISÃO PERIÓDICA

Um sistema de controle de estoque alternativo é o **sistema de revisão periódica (P)**, algumas vezes chamado de *sistema de reposição fixa* ou *sistema de reposição periódica*, em que a posição de estoque de um item é revisada periodicamente em vez de continuamente. Tal sistema pode simplificar a programação de entrega porque estabelece uma rotina. Um novo pedido sempre é colocado no fim de cada revisão e o tempo entre pedidos (TBO) é fixo em P. A demanda é uma variável aleatória, assim, a demanda total entre as revisões varia. Em um sistema P, o tamanho do lote, Q, pode mudar de um pedido para o próximo, mas o tempo entre pedidos é fixo. Um exemplo de um sistema de revisão periódica é o de um fornecedor de refrigerante que visita semanalmente os supermercados. Toda semana, o fornecedor verifica o estoque da loja de refrigerantes e a reabastece com itens suficientes para satisfazer a demanda e os requisitos de estoque de segurança até a semana seguinte.

Sob um sistema P, quatro das suposições originais da EOQ são mantidas: (1) não há restrições quanto ao tamanho do lote; (2) os custos relevantes são os custos de armazenamento e pedido; (3) as decisões para um produto são independentes das decisões para outros produtos; e (4) os *lead times* são certos e a oferta é conhecida. Entretanto, a incerteza de demanda é novamente levada em conta. Consideraremos a incerteza do *lead time* posteriormente. A Figura 12.12 mostra o sistema de revisão periódica sob essas suposições. A linha de inclinação descendente novamente representa o estoque disponível. Quando o tempo predeterminado, P, tiver decorrido desde a última revisão, um pedido é colocado para trazer a posição de estoque, representada pela linha tracejada, ao nível de estoque definido como meta, T. O tamanho de lote para a primeira revisão é Q_1 ou a diferença entre a posição de estoque IP_1 e T. Assim como no caso do sistema de revisão contínua, IP e OH diferem apenas durante o *lead time*. Quando o pedido chega, no fim do *lead time*, OH e IP são idênticos novamente. A Figura 12.12 mostra que os tamanhos de lote variam de um ciclo de pedido para o próximo. Uma vez que a posição de estoque é mais baixa na segunda revisão, uma quantidade maior é necessária para se alcançar um nível de estoque de T.

Selecionando os períodos de revisões Para administrar um sistema P, os gerentes devem tomar duas decisões: o intervalo de tempo entre revisões, P, e o nível de estoque definido como meta, T. Consideremos primeiro o período de revisões, P. Pode ser qualquer intervalo conveniente, como toda sexta-feira ou a cada duas sextas-feiras. Outra opção é estabelecer P de acordo com os dilemas de custo da EOQ. Em outras palavras, P pode ser igualado ao tempo médio entre pedidos para a quantidade econômica de pedidos, ou TBO_{EOQ}. Uma vez que a demanda é variável, alguns pedidos serão maiores que a EOQ e alguns serão menores. Entretanto, durante um período prolongado de tempo, o tamanho do lote médio deve estar próximo da EOQ. Se outros modelos forem usados para determinar o tamanho do lote (por exemplo, os descritos no Suplemento D, "Modelos especiais

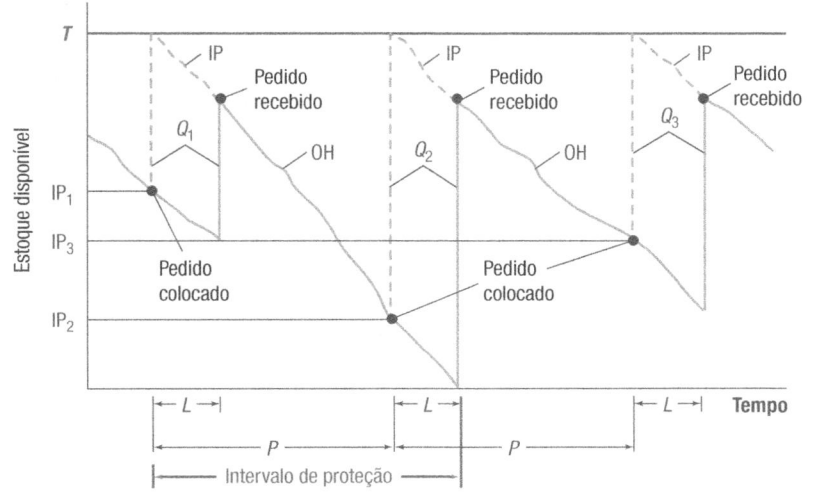

Figura 12.12 Sistema P quando a demanda é incerta

> **EXEMPLO 12.7** | **Determinando a quantidade de reposição em um sistema *P***
>
> Um centro de distribuição tem um pedido em espera para cinco aparelhos de TV a cores de 36 polegadas. Não há estoque disponível atualmente e agora é o momento de revisão. Quantos devem ser repostos se $T = 400$ e não há recebimentos programados?
>
> **SOLUÇÃO**
>
> IP = OH + SR − BO
> = 0 + 0 − 5 = − 5 aparelhos
> T − IP = 400 − (− 5) = 405 aparelhos
>
> Isto é, 405 aparelhos devem ser pedidos para levar a posição de estoque para *T* aparelhos.

de estoque"), dividimos o tamanho do lote escolhido pela demanda anual, *D*, e usamos esse quociente como *P*. Ele será expresso como a fração de um ano entre pedidos, que pode ser convertida em meses, semanas ou dias, como for necessário.

Selecionando o nível de estoque definido como meta quando a demanda for incerta Calculemos agora o nível de estoque definido como meta, *T*, quando a demanda é incerta, mas o *lead time* é constante. A Figura 12.12 revela que um pedido deve ser grande o suficiente para fazer com que a posição de estoque, IP, dure além da próxima revisão, que está *P* períodos de tempo distante. O revisor deve esperar *P* períodos para revisar, corrigir e restabelecer a posição de estoque. Em seguida, um novo pedido é colocado, mas não chega antes do *lead time*, *L*. Portanto, como a Figura 12.12 mostra, um intervalo de proteção de *P* + *L* períodos é necessário. Uma diferença fundamental entre os sistemas *Q* e *P* é a extensão de tempo necessária para proteção contra falta de estoque. Um sistema *Q* precisa de proteção contra falta de estoque apenas durante o *lead time*, porque os pedidos podem ser colocados assim que são necessários e serão recebidos *L* períodos depois. Um sistema *P*, entretanto, precisa de proteção contra falta de estoque para o intervalo de proteção *P* + *L* mais longo porque os pedidos são colocados apenas em intervalos fixos e o estoque não é verificado até o próximo momento de revisão designado.

Assim como no caso do sistema *Q*, precisamos desenvolver a distribuição de demanda apropriada durante o intervalo de proteção para especificar completamente o sistema. Em um sistema *P*, devemos desenvolver a distribuição de demanda para períodos de tempo *P* + *L*. O nível de estoque definido como meta *T* deve ser igual à demanda esperada durante o intervalo de proteção de *P* + *L* períodos, mais estoque de segurança suficiente para proteger contra a incerteza de demanda durante esse mesmo intervalo de proteção. Usamos as mesmas suposições estatísticas que elaboramos para o sistema *Q*. Desse modo, a demanda média durante o intervalo de proteção é $d(P + L)$ ou

$$T = d(P + L) + \text{estoque de segurança para o intervalo de proteção}$$

Calculamos o estoque de segurança para um sistema *P* do mesmo modo como fizemos para o sistema *Q*. Contudo, o estoque de segurança deve cobrir a incerteza de demanda por um período de tempo mais longo. Quando usamos uma distribuição de probabilidade normal, multiplicamos os desvios-padrão desejados para implementar o nível de ciclo de serviço, *z*, pelo desvio-padrão de demanda durante o intervalo de proteção, σ_{P+L}. O valor de *z* é o mesmo que para um sistema *Q* com o mesmo nível de ciclo de serviço. Desse modo,

estoque de segurança = $z\sigma_{P+L}$

Tendo por referência nosso raciocínio anterior para calcular σ_L sabemos que o desvio-padrão da distribuição de demanda durante o intervalo de proteção é

$$\sigma_{P+L} = \sigma_t \sqrt{P+L}$$

Uma vez que um sistema *P* requer estoque de segurança para cobrir a incerteza da demanda durante um período de tempo mais longo que um sistema *Q*, um sistema *P* requer mais estoque de segurança; isto é, σ_{P+L} é superior a σ_P. Por essa razão, alcançar as vantagens de um sistema *P* requer que os níveis de estoque totais sejam um pouco mais altos que os de um sistema *Q*.

Calculando os custos totais de um sistema *P* Os custos totais para o sistema *P* são a soma dos mesmos três elementos de custo do sistema *Q*. As diferenças estão no cálculo da quantidade do pedido e do estoque de segurança. Como mostrado na Figura 12.12, a quantidade de pedido média será o consumo médio de estoque durante *P* períodos entre pedidos. Por conseguinte, $Q = dP$. Os custos totais para o sistema *P* são

$$C = \frac{dP}{2}(H) + \frac{D}{dP}(S) + Hz\sigma_{P+L}$$

A seção "Prática gerencial 12.2" mostra como a Hewlett-Packard implementou um sistema de estoque de revisão periódica para muitas de suas unidades de negócios.

Selecionando o nível de estoque definido como meta quando a demanda e os *lead times* são incertos O procedimento para selecionar o nível de estoque definido como meta quando tanto a demanda como os *lead times* são incertos é semelhante à abordagem que usamos para o sistema de revisão contínua. A

PRÁTICA GERENCIAL 12.2 — IMPLEMENTANDO UM SISTEMA DE REVISÃO PERIÓDICA DE ESTOQUE NA HEWLETT-PACKARD

A Hewlett-Packard fabrica computadores, acessórios e uma ampla variedade de dispositivos de instrumentação em mais de 100 unidades de negócios separadas. Cada unidade é responsável pelo próprio projeto, marketing e fabricação do produto, assim como pela manutenção do estoque requerido para atender a seus clientes. Na maior parte das empresas da HP, custos relacionados a estoque (o que inclui desvalorização de estoque, obsolescência, proteção de preço e financiamento) agora são a maior alavanca de controle da organização manufatureira sobre o desempenho dos negócios, medido em termos de retorno dos ativos ou valor econômico agregado. O estoque é um determinante de custo importante e o elemento mais variável no balanço comercial.

A maior parte das unidades de negócios da HP era ineficiente, mantendo mais estoque que o necessário a fim de alcançar um nível desejado de desempenho de entrega de produto. As unidades, muitas vezes, usavam abordagens simplificadas, como a análise ABC, para determinar os estoques de segurança para itens de demanda independente, ignorando incerteza de oferta ou demanda, semelhança ou disponibilidade de peça desejada ou custo.

A solução foi desenvolver um sistema de revisão periódica que usasse metas de disponibilidade de peças e incluísse o máximo de incertezas possível. O sistema, embora em princípio semelhante ao sistema P discutido neste capítulo, usa equações complexas para determinar o intervalo de revisão e os parâmetros de estoque definidos como meta. A complexidade surge da consideração de incertezas, na oferta bem como na demanda, na determinação dos estoques de segurança.

Embora o sistema pudesse reduzir estoques e melhorar o atendimento ao cliente, nenhum benefício pôde ser percebido até que o pessoal do planejamento e compras realmente o utilizasse. Uma vez que cada unidade de negócios tinha algumas características exclusivas, os resultados tinham de ser facilmente compreendidos e confiáveis, e o sistema teve que ser de fácil configuração para cada situação. Por conseguinte, a HP desenvolveu um assistente de software que permite ao usuário inserir dados de produto e custos em um ambiente conveniente, desenvolve as equações para o sistema de revisão periódica e, em seguida, converte os resultados para os requisitos de formato do usuário. O assistente é programado no Excel, o que possibilita aos usuários acesso a todas as funções do Excel para conduzir suas próprias análises.

O sistema de revisão periódica e o assistente de software mostraram ser bem-sucedidos. Na Divisão de Fabricação de Circuito Integrado da HP, por exemplo, os projetistas reduziram os estoques em 1,6 milhão de dólares e melhoraram simultaneamente o desempenho da entrega pontual de 93 por cento para 97 por cento. Outros benefícios incluíram menos despachos, menos discordâncias sobre a política operacional e mais controle do sistema de produção. O sistema é usado por meio de uma ampla variedade de linhas de produto e regiões geográficas em todo o mundo. A HP acredita que o sistema levou claramente a operações mais eficientes nas divisões.

Fontes: Brian Cargille, Steve Kakouros e Robert Hall. "Part tool, part process: inventory optimization at Hewlett-Packard Co.", *OR/MS/TODAY*, out. 1999, p. 18-24; Gianpaolo Callioni, Xavier de Montgros, Regine Slagmulder, Luk N. Van Wassenhove e Linda Wright, "Inventory-driven costs", *Harvard Business Review*, mar. 2005, p. 135-141.

---

diferença é que agora devemos considerar a demanda durante o intervalo de proteção, $P + L$. Usar simulação de computador é uma abordagem útil, dadas as distribuições de probabilidade para demanda e *lead time*. O período de revisão, P, é considerado uma constante. A simulação ocorre por meio da escolha aleatória de um *lead time* L e de sua adição a P para se chegar a um intervalo de proteção. Em seguida, as demandas são escolhidas aleatoriamente da distribuição da demanda para cada período no intervalo de proteção. A demanda total é registrada e o procedimento é repetido.

Considere os dados do alimentador de pássaros que utilizamos anteriormente. O Exemplo 12.8 mostrou que o melhor intervalo de revisão, P, é de quatro semanas. A Figura 12.13 mostra a distribuição da demanda durante o intervalo de proteção para os dados do alimentador de pássaros usando o Simulador de Demanda Durante o Intervalo de Proteção do OM Explorer. Selecionamos T a partir da lista de níveis de demanda na distribuição. A probabilidade cumulativa de demandas em T ou menos que T deve ser igual ou superior ao nível de ciclo de serviço desejado. Nesse exemplo, o nível de ciclo de serviço desejado é de 90 por cento; portanto, a melhor escolha é $T = 136$. A quantidade de estoque de segurança requerida para esse nível de serviço é encontrada subtraindo-se a demanda média durante o nível de proteção de T. Aqui, o estoque de segurança é $136 - 108 = 28$ unidades.[8]

O custo total do sistema P quando tanto as demandas como os tempos de espera são incertos é

$$C = \frac{4(18)}{2}(\$15) + \frac{936}{4(18)}(\$45) + 28(\$15) = \$540,00 + \$585,00 + \$420,00 = \$1.545,00$$

O Simulador de Demanda Durante o Intervalo de Proteção do OM Explorer pode ser usado para desenvolver a distribuição de demanda para sistemas de revisão periódica quando tanto a demanda como os *lead times* são incertos.

---

[8] Lembre-se de que o desenvolvimento do sistema Q usando o Simulador de Intervalo de Proteção Durante a Demanda teve como resultado a mesma quantidade de estoque de segurança. Simulações desse tipo devem ser executadas várias vezes antes de se tirar conclusões. Geralmente, o estoque de segurança requerido para um sistema P é superior ao requerido para o sistema Q.

EXEMPLO 12.8 — Calculando P e T

Retornemos ao exemplo do alimentador de pássaro mais uma vez. Lembremos de que a demanda pelo alimentador de pássaro está normalmente distribuída com uma média de 18 unidades por semana e um desvio-padrão na demanda semanal de cinco unidades. O *lead time* é de duas semanas e a empresa opera 52 semanas por ano. O sistema Q desenvolvido no Exemplo 12.6 requereu uma EOQ de 75 unidades e um estoque de segurança de nove unidades para um nível de ciclo de serviço de 90 por cento. Qual é o sistema P equivalente? Qual é o custo total? As respostas devem ser arredondadas para o número inteiro mais próximo.

SOLUÇÃO

Primeiro definimos D e, em seguida, P. Aqui, P é o intervalo entre revisões, expresso como um múltiplo (ou fração) de intervalo de tempo t ($t = 1$ semana porque os dados são expressos como demanda *por semana*):

$D = (18 \text{ unidades/semana})(52 \text{ semanas/ano}) = 936 \text{ unidades}$

$P = \dfrac{EOQ}{D}(52) = \dfrac{75}{936}(52) = 4{,}2$ ou 4 semanas

Com $d = 18$ unidades por semana, também podemos calcular P dividindo a EOQ por d para obter 75/18 = 4,2 ou 4 semanas. Por isso, revisaríamos o estoque de alimentador de pássaro a cada 4 semanas. Agora encontramos o desvio-padrão da demanda durante o intervalo de proteção ($P + L = 6$):

$\sigma_{P+L} = \sigma_t \sqrt{P+L} = 5\sqrt{6} = 12 \text{ unidades}$

Antes de calcular T, também precisamos de um valor z. Para um nível de ciclo de serviço de 90 por cento, $z = 1{,}28$ (veja o Apêndice "Distribuição normal"). Agora resolvemos T:

T = Demanda média durante o intervalo de proteção + estoque de segurança

$= d(P + L) + z\sigma_{P+L}$

$= (18 \text{ unidades/semana})(6 \text{ semanas}) + 1{,}28(12 \text{ unidades})$

$= 123 \text{ unidades}$

A cada quatro semanas, pediríamos o número de unidades necessárias para trazer a posição de estoque IP (contando com o novo pedido) ao nível de estoque definido como objetivo de 123 unidades. O estoque de segurança para esse sistema P é 1,28(12) = 15 unidades.

O custo total do sistema P para o alimentador de pássaros é

$C = \dfrac{4(18)}{2}(\$15) + \dfrac{936}{4(18)}(\$45) + 15(\$15) = \$540 + \$585 + \$225 =$

$= \$1.350$

Ponto de decisão O sistema P requer 15 unidades de estoque de segurança, enquanto o sistema Q precisa de apenas 9. Se o custo fosse o único critério, o sistema Q seria a escolha para o alimentador de pássaro. Como discutiremos adiante, outros fatores podem inclinar a decisão em favor do sistema P.

Demada Durante a Distribuição de Intervalo de Proteção

Limite superior da caixa	Demanda	Freqüência	Percentual cumulativo
69	60	7	1,4%
88	79	81	17,6%
107	98	180	53,6%
126	117	156	84,8%
145	136	46	94,0%
164	155	19	97,8%
183	174	11	100,0%
202	193	0	100,0%
221	212	0	100,0%
240	Mais	0	100,0%
Total		500	

Demanda Média Durante o Intervalo de Proteção
108

O Tutor 12.5, disponível no site de apoio do livro, fornece um novo exemplo para determinar o intervalo de revisão e o estoque definido como meta para um sistema P.

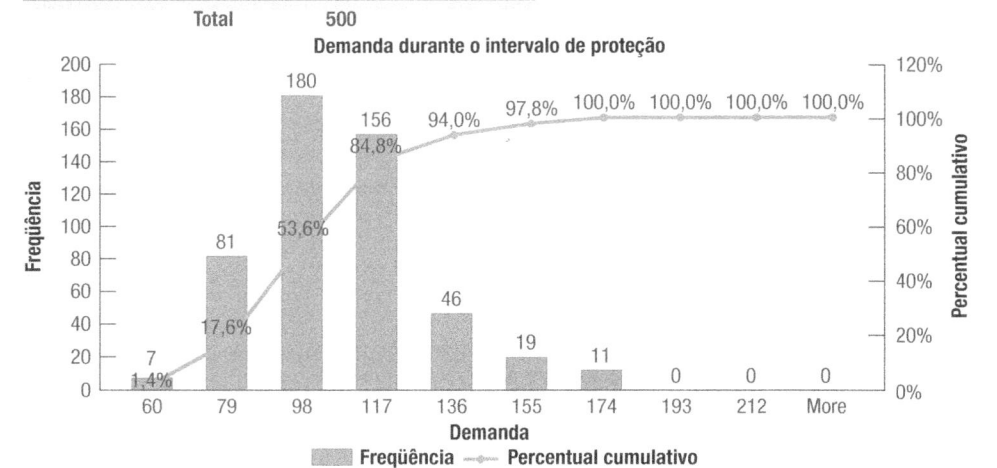

Figura 12.13 Demanda durante a distribuição de probabilidade do intervalo de proteção para um sistema P

Sistema de caixa única O conceito de um sistema P pode ser convertido em um sistema visual simples de controle de estoque. No **sistema de caixa única**, um nível máximo é assinalado em um fita métrica colocada na prateleira ou caixa de armazenamento e o estoque é preenchido periodicamente até a marca — por exemplo, uma vez por semana. A caixa única pode ser, por exemplo, um reservatório de gasolina em uma estação de serviço ou uma caixa de armazenamento para pequenas peças em uma fábrica.

VANTAGENS COMPARATIVAS DOS SISTEMAS Q E P

Nem o sistema Q nem o P são o melhor para todas as situações. Três vantagens do sistema P devem ser comparadas com três vantagens do sistema Q. As vantagens de um sistema são implicitamente desvantagens do outro.

As principais vantagens do sistema P são as seguintes:

1. o sistema é conveniente porque as reposições são feitas em intervalos fixos. Os funcionários podem reservar um dia ou parte dele para se concentrar nessa tarefa específica com regularidade. Os intervalos de reposição fixa também permitem tempos de entrega e retirada padronizados;
2. pedidos de vários produtos do mesmo fornecedor podem ser combinados em um pedido de compra único. Essa abordagem reduz os custos de pedido e transporte e pode resultar em uma forte redução nos preços do fornecedor;
3. a posição de estoque, IP, precisa ser conhecida apenas quando uma revisão é feita (não continuamente, como no sistema Q). Entretanto, essa vantagem é discutível para empresas que usam sistemas de arquivo computadorizado, em que uma transação é relatada a cada recebimento ou retirada. Quando os registros de estoque estão sempre em aberto, o sistema é chamado **sistema de estoque perpétuo**.

As principais vantagens do sistema Q são as seguintes:

1. a freqüência de revisão de cada produto pode ser individualizada. Adaptar a freqüência de revisão ao produto pode reduzir os custos totais de pedido e armazenamento;
2. tamanhos de lote fixos, se forem grandes o suficiente, podem resultar em descontos por quantidade. As limitações físicas da empresa, como suas capacidades de carregamento, métodos de manuseio de materiais e espaço na estante também podem tornar necessário um tamanho de lote fixo;
3. estoques de segurança mais baixos resultam em economia.

Em conclusão, a escolha entre sistemas Q e P não é bem definida. A decisão sobre qual sistema é melhor depende da importância relativa de suas vantagens em várias situações.

SISTEMAS HÍBRIDOS

Vários sistemas de controle de estoque híbridos mesclam algumas das características, mas não todas elas, dos sistemas P e Q. Examinaremos a seguir brevemente dois desses sistemas: (1) reposição opcional; e (2) estoque base.

Sistema de reposição opcional Algumas vezes chamado sistema de revisão opcional, min–max ou (s, S), o **sistema de reposição opcional** é muito parecido com o sistema P. É utilizado para revisar a posição de estoque em intervalos de tempo fixos e, verificar se a posição caiu para (ou abaixo de) um nível predeterminado, para colocar um pedido de tamanho variável para cobrir as necessidades esperadas. O novo pedido é grande o suficiente para trazer a posição de estoque para um estoque definido como meta, semelhante a T para o sistema P. Entretanto, os pedidos não são colocados após uma revisão, a menos que a posição de estoque tenha caído para o nível mínimo predeterminado. O nível mínimo funciona como o ponto de reposição R em um sistema Q. Se a meta é 100 e o nível mínimo é 60, o tamanho de pedido mínimo é 40 (ou 100 – 60). Uma vez que não é necessário fazer revisões contínuas, esse sistema é particularmente atraente quando tanto os custos de revisão como os de pedido são altos.

Sistema de estoque base Em sua forma mais simples, o **sistema de estoque base** emite um pedido de reposição, Q, cada vez que uma retirada é feita, para a mesma quantidade da retirada. Essa política de reposição um a um mantém a posição de estoque em um nível de estoque base igual à demanda esperada durante o tempo de espera mais o estoque de segurança. O nível de estoque base, portanto, é equivalente ao ponto de reposição em um sistema Q. Entretanto, as quantidades de pedido agora variam para manter a posição de estoque sempre em R. Uma vez que essa posição é o IP mais baixo possível que mantém um nível de serviço especificado, o sistema de estoque base pode ser usado para minimizar o estoque cíclico. Mais pedidos são colocados, mas cada pedido é menor. Esse sistema é apropriado para produtos caros, como a reposição de motores para aviões a jato. Não se armazena mais estoque que a demanda máxima esperada até que um pedido de reposição possa ser recebido.

PRECISÃO DO REGISTRO DE ESTOQUE

Independentemente do sistema de estoque em uso, a precisão do registro é crucial para seu êxito. Um modo de alcançar precisão é atribuir a funcionários específicos a responsabilidade de distribuir e receber materiais e relatar com exatidão cada transação. Um segundo método é manter o estoque em local separado e trancado, para impedir retiradas sem autorização ou não relatadas. Esse método também protege contra o armazenamento acidental de estoque recebido recentemente em locais errados, onde pode ficar perdido por meses. A **contagem cíclica** é um terceiro método, por meio do qual o pessoal do armazém conta fisicamente uma porcentagem pequena do número total de produtos todos os dias, corrigindo os erros que encontra. Os produtos da categoria A são contados com maior freqüência. Um método final, para sistemas computadorizados, é fazer verificações de erro de lógica em cada transação relatada e investigar a fundo quaisquer discrepâncias, que podem incluir: (1) recebimentos reais quando nenhum recebimento está programado; (2) desembolsos que excedem o equilíbrio do estoque disponível corrente; e (3) recebimentos com um número de peça incorreto (ou inexistente).

Esses métodos podem manter a precisão dos registros de estoque dentro de limites aceitáveis. Um benefício secundário é que os contadores podem não exigir a contagem de estoque de fim de ano se os registros se mostrarem suficientemente precisos.

EQUAÇÕES-CHAVE

1. Estoque cíclico = $\frac{Q}{2}$
2. Estoque em trânsito = dL
3. Custo do estoque cíclico anual total = custo de armazenamento anual + custo de preparação ou pedido anual

$$C = \frac{Q}{2}(H) + \frac{D}{Q}(S)$$

4. Lote econômico de compra: $\text{EOQ} = \sqrt{\frac{2DS}{H}}$
5. Tempo entre pedidos, expressos em semanas:

$$\text{TBO}_{\text{EOQ}} = \frac{\text{EOQ}}{D}(52 \text{ semanas/ano})$$

6. Posição de estoque = estoque disponível + recebimentos programados − pedidos em espera

$$IP = OH + SR - BO$$

7. Sistema de revisão contínua:
Ponto de reposição (R) = demanda média durante o intervalo de proteção + estoque de segurança
$= dL + z\sigma_L$

Intervalo de proteção = tempo de espera (L)

Desvio-padrão da demanda durante o tempo de espera = σ_L
$= \sigma_t \sqrt{L}$

Quantidade de pedido = EOQ
Regra de reposição: pedir EOQ unidades quando $IP \leq R$

Custo total do sistema Q: $C = \frac{Q}{2}(H) + \frac{D}{Q}(S) + Hz\sigma_L$

8. Sistema de revisão periódica
Nível de estoque definido como meta (T) = demanda média durante o intervalo de proteção + Estoque de segurança

$$= d(P+L) + z\sigma_{P+L}$$

Intervalo de proteção = tempo entre pedidos + tempo de espera
$= P + L$

Intervalo de revisão = Tempo entre pedidos = P

Desvio-padrão da demanda durante o intervalo de proteção $\sigma_{P+L} = \sigma_t \sqrt{P+L}$

Quantidade de pedido = nível de estoque definido como meta − posição de estoque = $T - IP$

Regra de reposição: A cada período de tempo P, peça $T - IP$ unidades

Custo total do sistema P: $C = \frac{dP}{2}(H) + \frac{D}{dP}(S) + Hz\sigma_{P+L}$

PALAVRAS-CHAVE

administração de estoque
análise ABC
contagem cíclica
custo de armazenamento
custo de pedido
custo de *setup*
desconto por quantidade
dimensionamento de lote especial
estoque cíclico
estoque de segurança
estoque em trânsito
intervalo de proteção
itens de demanda independente
lote econômico de compra (EOQ)
nível de ciclo de serviço
nível de serviço
padrão
pedidos abertos
ponto de reposição (R)
posição de estoque (IP)
recebimento programado (SR)
repetitividade
sistema de caixa única
sistema de duas caixas ou duas gavetas
sistema de estoque base
sistema de estoque perpétuo
sistema de ponto de reposição (ROP)
sistema de reposição opcional
sistema de revisão contínua (Q)
sistema de revisão periódica (P)
sistema visual
tempo entre pedidos (TBO)

PROBLEMA RESOLVIDO 1

Um centro de distribuição tem uma demanda semanal média de 50 unidades para um de seus itens. O produto é avaliado em 650 dólares por unidade. O recebimento médio de produtos do armazém da fábrica é de 350 unidades em média. O *lead time* médio (incluindo atrasos de pedidos e tempo de trânsito) é de duas semanas. O centro de distribuição opera 52 semanas por ano; armazena uma semana de suprimento como estoque de segurança e nenhum estoque de antecipação. Qual é o estoque agregado médio mantido pelo centro de distribuição?

SOLUÇÃO

Tipo de estoque	Cálculo da quantidade de estoque média	
Cíclico	$\dfrac{Q}{2} = \dfrac{350}{2} =$	175 unidades
Estoque de segurança	Uma semana de suprimento =	50 unidades
Antecipação	Nenhum	
Em trânsito	$\bar{d}L$ = (50 unidades/semana)(2 semanas) =	100 unidades
	Estoque agregado médio	= 325 unidades

PROBLEMA RESOLVIDO 2

A oficina de encadernação de livros Booker divide os itens de estoque em três categorias, de acordo com seu emprego do dólar. Calcule os valores de emprego dos itens de estoque a seguir e determine qual provavelmente será classificado como um produto A.

Número da peça	Descrição	Quantidade usada por ano	Valor unitário (em dólares)
1	Caixas	500	3,00
2	Papelão (pé quadrado)	18.000	0,02
3	Estoque de capa	10.000	0,75
4	Cola (galões)	75	40,00
5	Capas internas	20.000	0,05
6	Fita de reforço (metros)	3.000	0,15
7	Cadernos	150.000	0,45

SOLUÇÃO

Número da peça	Descrição	Quantidade usada por ano		Valor unitário (em dólares)		Valor anual total (em dólares)
1	Caixas	500	×	3,00	=	1.500
2	Papelão (pé quadrado)	18.000	×	0,02	=	360
3	Estoque de capa	10.000	×	0,75	=	7.500
4	Cola (galões)	75	×	40,00	=	3.000
5	Capas internas	20.000	×	0,05	=	1.000
6	Fita de reforço (metros)	3.000	×	0,15	=	450
7	Cadernos	150.000	×	0,45	=	67.500
					Total	81.310

O valor anual total, em dólares, para cada item é determinado por meio da multiplicação da quantidade utilizada pelo valor por unidade em dólares. Como mostrado na Figura 12.14, os itens são, em seguida, selecionados de acordo com o valor anual total em dólares, em ordem decrescente. Por fim, os limites entre as categorias A-B e B-C são aproximadamente representados, de acordo com as diretrizes apresentadas no texto. Aqui, a categoria A representa apenas 1/7, ou 14 por cento, dos produtos, mas representa 83 por cento do valor anual total, em dólares. A categoria B inclui os dois próximos produtos, que, tomados conjuntamente, representam 28 por cento dos produtos e representam 13 por cento do valor anual total em dólares. Os quatro últimos produtos, categoria C, representam cerca de metade do número de produtos, mas apenas quatro por cento do valor anual total em dólares.

PROBLEMA RESOLVIDO 3

No Exemplo 12.3, o lote econômico de compra, EOQ, é de 75 unidades quando a demanda anual, D, é de 936 unidades/ano, o custo de preparação, S, é de 45 dólares e o custo de armazenamento, H, é de 15 dólares/unidade/ano. Suponha que tenhamos estimado erradamente o custo de armazenamento como de 30 dólares/unidade/ano.

a. Qual é a nova quantidade de pedido, Q, se D = 936 unidades/ano, S = 45 dólares e H = 30 dólares/unidade/ano?

b. Qual é a alteração na quantidade de pedido, expressa como um percentual do lote econômico de compra (75 unidades)?

Número da peça	Descrição	Quantidade usada/ano	Valor unitário (em dólares)	Valor total (em dólares)	Percentual do total	% cumulativo do valor do dólar	% cumulativo do produto	Categoria
7	Cadernos	150.000	0,45	67.500	83,0%	83,0%	14,3%	A
3	Estoque de capa	10.000	0,75	7.500	9,2%	92,2%	28,6%	B
4	Cola	75	40,00	3.000	3,7%	95,9%	42,9%	B
1	Caixas	500	3,00	1.500	1,8%	97,8%	57,1%	C
5	Capas internas	20.000	0,05	1.000	1,2%	99,0%	71,4%	C
6	Fita de reforço	3.000	0,15	450	0,6%	99,6%	85,7%	C
2	Papelão	18.000	0,02	360	0,4%	100,0%	100,0%	C
Total				81.310				

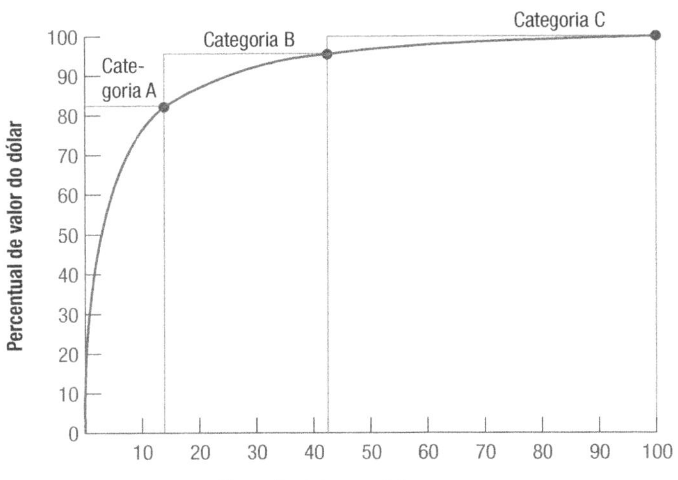

Figura 12.14 Valor anual total em dólares para produtos da categoria A, B e C usando o Tutor 12.2

SOLUÇÃO

a. A nova quantidade de pedido é

$$EOQ = \sqrt{\frac{2DS}{H}} = \sqrt{\frac{2(936)(\$45)}{\$30}} = \sqrt{2.808} =$$
$$= 52,99 \text{ ou } 53 \text{ unidades}$$

b. A alteração no percentual é

$$\left(\frac{53-75}{75}\right)(100) = -29,33 \text{ por cento}$$

A nova quantidade de pedido (53) é cerca de 29 por cento menor que a quantidade de pedido correta (75).

=== PROBLEMA RESOLVIDO 4 ===

No Exemplo 12.3, o custo anual total, C, é de 1.124 dólares.

a. Qual é o custo anual total quando $D = 936$ unidades/ano, $S = 45$ dólares, $H = 15$ dólares/unidade/ano, e Q é o resultado do Problema Resolvido 3(a)?

b. Qual é a alteração no custo total, expresso como um percental do custo total (1.124 dólares)?

SOLUÇÃO

a. Com 53 como a quantidade de pedido, o custo do estoque cíclico anual total é

$$C = \frac{Q}{2}(H) + \frac{D}{Q}(S) = \frac{53}{2}(\$15) + \frac{936}{53}(\$45) =$$
$$= \$397,50 + \$794,72 = \$1.192,22 \text{ ou cerca de } \$1.192$$

b. A alteração expressa como um percentual é

$$\left(\frac{\$1.192 - \$1.124}{\$1.124}\right)(100) = 6,05\% \text{ ou cerca de } 6\%$$

Um erro de 100 por cento ao estimar o custo de armazenamento fez com que a quantidade de pedido fosse 29 por cento menor e isso, por sua vez, aumentou os custos anuais em cerca de seis por cento.

=== PROBLEMA RESOLVIDO 5 ===

Um armazém regional compra ferramentas manuais de vários fornecedores e, em seguida, as distribui por encomenda para varejistas da região. O armazém opera cinco dias por semana, 52 semanas por ano. Os pedidos só podem ser recebidos quando ele estiver aberto. Os dados seguintes são estimados para brocas manuais de 3/8 polegadas com isolamento duplo e velocidadades variáveis:

Demanda diária média = 100 brocas
Desvio-padrão da demanda diária (σ_t) = 30 brocas
Lead time (*L*) = 3 dias
Custo de armazenamento (*H*) = $ 9,40/unidade/ano
Custo de pedido (*S*) = 35 dólares/pedido
Nível de ciclo de serviço = 92 por cento
O armazém usa um sistema de revisão contínuo (*Q*).

a. Que quantidade de pedido *Q*, e ponto de reposição, *R*, devem ser usados?

b. Se o estoque disponível é de 40 unidades, um pedido aberto de 440 brocas está pendente e não há pedidos em espera, um novo pedido deve ser colocado?

SOLUÇÃO

a. A demanda anual é

D = (5 dias/semana)(52 semanas/ano)(100 brocas/dia)
 = 26.000 brocas/ano

A quantidade de pedido é

$$EOQ = \sqrt{\frac{2DS}{H}} = \sqrt{\frac{2(26.000)(\$35)}{\$9,40}} = \sqrt{193.167}$$

= 440,02 ou 440 brocas

e o desvio-padrão é

$\sigma_L = \sigma_t \sqrt{L} = (30 \text{ brocas})\sqrt{3} = 51,96$ ou 52 brocas

Um nível de ciclo de serviço de 92 por cento corresponde a *z* = 1,41 (veja o Apêndice "Distribuição normal"). Portanto,

Estoque de segurança = $z\sigma_L$ = 1,41 (52 brocas) = 73,38 ou 73 brocas

Demanda média durante o *lead time* = 100(3) = 300 brocas

Ponto de reposição = demanda média durante o *lead time* + estoque de segurança
 = 300 brocas + 73 brocas
 = 373 brocas

Com um sistema de revisão contínua, *Q* = 440 e *R* = 373.

b. Posição de estoque = estoque disponível + recebimentos programados – pedidos em espera

IP = OH + SR – BO = 40 + 440 – 0 = 480 brocas

Uma vez que IP (480) é superior a *R* (373), não coloque um novo pedido.

PROBLEMA RESOLVIDO 6

Suponha que um sistema de revisão periódica seja usado no armazém, mas, de resto, os dados são os mesmos do Problema Resolvido 5.

a. Calcule o *P* (em dias úteis, arredondados para o dia mais próximo) que dá aproximadamente o mesmo número de pedidos por ano como a EOQ.

b. Qual é o valor do nível de estoque definido como meta, *T*? Compare o sistema *P* ao sistema *Q* no Problema Resolvido 5.

c. É o momento de revisar o produto. O estoque disponível é de 40 brocas; o recebimento de 440 brocas está programado e não há pedidos em espera. Qual deve ser a quantidade do novo pedido?

SOLUÇÃO

a. O tempo entre pedidos é

$$P = \frac{EOQ}{D}(260 \text{ dias/ano}) = \frac{440}{26.000}(260) = 4,4 \text{ ou 4 dias}$$

b. A Figura 12.15 mostra que *T* = 812. O sistema *Q* correspondente para a broca manual requer menos estoque de segurança.

c. A posição de estoque é a quantidade disponível mais o recebimento programado menos pedidos em espera, ou

IP = OH + SR – BO = 40 + 440 – 0 = 480 brocas

A quantidade de pedido é o nível de estoque definido como meta menos a posição de estoque, ou

Q = *T* – IP = 812 brocas – 480 brocas = 332 brocas

Em um sistema de revisão periódica, a quantidade de pedido para esse período de revisão é de 332 brocas.

Sistema de revisão contínua (Q)	
z	1,41
Estoque de segurança	73
Ponto de reposição	373
Custo anual	$ 4.822,38

Sistema de revisão periódica (P)	
Tempo entre revisões (P)	4,00 dias
Desvio-padrão de demanda durante o intervalo de proteção	☑ Insira à mão 79,37
Estoque de segurança	112
Demanda média durante o intervalo de proteção	700
Nível de estoque definido como meta (T)	812
Custo anual	$ 5.207,80

Figura 12.15 Saídas do OM Explorer para sistemas de estoque

PROBLEMA RESOLVIDO 7

A Loja de Hardware do Zeke vende filtros de fornalha. O custo para colocar um pedido ao distribuidor é de 25 dólares, e o custo anual para se manter um filtro em estoque é de dois dólares. A demanda média por semana para os filtros é de 32 unidades e a loja opera 50 semanas por ano. A demanda semanal por filtros tem a seguinte distribuição de probabilidade:

Demanda	Probabilidade
24	0,15
28	0,20
32	0,30
36	0,20
40	0,15

O *lead time* de entrega do distribuidor é incerta e tem a seguinte distribuição de probabilidade:

Lead time (semanas)	Probabilidade
1	0,05
2	0,25
3	0,40
4	0,25
5	0,05

Suponha que Zeke queira usar um sistema P com P = seis semanas e um nível de ciclo de serviço de 90 por cento. Qual é o valor apropriado para T e o custo anual associado do sistema?

SOLUÇÃO

A Figura 12.16 contém a saída do simulador da demanda durante o intervalo de proteção do OM Explorer.

Dado o nível de ciclo de serviço desejado de 90 por cento, o valor apropriado de T é 322 unidades. A simulação estimou a demanda média durante o intervalo de proteção em 289 unidades, por conseguinte, o estoque de segurança é 322 − 289 = 33 unidades.

O custo anual desse sistema P é

$$C = \frac{6(32)}{2}(\$2) + \frac{50(32)}{6(32)}(\$25) + 33(\$2) =$$
$$= \$192{,}00 + \$ + \$66{,}00 = \$466{,}3$$

PROBLEMA RESOLVIDO 8

Considere o estoque do Zeke no Problema Resolvido 7. Suponha que ele queira usar um sistema de revisão contínua (Q) para os filtros, com uma quantidade de pedido de 200 e um ponto de reposição de 140. O estoque inicial é de 170 unidades. Se o custo de falta de estoque é de cinco dólares por unidade e todos os os outros dados no Problema Resolvido 7 são os mesmos, qual é o custo esperado por semana da utilização do sistema Q?

SOLUÇÃO

A Figura 12.17 mostra o resultado do simulador de sistema Q do OM Explorer. Apenas as semanas de 1 a 13 e as semanas de 41 a 50 são mostradas na figura. O custo total médio por semana é de 305,62 dólares. Note que não ocorreram faltas de estoque nessa simulação. Esses resultados são dependentes das escolhas do Zeke para o ponto de reposição e o tamanho de lote. É possível que ocorram faltas de estoque se a simulação for executada para mais de 50 semanas.

Demanda Durante a Distribuição do Intervalo de Proteção

Limite superior da caixa	Demanda	Freqüência	Percentual cumulativo
196	182	0	0,0%
224	210	17	3,4%
252	138	66	16,6%
280	266	135	43,6%
308	294	140	71,6%
336	322	109	93,4%
364	350	30	99,4%
392	378	3	100,0%
420	406	0	100,0%
448	Mais	0	100,0%
	Total	500	

Demanda Média Durante o Intervalo de Proteção
289

Figura 12.16 Saída do OM Explorer para demanda durante o intervalo de proteção

Semana	Estoque inicial	Demanda simulada	Estoque final	Unidades em falta	Colocar pedido?	Tempo de espera simulado	Semanas para recebimento de pedido	Custo de armazenamento	Custo de pedido	Custo de falta de estoque	Custo total
1	170	36	134	0	Sim	4	4	$ 304	$ 25	$ -	$ 329
2	134	32	102	0	Não	-	3	$ 236	$ -	$ -	$ 236
3	102	40	62	0	Não	-	2	$ 164	$ -	$ -	$ 164
4	62	28	34	0	Não	-	1	$ 96	$ -	$ -	$ 96
5	234	32	202	0	Não	-	0	$ 436	$ -	$ -	$ 436
6	202	40	162	0	Não	-	-	$ 364	$ -	$ -	$ 364
7	162	28	134	0	Sim	2	2	$ 296	$ 25	$ -	$ 321
8	134	40	94	0	Não	-	1	$ 228	$ -	$ -	$ 228
9	294	32	262	0	Não	-	0	$ 556	$ -	$ -	$ 556
10	262	24	238	0	Não	-	-	$ 500	$ -	$ -	$ 500
11	238	32	206	0	Não	-	-	$ 444	$ -	$ -	$ 444
12	206	40	166	0		-	-	$ 372	$ -	$ -	$ 372
13	166	24	142	0	Não	-	-	$ 308	$ -	$ -	$ 308
41	262	28	234	0	Não	-	0	$ 496	$ -	$ -	$ 496
42	234	40	194	0	Não	-	-	$ 428	$ -	$ -	$ 428
43	194	36	158	0	Não	-	-	$ 352	$ -	$ -	$ 352
44	158	36	122	0	Sim	3	3	$ 280	$ 25	$ -	$ 305
45	122	36	86	0	Não	-	2	$ 208	$ -	$ -	$ 208
46	86	28	58	0	Não	-	1	$ 144	$ -	$ -	$ 144
47	258	36	222	0	Não	-	0	$ 480	$ -	$ -	$ 480
48	222	36	186	0	Não	-	-	$ 408	$ -	$ -	$ 408
49	186	40	146	0	Não	-	-	$ 332	$ -	$ -	$ 332
50	146	32	114	0	Sim	2	2	$ 260	$ 25	$ -	$ 285
Médias	167,12	33,12	134,00	0,00	Não	3,00		$ 301,12	$ 4,50	$ 0,00	$ 305,62

Figura 12.17 Simulador de Sistema Q do OM Explorer

QUESTÕES PARA DISCUSSÃO

1. Qual é a relação entre o estoque e as nove prioridades competitivas? Suponha que dois fabricantes concorrentes, a Companhia H e a Companhia L, sejam semelhantes, exceto pelo fato de que a Companhia H tem investimentos muito mais altos que a Companhia L em matérias-primas, estoque em processo e estoque de produtos acabados. Em qual das nove prioridades competitivas a Companhia H tem uma vantagem?

2. Forme um grupo de discussão em que cada membro representa uma área funcional diferente de um varejista. Suponha que os estoques cíclicos devam ser reduzidos. Discuta as implicações dessa decisão para cada área funcional.

3. As organizações chegarão alguma vez ao ponto de não precisarem mais de estoque? Por que sim ou por que não?

PROBLEMAS

Softwares como o OM Explorer, o Active Models e o POM for Windows são embalados com todos os exemplares do livro-texto. Verifique com seu professor a melhor maneira de usá-los. Em muitos casos, o professor desejará que você entenda como fazer os cálculos manualmente. Quando muito, o software pode oferecer uma verificação de seus cálculos. Quando os cálculos são muito complexos e o objetivo é interpretar os resultados na tomada de decisão, o software substitui completamente os cálculos manuais. O software pode ser também um valioso recurso depois que você concluir o curso.

1. Uma peça é produzida em lotes de mil unidades e montada a partir de dois componentes cujo valor total é de 50 dólares. O valor agregado na produção (pelo trabalho e pelas despesas variáveis) é de 60 dólares por unidade, trazendo os custos totais por unidade concluída para 110 dólares. O *lead time* médio para a peça é de seis semanas e a demanda anual é de 3.800 unidades, tendo-se por referência 50 semanas comerciais por ano.

   a. Quantas unidades da peça são mantidas, em média, no estoque cíclico? Qual é valor em dólares desse estoque?

   b. Quantas unidades da peça são mantidas, em média, no estoque em trânsito? Qual é o valor em dólares desse estoque? (Sugestão: suponha que a peça típica do estoque em trânsito esteja 50 por cento concluída. Desse modo, metade dos custos de mão-de-obra e de despesas variáveis foi somada, trazendo o custo unitário para 80 dólares ou 50 dólares + 60 dólares/2.)

2. A Eletrônica Príncipe, fabricante de bens de consumo eletrônicos, tem cinco centros de distribuição em regiões diferentes do país. Para um de seus produtos, um modem de alta velocidade avaliado em 350 dólares por unidade, a demanda semanal média em *cada* centro de distribuição é de 75 unidades. O tamanho de remessa médio para cada centro de distribuição é de 400 unidades e o *lead time* médio para entrega é de duas semanas. Cada centro de distribuição tem em estoque duas semanas de suprimento como estoque de segurança, mas não guarda nenhum estoque de antecipação.

  a. Em média, quantos dólares de estoque em trânsito estarão a caminho de cada centro de distribuição?

  b. Quanto estoque total (cíclico, segurança e em trânsito) a Príncipe mantém para todos os cinco centros de distribuição?

3. As Indústrias Lockwood estão considerando o uso da análise ABC para focalizar os produtos mais críticos em seu estoque. Para uma amostra aleatória de oito produtos, a tabela seguinte mostra o valor anual total em dólares. Classifique os produtos e atribua a eles as categorias A, B ou C.

Produto	Valor em dólares	Emprego anual
1	0,01	1.200
2	0,03	120.000
3	0,45	100
4	1,00	44.000
5	4,50	900
6	0,90	350
7	0,30	70.000
8	1,50	200

4. A Terminator, Inc. fabrica uma peça de motocicleta em lotes de 250 unidades. O custo das matérias-primas para a peça é de 150 dólares e o valor agregado ao manifaturar uma unidade a partir de seus componentes é de 300 dólares, para um custo total por unidade acabada de 450 dólares. O *lead time* para fabricar a peça é de 3 semanas, e a demanda anual é de 4.000 unidades. Suponha 50 semanas de trabalho por ano.

  a. Quantas unidades da peça são mantidas, em média, como estoque cíclico? Qual é o valor do estoque?

  b. Quantas unidades da peça são mantidas, em média, como estoque de em trânsito? Qual é o valor do estoque?

5. A Stock-Rite, Inc. está considerando o uso da análise ABC para focalizar os produtos mais críticos em seu estoque. Para uma amostra aleatória de oito produtos, a tabela seguinte mostra o valor unitário e a demanda anual do produto. Classifique esses produtos como categorias A, B e C.

Código do produto	Valor unitário (em dólares)	Demanda (unidades)
A104	40,25	80
D205	80,75	120
X104	10,00	150
U404	40,50	150
L205	60,70	50
S104	80,20	20
X205	80,15	20
L104	20,05	100

6. A Yellow Press, Inc., compra papel liso em rolos de 1.500 libras para impressão de livros de texto. A demanda anual é de 2.500 rolos. O custo por rolo é de 800 dólares e o custo anual de armazenamento é de 15 por cento do custo. Cada pedido custa 50 dólares.

  a. Quantos rolos a Yellow Press deve pedir por vez?

  b. Qual é o tempo entre pedidos?

7. A Babble, Inc. compra 400 fitas cassete virgens por mês para utilizar na produção de artigos de cursos de língua estrangeira. O custo do pedido é de 12,50 dólares e o custo de armazenamento é de 0,12 dólar por cassete por ano.

  a. Quantas fitas a Babble deve pedir a cada vez?

  b. Qual é o tempo entre os pedidos?

8. Na Dot Com, um grande varejista de livros populares, a demanda é constante em 32 mil livros por ano. O custo de colocar um pedido para repor o estoque é de dez dólares e o custo anual de armazenamento é de quatro dólares por livro. O estoque é recebido cinco dias úteis depois que um pedido foi colocado. Não se permitem pedidos em espera. Suponha 300 dias úteis por ano.

  a. Qual é a quantidade de pedido ótima da Dot Com?

  b. Qual é o número ótimo de pedidos por ano?

  c. Qual é o intervalo ótimo (em dias úteis) entre pedidos?

  d. Qual é a demanda durante o *lead time*?

  e. Qual é o ponto de reposição?

  f. Qual é a posição de estoque logo após um pedido ser colocado?

9. A Leaky Pipe, um varejista local de material de encanamento, defronta-se com a demanda por um de seus produtos inventariados a uma taxa constante de 30 mil unidades por ano. Custa à Leaky Pipe dez dólares para processar um pedido para repor o estoque e um dólar por unidade por ano para manter o produto em estoque. O estoque é recebido quatro dias úteis após um pedido ser colocado. Não se permitem pedidos em espera. Suponha 300 dias úteis por ano.

   a. Qual é a quantidade de pedido ótima da Leaky Pipe?
   b. Qual é o número ótimo de pedidos por ano?
   c. Qual é o intervalo ótimo (em dias úteis) entre pedidos?
   d. Qual é a demanda durante o tempo de espera?
   e. Qual é o ponto de reposição?
   f. Qual é a posição de estoque logo após a colocação de um pedido?

10. O Hotel para Gatos do Sam opera 52 semanas por ano, seis dias por semana e usa um sistema de revisão contínua de estoque. Ele compra feno para cama dos gatinhos por 11,70 dólares por saco. As seguintes informações estão disponíveis sobre esses sacos.

   Demanda = 90 sacos/semana

   Custo do pedido = 54 dólares/pedido

   Custo de armazenamento anual = 27 por cento de custo

   Nível de ciclo de serviço desejado = 80 por cento

   Lead time = três semanas (18 dias úteis)

   Desvio-padrão da demanda semanal = 15 sacos

   O estoque disponível corrente é de 320 sacos, sem pedidos abertos ou pedidos em espera.

   a. Qual é a EOQ? Qual seria o tempo médio entre pedidos (em semanas)?
   b. Qual deve ser o R?
   c. Uma retirada de estoque de dez sacos acaba de ser feita. É hora de fazer novo pedido?
   d. A loja, no presente, usa o tamanho de lote de 500 sacos (isto é, $Q = 500$). Qual é o custo de armazenamento anual dessa política? O custo de pedido anual? Sem calcular a EOQ, como você pode concluir, a partir desses dois cálculos, que o tamanho de lote corrente é muito grande?
   e. Qual seria o custo anual economizado pela alteração do tamanho de lote de 500 sacos para a EOQ?

11. Considere novamente a política de pedido de feno para a cama dos gatinhos do Hotel para Gatos do Sam no problema 10.

   a. Suponha que a previsão de demanda semanal de 90 sacos seja incorreta e a demanda real seja em média de apenas 60 sacos por semana. Quanto os custos totais serão mais altos, devido à EOQ distorcida causada por esse erro de previsão?
   b. Suponha que a demanda real seja de 60 sacos, mas que os custos de pedido sejam reduzidos para apenas seis dólares, por meio da utilização da Internet para automatizar a colocação de pedidos. Entretanto, o comprador não informa a ninguém e a EOQ não é ajustada para refletir essa redução em S. Quanto os custos totais serão mais altos, em comparação ao que poderiam ser se a EOQ fosse ajustada?

12. Em um sistema Q, a taxa de demanda por dispositivos eletrônicos está normalmente distribuída, com uma média de 300 unidades *por semana*. O *lead time* é de nove semanas. O desvio-padrão da demanda semanal é de 15 unidades.

   a. Qual é o desvio-padrão da demanda durante o tempo de espera de nove semanas?
   b. Qual é a demanda média durante o *lead time* de nove semanas?
   c. Que ponto de reposição resulta em um nível de ciclo de serviço de 99 por cento?

13. A Petromax Empreendimentos usa um sistema de controle de revisão contínua de estoque para um de seus itens. As seguintes informações estão disponíveis sobre o produto. A empresa opera 50 semanas por ano.

   Demanda = 50 mil unidades/ano

   Custo de pedido = 35 dólares/pedido

   Custo de armazenamento = dois dólares/unidade/ano

   Lead time médio = três semanas

   Desvio-padrão da demanda semanal = 125 unidades

   a. Qual é a quantidade econômica de pedido para esse produto?
   b. Se a Petromax deseja fornecer um nível de ciclo de serviço de 90 por cento, qual deve ser o estoque de segurança e o ponto de reposição?

14. Em um sistema de estoque perpétuo, o *lead time* para coisinhas é de cinco semanas. O desvio-padrão da demanda durante o *lead time* é de 85 unidades. O nível de ciclo de serviço desejado é de 99 por cento. O fornecedor de coisinhas racionalizou suas operações e agora cota um *lead time* de uma semana. Em quanto o estoque de segurança pode ser reduzido sem diminuir o nível de ciclo de serviço em 99 por cento?

15. Em um sistema de estoque de duas caixas, a demanda por trequinhos durante o *lead time* de duas semanas está normalmente distribuída, com uma média de 53 unidades por semana. O desvio-padrão de demanda semanal é de cinco unidades. Que nível de ciclo de serviço é fornecido quando o nível normal na segunda caixa é fixado em 120 unidades?

16. A Autopeças Nacional usa um sistema de controle de estoque de revisão periódica para um dos produtos em seu estoque. O intervalo de revisão é de seis semanas e o *lead time* para receber os materiais pedidos do atacadista é de três semanas. A demanda semanal está normalmente distribuída, com uma média de 100 unidades e um desvio-padrão de 20 unidades.

   a. Qual é a média e o desvio-padrão de demanda durante o intervalo de proteção?

b. Qual deve ser o nível de estoque definido como meta se a empresa deseja 97,5 por cento de proteção contra falta de estoque?

c. Se havia 350 unidades em estoque no momento de uma certa revisão periódica, quantas unidades devem ser pedidas?

17. Em um sistema P, o *lead time* para equipamentos eletrônicos é de duas semanas, e o período de revisão, de uma semana. A demanda durante o intervalo de proteção é de, em média, 218 unidades, com um desvio-padrão de 40 unidades. Qual é o nível de ciclo de serviço quando o nível de estoque definido como meta é de 300 unidades?

18. Você está encarregado de controlar o estoque de um produto de grande sucesso, vendido por sua empresa no varejo. A demanda semanal por esse produto varia, com uma média de 200 unidades e um desvio-padrão de 16 unidades. Ele é comprado de um atacadista a um custo de 12,50 dólares por unidade. O *lead time* de oferta é de quatro semanas. Colocar um pedido custa 50 dólares e a taxa de manutenção de estoque por ano é de 20 por cento do custo do produto. Sua empresa opera cinco dias por semana, 50 semanas por ano.

a. Qual é a quantidade de pedido ótima para esse produto?

b. Quantas unidades do produto devem ser mantidas como estoque de segurança para proteção de 99 por cento contra faltas de estoque durante um ciclo de pedido?

c. Se o *lead time* pela oferta pode ser reduzido para duas semanas, qual é a redução percentual no número de unidades mantidas como estoque de segurança para a mesma proteção de 99 por cento contra falta de estoque?

d. Se, por meio de promoções de vendas apropriadas, a variabilidade da demanda for reduzida de forma que o desvio-padrão da demanda semanal seja de oito unidades em vez de 16, qual é a redução percentual [comparada à do item (b)] no número de unidades mantidas como estoque de segurança para a mesma proteção de 99 por cento contra falta de estoque?

19. Suponha que o Hotel para Gatos do Sam do problema 10 use um sistema P em vez de um sistema Q. A demanda diária média é de 15 sacos (90/6) e o desvio-padrão da demanda *diária* é de 6,124 sacos $(15\sqrt{6})$.

a. Que P (em dias úteis) e T devem ser usados para aproximar as escolhas de custo da EOQ?

b. Que quantidade adicional de estoque de segurança é necessária, em comparação com um sistema Q?

c. É o momento da revisão periódica. Quanto feno para a cama dos gatinhos deve ser pedido?

20. Sua empresa usa um sistema de revisão contínua e opera 52 semanas por ano. Um dos produtos negociados tem as características seguintes:

Demanda (D) = 20 mil unidades/ano

Custo de pedido (S) = 40 dólares/pedido

Custo de armazenamento (H) = 2 dólares/unidade/ano

Lead time (L) = duas semanas

Nível de ciclo de serviço = 95 por cento

A demanda está normalmente distribuída, com um desvio-padrão da demanda *semanal* de 100 unidades.

O estoque disponível corrente é de 1.040 unidades, sem recebimentos programados e pedidos em espera.

a. Calcule a EOQ do produto. Qual é o tempo médio, em semanas, entre pedidos?

b. Encontre o estoque de segurança e o ponto de reposição que fornece um nível de ciclo de serviço de 95 por cento.

c. Para essas políticas, quais são os custos anuais de (i) manutenção do ciclo de estoque e (ii) de colocação de pedidos?

d. Uma retirada de 15 unidades acaba de acontecer. É o momento de fazer um novo pedido? Nesse caso, quanto deve ser pedido?

21. Suponha que sua empresa use um sistema de revisão periódica, mas, de resto, os dados são os mesmos do problema 20.

a. Calcule o P que dá aproximadamente o mesmo número de pedidos por ano que a EOQ. Arredonde sua resposta para a semana mais próxima.

b. Encontre o estoque de segurança e o nível de estoque definido como objetivo que fornece um nível de ciclo de serviço de 95 por cento.

c. Quanto o estoque de segurança é maior que o de um sistema Q?

22. Uma empresa começa uma revisão de políticas de pedido para seu sistema de revisão contínua verificando as políticas correntes para uma amostra de produtos. A seguir estão as características de um produto:

Demanda (D) = 64 unidades/semana (suponha 52 semanas por ano)

Custo de pedido e de preparação (S) = 50 dólares/pedido

Custo de armazenamento (H) = 13 dólares/unidade/ano

Lead time (L) = duas semanas

Desvio-padrão da demanda semanal = 12 unidades

Nível de ciclo de serviço = 88 por cento

a. Qual é a EOQ para esse produto?

b. Qual é o estoque de segurança desejado?

c. Qual é o ponto de reposição?

d. Quais são as implicações de custo se a política corrente para esse produto for de $Q = 200$ e $R = 180$?

23. Usando as mesmas informações do problema 22, desenvolva as melhores políticas para um sistema de revisão periódica.

   a. Que valor de P dá o mesmo número aproximado de pedidos por ano que a EOQ? Arredonde para a semana mais próxima.

   b. Que nível de estoque de segurança e de estoque definido como meta fornecem um nível de ciclo de serviço de 88 por cento?

24. O Hospital do Município de Madeira consome mil caixas de bandagens por semana. O preço das bandagens é de 35 dólares por caixa, e o hospital opera 52 semanas por ano. O custo de processamento de um pedido é de 15 dólares e o custo de armazenamento de uma caixa por um ano é de 15 por cento do valor do material.

   a. O hospital pede bandagens em tamanhos de lote de 900 caixas. Em que custos *adicionais* o hospital incorre, que ele poderia economizar usando o método da EOQ?

   b. A demanda está normalmente distribuída, com um desvio-padrão da demanda semanal de 100 caixas. O tempo de espera é de duas semanas. Que estoque de segurança é necessário se o hospital usa um sistema de revisão contínua e um nível de ciclo de serviço de 97 por cento é desejado? Qual deve ser o ponto de reposição?

   c. Se o hospital usa um sistema de revisão periódica, com $P = $ duas semanas, qual deve ser o nível de estoque definido como meta, T?

25. Um atacadista de artigos especiais para golfe opera 50 semanas por ano. A gerência está tentando determinar uma política de estoque para seu taco de golfe 1 que tenha as seguintes características:

   Demanda (D) = duas mil unidades/ano

   A demanda é normalmente distribuída.

   Desvio-padrão da demanda *semanal* = três unidades

   Custo de pedido = 40 dólares/pedido

   Custo de armazenamento anual (H) = cinco dólares/unidades

   Nível de ciclo de serviço desejado = 90 por cento

   Lead time (L) = quatro semanas

   a. Se a empresa usa um sistema de revisão periódica, quais devem ser P e T? Arredonde P para a semana mais próxima.

   b. Se a empresa usa um sistema de revisão contínua, qual deve ser R?

PROBLEMAS AVANÇADOS

Pode ser útil revisar o Suplemento B "Simulação", antes de resolver os problemas 26 – 29.

26. A Loja de Material de Escritório estima que a demanda mensal por canetas esferográficas tenha a seguinte distribuição:

Demanda (milhares)	Probabilidade
5	0,1
10	0,3
15	0,4
20	0,1
25	0,1

Além disso, o *lead time* das canetas esferográficas do distribuidor tem a seguinte distribuição:

Lead time (semanas)	Probabilidade
1	0,2
2	0,4
3	0,2
4	0,1
5	0,1

   a. Se a gerência quer um nível de ciclo de serviço de 95 por cento para seu sistema de revisão contínua, qual deve ser o ponto de reposição?

   b. Que quantidade de estoque de segurança deve ser mantida?

27. O gerente de um supermercado pede produtos de cuidado com a saúde de um distribuidor regional a cada três semanas. Um produto, a pasta de dentes Happy Breath, tem a seguinte distribuição de demanda semanal:

Demanda	Probabilidade
10	0,08
15	0,12
20	0,35
25	0,25
30	0,20

O serviço que a gerência obtém do distribuidor não tem sido constante. O *lead time* para um reabastecimento de Happy Breath tem a seguinte distribuição:

Lead time (semanas)	Probabilidade
1	0,10
2	0,25
3	0,30
4	0,25
5	0,10

a. Se a gerente quer manter um nível de ciclo de serviço de 85 por cento para a pasta de dentes Happy Breath, que nível definido como meta (T) ela deve usar?

b. Suponha que a gerente possa reprojetar o processo de colocação de pedido e trabalhar mais estreitamente com o distribuidor de forma que o *lead time* seja uma constante de 3 semanas. Isto é, na tabela para o *lead time*, a probabilidade para um *lead time* de 3 semanas seria de 1,0 e para todas outras opções seria de zero. Qual seria o nível de ciclo de serviço para o mesmo nível de estoque definido como meta encontrado para o item (a)?

28. O gerente de uma floricultura vende 2.550 cestas de flores por ano. As cestas propiciam um lindo *souvenir* para quem recebe os arranjos florais. A loja está aberta 50 semanas por ano. As cestas devem ser pedidas de um fornecedor cujos *lead times* vinham sendo irregulares no passado. O custo para colocar um pedido ao fornecedor é de 30 dólares e o custo de manter uma cesta em estoque por um ano é de um dólar. O gerente estimou que o custo para a loja de flores é de 10 dólares para cada cesta que não está em estoque quando um cliente demanda uma.

A distribuição de probabilidade para a demanda semanal é a seguinte:

Demanda	Probabilidade
40	0,40
50	0,30
60	0,15
70	0,10
80	0,05

A distribuição para os *lead times* é

lead time (semana)	Probabilidade
1	0,3
2	0,4
3	0,2
4	0,1
5	0,0

a. Especifique a quantidade de pedido e o ponto de reposição para um sistema de revisão contínua que fornecerá pelo menos um nível de ciclo de serviço de 90 por cento. Use o Simulador de Intervalo de Proteção Durante a Demanda do OM Explorer.

b. Use o Simulador de Sistema Q do OM Explorer para estimar o custo médio por dia da utilização do sistema Q desenvolvido por você. Suponha que o estoque inicial seja de 300 cestas.

29. O Centro de Iluminação Geórgia estoca mais de três mil acessórios de iluminação, incluindo lustres, grinaldas, luminárias de parede e iluminação para áreas exteriores. A loja vende a varejo, opera seis dias por semana e autodenomina como o 'lugar mais brilhante da cidade'. Um acessório caro é vendido a uma taxa média de cinco unidades por dia. A política de reposição é de $Q = 40$ e $R = 15$. Um novo pedido é colocado no dia em que o ponto de reposição é alcançado. O *lead time* é de três dias úteis. Por exemplo, um pedido colocado na segunda-feira será entregue na quinta-feira. Simule o desempenho desse sistema Q para as próximas três semanas (18 dias úteis). Qualquer falta de estoque resulta em vendas perdidas (em vez de pedidos em espera). O estoque inicial é de 19 unidades e não há recebimentos programados. A Tabela 12.3 simula a primeira semana de operação. Amplie a Tabela 12.3 para simular operações para as próximas duas semanas se a demanda para os próximos 12 dias úteis for de 7, 4, 2, 7, 3, 6, 10, 0, 5, 10, 4 e 7.

a. Qual é o estoque final diário médio durante os 18 dias?

b. Quantas faltas de estoque ocorreram?

TABELA 12.3 Primeira semana de operação

Dia útil	Estoque inicial	Pedidos recebidos	Demanda diária	Estoque final	Posição de estoque	Quantidade de pedido
1. Segunda-feira	19	—	5	14	14	40
2. Terça-feira	14	—	3	11	51	—
3. Quarta-feira	11	—	4	7	47	—
4. Quinta-feira	7	40	1	46	46	—
5. Sexta-feira	46	—	10	36	36	—
6. Sábado	36	—	9	27	27	—

CASO Complexo Industrial Automotivo de Gravataí

O Brasil tornou-se uma região com alto potencial de crescimento de vendas nas análises de cenários das montadoras que compõem a indústria automobilística. Atualmente, o país é o único no mundo que reúne os dez maiores fabricantes de automóveis e que ocupa o oitavo lugar na produção de automóveis. A competição entre as montadoras tornou-se mais agressiva ao mesmo tempo em que o poder de compra da população aumentava, o que resultou em um aumento de vendas de 914.466 unidades, em 1990, para 2.611.034 unidades, em 2006.

Um dos maiores desafios da indústria automotiva sempre foi encontrar uma forma de entregar um carro montado sob medida pelo próprio consumidor (*built-to-order*) no menor prazo possível e a custos inferiores aos do tradicional sistema de produção em massa (*make-to-stock*).

O Complexo Industrial Automotivo de Gravataí, inaugurado em julho de 2000, foi criado com o objetivo de vencer esse desafio: vender um carro montado sob medida pelo consumidor final. Esse projeto nasceu da idéia da alta direção da GMB de construir uma fábrica na qual a linha de montagem e o sistema de vendas via Internet estivessem interligados e fossem regidos pelo mesmo maestro: o cliente.

A GMB selecionou 17 fornecedores para trabalharem juntos no desenvolvimento do produto e no processo do futuro complexo industrial. O empreendimento exigiu investimentos globais de 554 milhões de dólares, divididos entre a GMBG, sistemistas e governo do Estado do Rio Grande do Sul, e empregou inicialmente 2.700 pessoas. A fábrica foi inaugurada dia 19 de julho de 2000, mas a venda de carros começou em setembro.

Os sistemistas são mais que fornecedores; são 'sócios' do empreendimento, pois participaram da engenharia e da validação dos módulos desde o início do projeto. São chamados de sistemistas, porque fornecem partes inteiras, módulos ou sistemas para o carro, e não peças avulsas. Todos os fornecedores são exclusivos da montadora e não existe competição nos módulos fornecidos. São 18 empresas trabalhando em volta de um único produto, o Celta, e agindo como uma só.

O Celta é um carro popular desenvolvido especialmente para o mercado brasileiro. Tem cinco opções de cores — a prata é a mais vendida (40 por cento das vendas) — e três versões: a básica e duas mais equipadas, com pacotes diferentes de acessórios. Há, portanto 15 combinações possíveis e com poucas complicações para a montadora. A estratégia de limitar o número possível de combinações foi adotada pela GMB para poder atender com rapidez aos pedidos dos consumidores. O consumidor não tem opção de alterar essas três configurações básicas; quase toda a personalização é suprida pela adição de aproximadamente 20 acessórios diretamente na revenda.

A liberação das ordens de produção é realizada de acordo com os pedidos dos clientes pela Internet (70 por cento) e uma pequena parcela pelo processo de venda tradicional da concessionária (30 por cento). A GMBG só inicia a montagem do carro depois que o pedido é feito, fechado e pago pela Internet. Conseqüentemente, a operação é extremamente lucrativa, uma vez que a empresa recebe o dinheiro da compra de seus carros antes mesmo de remunerar seus fornecedores. O sistema é quase o ideal, pois a produção fica afinada com a demanda, dependendo somente da agilidade para atender aos pedidos dos consumidores e resultando em um tempo de entrega entre 5 e 14 dias, com o risco de perder vendas em momentos de pico de demanda.

Todos os sistemistas sabem exatamente o ritmo de vendas do Celta e recebem diariamente uma previsão de vendas semestral. Além disso, todos mantêm um estoque de segurança em sua planta, estimado em aproximadamente cinco dias de consumo.

No parque industrial, alguns fornecedores fabricam seus próprios módulos, outros realizam operações de montagem e poucos recebem os componentes de suas matrizes e apenas estocam. Esses fornecedores respondem por 80 por cento dos custos de materiais do carro (exceto o Power Train — conjunto motor e transmissão — fabricado pela GM em São José dos campos, no Estado de São Paulo), enquanto os 20 por cento restantes são relativos a peças de fornecedores *off site*, localizados no Brasil e no exterior.

Os fornecedores foram dispostos em ordem planejada no condomínio. O layout do complexo foi desenvolvido prevendo a localização dos sistemistas no ponto mais próximo do módulo em uso na linha de montagem. Cada um tem uma doca específica para desembarcar suas peças. Tudo foi concebido a fim de garantir a logística ágil, o baixo custo de produção e a alta produtividade. Os fornecedores são ligados on-line à GMBG e conhecem detalhadamente as necessidades da linha de montagem. A condição de pagamento de cada sistemista é disparada somente após o carro ser produzido e liberado para faturamento, pelo controle de qualidade da GMBG.

A GM iniciou um processo de vendas pioneiro em todo o mundo, a venda pela Internet, que proporcionava, entre outros benefícios, uma facilidade muito grande aos clientes. A estratégia de distribuição era, então, sustentada sobre quatro pilares: venda direta; *e-commerce*; entrega rápida (estimada em torno de quatro dias); e preço único com frete incluído.

No modelo tradicional, a GMBG vende os veículos para as concessionárias, a cujos estoques são incorporados. O consumidor entra na concessionária, escolhe um carro em exposição, negocia com o vendedor e efetua sua compra. No modelo de venda direta pela

Internet, a GMBG podia vender diretamente para o consumidor, que entrava no site e escolhia sua configuração. Por exemplo, ele podia escolher a cor, um pacote de opcionais e diversos itens de personalização. Uma vez que o carro estivesse configurado, o próprio sistema ia à procura de carros prontos na planta de Gravataí, no Rio Grande do Sul. Perceba que o sistema não entrava com o pedido na fábrica, ele procurava carros prontos no centro de distribuição e quando encontrava a configuração solicitada pelo consumidor, o carro era separado. O cliente, então, pagava um pequeno sinal para a reserva do carro e mediante a comprovação do pagamento, o carro era faturado e enviado para concessionária mais próxima de sua residência. Depois de dez dias, o cliente era convocado a comparecer na concessionária, efetuava o pagamento do restante do débito e recebia o carro. O atendimento de um pedido para fabricação sob encomenda podia durar até 60 dias, por um sistema tradicional de vendas diretas.

A GMBG controlava todo o fluxo de seus dois canais de distribuição: o tradicional e o virtual. A fábrica faturava para a concessionária a configuração desejada. Quando um carro era configurado pelo cliente e não era vendido por indisponibilidade, a GMBG liberava mais veículos para o sistema virtual, aproximando-se mais da demanda. A empresa passou de 500 clientes, que eram as concessionárias, para lidar diretamente com 80 mil consumidores. O serviço de atendimento do cliente teve que ser expandido com a criação de um *call center* de atendimento do processo de venda.

A General Motors entrega, por enquanto, o Celta para todo o Brasil a partir do estoque da planta de Gravataí, no menor prazo possível. A montadora se apóia na simplicidade do produto para cumprir suas metas. O prazo de entrega de uma fabrica tradicional, para o consumidor receber um carro sob medida, é de cinco a seis semanas. Atualmente somente dois por cento dos automóveis da GMB, excluindo o Celta, são montados sob encomenda no Brasil.

As vantagens do modelo da GMBG na época eram:
- Eliminação das campanhas de redução dos descontos e bônus para as concessionárias.
- Eliminação dos incentivos do Banco GM para financiamento do capital de giro das concessionárias.
- Redução do espaço ocupado pelos estoques dentro das concessionárias.
- Redução do estoque das concessionárias e, conseqüentemente, da cadeia como um todo.
- Possibilidade de o consumidor escolher o carro que quer, sem pesquisar preços.
- Possibilidade de o consumidor montar seu pedido e receber o veículo em dez dias, em média (entre 5 e 14 dias), independente da distância que estava da fábrica.

Com a mudança na tributação e com os ganhos em agilidade de produção e logística de transportes, esse canal de vendas foi desativado em 2005. Desde então, o Celta é distribuído às concessionárias Chevrolet, utilizando o mesmo conceito de Day Supply dos demais modelos produzidos pela GMB. Esse sistema visa nivelar os estoques da rede de concessionárias de forma a mantê-las com dias de suprimento muito próximos. Como exemplo, se o volume de vendas mensal de um determinado modelo é de cinco mil unidades em todo o Brasil e o estoque da rede de concessionárias é de 2.500 unidades, esse estoque é suficiente para 15 dias de vendas. Portanto, o sistema de distribuição trabalha com o objetivo de equalizar os estoques de todas as concessionárias do Brasil em 15 dias.

QUESTÕES

1. Qual é o impacto da reestruturação da cadeia de suprimentos da GM sobre os estoques dos veículos na cadeia?
2. O que poderia ser feito para reduzir o tempo de entrega dos veículos?
3. Quais são as conseqüências de passar de poucos revendedores para milhares de clientes? Que vantagens podem ser obtidas?

Caso elaborado pelos professores João Mário Csillag e Mauro Sampaio da FGV-EAESP, baseados nas obras de Baldwin e Clark, "Managing in the age of modularity", *HBR*, vol. 75, n. 5, 1997; CORREA, H. L., "Os modelos modulares de gestão da cadeia de suprimento". São Paulo: EAESP/FGV/NPP — Núcleo de pesquisas e Publicações, 2000; Sampaio. "O poder estratégico do *Postponement*". Tese de doutoramento da EAESP/FGV, 2002

REFERÊNCIAS SELECIONADAS

BASTOW, B. J. "Metrics in the material world", *APICS — The Performance Advantage*, maio 2005, p. 49-52.

BERLIN, Bob. "Solving the OEM puzzle at Valleylab", *APICS — The Performance Advantage*, mar. 1997, p. 58-63.

CALLIONI, Gianpaolo et al. "Inventory-driven costs." *Harvard Business Review*, mar. 2005, p. 135-141.

CANNON, Alan R.; CRANDALL, Richard E. "The way things never were", *APICS — The Performance Advantage*, jan. 2004, p. 32-35.

CHIKAN, A.; MILNE, A.; SPRAGUE, L. G. "Reflections on firm and national inventories", *Budapeste, International Society for Inventory Research*, 1996.

GREENE, James H. *Production and inventory control handbook*, 3. ed. Nova York: McGraw-Hill, 1997.

HARTVIGSEN, David. *SimQuick: process simulation with Excel*, 2. ed. Upper Saddle River, NJ: Prentice Hall, 2004.

Inventory Management Reprints. Falls Church, VA: American Production and Inventory Control Society, 1993.

KRUPP, James A. G. "Are ABC codes an obsolete technology?", *APICS — The Performance Advantage*, abr. 1994, p. 34-35.

SILVER, Edward A. "Changing the givens in modeling inventory problems: the example of just-in-time systems." *International Journal of Production Economics*, vol. 26, 1996, p. 347–351.

SILVER, Edward A.; PYKE, D. E.; PETERSON, Rein. *Inventory management, production planning, and scheduling*, 3. ed. Nova York: John Wiley & Sons, 1998.

TERSINE, Richard J. *Principles of inventory and materials management*, 4. ed. Upper Saddle River, NJ: Prentice Hall, 1994.

TIMME, Stephen G.; WILLIAMS-TIMME, Christine. "The real cost of holding", *Supply Chain Management Review*, jul./ago 2003, p. 30-37.

SUPLEMENTO D

Modelos especiais de estoque

OBJETIVOS DE APRENDIZAGEM

Depois de ler este suplemento, você será capaz de:

1. Definir os custos relevantes que devem ser considerados para determinar a quantidade de pedido para se obter descontos.

2. Identificar as situações em que deve ser usado o tamanho do lote econômico de produção, em vez do lote econômico de compra.

3. Calcular o tamanho de lote ótimo quando a reposição não é instantânea.

4. Determinar o lote econômico de compra quando há descontos por quantidade.

5. Calcular lote econômico de compra capaz de maximizar os lucros esperados para uma decisão de estoque de um período.

Muitos problemas da vida real requerem o afrouxamento de certas suposições em relação às quais o modelo da EOQ é baseado. Este suplemento trata de três situações realistas que exigem que se vá além da simples formulação da EOQ.

1. *Reposição não-instantânea*: particularmente, em situações nas quais os fabricantes usam um processo contínuo para fabricar materiais fundamentais, como um líquido, combustível ou pó, a produção não é instantânea. Desse modo, o estoque é reabastecido gradualmente, em vez de em lotes.

2. *Descontos por quantidade*: entre os custos anuais, podem-se destacar três: o custo de armazenamento, o custo fixo de pedido e preparação e o custo de matéria-prima. Tanto para prestadores de serviços como para fabricantes, o custo unitário de matéria-prima, algumas vezes, depende da quantidade de pedido.

3. *Decisões de um período*: varejistas e fabricantes de produtos de moda, muitas vezes, se defrontam com uma situação na qual a demanda é incerta e ocorre durante exatamente um período ou estação.

Este suplemento pressupõe que você tenha lido o Capítulo 12, "Administração de estoques" e o Suplemento A, "Tomada de decisões".

REPOSIÇÃO NÃO-INSTANTÂNEA

Se um artigo está sendo fabricado internamente, em vez de comprado, as unidades acabadas podem ser usadas ou vendidas assim que forem terminadas, sem esperar até que um lote inteiro seja completado. Por exemplo, um restaurante que assa seus próprios pãezinhos começa a usar alguns deles da primeira assadeira mesmo antes de o padeiro terminar uma fornada de cinco assadeiras. O estoque de pãezinhos nunca alcança o nível completo de cinco assadeiras, do modo que alcançaria se eles chegassem todos de uma vez em um caminhão enviado por um fornecedor.

A Figura D.1 representa um caso habitual, no qual a taxa de produção, p, é superior à taxa de demanda, d.[1] O estoque cíclico se acumula mais rápido que a ocorrência da demanda; isto é, ocorre um acúmulo de $p - d$ unidades

---

[1] Se a demanda e a produção forem iguais, a produção deve ser contínua sem aumento do estoque cíclico. Se a taxa de produção for menor que a taxa de demanda, oportunidades de venda são continuamente perdidas. Neste suplemento, supomos que $p > d$.

por período. Por exemplo, se a taxa de produção é de 100 unidades por dia, e a demanda é de cinco unidades por dia, o acúmulo é de 95 (ou 100 – 5) unidades a cada dia. Esse acúmulo continua até que o tamanho de lote, Q, tenha sido gerado, e após isso, o estoque se esvazia a uma taxa de cinco unidades por dia. No momento em que o estoque alcança zero, o próximo intervalo de produção começa. Para ser coerente, tanto p como d devem ser expressas na mesma unidade de tempo, como unidades por dia ou unidades por semana. Aqui, supomos que são expressas em unidades por dia.

O acúmulo de $p - d$ continua por Q/p dias porque Q é o tamanho do lote e p, as unidades fabricadas a cada dia. Em nosso exemplo, se o tamanho do lote é de 300 unidades, o intervalo de produção é de três dias (300/100). Para a taxa dada de acúmulo durante o intervalo de produção, o estoque cíclico máximo, I_{max}, é

$$I_{max} = \frac{Q}{p}(p-d) = Q\left(\frac{p-d}{p}\right)$$

O estoque cíclico não é mais $Q/2$, como era no caso do método EOQ básico; do contrário, é $I_{max}/2$. Estabelecendo a equação do custo anual total para essa situação de produção, onde D é demanda anual, como antes, e d é a demanda diária, obtemos

custo anual total = custo de armazenamento anual + custo anual de pedido ou preparação

$$C = \frac{I_{max}}{2}(H) + \frac{D}{Q}(S) = \frac{Q}{2}\left(\frac{p-d}{p}\right)(H) + \frac{D}{Q}(S)$$

Tendo-se por referência essa função de custo, o tamanho ótimo do lote, muitas vezes chamado **ELS** (*Economic Production Lote Size* — **lote econômico de produção**), é

$$ELS = \sqrt{\frac{2DS}{H}}\sqrt{\frac{p}{p-d}}$$

Uma vez que o segundo termo é um quociente maior que 1, o ELS tem como resultado um tamanho de lote maior que a EOQ.

DESCONTOS POR QUANTIDADE

Descontos por quantidade, que são incentivos por meio dos preços para comprar grandes quantidades, geram pressão para manter um estoque grande. Por exemplo, um fornecedor pode oferecer um preço de quatro dólares por unidade para pedidos entre 1 e 99 unidades, um preço de 3,50 dólares por unidade para pedidos entre 100 e 199 unidades e um preço de três dólares por unidade para pedidos de 200 ou mais unidades. O preço do produto não é mais fixo, como suposto na derivação da EOQ; em vez disso, se a quantidade de pedido aumenta o suficiente, o preço é reduzido. Por conseguinte, é necessária uma nova abordagem para encontrar o melhor tamanho do lote — um que equilibre as vantagens de preços menores para materiais comprados e menos pedidos (que são benefícios de pedido com grandes quantidades) em relação à desvantagem do aumento do custo ao se armazenar mais estoque.

O custo anual total agora inclui não apenas o custo de armazenamento, $(Q/2)(H)$ e o custo de pedido, $(D/Q)(S)$, mas também o custo de materiais comprados. Para qualquer nível de preço por unidade, P, o custo total é

custo anual total = custo de armazenamento anual + custo anual de pedido ou preparação + custo anual de materiais

$$C = \frac{Q}{2}(H) + \frac{D}{Q}(S) + PD$$

O custo de armazenamento unitário, H, normalmente é expresso como um percentual do preço unitário porque, quanto mais valioso é o produto mantido em estoque, mais alto é o custo de armazenamento. Desse modo, quanto mais baixo é o preço unitário, P, mais baixo H é. De modo inverso, quanto mais alto o P, mais alto o H.

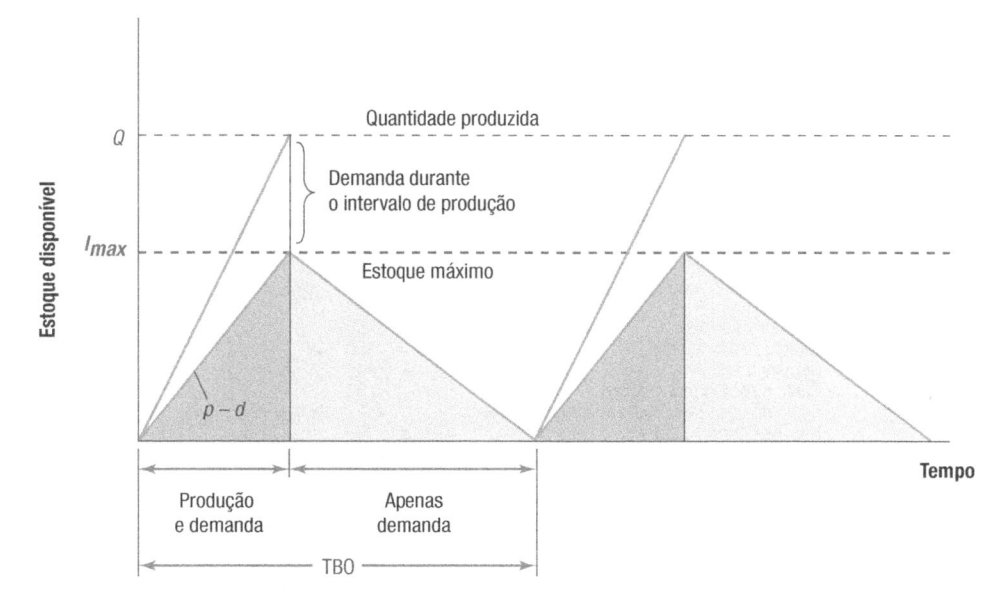

Figura D.1 Dimensionamento do lote com reposição não-instantânea

EXEMPLO D.1 — Encontrando o tamanho do lote econômico de produção

O Tutor D.1, disponível no site de apoio do livro, fornece um novo exemplo para determinação do ELS.

O Active Model D.1, disponível no site de apoio do livro, fornece percepções adicionais sobre o modelo ELS e seus usos.

Um gerente de fábrica de uma planta química deve determinar o tamanho do lote para uma substância química específica que tem uma demanda constante de 30 barris por dia. A taxa de produção é de 190 barris por dia, a demanda anual é de 10.500 barris, o custo de preparação é de 200 dólares, o custo de armazenamento anual é de 21 centavos de dólar por barril e a planta opera 350 dias por ano.

a. Determine o tamanho do lote econômico de produção (ELS).
b. Determine o custo anual total de preparação e armazenamento para esse produto.
c. Determine o TBO, ou duração do ciclo, para o ELS.
d. Determine o tempo de produção por lote.

Quais são as vantagens de se reduzir o tempo de preparação em dez por cento?

SOLUÇÃO

a. Resolvendo primeiro o ELS, obtemos

$$\text{ELS} = \sqrt{\frac{2DS}{H}}\sqrt{\frac{p}{p-d}} = \sqrt{\frac{2(10.500)(\$200)}{\$0,21}}\sqrt{\frac{190}{190-30}}$$
$$= 4.873,4 \text{ barris}$$

b. O custo anual total com o ELS é

$$C = \frac{Q}{2}\left(\frac{p-d}{p}\right)(H) + \frac{D}{Q}(S)$$
$$= \frac{4.873,4}{2}\left(\frac{190-30}{190}\right)(\$0,21) + \frac{10.500}{4.873,4}(\$200)$$
$$= \$430,91 + \$430,91 = \$861,82$$

c. Aplicando a fórmula do TBO ao ELS, obtemos

$$\text{TBO}_{\text{ELS}} = \frac{\text{ELS}}{D}(350 \text{ dias/ano}) = \frac{4.873,4}{10.500}(350)$$
$$= 162,4 \text{ ou } 162 \text{ dias}$$

d. O tempo de produção durante cada ciclo é o tamanho do lote dividido pela taxa de produção

$$\frac{\text{ELS}}{p} = \frac{4.873,4}{190} = 25,6 \text{ ou } 26 \text{ dias}$$

Ponto de decisão Como mostra o OM Explorer na Figura D.2, o efeito líquido de se reduzir o custo de preparação em dez por cento é reduzir o tamanho do lote, o tempo entre pedidos e o tempo do ciclo de produção. Por conseguinte, os custos anuais totais também são reduzidos. Isso acrescenta flexibilidade ao processo de fabricação porque os produtos podem ser fabricados mais rápido com custo menor. A gerência deve decidir se o custo adicional de melhoria do processo de preparação é equivalente à flexibilidade acrescentada e às reduções do custo de estoque.

Período usado nos cálculos	Dia
Demanda por dia	30
Taxa de produção/dia	190
Demanda anual	10.500
Custo de setup (em dólares)	180
Custo de armazenamento anual (em dólares)	0,21
Dias de operação por ano	350
Tamanho do lote econômico (ELS)	4.623
Custo anual total (em dólares)	817,60
Tempo entre pedidos (dias)	154,1
Tempo de produção	24,3

● Inserir custo de armazenamento manualmente   ○ Custo de armazenamento como % do valor

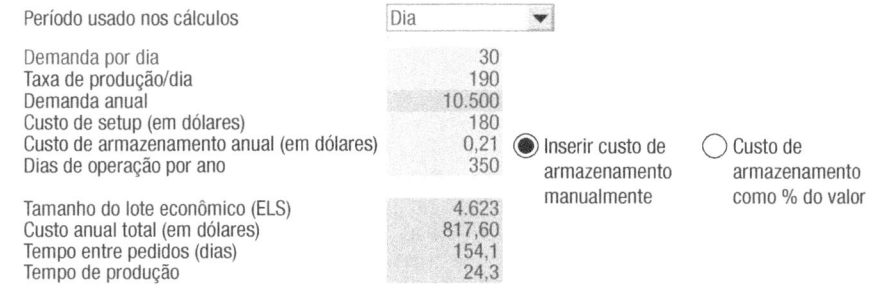

Figura D.2 Resultados do Solver do OM Explorer para o tamanho de lote econômico de produção mostrando o efeito de uma redução de dez por cento no custo de preparação

A equação de custo total gera curvas em forma de U. O acréscimo do custo anual de materiais para a equação de custo total eleva cada curva em uma quantidade fixa, como mostrado na Figura D.3(a). As três curvas de custo ilustram cada um dos níveis de preço. A curva superior refere-se a circunstâncias em que não há descontos; as curvas mais baixas refletem os níveis de preço com desconto. Nenhuma curva individual é relevante para todas as quantidades de compra. O custo total relevante, ou viável, começa com a curva superior. Em seguida cai, curva por curva, com as reduções nos preços. Uma *redução no preço* é a quantidade mínima necessária para se obter um desconto. Na Figura D.3, duas reduções no preço ocorrem em Q = 100 e Q = 200. O resultado é uma curva de custo total, com degraus nas reduções de preço.

A Figura D.3(b) também mostra três pontos adicionais — o ponto mínimo de cada curva, obtido com a fórmula da EOQ em cada nível de preço. Essas EOQs não geram necessariamente o melhor tamanho de lote por duas razões:

1. a EOQ em um nível de preço específico pode não ser viável: o tamanho do lote pode não se encontrar na faixa correspondente a seu preço por unidade. A Figura D.3(b) ilustra dois exemplos de uma EOQ inviável. Primeiro, o ponto mínimo para a curva de três dólares parece ser menor que 200 unidades. Entretanto, a tabela de desconto por quantidade do fornecedor não permite compras de quantidade tão pequena a esse preço unitário. De modo semelhante, a EOQ para o nível de preço de quatro dólares é maior que a primeira redução no preço, assim, o preço cobrado seria de apenas 3,50 dólares;

2. a EOQ em um nível de preço específico pode ser viável, mas pode não ser o melhor tamanho de lote: a EOQ viável pode ter um custo *mais alto* que o alcançado pela EOQ ou quantidade de redução no preço em uma curva com nível de preço *mais baixo*. Na Figura D.3(b), por exemplo, a quantidade de redução no preço de 200 unidades para o nível de preço de três dólares tem um custo total mais baixo que a EOQ viável para o nível de preço de 3,50. Uma EOQ viável é sempre melhor que qualquer ponto viável nas curvas de custo com níveis de preço mais altos, mas não necessariamente aqueles com níveis mais baixos. Desse modo, o único momento em que podemos concluir imediatamente, sem comparar custos totais, que uma EOQ viável é a melhor quantidade de pedido é quando estiver sobre a curva para o nível de preço *mais baixo*. Essa conclusão não é possível na Figura D.3(b) porque a única EOQ viável está no nível de preço intermediário, P = 3,50 dólares.

Devemos, portanto, prestar atenção apenas às combinações de quantidade de preço praticáveis, mostradas como linhas cheias na Figura D.3(b), quando procuramos o melhor tamanho de lote. O seguinte procedimento de dois passos pode ser usado para encontrar o melhor tamanho de lote.[2]

Passo 1: Começando com o preço *mais baixo*, calcule a EOQ para cada nível de preço até que uma EOQ viável seja encontrada. É viável se se encontra na faixa correspondente a seu preço. Cada EOQ seguinte é menor que a anterior porque P, e, desse modo, H, se tornam maiores, e porque o H maior está no denominador da fórmula de EOQ.

Passo 2: Se a primeira EOQ viável encontrada é para o nível de preço *mais baixo*, essa quantidade é o melhor tamanho de lote. Caso contrário, calcule o custo total para a primeira EOQ viável e para a maior quantidade de redução no preço a cada nível de preço mais baixo. A quantidade com o custo total mais baixo é ótima.

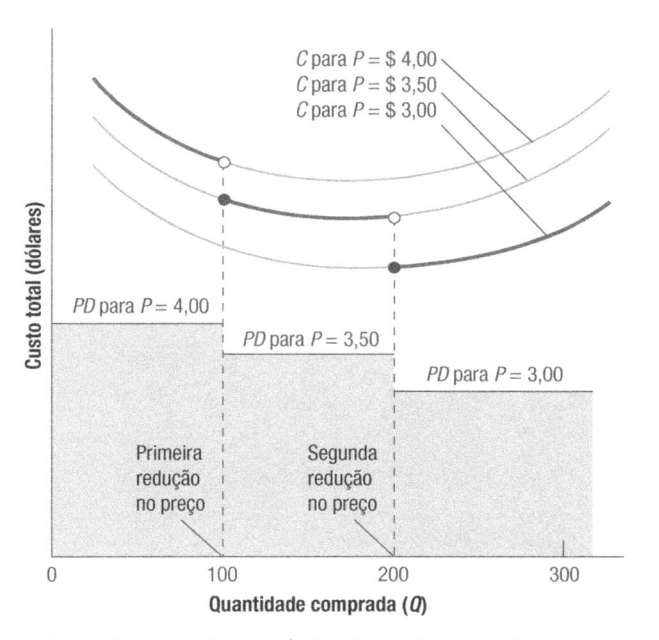

(a) Curvas de custo total com acréscimo de materiais comprados

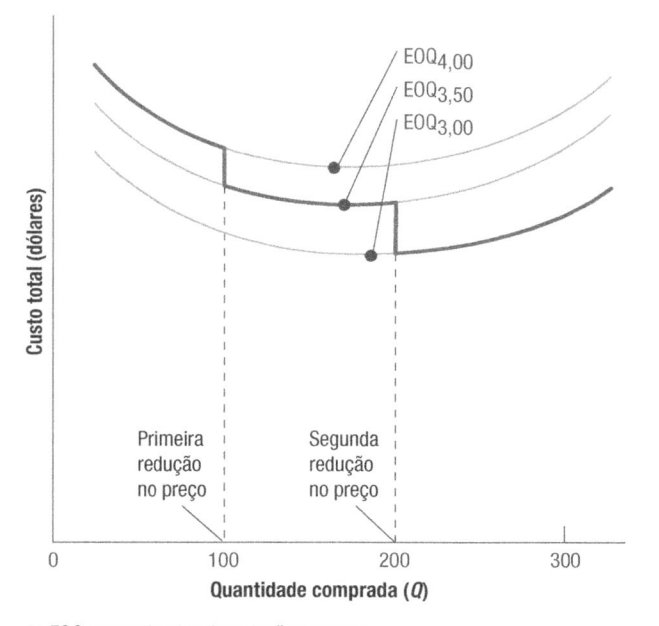

(b) EOQ e quantidades de redução no preço

Figura D.3 Curvas de custo total com descontos por quantidade

---

[2] Outra abordagem que muitas vezes reduz o número de iterações pode ser encontrada em S. K. Goyal, S. K. Goyal, "A simple procedure for price break models", *Production Planning and Control*, v. 6, n. 6, 1995, p. 584-585.

EXEMPLO D.2 — Encontrando Q com descontos por quantidade no St. LeRoy Hospital

O Tutor D.2, disponível no site de apoio do livro, fornece um novo exemplo para escolha da melhor quantidade de pedido quando descontos estão disponíveis.

O Active Model D.2, disponível no site de apoio do livro, fornece insights adicionais sobre o modelo de desconto por quantidade e seus usos.

Um fornecedor do St. LeRoy Hospital introduziu descontos por quantidade para estimular quantidades de pedido maiores de um cateter especial. A tabela de preços é

Quantidade do pedido	Preço por unidade (em dólares)
0 a 299	60,00
300 a 499	58,80
500 ou mais	57,00

O hospital estima que sua demanda anual por esse produto é de 936 unidades, o custo de pedido é de 45,00 dólares por pedido e o custo de armazenamento anual é de 25 por cento do preço unitário do cateter. Que quantidade desse cateter o hospital deve pedir para minimizar os custos totais? Suponha que o preço para quantidades entre 300 e 499 seja reduzido para 58,00 dólares. A quantidade de pedido deve ser alterada?

SOLUÇÃO

Passo 1: Encontre a primeira EOQ viável, começando com o nível de preço mais baixo:

$$EOQ_{57,00} = \sqrt{\frac{2DS}{H}} = \sqrt{\frac{2(936)(\$45,00)}{0,25(\$57,00)}} = 77 \text{ unidades}$$

Um pedido de 77 unidades, na verdade, custa 60,00 dólares por unidade, em vez dos 57,00 dólares usados no cálculo da EOQ. Dessa maneira, essa EOQ é inviável. Agora tente o nível de 58,80 dólares:

$$EOQ_{58,80} = \sqrt{\frac{2DS}{H}} = \sqrt{\frac{2(936)(\$45,00)}{0,25(\$58,80)}} = 76 \text{ unidades}$$

Essa quantidade também é inviável porque um pedido de 76 unidades é muito pequeno para se qualificar para o preço de 58,80 dólares. Tente o nível de preço mais alto:

$$EOQ_{60,00} = \sqrt{\frac{2DS}{H}} = \sqrt{\frac{2(936)(\$45,00)}{0,25(\$60,00)}} = 75 \text{ unidades}$$

Essa quantidade é viável porque se encontra na faixa correspondente a seu preço, $P = 60,00$ dólares.

Passo 2: A primeira EOQ viável de 75 não corresponde ao nível de preço mais baixo. Por isso, devemos comparar seu custo total com as quantidades de redução de preço (300 e 500 unidades) nos níveis de preço mais baixos (58,80 dólares e 57,00 dólares):

$$C = \frac{Q}{2}(H) + \frac{D}{Q}(S) + PD$$

$$C_{75} = \frac{75}{2}[(0,25)(\$60,00)] + \frac{936}{75}(\$45,00) + \$60,00(936) = \$57.284$$

$$C_{300} = \frac{300}{2}[(0,25)(\$58,80)] + \frac{936}{300}(\$45,00) + \$58,80(936) = \$57.382$$

$$C_{500} = \frac{500}{2}[(0,25)(\$57,00)] + \frac{936}{500}(\$45,00) + \$57,00(936) = \$56.999$$

A melhor quantidade de compra é 500 unidades, que se qualifica para o maior desconto.

Ponto de decisão Se o preço por unidade para a faixa de 300 a 499 unidades for reduzido para 58,00 dólares, a melhor decisão é pedir 300 cateteres, como mostrado pelo OM Explorer na Figura D.4. Esse resultado mostra que a decisão é sensível à tabela de preço. Uma redução de pouco mais de um por cento é suficiente para fazer a diferença neste exemplo. Em geral, entretanto, nem sempre é o caso de pedir mais que a quantidade econômica de pedidos quando descontos por preço são dados. Quando os descontos são pequenos, o custo de armazenamento H é grande e a demanda D é pequena, tamanhos de lote pequenos são melhores, ainda que se tenha renunciado aos descontos por preço.

	Mais	Menos
Quantidade mínima requerida para o preço	Tamanho dos lotes	Preço/ unidade
...	0–299	$ 60,00
300	300–499	$ 58,00
500	500 ou mais	$ 57,00

Demanda anual	936
Custo do pedido	$ 45
Custo de armazenamento (% ou preço)	25%
Melhor quantidade de pedido	300

Preços	EOQ ou pedido requerido para o preço	Custo de estoque	Custo do pedido	Custo de compra	Custo total
$ 60,00	75	$ 562,50	$ 561,60	$ 56,160	$ 57,284
$ 58,00	300	$ 2,175	$ 140,40	$ 54,288	$ 56,603
$ 57,00	500	$ 3,563	$ 84,24	$ 53,352	$ 56,999

Figura D.4
Resultados do Solver do OM Explorer para descontos por quantidade mostrando a melhor quantidade de pedido

DECISÕES DE UM PERÍODO

Um dos dilemas enfrentados por muitos varejistas é como lidar com bens sazonais, como casacos de inverno. Muitas vezes, eles não podem ser vendidos ao preço de remarcação integral no ano seguinte por causa de alterações nos estilos. Além disso, o *lead time* pode ser mais longo que o período de venda, não permitindo uma segunda chance de fazer rapidamente outro pedido para cobrir a demanda inesperadamente alta. Existe um problema semelhante para os fabricantes de bens de moda.

Esse tipo de situação é, muitas vezes, chamado *problema do jornaleiro* (*newsboy problem*). Se o vendedor de jornal não compra jornais o suficiente para revender na esquina da rua, oportunidades de vendas são perdidas. Se o vendedor compra jornais demais, o excesso não pode ser vendido porque ninguém quer jornal do dia anterior.

O processo a seguir representa uma maneira direta para analisar esses problemas e decidir entre a melhor quantidade de pedido.

1. Enumere os níveis diferentes de demanda possíveis, junto com a probabilidade estimada de cada um.

2. Formule uma *tabela de resultado final* que mostra o lucro para cada quantidade de compra, Q, em cada nível de demanda suposto, D. Cada linha da tabela representa uma quantidade de pedido diferente, e cada coluna, um nível de demanda diferente O resultado final para uma combinação de quantidade–demanda dada depende do fato de todas as unidades serem vendidas com uma margem de lucro regular durante a estação, o que tem como resultado dois casos possíveis:

   a. se a demanda é alta o suficiente ($Q \leq D$), todas as unidades são vendidas com uma margem de lucro integral, p, durante a estação regular,

   resultado final = (lucro por unidade)(quantidade de compra) = pQ

   b. se a quantidade de compra é superior à demanda final ($Q > D$), apenas D unidades são vendidas com uma margem de lucro integral, e as unidades compradas restantes devem ser vendidas com prejuízo, l, após a estação. Nesse caso,

   resultado final = $\begin{pmatrix} \text{lucro por unidade} \\ \text{vendida durante} \\ \text{a estação} \end{pmatrix}$ (demanda)

   $- \begin{pmatrix} \text{prejuízo} \\ \text{por unidade} \end{pmatrix} \begin{pmatrix} \text{quantidade vendida} \\ \text{após a estação} \end{pmatrix}$

   $= pD - l(Q - D)$

3. Calcule o resultado final esperado para cada Q (ou linha na tabela de resultado final) utilizando a regra de decisão de *valor esperado*. Para um Q específico, primeiro multiplique cada resultado final na linha pela probabilidade de demanda associada com o resultado final e, em seguida, some esses produtos.

4. Escolha a quantidade de pedido Q com o resultado final esperado mais alto.

A utilização desse processo de decisão para todos esses produtos durante muitas estações de venda maximizará os lucros. Entretanto, não é perfeitamente segura e pode ter como conseqüência um resultado ocasional ruim.

A necessidade de decisões de estoque de um período também pode surgir em fábricas quando (1) produtos personalizados (especiais) são fabricados (ou comprados) para um pedido único; e (2) quantidades de refugo são altas.[3] Um produto especial fabricado para um único pedido nunca é mantido em estoque intencionalmente porque a demanda por ele é muito imprevisível. De fato, ele pode nunca ser pedido novamente, por isso, o fabricante gostaria de fabricar apenas a quantidade solicitada pelo cliente — nem mais, nem menos. O fabricante tam-

---
[3] Um objetivo da TQM é eliminar o refugo. A realização desse objetivo da TQM torna essa discussão controvertida.

| EXEMPLO D.3 | **Encontrando Q para decisões de estoque de um período** |

O Tutor D.3, disponível no site de apoio do livro, fornece um novo exemplo de prática da decisão de estoque de um período.

O Active Model D.3, disponível no site de apoio do livro, fornece percepções adicionais sobre o modelo de decisão de estoque de um período e seus usos.

Um dos muitos produtos vendidos em um museu de história natural é um enfeite de Natal esculpido em madeira. A loja de presentes recebe um lucro de dez dólares por unidade vendida durante a estação, mas leva um prejuízo de cinco dólares por unidade depois que a estação acaba. A seguinte distribuição de probabilidade discreta para a demanda da estação foi identificada:

Demanda	10	20	30	40	50
Probabilidade de demanda	0,2	0,3	0,3	0,1	0,1

Quantos enfeites o comprador do museu deve pedir?

SOLUÇÃO

Cada nível de demanda é candidato à melhor quantidade de pedido, assim, a tabela de resultado final deve ter cinco linhas. Para a primeira, em que $Q = 10$, a demanda é, no mínimo, tão grande quanto a quantidade de compra. Desse modo, todos os cinco resultados finais nessa linha são

$$\text{resultado final} = pQ = (\$10)(10) = \$100$$

Essa fórmula pode ser usada em outras linhas, mas apenas para as combinações de quantidade–demanda em que todas as unidades são vendidas durante a estação. Essas combinações se encontram na parte superior direita da tabela de resultados finais, em que $Q \leq D$. Por exemplo, o resultado final quando $Q = 40$ e $D = 50$ é

$$\text{resultado final} = pQ = (\$10)(40) = \$400$$

Os resultados finais na parte inferior esquerda da tabela representam combinações de quantidade–demanda em que algumas unidades devem ser vendidas após a estação ($Q > D$). Para esse caso, o resultado final deve ser calculado com a segunda fórmula. Por exemplo, quando $Q = 40$ e $D = 30$,

$$\text{resultado final} = pD - l(Q - D) = (\$10)(30) - (\$5)(40 - 30) = \$250$$

Usando o OM Explorer, obtemos a tabela de resultado final na Figura D.5.

Lucro $ 10,00   (Se vendido durante o período preferido)
Prejuízo $ 5,00   (Se vendido após o período preferido)

Insira as demandas possíveis junto com a probabilidade de cada ocorrência. Use os botões para aumentar ou diminuir o número de previsões de demanda admissíveis. *NOTA*: certifique-se de inserir previsões de demanda e probabilidades em todas as células coloridas e de que as probabilidades totalizam 1.

Demanda	10	20	30	40	50
Rentabilidade	0,2	0,3	0,3	0,1	0,1

Tabela de resultado final

| Quantidade | Demanda | | | | |
	10	20	30	40	50
10	100	100	100	100	100
20	50	200	200	200	200
30	0	150	300	300	300
40	−50	100	250	400	400
50	−100	50	200	350	500

Agora, calculamos o resultado final esperado para cada Q multiplicando-o para cada quantidade de demanda pela sua probabilidade e, em seguida, somando os resultados. Por exemplo, para $Q = 30$,

$$\text{resultado final} = 0{,}2(\$0) + 0{,}3(\$150) + 0{,}3(\$300) + 0{,}1(\$300) + 0{,}1(\$300) = \$195$$

Figura D.5   Resultados do Solver do OM Explorer para decisões de estoque de um período mostrando a tabela de resultado final

Usando o OM Explorer, a Figura D.6 mostra os resultados finais esperados:

Resultados ponderados

Quantidade de pedido	Resultado final esperado
10	100
20	170
30	195
40	175
50	140

Maior resultado final esperado   195

Associado com quantidade de pedido   30

Figura D.6 Resultados do Solver do OM Explorer mostrando os resultados esperados

Ponto de decisão Uma vez que $Q = 30$ tem o resultado final mais alto em 195 dólares, essa é a melhor quantidade de pedido. A gerência pode usar o OM Explorer para fazer análise de sensibilidade das demandas e de suas probabilidades para verificar o quanto está segura dessa decisão.

bém gostaria de satisfazer um pedido em apenas uma série para evitar uma preparação adicional e uma demora na entrega dos bens pedidos. Esses dois objetivos podem ser contraditórios se a probabilidade de algumas unidades serem descartadas for alta. Suponha que um cliente coloque um pedido de 20 unidades. Se o gerente pede 20 unidades da loja ou do fornecedor, uma ou duas unidades pode ter que ser descartada. Essa falta de estoque forçará o gerente a colocar um segundo (ou até mesmo terceiro) pedido para substituir as unidades defeituosas. A substituição pode ser dispendiosa se o tempo de preparação for alto e também atrasar a remessa para o cliente. Para evitar esses problemas, o gerente pode pedir mais de 20 unidades na primeira vez. Se algumas unidades não forem utilizadas, o cliente pode se dispor a comprar as unidades extras ou encontrar um uso interno para elas. Por exemplo, algumas fábricas estabelecem uma conta especial para materiais obsoletos. Esses materiais podem ser 'comprados' por departamentos dentro da empresa por um custo menor que o normal, como um incentivo para usá-los.

EQUAÇÕES-CHAVE

1. Reposição não-instantânea:

    Estoque máximo: $I_{max} = Q\left(\dfrac{p-d}{p}\right)$

    Custo anual total = custo de armazenamento anual + custo anual de pedido ou preparação

    $$C = \dfrac{Q}{2}\left(\dfrac{p-d}{p}\right)(H) + \dfrac{D}{Q}(S)$$

    Tamanho do lote econômico de produção:

    $$ELS = \sqrt{\dfrac{2DS}{H}}\sqrt{\dfrac{p}{p-d}}$$

    Tempo entre pedidos, expresso em anos:

    $$TBO_{ELS} = \dfrac{ELS}{D}$$

2. Descontos por quantidade:

    custo anual total = custo de armazenamento anual + custo anual de pedido ou preparação + custo anual de material

    $$C = \dfrac{Q}{2}(H) + \dfrac{D}{Q}(S) + PD$$

3. Decisões de um período:

    Matriz de resultado final:

    $$\text{resultado final} = \begin{cases} pQ & \text{se } Q \leq D \\ pD - l(Q-D) & \text{se } Q > D \end{cases}$$

PALAVRAS-CHAVE

lote econômico de produção (ELS)

PROBLEMA RESOLVIDO 1

A Peachy Keen, Inc. fabrica suéteres de pêlo de cabra angorá, blusas com gola de Peter Pan, calças três-quartos, saias *poodle* e outros estilos de roupa populares dos anos 1950. A demanda média por suéteres de pêlo de cabra angorá é de 100 por semana. As instalações de produção da Peachy têm a capacidade de costurar 400 suéteres por semana. O custo de preparação é de 351 dólares. O valor do estoque de bens acabados é de 40 dólares por suéter. O custo de armazenamento anual por unidade é de 20 por cento do valor do produto.

a. Qual é o tamanho do lote econômico de produção (ELS)?

b. Qual é o tempo médio entre pedidos (TBO)?

c. Qual é o total do custo de armazenamento anual e do custo de preparação?

SOLUÇÃO

a. O tamanho do lote de produção que minimiza o custo total é

$$\text{ELS} = \sqrt{\frac{2DS}{H}} \sqrt{\frac{p}{p-d}} = \sqrt{\frac{2(100 \times 52)(\$351)}{0{,}20(\$40)}} \sqrt{\frac{400}{(400-100)}}$$

$$= \sqrt{456.300} \sqrt{\frac{4}{3}} = 780 \text{ suéteres}$$

b. O tempo médio entre pedidos é

$$\text{TBO}_{\text{ELS}} = \frac{\text{ELS}}{D} = \frac{780}{5.200} = 0{,}15 \text{ ano}$$

Convertendo em semanas, obtemos

$$\text{TBO}_{\text{ELS}} = (0{,}15 \text{ ano})(52 \text{ semanas/ano}) = 7{,}8 \text{ semanas}$$

c. O custo total mínimo de pedido e armazenamento é

$$C = \frac{Q}{2}\left(\frac{p-d}{p}\right)(H) + \frac{D}{Q}(S) = \frac{780}{2}\left(\frac{400-100}{400}\right)$$

$$(0{,}20 \times \$40) + \frac{5.200}{780}(\$351)$$

$$= \$2.340/\text{ano} + \$2.340/\text{ano} = \$4.680/\text{ano}$$

PROBLEMA RESOLVIDO 2

Um hospital compra pacotes cirúrgicos descartáveis da Pfisher, Inc. A tabela de preços da Pfisher é de 50,25 dólares por pacote para pedidos de 1 a 199 e 49,00 dólares por pacote para pedidos de 200 ou mais. O custo de pedido é de 64 dólares por pedido, e o custo anual de armazenamento é de 20 por cento do preço de compra por unidade. A demanda anual é de 490 pacotes. Qual é a melhor quantidade de compra?

SOLUÇÃO
Primeiro calculamos a EOQ ao preço *mais baixo*:

$$\text{EOQ}_{49{,}00} = \sqrt{\frac{2DS}{H}} = \sqrt{\frac{2(490)(\$64{,}00)}{0{,}20(\$49{,}00)}} = \sqrt{6.400} = 80 \text{ pacotes}$$

Essa solução é inviável porque, de acordo com a tabela de preços, não podemos comprar 80 pacotes a um preço de 49,00 dólares cada. Portanto, calculamos a EOQ ao próximo preço mais baixo (50,25 dólares):

$$\text{EOQ}_{50{,}25} = \sqrt{\frac{2DS}{H}} = \sqrt{\frac{2(490)(\$64{,}00)}{0{,}20(\$50{,}25)}} = \sqrt{6.241} = 79 \text{ pacotes}$$

Essa EOQ é viável, mas 50,25 dólares por pacote não é o preço mais baixo. Por isso, precisamos determinar se os custos totais podem ser reduzidos comprando 200 unidades e, dessa maneira, obtendo um desconto por quantidade.

$$C = \frac{Q}{2}(H) + \frac{D}{Q}(S) + PD$$

$$C_{79} = \frac{79}{2}(0{,}20 \times \$50{,}25) + \frac{490}{79}(\$64{,}00) + \$50{,}25(490)$$

$$= \$396{,}98/\text{ano} + \$396{,}98/\text{ano} + \$24.622{,}50/\text{ano}$$

$$= \$25.416{,}44/\text{ano}$$

$$C_{200} = \frac{200}{2}(0{,}20 \times \$49{,}00) + \frac{490}{200}(\$64{,}00) + \$49{,}00(490)$$

$$= \$980{,}00/\text{ano} + \$156{,}80/\text{ano} + \$24.010{,}00/\text{ano}$$

$$= \$25.146{,}80/\text{ano}$$

Comprar 200 unidades por pedido economizará 269,64 dólares/ano, em comparação com a compra de 79 unidades a cada vez.

PROBLEMA RESOLVIDO 3

A Swell Productions está patrocinando uma reunião ao ar livre para donos de carros Ford clássicos e de coleção. O estande na área T-Bird venderá camisetas, saias *poodle* e outros suvenires dos anos 1950. As saias *poodle* são compradas da Peachy Keen, Inc. por 40 dólares cada e são vendidas durante o evento por 75 dólares. Se sobrar alguma saia, pode ser devolvida à Peachy por um reembolso de 30 dólares cada. A saia *poodle* vende dependendo do tempo, freqüência e outras variáveis. A tabela a seguir mostra a probabilidade de várias quantidades de vendas. Quantas saias *poodle* a Swell Productions deve pedir à Peachy Keen para esse evento de um período?

Quantidade de vendas	Probabilidade	Quantidade de vendas	Probabilidade
100	0,05	400	0,34
200	0,11	500	0,11
300	0,34	600	0,05

SOLUÇÃO
A Tabela D.1 é a tabela de resultado final que descreve essa decisão de estoque de um período. A porção superior direita da tabela mostra os resultados finais quando a demanda, D, é maior ou igual à quantidade de pedido, Q. O resultado final é igual ao lucro por unidade (a diferença entre preço e custo) multiplicada pela quantidade de pedido. Por exemplo, quando a quantidade de pedido é 100 e a demanda é 200,

$$\text{resultado final} = (p - c)\,Q = (\$75 - \$40)100 = \$3.500$$

A porção inferior esquerda da tabela de resultado final mostra os resultados finais quando a quantidade de pedido é superior à demanda. Aqui o resultado final é o lucro das vendas, pD, menos o prejuízo associado ao estoque em excesso, $l(Q - D)$, onde l é a diferença entre o custo e a quantidade reembolsada para cada saia *poodle* devolvida, e $Q - D$ é o número de saias devolvidas. Por exemplo, quando a quantidade de pedido é de 500 e a demanda é de 200,

$$\text{resultado final} = pD - l(Q - D) = (\$75 - \$40)200 - (\$40 - \$30)(500 - 200) = \$4.000$$

TABELA D.1	Resultados finais						
	Demanda (valores em dólares)						
Q	100	200	300	400	500	600	Resultado final esperado
100	$ 3.500	$ 3.500	$ 3.500	$ 3.500	$ 3.500	$ 3.500	$ 3.500
200	$ 2.500	$ 7.000	$ 7.000	$ 7.000	$ 7.000	$ 7.000	$ 6.775
300	$ 1.500	$ 6.000	$ 10.500	$ 10.500	$ 10.500	$ 10.500	$ 9.555
400	$ 500	$ 5.000	$ 9.500	$ 14.000	$ 14.000	$ 14.000	$ 10.805
500	($ 500)	$ 4.000	$ 8.500	$ 13.000	$ 17.500	$ 17.500	$ 10.525
600	($ 1.500)	$ 3.000	$ 7.500	$ 12.000	$ 16.500	$ 21.000	$ 9.750

O resultado final esperado mais alto ocorre quando são pedidas 400 saias *poodle*:

Resultado final esperado$_{400}$ = ($ 500 × 0,05) + ($ 5.000 × 0,11) + ($ 9.500 × 0,34) + ($ 14.000 × 0,34) + ($ 14.000 × 0,11) + ($ 14.000 × 0,05)
= $ 10.805

PROBLEMAS

Softwares como o OM Explorer, o Active Models e o POM for Windows estão disponíveis no site de apoio do livro. Verifique com seu professor a melhor maneira de usá-los. Em muitos casos, ele preferirá que você entenda como fazer os cálculos manualmente. Quando muito, o software pode oferecer uma verificação de seus cálculos. Quando os cálculos são muito complexos e o objetivo é interpretar os resultados na tomada de decisões, o software substitui completamente os cálculos manuais, além disso, também pode ser uma valiosa ferramenta depois que você concluir o curso.

1. A Bold Vision, Inc. fabrica cartuchos de toner para fotocopiadoras e impressoras a *laser*. A taxa de demanda é de 625 cartuchos EP por semana. A taxa de produção é de 1.736 cartuchos EP por semana, e o custo de preparação é de 100 dólares. O valor de estoque é de 130 dólares por unidade, e o custo de armazenamento é de 20 por cento do valor do estoque. Qual é o tamanho do lote econômico de produção?

2. A Sharpe Cutter é uma pequena empresa que fabrica lâminas especiais para máquinas de cortar papel. A demanda anual por um tipo específico de lâmina é de 100 mil unidades. A demanda é uniforme ao longo dos 250 dias úteis de um ano. A Sharpe Cutter fabrica esse tipo de lâmina em lotes e, em média, pode produzir 450 lâminas por dia. O custo de preparação de um lote de produção é de 300 dólares, e o custo de armazenamento anual é de 1,20 dólar por lâmina.

    a. Determine o tamanho do lote econômico de produção (ELS).
    b. Determine o custo anual total de preparação e armazenamento para esse produto.
    c. Determine o TBO, ou duração do ciclo, para o ELS.
    d. Determine o tempo de produção por lote.

3. A Suds's Bottling faz o trabalho de rotulagem e distribuição para várias cervejarias pequenas locais. A taxa de demanda para a cerveja Wortman é de 600 caixas (de 24 garrafas cada) por semana. A taxa de produção da empresa é de 2.400 caixas por semana, e o custo de preparação é de 800 dólares. O valor do estoque é de 12,50 dólares por caixa e o custo de armazenamento anual é de 30 por cento do valor do estoque. Qual é o tamanho do lote econômico de produção?

4. O Bucks Grande, principal time da liga de beisebol, quebra uma média de quatro tacos por semana. O time pede tacos de beisebol à Corky, um fabricante cuja reputação está relacionada a seu acesso à madeira de excelente qualidade. O custo de pedido é de 70 dólares, e o custo anual de armazenamento por taco por ano é de 38 por cento do preço de compra. A estrutura de preços da Corky é

Quantidade de pedido	Preço por unidade (em dólares)
0 a 11	$ 54,00
12 a 143	$ 51,00
144 ou mais	$ 48,50

   a. Quantos tacos o time deve comprar por pedido?
   b. Quais são os custos anuais totais associados à melhor quantidade de pedido?

c. A Corky descobre que, devido a processos de fabricação especiais requeridos para os tacos do Bucks, ela subestimou os custos de preparação. Em vez de aumentar os preços, ela acrescenta outra categoria à estrutura de preço para fornecer um incentivo a pedidos maiores e reduzir o número de preparações requeridas. Se o Bucks compra 180 tacos ou mais, o preço cairá para 45,00 dólares cada. O Bucks deve revisar a quantidade de pedido para 180 tacos?

5. Para impulsionar as vendas, a Pfisher (veja o Problema Resolvido 2) anuncia uma nova estrutura de preços para pacotes cirúrgicos descartáveis. Embora a redução de preço não esteja mais disponível para 200 unidades, a Pfisher agora oferece um desconto ainda maior se quantidades maiores forem compradas. Para pedidos de um a 499 pacotes, o preço é de 50,25 dólares por pacote. Para pedidos de 500 ou mais, o preço por unidade é de 47,80 dólares. Os custos de pedido, custos de armazenamento anual e a demanda anual permanecem em 64 dólares por pedido, 20 por cento do custo por unidade e 490 pacotes por ano, respectivamente. Qual é o novo tamanho do lote?

6. A University Bookstore em uma universidade privada de prestígio compra lapiseiras de um atacadista, que oferece descontos para pedidos grandes de acordo com a tabela de preços a seguir:

Quantidade de pedido	Preço por unidade (em dólares)
0 a 200	$ 4,00
201 a 2.000	$ 3,50
2.001 ou mais	$ 3,25

A livraria espera uma demanda anual de 2.500 unidades. O custo de colocação de um pedido é de dez dólares e o custo anual de manutenção de uma unidade em estoque é de 30 por cento do preço da unidade. Determine a melhor quantidade de pedido.

7. A Mac-in-the-Box, Inc. vende equipamentos de computador por meio de pedidos por correio e telefone. A Mac vende 1.200 *scanners* de mesa por ano. O custo de pedido é de 300 dólares, e o custo de armazenamento anual é de 16 por cento do preço do produto. O fabricante oferece a seguinte estrutura de preços para a Mac-in-the-Box:

Quantidade de pedido	Preço por unidade (em dólares)
0 a 11	$ 520
12 a 143	$ 500
144 ou mais	$ 400

Que quantidade de pedido minimiza os custos anuais totais?

8. Como gerente de estoque, você deve decidir a quantidade de pedido para um produto que tem uma demanda anual de duas mil unidades. Colocar um pedido custa 20 dólares a cada vez. O custo de armazenamento anual, expresso como um percentual do valor de estoque médio, é de 20 por cento. Seu fornecedor preparou a seguinte tabela de preços:

Quantidade mínima de pedido	Preço por unidade (em dólares)
1	$ 2,50
200	$ 2,40
300	$ 2,25
1.000	$ 2,00

Que política de pedidos você recomenda?

9. A National Printing Company deve decidir quantos calendários de parede fabricar para venda durante a próxima estação de vendas. Cada calendário é vendido por 8,50 dólares e custa 2,50 dólares para ser fabricado. O escola local concordou em comprar todos os calendários não vendidos a um preço unitário de 1,50 dólar. A National estima a seguinte distribuição de probabilidade para a demanda da estação:

Demanda	Probabilidade
2.000	0,05
3.000	0,20
4.000	0,25
5.000	0,40
6.000	0,10

Quantos calendários a National deve produzir para maximizar seu lucro esperado?

10. Os doces da Dorothy são frescos e vendidos em várias lojas especiais em Perth. Quando passa um dia de sua fabricação, devem ser vendidos a preços reduzidos. A demanda diária é distribuída da seguinte forma:

Demanda	Probabilidade
50	0,25
150	0,50
200	0,25

Cada doce é vendido por um dólar e custa 60 centavos de dólar para ser feito. Cada doce não vendido no fim do dia pode ser vendido no dia seguinte por 30 centavos, como mercadoria do dia anterior. Quantos doces devem ser assados a cada dia?

11. O Aggies receberá o Tech no jogo de futebol do ano. Tendo por referência as vendas antecipadas de ingressos, o departamento desportivo previu as vendas de cachorro-quente como mostrado na tabela seguinte. A escola compra cachorros-quentes especiais por 1,50 dólar e os vende durante o jogo por 3 dólares cada. Os cachorros-quentes que sobrarem após o jogo serão vendidos por 50 centavos cada para o restaurante estudantil do Aggie para serem usados na preparação de um ensopado de forno.

Quantidade de vendas	Probabilidade
2.000	0,10
3.000	0,30
4.000	0,30
5.000	0,20
6.000	0,10

Use uma matriz de resultado final para determinar a quantidade de compra de cachorros-quentes para o jogo.

REFERÊNCIAS SELECIONADAS

"Factors that make or break season sales", *Wall Street Journal*, 9 dez. 1991.

GREENE, James H. *Production and inventory control handbook*. 3 ed. Nova York: McGraw-Hill, 1997.

Inventory management reprints. Falls Church, VA: American Production and Inventory Control Society, 1993.

SILVER, Edward A.; PYKE D. F.; PETERSON, Rein. *Inventory management, production planning, and scheduling*. 3 ed. Nova York: John Wiley & Sons, 1998.

SIPPER, Daniel; BULFIN, Robert L. Jr. *Production planning, control, and integration*. Nova York: McGraw-Hill, 1997.

TERSINE, Richard J. *Principles of inventory and materials management*. 4 ed. Upper Saddle River, NJ: Prentice Hall, 1994.

13

OBJETIVOS DE APRENDIZAGEM

Depois de ler este capítulo, você será capaz de:

1. Explicar o sistema colaborativo de planejamento, previsão e reposição (CPFR).
2. Descrever as diferentes abordagens críticas de previsão.
3. Explicar o uso da regressão para fazer previsões.
4. Mostrar como fazer previsões usando as abordagens mais comuns de análise de séries temporais.
5. Descrever as diferentes medidas de erros de previsão.
6. Explicar como erros de previsão são usados para monitorar e controlar o desempenho de previsões.

O chá Lipton é um dos muitos produtos da Unilever, e sua demanda deve ser prevista para todo o mundo. Durante séculos, a história da globalização se deu por meio das viagens de mercadores que transportavam especiarias ao longo das rotas de comércio eurasianas. Agora, viaja através de fios e ondas de rádio, satélites, aviões e gigabytes.

Capítulo 13
Previsão de demanda

Unilever

Um dos impulsionadores críticos na administração da cadeia de valor é um efetivo CDP (*Customer Demand Planning* — planejamento da demanda do cliente), o que começa com previsões precisas. O CDP é um processo de planejamento de negócios que permite que as equipes de vendas formulem previsões de demanda como dados para processos de planejamento de serviços, planejamento de produção e estoque e planejamento da receita. A *previsão* é geralmente compreendida como o processo de elaboração da perspectiva mais provável do que será a demanda futura, dado um conjunto de suposições sobre tecnologias, concorrentes, determinação de preços, marketing, gastos e atividade de vendas. Planejamento, por outro lado, é o processo de tomada de decisões administrativas sobre como aplicar recursos para melhor responder às previsões de demanda.

Geralmente, as previsões devem anteceder os planos. Não é possível tomar decisões sobre níveis de pessoal, compromissos de compras e níveis de estoque até que sejam desenvolvidas previsões que forneçam pontos de vista razoavelmente precisos da demanda ao longo do horizonte de tempo da previsão.

A Unilever, fornecedora de produtos de consumo de grande saída, tem um sistema de CDP de última geração. Usando o software Manugistics, o sistema combina dados históricos de remessa com dados de promoções, permitindo o compartilhamento de informações e a colaboração com clientes importantes. O sistema começa com registros históricos de remessa e informações de pedidos atuais, a fundação sobre a qual o sistema da Unilever é construído. Essa previsão de base depende somente de informações históricas e atuais, portanto, dados confiáveis são um requisito crítico. Entretanto, uma vez que os dados, muitas vezes, são coletados de sistemas diferentes, eles podem conter erros e não levam necessariamente a previsões melhores. Além disso, informações estatísticas não são úteis ao prever os resultados de determinados eventos, promoções, lançamentos e pacotes especiais, comuns na indústria. Para superar esse problema, os planejadores da Unilever devem ajustar as previsões estatísticas às previsões do planejamento de promoções conduzidas pelas equipes especiais de vendas. Para cada promoção, o sistema de planejamento de vendas prevê a 'elevação', ou aumento projetado das vendas, e a encaminha ao sistema de planejamento de demanda, que o aplica às SKUs (*Stock-Keeping Units* — unidades em estoque apropriadas) e aos centros de distribuição a cada semana. Por sua vez, essas previsões são revisadas e ajustadas, se necessário.

A Unilever também conduz pesquisas de mercado externas e projeções de vendas internas que são analisadas, combinadas com promoções de clientes de varejo e inseridas no sistema de planejamento de demanda. Para melhorar ainda mais a precisão de suas previsões e reduzir os tempos de espera pelo estoque, a Unilever — fornecedora de Dove, Lipton, Hellmann's e centenas de outras marcas — compara dados do ponto de venda (PDV) com suas próprias previsões. Infelizmente, nem todos os clientes fornecem dados de PDV. Além disso, integrar os dados não é fácil, uma vez que eles vêm em formatos diferentes. Isso inevitavelmente obriga a empresa a construir interfaces a fim de gerenciá-los. Como criar essas interfaces é dispendioso e demorado, a maioria das empresas, inclusive a Unilever, coleta dados do PDV apenas de seus maiores clientes. Em última análise, os planejadores da Unilever ajustam os números finais a cada semana e inserem essas previsões no sistema de planejamento de demanda.

Em geral, o sistema de CDP atual tem sido bem-sucedido. A Unilever reduziu seu estoque e melhorou o atendimento ao consumidor. Contudo, se a colaboração e o uso de dados do PDV aumentarem, a Unilever provavelmente se beneficiará ainda mais. O próximo passo para a Unilever é colaborar com seus clientes e fornecedores, um processo pelo qual previsões, planos de promoção e outros dados são compartilhados entre essas empresas para determinar a previsão final. Esse processo é conhecido como *CPFR* (*Collaborative Planning, Forecasting and Replenishment* — sistema colaborativo de planejamento, previsão e reposição).

Fontes: Robert L. Mitchell, "Case study: unilever crosses the data streams", *Computerworld*, 17 dez. 2001; Robert L. Mitchell, "Tech check: getting demand planning right", *Computerworld*, 7 dez. 2001; Chana R. Schoenberger, "The weakest link", *Forbes*, 1 out. 2001; Disponível em: <www.forbes.com/global/2001/1001/044_print.html>.

```
USANDO OPERAÇÕES PARA COMPETIR
          ↓
   Operações como arma competitiva
      Estratégia de operações
         Gestão de projetos


   ADMINISTRANDO PROCESSOS
          ↓
      Estratégia de processos
         Análise de processos
   Desempenho e qualidade do processo
      Administração das restrições
           Layout do processo
       Sistemas de produção enxuta


  ADMINISTRANDO CADEIAS DE VALOR
          ↓
   Estratégia da cadeia de suprimentos
              Localização
        Administração de estoques
          Previsão de demanda
    Planejamento de vendas e operações
        Planejamento de recursos
              Programação
```

O êxito da Unilever até agora demonstra o valor das previsões. Uma **previsão** é um prognóstico de eventos futuros, usado para propósitos de planejamento. Na Unilever, a gerência necessitou de previsões precisas para assegurar o êxito da cadeia de valor. As condições de negócios inconstantes resultantes de competição global, das rápidas mudanças tecnológicas e de preocupações ambientais crescentes exercem pressão sobre a capacidade de a empresa gerar previsões precisas.

Os métodos de previsão podem ser baseados em modelos matemáticos que usam dados históricos disponíveis ou em métodos qualitativos, que são planejados de acordo com a experiência administrativa e com as avaliações do cliente, ou podem ser baseados em uma combinação de ambos. O sistema CDP da Unilever combina esses métodos e compromissos do CPFR para gerar ainda mais melhorias para o processo de previsão.

Neste capítulo, nosso foco se concentra nas previsões de demanda. Começamos com tipos diferentes de padrões de demanda e com o projeto do sistema de previsão. Examinamos métodos de previsão em três categorias básicas: métodos qualitativos de avaliação, de relacionamentos causais e de análise de séries temporais. Os erros de previsão são definidos, fornecendo indícios importantes para a realização de previsões melhores. Concluímos com o uso de técnicas múltiplas, que reúnem percepções de várias fontes.

Previsões são úteis tanto para a administração de processos como para a administração das cadeias de valor. No caso da cadeia de valor, uma empresa precisa de previsões para coordenação com seus clientes e fornecedores. No caso do processo, as previsões de produto são necessárias para projetar os diferentes processos por toda a organização, inclusive para identificar e lidar com estrangulamentos internos. Por exemplo, a Hewlett-Packard fabrica cartões de rede que transformam impressoras HP dedicadas em impressoras compartilhadas em rede. Entretanto, os prognósticos de mercado da HP superestimam de forma constante as vendas reais dos cartões de rede, porque as previsões foram fortemente influenciadas por cotas de vendas e expectativas de rendimentos. O resultado foi que a equipe de planejamento de produção da HP, uma parte do processo de atendimento de pedidos, gerou estoque em excesso. Conferir a responsabilidade do processo de previsão à equipe de planejamento de produção resultou em uma redução de 20 a 30 por cento nos níveis de estoque, ao mesmo tempo em que manteve níveis elevados de disponibilidade do produto. Reconhecer o papel importante do processo de previsão teve como resultado um melhor desempenho de toda a cadeia de valor.

PREVISÕES POR TODA A ORGANIZAÇÃO

Como o exemplo da Hewlett-Packard mostra, o processo de previsão por toda a organização atravessa áreas funcionais. A previsão da demanda total geralmente provém do marketing, mas clientes internos por toda a organização também dependem de previsões para formular e executar seus planos. As previsões são informações críticas para planos de negócios, planos anuais e orçamentos. O departamento financeiro precisa de previsões para projetar fluxos de caixa e requisitos de capitais. Os recursos humanos precisam de previsões para antever as necessidades de contratação e treinamento. O marketing é uma fonte fundamental para informações de previsão de vendas porque está mais próximo dos clientes externos. O departamento de operações precisa de previsões para planejar níveis de produto, compras de serviços e materiais e mão-de-obra, cronogramas de produção, estoque e capacidades de longo prazo.

Gerentes em toda a organização fazem previsões sobre muitas variáveis além da demanda futura, como as estratégias do concorrente, mudanças nas normas, mudanças tecnológicas, tempos de processamento, tempos de espera do fornecedor e perdas de qualidade. As ferramentas para fazer essas previsões são basicamente as mesmas incluídas para a demanda: avaliação qualitativa, opiniões de especialistas, experiência acumulada, técnicas de regressão e técnicas de séries temporais. Utilizando essas ferramentas, as previsões podem ser melhoradas. Todavia, as previsões raramente são perfeitas. Como Samuel Clemens (Mark Twain) disse em *Seguindo o equador*, "predizer é uma boa linha de negócios, mas é cheio de riscos". Gerentes inteligentes reconhecem essa realidade e encontram modos de atualizar seus planos quando o erro de previsão é inevitável ou os eventos inesperados ocorrem.

PADRÕES DE DEMANDA

Na origem da maioria das decisões de negócios está o desafio de prever a demanda do cliente. É uma tarefa difícil porque a demanda por serviços e bens pode variar muito. Por exemplo, a demanda por fertilizante de gramado aumenta previsivelmente na primavera e nos meses de verão; entretanto, os fins de semana específicos em que a demanda é maior podem depender de fatores incontroláveis, como o tempo. Algumas vezes, os padrões são mais previsíveis. Desse modo, as horas de pico para uma central de atendimento de um grande banco são das 9 da manhã até o meio-dia, e o dia de pico da semana tende a ser segunda-feira. A previsão de demanda nessas situações requer descobrir os padrões subjacentes das informações disponíveis. Nesta seção, discutimos os padrões básicos de demanda.

As observações repetidas de demanda para um serviço ou produto em sua ordem de ocorrência formam um padrão conhecido como **séries temporais**. Há cinco padrões básicos da maioria das séries temporais de demanda:

1. *horizontal*: a flutuação de dados em torno de uma média constante;
2. *tendencial*: o aumento ou a redução sistemática na média das séries ao longo do tempo;
3. *sazonal*: um padrão de aumentos ou reduções na demanda que pode ser repetido, dependendo da hora, do dia, da semana, do mês ou da estação;
4. *cíclico*: os aumentos ou reduções graduais menos previsíveis na demanda por períodos mais longos de tempo (anos ou décadas);
5. *aleatório*: a variação imprevisível da demanda.

Os padrões cíclicos surgem de duas influências. A primeira é o ciclo econômico, que inclui fatores que fazem com que a economia passe de uma recessão a uma expansão ao longo de vários anos. A outra é o ciclo de vida do serviço ou produto, que reflete as fases da demanda, do crescimento ao declínio. O movimento do ciclo econômico é difícil de prever porque é afetado por eventos nacionais ou internacionais, como eleições presidenciais ou distúrbios políticos em outros países. Prever a taxa de aumento ou redução da demanda no ciclo de vida também é difícil. Algumas vezes, as empresas estimam a demanda por um novo produto a partir da história da demanda para o produto que ele está substituindo.

Quatro dos padrões de demanda — horizontal, tendencial, sazonal e cíclico — se combinam em graus variados para definir o padrão de tempo fundamental de demanda para um serviço ou produto. O quinto padrão, aleatório, é resultado de causas eventuais e, desse modo, não pode ser previsto. A variação aleatória é um aspecto da demanda que torna todas as previsões incorretas. A Figura 13.1 mostra os primeiros quatro padrões de uma série temporal de demanda, todas contendo variação aleatória. Uma série temporal pode consistir em qualquer combinação desses padrões.

PROJETANDO O SISTEMA DE PREVISÕES

Antes de usar técnicas de previsão para analisar problemas de gerenciamento de operações, um administrador deve tomar três decisões: (1) o que deve ser previsto; (2) que tipo de técnica de previsão usar; e (3) que tipo de software usar.

DECIDINDO O QUE DEVE SER PREVISTO

Embora algum tipo de estimativa de demanda seja necessário para os serviços ou bens individuais gerados por uma empresa, prever a demanda total para grupos ou agrupamentos e, em seguida, obter previsões de serviços ou produtos individuais pode ser mais fácil. Além disso, selecionar a unidade correta de medida (por exemplo, unidades de serviço ou produto ou horas–máquina) para fazer previsões pode ser tão importante como escolher o melhor método.

Nível de agregação Poucas empresas erram por mais de cinco por cento quando prevêem a demanda total por todos os seus serviços ou produtos. Entretanto, erros de previsões para produtos individuais podem ser muito maiores. Por meio do agrupamento de vários serviços ou produtos semelhantes em um processo chamado **agregação**, as empresas podem obter previsões mais precisas. Muitas delas usam um sistema de previsão em dois níveis. Primeiro fazem previsões para famílias de serviços ou bens que têm requisitos de demanda semelhantes e requisitos de processamento, trabalho e materiais comuns e, em seguida, fazem previsões para produtos individuais, que algumas vezes são chamados SKUs. Um **SKU** (*Stock-Keeping Unit* — **unidade em estoque apropriada**) é um item ou produto individual que tem código identificador e é mantido em estoque em algum lugar ao longo da cadeia de valor, como em um centro de distribuição. Essa abordagem em dois níveis mantém a coerência entre planejamento para as fases finais de fabricação (que requer as previsões de unidade) e planejamento de longo prazo para vendas, lucro e capacidade (o que requer as previsões de famílias de produto).

Unidades de medida Em vez de usar dólares como a unidade inicial de medida, as previsões mais úteis para planejar e analisar problemas de operações começam com unidades de serviço ou produto, como SKU, pacotes expressos a entregar ou clientes precisando de serviço de manutenção ou consertos em seus carros, por exemplo. As previsões de receita de vendas não são tão úteis porque os preços, muitas vezes, flutuam. Prever o número de unidades de demanda — e, em seguida, converter essas estimativas em estimativas de receita de vendas multiplicando-as pelo preço — freqüentemente é o melhor método. Se prever corretamente o número de unidades de demanda por um serviço ou produto não é possível, prever as *horas–máquina* ou *horas de trabalho* padrão requeridas de cada um dos recursos críticos, tendo por referência padrões históricos, é, muitas vezes, melhor. Para empresas que geram serviços ou bens sob encomenda do cliente, as estimativas de horas médio máquina ou horas de trabalho são importantes para programação e planejamento de capacidade.

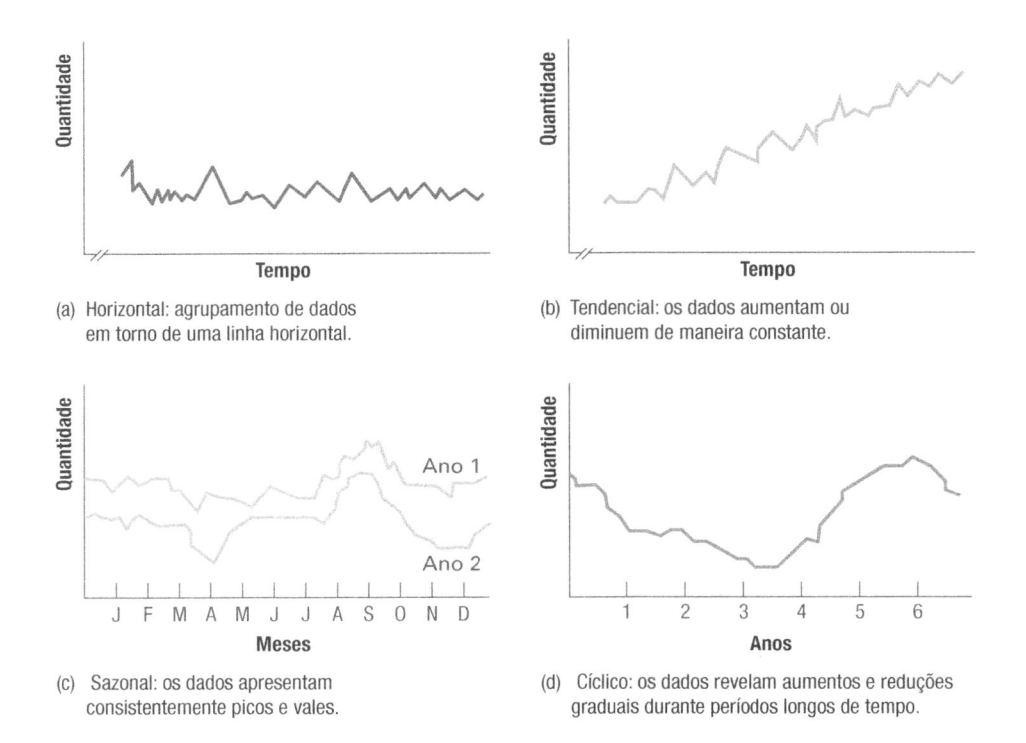

Figura 13.1 Padrões de demanda.

(a) Horizontal: agrupamento de dados em torno de uma linha horizontal.
(b) Tendencial: os dados aumentam ou diminuem de maneira constante.
(c) Sazonal: os dados apresentam consistentemente picos e vales.
(d) Cíclico: os dados revelam aumentos e reduções graduais durante períodos longos de tempo.

DECIDINDO O TIPO DE TÉCNICA DE PREVISÃO

O objetivo do especialista em previsão é desenvolver uma previsão útil a partir das informações disponíveis, com a técnica que é apropriada para os diferentes padrões de demanda. Dois tipos gerais de técnicas de previsão são usados para prever a demanda: métodos qualitativos e métodos quantitativos. O processo de CDP da Unilever usa uma combinação dos dois métodos. Os métodos qualitativos incluem **métodos de avaliação qualitativos**, que convertem as opiniões de gerentes e especialistas, pesquisas ao consumidor e estimativas de força de vendas em estimativas quantitativas. Os métodos quantitativos incluem métodos causais e análise de séries temporais. Os **métodos causais** usam dados históricos sobre variáveis independentes, como campanhas promocionais, condições econômicas e ações dos concorrentes para prever a demanda. A **análise de séries temporais** é uma abordagem estatística que conta muito com dados históricos sobre a demanda para projetar o tamanho futuro da demanda e reconhecer tendências e padrões sazonais.

Um fator-chave ao escolher a abordagem de previsão adequada é o horizonte de tempo para a decisão que requer previsões. As previsões podem ser feitas para o curto, médio e longo prazos. A Tabela 13.1 contém exemplos de aplicações de previsão de demanda e o horizonte de planejamento típico para cada uma. Além disso, essa escolha, algumas vezes, envolve um dilema entre custos e precisão da previsão, como custos de software, tempo requerido para formular uma previsão e treinamento de pessoal.

DECIDINDO QUE TIPO DE SOFTWARE USAR

Em muitas aplicações de previsões de curto prazo, os computadores são uma necessidade. Muitas vezes, as empresas devem preparar previsões para centenas, ou até mesmo milhares, de serviços ou produtos repetidamente. Por exemplo, uma grande rede de instalações de assistência médica deve calcular previsões de demanda para cada um de seus serviços para todos os departamentos. Essa tarefa envolve numerosos dados que devem ser freqüentemente manipulados. Os analistas devem examinar a série temporal para cada serviço ou produto e chegar a uma previsão. Entretanto, novos softwares podem facilitar o trabalho de fazer essas previsões e de coordenar as previsões entre varejistas e fornecedores.

Muitos pacotes de software de previsão estão disponíveis para todos os tipos de computadores e oferecem uma grande variedade de capacidades de previsão e formatos de relatório, inclusive Manugistics, Forecast Pro e SAS. Uma lista mais abrangente, incluindo uma pesquisa recente de softwares disponíveis, pode ser encontrada em www.lionhrtpub.com/orms/surveys/FSS/fss-fr.html e em www.morris.wharton.upenn.edu/forecast/software.html. Pacotes de software para previsões geralmente podem ler entradas de dados de arquivos de planilha eletrônica, traçar gráficos dos dados e previsões e salvar os arquivos de previsões para exibição de resultados em planilha eletrônica. Os preços desses programas variam de 150 dólares a mais de dez mil dólares, dependendo das funções de análise de dados que oferecem. O projeto desses programas para computadores

TABELA 13.1 Aplicação de previsão de demanda

Aplicação	Horizonte de tempo		
	Curto prazo (0 a 3 meses)	Médio prazo (3 meses a 2 anos)	Longo prazo (mais de 2 anos)
Quantidade prevista	Serviços ou produtos individuais	Vendas totais	Vendas totais
		Grupos ou famílias de serviços ou produtos	
Área de decisão	Administração de estoques	Planejamento de pessoal	Localização de instalação
	Programação de montagem final	Planejamento de produção	Planejamento de capacidade
	Programação da força de trabalho	Programação mestre da produção	Administração de processo
	Programação mestre da produção	Compra	
		Distribuição	
Técnica de previsão	Séries temporais	Causal	Causal
	Causal	Avaliação	Avaliação
	Avaliação		

pessoais e seus preços relativamente baixos colocam esses pacotes ao alcance de qualquer empresa.

Um desenvolvimento importante quando se trata de previsões é a abordagem geral adotada pela Unilever, que usa softwares para compartilhar informações e colaborar com seus clientes. A Seção 'Prática gerencial 13.1' descreve uma abordagem formal para fazê-lo e a experiência do Wal-Mart com esse novo processo. O **CPFR** (*Collaborative Planning, Forecasting and Replenishment* — **sistema colaborativo de planejamento, previsão e reposição**) é um processo de nove passos para administração da cadeia de valor, no qual a previsão desempenha um papel central, que possibilita ao fabricante e seus clientes colaborarem na realização de previsões usando a Internet. As empresas estão atentas a essa abordagem, havendo relatos de estudos piloto promissores. Contudo, fatores como sistemas legados, confiança mútua e geografia causaram a adoção desigual do CPFR até agora.

MÉTODOS QUALITATIVOS DE AVALIAÇÃO

Previsões com métodos quantitativos são possíveis apenas quando existem dados históricos adequados, muitas vezes chamados *arquivos históricos* por vários softwares comerciais. Entretanto, os arquivos históricos podem ser inexistentes quando um novo produto é introduzido ou quando se espera que a tecnologia mude. Os arquivos com dados históricos podem existir, mas serem menos úteis quando certos eventos (como lançamentos ou pacotes especiais) são refletidos nos dados anteriores ou quando se espera que certos eventos ocorram no futuro. A experiência da Unilever é um bom exemplo. Em alguns casos, métodos qualitativos de avaliação são as únicas formas práticas de se fazer uma previsão. Em outros casos, métodos qualitativos de avaliação também podem ser usados para modificar previsões que são geradas por métodos quantitativos para prever eventos específicos futuros que, caso contrário, não seriam refletidos na previsão. Por fim, os métodos qualitativos de avaliação podem ser usados para ajustar o arquivo de dados históricos que será analisado com métodos quantitativos para reduzir o impacto de eventos específicos ocorridos no passado. Se não fossem usados métodos qualitativos de avaliação, os métodos quantitativos forneceriam previsões incertas. Nesta seção, discutimos quatro dos métodos qualitativos de avaliação mais bem-sucedidos atualmente em uso: (1) estimativas da força de vendas; (2) júri de executivos; (3) pesquisa de mercado; e (4) o método Delphi.

ESTIMATIVAS DE FORÇA DE VENDAS

Algumas vezes, as melhores informações sobre a demanda futura advêm das pessoas mais próximas do cliente externo. As **estimativas da força de vendas** são previsões compiladas de estimativas feitas periodicamente por membros da força de vendas da empresa. Essa abordagem tem várias vantagens.

- A força de vendas é o grupo que muito provavelmente sabe quais serviços ou produtos os clientes comprarão no futuro próximo e em que quantidades.

- As áreas de vendas, muitas vezes, são divididas por distrito ou região. As informações decompostas desse modo podem ser úteis para propósitos de administração de estoque, distribuição e preenchimento de vagas da força de vendas.

- As previsões de membros individuais da força de vendas podem ser combinadas facilmente para chegar a vendas regionais ou nacionais.

PRÁTICA GERENCIAL 13.1 — WAL-MART USA CPFR E A INTERNET PARA MELHORAR O DESEMPENHO DAS PREVISÕES

O Wal-Mart é bastante conhecido por sua análise cuidadosa das receitas de caixa registradora e por trabalhar com os fornecedores para reduzir estoque. No passado, como muitos outros varejistas, não compartilhava suas previsões com seus fornecedores. Os resultados eram erros de previsão de cerca de 60 por cento da demanda real. Os varejistas pediam mais que precisavam, e os fornecedores fabricavam mais que podiam vender.

Para combater os efeitos maléficos dos erros de previsão sobre os estoques, a Benchmarking Partners, Inc. foi fundada em meados dos anos 1990 pelo Wal-Mart, IBM, SAP e Manugistics para desenvolver um pacote de software chamado CFAR (*Collaborative, Forecasting and Replenishimentef*), que é responsável por um sistema colaborativo de previsão e reposição. Um benefício-chave do pacote foi a capacidade de fornecer previsões de médio prazo mais confiáveis. O sistema permitiu que fabricantes e comerciantes trabalhassem juntos em previsões usando a Internet em vez de fax ou telefone, o que teria sido uma sobrecarga com os milhares de produtos estocados em cada loja que requerem previsões semanais.

O Wal-Mart inaugurou o CFAR com o produto Listerine da Warner-Lambert. O sistema funcionou do seguinte modo: o Wal-Mart e a Warner-Lambert calcularam, de maneira independente, a demanda de Listerine esperada para seis meses, levando em consideração fatores como tendências de vendas anteriores e planos de promoção. Em seguida, trocaram suas previsões pela Internet. Se as previsões se diferenciavam mais que uma porcentagem predeterminada, o varejista e o fabricante usavam a Internet para trocar comentários escritos e dados de suporte. As partes passaram por tantos ciclos quanto necessários para convergir para uma previsão aceitável. Depois de terminado o piloto, os benefícios para o Wal-Mart incluíram uma melhoria na posição do estoque de 85 para 98 por cento, assim como aumentos significativos nas vendas e reduções nos custos de estoque. Do mesmo modo, a Warner-Lambert se beneficiou tendo um plano de produção mais regular e custos médios mais baixos.

O projeto foi supervisionado pela associação Voluntary Interindustry Commerce Standards (VICS), que mais tarde generalizou o CFAR em um modelo denominado CPFR, que significa sistema colaborativo de planejamento, previsão e reposição. O CPFR é um processo de nove passos para o gerenciamento de suprimentos e, como no caso do CFAR, as previsões desempenham um papel importante. A meta do CPFR é gerar informações significativamente mais precisas, que podem levar a cadeia de valor a vendas e lucros maiores. Em outras palavras, o CPFR pode remover custos da cadeia de valor e melhorar sua rentabilidade. De modo muito semelhante ao CFAR, o modelo mais geral de CPFR requer a comparação de duas previsões (uma para cada parceiro). Entretanto, deve-se observar que o processo ainda é valioso quando uma previsão for comparada a vendas reais ou quando a previsão atual for comparada à previsão anterior. De qualquer modo, a colaboração melhora a precisão das previsões.

Em seguida ao piloto com a Warner-Lambert, o Wal-Mart teve um piloto de CPFR com a Sara Lee, no qual as empresas trocaram informações como previsões e dados de reposição. Em troca, o Wal-Mart se beneficiou assegurando-se de que teria o produto certo, no tempo certo e no lugar certo, aumentando, desse modo, a satisfação do cliente e a rentabilidade.

Listerine foi o 'caso-piloto' para um novo padrão de previsão chamado CPFR, que significa 'sistema colaborativo de planejamento, previsão e reposição'. Usando a Internet, varejistas como o Wal-Mart e fabricantes como a Warner-Lambert trocam suas previsões para produtos como Listerine e são mais capazes de combinar a oferta com a demanda.

Além do Wal-Mart, várias outras empresas importantes já se dedicaram a planos piloto para testar o CPFR. Exemplos incluem Kimberly-Clark, Kmart, Walgreens, Schering-Ara, Nabisco e Wegmans Food Markets, entre outros. Em geral, as empresas que participaram de pilotos afirmam que o investimento feito no CPFR foi relativamente pequeno porque a Internet e os padrões de comunicações já existiam, e as implicações em termos de recursos humanos foram poucas. Em troca, as empresas que adotaram o CPFR puderam reduzir o capital de giro, de modo que o dinheiro pôde ser investido em usos mais produtivos, como desenvolvimento e marketing de novos produtos, redução de custo fixo e de despesas de infra-estrutura, redução de despesas operacionais e crescimento das vendas a cada ano.

A despeito dos pilotos promissores, a velocidade de adoção do CPFR tem sido mais lenta que o previsto. Primeiro, muitas empresas ainda têm sistemas de informação que retardam a implementação. Segundo, o compartilhamento de informações, que é crítico para o sucesso do CPFR, requer que os parceiros confiem que cada um está trabalhando com os melhores interesses. Sem essa confiança, o compartilhamento de informações completas não se materializará e o CPFR não será bem-sucedido. Por fim, a implementação do CPFR se diferencia em termos de geografia. Por exemplo, na Europa, o CPFR encontrou barreiras diferentes das verificadas nos Estados Unidos, levando alguns praticantes a considerar modelos regionais de CPFR em vez de abordagens mais amplas.

Fontes: VICS, "Collaborative planning, forecasting, and replenishment", versão 2.0. Disponível em: <www.cpfr.org>, 2002; Robert J. Bowman, "Access to data in real time: seeing isn't everything", *Global Logistics and Supply-Chain Strategies*, maio 2002; Noah Schachtman, "Trading partners collaborate to increase sales", *Information Week.com*, 9 out. 2000.

Mas também apresenta várias desvantagens.

- Propensões individuais da equipe de vendas podem contaminar a previsão; além disso, algumas pessoas são naturalmente otimistas, ao passo que outras são mais cautelosas.
- A equipe de vendas nem sempre é capaz de descobrir a diferença entre o que o cliente 'quer' (uma lista de desejos) e do que o cliente 'precisa' (uma compra necessária).
- Se a empresa usa vendas individuais como uma medida de desempenho, a equipe de vendas pode menosprezar suas previsões de forma que seu desempenho pareça satisfatório quando superar suas projeções, ou pode trabalhar o suficiente somente para alcançar as vendas mínimas requeridas.

JÚRI DE EXECUTIVOS

Quando um novo serviço ou produto é considerado, a força de vendas pode não ser capaz de fazer estimativas de demanda precisas. O **júri de executivos** é um método de previsão em que as opiniões, experiências e conhecimentos técnicos de um ou mais administradores são resumidos para se chegar a uma única previsão. Como discutiremos adiante, a opinião de um executivo pode ser usada para modificar uma previsão de vendas existente e para levar em conta circunstâncias incomuns, como nova promoção de vendas ou eventos internacionais inesperados. A opinião de executivos também pode ser usada para **previsões tecnológicas**. O ritmo acelerado das mudanças tecnológicas torna difícil manter o passo com os avanços mais recentes. A chave para uso efetivo da opinião de executivo é assegurar que a previsão reflita não apenas uma série de modificações independentes, mas o consenso entre os executivos sobre uma previsão única.

PESQUISA DE MERCADO

A **pesquisa de mercado** é uma abordagem sistemática para determinar o interesse do consumidor externo em um serviço ou produto, criando e testando hipóteses por meio de pesquisas de coleta de dados. Conduzir um estudo de pesquisa de mercado inclui projetar um questionário, decidir como aplicá-lo, selecionar uma amostra representativa e analisar as informações usando ferramentas estatísticas e de avaliação qualitativas para interpretar as respostas. Embora a pesquisa de mercado gere informações importantes, ela geralmente inclui diversas ressalvas e salvaguardas nas descobertas.

MÉTODO DELPHI

O **método Delphi** é um processo de obtenção de consenso de um grupo de especialistas, mantendo seu anonimato. Essa forma de previsão é útil quando não há dados históricos disponíveis a partir dos quais se possa desenvolver modelos estatísticos e quando os gerentes dentro da empresa não têm nenhuma experiência sobre a qual fundamentar as projeções informadas. Um coordenador envia perguntas para cada membro do grupo de especialistas externos, que podem nem mesmo saber quem mais está participando. O coordenador prepara um resumo estatístico das respostas junto com um resumo de argumentos para respostas específicas. O relatório é enviado ao mesmo grupo para outra rodada e os participantes podem escolher modificar suas respostas anteriores. Essas rodadas continuam até que seja obtido um consenso.

O método Delphi pode ser usado para formular previsões de longo alcance de demanda de produto e projeções de vendas de novos produtos, além de ser usado para previsões tecnológicas.

ORIENTAÇÕES PARA O USO DE MÉTODOS QUALITATIVOS DE AVALIAÇÃO

A previsão qualitativa de avaliação é claramente necessária quando não há dados quantitativos disponíveis para se usar abordagens de previsão quantitativas. Contudo, as abordagens de avaliação qualitativas podem ser usadas em conjunto com abordagens quantitativas para melhorar a qualidade das previsões. A seguir, são apresentadas orientações para o uso de métodos qualitativos de avaliação para ajustar previsões quantitativas:

- *Ajuste de previsões quantitativas quando tendem a ser inexatas e o tomador de decisões tem conhecimento contextual importante*: o conhecimento contextual é aquele que os praticantes obtêm por meio da experiência, tal como relações de causa–efeito, sugestões ambientais e informações organizacionais que podem ter efeito sobre a variável que está sendo prevista. Muitas vezes, esses fatores não podem ser incorporados em abordagens de previsão quantitativas.
- *Realização de ajustes em previsões quantitativas para compensar eventos específicos*: eventos específicos, como campanhas de publicidade, ações de concorrentes ou acontecimentos internacionais, muitas vezes, não são reconhecidos em previsões quantitativas e devem ser admitidos quando uma previsão final estiver sendo feita.

Ainda neste capítulo, focalizamos abordagens quantitativas de previsão geralmente usadas.

MÉTODOS CAUSAIS: REGRESSÃO LINEAR

Os métodos causais são usados quando dados históricos estão disponíveis, e a relação entre os fatores a serem previstos e outros fatores — externos ou internos – (como, ações governamentais ou promoções publicitárias) — pode ser identificada. Essas relações são expressas em termos matemáticos e podem ser complexas. Os métodos causais fornecem as ferramentas de previsão mais sofisticadas e são úteis para prever pontos de inflexão na demanda e para preparar previsões de longo alcance. Embora muitos métodos causais estejam disponíveis, concentramo-nos aqui na regressão linear, um dos métodos causais mais conhecidos e mais utilizados.

Na **regressão linear**, uma variável, chamada variável dependente, está relacionada a uma ou mais variáveis independentes por uma equação linear. A **variável dependente** (como demanda por maçanetas) é a que o gerente quer prever. Supõe-se que as **variáveis independentes** (como despesas com publicidade e novas construções de moradias) afetem a variável dependente e, por meio disso, 'causem' os resultados observados no passado. A Figura 13.2 mostra como uma linha de regressão linear relaciona-se aos dados. Em termos técnicos, a linha de regressão minimiza os desvios quadrados dos dados reais.

Nos modelos de regressão linear mais simples, a variável dependente é função de apenas uma variável independente e, portanto, a relação teórica é uma linha reta:

$$Y = a + bX$$

onde
 Y = variável dependente
 X = variável independente
 a = interseção da linha no eixo Y
 b = inclinação da linha

O objetivo da análise de regressão linear é encontrar valores de a e b que minimizem a soma dos desvios quadrados dos dados reais da linha representada graficamente. Programas de computador são usados para esse propósito. Para qualquer conjunto de observações combinadas para Y e X, o programa calcula os valores de a e b e fornece medidas de precisão da previsão. Três medidas geralmente relatadas são o coeficiente de correlação de amostra, o coeficiente de determinação de amostra e o erro-padrão da estimativa.

O *coeficiente de correlação de amostra*, r, mede a direção e a força da relação entre a variável independente e a variável dependente. O valor de r pode variar de -1 a $+1$. Um coeficiente de correlação de $+1$ implica que alterações de período a período na direção (aumentos ou diminuições) da variável independente são sempre acompanhadas por alterações na mesma direção da variável dependente. Um r de -1 significa que diminuições na variável independente são sempre acompanhadas por aumentos na variável dependente e vice-versa. Um valor zero de r significa que não há nenhuma relação linear entre as variáveis. Quanto mais próximo de ± 1 o valor de r estiver, melhor a linha de regressão se ajusta aos pontos.

O *coeficiente de determinação da amostra* mede a quantidade de variação da variável dependente em torno de sua média, que é explicada pela linha de regressão. O coeficiente de determinação é o quadrado do coeficiente de correlação, ou r^2. O valor de r^2 varia de 0 a 1. Equações de regressão com um valor de r^2 próximo de 1 são desejáveis, porque as variações na variável dependente e a previsão gerada pela equação de regressão estão estreitamente relacionadas.

O *erro-padrão da estimativa*, s_{yx}, mede a proximidade do agrupamento dos dados sobre a variável dependente em torno da linha de regressão. Embora seja semelhante ao desvio-padrão da amostra, mede o erro da variável dependente, Y, para a linha de regressão, em vez de medir a média. Desse modo, é o desvio-padrão da diferença entre a demanda real e a estimativa fornecida pela equação de regressão. Quando estiver determinando que variável independente incluir na equação de regressão, você deve escolher a que tem o menor erro-padrão da estimativa.

Muitas vezes, diferentes variáveis independentes podem afetar a variável dependente. Por exemplo, despesas com publicidade, estabelecimento de novas corporações e contratos de edifícios residenciais podem ser importantes para estimar a demanda por dobradiças de porta. Nesses casos, a *análise de regressão múltipla* é útil ao determinar uma equação de previsão para a variável dependente como função de diferentes variáveis independentes. Esses modelos podem ser analisados com o software POM for Windows ou o OM Explorer e podem ser bastante úteis para predizer pontos de inflexão e resolver muitos problemas de planejamento.

MÉTODOS DE SÉRIE TEMPORAL

Em vez de usar variáveis independentes para a previsão, como fazem os modelos de regressão, os métodos de séries temporais usam informações históricas a respeito apenas da variável dependente. Esses métodos são baseados na suposição de que o padrão anterior da variável dependente continuará no futuro. A análise de série temporal identifica os padrões de demanda subjacentes que se combinam para gerar um padrão histórico observado da variável dependente e, em seguida, desenvolve um modelo para replicá-lo. Nesta seção, focalizamos métodos de série temporal que tratam dos padrões de demanda horizontal, tendencial e sazonal. Antes de discutirmos métodos estatísticos, examinemos o método de série temporal mais simples para abordar todos os padrões de demanda — a previsão ingênua.

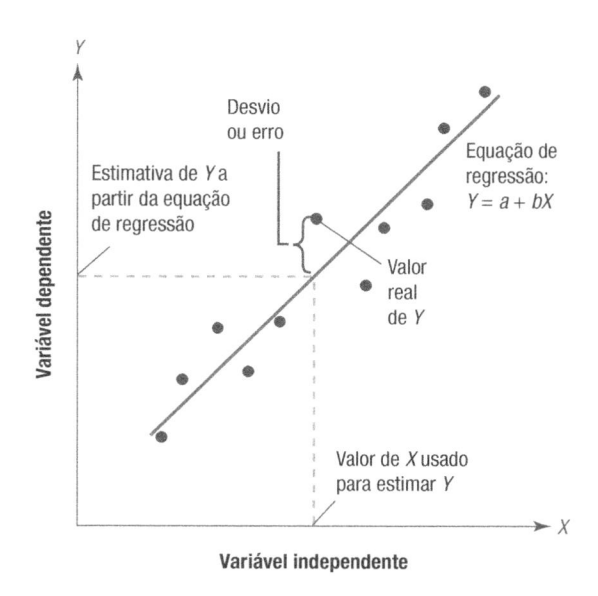

Figura 13.2 Linha de regressão linear em relação aos dados reais

Usando a regressão linear para prever a demanda do produto

EXEMPLO 13.1

A pessoa encarregada da programação da produção de uma empresa deve preparar previsões de demanda do produto a fim de planejar quantidades de produção apropriadas. Durante um almoço, o gerente de marketing lhe dá informações sobre o orçamento de publicidade para uma dobradiça de metal. A seguir estão os dados de vendas e publicidade nos últimos cinco meses:

Mês	Vendas (milhares de unidades)	Publicidade (milhares de dólares)
1	264	2,5
2	116	1,3
3	165	1,4
4	101	1,0
5	209	2,0

O Active Model 13.1, disponível no site de apoio do livro, fornece insights sobre a variação do intercepto e da inclinação do modelo.

O gerente de marketing diz que, no próximo mês, a empresa gastará 1.750 dólares em publicidade do produto. Use regressão linear para desenvolver uma equação e uma previsão para esse produto.

SOLUÇÃO

Supomos que as vendas estão relacionadas de modo linear às despesas de publicidade. Em outras palavras, as vendas são a variável dependente, Y, e as despesas de publicidade são a variável independente, X. Usando as observações mensais correlacionadas de vendas e despesas com publicidade fornecidas pelo gerente de marketing, usamos o computador para determinar os melhores valores de a, b, o coeficiente de correlação, o coeficiente de determinação e o erro-padrão da estimativa.

$$a = -8,135$$
$$b = 109,229X$$
$$r = 0,980$$
$$r^2 = 0,960$$
$$s_{yx} = 15,603$$

A equação de regressão é

$$Y = -8,135 + 109,229X$$

e a linha de regressão é mostrada na Figura 13.3.

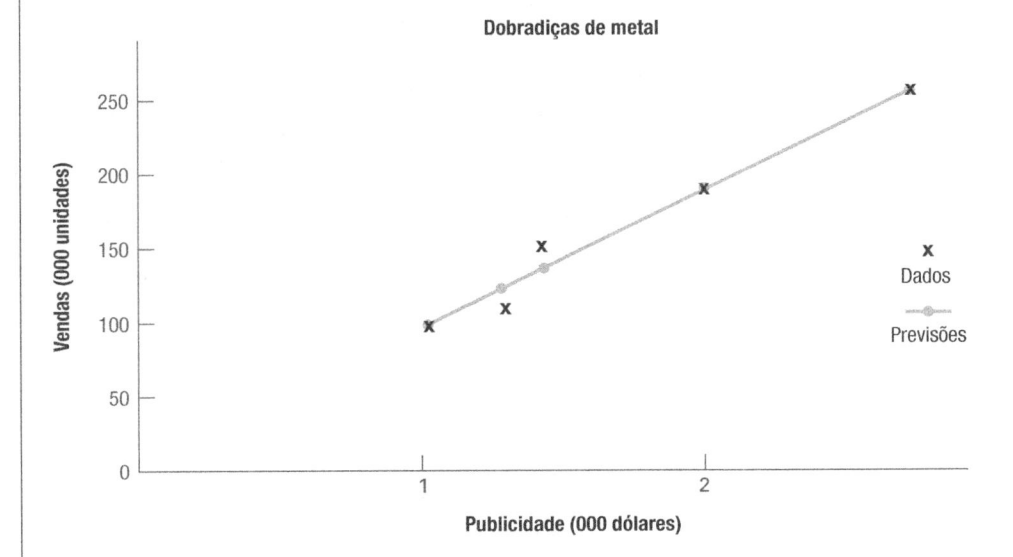

Figura 13.3 Linha de regressão linear para os dados de vendas e publicidades usando o POM for Windows

As despesas com publicidade são uma boa escolha para se usar na previsão das vendas? Note que o coeficiente de correlação de amostra, r, é 0,98. Uma vez que o valor de r é muito próximo de 1, concluímos que existe uma relação positiva forte entre vendas e despesas com publicidade e que a escolha foi adequada.

Em seguida, examinamos o coeficiente de determinação de amostra, r^2, ou 0,96. Esse valor de r^2 implica que 96 por cento da variação nas vendas é explicado pelas despesas com publicidade. A maioria das relações entre publicidade e vendas não é tão forte na prática porque outras variáveis, como condições econômicas gerais e estratégias dos concorrentes, muitas vezes se combinam para afetar as vendas.

Como as despesas com publicidade serão de 1.750 dólares, a previsão para o sexto mês é

$$Y = -8,135 + 109,229(1,75)$$

$$= 183,016 \text{ ou } 183,016 \text{ unidades}$$

Ponto de decisão A programadora da produção pode usar essa previsão para determinar a quantidade de dobradiças de metal necessárias para o mês 6. Suponha que ela tenha 62.500 unidades em estoque. O requisito de produção a ser satisfeito é de 183.016 − 62.500 = 120.516 unidades, supondo que ela não queira perder vendas.

PREVISÃO INGÊNUA

Um método freqüentemente usado na prática é a **previsão ingênua**, por meio da qual a previsão para o próximo período se iguala à demanda para o período corrente (D_t). Assim, se a demanda real para quarta-feira é de 35 clientes, a demanda prevista para quinta-feira será de 35 clientes. Se a demanda real na quinta-feira é de 42 clientes, a demanda prevista para sexta-feira será de 42 clientes.

O método de previsão ingênua pode ser adaptado para levar em conta uma tendência de demanda. O aumento (ou diminuição) na demanda observado entre os últimos dois períodos é usado para ajustar a demanda corrente para se chegar a uma previsão. Suponha que, na última semana, a demanda fosse de 120 unidades e, na semana anterior, fosse de 108 unidades. A demanda aumentou 12 unidades em uma semana e, dessa maneira, a previsão para a próxima semana seria de 120 + 12 = 132 unidades. Se se verificar que a demanda real da próxima semana é de 127 unidades, a próxima previsão seria de 127 + 7 = 134 unidades. O método de previsão ingênua também pode ser usado para explicar padrões sazonais. Se a demanda no último mês de julho foi de 50.000 unidades, a previsão para esse mês de julho será de 50.000 unidades. De modo semelhante, previsões de demanda para cada mês do ano seguinte podem simplesmente refletir a demanda real no mesmo mês do ano anterior.

As vantagens do método de previsão ingênua são sua simplicidade e custo baixo. O método funciona melhor quando os padrões horizontal, tendencial ou sazonal são estáveis, e a variação aleatória é pequena. Se a variação aleatória for grande, usar a demanda do último período para estimar a demanda do próximo período pode ter como resultado previsões altamente variáveis que não são úteis para propósitos de planejamento. Entretanto, se seu nível de precisão é aceitável, a previsão ingênua é uma abordagem atraente para a previsão de série temporal.

ESTIMANDO A MÉDIA

Cada série temporal da demanda apresenta pelo menos dois dos cinco padrões de demanda: horizontal e aleatório. Ela *pode* apresentar padrões tendenciais, sazonais ou cíclicos. Começamos nossa discussão dos métodos estatísticos de previsão de série temporal com demanda que não tem padrões tendenciais, sazonais ou cíclicos. O padrão horizontal de uma série temporal é baseado nas médias das demandas, assim, focalizamos os métodos de previsão que estimam a média de uma série temporal de dados. Por conseguinte, para todos os métodos de previsão que discutimos nesta seção, a previsão de demanda para *qualquer* período no futuro é a média da série temporal calculada no período corrente. Por exemplo, se a média da demanda anterior calculada na terça-feira é de 65 clientes, as previsões para quarta, quinta e sexta-feira serão de 65 clientes a cada dia.

Considere a Figura 13.4, que mostra a chegada de pacientes a uma clínica médica durante as últimas 28 semanas. Suponha que o padrão de demanda para a chegada de pacientes não tenha nenhuma tendência, padrão sazonal ou cíclico. A série temporal tem apenas um padrão horizontal e aleatório. Visto que ninguém pode prever erros aleatórios, focalizamos a estimativa da média. As técnicas estatísticas úteis para previsão dessa série temporal são (1) médias móveis simples; (2) médias móveis ponderadas; e (3) suavização exponencial.

Médias móveis simples O **método da média móvel simples** é usado para estimar a média de uma série temporal de demanda e, dessa forma, remove os efeitos da flutuação aleatória. É mais útil quando a demanda não apresenta tendências pronunciadas ou influências sazonais. Aplicar um modelo de média móvel simplesmente envolve calcular a demanda média para os períodos de tempo n mais recentes e usá-la como a previsão para o próximo período. Para o próximo período, depois que a demanda for conhecida, a demanda mais antiga da média anterior é substituída pela demanda mais recente, e a média é recalculada. Desse modo, as n demandas mais recentes são usadas e a média se 'move' de período a período.

Mais especificamente, a previsão para o período $t + 1$, pode ser calculada como

$$F_{t+1} = \frac{\text{Soma das últimas } n \text{ demandas}}{n}$$

$$= \frac{D_t + D_{t-1} + D_{t-2} + \cdots + D_{t-n+1}}{n}$$

onde

D_t = demanda real no período t

n = número total de períodos da média

F_{t+1} = previsão para o período $t + 1$

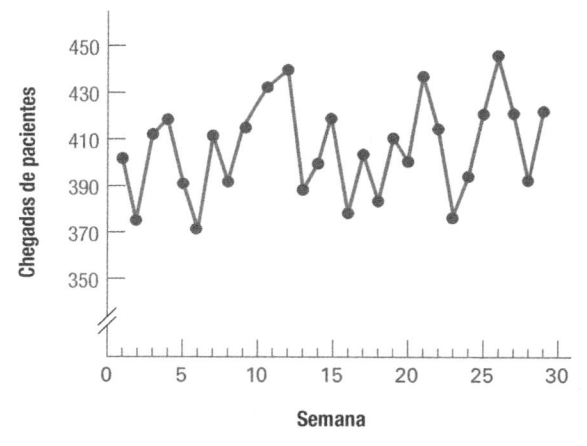

Figura 13.4 Chegadas semanais de pacientes a uma clínica médica

Com o método da média móvel, a previsão da demanda do próximo período é igual à média calculada em seu fim.

Para qualquer método de previsão, é importante medir a precisão das previsões. O **erro de previsão** é simplesmente a diferença encontrada pela subtração da previsão da demanda e da demanda real para dado período ou

$$E_t = D_t - F_t$$

onde

E_t = erro de previsão para o período t
D_t = demanda real para o período t
F_t = previsão para o período t

Usando o método da média móvel para estimar a demanda média — EXEMPLO 13.2

a. Calcule uma previsão de média móvel de *três semanas* para a chegada de pacientes à clínica médica na semana 4. Os números de chegadas para as últimas três semanas foram

Semana	Chegadas de pacientes
1	400
2	380
3	411

b. Se o número real de chegadas de pacientes na semana 4 é de 415, qual é o erro de previsão para a semana 4?
c. Qual é a previsão para a semana 5?

SOLUÇÃO

a. A previsão de média móvel no fim da semana 3 é

$$F_4 = \frac{411 + 380 + 400}{3} = 397$$

b. O erro de previsão para a semana 4 é

$$E_4 = D_4 - F_4 = 415 - 397 = 18$$

c. A previsão para a semana 5 requer as chegadas reais das semanas 2 a 4 — as três semanas mais recentes dos dados.

$$F_5 = \frac{415 + 411 + 380}{3} = 402$$

Ponto de decisão Desse modo, a previsão no fim da semana 3 teria sido de 397 pacientes para a semana 4, que fica 18 pacientes aquém da demanda real. A previsão para a semana 5, feita no fim da semana 4, seria de 402 pacientes. Além disso, no fim da semana 4, a previsão para a semana 6 em diante também é de 402 pacientes.

O Active Model disponível no site de apoio do livro fornece insights sobre o impacto da variação de n, usando o exemplo nas figuras 13.4 e 13.10.

O Tutor 13.1 disponível no site de apoio do livro fornece outro exemplo de prática de previsões com o método de média móvel.

O método de média móvel pode envolver o uso de tantos períodos de demanda anterior quanto desejado. A estabilidade da série de demanda geralmente determina quantos períodos incluir (isto é, o valor de n). Séries de demanda estáveis são aquelas para as quais as médias (a serem estimadas pelo método de previsão) apenas raras vezes experimentam mudanças. Valores grandes de n devem ser usados para séries de demanda que são estáveis, e valores pequenos de n devem ser usados para as que são suscetíveis a mudanças nas médias subjacentes.

Considere a Figura 13.5, que compara as chegadas reais de pacientes para uma previsão de média móvel de três semanas e seis semanas para os dados da clínica médica. Observe que a previsão de média móvel de três semanas varia mais e reage mais rapidamente a grandes oscilações na demanda. De modo inverso, a previsão de média móvel de seis semanas é mais estável porque grandes oscilações na demanda tendem a se anular. Adiamos a discussão sobre qual dos dois métodos de previsão é melhor para esse problema até que discutamos os critérios para escolher métodos de série temporal mais adiante neste capítulo.

Incluir mais dados históricos na média, aumentando o número de períodos, tem como resultado uma previsão que é menos suscetível a variações aleatórias. No entanto, se a média básica da série estiver se alterando, as previsões tendem a ficar atrasadas em relação às alterações por um intervalo de tempo mais longo, por causa do tempo adicional requerido para remover os dados antigos da previsão. Tratamos de outras considerações sobre a escolha de n quando discutirmos a escolha de um método de série temporal.

Médias móveis ponderadas No método de média móvel simples, cada demanda tem o mesmo peso na média — isto é, $1/n$. No **método de média móvel ponderada**, cada demanda histórica da média pode ter seu próprio peso. A soma dos pesos é igual a 1. Por exemplo, em um modelo de média móvel ponderada de *três períodos*, ao período mais recente pode ser atribuído um peso de 0,50, o segundo mais recente pode ter o peso de 0,30 e o terceiro mais recente pode ter o peso de 0,20. A média é obtida multiplicando-se o peso de cada período pelo valor para esse período, e somando-se os produtos:

$$F_{t+1} = 0{,}50D_t + 0{,}30D_{t-1} + 0{,}20D_{t-2}$$

Para um exemplo numérico do uso do método da média ponderada para estimar a demanda média, veja o 'Problema Resolvido 2' e o 'Tutor 13.2' no OM Explorer do site de apoio do livro.

A vantagem do método de média móvel ponderada é que ela permite enfatizar a demanda recente em relação à anterior. (Pode até mesmo lidar com efeitos sazonais colocando pesos maiores em períodos anteriores da mesma estação.) A previsão será mais responsiva a alterações da média básica da série de demanda que a previsão de média móvel simples. Contudo, a previsão de média móvel ponderada ainda fica atrasada em relação à demanda, porque calcula somente a média de demandas *passadas*. Essa defasagem é especialmente perceptível com uma tendência porque a média da série temporal está sistematicamente aumentando ou diminuindo.

O método de média móvel ponderada tem as mesmas deficiências que o método de média móvel simples: os dados devem ser retidos por n períodos de demanda para permitir o cálculo da média para cada período. Manter essa quantidade de dados não é um grande fardo em situações simples, como os exemplos precedentes de três e seis semanas.

Suavização exponencial O **método de suavização exponencial** é um método sofisticado de média móvel ponderada que calcula a média de uma série temporal dando às demandas recentes mais peso que às anteriores. É o método de previsão formal mais usado por causa de sua simplicidade e da pequena quantidade de dados necessários para sustentá-lo. Ao contrário do método de média móvel ponderada, que requer n período, de demanda anterior e n pesos, a suavização exponencial requer apenas três itens de dados: a previsão do último período, a demanda para esse período, e um parâmetro suavizador, alfa (α), que tem um valor entre 0 e 1. Para obter uma previsão suavizada exponencialmente, simplesmente calculamos uma média ponderada da demanda mais recente e a previsão calculada no último período. A equação para a previsão é

$$\begin{aligned}F_{t+1} &= \alpha(\text{demanda nesse período}) + (1-\alpha)\,(\text{previsão calculada no último período})\\ &= \alpha D_t + (1-\alpha)F_t\end{aligned}$$

Uma equação equivalente é

$$F_{t+1} = F_t + \alpha(D_t - F_t)$$

Essa forma da equação mostra que a previsão para o próximo período é igual à previsão para o corrente mais uma proporção de erro de previsão.

A ênfase dada aos níveis de demanda mais recentes pode ser ajustada por meio da alteração do parâmetro de suavização. Valores de α mais altos enfatizam níveis recentes de demanda e têm como resultado previsões mais responsivas a alterações na média básica. Valores de α menores lidam com a demanda anterior de modo mais uniforme e têm como resultado previsões mais estáveis. Essa abordagem é análoga a ajustar o valor de n a métodos de média móvel, à exceção do fato de que valores menores de n enfatizam a demanda recente e valores maiores concedem maior peso à demanda anterior. Na prática, diferentes valores de α são testados, e o que gera as melhores previsões é escolhido.

A suavização exponencial requer uma previsão inicial para ser iniciada. Há dois modos de se obter essa previsão inicial: usar a demanda do último período ou, se há alguns dados históricos disponíveis, calcular a média de vários períodos de demanda recentes. O efeito da estimativa inicial da média sobre estimativas sucessivas da média diminui ao longo do tempo porque, com a suavização exponencial, os pesos dados a demandas históricas

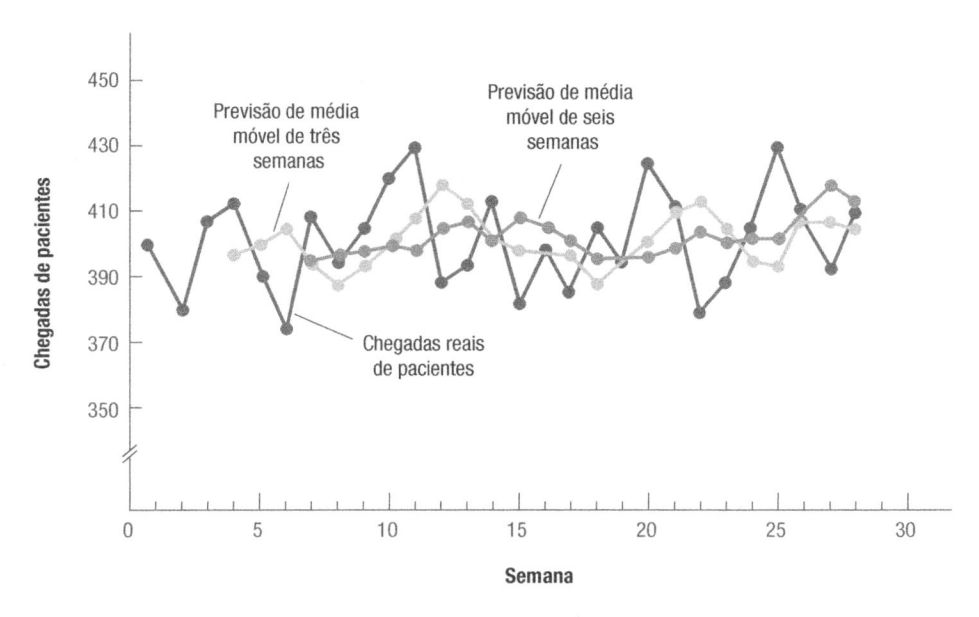

Figura 13.5 Comparação das previsões de médias móveis de três e seis semanas

---

Usando a suavização exponencial para estimar a demanda média — EXEMPLO 13.3

a. Reconsidere os dados de chegada de pacientes no Exemplo 13.2. Agora é o fim da semana 3. Usando $\alpha = 0{,}10$, calcule a previsão de suavização exponencial para a semana 4.

b. Qual foi o erro de previsão para a semana 4 se se verificou que a demanda real é de 415?

c. Qual é a previsão para a semana 5?

SOLUÇÃO

a. O método de suavização exponencial requer uma previsão inicial. Suponha que tomemos os dados de demanda para as duas primeiras semanas e calculemos suas médias, obtendo $(400 + 380)/2 = 390$ como uma previsão inicial. Para obter a previsão para a semana 4, usando a suavização exponencial com $\alpha = 0{,}10$, calculamos a média no fim da semana 3 como

$$F_4 = 0{,}10(411) + 0{,}90(390) = 392{,}10$$

Desse modo, a previsão para a semana 4 seria de 392 pacientes.

b. O erro de previsão para a semana 4 é

$$E_4 = 415 - 392 = 23$$

c. A nova previsão para a semana 5 seria

$$F_5 = 0{,}10(415) + 0{,}90(392{,}10) = 394{,}40$$

ou 394 pacientes. Observe que usamos F_4 — não o valor inteiro da previsão para a semana 4 — no cálculo para F_5. Em geral, arredondamos (quando é apropriado) apenas o resultado final para manter a maior precisão possível nos cálculos.

Ponto de decisão Usando esse modelo de suavização exponencial, as previsões do analista teriam sido de 392 pacientes para a semana 4 e, em seguida, 394 pacientes da semana 5 em diante. Assim que a demanda real para a semana 5 for conhecida, a previsão para a semana 6 será atualizada.

O Active Model 13.3 disponível no site de apoio do livro fornece insights sobre o impacto de diferentes α, usando o exemplo nas Figuras 13.4 e 13.10.

O Tutor 13.3 disponível no site de apoio do livro fornece um novo exemplo prático de como fazer previsões com o método de suavização exponencial.

---

sucessivas usadas para calcular a média decaem exponencialmente. Podemos ilustrar esse efeito com um exemplo. Se estabelecermos $\alpha = 0{,}20$, a previsão para o período $t + 1$ é

$$F_{t+1} = 0{,}20 D_t + 0{,}80 F_t$$

Usando a equação para F_t, expandimos a equação para F_{t+1}:

$$F_{t+1} = 0{,}20 D_t + 0{,}80(0{,}20 D_{t-1} + 0{,}80 F_{t-1}) = 0{,}20 D_t + 0{,}16 D_{t-1} + 0{,}64 F_{t-1}$$

Continuando a expandir, obtemos

$$F_{t+1} = 0{,}20D_t + 0{,}16D_{t-1} + 0{,}128D_{t-2} + 0{,}1024D_{t-3} + \ldots$$

Por fim, os pesos de demandas de muitos períodos atrás se aproximam de zero. Assim como no caso do método de média móvel ponderada, a soma dos pesos deve ser igual a 1, o que está implícito na equação de suavização exponencial.

Uma vez que a suavização exponencial é simples e requer dados mínimos, é barata e atraente para empresas que fazem milhares de previsões para cada período. Entretanto, sua simplicidade também é uma desvantagem quando a média básica for variável, como no caso de uma série de demanda com uma tendência. Como qualquer método adequado exclusivamente à suposição de uma média estável, os resultados da suavização exponencial ficarão para trás de mudanças na média básica da demanda. Valores mais altos de α podem ajudar a reduzir erros de previsão quando há uma alteração na média. Entretanto, defasagens ainda ocorrerão se a média estiver se alterando sistematicamente. Geralmente, se valores maiores de α (por exemplo, > 0,50) são necessários para a aplicação de suavização exponencial, há boas chances de que um modelo mais sofisticado seja necessário por causa de uma tendência significativa ou influência sazonal na série de demanda.

INCLUINDO UMA TENDÊNCIA

Consideremos agora uma série temporal de demanda que tem uma tendência. Uma *tendência* em uma série temporal é um acréscimo ou decréscimo sistemático na média da série ao longo do tempo. Onde está presente uma tendência significativa, abordagens de suavização exponencial podem ser modificadas; caso contrário, as previsões tendem a estar abaixo ou acima da demanda real.

Para melhorar a previsão, precisamos calcular uma estimativa da tendência. Começamos calculando a estimativa *atual* da tendência, que é a diferença entre a média da série calculada no período corrente e a média calculada no período anterior. Para obter uma estimativa de tendência de longo prazo, pode-se calcular a média das estimativas atuais. O método para estimar uma tendência é semelhante ao usado para estimar a média da demanda com a suavização exponencial.

O método para incorporar uma tendência em uma previsão suavizada exponencialmente é chamado **método de suavização exponencial ajustada a tendências**. Com essa abordagem, as estimativas — tanto para a média como para a tendência — são suavizadas, o que requer duas constantes de suavização. Para cada período, calculamos a média e a tendência:

$A_t = \alpha$(demanda neste período) + $(1-\alpha)$(média + tendência estimada do último período)

$= \alpha D_t + (1-\alpha)(A_{t-1} + T_{t-1})$

$T_t = \beta$(média desse período − média do último período) + $(1-\beta)$(tendência estimada do ultimo período)

$= \beta(A_t - A_{t-1}) + (1-\beta)T_{t-1}$

$F_{t+1} = A_t + T_t$

onde

A_t = média suavizada exponencialmente da série no período t

T_t = média suavizada exponencialmente da tendência no período t

α = parâmetro de suavização para a média, com um valor entre 0 e 1

β = parâmetro de suavização para a tendência, com um valor entre 0 e 1

F_{t+1} = previsão para o período $t+1$

Para fazer previsões para períodos além do período seguinte, multiplicamos a estimativa de tendência (T_t) pelo número de períodos adicionais que queremos na previsão e somamos os resultados à média corrente (A_t). Assim, a suavização exponencial ajustada a tendências difere dos métodos anteriores incluídos. Para esses métodos, a previsão para todos os períodos futuros é a mesma que a previsão para o período seguinte.

Estimativas da média e da tendência do último período necessárias para a primeira previsão podem ser obtidas de dados anteriores ou podem ser baseadas em suposições válidas, caso não existam dados históricos. Para encontrar valores para α e β, muitas vezes, um analista os ajusta sistematicamente, até que os erros de previsão sejam os menores. Esse processo pode ser executado em um ambiente experimental com o modelo usado para prever demandas históricas.

A Figura 13.6 mostra a previsão ajustada a tendências (linha azul) para a Medanálise para um período de 15 semanas. Definimos α como 0,20, β como 0,20, a demanda inicial como 28 e a estimativa inicial de tendência como 3. No final de cada semana, calculamos uma previsão para a semana seguinte, usando o número de exames de sangue para a semana corrente. Observe que as previsões (mostradas na Tabela 13.2) variam menos que a demanda real por causa do efeito suavizador do procedimento para calcular as estimativas para a média e a tendência. Ajustando α e β, somos capazes de alcançar uma previsão melhor.

Para fazer previsões para períodos além do período seguinte, multiplicamos a estimativa de tendência pelo número de períodos adicionais que queremos na previsão e somamos o resultado à média corrente. Por exemplo, se estivéssemos no fim da semana 2 e quiséssemos estimar a demanda por exames de sangue para a semana 6 (isto é, 4 semanas adiante), a previsão seria de 35,23 + 4(3,28) = 48 exames.

Uma vez que tenhamos alcançado a semana 15 e descoberto que o número real de chegadas foi de 75 pacientes, atualizamos a média suavizada para 66,38 e a tendência média para 2,29. Em seguida, podemos fazer previsões para várias semanas no futuro. Por exemplo, as previsões para as três semanas seguintes seriam:

Semana 16 = 66,38 + (1)(2,29) = 68,67
Semana 17 = 66,38 + (2)(2,29) = 70,96
Semana 18 = 66,38 + (3)(2,29) = 73,25

EXEMPLO 13.4

Usando a suavização exponencial ajustada a tendências para prever uma série de demanda com uma tendência

A Medanálise, Inc. fornece serviços laboratoriais médicos a pacientes do Health Providers, um grupo de dez médicos de família associados a um novo programa de assistência continuada à saúde. Os gerentes estão interessados em prever o número de solicitações de análises de sangue por semana. Suprimentos devem ser comprados e uma decisão tomada com respeito ao número de amostras de sangue a serem enviadas a outro laboratório, por causa das limitações de capacidade no laboratório principal. A publicidade recente dos efeitos prejudiciais do colesterol sobre o coração causaram um aumento nacional nas solicitações de exames de sangue padrão. A Medanálise executou uma média de 28 exames de sangue por semana durante as últimas quatro semanas. A tendência durante esse período foi de três pacientes adicionais por semana. A demanda dessa semana foi de 27 exames de sangue. Usamos $\alpha = 0{,}20$ e $\beta = 0{,}20$ para calcular a previsão para a semana seguinte.

SOLUÇÃO

$A_0 = 28$ pacientes e $T_0 = 3$ pacientes

A previsão para a semana 2 (semana seguinte) é

$$A_1 = 0{,}20(27) + 0{,}80(28 + 3) = 30{,}2$$
$$T_1 = 0{,}20(30{,}2 - 28) + 0{,}80(3) = 2{,}8$$
$$F_2 = 30{,}2 + 2{,}8 = 33 \text{ exames de sangue}$$

Se o número real de exames de sangue solicitado na semana 2 demonstrar ser de 44, a previsão atualizada para a semana 3 seria

$$A_2 = 0{,}20(44) + 0{,}80(30{,}2 + 2{,}8) = 35{,}2$$
$$T_2 = 0{,}2(35{,}2 - 30{,}2) + 0{,}80(2{,}8) = 3{,}2$$
$$F_3 = 35{,}2 + 3{,}2 = 38{,}4 \text{ ou 38 exames de sangue}$$

Ponto de decisão Usando esse modelo de suavização exponencial ajustada a tendências, a previsão para a semana 2 foi de 33 exames de sangue e de 30 exames de sangue para a semana 3. Se o analista fizer previsões no final da semana 2 para períodos além da semana 3, a previsão seria ainda maior por causa da tendência ascendente estimada em 3,2 exames de sangue por semana.

O Active Model 13.4 disponível no site de apoio do livro fornece insights sobre diferentes α e β, usando o exemplo na Figura 13.6

O Tutor 13.4 disponível no site de apoio do livro fornece outro exemplo prático e explicações de como fazer previsões com o método de suavização exponencial ajustado a tendências.

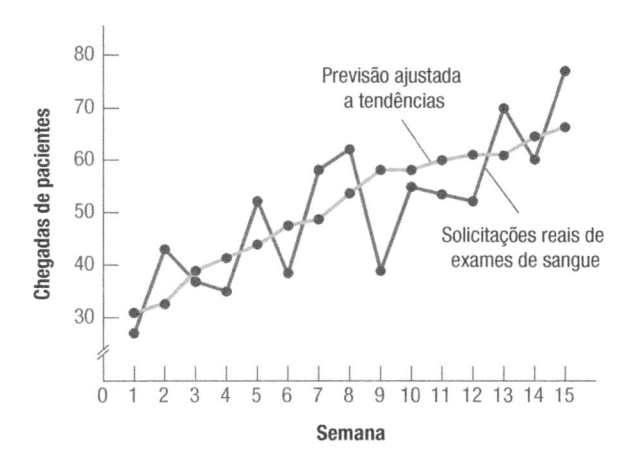

Figura 13.6 Previsão ajustada a tendências para a Medanálise

O método de suavização exponencial ajustada a tendências tem a vantagem de poder ajustar a previsão a *alterações* na tendência. Entretanto, quando a tendência é variável, quanto mais adiante projetamos a estimativa de tendência, mais frágil a previsão se torna. Desse modo, o uso de métodos de série temporal deve ser restringido à previsão de curto prazo.

PADRÕES SAZONAIS

Muitas organizações possuem demanda sazonal para seus bens ou serviços. Os padrões sazonais são alterações regularmente repetitiva, ascendentes ou descendente, na demanda medida em períodos inferiores a um ano (horas, dias, semanas, meses ou trimestres). Nesse contexto, os períodos de tempo são chamados *período sazonal*. Por exemplo, a chegada de clientes a uma loja de *fast-food* em qualquer dia pode ter picos entre 11 da manhã e 1 da tarde e, novamente, entre cinco da tarde e sete da noite. Aqui, o padrão sazonal dura um dia e cada hora do dia é um período sazonal. De modo semelhante, a demanda por cortes de cabelo pode ter picos no sábado, a cada semana. Nesse caso, o padrão sazonal dura uma semana, e os períodos sazonais são os dias da semana. Eles podem durar um mês, como no caso dos requerimentos semanais de renovações de carteira de motorista, ou um ano, como nos volumes mensais de correspondências processadas e na demanda mensal por pneus de automóveis.

Um modo fácil de explicar efeitos sazonais é usar uma das técnicas já descritas, mas limitar os dados na série temporal para esses períodos no mesmo período sazonal. Por exemplo, para um efeito sazonal dia da semana, uma série temporal seria para as segundas-feiras, uma para as terças-feiras e assim por diante. Se a previ-

TABELA 13.2 Previsões para a Medanálise usando um método de suavização exponencial ajustado a tendência

Semana	Chegadas	Média da suavização	Média da tendência	Previsão	Erro de previsão
0	28	28	3		
1	27	30,20	2,84	31	−4
2	44	35,23	3,28	33,04	10,96
3	37	38,21	3,22	38,51	−1,51
4	35	40,14	2,96	41,43	−6,43
5	53	45,08	3,36	43,10	9,90
6	38	46,35	2,94	48,44	−10,44
7	57	50,83	3,25	49,29	7,71
8	61	55,46	3,52	54,08	6,92
9	39	54,99	2,72	58,99	−19,99
10	55	57,17	2,62	57,72	−2,72
11	54	58,63	2,38	59,79	−5,79
12	52	59,21	2,02	61,02	−9,02
13	60	60,99	1,97	61,24	−1,24
14	60	62,37	1,86	62,96	2,96
15	75	66,38	2,29	64,23	10,78

são ingênua for utilizada, a previsão para essa terça-feira é a demanda real de sete dias atrás (última terça-feira), em vez da demanda real de um dia atrás (segunda-feira). Se o método de média móvel ponderada for usado, pesos maiores são estabelecidos em períodos anteriores pertencentes ao mesmo período sazonal. Essas abordagens explicam efeitos sazonais, mas têm a desvantagem de excluir informações importantes sobre a demanda passada.

Há outros métodos disponíveis que analisam todos os dados passados, usando um modelo para prever a demanda para todos os períodos sazonais. Descrevemos apenas o **método sazonal multiplicativo**, por meio do qual fatores sazonais são multiplicados por uma estimativa de demanda média para se chegar a uma previsão sazonal. O procedimento de quatro passos apresentado a seguir envolve o uso de médias simples de demandas passadas, embora métodos mais sofisticados para calcular médias, como as abordagens de média móvel ou suavização exponencial, possam ser usados. A descrição seguinte é baseada em um padrão sazonal que dura um ano e tem período sazonal de um mês, embora o procedimento possa ser usado para qualquer padrão e para períodos sazonais de qualquer duração.

1. Para cada ano, calcule a demanda média por período sazonal dividindo a demanda anual pelo número de períodos sazonais por ano. Por exemplo, se a demanda total por um ano é de seis mil unidades, e cada mês é um período sazonal, a demanda média por período sazonal é de 6.000/12 = 500 unidades.

2. Para cada ano, divida a demanda real para um período sazonal pela demanda média por período sazonal. O resultado é um *índice sazonal* para cada estação do ano, que indica o nível de demanda em relação à demanda média. Por exemplo, suponha que a demanda para março fosse de 400 unidades. O índice sazonal para março é, assim, 400/500 = 0,80, o que indica que a demanda de março está 20 por cento abaixo da demanda média por mês. De modo semelhante, um índice sazonal de 1,14 para abril implica que a demanda de abril é 14 por cento maior que a demanda média por mês.

3. Calcule o índice sazonal médio para cada período sazonal, usando os resultados do passo 2. Some os índices para uma estação e divida pelo número de anos correspondentes aos dados. Por exemplo, suponha que tenhamos calculado três índices sazonais para abril: 1,14; 1,18 e 1,04. O índice sazonal médio para o mês é (1,14 + 1,18 + 1,04)/3 = 1,12. Usaremos esse índice para prever a demanda de abril.

4. Calcule a previsão de cada estação para o ano seguinte. Comece estimando a demanda média por estação para o próximo ano. Use o método ingênuo, de médias móveis, de suavização exponencial, de suavização exponencial ajustada a de tendências ou de regressão linear para prever a demanda anual. Divida a demanda anual pelo número de períodos sazonais por ano. Em seguida, obtenha a previsão sazonal multiplicando o índice sazonal pela demanda média por período sazonal.

No final de cada ano, o fator sazonal médio para cada período sazonal pode ser atualizado. Calculamos a média de todos os fatores históricos para o período sazonal ou, se quisermos algum controle sobre a relevância de padrões de demanda anteriores, calculamos uma média móvel ou uma única média suavizada exponencialmente.

O método sazonal multiplicativo recebe esse nome devido ao modo como os fatores sazonais são calculados e utilizados. Multiplicar o fator sazonal por uma estimativa da demanda média do período implica que o padrão sazonal depende do nível de demanda. Os picos e vales são mais extremos quando a demanda média é alta, uma situação enfrentada na maior parte das vezes por empresas que geram serviços e bens tendo uma demanda sazonal. A Figura 13.8(a) mostra uma série temporal com um padrão sazonal multiplicativo. Observe como a amplitude das estações aumenta, refletindo uma tendência ascendente da demanda. Ocorre o oposto com uma tendência descendente da demanda. Uma alternativa ao método sazonal multiplicativo é o **método sazonal aditivo**, por meio do qual previsões sazonais são geradas somando-se uma constante (por exemplo, 50 unidades) à estimativa de demanda média por estação. Essa abordagem é baseada na suposição de que o padrão sazonal é constante, independentemente da demanda média. A Figura 13.8(b) mostra uma série temporal com um padrão sazonal aditivo. Aqui, a amplitude das estações permanece a mesma, não importando o nível de demanda.

ESCOLHENDO UM MÉTODO DE SÉRIE TEMPORAL

Agora nos voltamos para fatores que os administradores devem considerar ao selecionar um método para previsão de série temporal. Uma consideração importante é o desempenho da previsão, determinado pelos erros de previsão. Os administradores precisam saber como medir erros de previsão e como detectar quando algo está saindo errado com o sistema de previsão. Após examinar erros de previsão e sua detecção, discutiremos critérios que os gerentes podem usar para escolher um método apropriado de previsão de séries temporais.

ERRO DE PREVISÃO

Previsões quase sempre contêm erros. Erros de previsão podem ser classificados como *erros sistemáticos*

EXEMPLO 13.5 — Usando o método sazonal multiplicativo para prever o número de clientes

O gerente da empresa de limpeza de tapetes Stanley Steemer precisa de uma previsão trimestral do número de clientes esperados para o ano seguinte. O negócio de limpeza de tapetes é sazonal, com um pico no terceiro trimestre e uma baixa no primeiro. São apresentados, a seguir, os dados de demanda trimestral dos últimos quatro anos:

Trimestre	Ano 1	Ano 2	Ano 3	Ano 4
1	45	70	100	100
2	335	370	585	725
3	520	590	830	1.160
4	100	170	285	215
Total	1.000	1.200	1.800	2.200

O gerente quer prever a demanda dos clientes para cada trimestre do ano 5, tendo por referência uma estimativa da demanda total nesse ano de 2.600 clientes.

SOLUÇÃO

A Figura 13.7 mostra a solução usando o Solucionador de Previsão Sazonal do OM Explorer. (Para um exemplo numérico calculado manualmente, veja o 'Problema Resolvido 5' no fim deste capítulo.) Para a planilha de Entradas, é necessária uma previsão para a demanda total no ano 5. A demanda anual tem aumentado a uma média de 400 clientes a cada ano (de 1.000 no ano 1 para 2.200 no ano 4, ou 1.200/3 = 400). A demanda prevista calculada é encontrada expandindo-se essa tendência e projetando uma demanda anual no ano 5 de 2.200 + 400 = 2.600 clientes. A opção de uma previsão fornecida pelo usuário também está disponível se o gerente deseja fazer uma previsão crítica baseada em informações adicionais.

A planilha de resultados mostra previsões trimestrais multiplicando fatores sazonais pela demanda média por trimestre. Por exemplo, a previsão de demanda média no ano 5 é de 650 clientes (ou 2.600/4 = 650). Multiplicando isso pelo índice sazonal calculado para o primeiro trimestre, temos uma previsão de 133 clientes (ou 650 × 0,2043 = 132,795).

Período	Trimestres		
Ano inicial	1	Anos	4
Demanda prevista calculada para o ano 5			2.600
Demanda prevista fornecida pelo usuário para o ano 5			2.600

	Ano			
Trimestre	1	2	3	4
1	45	70	100	100
2	335	370	585	725
3	520	590	830	1.160
4	100	170	285	215

(a) Planilha de entradas

	Sazonal	
Trimestre	Índice	Previsão
1	0,2043	132,795
2	1,2979	843,635
3	2,0001	1.300,065
4	0,4977	323,505

(b) Resultados

Figura 13.7 Previsões de demanda usando o solucionador de previsão sazonal do OM Explorer

Ponto de decisão Usando esse método sazonal, o analista faz uma previsão de demanda tão baixa quanto 133 clientes no primeiro trimestre e tão alta quanto 1.300 clientes no terceiro trimestre. O período sazonal do ano claramente faz diferença.

(a) Padrão multiplicativo

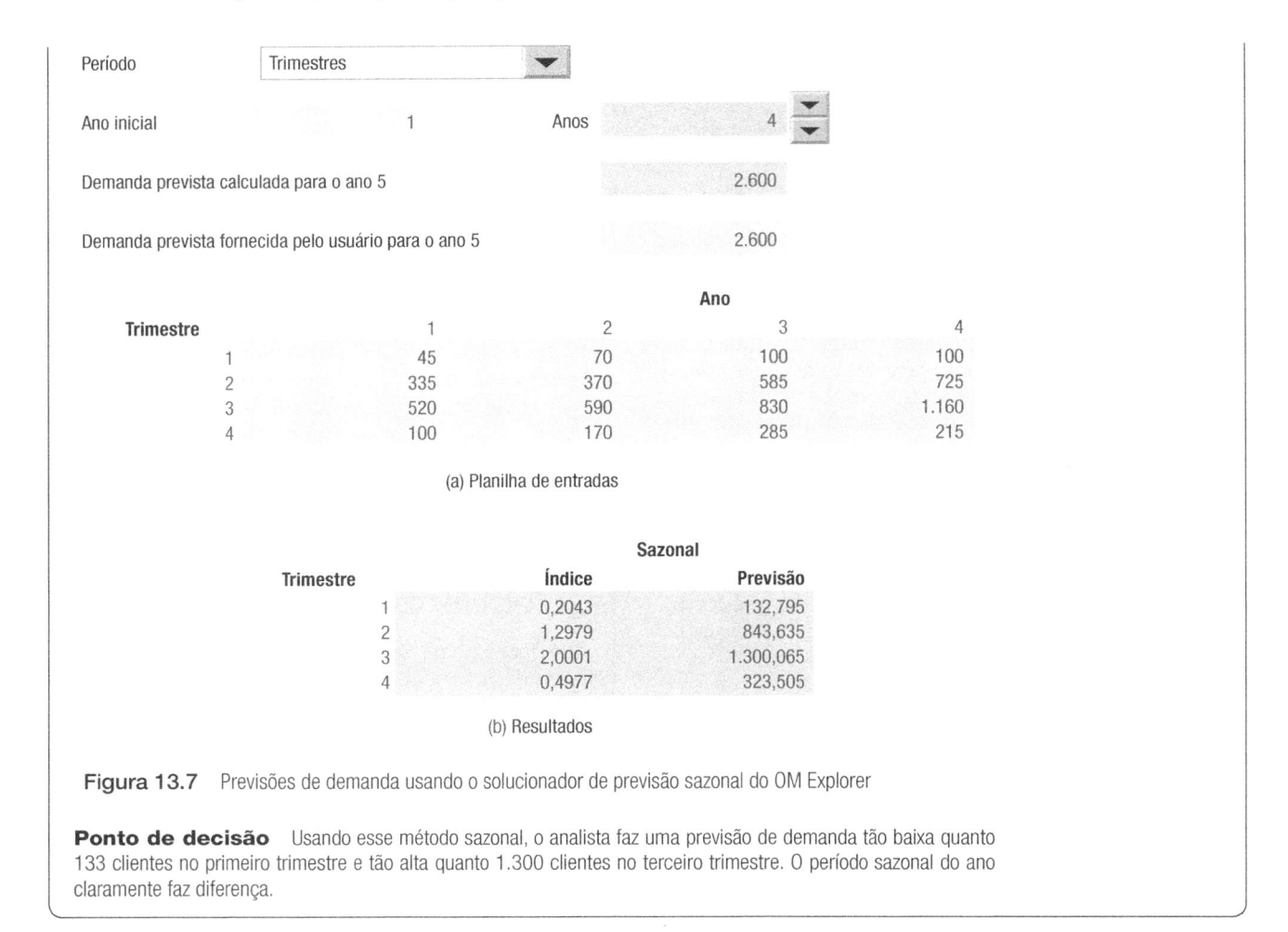

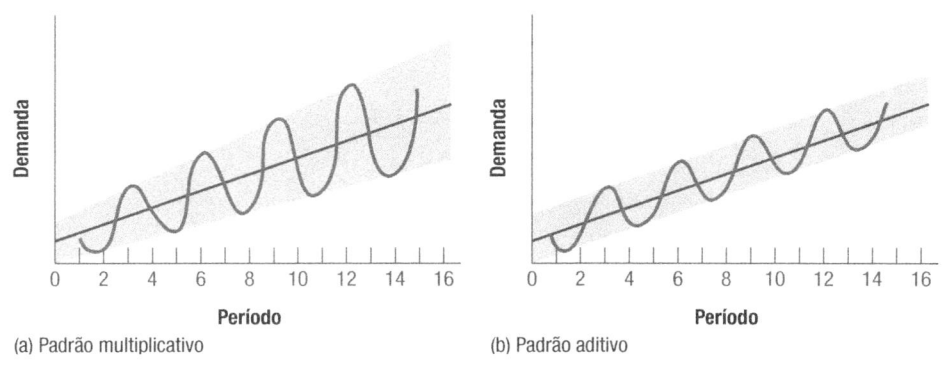

(b) Padrão aditivo

Figura 13.8 Comparação de padrões sazonais

ou *erros aleatórios*. Os sistemáticos são o resultado de equívocos constantes — a previsão é sempre muito alta ou muito baixa. Esses erros, muitas vezes, são o resultado de se negligenciar ou de não se estimar com precisão os padrões de demanda, como os padrões tendencial, sazonal ou cíclico.

O outro tipo de erro de previsão, o aleatório, resulta de fatores imprevisíveis que fazem com que a previsão se desvie da demanda real. Analistas de previsão tentam minimizar os efeitos dos erros sistemáticos e aleatórios selecionando modelos de previsão apropriados, mas eliminar todas as formas de erros é impossível.

Medidas de erro de previsão Nossa definição anterior de erro de previsão para um período de tempo dado ($E_t = D_t - F_t$) é o ponto de partida para criar várias medidas de erros de previsão que cobrem um período de tempo relativamente longo.

A **CFE** (*Cumulative Sum of Forecast Errors* — **soma cumulativa de erros de previsão**) mede o erro de previsão total:

$$\text{CFE} = \sum E_t$$

Os erros positivos grandes tendem a ser compensados por erros negativos grandes na medida CFE. Contudo, ela é útil ao avaliar *desvios* em uma previsão. Por exemplo, se uma previsão é sempre mais baixa que a demanda real, o valor de CFE, gradualmente, ficará cada vez maior. Esse erro que cresce continuamente indica alguma deficiência sistemática na abordagem de previsão. Talvez o analista tenha omitido um elemento tendencial ou um padrão cíclico ou talvez influências sazonais tenham se alterado em relação a seu padrão histórico. Observe que o erro de previsão médio, algumas vezes chamado *desvio das médias*, é simplesmente

$$\bar{E} = \frac{\text{CFE}}{n}$$

O **MSE** (*Mean Squared Error* — **erro médio ao quadrado**), o **desvio-padrão** (σ) e o **MAD** (*Mean Absolute Deviation* — **desvio absoluto médio**) medem a dispersão dos erros de previsão:

$$\text{MSE} = \frac{\sum E_t^2}{n}$$

$$\sigma = \sqrt{\frac{\sum (E_t - \bar{E})^2}{n-1}}$$

$$\text{MAD} = \frac{\sum |E_t|}{n}$$

O símbolo matemático | | é usado para indicar o valor absoluto — isto é, mostra que se deve desconsiderar sinais positivos ou negativos. Se MSE, σ ou MAD são pequenos, a previsão geralmente está próxima da demanda real; por outro lado, um valor grande indica a possibilidade de grandes erros de previsão. As duas medidas se diferenciam no modo como enfatizam os erros. Erros grandes recebem muito mais peso no MSE e no σ, porque os erros são elevados ao quadrado. MAD é uma medida de erro de previsão largamente utilizada porque os administradores podem compreendê-la facilmente; é simplesmente a média dos erros de previsão ao longo de uma série de períodos, sem levar em conta se o erro foi superestimado ou subestimado. O MAD também é usado em sinais de rastreamento e no controle de estoques. Adiante, discutiremos como o MAD ou o σ podem ser usados para determinar estoques de segurança para itens do estoque.

O **MAPE** (*Mean Absolute Percent Error* — **erro percentual absoluto médio**) relaciona o erro de previsão ao nível de demanda e é útil para colocar o desempenho de previsão na perspectiva adequada:

$$\text{MAPE} = \frac{(\sum |E_t|/D_t)(100)}{n} \text{ (expresso como um porcentual)}$$

Por exemplo, um erro de previsão absoluto de 100 tem como resultado um erro percentual maior quando a demanda é de 200 unidades que quando a demanda é de dez mil unidades. O MAPE é a melhor medida de erro a ser utilizada quando são feitas comparações entre séries temporais para diferentes SKUs.

Sinais de rastreamento   Um **sinal de rastreamento** é uma medida que indica se um método de previsão está predizendo com precisão alterações reais da demanda. O sinal de rastreamento mede o número de MAD representado pela soma cumulativa de erros de previsão, a CFE. A CFE tende a ser 0 quando um sistema de previsão correto está sendo utilizado. A qualquer tempo, entretanto, erros aleatórios podem fazer com que a CFE seja um número diferente de zero. A fórmula do sinal de rastreamento é

$$\text{Sinal de rastreamento} = \frac{\text{CFE}}{\text{MAD}}$$

A cada período, a CFE e o MAD são atualizados para refletir o erro corrente e o sinal de rastreamento é comparado a alguns limites predeterminados. O MAD pode ser calculado de duas formas: (1) como a média simples de todos os erros absolutos (como demonstrado no Exemplo 13.6); ou (2) como uma média ponderada determinada pelo método de suavização exponencial:

$$\text{MAD}_t = \alpha |E_t| + (1-\alpha)\text{MAD}_{t-1}$$

Se os erros de previsão estão normalmente distribuídos com uma média de 0, a relação entre σ e o MAD é simples:

$$\sigma = (\sqrt{\pi/2})(\text{MAD}) \cong 1{,}25(\text{MAD})$$

$$\text{MAD} = 0{,}7978\sigma \cong 0{,}8\sigma$$

onde

$\pi = 3{,}1416$

Essa relação permite usar as tabelas de probabilidade da distribuição normal para especificar os limites para o sinal de rastreamento. Se ele está fora desses limites, o modelo de previsão não está mais rastreando a demanda adequadamente. Um sinal de rastreamento é útil quando os sistemas de previsão são computadorizados, porque alerta os analistas quando as previsões estão se afastando dos limites desejáveis. A Tabela 13.3 mostra a área de distribuição de probabilidade normal dentro dos limites de controle de 1 a 4 do MAD.

A Figura 13.9 mostra resultados de sinal de rastreamento para 23 períodos representados em um *gráfico de controle*, que é útil para determinar se é preciso fazer algo para melhorar o modelo de previsão. No exemplo, os primeiros 20 pontos se aglomeram em torno de 0, como se esperássemos que as previsões não fossem tendenciosas. A CFE inclina-se em direção a 0. Quando as características subjacentes de demanda se alteram, mas o modelo de previsão não, o sinal de rastreamento, no fim, sai de controle.

| EXEMPLO 13.6 | Calculando medidas de erro de previsão |

A tabela seguinte mostra as vendas reais de cadeiras acolchoadas para um fabricante de mobília e as previsões feitas para cada um dos últimos oito meses. Calcule CFE, MSE, σ, MAD e MAPE para esse produto.

Mês, t	Demanda, D_t	Previsão, F_t	Erro, E_t	Erro Quadrado, E_t^2	Erro Absoluto $|E_t|$	Erro percentual absoluto, $(|E_t|/D_t)(100)$
1	200	225	−25	625	25	12,5%
2	240	220	20	400	20	8,3
3	300	285	15	225	15	5,0
4	270	290	−20	400	20	7,4
5	230	250	−20	400	20	8,7
6	260	240	20	400	20	7,7
7	210	250	−40	1.600	40	19,0
8	275	240	35	1.225	35	12,7
		Total	−15	5.275	195	81,3%

SOLUÇÃO

Usando as fórmulas para as medidas, obtemos

Erro de previsão cumulativo (desvio): $\text{CFE} = -15$

Erro de previsão médio (desvio da média): $\bar{E} = \dfrac{\text{CFE}}{8} = -1{,}875$

Erro quadrado médio: $\text{MSE} = \dfrac{\sum E_t^2}{n} = \dfrac{5.275}{8} = 659{,}4$

Desvio-padrão: $\sigma = \sqrt{\dfrac{\sum [E_t - (-1{,}875)]^2}{7}} = 27{,}4$

Desvio absoluto médio: $\text{MAD} = \dfrac{\sum |E_t|}{n} = \dfrac{195}{8} = 24{,}4$

Erro percentual absoluto médio: $\text{MAPE} = \dfrac{[\sum |E_t|/D_t]\,100}{n} = \dfrac{81{,}3\%}{8} = 10{,}2\%$

Um CFE de −15 indica que a previsão tem um pequeno desvio para superestimar a demanda. As estatísticas de MSE, σ e MAD fornecem medidas de variabilidade de erro de previsão. Um MAD de 24,4 significa que o erro de previsão médio foi de 24,2 unidades em valor absoluto. O valor de σ, indica que a distribuição da amostra de erros de previsão tem um desvio-padrão de 27,4 unidades. Um MAPE de 10,2 por cento implica que, em média, o erro de previsão foi de cerca de 10 por cento da demanda real. Essas medidas se tornam mais confiáveis à medida que o número de períodos de dados aumenta.

Ponto de decisão Embora razoavelmente satisfeito com esses resultados de desempenho de previsão, o analista decidiu verificar mais alguns métodos de previsão antes de obter um método de previsão definitivo para usar no futuro.

O aumento constante após o 20º ponto na Figura 13.9 indica que o processo está saindo de controle. O 21º e o 22º pontos são aceitáveis, mas o 23º não.

Amplitudes dos erros de previsão Calcular o MAD também pode fornecer informações adicionais. Previsões que são determinadas como um valor único, como 1.200 unidades ou 26 clientes, podem ser menos úteis porque não indicam a amplitude de erros prováveis que a previsão normalmente gera. Uma abordagem melhor pode ser munir o administrador de um valor previsto e de uma amplitude de erro. Por exemplo, suponha que o valor previsto para um produto seja de mil unidades, com um MAD de 20 unidades. A Tabela 13.3 mostra uma possibilidade de 95 por cento de que a demanda real esteja dentro do MAD de ±2,5 da previsão; isto é, para uma previsão de mil unidades, podemos dizer que com um nível de segurança de 95 por cento a demanda real cairá na amplitude de 950 a 1.050 unidades.

Suporte de computador O suporte de computador, como do *OM Explorer*, torna fáceis os cálculos de erros ao avaliar se os modelos de previsão ajustam-se bem aos dados passados (isto é, o *arquivo do histórico*). A Figura 13.10 mostra o resultado do Solucionador de Previsão de Série Temporal, quando aplicado às chegadas de pacientes da clínica médica (veja o gráfico original na Figura 13.4). Quatro modelos diferentes são avaliados: previsões ingênuas (obtidas com médias móveis quando $n = 1$), médias móveis ponderadas ($n = 3$), suavização exponencial ($\alpha = 0{,}10$) e suavização exponencial ajustada a tendências ($\alpha = 0{,}10$, $\beta = 0{,}10$). A Figura 13.10(a) é uma planilha que permite selecionar os métodos a serem avaliados e, em seguida, calcula os erros resultantes para cada método,

em uma base por período. As previsões iniciais devem ser selecionadas para o método de suavização exponencial e para o método de suavização exponencial ajustada a tendências. Aqui simplesmente os igualamos à demanda real para a semana de 2 de janeiro de 2006. Outros pontos de partida razoáveis não afetariam o resultado de modo significativo.

A Figura 13.10(b) mostra as várias medidas de erro ao longo do arquivo do histórico completo para cada método avaliado. Para a clínica médica, o modelo de suavização exponencial fornece o melhor ajuste aos dados anteriores em termos de MAPE (3,54 por cento), MSE (293,39) e MAD (14,42). É pior que a média móvel ponderada de CFE ou desvio (75,26 *versus* 14,10). Outras versões desses modelos podem ser avaliadas testando outros valores razoáveis para n, α e β.

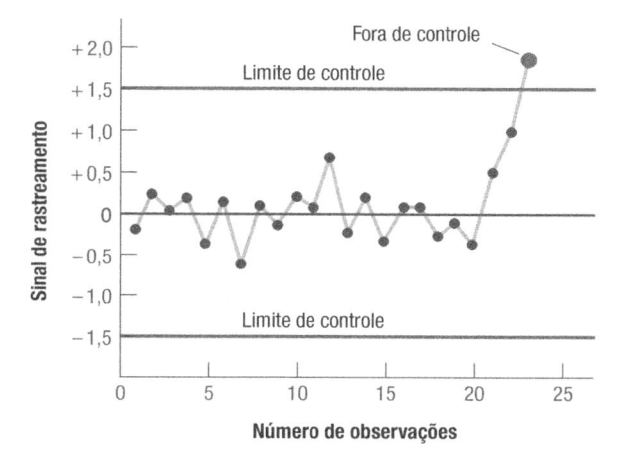

Figura 13.9 Sinal de rastreamento

TABELA 13.3 Percentual da Área de Normal Probabilidade de Distribuição dentro dos limites de controle do sinal de rastreamento.

Intervalo do limite de controle (número de MADs)	Número equivalente de σ*	Percentual da área dentro dos limites de controle[†]
±1,0	±0,80	57,62
±1,5	±1,20	76,98
±2,0	±1,60	89,04
±2,5	±2,00	95,44
±3,0	±2,40	98,36
±3,5	±2,80	99,48
±4,0	±3,20	99,86

*O número equivalente de desvios-padrão é encontrado por meio do uso da aproximação de MAD = $0{,}8\sigma$.

[†] A área da curva normal incluída nos limites de controle é encontrada no Apêndice I. Por exemplo, a área cumulativa de $-\infty$ a $0{,}80\sigma$ é de 0,7881. A área entre 0 e $+0{,}80\sigma$ é de $0{,}7881 - 0{,}5000 = 0{,}2881$. Uma vez que a curva normal é simétrica, a área entre $-0{,}80\sigma$ e 0 também é de 0,2881. Portanto, a área entre $\pm 0{,}80\sigma$ é $0{,}2881 + 0{,}2881 = 0{,}5762$.

| 1 Média móvel do período | | 3 Média móvel ponderada do período **Inserir pesos** Mais recente 0,70 Segundo mais recente 0,20 Terceiro mais recente 0,10 | | Suavização exponencial α 0,10 Previsão inicial 400 Previsão inicial = méd. dos 3 prim. per. | | Suavização exponencial ajustada a tendências α 0,10 β 0,10 Média inicial 400 Tendência inicial 0 | |

Dados reais		1- Média móvel do período			3 - Média móvel ponderada do período			Suavização exponencial			Suavização exponencial ajustada a tendências		
		Previsão	Erro	CFE	Previsão	Erro	CFE	Previsão	Erro	CFE	Previsão	Erro	CFE
2/1/06	400							400,00	0,00	0,00	400,00	0,00	0,00
9/1/06	380	400,00	−20,00	−20,00				400,00	−20,00	−20,00	400,00	−20,00	−20,00
16/1/06	411	380,00	31,00	11,00				398,00	13,00	−7,00	397,80	13,20	−6,80
23/1/06	415	411,00	4,00	15,00	403,70	11,30	11,30	399,30	15,70	8,70	399,05	15,95	9,15
30/1/06	393	415,00	−22,00	−7,00	410,70	−17,70	−6,40	400,87	−7,87	0,83	400,74	−7,74	1,41
6/2/06	375	393,00	−18,00	−25,00	399,20	−24,20	−30,60	400,08	−25,08	−24,25	399,98	−24,98	−23,57
13/2/06	410	375,00	35,00	10,00	382,60	27,40	−3,20	397,57	12,43	−11,83	397,25	15,75	−10,81
20/2/06	395	410,00	−15,00	−5,00	401,30	−6,30	−9,50	398,82	−3,82	−15,64	398,41	−3,41	−14,23
27/2/06	406	395,00	11,00	6,00	396,00	10,00	0,50	398,44	7,56	−8,08	397,93	8,07	−6,16
6/3/06	424	406,00	18,00	24,00	404,20	19,80	20,30	399,19	24,81	16,73	398,67	25,33	19,17
13/3/06	433	424,00	9,00	33,00	417,50	15,50	35,80	401,67	31,33	48,05	401,40	31,60	50,77
20/3/06	391	433,00	−42,00	−9,00	428,50	−37,50	−1,70	404,81	−13,81	34,25	405,07	−14,07	36,71
27/3/06	396	391,00	−5,00	−4,00	402,70	−6,70	−8,40	403,42	−7,42	26,82	404,03	−8,03	28,68
3/4/06	417	396,00	21,00	17,00	398,70	18,30	9,90	402,68	14,32	41,14	403,51	13,49	42,17
10/4/06	383	417,00	−34,00	−17,00	410,20	−27,20	−17,30	404,11	−21,11	20,03	405,28	−22,28	19,89
17/4/06	402	383,00	19,00	2,00	391,10	10,90	−6,40	402,00	0,00	20,03	403,25	−1,25	18,63
24/4/06	387	402,00	−15,00	−13,00	399,70	−12,70	−19,10	402,00	−15,00	5,02	403,31	−16,31	2,32
1/5/06	410	387,00	23,00	10,00	389,60	20,40	1,30	400,50	9,50	14,52	401,71	8,29	10,61
8/5/06	398	410,00	−12,00	−2,00	404,60	−6,60	−5,30	401,45	−3,45	11,07	402,64	−4,64	5,97
15/5/06	433	398,00	35,00	33,00	399,30	33,70	28,40	401,11	31,89	42,96	402,24	30,73	36,74
22/5/06	415	433,00	−18,00	15,00	423,70	−8,70	19,70	404,30	10,70	53,67	405,68	9,32	46,06
29/5/06	380	415,00	−35,00	−20,00	416,90	−36,90	−17,20	405,37	−25,37	28,30	407,07	−27,07	18,98
5/6/06	394	380,00	14,00	−6,00	392,30	1,70	−15,50	402,83	−8,83	19,47	404,56	−10,56	8,43
12/6/06	412	394,00	18,00	12,00	393,30	18,70	3,20	401,95	10,05	29,52	403,58	8,42	16,84
19/6/06	439	412,00	27,00	39,00	405,20	33,80	37,00	402,95	36,05	65,57	404,59	34,41	51,25
26/6/06	416	439,00	−23,00	16,00	429,10	−13,10	23,90	406,56	9,44	75,01	408,55	7,45	58,70
3/7/06	395	416,00	−21,00	−5,00	420,20	−25,20	−1,30	407,50	−12,50	62,51	409,88	−14,88	43,82
10/7/06	419	395,00	24,00	19,00	403,60	15,40	14,10	406,25	12,75	75,26	408,83	10,17	53,99

Figura 13.10(a) Resultado do solucionador de previsão de série temporal para a planilha de chegadas de pacientes à clínica médica

Além disso, a Figura 13.10(b) faz previsões para o período seguinte. Previsões para todos os períodos futuros feitas nesse momento (o fim do arquivo histórico) seriam idênticas a previsões do período seguinte. A única exceção é o método de suavização exponencial ajustado a tendências, que fornece previsões para vários períodos no futuro, que consideram a última estimativa de tendência (0,54 por semana). Se o método de suavização exponencial for selecionado para fazer a previsão do período seguinte (por causa de seu bom desempenho até agora), a expectativa seria de 408 pacientes (calculada como 407,53). A previsão seria de 414 pacientes (calculada como 413,90) usando o método de média móvel ponderada. Calculando a média desses dois números (veja a *combinação de previsões* na próxima seção), temos uma previsão de 411 pacientes.

CRITÉRIOS PARA SELECIONAR MÉTODOS DE SÉRIES TEMPORAIS

As medidas de erro de previsão fornecem informações importantes para escolher o melhor método de previsão para um serviço ou produto. Elas também orientam os administradores ao selecionar os melhores valores para os parâmetros necessários para o método: n para o método de média móvel, os pesos para o método de média ponderada e α para o método de suavização exponencial. Os critérios a serem utilizados ao se tomar decisões sobre métodos e parâmetros de previsão incluem (1) minimizar o desvio; (2) minimizar MAPE, MAD ou MSE; (3) satisfazer as expectativas administrativas de alterações nos componentes da demanda; e (4) minimizar o erro de previsão do último período. Os dois primeiros critérios se relacionam a medidas estatísticas baseadas no desempenho histórico, o terceiro reflete expectativas do futuro que podem não estar baseadas no passado e o quarto é um meio de usar o método que pareça funcionar melhor no momento em que uma previsão deve ser feita.

Usando critérios estatísticos Medidas de desempenho estatístico podem ser usadas na seleção de um método de previsão. As orientações seguintes ajudarão quando se estiver buscando os melhores modelos de série temporal.

Método 1 – Média móvel:

1 – Média móvel do período

Previsão para 17/07/06	419,00
CFE	19,00
MAD	21,07
MSE	532,41
MAPE	5,22%

Método 2 – Média móvel ponderada:

3 – Média móvel ponderada do período

Previsão para 17/07/06	413,90
CFE	14,10
MAD	18,39
MSE	437,07
MAPE	4,54%

Método 3 – Suavização exponencial:

α	0,10
Previsão inicial	400,00
Previsão para 17/07/06	407,53
CFE	75,26
MAD	14,42
MSE	293,39
MAPE	3,54%

Método 4 – Suavização exponencial ajustada a tendências

α	0,10
β	0,10
Média inicial	400,00
Tendência inicial	0,00
Média para o último período	409,85
Tendência para o último período	0,54
Previsão para 17/07/06	410,39
Previsão para 24/07/06	410,93
Previsão para 31/07/06	411,47
Previsão para 07/08/06	412,01
Previsão para 14/08/06	412,55
Previsão para 21/08/06	413,03
CFE	53,99
MAD	14,44
MSE	303,82
MAPE	3,69%

Figura 13.10(b)   Planilha de resultados

1. Para projeções de padrões de demanda mais estáveis, use valores mais baixos de α e β ou valores mais altos de n para enfatizar a experiência histórica.
2. Para projeções de padrões de demanda mais dinâmicos, usando modelos incluídos neste capítulo, experimente valores mais altos de α e β ou valores de n mais baixos. Quando os padrões históricos de demanda são variáveis, a história recente deve ser enfatizada.

Muitas vezes, o profissional responsável pela previsão deve fazer escolhas entre desvio (CFE) e as medidas de dispersão de erro de previsão (MAPE, MAD e MSE). Os administradores também devem reconhecer que a melhor técnica ao explicar os dados passados não é necessariamente a melhor técnica para prever o futuro, e que 'sobreajustar' (*overfitting*) dados anteriores pode ser enganoso. Um método de previsão pode ter erros pequenos em relação ao arquivo do histórico, mas pode gerar erros elevados para períodos futuros. Por essa razão, alguns analistas preferem usar um **conjunto de dados para teste**, como um teste final. Para fazê-lo, eles separam alguns dos períodos mais recentes da série temporal e usam apenas os primeiros períodos para desenvolver e testar modelos diferentes. Uma vez que os modelos finais são selecionados na primeira fase, eles são testados novamente com o conjunto de teste. Medidas de desempenho, como MAPE e CFE, ainda são usadas, mas são aplicadas à amostra de teste. Seja essa idéia utilizada ou não, os administradores devem monitorar erros de previsão futuros, talvez com sinais de rastreamento e modificar suas abordagens de previsão conforme necessário. A manutenção de dados sobre desempenho de previsão é o teste final da capacidade de previsão — em vez do modo como um modelo se ajusta aos dados anteriores ou amostras de teste.

USANDO VÁRIAS TÉCNICAS

Descrevemos vários métodos de previsão individuais e mostramos como avaliar seu desempenho de previsão. Entretanto, não precisamos contar com um único método de previsão. Por exemplo, a Unilever e o Wal-Mart combinam várias previsões diferentes para chegar a uma previsão final. Previsões estatísticas iniciais usando vários métodos de séries temporais e regressão são distribuídas a indivíduos instruídos, como diretores de marketing e equipes de vendas, para ajustes. Eles podem explicar condições correntes de mercado e de clientes que não estão necessariamente refletidas em dados anteriores. Previsões múltiplas podem vir de equipes de vendas diferentes e algumas equipes podem ter um registro melhor sobre erros de previsão que outras. Por fim, o processo colaborativo do CPFR introduz previsões de fornecedores e até de clientes. Duas abordagens a serem adotadas quando se usa várias técnicas de previsão ao mesmo tempo incluem (1) previsões combinadas e (2) previsões focalizadas.

PREVISÕES COMBINADAS

Pesquisas durante as últimas duas décadas sugerem que a combinação de previsões de várias fontes, muitas vezes, gera previsões mais precisas. **Previsões combinadas** são previsões geradas pelo cálculo da média de previsões independentes, tendo por referência métodos ou dados diferentes ou ambos. É intrigante que previsões combinadas, muitas vezes, tenham um desempenho melhor ao longo do tempo que o *melhor* procedimento de previsão isolado. Por exemplo, suponha que a previsão para o próximo período seja de 100 unidades da técnica 1 e de 120 unidades da técnica 2 e que a técnica 1 tenha fornecido previsões mais precisas até agora. A previsão combinada para o período seguinte, dando-se peso igual a cada técnica, é de 110 unidades (ou 0,5 × 100 + 0,5 × 120). Quando essa técnica de cálculo da média é usada de forma constante no futuro, suas previsões combinadas serão muito mais precisas que as de qualquer técnica de previsão considerada a melhor isoladamente (nesse exemplo, técnica 1). A combinação é mais efetiva quando as previsões individuais trazem diferentes tipos de informações para o processo de previsão. Os profissionais responsáveis pelas previsões têm alcançado resultados excelentes determinando pesos de previsão igualmente, e esse é um bom ponto de partida. Contudo, pesos desiguais podem fornecer resultados melhores sob algumas condições.

O OM Explorer e o POM for Windows permitem que você avalie vários modelos de previsão e, em seguida, crie previsões combinadas a partir deles. Os modelos podem ser aqueles avaliados separadamente na Figura 13.10, mas também podem incluir previsões dos métodos de regressão, avaliação qualitativa ou ingênua. Para estimar o método de avaliação qualitativa, deve-se dar ao profissional de previsão apenas um período de demanda real de cada vez, de preferência quando os eventos reais estão acontecendo e, então, empenhar-se em fazer uma previsão para o próximo período. Para ser informado, o prognosticador também deve estar a par do desempenho dos outros métodos de previsão, particularmente no passado recente.

PREVISÃO FOCALIZADA

Outro modo de se aproveitar várias técnicas é a **previsão focalizada**, que seleciona a melhor previsão de um grupo de previsões geradas por técnicas individuais. A cada período, todas as técnicas são usadas para fazer previsões para cada produto. As previsões são feitas com um computador porque pode haver cem mil SKUs em uma empresa, cada uma precisando ser prevista. Usando o arquivo do histórico como ponto de partida para cada método, o computador gera previsões para o período corrente. As previsões são comparadas com a demanda real e o método que gera a previsão com menos erros é usado para fazer a previsão para o próximo período. O método usado para cada produto pode mudar a cada período.

JUNTANDO TUDO: A PREVISÃO COMO UM PROCESSO

UM PROCESSO DE PREVISÃO TÍPICO

Muitas *entradas* do processo de previsão são de informações, começando com o arquivo do histórico sobre a demanda anterior. O arquivo de histórico é mantido em dia com as demandas reais. Notas de esclarecimento e ajustes são feitos no banco de dados para explicar o comportamento incomum da demanda, como o impacto de promoções especiais e liquidações de estoque. Muitas vezes, o banco de dados é separado em duas partes: dados *base* e dados *não-base*. A segunda categoria reflete demandas irregulares. As previsões finais feitas exatamente no fim do ciclo anterior são inseridas no arquivo do histórico, de modo a rastrear erros de previsão. Outras fontes de informações são estimativas de força de vendas, ofertas pendentes de novos pedidos, pedidos registrados, estudos de pesquisa de mercado, comportamento da concorrência, perspectivas econômicas, introdução de novos produtos, determinação de preços e promoções. Se o CPFR for usado, ocorrerá um compartilhamento importante de informações com clientes e fornecedores. Para novos produtos, um banco de dados histórico é fabricado tendo por referência a experiência da empresa com produtos anteriores e a avaliação do pessoal.

Os *produtos* do processo são previsões para múltiplos períodos futuros. Geralmente, essas previsões ocorrem em bases mensais e são projetadas de seis meses a dois anos. A maioria dos pacotes de software tem a capacidade de 'acumular' ou 'agregar' previsões para unidades de estoque individuais (SKUs) em previsões para famílias de produtos inteiras. As previsões também podem ser 'derrubadas' ou 'desagregadas' em fragmentos menores. Em um ambiente em que se fabrica para estocar (*make-to-stock*), as previsões tendem a ser mais detalhadas e podem descer a produtos individuais específicos. Em um ambiente em que se fabrica sob encomenda (*make-to-order*), as previsões tendem a ser para grupos de produtos. De modo semelhante, se os tempos de espera para comprar matérias-primas e fabricar um produto ou fornecer um serviço são longos, as previsões seguem no futuro.

O processo de previsão em si, normalmente feito de maneira mensal, consiste em passos estruturados. Eles frequentemente são facilitados por alguém que pode ser chamado de gerente de demanda, analista de previsão ou planejador de demanda–oferta. Entretanto, muitas outras pessoas são geralmente envolvidas antes de o plano para o mês ser autorizado.

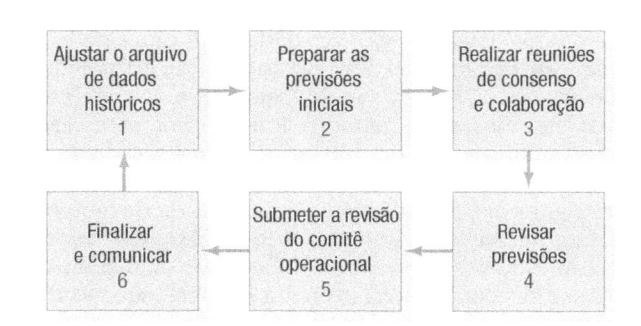

Passo 1. O ciclo começa no meio do mês, logo após as previsões terem sido finalizadas e comunicadas às partes interessadas (*stakeholders*). Agora é o momento de atualizar o arquivo de dados históricos e examinar a precisão da previsão. No fim do mês, insira a demanda real e a revisão da exatidão da previsão.

Passo 2. Prepare previsões iniciais usando alguns pacotes de software de previsão e avaliação. Ajuste os parâmetros do software para encontrar modelos que se adaptem bem à demanda anterior e reflitam a avaliação do gerente de demanda sobre eventos e informações irregulares a respeito de vendas futuras extraídas de várias fontes e unidades de negócios.

Passo 3. Realize reuniões de consenso com as partes interessadas, como planejadores de marketing, vendas, cadeias de suprimentos e finanças. Facilite para que a unidade de negócios e o pessoal do campo de vendas insiram informações. Use a Internet para obter informações colaboradoras dos principais clientes e fornecedores. A meta é chegar a previsões de consenso de todos os jogadores importantes.

Passo 4. Revise as previsões usando avaliação, considerando as informações das reuniões de consenso e de fontes colaboradoras.

Passo 5. Apresente as previsões ao comitê operacional para revisão e para alcançar um conjunto final de previsões. É importante ter um conjunto de previsões com o qual todos concordem e trabalhem para sustentar.

Passo 6. Finalize as previsões tendo por referência as decisões do comitê operacional e comunique-as às partes interessadas importantes. Os planejadores de cadeia de suprimentos são normalmente os maiores usuários.

Assim como no caso de todas as atividades de trabalho, a previsão é um processo e deve ser continuamente revisada para aperfeiçoamentos. Um processo melhor favorecerá relações melhores entre departamentos como marketing, vendas e operações. Também gerará previsões melhores. Esse princípio é o primeiro na Tabela 13.4 para orientar melhorias do processo.

A PREVISÃO COMO UM SUBPROCESSO

A previsão não é uma atividade independente; ao contrário, é parte de um processo maior que inclui os capítulos restantes. Afinal, a demanda é apenas metade da equação — a outra metade é a oferta. Planos futuros devem ser formulados para fornecer os recursos necessários para satisfazer à demanda prevista. Os recursos incluem a força de trabalho, materiais, estoques, dólares e capacidade de equipamento. A certificação de que os planos de demanda e oferta estão em equilíbrio começa no Capítulo 14, "Planejamento de vendas e operações" e continua no Capítulo 15, "Planejamento de recursos", e no Capítulo 16, "Programação".

EQUAÇÕES-CHAVE

1. Regressão linear: $Y = a + bX$
2. Previsão ingênua: Previsão = D_t
3. Média móvel simples:

$$F_{t+1} = \frac{D_t + D_{t-1} + D_{t-2} + \cdots + D_{t-n+1}}{n}$$

4. Média móvel ponderada:

$$F_{t+1} = \text{peso}_1(D_t) + \text{peso}_2(D_{t-1}) + \text{peso}_3(D_{t-2}) + \ldots + \text{peso}_n(D_{t-1+n})$$

5. Suavização exponencial:

$$F_{t+1} = \alpha D_t + (1 - \alpha)F_t$$
$$F_{t+1} = F_t + \alpha(D_t - F_t)$$

TABELA 13.4 Alguns princípios para o processo de previsão

- Processos melhores rendem previsões melhores.
- A previsão de demanda está sendo feita em praticamente todas as empresas, formal ou informalmente. O desafio é fazê-la bem — melhor que a concorrência.
- Previsões melhores resultam em melhor atendimento ao consumidor e custos mais baixos, assim como relações melhores com fornecedores e clientes.
- A previsão pode e deve fazer sentido tendo por referência o quadro total, as perspectivas econômicas, a participação de mercado e assim por diante.
- O melhor modo de aperfeiçoar a exatidão da previsão é focalizar a redução de erros de previsão.
- Erro sistemático é o pior tipo de erro de previsão; esforce-se para alcançar desvio-zero.
- Sempre que possível, faça previsões para níveis mais altos, agregados. Faça previsões desagregadas apenas onde for necessário.
- Pode-se ganhar muito mais com as pessoas colaborando e se comunicando bem que usando a técnica ou modelos de previsão mais avançados.

Fonte: Adaptado de Thomas F. Wallace e Robert A. Stahl, *Sales forecasting: a new approach*, Cincinnati, OH: T. E. Wallace & Company, 2002, p. 112.

6. Suavização exponencial ajustada a tendências:

$$A_t = \alpha D_t + (1 - \alpha)(A_{t-1} + T_{t-1})$$
$$T_t = \beta(A_t - A_{t-1}) + (1 - \beta) T_{t-1}$$
$$F_{t+1} = A_t + T_t$$

7. Erro de previsão:

$$E_t = D_t - F_t$$
$$\text{CFE} = \sum E_t$$
$$\overline{E} = \frac{\text{CFE}}{n}$$
$$\text{MSE} = \frac{\sum E_t^2}{n}$$
$$\sigma = \sqrt{\frac{\sum(E_t - \overline{E})^2}{n-1}}$$
$$\text{MAD} = \frac{\sum |E_t|}{n}$$
$$\text{MAPE} = \frac{(\sum |E_t|/D_t)(100\%)}{n}$$

8. Sinal de rastreamento: $\dfrac{\text{CFE}}{\text{MAD}}$ ou $\dfrac{\text{CFE}}{\text{MAD}_t}$

9. Erro suavizado exponencialmente:

$$\text{MAD}_t = (\alpha |E_t| + (1-\alpha)\,\text{MAD}_{t-1}$$

PALAVRAS-CHAVE

agregação
análise de séries temporais
conjunto de dados para teste
desvio absoluto médio (MAD)
desvio-padrão (σ)
erro de previsão
erro médio ao quadrado (MSE)
erro percentual absoluto médio (MAPE)
estimativas de força de vendas
método da média móvel ponderada
método da média móvel simples
método de suavização exponencial
método de suavização exponencial ajustada a tendências
método Delphi
método sazonal aditivo
método sazonal multiplicativo
métodos causais
métodos de avaliação qualitativa
júri de executivos
pesquisa de mercado
previsão
previsão focalizada
previsão ingênua
previsões combinadas
previsões tecnológicas
regressão linear
séries temporais
sinal de rastreamento
sistema colaborativo de planejamento, previsão e reposição (CPFR)
soma cumulativa de erros de previsão (CFE)
unidade de estoque (SKU)
variáveis dependentes
variável independente

PROBLEMA RESOLVIDO 1

O Palácio do Frango oferece periodicamente jantares de cinco pedaços de frango para viagem a preços especiais. Defina Y como o número de jantares vendidos, e X como o preço. Tendo por referência observações e cálculos históricos da tabela seguinte, determine a equação de regressão, o coeficiente de correlação e o coeficiente de determinação. Quantos jantares o Palácio do Frango pode esperar vender por três dólares cada?

Observação	Preço (X) (em dólares)	Jantares vendidos (Y)
1	2,70	760
2	3,50	510
3	2,00	980
4	4,20	250
5	3,10	320
6	4,05	480
Total	19,55	3.300
Média	3,258	550

SOLUÇÃO

Usamos o computador para calcular os melhores valores de a, b, o coeficiente de correlação e o coeficiente de determinação.

$$a = 1.454,60$$
$$b = -277,63$$
$$r = -0,84$$
$$r^2 = 0,71$$

A linha de regressão é

$$Y = a + bX = 1.454,60 - 277,63$$

O coeficiente de correlação ($r = -0,84$) mostra uma correlação negativa entre as variáveis. O coeficiente de determinação ($r^2 = 0,71$) é relativamente pequeno, o que sugere que outras variáveis (além do preço) podem afetar as vendas de modo considerável.

Se a equação de regressão é satisfatória para o gerente, as vendas estimadas por um preço de três dólares cada jantar podem ser calculadas da seguinte maneira:

$$Y = a + bX = 1.454,60 - 277,63(3,00)$$
$$= 621,71 \text{ ou } 622 \text{ jantares}$$

PROBLEMA RESOLVIDO 2

A Pizzaria do General Polonês é um restaurante pequeno que serve clientes com uma predileção por pizza européia. Uma de suas especialidades é a pizza Prêmio Polonesa. O gerente deve prever a demanda semanal dessas pizzas especiais de forma que ele possa pedir massas semanalmente. Recentemente, a demanda tem sido a seguinte:

Semana	Pizzas	Semana	Pizzas
2 de junho	50	23 de junho	56
9 de junho	65	30 de junho	55
16 de junho	52	7 de julho	60

a. Faça a previsão da demanda de pizza para o período de 23 de junho a 14 de julho usando o método de média móvel simples com $n = 3$. Em seguida, repita a previsão usando o método de média móvel ponderada com $n = 3$ e pesos de 0,50, 0,30 e 0,20, sendo que 0,50 se aplica à demanda mais recente.

b. Calcule o MAD para cada método.

SOLUÇÃO

a. O método de média móvel simples e o método de média móvel ponderada dão os resultados seguintes:

Semana corrente	Previsão da média móvel simples para a próxima semana	Previsão da média móvel ponderada para a próxima semana
16 de junho	$\dfrac{52 + 65 + 50}{3}$ = 55,7 ou 56	$[(0,5 \times 52) + (0,3 \times 65) + (0,2 \times 50)] =$ 55,5 ou 56
23 de junho	$\dfrac{56 + 52 + 65}{3}$ = 57,7 ou 58	$[(0,5 \times 56) + (0,3 \times 52) + (0,2 \times 65)] =$ 56,6 ou 57
30 de junho	$\dfrac{55 + 56 + 52}{3}$ = 54,3 ou 54	$[(0,5 \times 55) + (0,3 \times 56) + (0,2 \times 52)] =$ 54,7 ou 55
7 de julho	$\dfrac{60 + 55 + 56}{3}$ = 57,0 ou 57	$[(0,5 \times 60) + (0,3 \times 55) + (0,2 \times 56)] =$ 57,7 ou 58

b. O desvio absoluto médio é calculado do seguinte modo:

Semana	Demanda real	Média móvel simples Previsão	Erros absolutos $|E_t|$	Média móvel ponderada Previsão	Erros absolutos $|E_t|$
23 de junho	56	56	$|56 - 56| = 0$	56	$|56 - 56| = 0$
30 de junho	55	58	$|55 - 58| = 3$	57	$|55 - 57| = 2$
7 de julho	60	54	$|60 - 54| = 6$	55	$|60 - 55| = 5$

$$MAD = \frac{0+3+6}{3} = 3 \qquad MAD = \frac{0+2+5}{3} = 2,3$$

Para esse conjunto limitado de dados, o método de média móvel ponderada teve como resultado um desvio absoluto médio ligeiramente mais baixo. Entretanto, só é possível tirar conclusões finais depois de analisar uma quantidade maior de dados.

PROBLEMA RESOLVIDO 3

A demanda mensal por unidades fabricadas pela Companhia de Foguetes Acme tem sido a seguinte:

Mês	Unidades	Mês	Unidades
Maio	100	Setembro	105
Junho	80	Outubro	110
Julho	110	Novembro	125
Agosto	115	Dezembro	120

a. Use o método de suavização exponencial para prever o número de unidades para o período de junho a janeiro. A previsão inicial para maio foi de 105 unidades; $\alpha = 0,2$.

b. Calcule o erro percentual absoluto para cada mês de junho a dezembro e o MAD e o MAPE de erro de previsão a partir do final de dezembro.

c. Calcule o sinal de rastreamento do fim de dezembro. O que você pode dizer sobre o desempenho de seu método de previsão?

SOLUÇÃO

a.

Mês corrente, t	$F_{t+1} = \alpha D t + (1 - \alpha) F_t$	Previsão para o mês, t + 1
Maio	0,2(100) + 0,8(105) = 104,0 ou 104	Junho
Junho	0,2(80) + 0,8(104,0) = 99,2 ou 99	Julho
Julho	0,2(110) + 0,8(99,2) = 101,4 ou 101	Agosto
Agosto	0,2(115) + 0,8(101,4) = 104,1 ou 104	Setembro
Setembro	0,2(105) + 0,8(104,1) = 104,3 ou 104	Outubro
Outubro	0,2(110) + 0,8(104,3) = 105,4 ou 105	Novembro
Novembro	0,2(125) + 0,8(105,4) = 109,3 ou 109	Dezembro
Dezembro	0,2(120) + 0,8(109,3) = 111,4 ou 111	Janeiro

b.

Mês, t	Demanda real, D_t	Previsão, F_t	Erro, $E_t = D_t - F_t$	Erro absoluto, $|E_t|$	Erro percentual absoluto, $(|E_t|/D_t)(100\%)$
Junho	80	104	−24	24	30,0%
Julho	110	99	11	11	10,0
Agosto	115	101	14	14	12,2
Setembro	105	104	1	1	0,9
Outubro	110	104	6	6	5,4
Novembro	125	105	20	20	16,0
Dezembro	120	109	11	11	9,2
Total	765		39	87	83,7%

$$\text{MAD} = \frac{\Sigma |E_t|}{n} = \frac{87}{7} = 12,4 \text{ e}$$

$$\text{MAPE} = \frac{(\Sigma |E_t|/D_t)(100)}{n} = \frac{83,7\%}{7} = 11,96$$

c. A partir do final de dezembro, a soma cumulativa de erros de previsão (CFE) é 39. Usando o desvio absoluto médio calculado no item (b), calculamos o sinal de rastreamento:

$$\text{Sinal de rastreamento} = \frac{\text{CFE}}{\text{MAD}} = \frac{39}{12,4} = 3,14$$

A probabilidade de que um valor de sinal de rastreamento de 3,14 seja gerado completamente por acaso é pequena. Por conseguinte, devemos revisar nossa abordagem. A longa série de previsões mais baixas que a demanda real sugere o uso de um método tendencial.

PROBLEMA RESOLVIDO 4

A demanda por Krispee Crunchies, o cereal para o café-da-manhã favorito das pessoas nascidas nos anos 1940, está experimentando um declínio. A empresa quer monitorar a demanda por esse produto exatamente quando se aproxima do fim de seu ciclo de vida. O método de suavização exponencial ajustada a tendências é usado com $\alpha = 0,1$ e $\beta = 0,2$. No final de dezembro, a estimativa atualizada para o número médio de caixas vendidas por mês, A_t, foi de 900 mil e a tendência atualizada, T_t, foi de −50.000 por mês. A tabela seguinte mostra o histórico de vendas reais para janeiro, fevereiro e março. Gere previsões para fevereiro, março e abril.

Mês	Vendas
Janeiro	890.000
Fevereiro	800.000
Março	825.000

SOLUÇÃO

Conhecemos a condição inicial no fim de dezembro e a demanda real para janeiro, fevereiro e março. Devemos, agora, atualizar o método de previsão e preparar uma previsão para abril. Nossas equações para utilização com suavização exponencial ajustada a tendências são

$$A_t = \alpha D_t + (1 - \alpha)(A_{t-1} + T_{t-1})$$
$$T_t = \beta(A_t - A_{t-1}) + (1 - \beta)T_{t-1}$$
$$F_{t+1} = A_t + T_t$$

Para janeiro, temos

$$A_{\text{jan}} = 0,1(890.000) + 0,9(900.000 - 50.000)$$
$$= 854.000 \text{ caixas}$$
$$T_{\text{jan}} = 0,2(854.000 - 900.000) + 0,8(-50.000)$$
$$= -49.200 \text{ caixas}$$
$$F_{\text{fev}} = A_{\text{jan}} + T_{\text{jan}} = 854.000 - 49.200 = 804.800 \text{ caixas}$$

Para fevereiro, temos

$$A_{\text{fev}} = 0,1(800.000) + 0,9(854.000 - 49.200)$$
$$= 804.320 \text{ caixas}$$
$$T_{\text{fev}} = 0,2(804.320 - 854.000) + 0,8(-49.200)$$
$$= -49.296 \text{ caixas}$$
$$F_{\text{mar}} = A_{\text{fev}} + T_{\text{fev}} = 804.320 - 49.296 = 755.024 \text{ caixas}$$

Para março, temos

$$A_{\text{mar}} = 0,1(825.000) + 0,9(804.320 - 49.296)$$
$$= 762.021,6 \text{ ou } 762.022 \text{ caixas}$$
$$T_{\text{mar}} = 0,2(762.022 - 804.320) + 0,8(-49.296)$$
$$= -47.896,4 \text{ ou } -47.897 \text{ caixas}$$
$$F_{\text{abr}} = A_{\text{mar}} + T_{\text{mar}} = 762.022 - 47.897 = 714.125 \text{ caixas}$$

PROBLEMA RESOLVIDO 5

O Correio de Northville apresenta um padrão sazonal de volume de correspondência diária toda semana. Os dados seguintes para duas semanas características são expressos em milhares de correspondências:

Dia	Semana 1	Semana 2
Domingo	5	8
Segunda	20	15
Terça	30	32
Quarta	35	30
Quinta	49	45
Sexta	70	70
Sábado	15	10
Total	224	210

a. Calcule um fator sazonal para cada dia da semana.

b. Se o agente postal estima que 230 mil correspondências serão classificadas na próxima semana, faça a previsão do volume para cada dia da semana.

SOLUÇÃO

a. Calcule o volume de correspondência diário médio para cada semana. Em seguida, para cada dia da semana, divida o volume de correspondência pela média da semana para obter o fator sazonal. Por fim, para cada dia, some os dois fatores sazonais e divida por dois para obter o fator sazonal médio a ser utilizado na previsão (veja o item (b)).

b. Espera-se que o volume médio de correspondência diária seja de 230.000/7 = 32.857 correspondências. Usando os fatores sazonais médios calculados no item (a), obtemos as previsões seguintes:

Dia	Cálculo	Previsão
Domingo	0,21146(32.857) =	6.948
Segunda	0,56250(32.857) =	18.482
Terça	1,00209(32.857) =	32.926
Quarta	1,04688(32.857) =	34.397
Quinta	1,51563(32.857) =	49.799
Sexta	2,26042(32.857) =	74.271
Sábado	0,40104(32.857) =	13.177
	Total	230.000

QUESTÕES PARA DISCUSSÃO

1. A Figura 13.11 mostra medidas de visibilidade aérea no verão para Denver. O padrão de visibilidade aceitável é 100, com leituras acima disso indicando ar limpo e boa visibilidade e, abaixo disso, indicando inversões de temperatura causadas por incêndios florestais, erupções vulcânicas ou colisões com cometas.

   a. Há uma tendência evidente nos dados? Que técnicas de séries temporais podem ser apropriadas para estimar a média desses dados?

   b. Um centro médico para asma e doenças respiratórias localizado em Denver tem grande demanda por seus serviços quando a qualidade do ar está ruim. Se você estivesse encarregado de formular

	Semana 1		Semana 2		
Dia	Volume de correspondência	Fator sazonal(1)	Volume de correspondência	Fator sazonal (2)	Fator sazonal médio [(1) + (2)]/2
Domingo	5	5/32 = 0,15625	8	8/30 = 0,26667	0,21146
Segunda	20	20/32 = 0,62500	15	15/30 = 0,50000	0,56250
Terça	30	30/32 = 0,93750	32	32/30 = 1,06667	1,00209
Quarta	35	35/32 = 1,09375	30	30/30 = 1,00000	1,04688
Quinta	49	49/32 = 1,53125	45	45/30 = 1,50000	1,51563
Sexta	70	70/32 = 2,18750	70	70/30 = 2,33333	2,26042
Sábado	15	15/32 = 0,46875	10	10/30 = 0,33333	0,40104
Total		224		210	
Média		224/7 = 32		210/7 = 30	

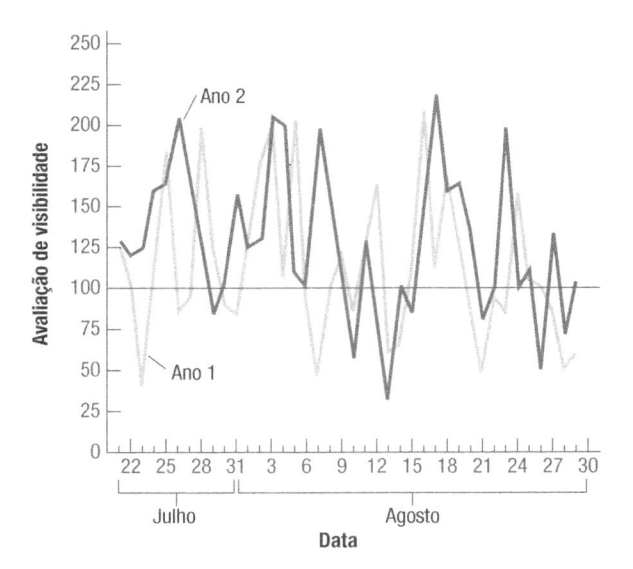

Figura 13.11

uma previsão de visibilidade de curto prazo (por exemplo, de três dias), que fator(es) causal(is) você analisaria? Em outras palavras, que fatores externos detêm o potencial de afetar significativamente a visibilidade no *curto prazo*?

c. O turismo, um fator importante na economia de Denver, é afetado pela imagem da cidade. A qualidade do ar, como medida pela visibilidade, afeta a imagem da cidade. Se você fosse responsável pelo desenvolvimento do turismo, que fator(es) causal(is) você analisaria para prever visibilidade para o médio prazo (por exemplo, os próximos dois verões)?

d. O governo federal ameaça reter várias centenas de milhões dólares nos fundos do Departamento de Transporte, a menos que Denver atenda aos padrões de visibilidade dentro de oito anos. Como você agiria para gerar uma previsão de avaliação qualitativa de longo prazo de tecnologias que estarão disponíveis para melhorar a visibilidade nos próximos dez anos?

2. Kay e Michael Passe publicam *O que está Acontecendo?* — um jornal quinzenal para divulgar eventos locais. *O que está Acontecendo?* tem poucos assinantes e normalmente é vendido em caixas de supermercados. Grande parte da receita vem de anunciantes de vendas de coisas usadas e promoção de produtos de supermercado. Em um esforço para reduzir os custos associados com a impressão de muitos jornais ou com a entrega em local errado, Michael implementou um sistema computadorizado para coletar dados de vendas. *Scanners* contadores de vendas registram com precisão os dados de vendas para cada local. Desde que o sistema foi implementado, o volume de vendas total declinou de modo constante. Vender espaço de publicidade e manter espaço na prateleira de supermercados está ficando cada vez mais difícil.

A receita reduzida torna o controle de custos ainda mais importante. Para cada assunto, Michael faz uma previsão cuidadosamente baseada em dados de vendas coletados em cada local. Em seguida, ele pede que os jornais sejam impressos e distribuídos em quantidades correspondentes à previsão. A de Michael reflete uma tendência descendente, que *está* presente nos dados sobre as vendas. Agora apenas alguns jornais estão sobrando em somente alguns locais. Embora a previsão de vendas preveja com precisão as vendas reais na maioria dos locais, *O que está acontecendo?* está se movendo em direção ao esquecimento. Kay suspeita que Michael está fazendo algo errado ao preparar a previsão, mas não consegue encontrar nenhum erro matemático. Diga a ela o que está acontecendo.

PROBLEMAS

Softwares como o OM Explorer, o Active Models e o POM for Windows, estão disponíveis no site de apoio do livro. Verifique com seu professor a melhor maneira de usá-los. Em muitos casos, o professor quer que você entenda como fazer os cálculos manualmente. Quando precisar, o software pode oferecer uma verificação de seus cálculos. Quando os cálculos são muito complexos e o objetivo é interpretar os resultados na tomada de decisão, o software substitui completamente os cálculos manuais. O software pode ser também um valioso recurso depois que você concluir o curso.

O problema 7(vi) e os problemas 12 a 14 envolvem muitos cálculos. O uso de um software de regressão ou de uma planilha eletrônica é recomendado.

1. A dona de uma loja de computadores aluga impressoras para alguns de seus clientes preferidos. Ela está interessada em chegar a uma previsão de aluguéis de forma que possa pedir as quantidades corretas de suprimentos que vão com as impressoras. Os dados para as últimas dez semanas são mostrados a seguir:

Semana	Aluguéis	Semana	Aluguéis
1	23	6	28
2	24	7	32
3	32	8	35
4	26	9	26
5	31	10	24

a. Prepare uma previsão para as semanas de 6 a 10, usando uma média móvel de cinco semanas. Qual é a previsão para a semana 11?

b. Calcule o desvio absoluto médio a partir do fim da semana 10.

2. As vendas dos últimos 12 meses na Companhia Dalworth são apresentadas na tabela a seguir:

Mês	Vendas (milhões de dólares)	Mês	Vendas (milhões de dólares)
Janeiro	20	Julho	53
Fevereiro	24	Agosto	62
Março	27	Setembro	54
Abril	31	Outubro	36
Maio	37	Novembro	32
Junho	47	Dezembro	29

a. Use uma média móvel de três meses para prever as vendas para os meses de abril a dezembro.

b. Use uma média móvel de quatro meses para prever as vendas para os meses de maio a dezembro.

c. Compare o desempenho dos dois métodos usando o desvio absoluto médio como o critério de desempenho. Qual método você recomendaria?

d. Compare o desempenho dos dois métodos usando o erro percentual absoluto médio como o critério de desempenho. Qual método você recomendaria?

e. Compare o desempenho dos dois métodos usando o erro quadrado médio como o critério de desempenho. Qual método você recomendaria?

3. A Karl's Copiers vende e conserta máquinas de fotocópia. O gerente precisa de previsões semanais das solicitações de atendimento de forma que possa programar o pessoal do atendimento. A previsão para a semana de 3 de julho foi de 24 solicitações. O gerente usa suavização exponencial com $\alpha = 0{,}20$. Faça a previsão do número de solicitações para a semana de 7 de agosto, que é a semana seguinte.

Semana	Solicitações reais de serviço
3 de julho	24
10 de julho	32
17 de julho	36
24 de julho	23
31 de julho	25

4. Considere os dados de vendas para a Companhia Dalworth apresentados no problema 2. Para os itens (c) a (e), use apenas os dados de abril a dezembro.

a. Use uma média móvel ponderada de três meses para prever as vendas para os meses de abril a dezembro. Use pesos de (3/6), (2/6) e (1/6), dando mais peso a dados mais recentes.

b. Use a suavização exponencial com $\alpha = 0{,}6$ para prever as vendas dos meses de abril a dezembro. Suponha que a previsão inicial para janeiro seja de 22 milhões de dólares.

c. Compare o desempenho dos dois métodos usando o desvio absoluto médio como o critério de desempenho. Que método você recomendaria?

d. Compare o desempenho dos dois métodos usando o erro percentual absoluto médio como o critério de desempenho. Que método você recomendaria?

e. Compare o desempenho dos dois métodos usando o erro quadrado médio como o critério de desempenho. Que método você recomendaria?

5. Uma loja de conveniência começou a manter em estoque uma marca de refrigerante nova em sua praça. A gerência está interessada em prever o volume de vendas futuras para determinar se deve continuar mantendo em estoque a nova marca ou substituí-la por outra. No final de abril, o volume de vendas mensal médio do novo refrigerante foi de 700 latas, e a tendência foi de +50 latas por mês. Os valores do volume de vendas real para maio, junho e julho são 760, 800 e 820, respectivamente. Use a suavização exponencial ajustada a tendências com $\alpha = 0{,}2$ e $\beta = 0{,}1$ para prever o uso para junho, julho e agosto.

6. O Community Federal Bank em Dothan, Alabama, instalou recentemente um novo caixa eletrônico para executar os serviços bancários padrão e lidar com solicitações de empréstimos e operações de investimento. A nova máquina é um pouco complicada de usar, por isso, a gerência está interessada em rastrear seu uso anterior e projetar seu uso futuro. Máquinas adicionais podem ser necessárias se o uso projetado for alto o suficiente.

No fim de abril, o uso mensal médio foi de +60 clientes por mês. Os valores de uso real para maio, junho e julho são 680, 710 e 790, respectivamente. Use suavização exponencial com $\alpha = 0{,}3$ e $\beta = 0{,}2$ para prever o uso para junho, julho e agosto.

7. O número de cirurgias do coração realizadas no Hospital Geral de Heartville aumentou de modo constante ao longo dos últimos anos. A administração do hospital está procurando o melhor método para prever a demanda para essas cirurgias no ano 6. Os dados para os últimos cinco anos são mostrados a seguir. Há seis anos, a previsão para o ano 1 foi de 41 cirurgias, e a tendência estimada foi um aumento de dois por ano.

Ano	Demanda
1	45
2	50
3	52
4	56
5	58

A administração do hospital está considerando os seguintes métodos de previsão:
  (i) Suavização exponencial, com α = 0,6
  (ii) Suavização exponencial, com α = 0,9
  (iii) Suavização exponencial ajustada a tendências, com α = 0,6 e β = 0,1
  (iv) Média móvel de três anos
  (v) Média móvel ponderada de três anos, usando pesos de (3/6), (2/6) e (1/6), sendo que os dados mais recentes recebem mais peso
  (vi) Modelo de regressão, $Y = 42,6 + 3,2X$, onde Y é o número de cirurgias e X é o índice para o ano (por exemplo, $X = 1$ para o ano 1, $X = 2$ para o ano 2 etc.)

a. Se MAD for o critério de desempenho escolhido pela administração, que método de previsão ela deve escolher?

b. Se MSE for o critério de desempenho escolhido pela administração, que método de previsão ela deve escolher?

c. Se MAPE é o critério de desempenho escolhido pela administração, que método de previsão ela deve escolher?

8. Os dados seguintes são para venda de calculadoras em uma loja de eletrônicos ao longo das últimas cinco semanas:

Semana	Vendas
1	46
2	49
3	43
4	50
5	53

Use a suavização exponencial ajustada a tendências com α = 0,2 e β = 0,2 para fazer a previsão das vendas para as semanas de 3 a 6. Suponha que a média da série temporal seja de 45 unidades e que a tendência média seja de +2 unidades por semana exatamente antes da semana 1.

9. Forrest e Dan fabricam caixas de chocolate para as quais a demanda é incerta. Forrest diz: "A vida é assim". Por outro lado, Dan acredita que existem alguns padrões de demanda que podem ser úteis para planejar a compra de açúcar, chocolate e recheios. Forrest insiste em colocar um recheio surpresa coberto com chocolate em algumas caixas de modo que "Você nunca saiba o que vai achar". A demanda trimestral (em caixas de chocolates) para os últimos três anos é a seguinte:

Trimestre	Ano 1	Ano 2	Ano 3
1	3.000	3.300	3.502
2	1.700	2.100	2.448
3	900	1.500	1.768
4	4.400	5.100	5.882
Total	10.000	12.000	13.600

a. Use a intuição e a avaliação qualitativa para estimar a demanda trimestral para o quarto ano.

b. Se as vendas esperadas para chocolates são de 14.800 caixas para o ano 4, use o método sazonal multiplicativo para preparar uma previsão para cada trimestre do ano. Alguma das previsões trimestrais é diferente do que você pensou que obteria no item (a)?

10. A gerente do Centro do Jardim de Snyder deve fazer seu plano anual de compras de rastelos, luvas e outros produtos de jardinagem. Um dos produtos que a empresa estoca é Cresça Rápido, um fertilizante líquido. As vendas desse produto são sazonais, com picos nos meses de primavera, verão e outono. A demanda trimestral (em caixas) para os últimos dois anos é a seguinte:

Trimestre	Ano 1	Ano 2
1	40	60
2	350	440
3	290	320
4	210	280
Total	890	1.100

Se as vendas esperadas para o Cresça Rápido são de 1.150 caixas para o ano 3, use o método sazonal multiplicativo para preparar uma previsão para cada trimestre do ano.

11. O gerente de uma empresa de serviços de utilidade pública no interior do Texas quer elaborar previsões trimestrais de cargas de energia para o próximo ano. As cargas são sazonais, e os dados trimestrais para os últimos quatro anos são os seguintes:

Trimestre	Ano 1	Ano 2	Ano 3	Ano 4
1	103,5	94,7	118,6	109,3
2	126,1	116,0	141,2	131,6
3	144,5	137,1	159,0	149,5
4	166,1	152,5	178,2	169,0

O gerente estima a demanda total para o próximo ano em 600 megawatts. Use o método sazonal multiplicativo para formular a previsão para cada trimestre.

12. A demanda por troca de óleo na Garagem do Garcia tem sido a seguinte:

Mês	Número de trocas de óleo
Janeiro	41
Fevereiro	46
Março	57

	Abril	52
	Maio	59
	Junho	51
	Julho	60
	Agosto	62

a. Use a análise de regressão linear simples para elaborar um modelo de previsão para demanda mensal. Nessa aplicação, a variável dependente, *Y*, é a demanda mensal, e a variável independente, *X*, é o mês. Para janeiro, defina $X = 1$; para fevereiro, defina $X = 2$; e assim por diante.

b. Use o modelo para prever a demanda para setembro, outubro e novembro. Aqui, $X = 9$, 10 e 11, respectivamente.

13. Em uma fábrica de processamento de hidrocarboneto, o controle do processo envolve análises periódicas de amostras para certo parâmetro de qualidade do processo. O procedimento analítico usado no presente é dispendioso e demorado. Um procedimento alternativo mais rápido e mais econômico foi proposto. Contudo, os números para o parâmetro de qualidade fornecidos pelo procedimento alternativo são um pouco diferentes dos apresentados pelo procedimento atual, não por causa de nenhum erro inerente, mas por causa de mudanças na natureza da análise química.

A gerência acredita que, se os números do novo procedimento podem ser usados para prever, com segurança, os números correspondentes do procedimento atual, mudar para o novo procedimento seria razoável e rentável. Os dados seguintes foram obtidos para o parâmetro de qualidade analisando amostras que usam ambos os procedimentos:

Corrente (*Y*)	Proposto (*X*)	Corrente (*Y*)	Proposto (*X*)
3,0	3,1	3,1	3,1
3,1	3,9	2,7	2,9
3,0	3,4	3,3	3,6
3,6	4,0	3,2	4,1
3,8	3,6	2,1	2,6
2,7	3,6	3,0	3,1
2,7	3,6	2,6	2,8

a. Use regressão linear para encontrar uma relação para prever *Y*, que é o parâmetro de qualidade do procedimento atual, usando os valores do procedimento proposto, *X*.

b. Há uma relação forte entre *Y* e *X*? Explique.

14. A Ohio Suíça Produtos Lácteos fabrica e distribui sorvetes em Ohio, Kentucky, e em West Virginia. A empresa quer expandir suas operações localizando outra planta no norte de Ohio. O tamanho da nova planta será função da demanda esperada por sorvete dentro da área atendida pela planta. Um estudo de mercado está em andamento no presente para determinar essa demanda.

A Ohio Suíça quer estimar a relação entre o custo de fabricação por galão e o número de galões vendidos em um ano para determinar a demanda por sorvete e, desse modo, o tamanho da nova planta. Os dados seguintes foram coletados:

Planta	Custo por milhares de galões (*Y*) (em dólares)	Milhares de galões vendidos (*X*)
1	1.015	416,9
2	973	472,5
3	1.046	250,0
4	1.006	372,1
5	1.058	238,1
6	1.068	258,6
7	967	597,0
8	997	414,0
9	1.044	263,2
10	1.008	372,0
Total	10.182	3.654,4

a. Desenvolva uma equação de regressão para prever o custo por galão como função do número de galões fabricados.

b. Quais são o coeficiente de correlação e o de determinação? Comente sua equação de regressão considerando essas medidas.

c. Suponha que o estudo de mercado indique uma demanda de 325.000 galões na área de Bucyrus, Ohio. Estime o custo de fabricação por galão para uma planta que fabrique 325.000 galões por ano.

PROBLEMAS AVANÇADOS

15. O diretor de uma grande biblioteca pública deve programar os funcionários para recolocar na prateleira livros e periódicos retirados. O número de itens retirados determinará os requisitos de trabalho. Os dados seguintes refletem os números de itens retirados da biblioteca nos últimos três anos:

Mês	Ano 1	Ano 2	Ano 3
Janeiro	1.847	2.045	1.986
Fevereiro	2.669	2.321	2.564
Março	2.467	2.419	2.635
Abril	2.432	2.088	2.150
Maio	2.464	2.667	2.201
Junho	2.378	2.122	2.663
Julho	2.217	2.206	2.055
Agosto	2.445	1.869	1.678
Setembro	1.894	2.441	1.845
Outubro	1.922	2.291	2.065
Novembro	2.431	2.364	2.147
Dezembro	2.274	2.189	2.451

O diretor precisa de um método de série temporal para prever o número de itens que serão retirados durante o mês seguinte. Encontre a melhor previsão de média móvel simples que puder. Decida o que significa 'melhor' e justifique sua decisão.

16. Usando os dados do problema 15, encontre a melhor solução de suavização exponencial que puder. Justifique sua escolha.

17. Usando os dados do problema 15, encontre a melhor solução de suavização exponencial ajustada a tendências que puder. Compare o desempenho desse método com os do melhor método de média móvel e do método de suavização exponencial. Qual dos três métodos você escolheria?

18. A Cannister, Inc. é especializada na fabricação de recipientes de plástico. Os dados das vendas mensais de garrafas de xampu por dez onças, nos últimos cinco anos, são os seguintes:

Ano	1	2	3	4	5
Janeiro	742	741	896	951	1.030
Fevereiro	697	700	793	861	1.032
Março	776	774	885	938	1.126
Abril	898	932	1.055	1.109	1.285
Maio	1.030	1.099	1.204	1.274	1.468
Junho	1.107	1.223	1.326	1.422	1.637
Julho	1.165	1.290	1.303	1.486	1.611
Agosto	1.216	1.349	1.436	1.555	1.608
Setembro	1.208	1.341	1.473	1.604	1.528
Outubro	1.131	1.296	1.453	1.600	1.420
Novembro	971	1.066	1.170	1.403	1.119
Dezembro	783	901	1.023	1.209	1.013

a. Usando o método sazonal multiplicativo, calcule os índices sazonais mensais.

b. Desenvolva uma equação de regressão linear simples para prever as vendas anuais. Para essa regressão, a variável dependente, Y, é a demanda em cada ano, e a variável independente, X, é o índice para o ano (isto é, $X = 1$ para o ano 1, $X = 2$ para o ano 2, e assim por diante até que $X = 5$ para o ano 5).

c. Faça a previsão das vendas anuais para o ano 6 usando o modelo de regressão que você desenvolveu no item (b).

d. Prepare a previsão sazonal para cada mês usando os índices sazonais mensais calculados no item (a).

19. A Companhia de Computadores Meio Oeste atende um número grande de empresas na região dos Grandes Lagos. A empresa vende suprimentos, faz reposições e executa serviços em todos os computadores vendidos por meio de sete escritórios de vendas. Muitos produtos estão estocados e, assim, é necessário um controle de estoque atento para assegurar aos clientes um atendimento eficiente. Recentemente, os negócios têm aumentado, e a gerência está preocupada com faltas de estoque. É preciso um método de previsão para estimar as necessidades com vários meses de antecedência de modo que as quantidades de reposição adequadas possam ser compradas. Um exemplo do crescimento de vendas experimentado durante os últimos 50 meses é o crescimento na demanda para o item EP-37, um cartucho de impressora a laser, mostrado na Tabela 13.5

TABELA 13.5 Dados de vendas e aluguel de EP-37

Mês	Vendas de EP-37	Aluguéis	Mês	Vendas de EP-37	Aluguéis
1	80	32	26	1.296	281
2	132	29	27	1.199	298
3	143	32	28	1.267	314
4	180	54	29	1.300	323
5	200	53	30	1.370	309
6	168	89	31	1.489	343
7	212	74	32	1.499	357
8	254	93	33	1.669	353
9	397	120	34	1.716	360
10	385	113	35	1.603	370
11	472	147	36	1.812	386
12	397	126	37	1.817	389
13	476	138	38	1.798	399
14	699	145	39	1.873	409
15	545	160	40	1.923	410
16	837	196	41	2.028	413
17	743	180	42	2.049	439
18	722	197	43	2.084	454
19	735	203	44	2.083	441

20	838	223	45	2.121	470
21	1.057	247	46	2.072	469
22	930	242	47	2.262	490
23	1.085	234	48	2.371	496
24	1.090	254	49	2.309	509
25	1.218	271	50	2.422	522

a. Desenvolva uma solução de suavização exponencial ajustada a tendências para prever a demanda. Encontre os 'melhores' parâmetros e justifique suas escolhas. Faça a previsão da demanda para os meses 51 a 53.

b. Um consultor da gerência da Meio Oeste sugeriu que os aluguéis do novo edifício de escritório seriam um bom indicador antecipado para as vendas da empresa. Ele citou uma descoberta de uma pesquisa acadêmica recente de que aluguéis de novos edifícios de escritório antecedem as vendas de equipamento e suprimentos de escritório em três meses. De acordo com a pesquisa, aluguéis no mês 1 afetariam as vendas no mês 4; aluguéis no mês 2 afetariam as vendas no mês 5; e assim por diante. Use regressão linear para desenvolver um modelo de previsão para vendas, com aluguéis como a variável independente. Faça a previsão das vendas dos meses 51 a 53.

c. Qual dos dois modelos fornece previsões melhores? Explique.

20. Certo produto alimentício dos Supermercados P&Q tem o padrão de demanda mostrado na tabela seguinte. Encontre a 'melhor' previsão que puder para o mês 25 e justifique sua metodologia. Você pode usar alguns dos dados para encontrar o(s) melhor(es) valor(es) de parâmetro(s) para seu método e o restante para testar o modelo de previsão. Sua justificativa deve incluir tanto considerações quantitativas como qualitativas.

Mês	Demanda	Mês	Demanda
1	33	13	37
2	37	14	43
3	31	15	56
4	39	16	41
5	54	17	36
6	38	18	39
7	42	19	41
8	40	20	58
9	41	21	42
10	54	22	45
11	43	23	41
12	39	24	38

21. Os dados para o diagrama de visibilidade da questão para discussão 1 são mostrados na Tabela 13.6. O padrão de visibilidade é fixado em 100. Leituras abaixo disso indicam que a poluição do ar reduziu a visibilidade e leituras acima de 100 indicam que o ar está mais claro.

a. Use vários métodos para gerar uma previsão de visibilidade para 31 de agosto do segundo ano. Qual método parece gerar a melhor previsão?

b. Use vários métodos para prever o índice de visibilidade para o verão do terceiro ano. Qual método parece gerar a melhor previsão? Sustente sua escolha.

22. Tom Glass faz a previsão de demanda elétrica para o Flatlands Public Power District (FPPD). O FPPD quer retirar sua usina elétrica de Comstock de funcionamento para manutenção quando se espera que a demanda seja baixa. Em seqüência à paralisação, executar a manutenção e trazer a planta de volta à atividade leva duas semanas. A empresa de serviço público tem outra capacidade de geração suficiente para satisfazer à demanda de 1.550 megawatts (MW), enquanto Comstock está fora de funcionamento. A Tabela 13.7 mostra picos semanais na demanda (em MW) para os últimos outonos. Quando, no próximo outono, deve-se programar a planta de Comstock para manutenção?

23. Uma fábrica desenvolveu um teste de habilidades, cujas pontuações podem ser usadas para prever fatores qualitativos de avaliação de produção dos trabalhadores. Dados das pontuações do teste de vários trabalhadores e suas avaliações de produção subseqüentes são mostrados a seguir:

Trabalhador	Pontuação no teste	Avaliação de produção	Trabalhador	Pontuação no teste	Avaliação de produção
A	53	45	K	54	59
B	36	43	L	73	77
C	88	89	M	65	56
D	84	79	N	29	28
E	86	84	O	52	51
F	64	66	P	22	27
G	45	49	Q	76	76
H	48	48	R	32	34
I	39	43	S	51	60
J	67	76	T	37	32

a. Usando regressão linear, desenvolva uma relação para prever avaliações de produção a partir de pontuações no teste.

b. Se a pontuação no teste de um trabalhador foi 80, qual seria sua previsão da avaliação de produção do trabalhador?

c. Comente a força da relação entre as pontuações no teste e as avaliações de produção.

24. O gerente de manipulação de materiais de uma fábrica está tentando prever o custo de manutenção para a frota de tratores *over-the-road* da empresa. Ele acredita que o custo de manutenção dos tratores aumenta com sua idade. Ele coletou os dados seguintes:

Idade (anos)	Custo de manutenção anual (em dólares)	Idade (anos)	Custo de manutenção anual (em dólares)
4,5	619	5,0	1.194
4,5	1.049	0,5	163
4,5	1.033	0,5	182
4,0	495	6,0	764
4,0	723	6,0	1.373
4,0	681	1,0	978
5,0	890	1,0	466
5,0	1.522	1,0	549
5,5	987		

a. Use regressão linear para desenvolver uma relação para prever o custo de manutenção anual tendo por referência a idade de um trator.

b. Se uma seção tem tratores de 20 anos de idade, qual é a previsão para o custo de manutenção anual?

TABELA 13.6 Dados de visibilidade

Data	Ano 1	Ano 2	Data	Ano 1	Ano 2	Data	Ano 1	Ano 2
22 de julho	125	130	5 de agosto	105	200	19 de agosto	170	160
23	100	120	6	205	110	20	125	165
24	40	125	7	90	100	21	85	135
25	100	160	8	45	200	22	45	80
26	185	165	9	100	160	23	95	100
27	85	205	10	120	100	24	85	200
28	95	165	11	85	55	25	160	100
29	200	125	12	125	130	26	105	110
30	125	85	13	165	75	27	100	50
31	90	105	14	60	30	28	95	135
1º de agosto	85	160	15	65	100	29	50	70
2	135	125	16	110	85	30	60	105
3	175	130	17	210	150			
4	200	205	18	110	220			

TABELA 13.7 Picos semanais nas demandas de energia

	Agosto		Setembro				Outubro					Novembro	
Ano	1	2	3	4	5	6	7	8	9	10	11	12	13
1	2.050	1.925	1.825	1.525	1.050	1.300	1.200	1.175	1.350	1.525	1.725	1.575	1.925
2	2.000	2.075	2.225	1.800	1.175	1.050	1.250	1.025	1.300	1.425	1.625	1.950	1.950
3	1.950	1.800	2.150	1.725	1.575	1.275	1.325	1.100	1.500	1.550	1.375	1.825	2.000
4	2.100	2.400	1.975	1.675	1.350	1.525	1.500	1.150	1.350	1.225	1.225	1.475	1.850
5	2.275	2.300	2.150	1.525	1.350	1.475	1.475	1.175	1.375	1.400	1.425	1.550	1.900

| CASO | A indústria automobilística brasileira |

Com a chegada da Ford e da GM no Brasil, a indústria automobilística do país começou a engatinhar. A primeira a se instalar foi a Ford, em 1919, seguida da GM que, em 1925, teve seu primeiro veículo montado em terras nacionais. Com uma produção muito pequena, os automóveis vinham dos Estados Unidos da América encaixotados em *kits*, e eram apenas montados no país. Porém, somente após os anos 1950 ocorreu, de fato, a implantação da indústria automobilística, quando a Volkswagen, e não as norte-americanas Ford e GM, implantou o pleno potencial da produção em massa no Brasil, sem passar nem mesmo pelo sistema de produção artesanal.

A Kombi foi o primeiro veículo brasileiro produzido pela Volkswagen, com cerca de 50 por cento das peças produzidas no país. Com arrojo, pioneirismo e por meio de grandes investimentos, a montadora lançou, em 1959, o Fusca, que já em 1961 era produzido com 95 por cento de peças nacionais. A empresa alcançou um grande sucesso no mercado nacional (entre os automóveis de passageiros), do qual chegou a representar, em 1968, 76 por cento.

Aos poucos, as empresas americanas foram reagindo, mas não chegaram a ameaçar o amplo domínio da Volkswagen em um mercado que chegou a crescer 20 por cento ao ano, em seus dois períodos de *boom*: de 1961 a 1967 e de 1968 a 1975. A década de 1970, com a entrada da Fiat em 1973, marcou, então, a consolidação das quatro grandes montadoras que dominam o mercado até os dias de hoje: VW, Ford, GM e Fiat. No setor de caminhões e ônibus, juntaram-se a Mercedes, a Volvo e a Scania.

Os investimentos na indústria de base durante o segundo governo de Getúlio Vargas (de 1951 a 1954), com a construção da CSN, da Petrobras e de outras, foram fundamentais para a constituição da indústria automobilística no Brasil. No entanto, a falta de fornecedores de autopeças, um setor que ainda estava se desenvolvendo, obrigou as montadoras a adotarem práticas de verticalização mais intensas que nas próprias matrizes.

Até a década de 1990, a indústria automobilística nacional permaneceu praticamente estagnada. É bem verdade que a indústria de autopeças se desenvolveu; as montadoras incentivaram muitos de seus parceiros nos países de origem a montarem suas empresas no Brasil. Porém, a maior parte delas dependia das tecnologias importadas e dos desenhos e especificações das montadoras para criar capacitação tecnológica no país. Ou seja, apesar do surgimento de fornecedores de autopeças, o nível de verticalização das montadoras permaneceu muito elevado devido, principalmente, à falta de uma rede de suprimentos confiável. Apenas operações pouco complexas eram terceirizadas.

Foi a partir dessa década, no entanto, sob o impacto da abertura do mercado, que a indústria automobilística brasileira se viu pressionada, devido à entrada dos concorrentes estrangeiros. Um número crescente de carros importados passou a circular pelas ruas do país e marcas de várias nacionalidades, como a Audi, a Toyota, a Honda, a Nissan, a Volvo, a Citröen, a Peugeot e a Renault, passaram a fazer frente aos veículos fabricados no Brasil. Isso deixou claro que o longo período de estagnação da indústria automobilística brasileira influenciou a competitividade do produto nacional: o *design* e a qualidade do veículo importado eram visivelmente superiores e os índices de produtividade da indústria nacional eram infinitamente inferiores aos alcançados nos Estados Unidos da América e no Japão. Além de estarem perdendo mercado para os importados, várias empresas começaram a anunciar investimentos em novas fábricas no Brasil, o que mostrava que o país era um mercado promissor.

Observou-se, então, uma forte concentração de esforços no intuito de melhorar a qualidade do automóvel de fabricação nacional. As indústrias procuraram se adequar ao padrão de eficiência e qualidade estabelecido pelas empresas japonesas do setor, cujas técnicas industriais foram incorporadas ao dia-a-dia das empresas brasileiras. A produção enxuta, incluindo todos os instrumentos e técnicas a ela associados, como o *just-in-time*, trabalho em equipe, qualidade total (TQM) e certificações segundo normas internacionais de qualidade, passou a fazer parte do cotidiano das empresas nacionais.

O ambiente de intensa competitividade obrigou a indústria automobilística brasileira a se reestruturar. A opção pelo *global sourcing* foi a primeira alternativa estratégica para que as empresas pudessem comprar peças de melhor qualidade por um preço competitivo. Para acelerar esse processo de reestruturação, muitas empresas iniciaram programas de terceirização, *downsizing* e *management-by-out* (sub-contratação de serviços de ex-funcionários), entre outros.

Enquanto a indústria de autopeças vive uma transformação radical nos últimos anos, que envolve o fechamento de um número significativo de fábricas e a mudança de propriedade de outras — o que deixa transparecer uma tendência à concentração e uma consolidação de uma transferência desse setor para o mercado exterior, a indústria automobilística brasileira vive um momento de grande euforia, com recordes de produção e vendas sendo quebrados mês a mês, conforme apresentado nas tabelas a seguir. O bom momento do país, a estabilidade econômica, a expansão da massa salarial e do crédito fazem com que os gestores dessa indústria invistam cada vez mais na modernização e no aumento da capacidade produtiva instalada. Empresas como a Fiat, a VW, a GM e a Renault anunciam, freqüentemente, novas contratações. A Anfavea (Associação Nacional de Fabricantes de Veículos Automotores) aponta que a expectativa do setor é de crescimento da produção e aumento no nível de emprego. No entanto, alguns riscos começam a rondar o mercado brasileiro, especialmente com a expectativa de que este viverá uma crise.

Tabela 1   Produção, licenciamento e exportação de automóveis da indústria brasileira

Ano	Produção	Licenciamento	Exportação
1985	759.141	602.069	160.626
1986	815.152	672.384	138.241
1987	683.380	410.260	279.530
1988	782.411	556.744	226.360
1989	730.992	566.582	164.885
1990	663.084	532.906	120.377
1991	705.303	597.892	127.153
1992	815.959	596.964	243.126
1993	1.100.278	903.828	249.607
1994	1.248.773	1.127.673	274.815
1995	1.297.467	1.407.073	189.721
1996	1.458.576	1.405.545	211.565
1997	1.677.858	1.569.727	305.647
1998	1.254.016	1.211.885	291.788
1999	1.109.509	1.011.847	204.024
2000	1.361.721	1.176.774	283.449
2001	1.501.586	1.295.096	321.490
2002	1.520.285	1.218.544	369.925
2003	1.505.139	1.168.681	440.957
2004	1.862.780	1.258.446	603.052
2005	2.011.817	1.369.182	684.260
2006	2.092.003	1.556.220	635.851
2007	2.391.354	1.975.518	588.346

Fonte: Anfavea — Anuário da indústria automobilística brasileira de 2008

Tabela 2   Licenciamento de veículos novos no ano de 2008

	Jan. 08	Fev. 08	Mar. 08	Abr. 08	Mai. 08
Automóveis	169.530	158.688	182.356	205.460	191.262

Fonte: Anfavea

QUESTÕES

1. Analise os dados da Tabela 1 e faça uma previsão para os próximos cinco anos. Aplique os diversos métodos abordados durante o capítulo.

2. Com os dados da Tabela 2, faça uma previsão do licenciamento de automóveis para os 12 meses de 2008. Qual é, em sua concepção, o método mais adequado? Depois de fazer os cálculos, Acesse o site da Anfavea (www.anfavea.com.br) e verifique os dados reais de vendas para esse ano.

3. Quais aspectos econômicos deveriam ser levados em consideração no desenvolvimento de um modelo de previsão de demanda para a indústria automobilística?

Caso elaborado pelo professor André Luís de Castro Moura Duarte do Ibmec São Paulo, baseado em informações disponíveis em <www.anfavea.com.br>.

REFERÊNCIAS SELECIONADAS

ARMSTRONG, J. S. *Long-range forecasting: from crystal ball to computer*. Nova York: John Wiley & Sons, 1995.

ARMSTRONG, J. Scott; COLLOPY, F. "Integration of statistical methods and judgment for time series forecasting: principles from empirical research", In G. Wright and P. Goodwin (eds.), *Forecasting with Judgement*, Nova York: John Wiley and Sons, 1998.

BLATTBERG, R. C.; HOCH, S. J. "Database models and managerial intuition: 50% model + 50% manager", *Management Science*, v. 36, 1990, p. 887–899.

BOWERMAN, Bruce L.; O'CONNELL, Richard T. *Forecasting and time series: an applied approach*, 3. ed., Belmont, CA: Duxbury Press, 1993.

BOWMAN, Robert J. "Access to data in real time: seeing isn't everything", *Global Logistics and Supply-Chain Strategies*, maio. 2002.

CHAMBERS, John C.; MULLICK, Satinder K.; SMITH, Donald D. "How to choose the right forecasting technique", *Harvard Business Review*, jul./ago. 1971, p. 45-74.

"Clearing the cobwebs from the stockroom." *Business Week*, 21 out. 1996, p. 140.

CLEMEN, R. T. "Combining forecasts: a review and annotated bibliography", *International Journal of Forecasting*, v. 5, 1989, p. 559–583.

HUDSON, William J. *Executive economics: forecasting and planning for the real world of business*. Nova York: John Wiley & Sons, 1993.

JENKINS, Carolyn. "Accurate forecasting reduces inventory and increases output at henredon", *APIC — The Performance Advantage*, set. 1992, p. 37–39.

KAKOUROS, Steve; KUETTNER, Dorothea; CARGILLE, Brian. "Measure, then manage" *APICS — The Performance Advantage*, out. 2002, p. 25–29.

KIMES, Sheryl E.; FITZSIMMONS, James A. "Selecting profitable hotel sites at la quinta motor inns", *Interfaces*, v. 20, n. 2, 1990, p. 12–20.

LI, X. "An intelligent business forecaster for strategic business planning", *Journal of Forecasting*, v. 18, n. 3, 1999, p. 181–205.

LIM, J. S.; O'CONNOR, M. "Judgmental forecasting with time series and causal information", *International Journal of Forecasting*, v. 12, 1996, p. 139–153.

MELNYK, Steven. "1997 forecasting software product listing", *APICS — The Performance Advantage*, abr. 1997, p. 62–65.

MITCHELL, Robert L. "Case study: Unilever crosses the data streams", *Computerworld*, 17 dez. 2001.

MOON, Mark A.; MENTZER, John T.; THOMAS Jr., Dwight E. "Customer demand planning at Lucent Technologies: a case study in continuous improvement through sales forecast auditing", *Industrial Marketing Management*, v. 29, n. 1, 2000.

Principles of forecasting: a handbook for researchers and practitioners. J. Scott Armstrong (ed.). Norwell, MA: Kluwer Academic Publishers, 2001. Visite também: www-marketing.wharton.upenn.edu/forecast para obter mais informações sobre previsões, incluindo FAQs, árvore de metodologia de previsão e um dicionário.

RAGHUNATHAN, Srinivasan. "Interorganizational collaborative forecasting and replenishment systems and supply-chain implications", *Decision Sciences*, v. 30, n. 5, 1999, p. 1053–1067.

SANDERS, Nada R.; RITZMAN, Larry P. "Bringing judgment into combination forecasts", *Journal of Operations Management*, v. 13, 1995, p. 311–321.

SANDERS, Nada R.; MANRODT, Karl B. "Forecasting in practice: use, satisfaction, and performance", *Interfaces*, v. 33, n. 5, 2003, p. 90–93.

_____ "The need for contextual and technical knowledge in judgmental forecasting", *Journal of Behavioral Decision Making*, v. 5, n. 1, 1992, p. 39–52.

SCHACHTMAN, Noah. "Trading partners collaborate to increase sales", *Information Week.com*, 9 out. 2000. Disponível em: <www.informationweek.com/807/cpfr.htm>.

SCHOENBERGER, Chana R. "The weakest link", *Forbes*, 1 out. 2001. Disponível em: <www.forbes.com/forbes/2001/1001/114.print.html>.

SEIFERT, Dirk. *Collaborative planning, forecasting and replenishment: how to create a supply-chain advantage*. Bonn, Alemanha: Galileo Press, 2002.

SMITH, Bernard. *Focus forecasting: computer techniques for inventory control*. Boston: CBI Publishing, 1984.

VICS, "Collaborative planning, forecasting, and replenishment", version 2.0. Disponível em: <www.cpfr.org>, 2002.

WALLACE, Thomas F.; STAHL, Robert A. *Sales forecasting: a new approach*. Cincinnati, OH: T. E. Wallace & Company, 2002.

YURKIEWICZ, Jack. "Forecasting 2000", *OR/MS Today*, v. 27, n. 1, 2000, p. 58–65.

YURKIEWICZ, Jack. "2003 forecasting software survey", *OR/MS Today*, fev. 2003.

14

OBJETIVOS DE APRENDIZAGEM

Depois de ler este capítulo, você será capaz de:

1. Definir planos de vendas e operações.
2. Explicar por que a agregação ajuda o processo de planejamento.
3. Explicar como os planos de vendas e operações relacionam-se com outros planos.
4. Identificar os prós e os contras das alternativas reativa e ativa.
5. Descrever o processo de planejamento.
6. Explicar como planilhas eletrônicas e o método do transporte podem ser usados.

Um funcionário da FedEx faz o escaneamento de um pacote para ser entregue por terra. Como a Internet torna fácil para as pessoas enviarem documentos umas para as outras instantaneamente, a FedEx está agora se concentrando mais no seu serviço terrestre.

Capítulo 14
Planejamento de vendas e operações

WHIRLPOOL CORPORATION

A Whirlpool Corporation, com vendas anuais de mais de 12 bilhões de dólares, 68 mil funcionários e quase 50 centros de fabricação e pesquisa tecnológica ao redor do mundo, fabrica e comercializa uma grande variedade dos eletrodomésticos mais importantes. A empresa é também um dos principais fabricantes de aparelhos de ar condicionado de parede. A demanda por unidades de aparelhos de janela é altamente sazonal e depende de variações climáticas. Geralmente, a Whirlpool começa a produção de aparelhos de parede no outono e os mantém em estoque até que sejam transportados, na primavera. Manter estoque na baixa temporada permite que a empresa ajuste suas taxas de produção durante grande parte do ano e, ainda, satisfaça a demanda nos períodos de pico (primavera e verão), quando os varejistas estão fazendo a maior parte de seus pedidos. Entretanto, quando o verão é mais quente que o habitual, a demanda aumenta dramaticamente, e faltas de estoque podem ocorrer. Se a Whirlpool aumenta sua produção e o verão é quente, ela se prepara para aumentar suas vendas e sua participação no mercado. Contudo, se o verão é ameno, a empresa mantém estoques em excesso de máquinas não vendidas.

A Whirlpool prefere fazer seus planos de produção baseada na média do ano, levando em consideração as previsões da indústria para vendas totais e as sazonalidades tradicionais. As operações globais crescentes da Whirlpool ajudam-na a regularizar as variações de demanda da empresa por todo o mundo. Por exemplo, a alta demanda na América do Norte e na Europa pode compensar as fracas condições econômicas e de negócios na América Latina e na Ásia, e assim por diante.

Fonte: Disponível em: <www.whirlpoolcorp.com/about/default.asp>, mai., 2005.

USANDO OPERAÇÕES PARA COMPETIR

Operações como arma competitiva
Estratégia de operações
Administração de projetos

ADMINISTRANDO PROCESSOS

Estratégia de processos
Análise de processos
Desempenho e qualidade do processo
Administração das restrições
Layout do processo
Sistemas de produção enxuta

ADMINISTRANDO CADEIAS DE VALOR

Estratégia de cadeia de suprimentos
Localização
Administração de estoques
Previsão de demanda
Planejamento de vendas e operações
Planejamento de recursos
Programação

A demanda é, muitas vezes, desigual ao longo do tempo, como vimos no caso da Whirlpool, que vivencia alterações sazonais na demanda por seus produtos. Entretanto, administrar cadeias de valor de modo eficaz requer mais que boas previsões da demanda, que é apenas a primeira metade da equação; a outra metade é o suprimento. A empresa deve elaborar planos para fornecer os recursos necessários a fim de satisfazer a demanda prevista. Esses recursos incluem força de trabalho, materiais, estoques, dinheiro e capacidade de equipamento.

A verificação de que os planos de demanda e suprimento estão em equilíbrio começa com o **S&OP** (*Sales and Operations Planning* — **planejamento de vendas e operações**), processo de planejamento de níveis de recurso agregado ao futuro, que faz com que o suprimento esteja em equilíbrio com a demanda. Algumas vezes chamado *plano agregado*, trata-se de uma declaração das taxas de produção, dos níveis de força de trabalho e armazenamento de uma empresa ou de um departamento, que são coerentes com as previsões de demanda e restrições de capacidade. O plano de vendas e operações é dividido em fases, ou seja, é projetado para vários períodos (como meses) no futuro.

Um plano de vendas e operações para uma empresa de serviços, muitas vezes chamado **plano de provimento de pessoal**, concentra-se no preenchimento de vagas e em outros fatores relacionados aos recursos humanos.

Um plano de vendas e operações de uma empresa industrial, freqüentemente chamado **plano de produção**, geralmente concentra-se em níveis de produção e armazenamento. Para ambos os tipos de empresa, o plano deve equilibrar suprimento e demanda de modo a alcançar o melhor ajuste das medidas de desempenho que algumas vezes são contraditórias, como nível de serviço, estabilidade da força de vendas, custo e lucro. Deve satisfazer a estratégia de operações global e as prioridades competitivas da empresa.

Neste capítulo, nos concentraremos no plano de vendas e operações. Começamos com sua finalidade e com o papel da agregação. Examinamos como ele se relaciona com outros planos e áreas funcionais dentro da empresa, descrevemos um processo de planejamento típico e várias estratégias para lidar com a demanda irregular e concluímos com duas ferramentas para encontrar boas soluções para considerações adicionais: planilhas eletrônicas e o método do transporte.

PLANEJAMENTO DE VENDAS E OPERAÇÕES POR TODA A ORGANIZAÇÃO

O planejamento de vendas e operações é significativo para cada organização da cadeia de valor. Primeiro, ele requer entrada de informações administrativas de todas as atividades da empresa: o departamento de marketing fornece informações sobre a demanda e os requisitos dos clientes, e a contabilidade providencia importantes dados de custo e sobre a situação financeira da empresa. Um dos objetivos do departamento financeiro pode ser reduzir o estoque, ao passo que o departamento de operações pode defender uma força de trabalho mais estável e menos dependente de horas extras. Segundo, cada atividade é afetada pelo plano: um plano de vendas e operações que requer a expansão ou a redução da mão-de-obra tem um impacto direto sobre as atividades de contratação e treinamento do departamento de recursos humanos. Quando o plano é implementado, cria-se processos de receita e custo com os quais o departamento financeiro deve lidar ao administrar os fluxos de caixa da empresa. Terceiro, cada departamento ou grupo de uma empresa tem sua própria força de trabalho: os gerentes dos departamentos devem escolher entre contratar, planejar horas extras ou períodos de férias. O planejamento de vendas e operações é uma atividade para toda a organização, envolve a alta gerência e deve buscar um consenso estável entre os objetivos conflitantes das diferentes áreas funcionais.

A FINALIDADE DOS PLANOS DE VENDAS E OPERAÇÕES

Nesta seção, explicamos por que as empresas precisam de planos de vendas e operações e como elas os utilizam para ter uma visão macro, ou abrangente, de seus negócios. Também discutimos como esse plano relaciona-se com os planos de curto e longo prazos de uma empresa.

AGREGAÇÃO

O plano de vendas e operações é útil porque concentra-se em um curso geral de ação, coerente com as metas e objetivos estratégicos da empresa, sem limitar-se a detalhes. Por exemplo, o plano de vendas e operações permite aos gerentes da Whirlpool determinar se podem atender às metas orçamentárias sem ter de programar, individualmente, cada um dos milhares de produtos e funcionários da empresa. Mesmo que um planejador pudesse preparar um plano tão detalhado, o tempo e o esforço requeridos para atualizá-lo o tornariam antieconômico.

Por essa razão, os planos de provimento de pessoal e produção são preparados agrupando, ou *agregando*, serviços, produtos, unidades de mão-de-obra ou unidades de tempo semelhantes. Por exemplo, um fabricante de bicicletas que produz 12 modelos diferentes pode dividi-las em dois grupos, *mountain bike* e *road bike*, com a finalidade de preparar o plano de vendas e operações. O fabricante também pode considerar as necessidades de sua força de trabalho em termos de unidades de mão-de-obra mensais. Em geral, as empresas executam agregação em três dimensões: serviços ou produtos, mão-de-obra e tempo.

Famílias de produtos Um grupo de clientes, serviços ou produtos que tem requisitos de demanda semelhantes e requisitos de processo, mão-de-obra e materiais em comum é chamado **família de produtos**. Muitas vezes, essas famílias relacionam-se a agrupamentos por mercado ou a processos específicos. Uma empresa pode agregar seus serviços ou produtos em um conjunto de famílias relativamente amplas, evitando excesso de detalhes nessa fase do processo de planejamento. O fabricante de bicicleta que agregou todos os produtos em duas famílias — *mountain bikes* e *road bikes* — é um bom exemplo. Medidas comuns e relevantes, como número de clientes, dinheiro, horas-padrão, litros ou unidades, devem ser usadas para formular planos de vendas e operações para cada família de produtos.

Mão-de-obra Uma empresa também pode agregar sua força de trabalho de vários modos, dependendo de sua flexibilidade. Por exemplo, se os funcionários do fabricante de bicicletas são treinados para trabalhar com *mountain bikes* ou *road bikes*, a fins de planejamento, a gerência pode considerar sua força de trabalho como um grupo agregado único, mesmo que as habilidades individuais de cada funcionário sejam diferentes.

Uma alternativa para a gerência é agregar funcionários por linhas de famílias de produtos, dividindo a força de trabalho em subgrupos e atribuindo um grupo diferente à produção de cada família. Em operações de serviço, como em um governo municipal, os trabalhadores são agregados pelo tipo de serviço que prestam: bombeiros, oficiais de polícia, trabalhadores da área de saneamento e administradores.

Tempo O tempo de planejamento coberto por um plano de vendas e operações é geralmente de um ano, embora isso possa variar em situações diferentes. Para evitar a despesa e o efeito perturbador de freqüentes mudanças nas taxas de produção e na força de trabalho, normalmente são feitos ajustes mensal ou trimestralmente. Em outras palavras, a empresa considera o tempo de modo agregado — meses, trimestres ou estações — em vez de dias ou horas.

Algumas empresas usam períodos de planejamento mensal para a fase inicial do planejamento e períodos trimestrais para a fase final. Na prática, os períodos de planejamento refletem um equilíbrio entre as necessidades (1) de um número limitado de pontos de decisão para reduzir a complexidade do planejamento; e (2) da flexibilidade para ajustar taxas de produção e níveis da força de trabalho quando as previsões de demanda exibem variações sazonais. O fabricante de bicicleta, por exemplo, pode escolher períodos de planejamento mensal, de forma que seja possível fazer ajustes adequados aos níveis de estoque sem mudanças excessivamente perturbadoras para a força de trabalho.

A RELAÇÃO DOS PLANOS DE VENDAS E OPERAÇÕES COM OUTROS PLANOS

Uma avaliação financeira do futuro próximo da organização — isto é, para um ou dois anos adiante — é chamada plano de negócios (em empresas com fins lucrativos) ou plano anual (em atividades sem fins lucrativos). Um **plano de negócios** é uma declaração projetada de renda, custos e lucros. Normalmente, é acompanhado por orçamentos, um balancete projetado (pro forma) e uma declaração de fluxo de caixa projetado, mostrando fontes e alocações do capital. O plano de negócios unifica os planos e as expectativas dos gerentes de operações, finanças, vendas e marketing da empresa. Ele reflete, particularmente, os planos para penetração no mercado, introdução de novos produtos e investimento de capital. Empresas industriais e organizações de serviço com fins lucrativos, como uma loja de varejo, um escritório de advocacia ou um hospital, preparam esses planos. Uma organização de serviço sem fins lucrativos, como a United Way ou um governo municipal, prepara um tipo de plano diferente para avaliação financeira, chamado **plano anual** ou **plano financeiro**.

A Figura 14.1 ilustra as relações entre o plano de negócios ou anual, o plano de vendas e operações e os planos e programações detalhados derivados dele. Para fornecedores de serviços na cadeia de valor, a alta gerência determina a direção e os objetivos da organização no plano de negócios ou anual. Esse plano fornece a estrutura para formular o plano de vendas e operações, que geralmente concentra-se no preenchimento de vagas e em outros fatores relacionados aos recursos humanos em um nível mais agregado. Ele apresenta o número e os tipos de funcionários necessários para satisfazer os objetivos do plano de negócios ou anual.

Baseado no plano de vendas e operações para um fornecedor de serviços, o próximo nível de planejamento é o

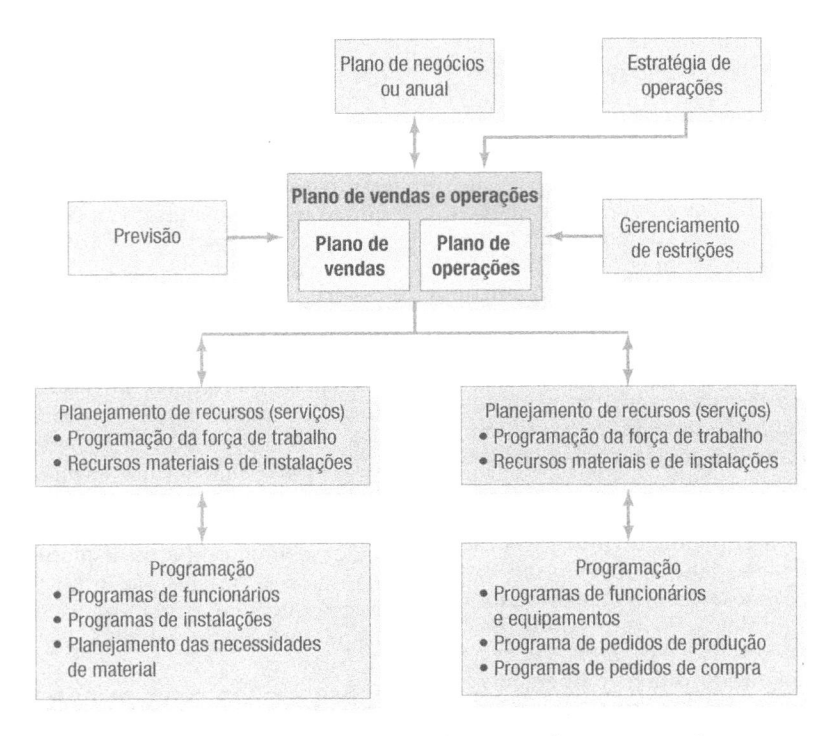

Figura 14.1 A relação do plano de vendas e operações com outros planos

planejamento de recursos, para determinar a programação da força de trabalho e outras requisitos de recursos, como materiais e instalações, em um nível mais detalhado. A *programação da força de trabalho* detalha o programa de trabalho específico para cada categoria de funcionário. Por exemplo, um plano de vendas e operações pode alocar dez oficiais de polícia para o turno diurno em um distrito específico; a programação da força de trabalho pode designar cinco deles para trabalhar de segunda-feira a sexta-feira, e outros cinco para trabalhar de quarta-feira a domingo, a fim de satisfazer as necessidades diárias variadas de proteção policial nesse distrito. A *programação* é o nível de planejamento mais baixo, que reúne programas diários para cada funcionário ou cliente.

Para empresas industriais na cadeia de valor, a alta gerência determina, no plano de negócios, os objetivos estratégicos da empresa para, pelo menos, o ano seguinte. O plano de negócios fornece a estrutura total, junto com entradas de informações que advêm do gerenciamento da estratégia de operações, previsão e restrição de capacidade. O plano de vendas e operações especifica taxas de produção de famílias de produtos e níveis de estoque e da força de trabalho. O planejamento de recursos é o nível de planejamento abaixo do plano de vendas e operações, que se torna específico em relação a produtos individuais dentro de cada família de produtos, materiais comprados e recursos em um nível detalhado. O *programa-mestre de produção* especifica o momento e a quantidade da produção para cada produto das famílias de produtos. O processo de *planejamento das necessidades de materiais* gera, portanto, planos para componentes, materiais comprados e estações de trabalho. Como no caso dos fornecedores de serviços, o nível de planejamento mais baixo e mais detalhado é a programação. Ela reúne os programas ou prioridades dia a dia para funcionários, equipamentos e pedidos de produção ou de compra. Desse modo, o plano de vendas e operações desempenha um papel-chave ao converter as estratégias do plano de negócios em um plano operacional para o processo de fabricação.

Como as setas na Figura 14.1 indicam, as informações se movem em duas direções: de cima para baixo (do mais geral para o mais detalhado) e de baixo para cima (do mais detalhado para o mais geral). Se não for possível elaborar um plano de vendas e operações para satisfazer os objetivos do plano de negócios ou anual com os recursos existentes, o plano pode precisar de alguns ajustes. De modo semelhante, se um programa-mestre de produção ou um programa da força de trabalho viável não puder ser formulado, o plano de vendas e operações pode precisar de algum ajuste. O processo de planejamento é dinâmico, com revisões ou ajustes periódicos baseados em fluxos de informações bilaterais, geralmente com frequência mensal.

O CONTEXTO DAS DECISÕES

Elaborar planos de vendas e operações significa tomar decisões. Nesta seção, concentramo-nos na entrada de informações, nos objetivos, nas alternativas e nas estratégias que fazem parte dessas decisões.

ENTRADAS DE INFORMAÇÕES

Assim como a previsão é necessária quando se trata de demanda, o consenso entre os departamentos da empresa é necessário quando se trata de tomada de decisões em relação ao suprimento. Recorre-se às entradas de informações para criar um plano que funcione para todos. A Figura 14.1 mostra as entradas-chave: o plano de negócios ou anual, a estratégia de operações, as restrições de capacidade e a previsão de demanda. A Figura 14.2 vai além, listando entradas de cada área funcional. Elas devem ser levadas em consideração para se certificar de que o plano é satisfatório e factível. Essa coordenação ajuda a sincronizar o fluxo de serviços, materiais e informações por meio da cadeia de valor, para melhor equilibrar o suprimento e a demanda do cliente.

OBJETIVOS TÍPICOS

As muitas áreas funcionais de uma organização que fornecem informações para o plano de vendas e operações geralmente têm objetivos diferentes para os recursos da organização. Seis objetivos normalmente são considerados durante a elaboração de um plano:

1. *Minimizar custos/maximizar lucros*: se a demanda do cliente não é afetada pelo plano, minimizar custos também maximizará lucros.
2. *Maximizar o nível de serviço*: melhorar o tempo de entrega e a entrega pontual pode requerer força de trabalho, capacidade de máquina ou estoque adicionais.
3. *Minimizar o investimento em estoque*: acúmulos de estoque são dispendiosos porque o dinheiro poderia ser utilizado em investimentos mais produtivos.
4. *Minimizar alterações nas taxas de produção*: alterações freqüentes nas taxas de produção podem gerar dificuldades ao coordenar o suprimento de materiais e requerer o rebalanceamento da linha de produção.
5. *Minimizar alterações nos níveis da força de trabalho*: níveis variáveis da força de trabalho podem ocasionar produtividade mais baixa porque novos funcionários geralmente precisam de tempo para se tornar completamente produtivos.
6. *Maximizar a utilização da planta e do equipamento*: processos de linha capital–intensivos requerem utilização uniformemente alta da planta e do equipamento.

Equilibrar esses diferentes objetivos para chegar a um plano de vendas e operações aceitável envolve a consideração de várias alternativas, cujos tipos básicos são (1) reativas; e (2) agressivas. As alternativas reativas são ações que respondem a dados-padrão de demanda, ao passo que alternativas agressivas são ações que tentam modificar padrões de demanda e, conseqüentemente, requisitos de recursos.

ALTERNATIVAS REATIVAS

Alternativas reativas são ações que podem ser executadas para lidar com requisitos de demanda. Geralmente, um gerente de operações controla esse tipo de alternativa, isto é, ele aceita a demanda prevista como real e modifica os níveis da força de trabalho, horas extras, programas de férias, níveis de estoque, subcontratações e listas de espera planejados para satisfazer essa demanda.

Estoque de antecipação   O **estoque de antecipação** pode ser usado para absorver taxas irregulares de demanda ou suprimento. Por exemplo, uma planta que enfrenta demanda sazonal pode armazenar estoque de antecipação durante períodos de baixa demanda e usá-lo durante períodos de demanda intensa. Fabricantes de aparelhos de ar condicionado, como a Whirlpool, podem ter 90 por cento de sua demanda anual durante apenas três meses. Regularizar as taxas de produção com estoques pode aumentar a produtividade porque ajustes da força de trabalho podem ser dispendiosos. *Estoque de antecipação*, ou adicional, também pode ajudar quando o suprimento, em vez da demanda, é irregular. Por exemplo, uma com-

Figura 14.2 Entradas de informações administrativas de áreas funcionais para planos de vendas e operações

panhia pode se abastecer de certo produto comprado se as expectativas dos fornecedores apontarem para fortes limitações de capacidade. Apesar de suas vantagens, o armazenamento do estoque de antecipação pode ser caro, principalmente se ocorrer o armazenamento do produto final. Além disso, quando serviços ou produtos são personalizados, o estoque de antecipação normalmente não é uma opção. Um produto não pode ser fabricado e estocado se suas especificações são desconhecidas ou se é improvável que os clientes queiram o que foi produzido com antecedência por não satisfazerem seus requisitos.

Os fornecedores de serviços na cadeia de valor geralmente não podem usar estoque de antecipação uma vez que serviços não podem ser armazenados. Em alguns casos, entretanto, serviços podem ser executados antes da necessidade real. Por exemplo, os funcionários de uma companhia telefônica normalmente colocam os cabos em um novo loteamento antes de a construção de moradias começar. Eles podem fazer esse trabalho durante um período em que a carga de serviços programados é baixa.

Ajuste da força de trabalho   A gerência pode ajustar os níveis da força de trabalho contratando ou demitindo funcionários. Essa alternativa pode ser interessante se a mão-de-obra for muito inexperiente ou semi-especializada, e se a força de trabalho for grande. Essas condições são mais comuns em alguns países que em outros. Contudo, para uma empresa específica, o tamanho da força de trabalho qualificada pode limitar o número de novos funcionários, que podem ser contratados em qualquer período. Além disso, novos funcionários devem ser treinados, e a própria capacidade das instalações de treinamento pode limitar o número de novas contratações em qualquer momento. Em algumas indústrias, demitir empregados é difícil ou incomum por razões contratuais (sindicatos); já em outras, como turismo e agricultura, demissões e contratações sazonais são normais.

Utilização da força de trabalho   Uma alternativa para um ajuste da força de trabalho é uma alteração em sua utilização, envolvendo horas extras e *undertime*. **Hora extra** significa que os funcionários trabalham por um período mais longo que a jornada diária ou semanal normal e recebem pagamento adicional por essas horas. Esse procedimento pode ser usado para satisfazer os pedidos de produtos que não podem ser concluídos no horário normal de trabalho. Entretanto, horas extras são caras (normalmente 150 por cento do salário pago pelo tempo normal). Além disso, os trabalhadores, muitas vezes, não querem fazer horas extras por um período prolongado, e horas extras em excesso podem resultar em um declínio da qualidade e da produtividade.

Undertime significa que os funcionários não têm trabalho suficiente para a jornada de trabalho normal do dia ou da semana de trabalho. Por exemplo, eles não podem se manter completamente ocupados durante oito horas por dia ou cinco dias por semana. O *undertime* ocorre quando a capacidade de mão-de-obra supera os requisitos de demanda (líquido do estoque de antecipação), e esse excesso de capacidade não pode ou não deve ser usado de modo produtivo, a fim de armazenar estoques ou satisfazer pedidos do cliente antes das datas de entrega previstas.

O *undertime* pode ser remunerado ou não. Um exemplo de *undertime não remunerado* é o pagamento dos funcionários apenas pelas horas ou dias trabalhados. Talvez eles trabalhem somente durante os horários de pico que surgem durante um dia ou uma semana. Algumas vezes, arranjos de meio expediente fornecem programas de trabalho previsíveis, como as mesmas horas a cada dia durante cinco dias consecutivos da semana. Em outras ocasiões, como no caso de auxiliares de estoque em algumas operações de armazenagem, as programações dos trabalhadores são imprevisíveis e dependem de remessas esperadas pelo cliente nos dias seguintes. Se a carga de trabalho é pouco intensa, alguns trabalhadores não são chamados para trabalhar. Esses acordos são mais comuns em posições de baixa qualificação ou quando a oferta de trabalhadores buscando esse acordo é suficiente. Embora o *undertime* não remunerado possa minimizar os custos, a empresa deve comparar considerações de custo com as questões éticas de um bom empregador.

Um exemplo de *undertime remunerado* é quando os funcionários são mantidos na folha de pagamentos ao invés de serem demitidos. Nessa situação, os funcionários trabalham um dia inteiro e recebem seu salário integral, mesmo sem se manterem ocupados o tempo todo, por causa da carga de trabalho leve. Algumas empresas usam *undertime* remunerado (embora elas não o chamem assim) durante os períodos de pouca atividade, particularmente com funcionários altamente qualificados, difíceis de substituir ou quando existem obstáculos para demiti-los. As desvantagens do *undertime* remunerado incluem o custo do pagamento por trabalho não executado e a produtividade reduzida.

Programação de férias   Um fabricante pode interromper as atividades durante uma calmaria anual nas vendas e dar férias para seus funcionários, deixando um número mínimo necessário de pessoas trabalhando para cobrir operações e executar a manutenção. Funcionários de hospitais poderiam ser encorajados a gozar seu período de férias ou parte dele durante épocas de pouca atividade; mas essa alternativa depende da possibilidade de o empregador poder determinar o cronograma de férias de seus funcionários ou não. De qualquer forma, os funcionários podem ser fortemente desencorajados a tirar férias durante períodos de pico ou encorajados a tirá-las durante períodos de pouca atividade.

Subcontratados   Subcontratados ou terceirizados podem ser usados para aumentar a capacidade no curto prazo, como durante os picos da estação ou do ciclo econômico. Eles podem fornecer serviços, fabricar componentes ou montar produtos parcial ou inteiramente. Se o subcontratado fornecer componentes ou serviços de qualidade igual ou superior e de modo menos dispendioso que a própria empresa, esses acordos podem se tornar permanentes.

Backlogs, pedidos em espera e faltas de estoque
Empresas na cadeia de valor praticam normalmente um

backlog (acúmulo) de pedidos podem permitir que ele cresça durante os períodos de demanda alta e, depois, reduzi-lo durante os períodos de baixa demanda. Um ***backlog*** é um acúmulo de pedidos prometidos para entrega em determinada data futura. Empresas que usam *backlogs* não prometem entrega instantânea, como o fazem atacadistas ou varejistas mais adiante na cadeia de valor. Em vez disso, eles estabelecem um *lead time* entre o momento em que o pedido é colocado e o momento em que ele é entregue. Empresas que são mais aptas a usar *backlogs* — e aumentar seu tamanho durante os períodos de demanda intensa — fabricam ou fornecem produtos ou serviços personalizados. Eles tendem a ter uma estratégia de fabricar sob encomenda ou de serviços personalizados. Exemplos incluem fabricantes de aeronaves (como Boeing e Airbus), consultórios de odontologia, oficinas de conserto de televisão ou automóveis. Os *backlogs* reduzem a incerteza de requisitos de produção futura e também podem ser usados para nivelar esses requisitos. Porém, tornam-se uma desvantagem competitiva se crescerem muito. A rapidez de entrega, muitas vezes, é uma prioridade competitiva importante, mas *backlogs* grandes significam tempos de entrega longos.

Espera-se que fornecedores que oferecem serviços padronizados com pequeno contato com o cliente, e fabricantes com uma estratégia de fabricar para estocar forneçam entrega imediata. Para eles, o nível de serviço insatisfatório durante os períodos de pico de demanda assumem a forma de pedidos em espera e faltas de estoque, em vez de grandes *backlogs*. Um **pedido em espera** é um pedido de um cliente que não pode ser entregue imediatamente, mas o mais rápido possível. Embora o cliente não fique satisfeito com o atraso, seu pedido não é perdido, apenas adiado. Por exemplo, um cliente pode ir a uma loja com a intenção de comprar certo tipo de relógio que está temporariamente fora de estoque. O varejista promete colocar um pedido de reposição assim que for possível e telefonar para o cliente quando o produto chegar.

Uma **falta de estoque** é quase a mesma coisa, exceto pelo fato de que o pedido é perdido e o cliente deve fazê-lo em outro lugar. Um pedido em espera soma-se à solicitação do período seguinte, ao passo que uma falta de estoque não aumenta as solicitações futuras. Pedidos em espera e faltas de estoque podem levar clientes insatisfeitos a fazer seus futuros negócios com outra empresa. Geralmente, pedidos em espera e faltas de estoque devem ser evitados.

Para concluir, decisões sobre o uso de cada alternativa para cada período do horizonte de planejamento especificam a taxa de produção para cada período. Em outras palavras, a taxa de produção é uma função das escolhas entre essas alternativas.

ALTERNATIVAS AGRESSIVAS

Lidar com demanda sazonal ou volátil usando alternativas reativas pode ser custoso. Outra abordagem é tentar alterar padrões da demanda a fim de aumentar a eficiência e reduzir os custos. **Alternativas agressivas** são ações que tentam modificar a demanda e, conseqüentemente, os requisitos de recursos. Geralmente, os gerentes de marketing são responsáveis por especificar essas ações no plano de marketing.

Produtos complementares Uma maneira pela qual uma empresa pode equilibrar a carga sobre recursos é fabricar **produtos complementares** ou serviços que têm requisitos de recursos semelhantes, mas ciclos de demanda diferentes. Por exemplo, fabricantes de pão ázimo (ou asmo) para o feriado da Páscoa judaica fazem parte de um negócio sazonal. A B. Manischewitz Company, uma fabricante de comidas *kosher*[1] em Jersey City, teve, anteriormente, 40 por cento de suas vendas anuais somente nos oito dias de Páscoa. Ela se expandiu em direção a mercados atraentes durante o ano inteiro, como comidas com pouco carboidrato ou pouca gordura, inclusive sopas enlatadas e biscoitos, sopa de beterraba com repolho, mistura para bolo, molhos e pastas, sucos e temperos. Para fornecedores de serviço, os parques de uma cidade e os departamentos de recreação podem contrabalançar requisitos sazonais de provimento de pessoal para atividades do verão, oferecendo atividades como patinação e escorregadores no gelo, em recintos fechados, durante os meses do inverno. A chave é encontrar serviços e produtos que podem ser gerados com os recursos existentes e nivelar a necessidade deles ao longo do ano.

Precificação criativa Campanhas promocionais são projetadas para aumentar vendas com precificação criativa. Exemplos incluem programas de descontos no preço de automóveis, reduções nos preços de roupas de inverno nos últimos meses do verão, preços reduzidos de passagens aéreas para viagens fora dos períodos de pico e vendas de pneus de automóvel 'dois ao preço de um'.

ESTRATÉGIAS DE PLANEJAMENTO

Gerentes podem combinar alternativas reativas e agressivas de vários modos. Até o final deste capítulo, supomos que os resultados esperados das alternativas agressivas já estejam incorporados às previsões de demanda. Aqui, concentramo-nos em alternativas reativas que definem taxas de produção e níveis da força de trabalho. Três estratégias diferentes são pontos de partida úteis ao procurar o melhor plano:

1. *Estratégia de perseguição*: a **estratégia de perseguição** (*chase strategy*) envolve a contratação e a demissão de funcionários para ajustar a previsão de demanda ao longo do horizonte de planejamento. Variar a capacidade de tempo normal da força de trabalho para igualar suprimento à demanda não requer nenhum investimento de estoque, hora extra ou *undertime*. As desvantagens são a despesa de ajustar continuamente os níveis da força de trabalho, sua alienação potencial e a perda de produtividade e qualidade por causa de mudanças constantes.

2. *Estratégia de nivelamento da utilização*: a **estratégia de nivelamento da utilização** envolve manter a força de trabalho constante (exceto, possivelmente, no

---
[1] Comidas elaboradas de acordo com os preceitos religiosos judaicos. (N.T.)

princípio do horizonte de planejamento), mas variar sua utilização para ajustá-la à previsão de demanda por meio de horas extras, *undertime* (remunerado ou não remunerado) e planejamento de férias (isto é, férias remuneradas quando a demanda é baixa). Uma força de trabalho constante pode ser dimensionada em muitos níveis: gerentes podem escolher manter uma força de trabalho grande para minimizar o uso planejado de horas extras durante os períodos de pico (o que, infelizmente, também maximiza a necessidade de *undertime* durante os períodos de pouca atividade). Alternadamente, eles podem escolher manter uma força de trabalho e contar amplamente com horas extras durante os períodos de pico (o que pressiona a força de trabalho e ameaça a qualidade).

3. *Estratégia de nivelamento de estoque*: uma e**stratégia de nivelamento de estoque** mantém tanto a taxa de produção como a força de trabalho constantes (exceto, possivelmente, no princípio do horizonte de planejamento). Lida-se com a variabilidade da demanda por meio de estoque de antecipação, pedidos em espera e faltas de estoque. Os estoques de antecipação são armazenados nos períodos de pouca atividade para cobrir a demanda de pico. Se os estoques não são suficientes, o que falta é coberto com pedidos em espera e faltas de estoque. Mais uma vez, a força de trabalho constante pode ser dimensionada em muitos níveis.

É improvável que o uso de uma única estratégia gere o plano de vendas e operações mais aceitável. Nem a força de trabalho nem a taxa de produção podem ser mantidas exatamente uniformes, e o suprimento não corresponderá exatamente à demanda prevista em todos os períodos. Estoques de antecipação podem ser armazenados, mas não até a capacidade máxima. Normalmente, a melhor estratégia é, portanto, uma **estratégia mista**, que considera e implementa um conjunto mais completo de alternativas reativas que qualquer estratégia 'pura'. Por exemplo, alguns planos eficazes usam a subcontratação, inclusive auxílio temporário, durante a estação de pico. A seção "Prática gerencial 14.1" descreve a utilização de outra opção — a Hallmark mantém sua força de trabalho estável enquanto usa a flexibilidade do trabalhador para evitar *undertime*.

RESTRIÇÕES E CUSTOS RELEVANTES

Um plano de vendas e operações aceitável deve reconhecer restrições ou custos relevantes. As restrições podem ser limitações físicas ou estar relacionadas a políticas administrativas. Exemplos de restrições físicas incluem instalações de treinamento capazes de atender a apenas um número limitado de novos contratados de cada vez, capacidades de máquinas que limitam a produção máxima ou espaço de armazenamento de estoque inadequado. Restrições de políticas administrativas incluem limitações do número de pedidos em espera ou o uso de subcontratados ou de horas extras, assim como os níveis de estoque mínimos necessários para alcançar os estoques de segurança desejados.

Geralmente, muitos planos podem conter diversas restrições. O planejador normalmente considera vários tipos de custos quando prepara planos de vendas e operações:

1. *Custos do horário normal*: esses custos incluem salário por horário normal de trabalho pago a funcionários, as contribuições e os benefícios, como seguro-saúde, planos odontológicos, previdência social, fundos de aposentadoria e remuneração por férias, feriados e outros tipos de afastamento.

2. *Custos de horas extras*: os salários de horas extras geralmente são 150 por cento do salário de tempo normal, sem benefícios adicionais. Algumas empresas oferecem um valor de 200 por cento para horas extras aos domingos e feriados.

3. *Custos de contratação e demissão*: custos de contratação incluem os custos de anúncios de empregos, entrevistas, programas de treinamento para novos

Horas extras e subcontratação (usando funcionários por meio período) são duas alternativas reativas usadas amplamente no ramo de serviços de saúde para manter os custos sob controle. Entretanto, as enfermeiras se opõem ao uso excessivo dessas alternativas. Nesta foto, enfermeiras diplomadas seguram um cartaz durante uma entrevista coletiva no palácio do governo em Boston, onde foi publicado um estudo dizendo que os níveis de provimento de pessoal nos hospitais por todo o estado estão colocando em risco o tratamento adequado dos pacientes. Protestos semelhantes estão ocorrendo em outros estados norte-americanos, como Califórnia, Havaí, Minnesota, Ohio e Pensilvânia.

PRÁTICA GERENCIAL 14.1 ESTRATÉGIA DE FORÇA DE TRABALHO E O COMPROMISSO COM FUNCIONÁRIOS

Hallmark

A Hallmark, que em 2004 dispunha de uma receita anual de 4,4 bilhões de dólares e 18 mil funcionários trabalhando em tempo integral, gasta recursos consideráveis para fabricar e distribuir, de modo eficaz, mais de 40 mil produtos diferentes, como cartões comemorativos, flores, presentes e artigos de presente para 43 mil estabelecimentos de varejo só nos Estados Unidos. Sem impor demissões, a Hallmark obteve ganhos significativos em eficiência. Nunca usou demissões para ajustar taxas de produção de cartões comemorativos, embora o negócio seja altamente competitivo e sazonal e exiba pequeno crescimento. Por exemplo, mais pessoas comemoram aniversários durante os meses do terceiro trimestre (julho, agosto e setembro) que em qualquer outra época do ano. A flexibilidade dos funcionários é a chave para essa estratégia. As quatro plantas da empresa fabricam milhões de cartões todos os dias, além de papel de presente e outros artigos para festas. Ainda que a tecnologia da indústria torne os processos de produção cada vez mais eficientes em termos de mão-de-obra, a Hallmark segue uma filosofia de treinar seus funcionários continuamente para torná-los mais flexíveis. Por exemplo, um operador de máquina de corte também pode ser um impressor de cartões personalizados, um pintor ou um montador de escritório modulado se necessário. Para manter seus funcionários ocupados, a Hallmark transfere a produção de sua planta em Kansas City para filiais em Topeka, Leavenworth, e Lawrence, Kansas, para manter essas plantas completamente utilizadas. Ela utiliza a planta de Kansas City como sua 'instalação de balanço'; quando a demanda está baixa, os funcionários de Kansas City podem assumir atividades em posições de escrituração, todas no nível de pagamento da fábrica. Eles podem também ficar em salas de aula, aprendendo novas habilidades.

De acordo com o ex-CEO, Irvine O. Hockaday, a Hallmark deve proteger seus funcionários de mercados cíclicos e outros acontecimentos inesperados que fogem de seu controle. A segurança de trabalho acrescentada, entretanto, implica a expectativa de que o desempenho dos funcionários será proporcional a seu pacote de compensação. Essa filosofia é bem-sucedida. Por exemplo, reduzir tempos de preparação para sustentar ciclos de produção curtos é crucial para manter estoques e custos baixos. Os funcionários sugerem modos de reduzir significativamente os tempos de preparação. Uma política de força de trabalho estável é um fator importante que permitiu que a Hallmark se tornasse líder de mercado e capturasse cerca de 57 por cento do mercado doméstico de cartões de oito bilhões de dólares.

Lincoln Electric

A Lincoln Electric, fabricante de equipamento de soldagem, fundada em Cleveland, Ohio, em 1895, ofereceu emprego garantido para aqueles com três ou mais anos de serviço desde a década de 1950. A Lincoln promove treinamento cruzado de funcionários de forma que eles possam ser deslocados para posições e áreas diferentes, conforme surgem as necessidades. Embora uma política de não demitir pareça ser a exceção e não a regra nas corporações norte-americanas, executivos em empresas que não demitem, como a Hallmark e a Southwest Airlines, argumentam que manter seus postos mesmo em tempos terríveis gera lealdade extraordinária, produtividade mais alta e a inovação necessária que permite que suas empresas se recuperem rapidamente, uma vez que a economia melhore. Além disso, empresas que evitam a redução de pessoal também tendem a ter uma vantagem de recrutamento sobre as empresas que habitualmente demitem funcionários, além de fornecerem uma taxa de retorno mais alta a seus acionistas ao longo do tempo. Por outro lado, quando empresas escolhem implementar grandes demissões, os resultados podem ser contrários aos desejados. Quando custos de demissões e readmissões, processos judiciais em potencial de trabalhadores lesados, falta de funcionários quando a economia se recupera e a desconfiança em relação à gerência são levados em conta, os benefícios da redução de pessoal parecem desaparecer.

Fontes: "Loyal to a fault", *Forbes*, 14 mar. 1994, p. 58-60; Stephanie Armour, "Some companies choose no-layoff policy", *USA Today*, 17 dez. 2001, p. 1B; Michelle Conlin, "Where layoffs are a last resort", *Business Week*, 8 out. 2001, p. 42; Elizabeth Smith Barnes, "No layoff policy", *Workforce*, jul. 2003, p. 96-99. Disponível em <www.hallmark.com>, jul. 2005.

---

funcionários e refugos causados por sua inexperiência, perda de produtividade e documentação inicial. Os custos de demissão incluem os custos de entrevistas de demissão, indenização, novo treinamento para trabalhadores e gerentes restantes e produtividade perdida.

4. *Custos de armazenamento*: custos de armazenamento incluem custos que variam com o *nível* de investimento em estoque: os custos do capital preso em estoque, de conservação e armazenamento variáveis, de furto e obsolescência, de seguro e impostos.

5. *Custos de pedido em espera e falta de estoque*: como discutido anteriormente, o uso de pedidos em espera e faltas de estoque pode levar a custos adicionais para expedir pedidos expirados, custos de vendas perdidas e custo potencial de perder um cliente para um concorrente (algumas vezes chamado perda de reputação).

PLANEJAMENTO DE VENDAS E OPERAÇÕES COMO UM PROCESSO

O planejamento de vendas e operações é um processo de tomada de decisão que envolve tanto os planejadores como a gerência. É dinâmico e contínuo, uma vez que os aspectos do plano são atualizados periodicamente, quando novas informações tornam-se disponíveis e novas oportunidades emergem. Trata-se de um processo interfuncional que busca um conjunto de planos que todas as atividades da empresa possam sustentar. Para cada família de produtos, decisões são tomadas com base em dilemas de custo, registros recentes, recomendações de planejadores e gerência de nível médio, e avaliação da equipe executiva.

Artic Air Company – Plano de vendas e operações de abril de 2006

Família: Unidades de janelas médias (fabricar para estocar)   *Unidade de medida:* 100 unidades

Vendas	Histórico J	F	M	A*	M	J	J	A	S	3º 3 Meses**	4º 3 Meses	Meses 13–18	Projeção do ano fiscal ($000)	Plano de negócios ($000)
Nova previsão	45	55	60	70	85	95	130	110	70	150	176	275	$8.700	$8.560
Vendas reais	52	40	63											
Diferença por mês	7	–15	3											
Cumulativo		–8	–5											
Operações														
Novo plano	75	75	75	75	75	85	85	85	75	177	225			
Real	75	78	76											
Diferença por mês	0	3	1											
Cumulativo		3	4											
Estoque														
Plano	85	105	120	125	115	105	60	35	40	198	321			
Real	92	130	143											

QUESTÕES E SUPOSIÇÕES DE DEMANDA
1. Projeto de novo produto a ser lançado em janeiro de 2007.

QUESTÕES DE OFERTA
1. Férias principalmente em novembro e dezembro.
2. Horas extras entre julho e agosto.

* Abril é o primeiro mês do horizonte de planejamento para esse plano corrente. Quando o plano do próximo mês for elaborado, o primeiro mês no horizonte de planejamento será maio e o mês mais recente do histórico será abril (janeiro não será mais mostrado no histórico).

** Essa coluna fornece os totais de vendas, operações e estoques de outubro a dezembro. Por exemplo, a previsão de 150 unidades se converte em uma média de 50 unidades por mês (ou 150/3 = 50).

Figura 14.3 Plano de vendas e operações para família de produtos de fabricação para estocar

Fonte: Thomas F. Wallace. *Sales & operations planning: the how-to handbook,* 2. ed. Cincinatti, OH: T. E. Wallace & Company, 2004.

A Figura 14.3 mostra um plano típico para um fabricante, para uma das famílias de produtos da empresa, fabricados para estocar, expressas em unidades agregadas. Essa planilha simples mostra a interação entre demanda e suprimento. O histórico à esquerda, de janeiro a março, mostra como as previsões estão rastreando as vendas reais e o quanto a produção real se ajusta ao plano. As projeções de estoque são de particular interesse para as finanças porque afetam significativamente os requisitos de caixa do fabricante. As duas últimas colunas, no canto superior direito, mostram como as projeções de vendas do ano fiscal corrente se comparam com o plano de negócios corrente.

Esse plano específico é projetado para 18 meses, começando em abril. As seções de previsão, operações e estoque para os primeiros seis meses são mostradas em uma base mensal. Em seguida, apresenta-se uma base trimestral para os seis meses seguintes. Por fim, os totais para os últimos seis meses no horizonte são apresentados em apenas uma coluna. Essa apresentação visual possibilita mais precisão ao curto prazo e, ainda, cobre satisfatoriamente o futuro — tudo com um número limitado de colunas.

Essa família específica de fabricação para estocar vivencia demanda sazonal alta. O plano de operações é armazenar estoque sazonal na baixa temporada, programar as férias o máximo possível em novembro e dezembro, e usar horas extras na estação de pico de junho, julho e agosto. As planilhas de planejamento usam formatos diferentes, dependendo da estratégia de produção e estoque. Para uma estratégia de montar sob encomenda, o estoque não consiste em bens acabados. Em vez disso, é um estoque de componentes padronizados e montagens parciais formado para as operações de acabamento e montagem. Para a estratégia de fabricação sob encomenda, a seção de estoque no plano da Figura 14.3 é substituída por uma seção mostrando as quantidades de *backlog* de pedido planejadas e reais.

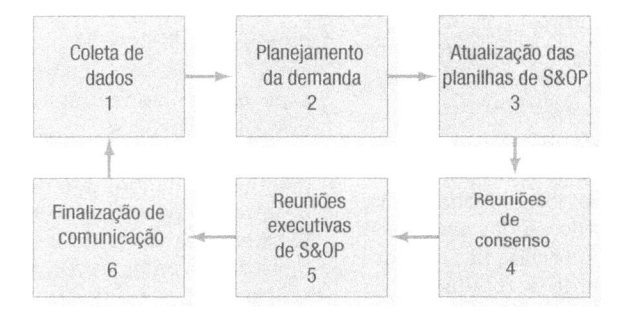

Planos para fornecedores de serviços são bastante diferentes. Primeiro, planos para esse tipo de fornecedor não contêm uma seção de estoque, mas concentra-se, em vez disso, na demanda e no suprimento de recursos humanos. As previsões são normalmente expressas em termos de funcionários requeridos, com linhas separadas para o horário normal, horas extras, férias, trabalhadores de meio período e assim por diante. Departamentos ou classificações de trabalhadores diferentes substituem as famílias de produtos.

O processo em si, geralmente feito mensalmente, consiste em seis passos básicos. Eles são muito semelhantes aos passos que discutimos no Capítulo 13, "Previsão de demanda".

Passo 1: Começar a 'avançar' o plano para o novo horizonte de planejamento. Começar o trabalho preliminar logo após o fim do mês. Atualizar os arquivos com vendas, produção, estoque, custos e restrições reais.

Passo 2: Participar da previsão e do planejamento de demanda para criar as previsões de demanda autorizadas. Para fornecedores de serviço, as previsões são requisitos de pessoal para cada grupo de trabalho. Por exemplo, um diretor de enfermagem de um hospital pode desenvolver um índice de carga de trabalho para o pessoal de enfermagem e planejar uma projeção mensal de carga de pacientes em uma quantidade total equivalente de tempo de atendimento da enfermagem — e, desse modo, o número de enfermeiras — requerido para cada mês.

Passo 3: Atualizar a planilha de planejamento de vendas e operações para cada família, reconhecendo restrições e custos relevantes, inclusive disponibilidade de materiais de fornecedores, instalações pequenas (que reduz a capacidade de treinar, de cada vez, um número considerável de novos contratados), capacidades de máquina ou espaço de armazenamento limitado. Restrições de políticas administrativas incluem limitações na quantidade de pedidos em espera ou a utilização de funcionários subcontratados ou horas extras, assim como limitações nos níveis de estoque mínimos necessários para alcançar estoques de segurança esperados. Geralmente, muitos planos podem satisfazer um conjunto específico de restrições. O planejador procura um plano que equilibre melhor custos, nível de serviço, estabilidade da força de trabalho etc. Esse processo pode precisar de várias revisões.

Passo 4: Ter uma ou mais reuniões com as partes interessadas para que se estabeleça o melhor modo de equilibrar suprimento e demanda. Os participantes podem incluir o gerente da cadeia de suprimentos, o gerente da planta, o controlador, o gerente de compras, o gerente de controle de produção ou o gerente de logística. A meta é um conjunto de recomendações para apresentar na reunião executiva de planejamento de vendas e operações da empresa. Onde não for possível chegar a um acordo, preparar perspectivas de planos alternativos. Preparar também um parecer financeiro atualizado dos negócios por meio dos planos de todas as famílias de produtos em uma planilha expressa em valores totais.

Passo 5: Apresentar recomendações por família de produtos na reunião executiva de S&OP, que normalmente inclui o presidente da empresa e os vice-presidentes de áreas funcionais. O plano é revisado em relação ao plano de negócios, questões de novos produtos, projetos especiais e outros fatores relevantes. Os executivos podem solicitar alterações finais no plano, tais como equilibrar melhor objetivos conflitantes. A aceitação desse plano aprovado não significa necessariamente que todos estejam totalmente de acordo, mas implica que todos trabalhem para alcançar o plano.

Passo 6: Atualizar as planilhas para refletir o plano aprovado e comunicar os planos aos *stakeholders* importantes para a implementação. Receptores importantes incluem os que fazem o planejamento de recursos, abordados no próximo capítulo.

FERRAMENTAS DE APOIO À DECISÃO

O plano de vendas e operações na Figura 14.3 não mostra muito sobre as alternativas reativas usadas no plano de operações nem suas implicações de custos. Aqui discutimos duas ferramentas de apoio à decisão que fazem exatamente isso: planilhas eletrônicas e o método do transporte. Ambas as técnicas podem ser usadas como atividade paralela quando um planejador elabora planos prospectivos no Passo 3 do processo de planejamento.

PLANILHAS ELETRÔNICAS

Diferentes planilhas eletrônicas podem ser usadas, inclusive a que você mesmo elaborar. Aqui trabalhamos com o 'Solver de planejamento de vendas e operações' do OM Explorer. A Figura 14.4 mostra um plano para um fabricante, que usa todas as alternativas reativas, exceto horas extras.

Planilhas eletrônicas para um fabricante A parte superior da planilha (mais clara) mostra os *valores de entrada*, que dão os requisitos de demanda prevista e as escolhas de alternativas reativas por período. Varie essas 'alavancas' à medida que procura por planos melhores.

A parte seguinte da planilha (mais escura) mostra os *valores derivados*, que devem resultar dos valores de entrada. A primeira linha de valores derivados é chamada *tempo utilizado*, que é a porção do tempo normal da força de trabalho que é remunerada e usada de modo produtivo. Em qualquer período, o tempo utilizado é igual ao nível da força de trabalho menos o *undertime* e o tempo de férias. Por exemplo, no período 1, o tempo utilizado é 94 (ou 120 – 6 – 20). As linhas de contratação e demissões podem ser derivadas dos níveis de mão-de-obra. Nesse exemplo, a força de trabalho é aumentada para o período 2, de 120, seu tamanho inicial, para 158 funcionários, o que significa que 38 funcionários são contratados. Uma vez que o tamanho da força de trabalho permanece constante ao longo do horizonte de planejamento, não ocorrem outras contratações ou demissões. Algumas vezes, horas extras e *undertime* podem ser derivados diretamente das duas primeiras linhas de valores de entrada. Quando o nível da força de trabalho de um período é superior à demanda prevista, as horas extras são zero, e o *undertime* é igual à diferença. Por outro lado, quando o nível da força de trabalho de um período é menor que a demanda prevista, o *undertime* é zero, e as horas extras são iguais à diferença. De modo geral, quando alternativas adicionais — como férias, estoque e pedidos em espera — são todas possíveis, as horas extras e *undertime* não podem ser derivados apenas de informações sobre a demanda prevista e os níveis da força de trabalho. Desse modo, *undertime* e horas extras são mostrados como valores de entrada (em vez de valores derivados) na planilha eletrônica, e o usuário deve ser cuidadoso para especificar valores de entrada compatíveis.

DESAFIO GERENCIAL

PLANEJAMENTO DE VENDAS E OPERAÇÕES NA STARWOOD

Viagens de negócios, muitas vezes, significam pernoitar em um hotel. Na chegada, você pode ser recebido por um porteiro ou camareiro que o ajudará com sua bagagem. O pessoal de *front office* aguarda seu check-in. Nos bastidores, o pessoal da administração interna, da manutenção e da culinária prepara sua estada. Fazer uma reserva informa o hotel sobre seus planos, mas mesmo antes de sua viagem começar, o hotel já possui uma equipe e está pronto. Como? Por meio de um processo chamado *planejamento de vendas e operações*.

O planejamento de vendas e operações é um processo que toda organização executa de algum modo. Chamado plano de provimento de pessoal (ou planejamento de recursos de serviços, se for mais detalhado) em organizações de serviços, o plano deve atingir o nível correto de serviço para o cliente e, ao mesmo tempo, manter a estabilidade da força de trabalho e o controle de custos, de modo a alcançar as expectativas de lucros da organização. Desse modo, por onde as empresas começam? Examinemos a Starwood Hotels and Resorts para ver como isso é feito.

A Starwood opera mais de 750 locais ao redor do mundo. Nos níveis mais altos, a empresa se dedica ao planejamento de vendas e operações em uma base anual, com ajustes feitos, conforme a necessidade, a cada mês, por região e por propriedade. A receita estimada e outras projeções vêm da sede; as regiões e propriedades individuais, em seguida, analisam as previsões para satisfazer a ocupação esperada para cada uma delas. Normalmente, o diretor de recursos humanos determina a combinação de provimento de pessoal necessária em divisões como serviços de alimentação e bebida, quartos (inclusive serviços de administração interna, spa e hospedagem), engenharia, Seis Sigma, gerenciamento de receita e contabilidade.

No nível da propriedade, gerentes gerais e seu pessoal devem fornecer informações para o plano do ano seguinte ao mesmo tempo em que implementam e monitoram a atividade do ano corrente. Para a maioria das propriedades, a folha de pagamento é responsável por cerca de 40 por cento das receitas estimadas e representa a maior despesa individual em que o hotel incorre. Contudo, é a mais controlável. Muitos dos hotéis e a maioria dos resorts vivenciam padrões de sazonalidade que afetam a demanda por quartos e serviços. Essa sazonalidade, por sua vez, afeta significativamente o plano de provimento de pessoal da organização.

Para determinar os níveis de provimento de pessoal, a empresa usa um programa de software patenteado que modela a demanda de ocupação baseando-se em dados históricos. Os direcionadores-chave do provimento de pessoal são quartos ocupados e refeições do restaurante, chamados 'coberturas'. A Starwood sabe, em uma base *por quarto* e *por cobertura*, quanto pessoal é necessário para operar corretamente. Quando a ocupação e as coberturas são inseridas no software, o resultado recomenda um nível de provimento de pessoal para cada divisão, que é, em seguida, revisada pelos gerentes de divisão e ajustada, conforme necessário, para se assegurar de que estão de acordo com os planos financeiros estimados. Feiras de trabalho para recrutar pessoal não-administrativo são realizadas várias vezes por ano e, desse modo, um grupo de candidatos qualificados, tanto para trabalhar meio período quanto para período integral, está pronto para ser utilizado quando necessário. A maioria dos hotéis mantém uma reserva de trabalhadores de meio expediente que pode reduzir ou aumentar as horas trabalhadas se os níveis de hóspedes da propriedade a exigirem. Férias para a gerência são programadas para a baixa estação. Horas extras são empregadas se necessário, mas é menos desejável que programar o nível apropriado de pessoal em cada divisão.

Um software que modela a ocupação baseado em dados históricos ajuda a Starwood a manter níveis de pessoal apropriados a seus hotéis. Os gerentes sabem, em uma base *por quarto*, ou *por cobertura*, quantos funcionários do hotel devem ser programados de modo que os clientes recebam um atendimento satisfatório.

O programa também leva em conta tanto a complexidade como o posicionamento da propriedade dentro da Starwood. Por exemplo, um hotel urbano com 400 quartos que é, essencialmente, um edifício alto, não é tão complexo como um espaçoso resort com os mesmos 400 quartos mais campo de golfe, spa, salas para conferências e outros serviços que o hotel na cidade não oferece. A situação social e econômica também é importante: as expectativas de atendimento ao consumidor de um resort cinco estrelas são muito maiores que as de um hotel três estrelas localizado perto do aeroporto, além de requerer uma proporção muito mais elevada de pessoal para convidados. Por fim, se o hotel é uma propriedade nova, dados históricos de propriedades semelhantes serão usados para modelar o provimento de pessoal para o primeiro ou para os primeiros dois anos de operações.

A Starwood tenta modificar a demanda e regularizar seus picos e vales. Muitas das empresas hoteleiras vivenciam três estações: alta, média (chamada 'anteparo') e baixa. A Starwood, assim como seus concorrentes, oferece taxas especiais, pacotes familiares e finais de semana especiais para atrair segmentos diferentes do mercado durante os períodos mais inativos dos negócios. O pessoal recebe treinamento cruzado para trabalhar em áreas múltiplas, como recepção e portaria, e, assim, não há necessidade de se acrescentar pessoal ao longo das estações. Funcionários também podem ser temporariamente transferidos entre as propriedades da Starwood para ajudar durante os períodos de pico. Por exemplo, quando se prevê que a ocupação será alta em uma região do país, o pessoal de áreas que estão em sua baixa estação será designado para cobrir a demanda.

> **Perguntas**
>
> 1. Em que pontos do processo de planejamento você espera que os departamentos de contabilidade–finanças, marketing, sistemas de informações e operações desempenhem um papel? Que informações essas áreas devem fornecer e por quê?
> 2. A Starwood emprega uma estratégia de perseguição, de nivelamento de utilização, de nivelamento de estoque ou mista? Por que essa abordagem é a melhor escolha para a empresa?
> 3. Como o provimento de pessoal para a abertura de um novo hotel ou resort difere do de uma propriedade existente? Em que dados a Starwood pode confiar para se certificar de que a nova propriedade não possui uma equipe maior ou menor que o necessário em seu primeiro ano de operação?

A parte final da planilha, os *valores calculados* do plano, mostra as conseqüências de custos do plano. Junto com considerações qualitativas, o custo de cada plano determina se ele é satisfatório ou se se deve considerar uma revisão. Quando se buscam pistas sobre como melhorar um plano já avaliado, identificamos seus elementos de custo mais altos. Revisões que reduzam esses custos específicos podem gerar um novo plano com custos totais mais baixos. Programas de planilha eletrônica facilitam a análise desses planos e apresentam um novo conjunto de possibilidades para elaboração de planos de vendas e operações confiáveis.

O plano na Figura 14.4 definitivamente é para um fabricante, porque usa estoque em seu benefício, particularmente nos dois primeiros períodos, e trata-se, claramente, de uma estratégia mista. O nível da força de trabalho se altera no período 2, mas não corresponde exatamente à demanda prevista, como no caso da estratégia de perseguição. Ele tem alguns elementos da estratégia de nivelamento da utilização, porque *undertime* e o período de férias são parte do plano, mas não conta exclusivamente com essa estratégia. Por fim, tem alguns elementos da estratégia de nivelamento de estoque, uma vez que estoque e pedidos em espera são usados, mas a força de trabalho não é uniforme. Além disso, a subcontratação também coloca o plano na categoria de uma estratégia mista.

Deve-se atentar para o reconhecimento de diferenças no modo como as entradas são medidas. O nível da força de trabalho pode ser expresso como o número de funcionários, mas a demanda e o estoque previstos são expressos como unidades do produto. As planilhas eletrônicas do OM Explorer requerem uma unidade de medida comum e, por isso, devemos converter alguns dados antes de inserir os valores de entrada. Talvez a abordagem mais fácil seja expressar a demanda prevista e as alternativas reativas como equivalentes a funcionários–período. Se previsões de demanda são dadas como unidades de produto, podemos convertê-las em funcionário–período dividindo-as pela produtividade de um trabalhador. Por exemplo, se a demanda é de 1.500 unidades de produto, e o funcionário-médio fabrica 100 unidades em um período, o requisito de demanda é equivalente a 15 funcionários–período.

	1	2	3	4	5	6	Total
Entradas							
Demanda prevista	24	142	220	180	136	168	870
Nível da força de trabalho	120	158	158	158	158	158	910
Undertime	6	0	0	0	0	0	6
Horas extras	0	0	0	0	0	0	0
Período de férias	20	6	0	0	4	10	40
Período de subcontratação	0	0	0	0	0	6	6
Pedidos em espera	0	0	0	4	0	0	4
Derivados							
Tempo utilizado	94	152	158	158	154	148	864
Estoque	70	80	18	0	14	0	182
Contratações	0	38	0	0	0	0	38
Demissões	0	0	0	0	0	0	0
Calculados							
Custo do tempo utilizado	$376.000	$608.000	$632.000	$632.000	$616.000	$592.000	$3.456.000
Custo de *undertime*	$24.000	$0	$0	$0	$0	$0	$24.000
Custo de horas extras	$0	$0	$0	$0	$0	$0	$0
Custo do período de férias	$80.000	$24.000	$0	$0	$16.000	$40.000	$160.000
Custo de estoque	$2.800	$3.200	$720	$0	$560	$0	$7.280
Custo de pedidos em espera	$0	$0	$0	$4.000	$0	$0	$4.000
Custo de contratação	$0	$91.200	$0	$0	$0	$0	$91.200
Custo de demissão	$0	$0	$0	$0	$0	$0	$0
Custo de subcontratação	$0	$0	$0	$0	$0	$43.200	$43.200
Custo total	$482.800	726.400	632.720	636.000	632.560	675.200	$3.785.680

Figura 14.4 Plano do fabricante usando uma planilha eletrônica e estratégia mista

> **EXEMPLO 14.1** — Usando as estratégias de perseguição e de nivelamento da utilização como pontos de partida

A gerente de um grande centro de distribuição deve determinar quantos auxiliares de estoque de meio expediente deve manter na folha de pagamentos. Ela quer elaborar um plano de provimento de pessoal que minimize custos totais e pretende começar com as estratégias de perseguição e de nivelamento da utilização. Para a estratégia de nivelamento da utilização, ela prefere começar com um nível da força de trabalho que satisfaça a demanda com o uso mínimo de *undertime*.

Primeiro, a gerente divide o ano seguinte em seis períodos, cada um com dois meses de duração. Cada funcionário de meio expediente pode trabalhar, no máximo, 20 horas por semana em tempo normal, mas o número real pode ser menor. Em vez de pagar *undertime*, cada dia de trabalho é reduzido durante os períodos de pouca atividade. Uma vez inserido na folha de pagamento, cada trabalhador é mantido ocupado todos os dias, mas eles podem trabalhar apenas algumas horas. Horas extras podem ser usadas durante os períodos de pico.

A demanda prevista do centro de distribuição é apresentada como o número de funcionários de meio expediente necessários para cada período no tempo normal com um máximo de 20 horas por semana. Por exemplo, no período 3, estima-se que serão necessários 18 funcionários de meio expediente trabalhando 20 horas por semana em tempo normal.

O Active Model 14.1 no site de apoio do livro mostra o impacto de se alterar o nível da força de trabalho, a estrutura de custos e a capacidade de horas extras.

	Período						
	1	2	3	4	5	6	Total
Demanda prevista*	6	12	18	15	13	14	78

*Número de funcionários de meio expediente

No momento, dez balconistas de meio expediente estão empregados, e eles não foram excluídos da demanda prevista apresentada. As restrições e informações de custo são as seguintes:

a. o tamanho das instalações de treinamento limita em dez o número de novas contratações em qualquer período;

b. não são permitidos pedidos em espera; a demanda deve ser satisfeita a cada período;

c. as horas extras não podem ser superiores a 20 por cento da capacidade do tempo normal (isto é, quatro horas) em qualquer período. Portanto, o máximo que qualquer funcionário de meio expediente pode trabalhar é 1,20(20) = 24 horas por semana;

d. os custos seguintes podem ser determinados:

nível salarial do tempo normal	2.000 dólares por período de 20 horas por semana
remuneração por horas extras	150 por cento da taxa do tempo regular
contratações	1.000 dólares por pessoa
demissões	500 dólares por pessoa

Cercado por milhares de bastões de esqui, um trabalhador de meio expediente separa e faz o inventário de novos produtos no departamento de recebimento do centro de distribuição da REI, em Sumner, Washington. A REI emprega um percentual elevado de trabalhadores de meio expediente, muitos dos quais são estudantes universitários, que tendem a ser jovens que participam de esportes ao ar livre e têm familiaridade com o equipamento que a REI vende.

	1	2	3	4	5	6	Total
Entradas							
Demanda prevista	6	12	18	15	13	14	78
Nível da força de trabalho	6	12	18	15	13	14	78
Undertime	0	0	0	0	0	0	0
Horas extras	0	0	0	0	0	0	0
Derivados							
Tempo utilizado	6	12	18	15	13	14	78
Contratações	0	6	6	0	0	1	13
Demissões	4	0	0	3	2	0	9
Calculados							
Custo do tempo utilizado	$12.000	$24.000	$36.000	$30.000	$26.000	$28.000	$156.000
Custo de *undertime*	$0	$0	$0	$0	$0	$0	$0
Custo de contratação	$0	$6.000	$6.000	$0	$0	$1.000	$13.000
Custo de demissão	$2.000	$0	$0	$1.500	$1.000	$0	$4.500
Custo total	$14.000	30.000	42.000	31.500	27.000	29.000	$173.500

Figura 14.5 Planilha eletrônica para a estratégia de perseguição

O Tutor 14.1 no site de apoio do livro fornece um novo exemplo de plano usando a estratégia de perseguição com contratações e demissões.

SOLUÇÃO

a. Estratégia de perseguição

Essa estratégia envolve simplesmente ajustar a força de trabalho como for necessário para satisfazer a demanda, como mostrado na Figura 14.5. Linhas na planilha que não são utilizadas (como estoque e férias) não são incluídas. A linha de nível da força de trabalho é idêntica à linha da demanda prevista. Um grande número de contratações e demissões deve ser controlado, começando com a demissão de quatro funcionários de meio expediente imediatamente, porque o número atual de pessoas é dez e o nível de pessoal requerido no período 1 é de apenas seis. Entretanto, muitos funcionários, como estudantes universitários, preferem empregos de meio expediente. O custo total é de 173.500 dólares, e a maior parte do aumento de custos advém das contratações e demissões freqüentes, que acrescentam 17.500 dólares aos custos do tempo normal utilizado.

b. Estratégia de nivelamento da utilização

A fim de minimizar o *undertime*, o uso máximo de horas extras deve ocorrer no período de pico. Para essa estratégia, o máximo de horas extras que a gerente pode utilizar é 20 por cento da capacidade do tempo regular, w, assim

$$1,20w = 18 \text{ funcionários requeridos no período de pico (período 3)}$$

$$w = \frac{18}{1,20} = 15 \text{ funcionários}$$

Um quadro de 15 funcionários minimiza a quantidade de *undertime* para a estratégia de nivelamento. Uma vez que o número de pessoal já inclui dez funcionários de meio expediente, a gerente deve contratar imediatamente mais cinco.

	1	2	3	4	5	6	Total
Entradas							
Demanda prevista	6	12	18	15	13	14	78
Nível da força de trabalho	15	15	15	15	15	15	90
Undertime	9	3	0	0	2	1	15
Horas extras	0	0	3	0	0	0	3
Derivados							
Tempo utilizado	6	12	15	15	13	14	75
Contratações	5	0	0	0	0	0	5
Demissões	0	0	0	0	0	0	0
Calculados							
Custo do tempo utilizado	$12.000	$24.000	$30.000	$30.000	$26.000	$28.000	$150.000
Custo de *undertime*	$0	$0	$0	$0	$0	$0	$0
Custo de horas extras	$0	$0	$9.000	$0	$0	$0	$9.000
Custo de contratação	$5.000	$0	$0	$0	$0	$0	$5.000
Custo de demissão	$0	$0	$0	$0	$0	$0	$0
Custo total	$17.000	24.000	39.000	30.000	26.000	28.000	$164.000

Figura 14.6 Planilha eletrônica para estratégia de nivelamento da utilização com horas extras e *undertime* mínimo

O Tutor 14.2 no site de apoio do livro fornece um novo exemplo de planejamento usando a estratégia de nivelamento da utilização com horas extras e undertime.

O plano completo é apresentado na Figura 14.6. O custo total é de 164.000 dólares, o que parece razoável porque o custo mínimo concebível é de apenas 156.000 dólares (78 períodos x 2.000 dólares/período). Esse custo pode ser alcançado apenas se a gerente encontrar um modo de cobrir a demanda prevista para todos os 78 períodos com o tempo normal. O plano parece razoável principalmente porque envolve o uso de grandes quantidades de *undertime* (15 períodos), o que, neste exemplo, não são remunerados.

Ponto de decisão A gerente, que agora tem um ponto de referência para comparar com diferentes planos, decidiu avaliar alguns outros antes de fazer uma escolha, começando com a estratégia de perseguição. O único modo de reduzir custos é diminuir, de alguma maneira, o prêmio para três períodos de horas extras de funcionários (3 períodos x 3.000 dólares/período) ou reduzir o custo de contratação de cinco funcionários (5 contratações x 1.000 dólares/pessoa). Entretanto, é possível encontrar soluções melhores. Por exemplo, o *undertime* pode ser reduzido adiando a contratação até o período 2, porque a força de trabalho corrente é suficiente. Esse adiamento diminuiria a quantidade de *undertime* não remunerado, o que é uma melhoria qualitativa. Veja o Modelo Ativo 14.1 para ter outros critérios.

Planilhas eletrônicas para um fornecedor de serviços As mesmas planilhas eletrônicas podem ser usadas por fornecedores de serviços, à exceção de que o estoque de antecipação não é uma opção. Ao passo que a Figura 14.4 mostra um bom plano encontrado após várias revisões, o Exemplo 14.1 ilustra como encontrar um bom plano para um fornecedor de serviços, começando com duas estratégias puras: a de perseguição e a de nivelamento da utilização. Essas abordagens podem fornecer percepções que levem a planos de estratégia mistos ainda melhores.

O MÉTODO DO TRANSPORTE

A principal vantagem da abordagem de planilhas eletrônicas é sua simplicidade. Entretanto, o planejador ainda deve fazer muitas escolhas para cada período do horizonte de planejamento para que se possa formular o melhor plano possível. As conseqüências de custos do plano escolhido são significativas e, dessa forma, deve-se pensar bastante ao fazer a análise. Vários métodos matemáticos podem ajudar com esse processo de busca. A programação linear é particularmente eficiente porque pode incluir todas as alternativas reativas, inclusive variáveis de decisão de contratação e demissão. Para aprender mais sobre seu uso, veja o tutorial no site de apoio do livro.

Aqui, apresentamos e demonstramos o **método do transporte de planejamento da produção**, um caso especial de programação linear. Anteriormente, aplicamos esse método para localizar uma instalação dentro de uma rede de instalações. O método do transporte, quando aplicado ao planejamento de vendas e operações, é particularmente útil ao determinar estoques de antecipação. Desse modo, está mais relacionado aos planos de produção dos fabricantes que aos planos de provimento de pessoal dos fornecedores de serviços. De fato, os níveis da força de trabalho para cada período são entradas para o método do transporte, e não resultados. Planos diferentes de ajuste da força de trabalho devem ser avaliados. Assim, várias soluções do método do transporte podem ser obtidas antes de um plano final ser selecionado.

O uso do método do transporte para o planejamento da produção é baseado na suposição de que uma previsão de demanda está disponível para cada período, juntamente com um possível plano de ajuste da força de trabalho. Os limites de capacidade de horas extras e o uso de subcontratados também são necessários para cada período. Outra suposição é que todos os custos estão relacionados de modo linear à quantidade de bens produzidos; isto é, uma mudança nessa quantidade gera uma mudança proporcional nos custos.

Para elaborar um plano de vendas e operações para um fabricante, fazemos o seguinte:

1. obtemos as previsões de demanda para cada período a ser coberto pelo plano de vendas e operações e identificamos o nível de estoque inicial disponível atualmente, que pode ser usado para satisfazer a demanda futura;

2. selecionamos um 'candidato' a plano de ajuste da força de trabalho usando uma estratégia de perseguição, de nivelamento da utilização, de nivelamento de estoque ou mista. Especificamos os limites de capacidade de cada alternativa de produção (tempo normal, horas extras e subcontratação) para cada período coberto pelo plano;

3. estimamos o custo de armazenamento de estoque e o custo das alternativas de produção possíveis (produção no tempo normal, produção com horas extras e subcontratação);

4. inserimos as informações coletadas nos passos 1, 2 e 3 em uma rotina de computador que resolva o problema do transporte. Depois de obter a solução, calculamos os níveis de estoque de antecipação e identificamos os maiores elementos de custo do plano;

5. Repita o processo com outros planos para capacidade de tempo normal, horas extras e subcontratação até encontrar a solução que melhor equilibre considerações de custo e qualidade. Embora esse processo envolva tentativa e erro, o método do transporte rende a melhor combinação de tempo normal, horas extras e subcontratação para cada plano de capacidade.

O Exemplo 14.2 demonstra essa abordagem usando o pacote POM for Windows. Você pode, em vez disso, usar o solver de Método do Transporte de Planejamento da Produção do OM Explorer.

Preparando um plano de produção com o método do transporte

EXEMPLO 14.2

A Companhia Tru-Rainbow fabrica uma variedade de produtos de pintura, tanto para uso comercial como para uso doméstico. A demanda por tinta é altamente sazonal, com picos no terceiro trimestre. O estoque corrente é de 250 mil galões, e o estoque final deve ser de 300 mil.
O gerente de fabricação da Tru-Rainbow quer determinar o melhor plano de produção, usando os seguintes requisitos de demanda e plano de capacidade. As demandas e capacidades são expressas, aqui, em milhares de galões (em vez funcionário–período). O gerente sabe que o custo do tempo normal é de um dólar por unidade, o de horas extras, 1,50 dólar por unidade, o de subcontratação, 1,90 dólar por unidade e o de armazenamento de estoque, 30 centavos de dólar, por galão a cada trimestre.

	Trimestre				
	1	2	3	4	Total
Capacidades de demanda	300	850	1.500	350	3.000
Tempo normal	450	450	750	450	2.100
Horas extras	90	90	150	90	420
Subcontratação	200	200	200	200	800

O Tutor Opt.2 disponível no site de apoio do livro fornece outro exemplo de planejamento da produção com o método do transporte.

As restrições seguintes se aplicam:

a. o máximo de horas extras admissível em qualquer trimestre é 20 por cento da capacidade do tempo normal do período;
b. o subcontratante pode fornecer um máximo de 200 mil galões em qualquer trimestre. A produção pode ser subcontratada em um período, e o excesso, mantido em estoque para um período futuro, a fim de evitar uma falta de estoque;
c. não são permitidos pedidos em espera ou faltas de estoque.

SOLUÇÃO

A Figura 14.7 mostra a tela do POM for Windows que exibe os dados de entrada básicos. Parece-se muito com a tabela mostrada anteriormente, mas com uma exceção: a demanda para o trimestre 4 é mostrada como 650 mil galões, em vez da previsão de demanda de apenas 350 mil. O número maior reflete o desejo do gerente de ter um estoque final no trimestre 4 de 300 mil galões.

A Figura 14.8 mostra uma segunda tela de como os dados de entrada são convertidos em uma tabela, chamada quadro de transporte. É semelhante à Figura 11.11, no Capítulo 11, "Localização", exceto pelo fato de que, agora, é usada para o planejamento de vendas e operações, em vez de planejamento de localização.

Alguns pontos a serem observados incluem o seguinte:

1. uma linha para cada alternativa de oferta (em vez das 'fontes' ou plantas na Figura 11.12), em uma base trimestral, indica a quantidade máxima que pode ser usada para satisfazer a demanda. A primeira linha é o estoque inicial disponível, e as linhas que se seguem são o tempo normal, as horas extras e a produção de subcontratação em cada um dos quatro trimestres. O estoque inicial pode ser usado para satisfazer a demanda de qualquer um deles. A segunda linha (tempo normal de produção no período 1) também pode ser usada para satisfazer a demanda em qualquer um dos quatro períodos que o plano cobre, e assim por diante.

Período	Demanda	Capacidade de tempo normal	Capacidade de horas extras	Capacidade de subcontratação	Custo unitário	Valor
Trimestre 1	300	450	90	200	Tempo normal	1
Trimestre 2	850	450	90	200	Horas extras	1.5
Trimestre 3	1500	750	150	200	Subcontratação	1.9
Trimestre 4	650	450	90	200	Custo de armazenamento	.3
					Custo de conservação	Não permitido
					Estoque inicial	

Figura 14.7 Dados de entrada para o plano prospectivo da Companhia Tru-Rainbow

	Trimestre 1	Trimestre 2	Trimestre 3	Trimestre 4	Capacidade
Estoque inicial	0	,3	,6	,9	250
Tempo normal no trimestre 1	1	1,3	1,6	1,9	450
Horas extras no trimestre 1	1,5	1,8	2,1	2,4	90
Subcontratação no trimestre 1	1,9	2,2	2,5	2,8	200
Tempo normal no trimestre 2	9999	1	1,3	1,6	450
Horas extras no trimestre 2	9999	1,5	1,8	2,1	90
Subcontratação no trimestre 2	9999	1,9	2,2	2,5	200
Tempo normal no trimestre 2	9999	9999	1	1,3	750
Horas extras no trimestre 3	9999	9999	1,5	1,8	150
Subcontratação no trimestre 3	9999	9999	1,9	2,2	200
Tempo normal no trimestre 3	9999	9999	9999	1	450
Horas extras no trimestre 4	9999	9999	9999	1,5	90
Subcontratação no trimestre 4	9999	9999	9999	1,9	200
Demanda	300	850	1500	650	270

Figura 14.8 Quadro de transporte para a Companhia Tru-Rainbow

Os números na última coluna dão a capacidade máxima disponibilizada para as alternativas de suprimentos. Por exemplo, a capacidade de tempo normal para o trimestre 3 aumenta dos 450 mil galões habituais para 750 mil, a fim de auxiliar o pico de demanda previsto em 1.500.000 galões;

2. uma coluna indica cada trimestre de demanda futuro (em vez de 'destinos' ou armazéns na Figura 11.12). Por exemplo, a demanda para o quarto trimestre é de 650 unidades, o que inclui a quantidade desejada de estoque final. O número na última linha da coluna de capacidade (270 unidades) tem um significado especial: é a quantidade que a capacidade total excede a demanda total;

3. os números nas outras células (excluindo as células na última linha e última coluna) mostram o custo de se fabricar uma unidade em um período e, em alguns casos, transferir a unidade para o estoque de venda do período seguinte. Esses números correspondem aos custos nos cantos superiores direitos das células na Figura 11.12. Por exemplo, o custo por unidade de tempo normal de produção no trimestre 1 é de 1 dólar por galão, se ele for usado para satisfazer a demanda desse trimestre. Esse custo é encontrado na linha 2 e na coluna 1 do quadro. Entretanto, se foi fabricado para satisfazer a demanda no trimestre 2, o custo aumenta para 1,30 dólar (ou 1 dólar + 30 centavos de dólar), porque devemos manter a unidade em estoque por um trimestre. Satisfazer, no trimestre 3, a demanda de uma unidade que foi produzida no trimestre 1 em tempo normal e armazenando a unidade por dois trimestres custa 1,60 dólar ou [1 dólar + (2 x 30 centavos de dólar)], e assim por diante. Uma abordagem semelhante é usada para os custos de horas extras e subcontratação;

4. as células na parte inferior esquerda do quadro com um custo de 9.999 dólares estão associadas a pedidos em espera (ou fabricação em um período para satisfazer um período anterior). Aqui, não admitimos pedidos em espera tornando seu custo um número arbitrariamente grande, 9.999 dólares por unidade, neste caso. Se os custos de pedidos em espera são tão grandes, o método do transporte tentará evitá-los, uma vez que esse método busca uma solução que minimize o custo total. Se isso não é possível, aumentamos o plano de provimento de pessoal e as capacidades de horas extras e subcontratação;

5. as alternativas menos caras são aquelas nas quais o produto é fabricado e vendido no mesmo período. Por exemplo, os custos de horas extras para produção do trimestre 2 são de apenas 1,50 dólar por galão se for designado para satisfazer a demanda desse trimestre (linha 6, coluna 2). O custo aumenta para 2,10 dólares se for designado para a demanda do trimestre 4. Contudo, nem sempre podemos evitar alternativas que geram estoque por causa de restrições de capacidade;

6. por fim, o custo de armazenamento por unidade para o estoque inicial no período 1 é 0, porque é função das decisões anteriores de planejamento da produção.

A Figura 14.9 mostra uma tela do POM for Windows que exibe uma solução ótima (esse problema tem mais de uma solução ótima) para esse plano específico de ajuste da força de trabalho. É semelhante à Figura 11.12, no Capítulo 11, "Localização". Por exemplo, a primeira linha mostra que 230 unidades do estoque inicial são usadas para ajudar a satisfazer a demanda no trimestre 1. As 20 unidades restantes nesta linha são destinadas à demanda do trimestre 3. A soma das distribuições ao longo da linha 1 (230 + 0 + 20 + 0) não ultrapassa a capacidade máxima de 250, dada na coluna da direita. Com o método do transporte, esse resultado deve ocorrer em cada linha. Quaisquer déficits são capacidade não utilizada.

De modo semelhante, a soma das distribuições de cada coluna deve ser igual à demanda total do trimestre. Por exemplo, a demanda para o trimestre 1 é satisfeita a partir de 230 unidades do estoque inicial, 50 unidades da produção do tempo normal do trimestre 1 e 20 unidades da produção de subcontratação desse trimestre. Somadas, elas são iguais à demanda prevista de 300 unidades.

Custo ótimo = 4.010 dólares	Trimestre 1	Trimestre 2	Trimestre 3	Trimestre 4	Capacidade
Estoque inicial	230		20		250
Tempo normal no trimestre 1	50	400			450
Horas extras no trimestre 1			90		90
Subcontratação no trimestre 1	20				200
Tempo normal no trimestre 2		450			450
Horas extras no trimestre 2			90		90
Subcontratação no trimestre 2			200		200
Tempo normal no trimestre 3			750		750
Horas extras no trimestre 3			150		150
Subcontratação no trimestre 3			200		200
Tempo normal no trimestre 4				450	450
Horas extras no trimestre 4				90	90
Subcontratação no trimestre 4				110	200
Demanda	300	850	1500	650	270

Figura 14.9 Tela de solução para o plano prospectivo de produção da Companhia Tru-Rainbow

Para avançar na interpretação da solução, podemos converter a Figura 14.9 na tabela seguinte. Por exemplo, a produção total no tempo normal do trimestre 1 é de 450 mil galões (50 mil para satisfazer a demanda do trimestre e 400 mil para ajudar a satisfazer a demanda do trimestre seguinte).

O estoque de antecipação mantido no fim de cada trimestre é obtido na última coluna. Para qualquer trimestre, é o estoque inicial mais a produção total (no tempo normal mais horas extras e subcontratação) menos a demanda. Por exemplo, para o trimestre 1, o estoque inicial (250 mil) mais o total da produção e subcontratação (560 mil) menos a demanda (300 mil) tem como resultado um estoque final de 510 mil galões, o estoque inicial para o trimestre 2.

Trimestre	Produção no tempo normal	Produção com horas extras	Subcontratação	Total oferta	Estoque de antecipação
1	450	90	20	560	250 + 560 − 300 = 510
2	450	90	200	740	510 + 740 − 850 = 400
3	750	150	200	1.100	400 + 1.100 − 1.500 = 0
4	450	90	110	650	0 + 650 − 350 = 300
Totais	2.100	420	530	3.050	

Nota: O estoque de antecipação é a quantidade no fim de cada trimestre, em que estoque inicial + produção total − demanda real = estoque final.

A análise de custos pode ser encontrada multiplicando a distribuição em cada célula da Figura 14.9 pelo custo por unidade nessa célula na Figura 14.8. Calculando o custo coluna por coluna (também pode ser feito linha a linha), obtemos um custo total de 4.010.000 dólares ou 4.010 dólares x 1.000.

Cálculo de custos por coluna

Trimestre 1	230($ 0) + 50($ 1) + 20($ 1,90)	= $ 88
Trimestre 2	400($ 1,30) + 450($ 1,00)	= $ 970
Trimestre 3	20($ 0,60) + 90($ 2,10) + 90($ 1,80) + 200($ 2,20) + 750($ 1) + 150($ 1,50) + 200($ 1,90)	= $ 2.158
Trimestre 4	450($ 1) + 90($ 1,50) + 110($ 1,90)	= $ 794
		Total = $ 4.010

> **Ponto de decisão** Esse plano requer horas extras e subcontratações demais, e o custo de estoque de antecipação é significativo. O gerente decidiu procurar um plano de capacidade melhor — com aumentos na força de trabalho para impulsionar a capacidade de produção no tempo normal —, que pode reduzir os custos de produção, talvez até mesmo o suficiente para compensar os custos de capacidade adicionada.

CONSIDERAÇÕES GERENCIAIS

Modelos matemáticos e técnicas analíticas podem ser úteis ao elaborar e avaliar planos de vendas e operações sólidos, mas eles são apenas auxílios ao processo de planejamento. Os gerentes — não as técnicas — tomam decisões. Após chegar a um plano de produção aceitável, a gerência deve, naturalmente, implementar o plano. Entretanto, uma vez que o plano de vendas e operações é expresso em termos agregados, o primeiro passo da implementação, portanto, é desagregar o plano; isto é, decompô-lo em produtos específicos, centros de trabalho e datas. Trataremos desses processos nos próximos dois capítulos sobre planejamento de recursos e programação.

PALAVRAS-CHAVE

alternativas agressivas
alternativas reativas
backlog
estoque de antecipação
estratégia de nivelamento da utilização
estratégia de nivelamento de estoque
estratégia de perseguição
estratégia mista
falta de estoque
família de produtos
hora extra
método do transporte de planejamento da produção
pedido em espera
planejamento de vendas e operações (S&OP)
plano anual ou plano financeiro
plano de negócios
plano de produção
plano de provimento de pessoal
produtos complementares
undertime

PROBLEMA RESOLVIDO 1

A Companhia Telefônica Cranston emprega trabalhadores que instalam cabos telefônicos e fazem várias outras tarefas de construção. A empresa se orgulha do bom serviço e se esforça para executar todos os pedidos de serviço dentro de seu período de planejamento.
Cada funcionário trabalha 600 horas de tempo normal por período de planejamento e pode trabalhar por um período adicional de até 100 horas extras. O departamento de operações estimou os requisitos de força de trabalho seguintes para esses serviços durante os próximos quatro períodos de planejamento:

Período de planejamento	1	2	3	4
Demanda (horas)	21.000	18.000	30.000	12.000

A Cranston paga seis mil dólares para cada funcionário que trabalha até 600 horas por tempo normal em qualquer período (inclusive *undertime*). O nível de pagamento de horas extras é de 15 dólares por hora acima de 600 horas. A contratação, o treinamento e o equipamento de um novo funcionário custam oito mil dólares. Os custos de demissão são de dois mil dólares por funcionário. No momento, 40 funcionários trabalham para a Cranston nessa capacidade. Não são permitidos atrasos nos serviços ou pedidos em espera. Use a abordagem da planilha eletrônica para responder às perguntas seguintes:

a. Prepare uma estratégia de perseguição usando apenas contratações e demissões. Quais são os números totais de funcionários contratados e demitidos?

b. Elabore um plano de força de trabalho que utilize a estratégia de nivelamento da utilização. Maximize o uso de horas extras durante o período de pico para minimizar o nível da força de trabalho e a quantidade de *undertime*.

c. Proponha um plano de estratégia mista efetivo.

d. Compare os custos totais dos três planos.

SOLUÇÃO

a. A estratégia de perseguição da força de trabalho é calculada dividindo a demanda de cada período por 600 horas, ou a quantidade ou tempo de trabalho normal para um funcionário durante um período. Essa estratégia requer a contratação de um total de 20 trabalhadores e a demissão de 40 durante o plano de quatro períodos. A Figura 14.10 mostra a solução da estratégia de perseguição gerada pelo solver de Planejamento de Vendas e Operações com Planilhas Eletrônicas do OM Explorer. Nós simplesmente ocultamos colunas e linhas desnecessárias nesse solver de propósito geral.

b. A demanda de pico é de 30.000 horas no período 3. Como cada funcionário pode trabalhar 700 horas por período (600 em tempo normal e 100 em horas extras), o nível da força de trabalho da estratégia de nivelamento da utilização que minimiza o *undertime* é 30.000/700 = 42,86 ou 43 funcionários. A estratégia de nivelamento da utilização requer que três funcionários sejam contratados no primeiro trimestre e que nenhum seja demitido. Para converter os requisitos de demanda em equivalentes de funcionários–período, divida a demanda em horas por 600. Por

O Tutor 14.3 disponível no site de apoio do livro fornece outro exemplo de prática de planejamento de vendas e operações usando diversas estratégias.

	1	2	3	4	Total
Entradas					
Demanda prevista	35	30	50	20	135
Nível da força de trabalho	35	30	50	20	135
Undertime	0	0	0	0	0
Horas extras	0	0	0	0	0
Derivados					
Tempo utilizado	35	30	50	20	135
Contratações	0	0	20	0	20
Demissões	5	5	0	30	40
Calculados					
Custo do tempo utilizado	$210.000	$180.000	$300.000	$120.000	$810.000
Custo de *undertime*	$0	$0	$0	$0	$0
Custo de horas extras	$0	$0	$0	$0	$0
Custo de contratações	$0	$0	$160.000	$0	$160.000
Custo de demissões	$10.000	$10.000	$0	$60.000	$80.000
Custo total	$220.000	190.000	460.000	180.000	$1.050.000

Figura 14.10 Planilha eletrônica para estratégia de perseguição

	1	2	3	4	Total
Entradas					
Demanda prevista	35	30	50	20	135
Nível da força de trabalho	43	43	43	43	172
Undertime	8	13	0	23	44
Horas extras	0	0	7	0	7
Derivados					
Tempo utilizado	35	30	43	20	128
Contratações	3	0	0	0	3
Demissões	0	0	0	0	0
Calculados					
Custo do tempo utilizado	$210.000	$180.000	$258.000	$120.000	$768.000
Custo de *undertime*	$48.000	$78.000	$0	$138.000	$264.000
Custo de horas extras	$0	$0	$63.000	$0	$63.000
Custo de contratações	$24.000	$0	$0	$0	$24.000
Custo de demissões	$0	$0	$0	$0	$0
Custo total	$282.000	258.000	321.000	258.000	$1.119.000

Figura 14.11 Planilha para a estratégia de nivelamento da utilização

	1	2	3	4	Total
Entradas					
Demanda prevista	35	30	50	20	135
Nível da força de trabalho	35	35	43	30	143
Undertime	0	5	0	10	15
Horas extras	0	0	7	0	7
Derivados					
Tempo utilizado	35	30	43	20	128
Contratações	0	0	8	0	8
Demissões	5	0	0	13	18
Calculados					
Custo de tempo utilizado	$210.000	$180.000	$258.000	$120.000	$768.000
Custo de *undertime*	$0	$30.000	$0	$60.000	$90.000
Custo de horas extras	$0	$0	$63.000	$0	$63.000
Custo de contratações	$0	$0	$64.000	$0	$64.000
Custo de demissões	$10.000	$0	$0	$26.000	$36.000
Custo total	$220.000	210.000	385.000	206.000	$1.021.000

Figura 14.12 Planilha eletrônica para estratégia mista

exemplo, a demanda de 21 mil horas no período 1 se converte em 35 equivalentes de funcionários–período (21.000/600), e a demanda no terceiro período se converte em 50 equivalentes de funcionários–período (30.000/600). A Figura 14.11 mostra a planilha eletrônica do OM Explorer para essa estratégia que minimiza o *undertime*.

c. O plano de estratégia mista que propomos usa uma combinação de contratações, demissões e horas extras para reduzir os custos totais. A força de trabalho é reduzida em cinco no início do primeiro período, aumentada em oito no terceiro, e reduzida em 13 no quarto. A Figura 14.12 mostra os resultados.

d. O custo total da estratégia de perseguição é de 1.050.000 dólares. A estratégia de nivelamento da utilização tem como resultado um custo total de 1.119.000 dólares. O plano de estratégia mista foi desenvolvido por tentativa e erro e resulta em um custo total de 1.021.000 dólares. Melhorias adicionais à estratégia mista são possíveis.

PROBLEMA RESOLVIDO 2

A Companhia Artic Air fabrica aparelhos de ar condicionado residenciais. O gerente industrial quer desenvolver um plano de vendas e operações para o próximo ano, baseado nos dados de demanda e capacidade seguintes (em centenas de unidades de produto):

	Período					
	Jan. Fev.	Mar. Abr.	Maio Jun.	Jul. Ago.	Set. Out.	Nov. Dez.
	(1)	(2)	(3)	(4)	(5)	(6)
Capacidades de demanda	50	60	90	120	70	40
Tempo normal	65	65	65	80	80	65
Horas extras	13	13	13	16	16	13
Subcontratado	10	10	10	10	10	10

Undertime não é remunerado, e não há custos associados à capacidade inutilizada de horas extras ou subcontratados. Fabricar uma unidade de ar condicionado custa, em tempo normal, mil dólares, incluindo 300 dólares para mão-de-obra. Fabricar uma unidade com horas extras custa 1.150 dólares. Um subcontratado pode fabricar uma unidade de acordo com as especificações da Artic Air por 1.250 dólares. Manter um aparelho de ar condicionado em estoque custa 60 dólares para cada período de dois meses e há, no momento, 200 aparelhos de ar condicionado em estoque. O plano requer que 400 unidades estejam em estoque no fim do período 6. Não são permitidos pedidos em espera. Use o método do transporte para elaborar um plano que minimize os custos.

SOLUÇÃO

As tabelas seguintes identificam os planos de produção e estoque ótimos. A Figura 14.13 mostra o quadro que corresponde a essa solução. Um custo arbitrariamente grande (99.999 dólares por período) foi usado para pedidos em espera, o que exclui definitivamente a possibilidade de utilizá-los. Novamente, todas as quantidades de produção estão em centenas de unidades. Observe que a demanda no período 6 é de 4.400, que é a demanda desse período mais o estoque final desejado, que é de 400. O estoque de antecipação é medido como a quantidade no fim de cada período. Os cálculos de custo são baseados na suposição de que os trabalhadores não são remunerados por *undertime* ou são colocados para trabalhar de modo produtivo em outro lugar da organização sempre que não são necessários para determinado trabalho.

Um aspecto inicialmente surpreendente dessa solução é que ela distribui o estoque inicial de 200 unidades para satisfazer a demanda no período 4 em vez do período 1. A explicação é que existem várias soluções favoráveis, e essa solução é apenas uma delas. Entretanto, todas as soluções resultam no mesmo plano de produção e estoque de antecipação deduzidos na próxima página.

Plano de produção				
Período	Produção no tempo normal	Produção com horas extras	Subcontratação	Total
1	6.500	—	—	6.500
2	6.500	400	—	6.900
3	6.500	1.300	—	7.800
4	8.000	1.600	1.000	10.600
5	7.000	—	—	7.000
6	4.400	—	—	4.400

Estoque de antecipação		
Período	Estoque inicial mais produção total menos demanda	Estoque final de antecipação
1	200 + 6.500 − 5.000	1.700
2	1.700 + 6.900 − 6.000	2.600
3	2.600 + 7.800 − 9.000	1.400
4	1.400 + 10.600 − 12.000	0
5	0 + 7.000 − 7.000	0
6	0 + 4.400 − 4.000	400

Período	Alternativas	1	2	3	4	5	6	Capacidade não utilizada	Capacidade total
	Estoque inicial	0	60	120	180 2	240	300	0	2
1	Tempo normal	1.000 50	1.060 15	1.120	1.180	1.240	1.300	0	65
1	Horas extras	1.150	1.210	1.270	1.330	1.390	1.450	13	13
1	Subcontratação	1.250	1.310	1.370	1.430	1.490	1.550	10	10
2	Tempo normal	99.999	1.000 41	1.060 12	1.120 12	1.180	1.240	0	65
2	Horas extras	99.999	1.150 4	1.210	1.270	1.330	1.390	9	13
2	Subcontratação	99,999	1.250	1.310	1.370	1.430	1.490	10	10
3	Tempo normal	99.999	99.999	1.000 65	1.060	1.120	1.180	0	65
3	Horas extras	99.999	99.999	1.150 13	1.210	1.270	1.330	0	13
3	Subcontratação	99.999	99.999	1.250	1.310	1.370	1.430	10	10
4	Tempo normal	99.999	99.999	99.999	1.000 80	1.060	1.120	0	80
4	Horas extras	99.999	99.999	99.999	1.150 16	1.210	1.270	0	16
4	Subcontratação	99.999	99.999	99.999	1.250 10	1.310	1.370	0	10
5	Tempo normal	99.999	99.999	99.999	99.999	1.000 70	1.060	10	80
5	Horas extras	99.999	99.999	99.999	99.999	1.150	1.210	16	16
5	Subcontratação	99.999	99.999	99.999	99.999	1.250	1.310	10	10
6	Tempo normal	99.999	99.999	99.999	99.999	99.999	1.000 44	21	65
6	Horas extras	99.999	99.999	99.999	99.999	99.999	1.150	13	13
6	Subcontratação	99.999	99.999	99.999	99.999	99.999	1.250	10	10
	Demanda	50	60	90	120	70	44	132	566

Figura 14.13 Quadro para planos de produção e estoque ótimos

QUESTÕES PARA DISCUSSÃO

1. Métodos quantitativos podem ajudar os administradores a avaliar planos de vendas e operações alternativos baseados em custos. Esses métodos requerem estimativas de custo para cada uma das variáveis controláveis, como horas extras, subcontratação, contratação, demissão e investimento em estoque. Suponha que a força de trabalho existente seja composta de dez mil funcionários de mão-de-obra direta, cada uma com habilidades estimadas em 40 mil dólares por ano. O plano requer 'a criação de oportunidades de carreira alternativas' — em outras palavras, a demissão de 500 funcionários. Liste os tipos de custos incorridos quando funcionários são demitidos e faça uma estimativa preliminar do tempo necessário para que economias na folha de pagamento recuperem custos de reestruturação. Se se espera que os negócios melhorem em um ano, as demissões são justificadas financeiramente? Que custos são incorridos em uma demissão, que são difíceis de estimar em termos monetários?

2. Em sua comunidade, alguns empregadores mantêm números de funcionários estáveis a qualquer custo, e outros concedem licenças e revocam trabalhado-

res aparentemente ao primeiro sinal. Quais são as diferenças em mercados, gerenciamento, produtos, posição financeira, habilidades, custos e competição que podem explicar esses dois extremos na política de pessoal?

3. Uma vez que as fortunas dos três grandes fabricantes de automóveis domésticos aumentaram em meados dos anos 1990, os trabalhadores de uma planta da GM entraram em greve. Eles fabricavam transmissões usadas em outras plantas da empresa. Quase imediatamente, muitas outras plantas fecharam por falta de transmissões. Enfrentando perda de produção durante um período de demanda aquecida, a gerência da GM concordou rapidamente com as exigências dos funcionários de chamar os trabalhadores de licença e programar menos horas extras. Que decisões de planejamento de produção em relação às variáveis controláveis (listadas na questão para discussão 1) são legítimas nessa situação?

PROBLEMAS

Softwares como o OM Explorer, o Active Models e o POM for Windows, estão disponíveis no site de apoio do livro. Verifique com seu professor a melhor maneira de usá-los. Em muitos casos, ele quer que você entenda como fazer os cálculos manualmente. Quando muito, o software pode oferecer uma verificação de seus cálculos. Quando os cálculos são muito complexos e o objetivo é interpretar os resultados na tomada de decisões, o software substitui completamente os cálculos manuais e pode ser um valioso recurso depois que você concluir o curso.

1. A Divisão Municipal de Manutenção de Estradas de Barberton está encarregada do reparo de estradas na cidade e nos arredores. Cindy Kramer, diretora de manutenção de estradas, deve submeter um plano de provimento de pessoal para o próximo ano, baseada em um conjunto de programações para reparos e no orçamento da cidade. Kramer estima que as horas de trabalho necessárias para os próximos quatro trimestres são seis mil, 12 mil, 19 mil e nove mil, respectivamente. Cada um dos 11 trabalhadores da força de trabalho pode contribuir com 500 horas por trimestre. Os custos da folha de pagamento são de seis mil dólares em salário por funcionário que trabalha até 500 horas do tempo normal, com um nível de pagamento de 18 dólares para cada hora extra, que são limitadas a 20 por cento da capacidade de tempo normal em qualquer trimestre. Embora a capacidade de horas extras inutilizada não tenha custos, paga-se pelo tempo normal inutilizado o valor de 12 dólares por hora. O custo de contratação de um trabalhador é de três mil dólares, e o de demissão, dois mil dólares. Não é permitida a subcontratação.

   a. Encontre um plano de nivelamento da utilização da força de trabalho que não permita atrasos no reparo de estradas e minimize o *undertime*. As horas extras podem ser usadas até o limite em qualquer trimestre. Qual é o custo total do plano e quantas horas de *undertime* são necessárias?

   b. Use uma estratégia de perseguição que varie o nível da força de trabalho sem usar horas extras ou *undertime*. Qual é o custo total desse plano?

   c. Proponha seu próprio plano, compare-o com os dos itens (a) e (b) e discuta seus méritos comparativos.

2. O acampamento de golfe de Bob Carlton estima os seguintes requisitos de força de trabalho para seus serviços durante os próximos dois anos.

Trimestre	1	2	3	4
Demanda (horas)	4.200	6.400	3.000	4.800
Trimestre	5	6	7	8
Demanda (horas)	4.400	6.240	3.600	4.800

Cada instrutor certificado gasta 480 horas de tempo normal por trimestre e pode trabalhar por 120 horas extras. Os salários e benefícios de tempo normal custam a Carlton 7.200 dólares por funcionário a cada trimestre, para um tempo normal de trabalha de até 480 horas e com um custo de horas extras de 20 dólares por hora. Paga-se 15 dólares para cada um dos instrutores certificados por hora pelo tempo normal não utilizado. Não há custos para capacidade de horas extras não utilizadas. Os custos de contratação, treinamento e certificação de um novo funcionário são de dez mil dólares, e os custos de demissão são de quatro mil dólares. No momento, oito funcionários trabalham a essa capacidade.

   a. Encontre um plano de força de trabalho usando a estratégia de nivelamento da utilização que não permita atrasos no serviço e minimize o *undertime*. Qual é o custo total desse plano?

   b. Use uma estratégia de perseguição que varie o nível da força de trabalho sem usar horas extras ou *undertime*. Qual é o custo total desse plano?

   c. Proponha um plano de baixo custo, de estratégia mista e calcule seu custo total.

3. Continuando o problema 2, agora suponha que Carlton se permita empregar alguns instrutores não certificados, de meio expediente, contanto que eles não representem mais que 15 por cento das horas totais da força de trabalho em qualquer trimestre. Cada instrutor de meio expediente pode trabalhar até 240 horas por trimestre, sem custos de horas extras ou *undertime*. O custo de mão-de-obra com os instrutores de meio expediente é de 12 dólares por hora, o de contratação e treinamento, dois mil dólares por instrutor não certificado, e não há custos de demissão.

   a. Proponha um plano de baixo custo, de estratégia mista e calcule seu custo total.

   b. Quais são as vantagens e as desvantagens principais de se ter uma força de trabalho composta por funcionários regulares e temporários?

4. A Companhia de Fertilizante Donald fabrica fertilizantes químicos industriais. Os requisitos de fabricação projetados (em milhares de galões) para os pró-

ximos quatro trimestres são de 80, 50, 80 e 130, respectivamente. Faltas de estoque e pedidos em espera devem ser evitados, e uma estratégia de produção de nivelamento de estoque é desejada.

a. Determine a taxa de produção trimestral necessária para satisfazer a demanda total do ano, sem recorrer a pedidos em espera ou faltas de estoque. Use a estratégia de produção de nivelamento de estoque que minimize o estoque de antecipação que sobraria no fim do ano. O estoque inicial é zero.

b. Especifique os estoques de antecipação que serão gerados.

c. Suponha que os requisitos para os próximos quatro trimestres sejam corrigidos para 80, 130, 50 e 80, respectivamente. Se a demanda total é a mesma, que nível de taxa de produção é agora necessário, usando a mesma estratégia do item (a)?

5. A gerência da Corporação Davis determinou a programação de demanda seguinte (em unidades):

Mês	1	2	3	4
Demanda	500	800	1.000	1.400
Mês	5	6	7	8
Demanda	2.000	1.600	1.400	1.200
Mês	9	10	11	12
Demanda	1.000	2.400	3.000	1.000

Um funcionário pode fabricar uma média de dez unidades por mês. Cada trabalhador na folha de pagamento custa dois mil dólares para o tempo normal. O *undertime* é pago à mesma taxa do tempo normal. Conforme o contrato de trabalho vigente, a Corporação Davis não emprega horas extras nem usa subcontratação. Davis pode contratar e treinar um novo funcionário por dois mil dólares e demitir um por 500 dólares. O estoque custa 32 dólares por unidade disponível no fim de cada mês. No momento, 140 funcionários estão na folha de pagamentos e o estoque de antecipação é zero.

a. Prepare um plano de produção com a estratégia de nivelamento de estoque que utilize apenas contratações e estoques de antecipação como alternativas possíveis e minimize o estoque restante no fim do ano. Demissões, *undertime*, férias, subcontratação, pedidos em espera e faltas de estoque não são opções. O plano pode requerer um ajuste de um período da força de trabalho antes do mês 1.

b. Prepare um plano de produção com a estratégia de perseguição, contando apenas com contratações e demissões.

c. Compare e diferencie esses dois planos com referência aos custos anuais e outros fatores que você considere importantes.

d. Proponha um plano de estratégia mista que seja melhor que esses dois. Explique por que você acredita que seu plano é melhor.

6. A Companhia Flying Frisbee previu os seguintes requisitos de provimento de pessoal para funcionários de tempo integral. A demanda é sazonal e a gerência quer que três planos de provimento de pessoal alternativos sejam desenvolvidos.

Mês	1	2	3	4
Requisito	2	2	4	6
Mês	5	6	7	8
Requisito	18	20	12	18
Mês	9	10	11	12
Requisito	7	3	2	1

A empresa tem, no momento, dez funcionários. Não podem ser acomodadas mais de dez novas contratações em nenhum mês, devido às instalações de treinamento limitadas. Não são permitidos pedidos em espera, e as horas extras não podem superar 25 por cento da capacidade do tempo normal em nenhum mês e não há custos para capacidade de horas extras não utilizadas. Os salários do tempo normal são de 1.500 dólares por mês, e os salários para horas extras são de 150 por cento do salário de tempo normal, já o nível de pagamento de *undertime* é o mesmo desse tempo. O custo de contratação é de 2.500 dólares por pessoa e o de demissão, de 2.000 dólares por pessoa.

a. Prepare um plano de provimento de pessoal utilizando uma estratégia de nivelamento da utilização da força de trabalho. O plano pode requerer um ajuste de um período da força de trabalho antes do mês 1.

b. Usando uma estratégia de perseguição, prepare um plano que seja coerente com a restrição de contratação e minimize o uso de horas extras.

c. Prepare um plano de baixo custo, de estratégia mista.

d. Que estratégia é mais rentável? Quais são as vantagens e as desvantagens de cada plano?

7. A Companhia de Roupas Twilight fabrica calças jeans para crianças. A gerência preparou uma previsão de vendas (em pares de jeans) para o próximo ano e agora deve preparar um plano de produção. A empresa mantém, tradicionalmente, uma estratégia de nivelamento da utilização da força de trabalho. No momento, os oito funcionários já trabalham na empresa por muitos anos. Cada um deles pode fabricar duas mil calças jeans durante um período de planejamento de dois meses. A cada ano, a gerência autoriza horas extras nos períodos 1, 5 e 6, até um máximo de 20 por cento da capacidade do tempo normal. Ela quer evitar faltas de estoque e pedidos em espera e não aceita nenhum plano que os requeira. No momento, o estoque de bens acabados tem 12 mil calças jeans. A previsão de demanda é a seguinte:

Período	1	2	3
Vendas	25.000	6.500	15.000
Período	4	5	6
Vendas	19.000	32.000	29.000

a. É possível manter a força de trabalho constante, supondo que as horas extras são usadas apenas nos períodos 1, 5 e 6? Explique.

b. Encontre dois planos alternativos que satisfaçam a preocupação da gerência em relação a faltas de estoque e pedidos em espera, desconsiderando os custos. Que dilemas entre esses dois planos devem ser considerados?

PROBLEMAS AVANÇADOS

As abordagens de programação linear, inclusive o método do transporte, são recomendadas para resolver os problemas avançados 8-10. Aplicações adicionais desses problemas de planejamento e produção podem ser encontradas no Suplemento E, "Programação linear", para os problemas 16, 17 e 20.

8. A Companhia Bull Grin fabrica um suplemento para alimentação animal produzida por várias empresas. As vendas são sazonais, mas os clientes da Bull Grin se recusam a armazenar o suplemento durante os períodos de pouco movimento nas vendas. Em outras palavras, os clientes querem minimizar seus investimentos em estoque, insistem em remessas de acordo com suas programações e não aceitam pedidos em espera.

   A Bull Grin emprega operários manuais não especializados que requerem pouco ou nenhum treinamento. Fabricar mil libras do suplemento custa 830 dólares do tempo normal e 910 dólares de horas extras. Não se incorre em custos adicionais para tempo normal não utilizado, horas extras ou capacidade de subcontratação. Esses valores incluem materiais, que representam 80 por cento do custo. As horas extras são limitadas à produção de um total de 20 mil libras por trimestre. Além disso, subcontratados podem ser contratados a mil dólares por mil libras, mas apenas 30 mil libras por trimestre podem ser produzidas desse modo.

   O nível corrente de estoque é de 40 mil libras, e a gerência quer terminar o ano nesse nível. Manter mil libras do suplemento alimentar em estoque por trimestre custa 100 dólares. A previsão anual mais recente é mostrada na Tabela 14.1.

   Use o método do transporte de planejamento da produção para encontrar o plano de produção favorável e calcule seu custo ou use a abordagem da planilha eletrônica para encontrar um plano de produção satisfatório e, também, calcule seu custo.

9. A Companhia Cut Rite é uma das principais produtoras de cortadores de grama industriais. O custo da Cut Rit para contratar um trabalhador semi-especializado para sua planta de montagem é de três mil dólares, e o custo para demitir um funcionário é de dois mil dólares. A planta tem uma produção de, em média, 36 mil cortadores por trimestre, com a força de trabalho corrente de 720 funcionários. A capacidade de tempo normal é diretamente proporcional ao número de funcionários. As horas extras são limitadas a um máximo de três mil cortadores por trimestre; e a subcontratação, a mil cortadores pelo mesmo período. Os custos para se fabricar um cortador são de 2.430 dólares em tempo normal (inclusive materiais), 2.700 dólares em horas extras e 3.300 dólares em subcontratação. Os custos da capacidade de tempo normal não utilizado são de 270 dólares por cortador, e não se incorre em custos adicionais por horas extras ou capacidade de subcontratação não utilizada. O nível atual de estoque é de quatro mil cortadores de grama, e a gerência quer terminar o ano nesse nível. Os clientes não toleram pedidos em espera, e manter um cortador de grama em estoque por trimestre custa 300 dólares. A demanda por cortadores no ano que vem é:

Trimestre	1	2	3	4
Demanda	10.000	41.000	77.000	44.000

Dois planos de força de trabalho foram propostos e a gerência está indecisa em relação a qual utilizar. A tabela seguinte mostra o número de funcionários por trimestre em cada plano:

Trimestre	1	2	3	4
Plano 1	720	780	920	720
Plano 2	860	860	860	860

a. Que plano você recomendaria à gerência? Explique e sustente sua recomendação com uma análise por meio do método do transporte de planejamento da produção.

b. Se a gerência usou a determinação de preços criativa para fazer seus clientes comprarem cortadores de grama em períodos não tradicionais, o resultado seria a programação de demanda a seguir:

Trimestre	1	2	3	4
Demanda	20.000	54.000	54.000	44.000

Que plano de força de trabalho você recomendaria agora?

10. O Gretchen's Kitchen é um restaurante de *fast-food* localizado em um ponto ideal próximo à escola de ensino médio local. Gretchen Lowe deve preparar um plano de provimento de pessoal anual. Os únicos itens do cardápio são hambúrgueres, *chili*, refrigerantes, bebidas batidas e batatas fritas. Uma amostra de mil clientes tomada aleatoriamente revelou que eles compraram 2.100 hambúrgueres, 200 quartilhos de *chilli*, mil refrigerantes e batidas e mil sacos de batatas fritas. Desse modo, para propósitos de estimativa de requisitos de provimento de pessoal, Lowe supõe que cada cliente compra 2,1 hambúrgueres, 0,2 quartilho de *chilli*, um refrigerante ou batida e um saco de batatas fritas. Cada hambúrguer requer quatro minutos de trabalho; um quartilho de *chilli*, três minutos e um refrigerante ou batida e um saco de batas fritas, dois minutos.

No momento, o restaurante tem dez funcionários de meio expediente que trabalham 80 horas por mês em turnos escalonados. O salário é de 400 dólares por mês para tempo normal e de 7,50 dólares por hora extra. Os custos

CAPÍTULO 14 • Planejamento de vendas e operações

TABELA 14.1 Previsões e capacidades

	Período				
	Trimestre 1	Trimestre 2	Trimestre 3	Trimestre 4	Total
Demanda (libras)	130.000	400.000	800.000	470.000	1.800.000
Capacidades (libras)					
Tempo normal	390.000	400.000	460.000	380.000	1.630.000
Horas extras	20.000	20.000	20.000	20.000	80.000
Subcontratações	30.000	30.000	30.000	30.000	30.000

de contratação e treinamento são de 2,50 dólares por funcionário novo; e os de demissão, de 50 dólares.

Lowe percebe que armazenar estoques sazonais de hambúrgueres (ou qualquer um dos produtos) não seria sensato por causa dos prazos de validade. Além disso, qualquer demanda não satisfeita é uma venda perdida e deve ser evitada. Três estratégias vêm à mente:

- o nivelamento da utilização da força de trabalho com até 20 por cento da capacidade de tempo normal em horas extras;
- a manutenção de uma base de dez funcionários, contratando e demitindo conforme necessário, para evitar qualquer hora extra;
- a utilização de uma estratégia de perseguição, contratando e demitindo funcionários à medida que a demanda se altera, para evitar horas extras.

Quando executa seus cálculos, Lowe sempre arredonda o número de funcionários para cima, para o próximo número inteiro. Ela também segue uma política de não usar um empregado mais de 80 horas por mês, exceto quando horas extras são necessárias. A demanda projetada por mês (número de clientes) para o próximo ano é a seguinte:

Jan.	3.200	Jul.	4.800
Fev.	2.600	Ago.	4.200
Mar.	3.300	Set.	3.800
Abr.	3.900	Out.	3.600
Maio	3.600	Nov.	3.500
Jun.	4.200	Dez.	3.000

a. Elabore a programação de requisitos de serviço para o próximo ano.

b. Qual das estratégias é mais eficaz?

c. Suponha que um acordo com a escola de ensino médio permite ao gerente identificar bons funcionários em potencial sem ter de anunciar no jornal local. Essa fonte reduz o custo de contratação para 50 dólares, que é principalmente o custo de hambúrgueres chamuscados durante o treinamento. Se o custo for sua única preocupação, esse método de contratação mudará a estratégia de Gretchen Lowe? Considerando outros objetivos que podem ser apropriados, você acha que ela deve mudar as estratégias?

11. A Companhia de Calendários Holloway fabrica diferentes calendários impressos tanto para uso comercial como para uso doméstico. A demanda por calendários é altamente sazonal, chegando ao máximo no terceiro trimestre. O estoque corrente é de 165 mil calendários, e o final deve ser de 200 mil calendários.

Ann Ritter, a gerente de fabricação da Holloway, quer determinar o melhor plano de produção para os requisitos de demanda e o melhor plano de capacidade mostrados na tabela seguinte. (Aqui, demanda e capacidades são expressas como milhares de calendários em vez de equivalentes de funcionários–período.) Ritter sabe que o custo de tempo normal é de 50 centavos de dólar por unidade; o de horas extras, de 75 centavos por unidade; o de subcontratação, de 90 centavos de dólar por unidade e o de armazenamento, de 10 centavos por calendário a cada trimestre.

	Trimestre				
	1	2	3	4	Total
Demanda	250	515	1.200	325	2.290
Capacidades					
Tempo normal	300	300	600	300	1.500
Horas extras	75	75	150	75	375
Subcontratação	150	150	150	150	600

a. Recomende um plano de produção para Ritter usando o método do transporte de planejamento da produção. (Não permita a ocorrência de faltas de estoque ou pedidos em espera.)

b. Interprete e explique suas recomendações.

c. Calcule o custo total de seu plano de produção recomendado.

CASO

Planejamento de vendas e operações em uma indústria de laticínios

A Laticínios Ltda., empresa fundada na década de 1980 no interior do Estado de São Paulo, produz, comercializa e distribui derivados do leite, sendo o queijo ralado seu principal produto.

Com o objetivo de aumentar a penetração de sua marca no mercado, os proprietários investiram em melhorias na tecnologia de fabricação de queijo. Nos anos 1990, as vendas progrediram e criaram condições para a aquisição de plantas adicionais, a fim de lidar com o grande crescimento da demanda após o Plano Real, implantado pelo presidente Fernando Henrique Cardoso. Esse crescimento foi absorvido por fábricas próprias e por outras que possuem participação societária local, com sociedades jurídicas diferentes. A sede da empresa foi, então, transferida para a distribuidora de laticínios, localizada na cidade de São Paulo. Atualmente, a Laticínios Ltda. opera com duas marcas e possui nove fábricas: duas no Estado de São Paulo, quatro em Goiás, uma no Mato Grosso do Sul e outra no Mato Grosso, além da distribuidora em São Paulo.

A área comercial na Laticínios Ltda. é dividida de acordo com a segmentação do mercado: varejo ou atacado. A empresa é forte no segmento atacadista do Estado de São Paulo e da cidade do Rio de Janeiro. Entretanto, no varejo, possui pouca penetração. Entre seus principais clientes estão o Makro Brasil — único que compra a linha completa de produtos da empresa — e o Carrefour. Além desses, a empresa atende a diversos auto-serviços em São Paulo e grandes atacadistas no Rio de Janeiro.

A linha de produtos da empresa consiste principalmente em queijos básicos e especiais, além de manteiga. Veja a classificação dos produtos na Tabela 1.

Tabela 1 Classificação dos produtos

Linha básica	Queijos especiais
Queijo prato	Parmesão
Mussarela	Estepe
Queijo minas frescal/light	Coalho
Ricota	Esférico
Queijo provolone	
Queijo parmesão ralado	
Requeijão	
Queijo minas	
Manteiga	

Os queijos especiais e o queijo parmesão ralado são produzidos em uma das fábricas de São Paulo e se concentram em sua imagem de alta qualidade. O queijo ralado da Laticínios Ltda. está classificado entre as quatro principais marcas do Brasil.

Quanto aos produtos da linha básica, o mercado consumidor os tem como *commodity*, um produto não-diferenciado e com uma marca desconhecida, e o processo de compra é baseado no preço, na aparência, na embalagem e na conveniência. A empresa considera que os produtos carros-chefe sejam os queijos prato e parmesão ralado.

A indústria queijeira, geralmente, compra leite de pequenos produtores, ao passo que as empresas focadas na industrialização de leite estão ligadas aos maiores produtores. Por ter uma escala de produção muito baixa, o lucro absoluto dos pequenos produtores é reduzido. Um dos maiores desafios enfrentados por todas as fábricas da empresa é assegurar a continuidade da captação de leite, sobretudo na entressafra. A capacidade de produção das fábricas é definida, essencialmente, pelo volume de leite, uma vez que outros recursos, como pessoal e equipamentos, estão superdimensionados na maioria das fábricas.

PREVISÃO DE DEMANDA

O processo de previsão da demanda é fundamental para assegurar um planejamento adequado da produção e garantir o atendimento das necessidades dos clientes. Trata-se da principal entrada do PCP (Planejamento e Controle da Produção).

O PCP da empresa não é formalmente estruturado. Todas as fábricas possuem um plano básico de produção previamente estipulado para todo o ano, mas ele é ajustado diariamente, a fim de atender aos pedidos encaminhados pela distribuidora. Em geral, todas as fábricas produzem queijo prato o ano inteiro, sendo que este e o provolone são produzidos quando há leite excedente, aquele que não é utilizado para atender aos pedidos. A mussarela só é produzida quando o preço está atrativo ou quando a qualidade do leite não é adequada para a produção do queijo prato.

O diretor da empresa é responsável por enviar os pedidos de fabricação para todas as fábricas, com exceção da fábrica de queijos especiais localizada em São Paulo. Os pedidos para essa fábrica são enviados ou definidos pelo diretor comercial.

Além da conciliação da produção com a demanda, uma outra questão importante na realização do PCP, e que tem forte impacto no nível de serviço da empresa, é a política de estoques adotada. No período entre dezembro de 2004 e fevereiro de 2005, o nível dos estoques da empresa estava elevado em virtude dos altos níveis de oferta de queijo no mercado e da conseqüente redução dos preços. A estratégia adotada pela empresa é segurar os preços ao máximo, fazer estoque e vender no período da entressafra. O estoque é normalmente mantido na distribuidora, e não nas fábricas. Somente a fábrica de queijos especiais possui um estoque de segurança definido para cada produto, cujo mínimo é dificilmente mantido. Dependendo da época do ano, a empresa deixa de atender a vários pedidos devido à falta de produtos. Segundo o diretor comercial, essa perda de vendas é mais significante para o queijo ralado e para o queijo coalho no espeto. A freqüência de contagem do estoque na distribuidora e nas fábricas é semanal.

PLANO DE VENDAS E PRODUÇÃO

A empresa tem um descompasso entre a sua produção e as vendas. A produção não depende da capacidade instalada, mas sim da disponibilidade de leite.

No período de safra, quando o fornecimento de leite é abundante em decorrência das chuvas, existe maior disponibilidade de queijo do que a demanda do mercado. Logo, ocorre uma guerra de preços entre os fornecedores.

No período de entressafra, que corresponde à época de seca, ocorre o contrário: falta leite e, conseqüentemente, reduz-se a produção de queijos. Nesse caso, a demanda é superior à produção. Os fornecedores que têm mais queijo em estoque, nesse período, conseguem vendê-los com preços melhores.

QUESTÕES

1. Analise o plano de vendas e operações da Laticínios Ltda. considerando os seis objetivos típicos indicados neste capítulo.
2. Identifique as alternativas utilizadas pela empresa para equilibrar os diferentes objetivos em seu plano de vendas e operações. Como você classificaria essas alternativas: reativas ou agressivas?

Caso elaborado pelos professores Susana Carla Farias Pereira e Mauro Sampaio da FGV-EAESP.

REFERÊNCIAS SELECIONADAS

ARMACOST, R. L.; PENLESKY R. L.; ROSS, S. C. "Avoiding problems inherent in spreadsheet-based simulation models — an aggregate planning application". *Production and Inventory Management*, v. 31, 1990, pp. 62–68.

BRANDIMARTE, P.; VILLA, A. (eds.). *Modeling manufacturing systems: from aggregate planning to real-time control*. Nova York: Springer, 1999.

BUXEY, G. "Production planning and scheduling for seasonal demand." *International Journal of Operations and Production Management*, v. 13, n. 7, 1993, p. 4–21.

"Cycle management — cycle proficiency." *Post Magazine*, 1. jul. 2004, p. 22.

FISHER et al. "Making supply meet demand in an uncertain world", *Harvard Business Review*, v. 72, n. 3, 1994, p. 83–93.

FOGARTY, Donald W.; BLACKSTONE JR., John H.; HOFFMANN, Thomas R. *Production and inventory management*. Cincinnati: South-Western Publishing, 1991.

HESKETT, J.; SASSER, W. E.; HART, C. *Service breakthroughs: changing the rules of the game*. Nova York: The Free Press, 1990.

HOPP, Wallace J.; SPEARMAN, Mark L. *Factory physics*, 2. ed. Nova York: Irwin/McGraw-Hill, 2001.

LEE, S. M.; MOORE, L.J. "A practical approach to production scheduling" *Production and Inventory Management*, 1974, p. 79–92.

LEE, W. B.; KHUMAWALA, B. M. "Simulation testing of aggregate production planning models in an implementation methodology", *Management Science*, v. 20, n. 6, 1974, p. 903–911.

NARASIMHAN, S.; McLEAVEY, D. W.; BILLINSTON, P. J. *Production planning and inventory control*. Englewood Cliffs, NJ: Prentice Hall, 1995.

RYAN, D. M. "Optimization earns its wings", *OR/MS Today*, v. 27, n. 2, 2000, p. 26–30.

SILVER, E. A.; PYKE, F. F.; PETERSON, R. *Inventory management and production planning and scheduling*. Nova York: Wiley, 1998.

SIPPER, D.; BULFIN, R. *Production: planning, control, and integration*. Nova York: McGraw-Hill, 1997.

SMITH-DANIELS, V.; Scheweikhar, S.; SMITH-DANIELS, D. "Capacity management in health care services: review and future research directions", *Decision Sciences*, v. 91, 1988, p. 889–919.

VOLLMANN, T. E et al. *Manufacturing planning and control for supply chain management*, 5. ed. Nova York: Irwin/McGraw-Hill, 2004.

WALLACE, Thomas F. *Sales & operations planning: the how-to handbook*, 2. ed. Cincinnati, OH: T. E. Wallace & Company, 2004.

WALLACE, Thomas F.; STAHL, Robert A. *Sales forecasting: a new approach*. Cincinnati, OH: T. E. Wallace & Company, 2002.

SUPLEMENTO E

Programação linear

OBJETIVOS DE APRENDIZAGEM

Depois de ler este capítulo, você será capaz de:

1. Identificar as características e suposições de modelos de programação linear.
2. Descrever modelos de formulação para vários problemas.
3. Demonstrar análises gráficas e soluções para problemas de duas variáveis.
4. Definir variáveis de folga e excesso.
5. Explicar a análise de sensibilidade.
6. Descrever a saída de computador de uma solução de programação linear.

Em muitas situações de negócios, os recursos são limitados e a demanda por eles é grande. Por exemplo, um número limitado de veículos pode ter de ser programado para fazer várias entregas aos clientes ou um plano de provimento de pessoal pode precisar ser elaborado para cobrir a demanda variável esperada com o menor número de funcionários. Neste suplemento, descrevemos uma técnica chamada **programação linear**, que é útil para alocar recursos escassos entre demandas concorrentes. Os recursos podem ser tempo, dinheiro ou materiais, e as limitações são conhecidas como restrições. A programação linear pode ajudar os administradores a encontrar a melhor solução de alocação e fornecer informações sobre o valor de recursos adicionais.

CONCEITOS BÁSICOS

Antes de demonstrar como resolver problemas de administração de operações com programação linear, primeiro devemos explicar várias características de todos os modelos de programação linear e suposições matemáticas que se aplicam a eles: (1) função objetivo; (2) variáveis de decisão; (3) restrições; (4) região viável; (5) parâmetros; (6) linearidade e (7) não-negatividade.

A programação linear é um processo de otimização. Uma **função objetivo** única determina matematicamente o que está sendo maximizado (por exemplo, lucro ou valor presente) ou minimizado (por exemplo, custo ou refugo). A função objetivo fornece o marcador de desempenho (*scorecard*) em que a atratividade de soluções diferentes é avaliada.

Variáveis de decisão representam escolhas que o tomador de decisão pode controlar. Resolver os problemas gera seus valores ótimos. Por exemplo, uma variável de decisão pode ser o número de unidades de um produto que será fabricado no próximo mês ou o número de unidades de estoque a ser armazenado no mês seguinte. A programação linear é baseada na suposição de que as variáveis de decisão são *contínuas*; elas podem ser quantidades fracionárias e não precisam ser números inteiros. Muitas vezes, essa suposição é realista, como quando a variável de decisão é expressa em dólares, horas ou alguma outra medida contínua. Mesmo quando as variáveis de decisão representarem unidades indivisíveis, como trabalhadores, mesas ou caminhões, podemos algumas vezes, simplesmente arredondar a solução de programação linear para cima ou para baixo a fim de obter uma solução razoável que não viole nenhuma restrição, ou podemos usar uma técnica mais avançada, chamada *programação inteira*.

Restrições são limitações que restringem as escolhas admissíveis para as variáveis de decisão. Cada limitação pode ser expressa matematicamente em uma das três formas: uma restrição menor ou igual (≤), igual (=) ou maior ou igual (≥). Uma restrição ≤ coloca um limite superior a alguma função de variáveis de decisão e, na maior parte das vezes, é usada com problemas de maximização. Por exemplo, uma restrição ≤ pode especificar um número máximo de clientes que podem ser atendidos ou o limite de capacidade de uma máquina. Uma restrição = significa que a função deve ser igual a algum valor. Por exemplo, 100 (não 99 ou 101) unidades de um produto devem ser fabricadas. Uma restrição = é usada para certas relações obrigatórias, como o fato de que o estoque final é sempre igual ao estoque inicial mais produção menos vendas. Uma restrição ≥ coloca um limite inferior em alguma função de variáveis de decisão. Por exemplo, uma restrição ≥ pode especificar que a fabricação de um produto deve ser superior ou igual à demanda.

Cada problema de programação linear deve ter uma ou mais restrições. Em conjunto, as restrições definem uma **região viável (ou solução viável)**, que representa todas as combinações admissíveis de variáveis de decisão. Em algumas situações incomuns, o problema está tão firmemente restringido que há apenas uma solução possível — ou talvez nenhuma. Entretanto, normalmente, a região viável contém infinitas soluções possíveis, supondo que as combinações factíveis das variáveis de decisão podem ser valores fracionários. A meta do tomador de decisões é encontrar a melhor solução possível.

A função objetivo e as restrições são funções de variáveis de decisão e de parâmetros. Um **parâmetro**, também conhecido como *coeficiente* ou *constante dada*, é um valor que o tomador de decisão não pode controlar e que não se altera quando a solução é implementada. Supõe-se que cada parâmetro seja conhecido com **certeza.** Por exemplo, um programador de computador pode saber que executar um programa de software levará três horas — nem mais, nem menos.

Supõe-se que a função objetivo e as equações de restrição sejam lineares. A **linearidade** implica proporcionalidade e aditividade — não pode haver nenhum produto (por exemplo, $10x_1 x_2$) ou potências (por exemplo, x_1^3) de variáveis de decisão. Suponha que o lucro obtido ao se fabricando dois tipos de produtos (representados por variáveis de decisão x_1 e x_2) é $2x_1 + 3x_2$. A proporcionalidade implica que uma unidade de x_1 contribui com dois dólares para os lucros e duas unidades contribuem com quatro dólares, não importando quanto de x_2 é fabricado. De modo semelhante, cada unidade de x_2 contribui com três dólares, seja a primeira ou a décima unidade fabricada. Aditividade quer dizer que o valor total da função objetivo é igual aos lucros de x_1 mais os lucros de x_2.

Por fim, fazemos uma suposição de **não-negatividade**, que significa que as variáveis de decisão devem ser positivas ou zero. Uma empresa que fabrica molho de espaguete, por exemplo, não pode gerar um número negativo de potes. Para ser formalmente correta, uma formulação de programação linear deve apresentar uma restrição ≥ 0 para cada variável de decisão.

Embora as suposições de linearidade e as variáveis contínuas, certamente, sejam restritivas, a programação linear pode ajudar os administradores a analisar muitos problemas complexos de alocação de recursos. O processo de construir o modelo força os gerentes a identificar as variáveis de decisão e restrições importantes, o que é um passo útil em si mesmo. Identificar a natureza e o escopo do problema representa um passo importante em direção à solução do mesmo. Em uma seção mais adiante, mostraremos como a análise de sensibilidade pode ajudar o gerente a lidar com incertezas nos parâmetros e a responder a perguntas do tipo 'e se'.

FORMULANDO UM PROBLEMA

As aplicações de programação linear começam com a formulação de um *modelo* de um problema com as características gerais que acabamos de descrever. Ilustramos o processo de modelagem aqui com o **problema de *mix* de produtos**, que é um problema de planejamento do tipo de um período, cuja solução gera quantidades de produto ótimos (ou *mix* de produtos) de um grupo de serviços ou produtos sujeito a restrições de capacidade de recursos e demanda de mercado. Formular um modelo para representar cada problema específico usando a seqüência de três passos a seguir é a parte mais criativa e talvez mais difícil da programação linear.

Passo 1. Defina as variáveis de decisão: o que deve ser decidido? Defina cada variável especificamente, lembrando que as definições usadas na função objetivo devem ser igualmente úteis nas restrições. As definições devem ser as mais específicas possível. Considere as duas definições alternativas seguintes:

x_1 = produto 1

x_1 = número de unidades do produto 1 que será fabricado e vendido no mês seguinte

A segunda definição é muito mais específica que a primeira, tornando os passos restantes mais fáceis.

Passo 2. Escreva por extenso a função objetivo: o que deve ser maximizado ou minimizado? Se são os lucros do próximo mês, escreva por extenso uma função objetivo que torne os lucros uma função linear das variáveis de decisão e identifique parâmetros para acompanhar cada variável de decisão. Por exemplo, se cada unidade de x_1 vendida rende um lucro de sete dólares, o lucro total do produto $x_1 = 7x_1$. Se uma variável não tem nenhum impacto sobre a função objetivo, o coeficiente da função objetivo é 0. A função objetivo muitas vezes é definida como Z e a meta é maximizar ou minimizar Z.

Passo 3. Escreva por extenso as restrições: o que limita os valores das variáveis de decisão? Identifique as restrições e os parâmetros para cada variável de decisão. Como no caso da função objetivo, o parâmetro para uma variável que não tem nenhum impacto sobre uma restrição é 0. Para ser formalmente correto, também escreva por extenso as restrições de não-negatividade.

Como uma verificação de consistência, certifique-se de que a mesma unidade de medida esteja sendo usada nos dois lados de cada restrição e na função objetivo. Por exemplo, suponha que o RAS (*Right-Hand Side*—lado direito) de uma restrição seja horas de capacidade por mês. Portanto, se uma variável de decisão no LHS (*Left-Hand*—lado esquerdo) da restrição mede o número de unidades fabricadas por mês, as dimensões do parâmetro que é multiplicado pela variável de decisão devem ser horas por unidade uma vez que

$$\left(\frac{\text{Horas}}{\text{Unidades}}\right)\left(\frac{\text{Unidades}}{\text{Mês}}\right) = \left(\frac{\text{Horas}}{\text{Mês}}\right)$$

Obviamente, você também pode pular de um passo a outro, dependendo da parte do problema que lhe interessar. Se você não pode ir além do passo 1, tente um novo conjunto de definições para as variáveis. Muitas vezes, o problema pode ser modelado corretamente de mais de uma maneira.

Formulando um modelo de programação linear — EXEMPLO E.1

A Companhia Stratton fabrica dois tipos básicos de tubo de plástico. Três recursos são cruciais para a fabricação do tubo: horas de extrusão, horas de embalagem e um aditivo especial para a matéria-prima de plástico. Os dados seguintes representam a situação da próxima semana. Todos os dados são expressos em unidades de cem pés de tubo.

Recurso	Produto Tipo 1	Tipo 2	Disponibilidade do recurso
Extrusão	4 h	6 h	48 h
Embalagem	2 h	2 h	18 h
Mistura do aditivo	2 lb	1 lb	16 lb

A contribuição para lucros e despesas por cem pés de tubo é de 34 dólares para o tipo 1 e de 40 dólares para o tipo 2. Formule um modelo de programação linear para determinar quanto de cada tipo de tubo deve ser fabricado para maximizar a contribuição para lucros e para despesas.

SOLUÇÃO
Passo 1: Para definir as variáveis de decisão que determinam a linha de produto, definimos

x_1 = quantidade de tubo tipo 1 a ser fabricada e vendida na semana seguinte,

medida em incrementos de 100 pés (por exemplo, $x_1 = 2$ significa 200 pés de tubo tipo 1)

e

x_2 = quantidade de tubo tipo 2 a ser fabricada e vendida na próxima semana,

medida em incrementos de 100 pés.

Passo 2: Em seguida, definimos a função objetivo. A meta é maximizar a contribuição total dos dois produtos para os lucros e despesas. Cada unidade de x_1 rende 34 dólares, e cada unidade de x_2 rende 40 dólares. Para valores específicos de x_1 e x_2, encontramos o lucro total multiplicando o número de unidades de cada produto fabricado pelo lucro por unidade e os somamos. Desse modo, nossa função objetivo se torna

$$\text{Maximizar: } \$34 x_1 + \$40 x_2 = Z$$

Passo 3: O passo final é formular as restrições. Cada unidade de x_1 e x_2 fabricada consome alguns dos recursos críticos. No departamento de extrusão, uma unidade de x_1 requer quatro horas e uma unidade de x_2 requer seis horas. O total não deve superar as 48 horas de capacidade disponível, por isso, usamos o sinal $\leq$. Desse modo, a primeira restrição é

$$4x_1 + 6x_2 \leq 48 \text{ (extrusão)}$$

De modo semelhante, podemos formular as restrições para embalagem e matérias-primas:

$$2x_1 + 2x_2 \leq 18 \text{ (embalagem)}$$

$$2x_1 + x_2 \leq 16 \text{ (mistura do aditivo)}$$

Essas três restrições limitam nossas escolhas de valores para a variável de decisão porque os valores que escolhemos para x_1 e x_2 devem satisfazer a todas as restrições. Valores negativos para x_1 e x_2 não fazem sentido, por isso acrescentamos restrições de não-negatividade ao modelo.

$$x_1 \geq 0 \text{ e } x_2 \geq 0 \text{ (restrições de não-negatividade)}$$

Agora podemos determinar o modelo inteiro, completado com as definições de variáveis.

$$\begin{aligned}\text{Maximizar:} &\quad \$34\, x_1 + \$40\, x_2 = Z \\ \text{Sujeito a} &\quad 4x_1 + 6x_2 \leq 48 \\ &\quad 2x_1 + 2x_2 \leq 18 \\ &\quad 2x_1 + x_2 \leq 16 \\ &\quad x_1 \geq 0 \quad \text{e} \quad x_2 \geq 0\end{aligned}$$

onde

x_1 = quantidade de tubo tipo 1 a ser fabricada e vendida na próxima semana, medida em incrementos de cem pés

x_2 = quantidade de tubo tipo 2 a ser fabricada e vendida na próxima semana, medida em incrementos de cem pés.

ANÁLISE GRÁFICA

Com o modelo formulado, agora buscamos a solução ótima. Na prática, a maioria dos problemas de programação linear é resolvida com um computador. Entretanto, pode-se obter percepções sobre o significado da saída de computador — e de conceitos de programação linear em geral — analisando um problema de duas variáveis simples com o **método gráfico de programação linear.** Desse modo, começamos com o método gráfico, ainda que não seja uma técnica prática para resolver problemas que tenham três ou mais variáveis. Os cinco passos básicos são (1) *representar graficamente as restrições*; (2) *identificar a região viável*; (3) *representar graficamente a reta da função objetivo*; (4) *encontrar a solução visual* e (5) *encontrar a solução algébrica*.

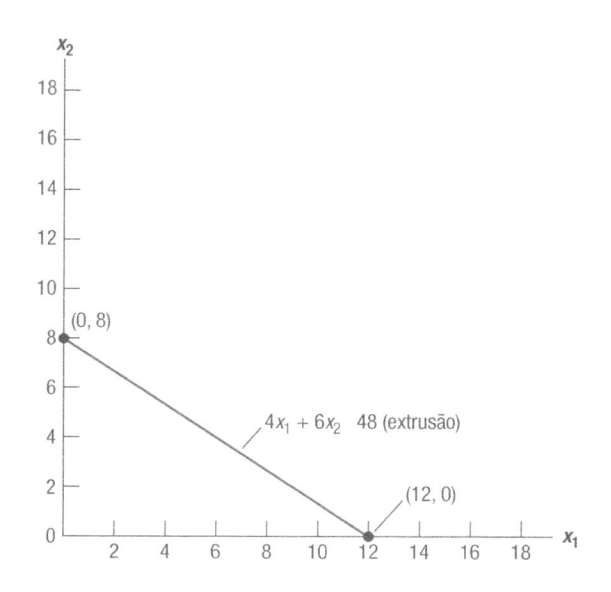

Figura E.1 Gráfico da restrição de extrusão

REPRESENTAR GRAFICAMENTE AS RESTRIÇÕES

Começamos representando as equações das restrições, desconsiderando a porção de desigualdade das restrições (< ou >). Tornar cada restrição uma igualdade (=) a transforma na equação de uma reta. A linha pode ser desenhada assim que identificarmos dois pontos sobre ela. Quaisquer dois pontos razoavelmente separados podem ser escolhidos; os mais fáceis de encontrar são os *interceptos do eixo*, onde a reta cruza cada eixo. Para encontrar o intercepto do eixo x_1, iguale x_2 a 0 e resolva a equação para x_1. Para a Companhia Stratton no Exemplo E.1, a equação da reta para o processo de extrusão é

$$4x_1 + 6x_2 = 48$$

Para o intercepto do eixo x_1, $x_2 = 0$, assim

$$4x_1 + 6(0) = 48$$
$$x_1 = 12$$

Para encontrar o intercepto do eixo x_2, defina $x_1 = 0$ e resolva x_2:

$$4(0) + 6x_2 = 48$$
$$x_2 = 8$$

Unimos os pontos (0, 8) e (12, 0) com uma linha reta, como mostrado na Figura E.1.

IDENTIFICAR A REGIÃO VIÁVEL

A região viável (ou a solução viável) é a área no gráfico que contém as soluções que satisfazem todas as restrições simultaneamente, inclusive as de não-negatividade. Para encontrar a região viável, primeiro localize os pontos factíveis para cada restrição e, em seguida, a área que satisfaz todas as restrições. Geralmente, as três regras a seguir identificam os pontos factíveis para uma dada restrição:

Representando graficamente as restrições

EXEMPLO E.2

Para o problema da Companhia Stratton, represente graficamente as outras restrições: para embalagem e para a mistura do aditivo.

SOLUÇÃO

A equação para a reta do processo de embalagem é $2x_1 + 2x_2 = 18$. Para encontrar o intercepto de x_1, defina $x_2 = 0$:

$$2x_1 + 2(0) = 18$$
$$x_1 = 9$$

Para encontrar o intercepto do eixo x_2, defina $x_1 = 0$:

$$2(0) + 2x_2 = 18$$
$$x_2 = 9$$

A equação da reta da mistura do aditivo é $2x_1 + x_2 = 16$. Para encontrar o intercepto x_1, defina $x_2 = 0$:

$$2x_1 + 0 = 16$$
$$x_1 = 8$$

Para encontrar o intercepto do eixo x_2, defina $x_1 = 0$:

$$2(0) + x_2 = 16$$
$$x_2 = 16$$

Com uma linha reta, unimos os pontos (0, 9) e (9, 0) para a restrição de embalagem e os pontos (0, 16) e (8, 0) para a restrição de mistura do aditivo. A Figura E.2 mostra o gráfico com as três restrições representadas.

O Active Model E.1, disponível no site de apoio do livro, oferece muitos insights sobre análise gráfica e análise de sensibilidade. Utilize-o quando estudar os Exemplos E.2 a E.5.

O Tutor E.1, disponível no site de apoio do livro, fornece um novo exemplo prático para representar as restrições.

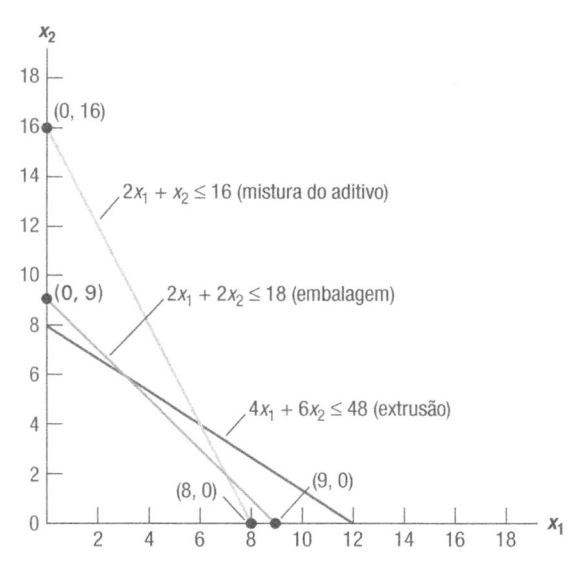

Figura E.2 Gráfico das três restrições

1. Para uma restrição =, apenas os pontos sobre a reta são soluções viáveis.
2. Para a restrição ≤, os pontos sobre a reta e os pontos abaixo ou à esquerda da reta são soluções viáveis.
3. Para a restrição ≥, os pontos sobre a reta e os pontos acima ou à direita da reta são soluções viáveis.

Exceções a essas regras ocorrem quando um ou mais dos parâmetros no lado esquerdo de uma restrição são negativos. Nesses casos, traçamos a reta da restrição e testamos um ponto ao lado dela. Se o ponto não satisfaz a restrição, ele está na parte inviável do gráfico. Suponha que um modelo de programação linear tenha as cinco restrições seguintes mais as restrições de não-negatividade:

$$2x_1 + x_2 \geq 10$$
$$2x_1 + 3x_2 \geq 18$$
$$x_1 \leq 7$$
$$x_2 \leq 5$$
$$-6x_1 + 5x_2 \leq 5$$
$$x_1, x_2 \geq 0$$

A região viável é a parte sombreada da Figura E.3. As setas mostradas em cada restrição identificam qual lado de cada linha é viável. As regras funcionam para todas, exceto para a quinta restrição, que tem um parâmetro negativo, –6,

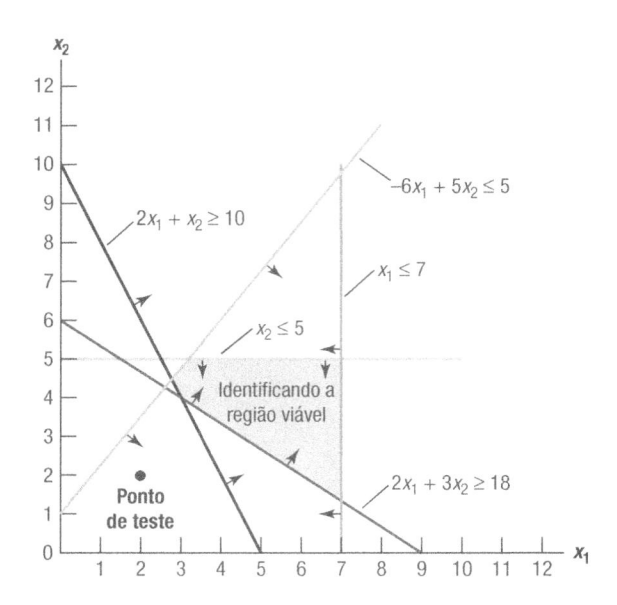

Figura E.3 Identificando a região viável

REPRESENTAR GRAFICAMENTE A RETA DA FUNÇÃO OBJETIVO

Agora queremos encontrar uma solução que otimize a função objetivo. Ainda que todos os pontos na região viável representem soluções possíveis, podemos limitar nossa busca aos pontos de 'quina'. Um **ponto de quina** se encontra na interseção de duas (ou possivelmente mais) retas de restrição nos limites da região viável. Pontos interiores à região viável não precisam ser considerados porque pelo menos um ponto de quina é melhor que qualquer ponto interior. De modo semelhante, outros pontos no limite da região viável podem ser ignorados porque um ponto de quina é pelo menos tão adequado quanto qualquer um deles.

Na Figura E.4, os cinco pontos de quina são marcados como A, B, C, D e E. O ponto A é a origem e pode ser ignorado porque qualquer outro ponto viável é uma solução melhor. Podemos testar cada um dos outros pontos de quina da função objetivo e selecionar o que maximiza Z. Por exemplo, o ponto de quina B se encontra em (0, 8). Se substituirmos esses valores na função objetivo, o valor resultante de Z é 320:

$$34x_1 + 40x_2 = Z$$
$$34(0) + 40(8) = 320$$

Entretanto, é possível que não consigamos indicar precisamente os valores de x_1 e x_2 para alguns dos pontos

para x_1. Selecionamos arbitrariamente (2, 2) como o ponto de teste que, como a Figura E.3 mostra, está abaixo e à direita da linha. Nesse ponto, encontramos $-6(2) + 5(2) = -2$. Uma vez que -2 não é superior a 5, a porção da figura contendo (2, 2) é viável, pelo menos para a quinta restrição.

Identificando a região viável

EXEMPLO E.3

Identifique a região viável para o problema da Companhia Stratton.

SOLUÇÃO

Uma vez que o problema contém apenas restrições ≤ e os parâmetros no lado esquerdo de cada restrição não são negativos, as porções viáveis estão à esquerda e abaixo de cada restrição. A região viável, sombreada na Figura E.4, satisfaz as três constantes simultaneamente.

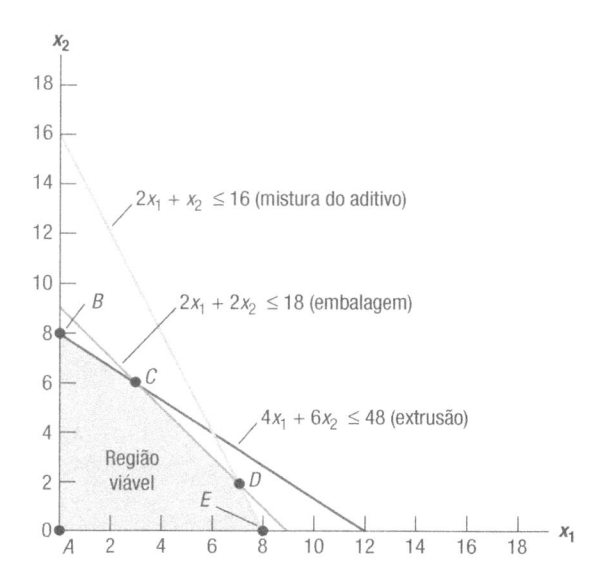

Figura E.4 A região variável

(por exemplo, C ou D) no gráfico. Resolver algebricamente duas equações lineares para cada ponto de quina também é ineficiente quando há muitas restrições e, dessa maneira, muitos pontos de quina.

A melhor abordagem é representar graficamente a função objetivo no gráfico da região viável para alguns valores arbitrários de Z. A partir dessas retas da função objetivo, podemos localizar visualmente a melhor solução. Se a função objetivo é lucros, cada reta é chamada de *reta iso-lucro*, e cada ponto sobre essa linha renderá o mesmo lucro. Se Z mede o custo, a reta é chamada de *reta de iso-custo*, e cada ponto sobre ela representa o mesmo custo. Podemos simplificar a procura representando a primeira reta na região viável – em algum lugar próximo à solução ótima, esperamos. Para o exemplo da Companhia Stratton, tracemos uma reta pelo ponto E (8, 0), que é um ponto de quina. Poderia até mesmo ser a solução ótima porque está longe da origem. Para traçar a reta, primeiro identificamos seu valor de Z como 34(8) + 40(0) = 272. Portanto, a equação para a reta da função objetivo passando por E é

$$34x_1 + 40x_2 = 272$$

Cada ponto sobre a reta definida por essa equação tem um valor Z da função objetivo de 272. Para traçar a reta, precisamos identificar um segundo ponto sobre ela e, em seguida, unir os dois pontos. Utilizemos o intercepto de x_2, no qual $x_1 = 0$:

$$34(0) + 40x_2 = 272$$
$$x_2 = 6{,}8$$

A Figura E.5 mostra a reta de *iso-lucro* que une os pontos (8, 0) e (0; 6,8). Uma série de outras retas pontilhadas pode ser traçada paralelamente a essa primeira reta. Cada uma tem seu próprio valor de Z. As retas acima da primeira reta que traçamos têm valores de Z mais altos. As retas abaixo dela têm valores de Z mais baixos.

ENCONTRAR A SOLUÇÃO VISUAL

Agora, desconsideramos os pontos de quina A e E como a solução ótima, porque pontos melhores se encontram acima e à direita da reta de *iso-lucro* Z = 272. Nossa meta é maximizar lucros, assim, a melhor solução é um ponto sobre a reta de *iso-lucro mais distante* da origem, mas que ainda tangencie a região viável. (Para problemas de minimização, é um ponto na região viável da reta de iso-custo mais próximo da origem.) Para identificar qual dos pontos de quinas restantes é ótimo (B, C ou D), traçamos, paralelamente à primeira reta, uma ou mais retas de *iso-lucro* que fornecem valores de Z melhores (mais altos para maximização e mais baixos para minimização). A reta que apenas tangencia a região viável identifica a solução ótima. Para o problema da Companhia Stratton, a Figura E.6 mostra a segunda reta de *iso-lucro*. A solução ótima é o último ponto que tangencia a região viável: o ponto C. Parece estar nas adjacências de (3, 6), mas a solução visual não é exata.

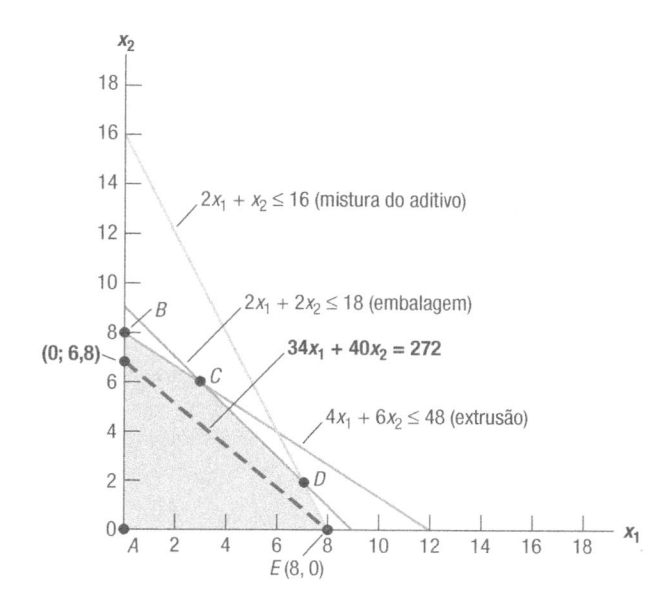

Figura E.5 Passando uma reta de *iso-lucro* por (8, 0)

Um problema de programação linear pode ter mais de uma solução ótima. Essa situação ocorre quando a função objetivo é paralela a uma das faces da região viável. Esse seria o caso se nossa função objetivo do problema da Companhia Stratton fosse 38 dólares x_1 + 38 dólares x_2. Os pontos (3, 6) e (7, 2) seriam ótimos, como qualquer outro sobre a reta que une esses dois pontos de quina. Nesse caso, a gerência provavelmente basearia uma decisão final em fatores não quantificáveis. É importante entender, entretanto, que precisamos considerar apenas os pontos de quina da região viável quando otimizamos uma função objetivo.

ENCONTRAR A SOLUÇÃO ALGÉBRICA

Para encontrar uma solução exata, devemos usar álgebra. Começamos identificando o par de restrições que define o ponto de quina em suas interseções. Em seguida, escrevemos as restrições como equações e as resolvemos simultaneamente para encontrar as coordenadas (x_1, x_2) do ponto de quina. As equações simultâneas podem ser resolvidas de vários modos. Para problemas pequenos, o modo mais fácil é o seguinte:

Passo 1. Desenvolva uma equação com apenas uma incógnita: comece multiplicando ambos os lados de uma equação por uma constante de forma que o coeficiente para uma das duas variáveis de decisão seja *idêntico* em ambas as equações. Depois, subtraia uma equação da outra e resolva a equação resultante para sua única incógnita.

Passo 2. Insira esse valor da variável de decisão em qualquer uma das duas restrições originais e resolva a outra variável de decisão.

Encontrando a solução algebricamente ótima

EXEMPLO E.4

Encontre a solução algebricamente ótima para o problema da Companhia Stratton. Qual é o valor de Z quando as variáveis de decisão têm valores ótimos?

SOLUÇÃO

Passo 1: A Figura E.6 mostra que o ponto de quina ótimo se encontra na interseção entre as restrições de extrusão e embalagem. Escrevendo as restrições como igualdades, temos

$$4x_1 + 6x_2 = 48 \text{ (extrusão)}$$
$$2x_1 + 2x_2 = 18 \text{ (embalagem)}$$

Multiplicamos cada termo na restrição de embalagem por dois. A restrição de embalagem agora é $4x_1 + 4x_2 = 36$. Em seguida, subtraímos a restrição de embalagem da restrição de extrusão. O resultado será uma equação da qual se retirou x_1. (Ou poderíamos multiplicar a segunda equação por três de modo que x_2 seja retirado após a subtração.) Dessa maneira,

$$\begin{aligned} 4x_1 + 6x_2 &= 48 \\ -(4x_1 + 4x_2 &= 36) \\ \hline 2x_2 &= 12 \\ x_2 &= 6 \end{aligned}$$

O Tutor E.2, disponível no site de apoio do livro, fornece um novo exemplo prático para encontrar a solução ótima.

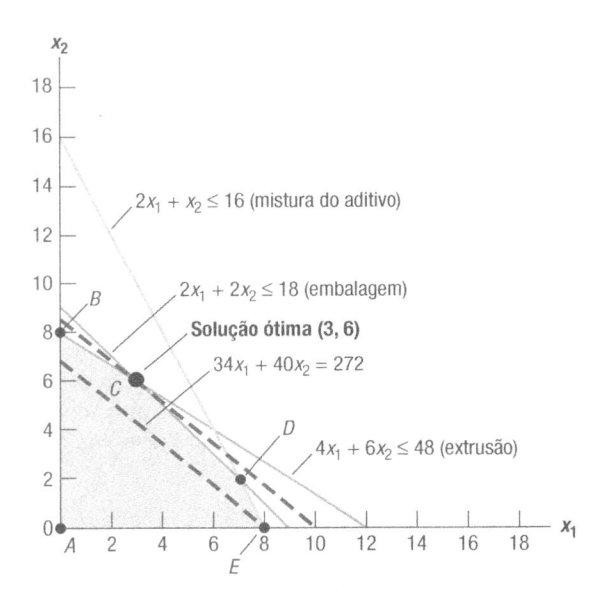

Figura E.6 Traçando a segunda reta de *iso-lucro*

Passo 2: Substituindo o valor de x_2 na equação de extrusão, obtemos

$$4x_1 + 6(6) = 48$$
$$4x_1 = 12$$
$$x_1 = 3$$

Assim, o ponto ótimo é (3, 6). Essa solução dá um lucro total de $34(3) + 40(6) = 342$ dólares.

Ponto de decisão A gerência da Companhia Stratton decidiu fabricar 300 pés de tubo tipo 1 e 600 pés de tubo tipo 2 para a semana seguinte.

VARIÁVEIS DE FOLGA E EXCESSO

A Figura E.6 mostrou que a reta de produtos ótima consumirá todos os recursos de extrusão e embalagem porque, no ponto de quina ótimo (3, 6), as duas restrições são igualdades. A substituição dos valores de x_1 e x_2 nessas restrições, mostra que o lado da esquerda é igual ao lado da direita:

$$4(3) + 6(6) = 48 \text{ (extrusão)}$$
$$2(3) + 2(6) = 18 \text{ (embalagem)}$$

Uma restrição (como a da extrusão) que ajuda a formar o ponto de quina ótimo é chamada **restrição associada** (*binding constraint*), porque limita a capacidade de aperfeiçoar a função objetivo. Se uma restrição associada é *relaxada*, ou menos restritiva, é possível encontrar uma solução melhor. Relaxar uma restrição significa aumentar o parâmetro do lado direito para uma restrição ≤ ou reduzi-la a uma restrição ≥. Não é possível obter melhorias a partir do relaxamento de uma restrição que não seja associada, como a restrição de mistura do aditivo na Figura E.6. Se o lado direito fosse aumentado de 16 para 17 e o problema resolvido novamente, a solução ótima não se alteraria. Em outras palavras, já há mais mistura do aditivo que o necessário.

Para restrições de desigualdade não-associadas (*nonbiding*), saber o quanto os lados direito e esquerdo diferem é útil. Essa informação nos diz o quanto a restrição está próxima de se tornar associada. Para uma restrição ≤, a quantidade pela qual o lado direito é menor que o lado esquerdo é chamada folga (*slack*). Para uma restrição ≥, a quantidade pela qual o lado esquerdo supera o lado direito é chamada excesso (*surplus*). Para encontrar algebricamente a folga para uma restrição ≤, *somamos* uma variável de folga à restrição e a transformamos em uma igualdade. Em seguida, substituímos os valores das variáveis de decisão e resolvemos a folga. Por exemplo, a restrição de mistura do aditivo na Figura E.6, $2x_1 + x_2 \leq 16$, pode ser reescrita adicionando a variável de folga s_1:

$$2x_1 + x_2 + s_1 = 16$$

Em seguida, encontramos a folga da solução ótima (3,6):

$$2(3) + 6 + s_1 = 16$$
$$s_1 = 4$$

O procedimento é muito parecido com encontrar o excesso para uma restrição ≥, exceto pelo fato de que *subtraímos* uma variável de excesso do lado esquerdo. Suponha que $x_1 + x_2 \geq 6$ fosse outra restrição no problema da Companhia Stratton, representando um limite inferior do número de unidades fabricadas. Poderíamos, então, reescrever a restrição subtraindo uma variável de excesso s_2:

$$x_1 + x_2 - s_2 = 6$$

A folga na solução ótima (3, 6) seria

$$3 + 6 - s_2 = 6$$
$$s_2 = 3$$

O Tutor E.3, disponível no site de apoio, fornece outro exemplo prático para encontrar a folga.

ANÁLISE DE SENSIBILIDADE

Raramente os parâmetros e restrições da função objetivo são conhecidos com certeza. Muitas vezes, eles são apenas estimativas de valores reais. Por exemplo, as horas de embalagem e extrusão disponíveis para a Companhia Stratton são estimativas que não refletem as incertezas associadas ao absenteísmo ou transferências de pessoal e as horas exigidas por unidade de embalagem e extrusão podem ser padrões de trabalho que são essencialmente médias. Do mesmo modo, contribuições de lucro usadas para os coeficientes da função objetivo não refletem incertezas nos preços de venda e custos variáveis como salário, matérias-primas e transporte.

Apesar de tais incertezas, as estimativas iniciais são necessárias para resolver o problema. A contabilidade, o marketing e os sistemas de informações de padrões de trabalho, muitas vezes, fornecem essas estimativas iniciais. Após resolver o problema usando esses valores estimados, o analista pode determinar quanto os valores ótimos das variáveis de decisão e do valor Z da função objetivo seriam afetados se certos parâmetros tivessem valores diferentes. Esse tipo de análise após a solução para responder a perguntas do tipo "e se" é chamado *análise de sensibilidade*.

Uma maneira de conduzir a análise de sensibilidade para problemas de programação linear é a abordagem de 'força bruta' (*brute-force)* de alterar um ou mais valores

TABELA E.1 Informações de análise de sensibilidade fornecidas por programação linear

Termo	Definição
Sensibilidade do coeficiente	Medida de quanto o coeficiente da função objetivo de uma variável de decisão deve melhorar (aumentar para maximização ou diminuir para minimização) antes que a solução ótima se altere e a variável de decisão se torne algum número positivo.
Limite de faixa de viabilidade	Intervalo ao longo do qual o parâmetro do lado direito pode variar enquanto seu preço sombra permanence válido.
Faixa de otimalidade	Limite inferior e superior ao longo do qual os valores ótimos de variáveis de decisão se tornam inalterados.
Preço sombra	A melhoria marginal em Z (aumento para maximização e redução para minimização) causada pelo relaxamento da restrição em uma unidade.

de parâmetros e resolver novamente o problema inteiro. Essa abordagem pode ser aceitável para problemas pequenos, mas é ineficiente se o problema envolve muitos parâmetros. Por exemplo, a análise de sensibilidade de força bruta usando três valores separados para cada um dos 20 coeficientes da função objetivo requer 3^{20} ou 3.486.784.401 soluções distintas! Felizmente, métodos eficientes estão disponíveis para se obter informações de sensibilidade sem resolver novamente o problema inteiro, e eles são habitualmente usados na maioria dos pacotes de software de programação linear.

A Tabela E.1 define os quatro tipos básicos de informações de análise de sensibilidade fornecidas por programação linear. Veja o site de apoio do livro para uma descrição mais completa de análise de sensibilidade, continuando com a análise gráfica da Companhia Stratton.

SOLUÇÃO DE COMPUTADOR

A maioria dos problemas reais de programação linear é resolvida em computadores e, por isso, concentramo-nos aqui na compreensão do uso de programação linear e na lógica sobre a qual se baseia. O procedimento de solução em códigos de computador é alguma forma do **método *simplex***, que é um procedimento algébrico iterativo para resolver problemas de programação linear.

MÉTODO *SIMPLEX*

A análise gráfica fornece percepções sobre a lógica do método *simplex*, começando com o enfoque de pontos de quina. Um ponto de quina sempre será o ótimo, mesmo quando várias soluções ótimas estiverem disponíveis. Desse modo, o método *simplex* começa com um ponto de quina inicial e, em seguida, avalia sistematicamente outros pontos de quina tal que a função objetivo melhore (ou, na pior das hipóteses, permaneça a mesma) em cada repetição. No problema da Companhia Stratton, uma melhoria seria um aumento nos lucros. Quando melhorias não são mais possíveis, a solução ótima foi encontrada.[1] O método *simplex* também ajuda a gerar as informações de análise de sensibilidade que formulamos graficamente.

Cada ponto de quina não tem mais que m variáveis maiores que 0, onde m é o número de restrições (não contando as restrições de não-negatividade). As variáveis m incluem as variáveis de folga e excesso, não apenas as de decisão originais. Por causa dessa propriedade, podemos encontrar um ponto de quina resolvendo simultaneamente m restrições, onde todas as variáveis exceto m são igualadas a 0. Por exemplo, o ponto B na Figura E.6 tem três variáveis diferentes de zero: x_2, a variável de folga para embalagem e a variável de folga para a mistura do aditivo. Seus valores podem ser encontrados resolvendo, simultaneamente, as três restrições, com x_1 e a variável de folga para extrusão iguais a 0. Após encontrar esse ponto de quina, o método *simplex* aplica informações semelhantes à sensibilidade do coeficiente para decidir qual novo ponto de quina que forneça um valor de Z ainda melhor vai encontrar em seguida. Ele continua desse modo até que não é possível encontrar nenhum ponto de quina melhor. O ponto de quina final avaliado é o ótimo.

RESULTADO DO COMPUTADOR

Programas de computador reduzem dramaticamente a quantidade de tempo requerida para resolver problemas de programação linear. Programas de uso específico podem ser desenvolvidos para aplicações que devem ser repetidas freqüentemente. Esses programas simplificam a entrada de dados e geram a função objetivo e as restrições para o problema. Além disso, podem preparar relatórios administrativos personalizados.

A capacidade e a exibição de pacotes de software não são uniformes. Por exemplo, o OM Explorer e o POM para Windows podem lidar com problemas de programação linear de tamanho médio ou pequeno. O OM Explorer conta com o Solver do Microsoft Excel para encontrar as soluções ótimas, portanto recomendamos a instalação do Solver do Excel para que seja compatível com a planilha eletrônica de programação linear do OM Explorer. Resolver problemas de programação linear com esses pacotes, em vez de usar diretamente o Solver do Excel, é mais conveniente. As entradas são feitas facilmente e as restrições de não-negatividade não precisam ser inseridas. Para outros softwares de programação linear, veja o ILOG Optimization Suit (www.ilog.com/products/optimization), Lindo Systems (www.lindo.com), Optimization Subroutine Library da IBM (www.research.ibm.com/osl), Produtos Premium Solver para Microsoft Excel da FrontLine (www.frontsys.com/xlprod.htm), o software de análise de progamação linear mais recente da Lionheart (lionhrtpub.com/orms/surveys/LP/LP-survey.html).

Aqui mostramos o resultado do OM Explorer, embora você possa considerar o POM para Windows mais fácil. O OM Explorer tem três planilhas de resultado, que ilustramos para a Companhia Stratton. O resultado das duas primeiras planilhas é mostrado na Figura E.7.

A *"Planilha de entradas"* requer o número de variáveis de decisão e restrições, além da definição do problema: se é de maximização ou minimização. Após fazer essas entradas e clicar o botão "Configuração de problema", a *"Planilha de área de trabalho"* é aberta. O usuário pode escolher inserir rótulos para as variáveis de decisão, valores do lado direito da equação, função objetivo ou restrições. Aqui, a primeira variável de decisão é classificada como 'X1', os valores do lado direito como 'RHV', a função objetivo como 'Max-Z' e a restrição de extrusão como 'Extrusão'. Para facilitar a especificação do tipo de restrição ($\leq$, $=$ ou $\geq$), apenas insira '<' para uma restrição $\leq$, e '>' para uma restrição $\geq$. Variáveis de folga e excesso serão automaticamente acrescentadas de acordo com a necessidade. Quando todas as entradas forem realizadas, clique no botão "Encontrar solução ótima".

---

[1] Para obter mais informações sobre como realizar o método *simplex* manualmente, veja Render, Stair e Hanna (2003) ou qualquer outro livro-texto atual sobre métodos quantitativos de administração.

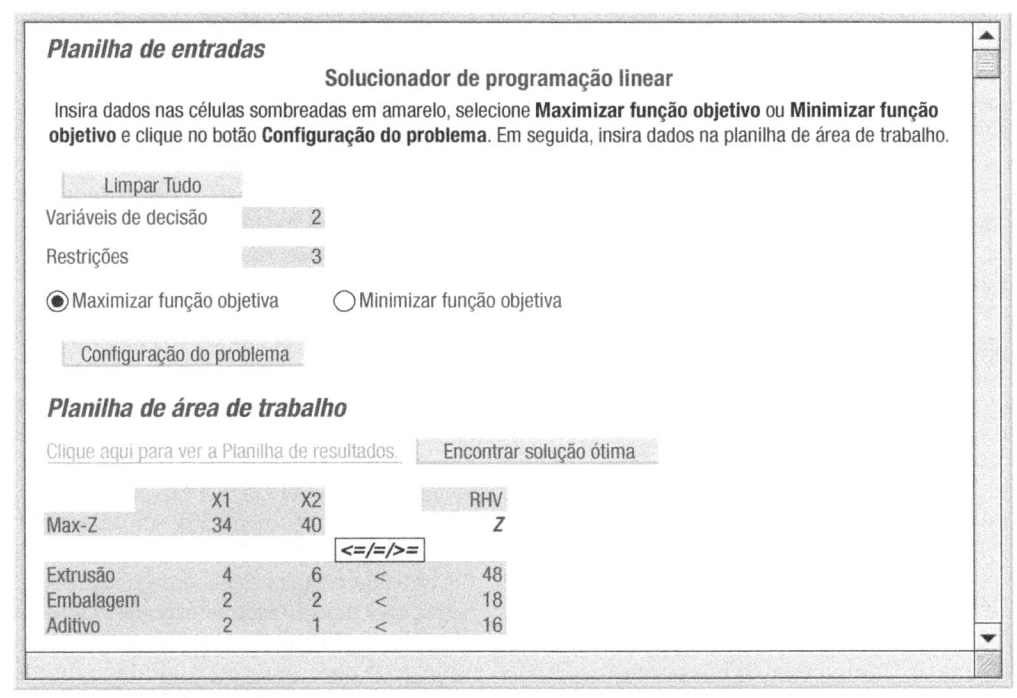

Figura E.7 Planilha de entradas

A *"Planilha de resultados"*, mostrada na Figura E.8, fornece a solução ótima para o problema da Companhia Stratton. O OM Explorer começa mostrando os valores ótimos das variáveis de decisão ($X1 = 3,0000$ e $X2 = 6,0000$), os coeficientes da função objetivo e a sensibilidade de seus coeficientes. Também indica um número de sensibilidade do coeficiente para o coeficiente da função objetivo de cada variável de decisão. Duas informações úteis sobre a interpretação de seu valor são:

1. o número de sensibilidade é relevante apenas para uma variável de decisão que seja 0 na solução ótima. Se a variável de decisão for maior que 0, ignore o número de sensibilidade do coeficiente;

2. o OM Explorer relata o valor absoluto do número de sensibilidade do coeficiente, ignorando qualquer sinal negativo. Desse modo, o valor sempre diz o quanto o coeficiente da função objetivo deve melhorar (aumentar para problemas de maximização ou diminuir para problemas de minimização) antes que a solução ótima se altere. Nesse ponto, a variável de decisão associada ao coeficiente introduz a solução ótima em algum nível positivo. Para conhecer a nova solução, aplique o OM Explorer novamente com um coeficiente melhorado em um valor ligeiramente mais alto que o número de sensibilidade do coeficiente.

Desse modo, para o problema da Companhia Stratton, as sensibilidades do coeficiente não fornecem nenhuma percepção nova porque são sempre 0 quando as variáveis de decisão têm valores positivos na solução ótima. Verifique, em vez disso, os limites inferiores e superiores dos coeficientes de função objetivo, dados em uma próxima seção de resultados.

Solução

Rótulo da variável	Valor da variável	Coeficiente original	Sensibilidade do coeficiente
X1	3,0000	34,0000	0
X2	6,0000	40,0000	0

Rótulo da restrição	RHV original	Folga ou excesso	Preço sombra
Extrusão	48	0	3,0000
Embalagem	18	0	11,0000
Aditivo	16	4	0

Valor da função objetivo: 342

Análise de sensibilidade e faixas

Coeficientes da função objetivo

Rótulo da variável	Limite inferior	Coeficiente original	Limite superior
X1	26,66666667	34	40
X2	34	40	51

Valores do lado direito

Rótulo da restrição	Limite inferior	Valor original	Nenhum limite
Extrusão	40	48	54
Embalagem	16	18	20
Aditivo	12	16	Ilimitado

Figura E.8 Planilha de resultados

Para as restrições, a Figura E.8 mostra os valores originais do lado direito, as variáveis de folga ou excesso e os preços sombra. Fornece-se um preço sombra para cada valor do lado direito ou, mais especificamente, para a variável de folga ou excesso da restrição. Duas informações importantes sobre a interpretação de seu valor são:

1. o número é relevante apenas para uma restrição associada, na qual a variável de folga ou excesso é 0 na solução ótima. Para uma restrição não-associada, o preço sombra é 0.
2. o OM Explorer relata o valor absoluto dos números de preço sombra, ignorando qualquer sinal negativo. Desse modo, o valor sempre diz o quanto o valor de Z da função objetivo *melhora* (aumenta para problemas de maximização ou diminui para problemas de minimização) 'relaxando' a restrição em uma unidade. Relaxar significa aumentar o valor do lado direito para uma restrição $\leq$ ou reduzi-lo para uma restrição $\geq$. O preço sombra também pode ser interpretado como a perda marginal (ou ônus) de Z causada pelo aumento da restrição em uma unidade.

Dessa maneira, a Companhia Stratton tem quatro libras de folga de mistura de aditivo, portanto, o preço sombra é 0. Embalagem, por outro lado, é uma restrição associada porque não tem folga. O preço sombra de uma hora a mais de embalagem é 11 dólares.

Finalmente, no fim do resultado da solução (como mostrado na Figura E.8), o OM Explorer relata o valor de Z da função objetivo ótima como 342 dólares. O resultado como um todo confirma nossos cálculos anteriores e a análise gráfica.

A parte de "Análise de sensibilidade" e "Faixas da *planilha de resultados*", mostrada na Figura E.8, começa com a faixa na qual os coeficientes da função objetivo podem variar sem alterar os valores ótimos das variáveis de decisão. Observe que c_1, a qual atualmente tem um valor de 34 dólares, tem uma faixa de otimalidade entre 26,67 dólares e 40 dólares. O valor de Z da função objetivo se alteraria com mudanças no coeficiente ao longo dessa faixa, mas os valores ótimos das variáveis de decisão permanecem os mesmos. Por fim, o OM Explorer relata a faixa de viabilidade, dentro da qual os parâmetros do lado direito podem variar sem alterar os preços sombra. Por exemplo, o preço sombra de 11 dólares para embalagem é válido na faixa de 16 a 20 horas. Novamente, essas conclusões são idênticas à análise de sensibilidade feita graficamente. A diferença é que o OM Explorer pode lidar com mais de duas variáveis de decisão (até 99) e pode ser resolvido muito mais rapidamente.

O número de variáveis na solução ótima (incluindo as de decisão, as de folga e as de excesso) que são maiores que 0 nunca supera o número de restrições. Esse é o caso do problema da Companhia Stratton, com suas três restrições (não incluindo as restrições de não-negatividade implícitas) e três variáveis diferentes de zero na solução ótima (X1, X2 e a variável de folga da mistura de aditivo). Em raras ocasiões, o número de variáveis diferentes de zero na solução ótima pode ser menor que o número de restrições — uma condição chamada **degeneração**. Quando isso ocorre, degeneração, as informações de análise de sensibilidade são duvidosas. Ignore a parte da análise de sensibilidade do resultado do OM Explorer que é duvidosa. Se você quiser mais informações do tipo 'e se', simplesmente execute o OM Explorer novamente usando os novos valores de parâmetros que você quer examinar.

APLICAÇÕES

Muitos problemas de administração de operações e de outras áreas funcionais foram modelados como problemas de programação linear. Sabendo como formular um problema de modo geral, o tomador de decisão pode adaptá-lo à situação à mão.

A lista a seguir identifica alguns problemas que podem ser resolvidos com programação linear. Os problemas de revisão no fim deste suplemento e no fim de outros capítulos ilustram muitos desses tipos de problemas.

Usando preços sombra para tomada de decisão — EXEMPLO E.5

A Companhia Stratton precisa de respostas para três perguntas importantes: Aumentar a capacidade da área de extrusão ou embalagem compensa se tiver o custo adicional de oito dólares por hora além dos custos normais já refletidos nos coeficientes da função objetivo? Aumentar a capacidade de embalagem compensa se tiver o custo adicional de seis dólares por hora? Comprar mais matéria-prima compensa?

SOLUÇÃO
Expandir a capacidade de extrusão custaria um acréscimo de oito dólares por hora, mas o preço sombra para essa capacidade é de apenas três dólares por hora. Entretanto, expandir as horas de embalagem custaria apenas seis dólares por hora a mais que o preço refletido na função objetivo e o preço sombra é de 11 dólares por hora. Por fim, comprar mais matérias-primas não compensaria porque já existe um excesso de quatro libras; o preço sombra é de 0 para esse recurso.

Ponto de decisão A gerência decidiu aumentar a capacidade de horas de embalagem, mas não expandir a capacidade de extrusão ou comprar mais matérias-primas.

- **Administração de restrições**

  Mix *de produtos*: encontra o melhor *mix* de produtos para fabricação, dadas restrições de capacidade e demanda.

- **Distribuição**

  Carregamento: encontra o tamanho de carregamento ótimo de fábricas para centros de distribuição ou de armazéns para varejistas.

- **Estoque**

  Controle de estoque: determina o *mix* de produtos ótimo a se manter em estoque em um armazém.

  Seleção de fornecedores: encontra a combinação ótima de fornecedores para minimizar a quantidade indesejada de estoques.

- **Localização**

  Plantas ou *armazéns*: determina a localização ótima de uma planta ou armazém, com respeito aos custos de transporte totais entre várias localizações alternativas e fontes de oferta e demanda existentes.

- **Administração de processos**

  Redução de estoques: dadas as dimensões de uma lista ou planilha de matérias-primas, encontra o padrão de redução que minimiza a quantidade de material de refugo.

- **Planejamento de vendas e operações**

  Produção: encontra o programa de produção de custo mínimo, levando em consideração custos de contratações e demissões, armazenamento de estoques, horas extras e subcontratações, sujeitos a várias restrições de capacidade e políticas.

  Provimento de pessoal: encontra os níveis de provimento de pessoal ótimos para várias categorias de trabalhadores, sujeitos a várias restrições de demanda e políticas.

  Combinações (blends): encontra as proporções ótimas de vários ingredientes usados para fabricar produtos, como gasolina, tinta e alimentos, sujeitos a determinados requisitos mínimos.

- **Programação**

  Turnos: determina a designação de custo mínimo de trabalhadores para turnos, sujeita à demanda variada.

  Veículos: designa veículos para produtos ou clientes e determina o número de viagens a serem feitas, sujeitos ao tamanho do veículo, a sua disponibilidade e às restrições de demanda.

  Itinerário: encontra o itinerário ótimo de um serviço ou produto por meio de vários processos consecutivos, cada um com sua própria capacidade e outras características.

PALAVRAS-CHAVE

certeza
degeneração
excesso
faixa de otimalidade
folga
função objetivo
limite da faixa de viabilidade
linearidade
método gráfico de programação linear
método *simplex*
não-negatividade
parâmetro
ponto de quina
preço sombra
problema de *mix* de produtos
programação linear
região viável ou solução viável
restrição associada
restrições
sensibilidade do coeficiente
variáveis de decisão

PROBLEMA RESOLVIDO 1

As Linhas Aéreas O'Connel estão considerando serviços aéreos a partir de seu centro de operações em Cicely, Alasca, para Rome, Wisconsin, e Seattle, Washington. O'Connel tem um terminal de embarque no aeroporto de Cicely que opera 12 horas por dia. Cada vôo requer uma hora do terminal de embarque. Cada vôo para Rome consome 15 horas da tripulação e espera-se que gere um lucro de 2.500 dólares. Atender a Seattle usa dez horas do tempo de tripulação por vôo e tem como resultado um lucro de dois mil dólares por vôo. O trabalho da tripulação é limitado a 150 horas por dia. O mercado de atendimento a Rome é limitado a nove vôos por dia.

a. Use o método gráfico de programação linear para maximizar os lucros para as Linhas Aéreas O'Connel.

b. Identifique restrições de folga e excesso, se houver.

SOLUÇÃO

a. A função objetivo é maximizar lucros, Z:

Maximizar: $\$2.500\, x_1 + \$2.000\, x_2 = Z$

onde

x_1 = número de vôos por dia para Rome, Wisconsin
x_2 = número de vôos por dia para Seattle, Washington

As restrições são

$x_1 + x_2 \leq 12$ (capacidade do terminal de embarque)
$15\, x_1 + 10\, x_2 \leq 150$ (trabalho)
$x_1 \leq 9$ (mercado)
$x_1 \geq 0 \quad \text{e} \quad x_1 \geq 0$

O traçado cuidadoso das linhas de *iso-lucro* paralelas comparado à mostrada na Figura E.9 indicará que o ponto D é a solução ótima. É a interseção entre as restrições de trabalho e da capacidade do terminal de embarque. Resolvendo algebricamente, obtemos

$$15x_1 + 10x_2 = 150 \text{ (trabalho)}$$
$$-10x_1 - 10x_2 = -120 \text{ (terminal de embarque} \times -10)$$
$$5x_1 + 0x_2 = 30$$
$$x_1 = 6$$
$$6 + x_2 = 12 \text{ (terminal de embarque)}$$
$$x_2 = 6$$

O lucro máximo resulta da realização de seis vôos para Rome e seis vôos para Seattle:

$$\$\,2.500\,(6) + \$\,2.000\,(6) = \$\,27.000$$

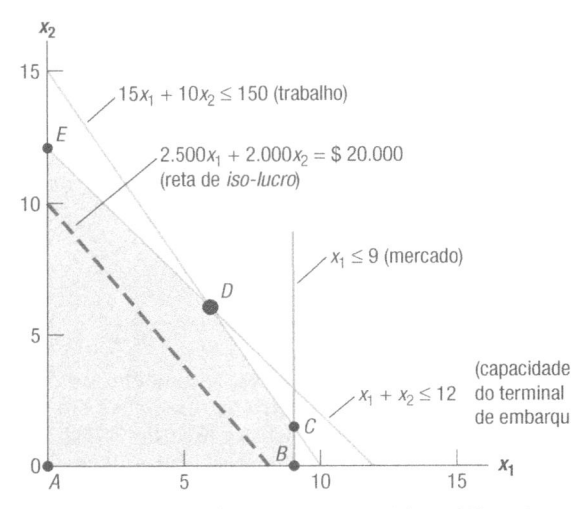

Figura E.9 Solução gráfica para as Linhas Aéreas O'Connel

b. A restrição de mercado tem três unidades de folga, assim, a demanda por vôos para Rome não é satisfeita completamente:

$$x_1 \leq 9$$
$$x_1 + s_3 = 9$$
$$6 + s_3 = 9$$
$$s_3 = 3$$

O Tutor E.4, disponível no site de apoio do livro, fornece um exemplo prático para encontrar a solução gráfica e algébrica.

QUESTÃO PARA DISCUSSÃO

Um problema de maximização de programação linear específico tem as seguintes restrições do tipo menor ou igual a: (1) matérias-primas; (2) horas de trabalho; e (3) espaço de armazenamento. A solução ótima ocorre na interseção entre as restrições de matérias-primas e horas de trabalho. Desse modo, essas restrições são associadas. A gerência está avaliando se autorizará horas extras. Que informação útil a solução de programação linear pode fornecer à gerência ao tomar essa decisão? Suponha que um armazém se torne disponível para aluguel a preços baixos. O que a gerência precisa saber a fim de decidir se alugará o armazém? Como o modelo de programação linear pode ser útil?

PROBLEMAS

Softwares como o OM Explorer, o Active Models e o POM para Windows estão disponíveis no site de apoio do livro. Verifique com seu professor a melhor maneira de usá-los. Em muitos casos, o professor preferirá que você entenda como fazer os cálculos manualmente. Quando muito, o software pode oferecer uma verificação de seus cálculos. Quando os cálculos são muito complexos e o objetivo é interpretar os resultados na tomada de decisões, o software substitui completamente os cálculos manuais. Além disso, ele também pode ser um valioso recurso depois que você concluir o curso.

1. Really Big Shoe é um fabricante de calçados para jogadores de basquete e futebol americano. Ed Sullivan, o gerente de marketing, deve decidir o melhor modo de gastar os recursos de publicidade. Cada time de futebol americano patrocinado requer 120 pares de calçados. Cada time de basquete requer 32 pares de calçados. Os treinadores de futebol recebem 300 mil dólares por patrocínio de calçado, e os treinadores de basquete recebem um milhão de dólares. O orçamento promocional de Sullivan é de 30 milhões de dólares. A Really Big Shoe tem uma oferta limitada (quatro litros ou quatro mil centímetros cúbicos) de *flubber*, uma combinação rara e cara usada em sapatos atléticos promocionais. Cada par de calçados para jogadores de basquete requer três centímetros cúbicos de *flubber*, e cada par de calçados para jogadores de futebol americano requer um centímetro cúbico. Sullivan quer patrocinar tantos times de basquete e de futebol quanto os recursos permitirem.

   a. Crie um conjunto de equações lineares para descrever a função objetivo e as restrições.

   b. Use a análise gráfica para encontrar a solução visual.

   c. Qual é o número máximo de cada tipo de time que a Really Big Shoe pode patrocinar?

2. Um aluno de negócios na Faculdade de Nowledge deve completar um total de 65 cursos para se formar. O número de cursos de negócios deve ser maior ou igual a 23. O número de cursos que não são de negócios deve ser maior ou igual a 20. O curso de negócios médio requer um livro-texto que custa 60 dólares e 120 horas de estudo. Os cursos que não são de negócios requerem um livro-texto que custa 24 dólares e 200 horas de estudo. O aluno tem três mil dólares para gastar em livros.

   a. Crie um conjunto de equações lineares para descrever a função objetivo e as restrições.

   b. Use a análise gráfica para encontrar a solução visual.

   c. Que combinação de cursos de negócios e que não são de negócios minimizam as horas totais de estudo?

   d. Identifique as variáveis de folga ou excesso.

3. No problema 2, suponha que o objetivo seja minimizar o custo de livros e que o tempo de estudo total do aluno seja limitado a 12.600 horas.

a. Use a análise gráfica para determinar a combinação de cursos que minimize o custo total de livros.

b. Identifique as variáveis de folga ou excesso.

4. A Cervejaria Mile-High fabrica uma cerveja clara e uma cerveja escura. A Mile-High tem uma oferta limitada de cevada, capacidade limitada de engarrafamento e um mercado limitado para a cerveja clara. Os lucros são de 20 centavos por garrafa da cerveja clara e de 50 centavos por garrafa da cerveja escura.

   a. A tabela seguinte mostra a disponibilidade de recursos de produtos na Cervejaria Mile-High. Use o método gráfico de programação linear para maximizar os lucros. Quantas garrafas de cada produto devem ser fabricadas por mês?

	Produto		
Recursos	Cerveja clara (x_1)	Cerveja escura (x_2)	Disponibilidade de recursos (por mês)
Cevada	0,1 grama	0,6 grama	2.000 gramas
Engarrafamento	1 garrafa	1 garrafa	6.000 garrafas
Mercado	1 garrafa	—	4.000 garrafas

   b. Identifique quaisquer restrições com folga ou excesso.

5. O gerente da planta de um fabricante de tubo de plástico tem a oportunidade de usar dois roteiros diferentes para um tipo específico de tubo de plástico. O roteiro 1 usa o extrusor A e o roteiro 2 usa o extrusor B. Ambos os roteiros requerem o mesmo processo de fundição. A tabela a seguir mostra os requisitos de tempo e capacidades desses processos:

	Requisitos de tempo (h/100 pés)		
Processo	Roteiro 1	Roteiro 2	Capacidade (h)
Fusão	1	1	45
Extrusão A	3	0	90
Extrusão B	0	1	160

   Cada cem pés de tubo processados no roteiro 1 usa cinco libras de matéria-prima, ao passo que cada cem pés de tubo processados no roteiro 2 usa apenas quatro libras. Essa diferença é resultado de taxas diferentes de refugo das máquinas de extrusão. Por conseguinte, o lucro por cem pés de tubo processado no roteiro 1 é de 60 dólares e no roteiro 2 é de 80 dólares. Um total de 200 libras de matéria-prima está disponível.

   a. Crie um conjunto de equações lineares para descrever a função objetivo e as restrições.

   b. Use a análise gráfica para encontrar a solução visual.

   c. Qual é o lucro máximo?

6. Um fabricante de tintas para tecidos pode usar dois roteiros de processamento diferentes para um tipo específico de tintura. O roteiro 1 usa a prensa de secagem A e o roteiro 2 usa a prensa de secagem B. Ambos os roteiros requerem a mesma tina de mistura para combinar as substâncias químicas da tintura antes da secagem. A tabela seguinte mostra os requisitos de tempo e capacidades desses processos:

	Requisitos de tempo (h/kg)		
Processo	Roteiro 1	Roteiro 2	Capacidade (h)
Mistura	2	2	54
Secador A	6	0	120
Secador B	0	8	180

   Cada quilograma de tintura processado no roteiro 1 usa 20 litros de substâncias químicas, ao passo que cada quilograma de tintura processado no roteiro 2 usa apenas 15 litros. A diferença resulta de taxas de rendimento variadas das prensas de secagem. Por conseguinte, o lucro por quilograma processado no roteiro 1 é de 50 dólares e no roteiro 2 é de 65 dólares. Um total de 450 litros de substâncias químicas de insumo está disponível.

   a. Escreva as restrições e a função objetivo para maximizar lucros.

   b. Use o método gráfico de programação linear para encontrar a solução ótima.

   c. Identifique quaisquer restrições com folga ou excesso.

7. A Companhia Trim-Look fabrica várias linhas de saias, vestidos e casacos esportivos. Recentemente, um consultor sugeriu que a empresa reavaliasse sua linha South Islander e distribuísse seus recursos para produtos que maximizariam a contribuição de lucros e despesa. Cada produto requer o mesmo tecido de poliéster e deve passar pelos departamentos de corte e costura. Os dados seguintes foram coletados para a pesquisa:

	Tempo de processamento (h)		
Processo	Corte	Costura	Material (jardas)
Saia	1	1	1
Vestido	3	4	1
Casaco esportivo	4	6	4

   O departamento de corte tem 100 horas de capacidade, o de costura, 180 horas de capacidade, e 60 jardas de materiais estão disponíveis. Cada saia contribui com cinco dólares para lucros e despesa; cada vestido, 17 dólares; e cada casaco esportivo, 30 dólares.

   a. Especifique a função objetivo e as restrições para esse problema.

   b. Use um pacote de software para resolver o problema.

8. Considere ainda o problema 7.
   a. Quanto você estaria disposto a pagar por uma hora adicional de tempo de corte? E por uma hora adicional de tempo de costura? E por uma jarda adicional de material? Explique sua resposta para cada pergunta.
   b. Determine a faixa de valores do lado direito nas quais o preço sombra é válido para a restrição de corte e para a restrição de material.
9. Polly Astaire fabrica roupas finas para homens fortes e altos. Há alguns anos, Astaire entrou no mercado de roupas esportivas com a linha Sunset de shorts, calças e camisas. A gerência quer fabricar a quantidade de cada produto que maximizará os lucros. Cada tipo de roupa é encaminhado para dois departamentos, A e B. Os dados relevantes para cada produto são os seguintes:

	Tempo de processamento (h)		Material (jardas)
Produto	Departamento A	Departamento B	
Camisas	2	1	2
Shorts	2	3	1
Calças	3	4	4

O Departamento A tem 120 horas de capacidade, o departamento B tem 160 horas de capacidade e 90 jardas de materiais estão disponíveis. Cada camisa contribui com dez dólares para lucros e despesa; cada short, dez dólares; e cada calça, 23 dólares.
   a. Especifique a função objetivo e as restrições para esse problema.
   b. Use um pacote de software para resolver o problema.
   c. Quanto Astaire está disposto a pagar por uma hora adicional de capacidade do departamento A? Quanto por uma hora adicional de capacidade do departamento B? Para que faixa de valores do lado direito esses preços sombra são válidos?
10. A Companhia Butterfield fabrica diferentes facas de açougueiro. Cada faca é processada em quatro máquinas. Os tempos de processamento requeridos são os seguintes. As capacidades da máquina (em horas) são 1.500 para a máquina 1; 1.400 para a máquina 2; 1.600 para a máquina 3; e 1.500 para a máquina 4.

	Tempo de processamento (h)			
Faca	Máquina 1	Máquina 2	Máquina 3	Máquina 4
A	0,05	0,10	0,15	0,05
B	0,15	0,10	0,05	0,05
C	0,20	0,05	0,10	0,20
D	0,15	0,10	0,10	0,10
E	0,05	0,10	0,10	0,05

Cada produto contém uma quantidade diferente de duas matérias-primas básicas. A matéria-prima 1 custa 50 centavos por onça e a matéria-prima 2 custa 1,50 dólar por onça. Há 75.000 onças da matéria-prima 1 e 100.000 onças da matéria-prima 2 disponíveis.

	Requisitos (onça/unidade)		
Faca	Matéria-prima 1	Matéria-prima 2	Preço de venda (dólar/unidade)
A	4	2	15,00
B	6	8	25,50
C	1	3	14,00
D	2	5	19,50
E	6	10	27,00

   a. Se o objetivo é maximizar os lucros, especifique a função objetivo e as restrições para o problema. Suponha que os custos de trabalho sejam insignificantes.
   b. Resolva o problema com um pacote de software.
11. A Corporação Nutmeg fabrica cinco produtos diferentes de nozes e de nozes misturadas: o pacote amêndoa, o pacote de nozes, o pacote *gourmet*, o pacote fantasia e o pacote frugal. Cada produto (individual ou mistura) vem em uma lata de uma libra. A empresa pode comprar amêndoas a 80 centavos por libra, nozes a 60 centavos por libra e amendoins a 35 centavos por libra. Os amendoins são usados para completar cada mistura e a empresa tem um suprimento ilimitado deles. O suprimento de amêndoas e nozes é limitado. A empresa pode comprar até três mil libras de amêndoas e duas mil libras de nozes. Os requisitos de recursos e demanda prevista para os produtos são os seguintes. Use um pacote de software para resolver esse problema.

	Requisitos mínimos (%)		
Produto	Amêndoas	Nozes	Demanda (latas)
Amêndoas	100	—	1.250
Nozes	—	100	750
Gourmet	45	45	1.000
Fantasia	30	30	500
Frugal	20	20	1.500

   a. Que mistura minimiza o custo de satisfazer a demanda pelos cinco produtos?
   b. Qual é o impacto sobre a linha de produtos se apenas duas mil libras de amendoins estiverem disponíveis?
   c. Qual o impacto sobre a linha de produtos se o pacote *gourmet* requerer 50 por cento de amêndoas e 50 por cento de nozes?
   d. Qual o impacto sobre a linha de produtos se a demanda pelo pacote fantasia dobrar?
12. Um problema que muitas vezes preocupa os gerentes nas indústrias de processamento é a mistura (*blending*). Considere a tarefa de Lisa Rankin, gerente de compras de uma empresa que fabrica adi-

tivos especiais. Ela deve determinar a quantidade adequada de cada matéria-prima a ser comprada para a fabricação de certo produto. Cada galão do produto acabado deve ter um ponto de combustão de pelo menos 220 °F. Além disso, o teor de gama do produto (que causa poluição de hidrocarbonetos) não pode ser superior a seis por cento do volume, e o teor de zeta do produto (que limpa as partes móveis internas dos motores) deve ser de pelo menos 12 por cento por volume. As três matérias-primas estão disponíveis. Cada matéria-prima tem uma classificação diferente dessas características.

	Matéria-prima		
Característica	A	B	C
Ponto de combustão (°F)	200	180	280
Teor de gama (%)	4	3	10
Teor de zeta (%)	20	10	8

A matéria-prima A custa 60 centavos por galão, as matérias-primas B e C custam 40 centavos e 50 centavos por galão, respectivamente. A gerente de compras quer minimizar o custo de matérias-primas por galão do produto. Use programação linear para encontrar a proporção ótima de cada matéria-prima para um galão de produto acabado. (Sugestão: Expresse as variáveis de decisão em termos de frações de um galão; a soma das frações deve ser igual a 1,00.)

13. Uma pequena empresa produz três tipos básicos de componentes para uso de outras empresas. Cada componente é processado em três máquinas. Os tempos de processamento são mostrados a seguir. As capacidades totais (em horas) são 1.600 para a máquina 1; 1.400 para a máquina 2; e 1.500 para a máquina 3.

	Tempo de processamento (h)		
Componente	Máquina 1	Máquina 2	Máquina 3
A	0,25	0,10	0,05
B	0,20	0,15	0,10
C	0,10	0,05	0,15

Cada componente contém uma quantidade diferente de duas matérias-primas básicas. A matéria-prima 1 custa 20 centavos por onça e a matéria-prima 2, 35 centavos por onça. No momento, 200 mil onças de matéria-prima 1 e 85 mil onças de matéria-prima 2 estão disponíveis.

	Requisito (onça/unidade)		
Componente	Matéria-prima 1	Matéria-prima 2	Preço de venda (dólar/unidade)
A	32	12	40
B	26	16	28
C	19	9	24

a. Suponha que a empresa deva fabricar pelo menos 1.200 unidades do componente B, que os custos de trabalho sejam insignificantes e que o objetivo seja maximizar lucros. Especifique a função objetivo e as restrições para o problema.

b. Use um pacote de software para resolver o problema.

14. O modelo a seguir é uma proposta de programação linear para analisar a linha de produtos da Companhia de Chapéus Maxine, que fabrica três estilos de chapéu:

Maximizar: $\$7x_1 + \$5x_2 + \$2x_3 = Z$

Sujeito a: $3x_1 + 5x_2 + x_3 \leq 150$ (tempo da máquina A)
$5x_1 + 3x_2 + 2x_3 \leq 100$ (tempo da máquina B)
$x_1 + 2x_2 + x_3 \leq 160$ (tempo da máquina C)
$x_1 \geq 0,\ x_2 \geq 0\ $ e $\ x_3 \geq 0$

A captura de tela do OM Explorer exibida na Figura E.10 mostra a solução ótima para o problema. Considere cada uma das afirmações a seguir de modo independente e diga se é verdadeira ou falsa. Explique cada resposta.

a. Se o preço do chapéu 3 fosse aumentado em 2,50 dólares, ele seria parte da linha de produtos ótima.

b. A capacidade da máquina C pode ser reduzida para 65 horas sem afetar os lucros.

c. Se a máquina A tivesse uma capacidade de 170 horas, o produto permaneceria inalterado.

15. A Companhia Química Washington fabrica substâncias químicas e solventes para a indústria de cola. O processo de produção é dividido em várias "fábricas focalizadas", cada uma fabricando um conjunto específico de produtos. É chegado o momento de preparar o plano de produção para uma das fábricas focalizadas. Essa fábrica específica produz cinco produtos, que devem passar tanto pelo reator como pelo separador. Cada produto também requer certa combinação de matérias-primas. Os dados de produção são mostrados na Tabela E.2.

A Companhia Química Washington tem um contrato de longo prazo com um dos principais fabricantes de cola que requer a produção anual de três mil libras tanto do produto 3 como do produto 4. Uma maior quantidade desses produtos poderia ser fabricada porque a demanda, no presente, supera a capacidade de produção.

a. Determine a quantidade de produção anual de cada produto que maximiza a contribuição para os lucros. Suponha que a empresa possa vender tudo que fabrica.

b. Espefique o tamanho de lote para cada produto.

16. A Companhia Industrial Warwick fabrica pás para uso industrial e doméstico. As vendas das pás são sazonais e os clientes da Warwick se recusam a armazená-las durante os períodos de pouca atividade. Em outras palavras, os clientes querem minimizar o estoque, insistem em remessas de acordo com sua programação e não aceitam pedidos em espera.

Solução			
Rótulo da variável	Valor da variável	Coeficiente original	Sensibilidade do coeficiente
X1	3,1250	7,0000	0
X2	28,1250	5,0000	0
X3	0,0000	2,0000	0,7500
Rótulo da restrição	RHV original	Folga ou excesso	Preço sombra
Máquina A	150	0	0,2500
Máquina B	100	0	1,2500
Máquina C	160	100,6250	0
Valor da função objetivo:			162,5

Análise de sensibilidade e faixas

Coeficientes da função objetivo

Rótulo da variável	Limite inferior	Coeficiente original	Limite superior
X1	5,2857	7	8,3333
X2	4,2000	5	11,6667
X3	Ilimitado	2	2,75

Valores do lado direito

Rótulo da restrição	Limite inferior	Valor original	Limite superior
Extrusão	60	150	166,6667
Embalagem	90	100	250
Aditivo	59,3750	160	Ilimitado

Figura E.10 Resultado do Solver do OM Explorer para a Empresa de Chapéus Maxine

A Warwick emprega operários manuais, não especializados que requerem apenas treinamento básico. Fabricar mil pás custa 3.500 dólares em tempo regular e 3.700 dólares em horas extras. Essas quantidades incluem materiais, que representam mais de 85 por cento do custo. As horas extras são limitadas à fabricação de 15 mil pás por trimestre. Além disso, subcontratados podem ser contratados a 4.200 dólares por mil pás, mas o contrato de trabalho da Warwick restringe esse tipo de fabricação a cinco mil pás por trimestre.

O nível corrente de estoque é de 30.000 pás e a gerência quer terminar o ano nesse nível. Manter mil pás em estoque custa 280 dólares por trimestre. A previsão de demanda anual mais recente é

Trimestre	Demanda
1	70.000
2	150.000
3	320.000
4	100.000
Totais	640.000

Construa um modelo de programação linear para determinar o *melhor* plano de capacidade em tempo normal. Suponha o seguinte:

- A empresa tem 30 trabalhadores agora e a gerência quer ter o mesmo número no trimestre 4.
- Cada trabalhador pode fabricar quatro mil pás por trimestre.
- Contratar um trabalhador custa mil dólares e demitir um trabalhador custa 600 dólares.

17. A gerência da Companhia Industrial Warwick está disposta a conceder descontos nos preços a seus clientes como um incentivo para comprar pás antes das estações tradicionais. O pessoal de vendas e marketing da Warwick estima que a demanda por pás resultante da redução nos preços seria

TABELA E.2 Dados de produção da Química Washington

	Produto					
Recurso	1	2	3	4	5	Recursos Totais disponíveis
Reator (h/lb)	0,05	0,10	0,80	0,57	0,15	7.500 h*
Separador (h/lb)	0,20	0,02	0,20	0,09	0,30	7.500 h*
Matéria-prima 1 (lb)	0,20	0,50	0,10	0,40	0,18	10.000 h*
Matéria-prima 2 (lb)	—	0,70	—	0,50	—	6.000 h*
Matéria-prima 3 (lb)	0,10	0,20	0,40	—	—	7.000 h*
Contribuição para o lucro (dólar/lb)	4,00	7,00	3,50	4,00	5,70	

* O tempo total disponível foi ajustado para levar em consideração preparações. Os cinco produtos têm uma seqüência determinada devido ao custo de transição entre produtos. A empresa tem um ciclo de 35 dias (ou 10 transições por ano por produto). Por conseguinte, o tempo para essas transições foi deduzido do tempo total disponível para essas máquinas.

Trimestre	Demanda	Demanda original
1	120.000	70.000
2	180.000	150.000
3	180.000	320.000
4	160.000	100.000
Totais	640.000	640.000

Calcule o plano de produção ótimo (inclusive o plano de provimento de pessoal) para a nova programação de demanda. Compare-o ao plano de produção ótimo calculado para a programação de demanda original. Avalie os efeitos potenciais do gerenciamento de demanda.

18. A Companhia Bull Grin fabrica um suplemento alimentar para alimentos para animais produzidos por várias empresas. As vendas são sazonais e os clientes da Bull Grin se recusam a armazenar o suplemento durante períodos de pouca atividade nas vendas. Em outras palavras, os clientes querem minimizar estoque, insistem em remessas de acordo com sua programção e não aceitam pedidos em espera.

A Bull Grin emprega operários não especializados para realizar trabalhos manuais que requerem pouco ou nenhum treinamento. Fabricar mil libras de suplemento custa 810 dólares em tempo regular e 900 dólares em horas extras. Essas quantidades incluem materiais, que representam mais de 80 por cento do custo. As horas extras são limitadas à fabricação de 30 mil libras por trimestre. Além disso, subcontratados podem ser contratados a 1.100 dólares por mil libras, mas apenas dez mil libras por trimestre podem ser fabricadas desse modo.

O nível de estoque corrente é de 40 mil libras e a gerência quer terminar o ano nesse nível. Manter mil libras de suplemento alimentar em estoque custa 110 dólares por trimestre. A previsão anual mais recente é a seguinte:

Trimestre	Demanda
1	100.000
2	410.000
3	770.000
4	440.000
Totais	1.720.000

A firma tem, no presente, 180 trabalhadores, um número que a gerência quer manter no trimestre 4. Cada trabalhador pode fabricar duas mil libras por trimestre, assim, a produção em tempo regular custa 1.620 por trabalhador. Os trabalhadores inativos devem receber esse mesmo nível de pagamento. Contratar um trabalhador custa mil dólares e demitir um trabalhador custa 600 dólares.

Escreva a função objetivo e as restrições descrevendo esse problema de planejamento de produção após definir completamente as variáveis de decisão.

19. A Insight Traders, Inc. investe em vários tipos de títulos. A empresa tem cinco milhões de dólares para investimento imediato e quer maximizar os juros ganhos durante o ano seguinte. Quatro possibilidades de investimento são apresentadas na tabela seguinte. Para estruturar ainda mais o portfólio, o conselho de diretores especificou que pelo menos 40 por cento do investimento deve ser em debêntures e ações ordinárias. Além disso, não pode haver mais de 20 por cento de investimento em bens imóveis.

Investimento	Lucro esperado ganho (%)
Debêntures	8,5
Ações ordinárias	9,0
Certificados de ouro	10,0
Bens imóveis	13,0

Escreva a função objetivo e as restrições para esse problema de investimento em portfólio após definir completamente as variáveis de decisão.

20. A JPMorgan Chase tem um problema de programação. Os operadores trabalham em turnos de oito horas e podem começar a trabalhar à meia-noite, às 4 horas, 8 horas, meio-dia, 16 horas ou 20 horas. São necessários operadores para satisfazer o padrão de demanda seguinte. Formule um modelo de programação linear para cobrir os requisitos de demanda com o número mínimo de operadores.

Período de tempo	Operadores necessários
meia-noite às 4 horas	4
4 horas às 8 horas	6
8 horas ao meio-dia	90
meio-dia às 16 horas	85
16 horas às 20 horas	55
20 horas à meia-noite	20

REFERÊNCIAS SELECIONADAS

ASIM, R.; FALOMIR E. De; LASDON, L. "An optimization-based decision support system for a product-mix problem", *Interfaces*, v. 12, n. 2, 1982, p. 26-33.

BONINI, Charles P.; HAUSMAN, Warren H.; BIERMAN, Jr., Harold. *Quantitative analysis for management*, 9. ed. Chicago: Irwin, 1997.

COOK, Thomas M.; RUSSELL Robert A. *Introduction to management sciences.* Englewood Cliffs, NJ: Prentice Hall, 1993.

EPPEN, G. D. et al. *Introductory management science: decision modeling with spreadsheets*, 5. ed. Upper Saddle River, NJ: Prentice Hall, 1998.

FOURER, Robert. "Software survey: linear programming", *OR/MS Today*, abr. 1997, p. 54-63.

GREENBERG, H. J. "How to analyze the results of linear programs — Part 2: price interpretation", *Interfaces*, v. 23, n. 5, 1993, p. 97-114.

HESS, Rick. *Managerial spreadsheet modeling and analysis.* Chicago: Irwin, 1997.

JAYARAMAN, V., SRIVASTAVA, R.; BENTON, W. C. "Supplier selection and order quantity allocation", *Journal of Supply Chain Management*, v. 35, n. 2, 1999, p. 50-58.

KRAJEWSKI, L. J.; THOMPSON, H. E. *Management science: quantitative methods in context.* Nova York: John Wiley & Sons, 1981.

MARKLAND, Robert E.; SWEIGART, James R. *Quantitative methods: applications to managerial decision making.* Nova York: John Wiley & Sons, 1987.

PERRY, C.; CRELLIN, K. C. "The precise management meaning of a shadow price", *Interfaces*, v. 12, n. 2, 1982, p. 61-63.

RAGSDALE, Cliff T.; HESS, Rick. *Spreadsheet modeling and decision analysis; a practical introduction to management science*, 2. ed. Cincinnati, OH: South-Western, 1998.

RENDER, B.; STAIR, R. M.; HANNA, Michael. *Quantitative analysis for management*, 8. ed. Upper Saddle River, NJ: Prentice Hall, 2003.

TAYLOR, Bernard W., III. *Introduction to management science.* Needham Heights, MA: Allyn & Bacon, 1990.

VERMA, Rohit. "My operations management students love linear programming", *Decision Line*, jul. 1997, p. 9-12.

WINSTON, Wayne L.; ALBRIGHT, S. Christian; BROADIE Mark. *Practical management science: spreadsheet modeling and applications.* Pacific Grove, CA: Duxbury, 1996.

15

OBJETIVOS DE APRENDIZAGEM

Depois de ler este capítulo, você será capaz de:

1. Explicar como os sistemas ERP podem promover um melhor planejamento de recursos.

2. Explicar como o conceito de demanda dependente é essencial para o planejamento de recursos.

3. Descrever o MPS e as informações que fornece.

4. Criar um MPS e calcular quantidades disponíveis para promessa.

5. Discutir a lógica de um sistema MRP.

6. Identificar pedidos de produção e compra necessários para produtos de demanda dependente.

7. Descrever como os sistemas DBR implementam os princípios da TOC no planejamento de recursos.

8. Aplicar os princípios de MRP ao fornecimento de serviços e à distribuição de estoques.

Um porteiro do Hotel Gritti Palace recebe uma equipe de remo que compete no Volgalonga. Os navegadores devem remar da Piazza San Marco a Buranoa e voltar, uma distância total de 20 milhas. O Hotel Gritti Palace é uma das muitas propriedades da rede Starwood Hotels and Resorts ao redor do mundo que enfrenta complexas questões de planejamento de recursos.

Capítulo 15

Planejamento de recursos

Starwood

O planejamento de recursos em uma empresa como a Starwood Hotels and Resorts Worldwide é complexo, não apenas por causa do tamanho do negócio, mas também em virtude da grande variedade de suas diferentes instalações. A Starwood gerencia funcionários, equipamentos e suprimentos em seus 750 hotéis ao redor do mundo para assegurar que as necessidades e as expectativas de cada um de seus clientes e de todos eles juntos sejam satisfeitas. Para ajudar a prever essas necessidades, a Starwood agora usa um sistema integrado de gestão desenvolvido pela Oracle, uma empresa de software com sede na Califórnia. Um sistema de reservas eletrônico está incluído no software, o qual traça o perfil das preferências dos hóspedes e permite que o pessoal atenda cada vez melhor as pessoas que se hospedarem em um hotel da rede: preferência por travesseiros de pena ou espuma, tipos de jornais, suítes ou quartos comuns, quartos em andares inferiores ou superiores e até mesmo acomodações ou recursos especiais para deficientes físicos. O perfil é usado no momento em que uma reserva é feita para avaliar os vários tipos de quartos e locais, jornais, travesseiros e quaisquer outros recursos de que cada instalação da Starwood precisa. O sistema de definição do perfil do hóspede também permite que a Starwood forneça uma experiência 'personalizada' para cada hóspede.

O software de reservas da Starwood também está ligado a um sistema de gerenciamento das operações de cada hotel. O sistema de gerenciamento das operações programa os funcionários do hotel, por exemplo, e projeta a quantidade de alimentos e bebidas necessária para o departamento de serviço alimentar do hotel. A Starwood conhece, em uma base por quarto, os níveis de recursos (membros da equipe, comida, toalhas etc.) de que precisa em qualquer momento. Projeções detalhadas dessas quantidades são realizadas periodicamente e, em seguida, os gerentes ajustam essas projeções para alinhá-las com os planos financeiros da empresa. Uma vez que os gerentes de cada hotel têm acesso às taxas de ocupação com semanas de antecedência, tornam-se mais capazes de planejar essas necessidades.

O sistema integrado de gestão da Starwood também apresenta um banco de dados centralizado com informação contábeis, inclusive folha de pagamento, sobre contas a pagar, livro contábil geral e o balanço financeiro da empresa, assim como a demonstração do resultado do exercício para suas várias propriedades. Uma vez que o sistema Oracle é tão amplo e envolve tantas das atividades funcionais da Starwood, a empresa o integrou gradualmente, ao longo do tempo, a seus sistemas de informações mais antigos.

Fonte: David Baum, "Setting the standard for service", *Profit Magazine*, 1999. Disponível em: <www.oracle.com>, 2003; <www.starwood.com>, 2005.

A Starwood demonstra que as empresas podem adquirir vantagem competitiva usando um sistema de informações eficaz para ajudar com seu planejamento de recursos. As empresas devem assegurar que todos os recursos de que necessitam para gerar serviços ou produtos estejam disponíveis no tempo correto. Caso contrário, a empresa se arrisca a perder negócios. Para um fabricante, essa tarefa pode significar rastrear milhares de subconjuntos, componentes e matérias-primas, assim como capacidades de equipamentos chave. Para um fornecedor de serviços, ela pode significar rastrear inúmeros suprimentos e programar cuidadosamente o tempo e as necessidades de capacidade, de funcionários e de equipamento de diferentes tipos.

Começaremos este capítulo descrevendo sistemas integrados de gestão, que se tornaram uma ferramenta valiosa para, entre outras coisas, o planejamento de recursos. Em seguida, examinaremos várias abordagens de planejamento de recursos, inclusive sistemas de planejamento de necessidades de materiais, Tambor–Pulmão–Corda e sistemas enxutos (*lean*) de produção (JIT). Uma vez que os sistemas enxutos já foram abordados no Capítulo 9 ("Sistemas de produção enxuta"), passamos à demonstração de como os fornecedores de serviços de empresas como a Starwood trabalham com planejamento de recursos. A seção final do capítulo ilustra como fornecedores de serviços administram seus suprimentos, equipamentos e recursos humanos e financeiros.

USANDO OPERAÇÕES PARA COMPETIR

Operações como arma competitiva
Estratégia de operações
Administração de projetos

ADMINISTRANDO PROCESSOS

Estratégia de processo
Análise de processos
Desempenho e qualidade do processo
Administração das restrições
Layout do processo
Sistemas de produção enxuta

ADMINISTRANDO CADEIAS DE VALOR

Estratégia de cadeia de suprimentos
Localização
Administração de estoques
Previsão de demanda
Planejamento de vendas e operações
Planejamento de recursos
Programação

PLANEJAMENTO DE RECURSOS POR TODA A ORGANIZAÇÃO

O **planejamento de recursos** está no âmago de qualquer organização, atravessando todas as suas diferentes áreas funcionais. Ele requer planos de vendas e de operações, informações de processos como padrões de tempo e itinerários e informações sobre como serviços ou produtos são produzidos, e, então, planeja as necessidades de insumo. Também pode criar relatórios para gerentes das principais áreas funcionais da empresa, como recursos humanos, compras, vendas, marketing, finanças e contabilidade. Em essência, o próprio planejamento de recursos é um processo que pode ser analisado em relação às prioridades competitivas da empresa.

SISTEMAS INTEGRADOS DE GESTÃO

Um **sistema integrado** é um processo de toda a empresa que atravessa áreas funcionais, unidades de negócios, regiões geográficas e linhas de produto. Os **ERP** (*Enterprise Resource Planning* — **sistemas integrados de gestão**) são grandes sistemas integrados de informações que sustentam muitos processos e necessidades de armazenamento de dados. Hoje, os sistemas ERP estão sendo usados por organizações de diversas áreas, como fabricantes, restaurantes, companhias aéreas, hospitais e hotéis, assim como por empresas de Internet que contam amplamente com a conectividade da Web para interligar seus clientes e fornecedores.

O QUE UM SISTEMA ERP FAZ

Por meio da integração das áreas funcionais da empresa, os sistemas ERP possibilitam que uma organização visualize suas operações como um todo, em vez de ter que tentar reunir os diferentes fragmentos de informações gerados por suas várias atividades e divisões. Por exemplo, suponha que um fabricante de produtos de telecomunicações norte-americano tenha um sistema ERP e que um representante de vendas localizado em Atenas queira preparar uma cotação para o cliente. Quando o vendedor insere informações sobre as necessidades do cliente em seu laptop, o sistema ERP gera automaticamente um contrato formal, em grego, listando as especificações do produto, a data de entrega e o preço. Depois que o cliente aceitar a cotação e concordar com a compra do produto, o vendedor entrará com as informações, e o sistema ERP verificará o limite de crédito do cliente e registrará o pedido. Em seguida, o sistema programa o envio do produto usando o melhor itinerário. Trabalhando de trás para a frente, a partir da data de entrega, reserva os materiais necessários em estoque e determina quando liberar um pedido de compra para seus fornecedores, seguido por um pedido de produção para o chão de fábrica. Depois, o sistema atualiza as previsões de vendas e produção da empresa com o novo pedido e credita na conta da folha de pagamento do representante de vendas a comissão apropriada da venda. Simultaneamente, o módulo de contabilidade do sistema calcula o custo de fabricação do produto e sua rentabilidade, e reflete a transação no livro de contas a pagar e receber da empresa. Os balanços corporativos e da divisão são atualizados, assim como os níveis de dinheiro da empresa. Em resumo, o sistema sustenta todos os processos integrados da empresa, antes e depois da venda.

COMO SÃO PROJETADOS OS SISTEMAS ERP

O ERP gira em torno de um único banco de dados abrangente, que pode ser disponibilizado para a organização inteira. Geralmente, emitem-se senhas para permitir que certos funcionários acessem determinadas áreas do sistema. Ter um banco de dados único para todas as informações da empresa facilita muito para que os gerentes monitorem todos os produtos da empresa, em todos os locais e a toda hora. O programa coleta os dados e os insere em vários módulos (ou conjuntos) do software. À medida que novas informações são inseridas em um módulo, as informações relacionadas são atualizadas automaticamente em outros módulos, incluindo os módulos financeiros, de contabilidade, de recursos humanos, de folha de pagamentos, de vendas, do cliente e assim por diante. Dessa maneira, o sistema ERP racionaliza os fluxos de dados por toda a organização e fornece aos funcionários acesso direto a uma grande quantidade de informações operacionais em tempo real. Esse processo elimina muitos dos problemas de coordenação interfuncionais que os sistemas não-integrados anteriores experimentavam. A Figura 15.1 mostra algumas das aplicações típicas, com alguns de seus subprocessos. Algumas das aplicações são para operações de *back-office*, como fabricação e folha de pagamento, enquanto outras são para operações de *front-office*, como atendimento ao cliente.

A Amazon.com é uma empresa que usa um sistema ERP. Seu módulo de cadeia de suprimentos do sistema é particularmente importante porque permite que a Amazon.com ligue o pedido do cliente às remessas do armazém e, em última instância, aos pedidos de reposição do fornecedor. Outras aplicações são mais importantes em outros negócios. Por exemplo, universidades enfatizam de modo particular os módulos de recursos humanos, contabilidade e finanças, e os fabricantes têm um interesse em quase todo o conjunto de aplicações. Nem todos os módulos da Figura 15.1 precisam ser integrados em um sistema ERP, mas os que restarem não compartilharão suas informações com o sistema ERP. Algumas vezes, entretanto, esses sistemas são projetados para fazer interface com sistemas de informações mais antigos existentes em uma empresa (chamados 'sistemas legados'). A Starwood usou essa abordagem, como discutido na introdução do capítulo.

Projetar um sistema ERP requer que uma empresa analise cuidadosamente seus principais processos, de maneira que decisões apropriadas sobre a coordenação de sistemas legados e de novos softwares possam ser tomadas. Algumas vezes, os processos da empresa devem passar por uma reengenharia completa antes de a empresa desfrutar dos benefícios de um sistema integrado de informações. Contudo, um estudo recente mostrou que as empresas obtêm melhores resultados quando mantêm a implementação do ERP simples, trabalham com um número pequeno de fornecedores e usam sistemas padronizados, em vez de personalizá-los amplamente. Caso contrário, as empresas podem acabar gastando enormes quantias de dinheiro em sistemas ERP que são complexos de usar e onerosos para administrar.

A maioria dos sistemas ERP atuais utiliza uma interface gráfica de usuário, embora os antigos sistemas que fazem uso de teclado e são baseados em texto ainda sejam populares, em função de sua segurança e simplicidade técnica. Os usuários navegam por várias telas e menus. O treinamento, durante a implementação do ERP, focaliza essas telas e como os usuários podem utilizá-las para fazer seu trabalho. A maior fornecedora de pacotes ERP comerciais produzidos em série é a SAP AG, uma empresa alemã, seguida pela Oracle, a J. D. Edwards e a Baan.

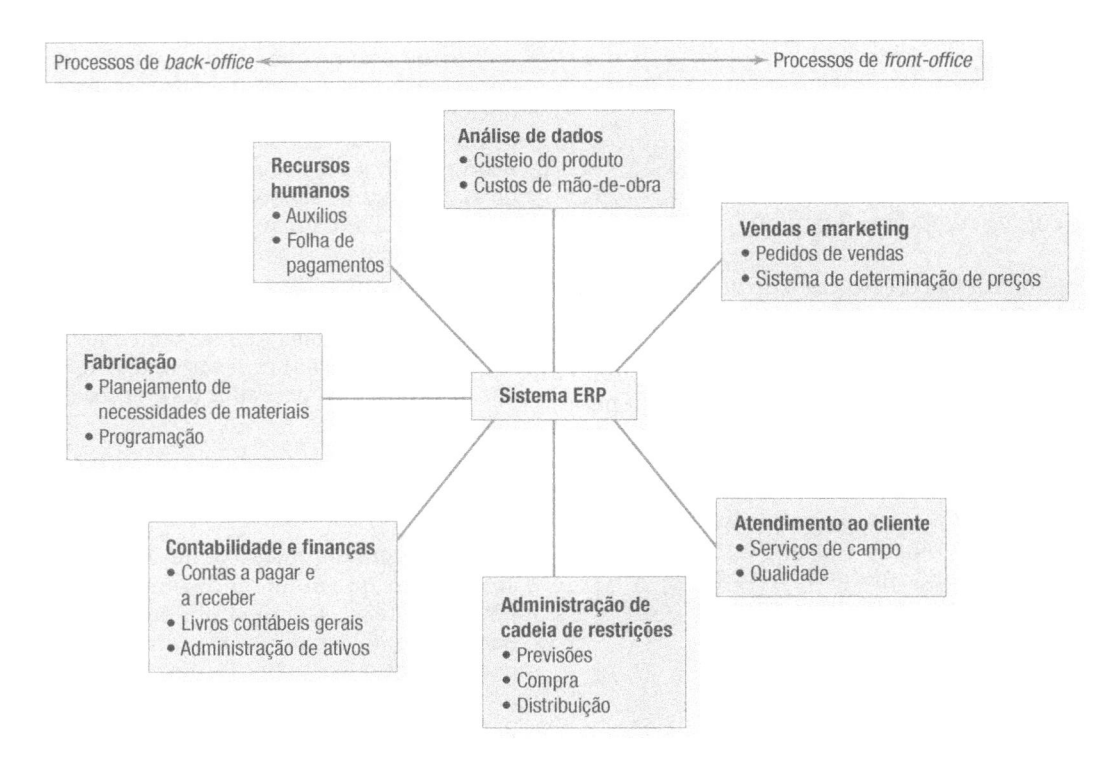

Figura 15.1 Módulos de aplicação de ERP

Fonte: Reimpresso com autorização da Harvard Business School Press. De *Enterprise Resource Planning (ERP)*, de Scalle e Cotteleer. Boston, MA, 1999. n. 9-699-020. Direitos autorais de Harvard Business School Publishing Corporation; todos os direitos reservados.

Os sistemas ERP sofreram mudanças significativas durante os últimos anos. Uma tendência se relaciona a sua **interoperabilidade** — a capacidade de um módulo (ou parte) de um software interagir com outros. O intercâmbio eletrônico de dados, um sistema que permite que os dados sejam transferidos entre empresas por lotes, foi uma ferramenta importante durante muitos anos. Entretanto, o interesse na nova economia de comércio eletrônico está aumentando. Por exemplo, a XML (*Extensible Markup Language*) permite que as empresas estruturem e troquem informações sem reescrever seu software existente ou comprar um novo software ou hardware. A XML tem o potencial de reduzir custos e permitir que informações sejam automatizadas e compartilhadas em tempo real porque aumenta a interoperabilidade dos sistemas. O WebSphere MQ da IBM e o MSMQ da Microsoft são dois sistemas baseados em XML. A meta de todos esses métodos é automatizar, em tempo quase real, o compartilhamento de informações através das fronteiras da empresa.

SISTEMAS DE PLANEJAMENTO E CONTROLE PARA FABRICANTES

Os módulos de "Administração de cadeia de restrições" e "Fabricação" vistos na Figura 15.1 lidam com planejamento de recursos. A compreensão do planejamento de recursos começa com o conceito de *demanda dependente*, que o separa das técnicas abordadas no Capítulo 12, "Administração de estoques". Nesta seção, discutimos a natureza de demanda dependente e, em seguida, identificamos três sistemas de planejamento e controle básicos que lidam com ela.

DEMANDA DEPENDENTE

Para ilustrar o conceito de demanda dependente, consideremos uma bicicleta fabricada para estabelecimentos de varejo. A demanda por um produto final, como uma bicicleta, é chamada de *demanda independente* porque é influenciada apenas por condições de mercado e não pelo plano de produção de qualquer outro tipo de bicicleta que a empresa armazene em estoque. A empresa deve *prever* essa demanda usando técnicas como as discutidas no Capítulo 13, "Previsões". Entretanto, a empresa também mantém muitos outros produtos em estoque — guidons, pedais, estruturas e aros de roda — usados para fabricar bicicletas completas. Cada um desses produtos tem uma **demanda dependente** porque a quantidade requerida varia com os planos de produção para outros produtos mantidos no estoque da empresa — bicicletas acabadas, nesse caso. Por exemplo, a demanda por estruturas, pedais e aros de roda é *dependente* da produção de bicicletas acabadas. O departamento de operações pode calcular a demanda por produtos de demanda dependente uma vez que os níveis de produção de bicicleta sejam projetados no plano de vendas e operações. Por exemplo, cada bicicleta precisa de dois aros de roda, portanto, mil bicicletas acabadas precisam de 1.000(2) = 2.000 aros. Técnicas de previsão não são necessárias para esses produtos.

A bicicleta, ou qualquer outro produto que seja fabricado a partir de um ou mais componentes, é chamada de **item de origem**. O aro da roda é um exemplo de um **componente** — um produto que passa por uma ou mais operações para ser transformado em um ou mais itens de origem ou se torna parte de um item de origem. Um aro de roda, por exemplo, terá vários itens de origem diferentes, se o aro for usado para fabricar mais de um estilo de bicicleta. Essa relação item de origem–componente pode gerar padrões de demanda dependentes irregulares pelos componentes. Suponha que toda vez que o estoque caia para 500 unidades (o ponto de reposição), um pedido de mais mil bicicletas é inserido, como mostrado na Figura 15.2(a). O supervisor de montagem autoriza, assim, a retirada de dois mil aros do estoque, junto com outros componentes para o produto acabado. A demanda pelo aro é mostrada na Figura 15.2(b). Desse modo, embora a demanda do cliente pela bicicleta acabada seja contínua e razoavelmente uniforme, a demanda de produção por aros de roda é 'irregular'; isto é, ocorre esporadicamente, normalmente em quantidades relativamente grandes. Assim, as decisões de produção para a montagem de bicicletas, que levam em consideração os custos de montagem das bicicletas e as capacidades de montagem projetadas no momento em que as decisões são tomadas, determinam a demanda por aros de roda.

POSSÍVEIS SISTEMAS DE PLANEJAMENTO E CONTROLE

Durante muitos anos, muitas empresas tentaram administrar a produção e seus estoques de demanda dependentes usando sistemas de demanda independentes, mas o resultado raramente era satisfatório. Contudo, agora há vários sistemas disponíveis que reconhecem e ajudam as empresas a lidar com a demanda dependente. Os sistemas mais proeminentes atualmente são os sistemas MRP (*Material Requirements Planning* — planejamento de necessidades de materiais), o DBR (*Drum-Buffer-Rope* — Tambor–Pulmão–Corda) e os sistemas enxutos (*lean*). A Figura 15.3 mostra as características específicas de cada sistema.

Esses diferentes sistemas ajudam as empresas a reduzir seus níveis de estoque, a utilizar melhor sua mão-de-obra e instalações e a melhorar o atendimento ao consumidor. As vantagens de usá-los são as seguintes:

1. A demanda irregular por componentes, muitas vezes, resulta em grandes erros de previsão. Contudo, compensar esses erros aumentando o estoque de segurança de componentes da empresa é dispendioso, e não há garantia de que faltas de estoque possam ser evitadas. Quando a demanda dependente de componentes pode ser calculada a partir dos programas de produção de seus itens de origem, planos melhores podem ser elaborados. A estratégia de produção de pequenos lotes dos sistemas *enxutos* adota uma abordagem diferente porque regulariza a demanda de componentes, eliminando essencialmente a demanda irregular.

PRÁTICA GERENCIAL 15.1 ERP NA VF CORPORATION

O que as calças jeans Wrangler, Rustler e Lee, os tecidos cáqui Timber Creek, as roupas íntimas Vanity Fair, as roupas infantis Healthtex, as roupas de trabalho industrial Red Kap e Bulwark, os equipamentos e vestuários para o ar livre The North Face, as roupas de banho Jantzen, as roupas esportivas Nautica e as mochilas JanSport têm em comum? Cada uma dessas marcas é fabricada pela VF Corporation, uma empresa de 102 anos de idade, seis bilhões de dólares por ano, mais de 53 mil trabalhadores e maior fabricante de vestuário do mundo.

Nos últimos anos, os ganhos da VF Corporation passaram por um crescimento real. Em 1999, entretanto, as vendas da empresa foram uniformes. Na época, as 14 divisões da VF funcionavam como entidades independentes, cada uma com seus próprios sistemas de compra, produção, marketing e de informática. Os gerentes da VF decidiram, em seguida, reestruturar a empresa em cinco 'coalizões' integradas: calças jeans, roupas íntimas, trajes esportivos, artigos de malha e operações e marketing internacionais. As coalizões precisavam trabalhar em conjunto para aproveitar seus recursos comuns. Contudo, o planejamento de recursos ao longo de uma organização tão complexa apresentou desafios importantes.

Para estabelecer os vínculos de informações críticas necessários entre as coalizões, a VF decidiu instalar uma versão modificada do sistema R/3 ERP da SAP. Essa versão foi especificamente projetada para fabricantes de vestuário e calçado. Entretanto, a VF também decidiu implementar uma estratégia de software *best-of-breed*, que permitiu que a VF usasse melhor os módulos de aplicações individuais para o sistema gerados por qualquer fornecedor, assim como possibilitou que mantivesse alguns dos módulos de seus sistemas legados. Por exemplo, o âmago do sistema tem apenas quatro módulos R/3: gerenciamento de pedidos, planejamento de produção, gerenciamento de materiais e finanças. No entanto, cada coalizão tinha suas aplicações favoritas de outros fornecedores que precisaram ser incluídas. A coalizão de roupas íntimas usa WebPDM da Gerber para reduzir os custos de design de produto e Rhythm da i2 para otimizar a utilização de materiais e o espaço de linha de montagem. A informação da Rythm é, em seguida, realimentada no módulo de planejamento de produção R/3. A coalizão de calças jeans usa o software da Logility para prever a demanda do cliente. Essas previsões são, depois, realimentadas nos módulos de planejamento de produção e financeiro no R/3. O software personalizado da própria VF rastreia a produção nas plantas da empresa usando informações dos módulos de planejamento da produção, de gerenciamento de pedidos e de gerenciamento de materias do R/3, que são, em seguida, realimentados no sistema do R/3 de modo que os gerentes possam ajustar os planos de produção da empresa. A VF também desenvolveu um sistema de 'micromarketing' que é tão sofisticado que pode, por exemplo, prever a demanda por um tamanho e cor específicos de calça jeans da Wrangler vendidos no princípio do verão em uma loja específica do Wal-Mart.

Os dois módulos-chave relacionados ao planejamento de recursos, entretanto, são os módulos de necessidades de materiais e de planejamento de capacidade do sistema. O sistema de planejamento de necessidades de materiais está contido no módulo de planejamento de produção e usa previsões do módulo de planejamento de vendas e demanda da Logility para determinar quantidades de compra e datas de entrega para suprimentos e materiais, como couro, tecido ou forros; a produção de bens acabados, como calças jeans, mochilas ou camisas; e a fabricação de montagens, como solas de sapato ou canos de bota. Essas informações são úteis para o planejamento de produção, bem como para o planejamento financeiro. Por exemplo, a escolha do momento apropriado de quantidades de compra planejadas pode ser convertida em necessidade de fundos para pagá-las. O produto também pode ser usado pelo módulo de planejamento de capacidade, que pode assegurar que as cinco coalizões da VF tenham os funcionários qualificados e o equipamento de que precisam para sustentar seus planos de produção.

Dados sobre qualidade são inputs importantes para o sistema ERP da VF. Aqui, uma funcionária examina calças jeans para assegurar que obedeçam aos padrões de qualidade da VF e satisfaçam às expectativas do cliente.

Fontes: Eryn Brown, "VF Corp. changes its underware", *Fortune,* 7 dez. 1998, p. 115-118; VFC Press Release, "VF Corporation launches first large scale apparel industry-specific SAP solution", 31 maio 2000; Disponível em: <www.hoover.com>, ago. 2005; <www.vfc.com>, ago. 2005.

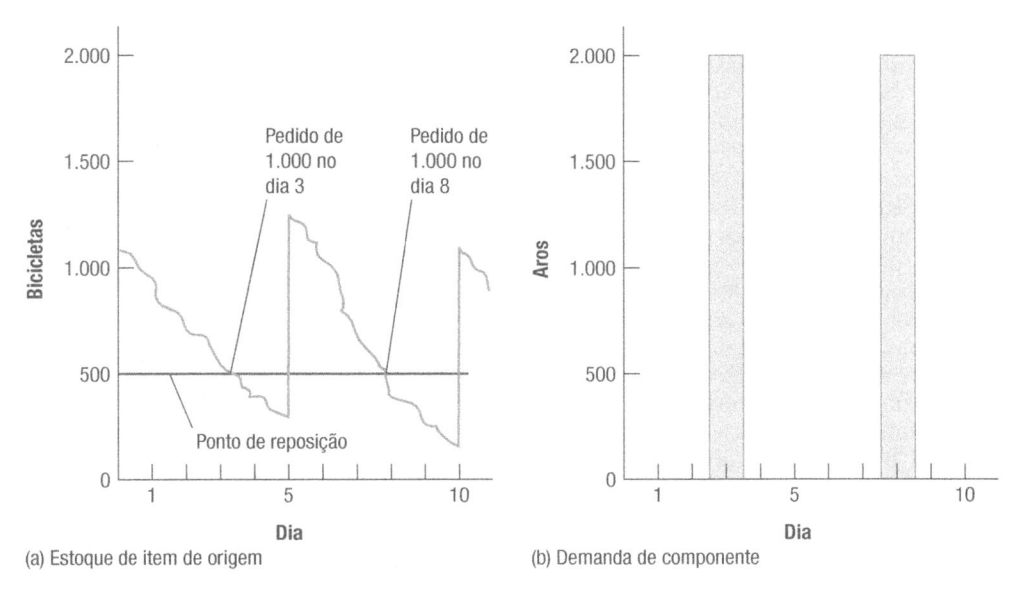

Figura 15.2 Demanda dependente irregular resultante de demanda independente contínua

(a) Estoque de item de origem
(b) Demanda de componente

2. Os sistemas munem os gerentes de informações úteis para os planejamentos de capacidade e financeiro. Por exemplo, as informações podem ser usadas para prever quando os componentes poderiam estar indisponíveis por causa de faltas de capacidade, atrasos em entregas dos fornecedores etc. Em termos de planejamento financeiro, programas de produção e compras de materiais podem ser convertidos em necessidades de capacidade e em quantidades de dólares projetadas nos períodos de tempo em que aparecerão.

3. Os sistemas atualizam automaticamente a demanda dependente e os programas de reposição de estoque para componentes quando os programas de produção de produtos de item de origem mudam e alertam os funcionários sempre que é necessário agir em relação a um componente.

Cada sistema tem seus próprios méritos e é mais eficaz em algumas situações que em outras. MRP tem sido o mais longo e lida explicitamente com demanda dependente. Ele se sobressai quando a demanda dependente é 'mais irregular', o que significa que ocorre esporadicamente e que a produção está maior em tamanhos de lote. Embora possa ser usado em um espectro amplo de ambientes, o MRP é mais bem usado quando o produto é complexo, ou seja, quando um produto tem muitos componentes, que, por sua vez, têm muitos componentes próprios que também têm seus próprios componentes e assim por diante. O MRP também pode ser elaborado para trabalhar bem em ambientes personalizados ou de fabricação sob encomenda (*make-to-order*).

O Tambor–Pulmão–Corda se destaca quando a capacidade é um assunto particularmente importante quando os gargalos são identificáveis e dispendiosos; e conceitos da TOC podem ser aplicados para se obter vantagens. O Tambor–Pulmão–Corda se adapta melhor a uma opera-

MRP	DBR	Sistemas enxutos
• Produtos com muitos níveis de componentes e maior personalização	• Capacidade alavancada para controlar gargalos e o fluxo do sistema inteiro	• Utilização do sistema como um catalisador para a melhoria contínua
• Demanda irregular, muitas vezes com tamanhos de lote maiores	• Estruturas de produto mais simples e produtos mais padronizados	• Tamanhos de lote pequenos, qualidade constante, fornecedores confiáveis e força de trabalho flexível
• Estratégias de fabricar sob encomenda (*make-to-order*), montar sob encomenda (*assemble-to-order*) e fabricar para estocar (*make-to-stock*)	• Estratégia de montar sob encomenda (*assemble-to-order*) ou de fabricar para estocar (*make-to-stock*)	• Estratégia de montar sob encomenda (*assemble-to-order*) ou fabricar para estocar (*make-to-stock*)
• Volumes mais baixos e intermediários, com fluxos flexíveis	• Volumes relativamente maiores, com fluxos flexíveis em transição para linhas de montagem	• Volumes altos e linhas de montagem bem balanceadas

Figura 15.3 Características particulares de sistemas MRP, Tambor–Pulmão–Corda e Enxutos

ção de montagem sob encomenda (*assemble-to-order*) ou fabricar para estocar (*make-to-stock*), na qual os volumes são mais altos e os produtos, mais padronizados. É um modo de programar a produção para implementar conceitos de TOC de modo mais eficaz que o MRP.

Os sistemas enxutos de produção, como já mencionamos no Capítulo 9 "Sistemas de produção enxuta", trabalham bem com volumes altos, fluxos de linha e uma estratégia de fabricar para estocar (*make-to-stock*) ou montar sob encomenda. O ambiente de fabricação pode se tornar mais previsível. Por exemplo, a qualidade pode se tornar mais constante, os tamanhos de lote menores e a força de trabalho da empresa mais flexível. Nesse ambiente, os sistemas enxutos podem se tornar um catalisador para a melhoria contínua e, potencialmente, superar o desempenho do MRP e do Tambor–Pulmão–Corda.

Naturalmente, os fabricantes podem combinar os princípios de vários sistemas. Por exemplo, sistemas enxutos podem ser usados junto com o MRP para identificar as taxas de demanda médias para vários componentes (uma informação para determinar o número de contêineres *kanban*). Os sistemas MRP podem se beneficiar do Tambor–Pulmão–Corda quando se trata de definir tamanhos de lote e pontos de equilíbrio no itinerário do processo de produção e de programar a liberação de materiais para o chão de fábrica.

Visto que já dedicamos um capítulo inteiro aos sistemas enxutos de produção, o Capítulo 9 "Sistemas de produção enxuta", os dois sistemas de planejamento e controle que examinaremos em mais detalhes nesta seção são o MRP e, em seguida, o Tambor–Pulmão–Corda.

PLANEJAMENTO DE NECESSIDADES DE MATERIAIS

O **MRP** (*Material Requirements Planning* — **planejamento de necessidades de materiais**) é um sistema de informações computadorizadas desenvolvido especificamente para ajudar os fabricantes a administrar o estoque de demanda dependente e a programação de pedidos de reposição. Os principais inputs de um sistema MRP são um banco de dados da lista de materiais (BOM), um plano-mestre de produção (MPS) e um banco de dados de registro dos estoques, como mostrado na Figura 15.4. Usando essas informações, o sistema MRP identifica as ações que os planejadores devem tomar para manter a programação, como liberar novos pedidos de produção, ajustar quantidades de pedidos e despachar pedidos atrasados.

Um sistema MRP converte o plano-mestre de produção e outras fontes de demanda, como a demanda independente por peças de reposição e itens de manutenção, em necessidades para todos os subconjuntos, componentes e matérias-primas necessárias para fabricar os itens requeridos pelo item de origem. Esse processo é chamado de **explosão do MRP** porque converte as necessidades de vários produtos finais em um *plano de necessidades de material*, que especifica os programas de reposição de todos os subconjuntos, componentes e matérias-primas de que os produtos finais precisam.

LISTA DE MATERIAIS

O programa de reposição de um componente é determinado a partir dos programas da produção dos itens de origem. Por isso, o sistema necessita de informações precisas sobre as relações item de origem–componente. Uma **BOM** (*Bill of Materials* — **lista de materiais**) é um registro de todos os componentes de um produto, das relações item de origem–componente e das quantidades de emprego derivadas da engenharia e dos projetos de processo. Na Figura 15.5, a BOM de uma cadeira com o encosto de travessas mostra que ela é feita de um subconjunto do encosto de travessas, um subconjunto de assento, pés dianteiros e suportes de pés. Por sua vez, o subconjunto do encosto de travessas é feito de pés traseiros e lâminas traseiras, e o subconjunto do assento é feito de uma estrutura de assento e de uma almofada de assento. Por fim, a estrutura de assento é feita de ripas de estrutura de assento. Por uma questão de conveniência, referimo-nos a esses itens por meio das letras mostradas na Figura 15.5.

Todos os itens, exceto o item A, são componentes porque são necessários para fabricar um item de origem. Os itens A, B, C e H são itens de origem porque todos têm, pelo menos, um componente. A BOM também especifica a **quantidade de uso** ou o número necessário de unidades de um componente para fabricar uma unidade de seu item de origem imediato. A Figura 15.5 mostra quantidades de uso para cada relação item de origem–componente em parênteses. Observe que uma cadeira (item A) é feita de um subconjunto do encosto de travessas (item B), um subconjunto de assento (item C), dois pés dianteiros (item D) e quatro suportes de pé (item E). Além disso, o item B é feito de dois pés traseiros (item F) e quatro lâminas traseiras (item G). O item C precisa de uma estrutura de assento (item H) e uma almofada de assento (item I). Por fim, o item H precisa de quatro ripas de estrutura de assento (item J).

Quatro termos usados freqüentemente para descrever itens de estoque são *itens acabados*, *itens intermediários*, *subconjuntos* e *itens comprados*. Um **item acabado**, normalmente, é o produto final vendido ao cliente; é um item de origem, mas não um componente. O item A na Figura 15.5, a cadeira de encosto de travessas acabada, é um item acabado. Balanços contábeis classificam o estoque de itens acabados como estoque em processo (WIP), se ainda há trabalho a fazer ou bens acabados. Um **item intermediário** é como os itens B, C ou H, que tem pelo menos um item de origem e pelo menos um componente. Alguns produtos têm vários níveis de itens intermediários; o item de origem de um item intermediário também é um item intermediário. O estoque de itens intermediários — concluído ou ainda no chão de fábrica — é classificado como WIP. Um **subconjunto** é um item intermediário que é *montado* (em vez de ser transformado por outro meio) a partir de *mais* de um componente. Os itens B e C são subconjuntos. Um **item comprado** não tem nenhum componente porque vem de um fornecedor, mas tem um ou mais itens de origem. São exemplos os itens D, E, F, G, I e J na Figura 15.5. O estoque de itens comprados é tratado como matérias-primas nos balanços contábeis.

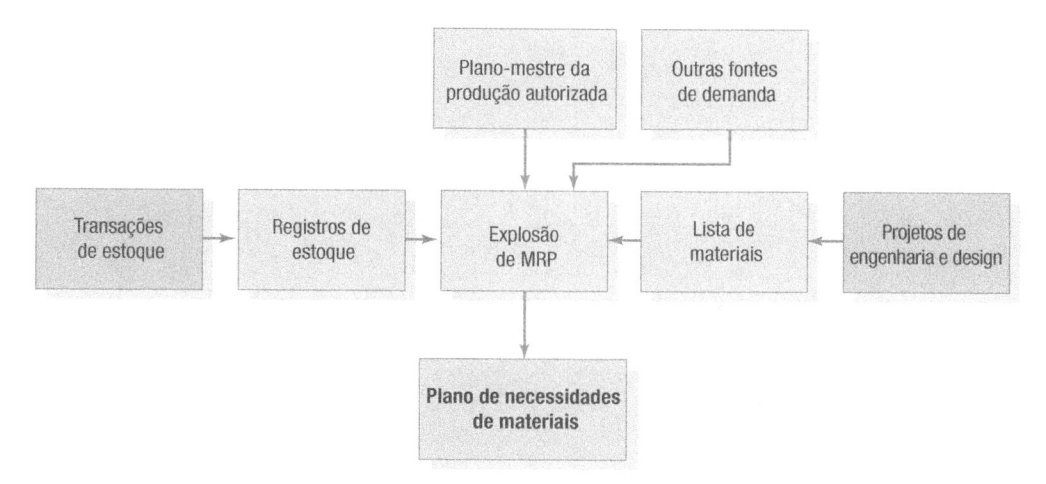

Figura 15.4 Inputs do plano de necessidades de materiais

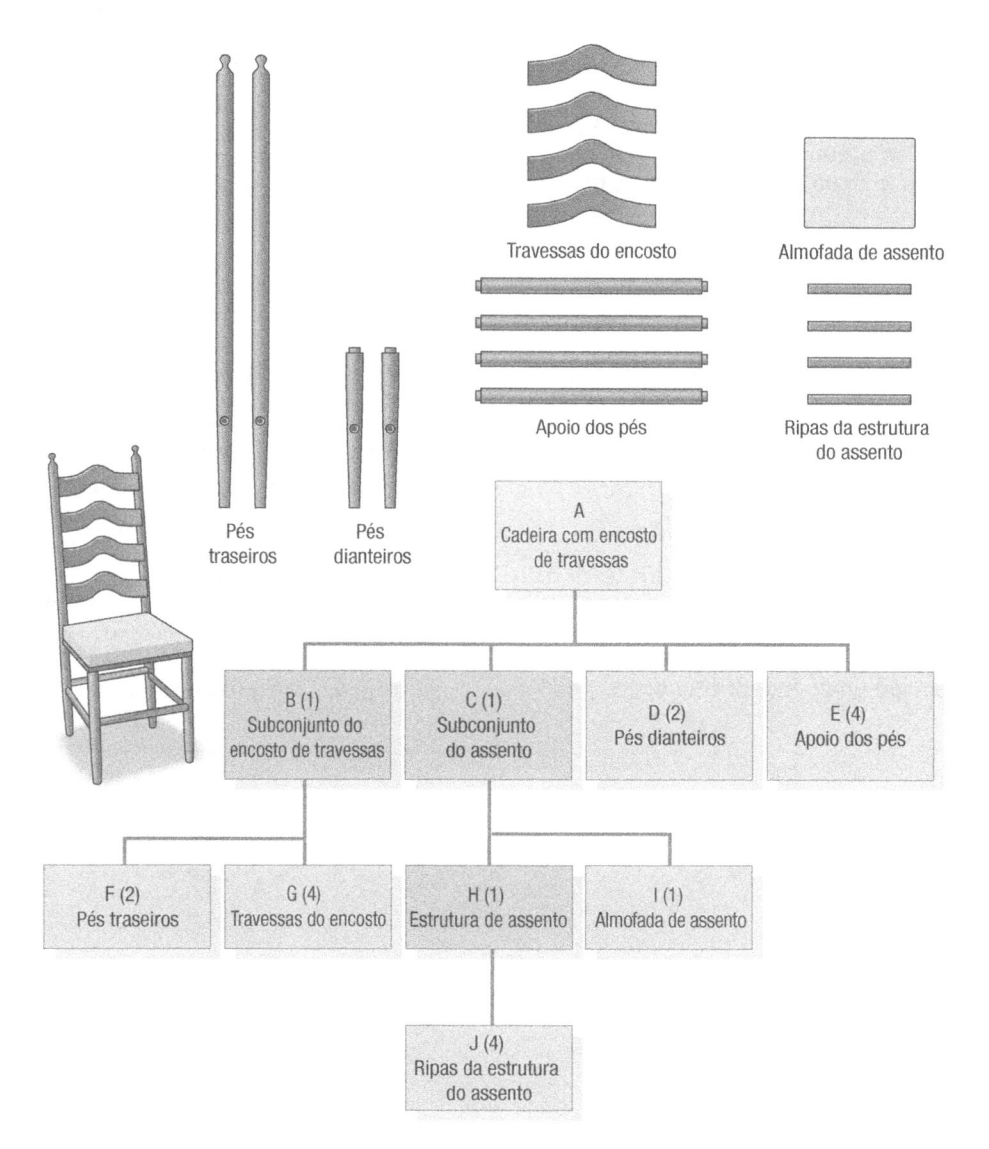

Figura 15.5 Lista de materiais (BOM) para uma cadeira com encosto de travessas

	Abril				Maio			
	1	2	3	4	5	6	7	8
Cadeira com encosto de travessas	150					150		
Cadeira de cozinha				120			120	
Cadeira de escrivaninha		200	200		200			200
Plano de vendas e operações para a família de cadeiras				670				670

Figura 15.6 MPS para uma família de cadeira

Um componente pode ter mais de um item de origem. **Compartilhamento de peça**, algumas vezes chamado de *padronização de peças* ou *modularização*, é a proporção pela qual um componente tem mais de um item de origem imediato. Como resultado do compartilhamento, o mesmo item pode aparecer em vários lugares da lista de materiais para um produto ou pode aparecer nas listas de materiais para vários produtos diferentes. Por exemplo, o subconjunto de assento na Figura 15.5 é um componente da cadeira com encosto de travessas e de uma cadeira de cozinha, que é parte da mesma família de produtos. A quantidade de uso especificada na lista de materiais diz respeito a uma relação item de origem–componente específica. A quantidade de uso para qualquer componente pode, assim, mudar, dependendo do item de origem. O compartilhamento de peças, ou utilização da mesma peça em muitos itens de origem, aumenta seu volume e repetitividade, o que proporciona diversas vantagens de processo e ajuda a minimizar os custos de estoque.

PLANO-MESTRE DE PRODUÇÃO

O segundo input em um plano de necessidades de materiais é o **MPS** (*Master Production Schedule* — **plano-mestre de produção**), que detalha quantos itens finais serão fabricados dentro de períodos específicos. Ele divide o plano de vendas e operações em programas de produtos específicos.

A Figura 15.6 mostra como um plano de vendas e operações para uma família de cadeiras se divide no MPS semanal para cada tipo específico do produto (o período pode ser estabelecido em horas, dias, semanas ou meses). O exemplo da cadeira demonstra os seguintes aspectos do plano-mestre:

1. as somas das quantidades no MPS devem ser iguais às do plano de vendas e operações. Essa coerência entre os planos é desejável por causa da análise econômica feita para se chegar ao plano de vendas e operações;

2. as quantidades de produção devem ser alocadas de modo eficaz ao longo do tempo. A linha específica de tipos de cadeira — o número de cada tipo como um percentual da quantidade da família total — é baseada na demanda histórica e no mercado e considera as promoções. O planejador deve selecionar tamanhos de lote para cada tipo de cadeira, levando em consideração fatores econômicos, como custos de preparação da produção e custos de armazenamento de estoque;

3. limitações de capacidade, como capacidade de máquina ou trabalho, espaço de armazenamento ou capital de trabalho, podem determinar o momento e as quantidades do MPS. O planejador deve verificar essas limitações reconhecendo que alguns estilos de cadeira requerem mais recursos que outros, e estabelecendo o momento e a magnitude das quantidades de produção adequadamente.

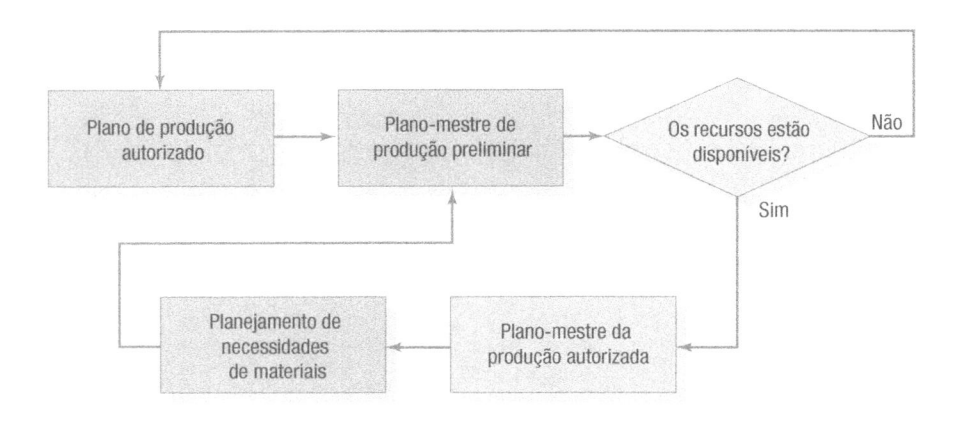

Figura 15.7 Processo de programação do plano-mestre da produção

A Figura 15.7 mostra o processo de programação do plano-mestre da produção. O departamento de operações deve criar primeiro uma versão preliminar do MPS, para examinar se satisfaz a programação com os recursos (por exemplo, capacidades de máquinas, trabalho, horas extras e subcontratantes) fornecidos no plano de vendas e operações. O departamento de operações, então, revisa o MPS, até que seja elaborado um programa que satisfaça todas as limitações de recursos ou até que seja determinado que nenhum programa factível pode ser formulado. No último caso, o plano de produção deve ser revisado para ajustar as necessidades de produção ou aumentar os recursos autorizados. Uma vez que uma versão preliminar do MPS factível tenha sido aceita pelos gerentes da empresa, o departamento de operações usa o MPS autorizado como input para o planejamento de necessidades de materiais. O departamento de operações pode, então, determinar programas específicos para produção e montagem de componentes. Os dados de desempenho real como níveis de estoque e faltas são informações (inputs) para preparar uma versão preliminar do MPS para o próximo período e, assim, o processo do plano-mestre da produção é repetido de um período para o outro.

Desenvolvendo um plano-mestre da produção

O processo de desenvolvimento de um plano-mestre da produção inclui (1) calcular o estoque disponível projetado e (2) determinar o momento e o tamanho das quantidades de produção de produtos específicos. Usamos o fabricante da cadeira com encosto de travessas para ilustrar o processo. Por uma questão de simplicidade, supomos que a empresa não utiliza estoques de segurança para itens finais, embora muitas empresas o façam. Além disso, usamos semanas como nossos períodos de planejamento, ainda que horas, dias ou meses possam ser utilizados.

Passo 1 – Calcular estoques disponíveis projetados: o primeiro passo é calcular o estoque disponível projetado, o qual é uma estimativa da quantidade de estoque disponível a cada semana depois que a demanda tiver sido satisfeita:

$$\begin{pmatrix} \text{Estoque} \\ \text{disponível} \\ \text{projetado no} \\ \text{fim dessa} \\ \text{semana} \end{pmatrix} = \begin{pmatrix} \text{Estoque} \\ \text{disponível} \\ \text{no fim da} \\ \text{semana} \\ \text{anterior} \end{pmatrix} + \begin{pmatrix} \text{Quantidade} \\ \text{no MPS} \\ \text{esperada no} \\ \text{começo} \\ \text{desta semana} \end{pmatrix} - \begin{pmatrix} \text{Necessidades} \\ \text{projetadas} \\ \text{para} \\ \text{esta} \\ \text{semana} \end{pmatrix}$$

Em algumas semanas, pode não ser necessária nenhuma quantidade no MPS para um produto porque já existe estoque suficiente. Para as necessidades projetadas para essa semana, o programador usa o que for maior — a previsão ou os pedidos do cliente registrados — reconhecendo que a previsão está sujeita a erros. Se os pedidos reais registrados forem superiores à previsão, a projeção será mais precisa se o programador utilizar os pedidos registrados, porque pedidos registrados são uma quantidade conhecida. De modo inverso, se a previsão superar os pedidos registrados para uma semana, a previsão fornecerá uma estimativa melhor das necessidades requeridas para essa semana uma vez que alguns pedidos ainda estão para chegar.

Item: Cadeira com encosto de travessa		
	Abril	
Quantidade disponível: 55	1	2
Previsão	30	30
Pedidos do cliente (registrados)	38	27
Estoque projetado disponível	17	−13
Quantidade no MPS	0	0
Início no MPS		

Explicação: a previsão é menor que os pedidos registrados na semana 1; saldo do estoque disponível projetado = 55 + 0 − 38 = 17.

Explicação: a previsão é superior aos pedidos registrados na semana 2; saldo de estoque disponível projetado = 17 + 0 − 30 = −13. A falta sinaliza a necessidade de programar uma quantidade no MPS para conclusão na semana 2.

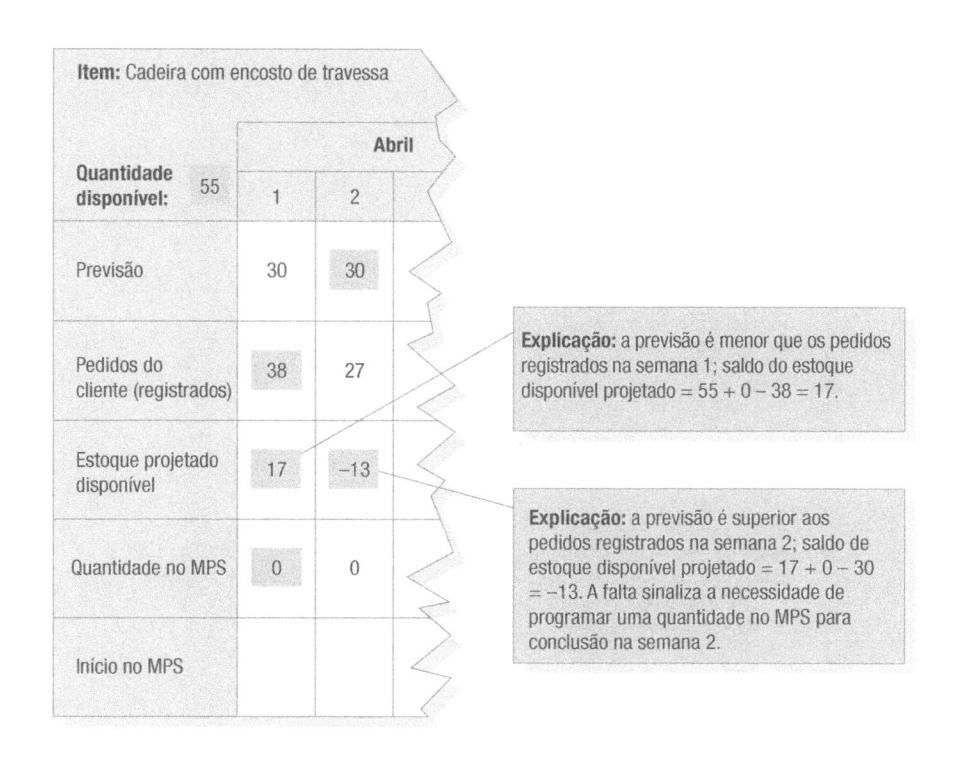

Figura 15.8 Plano-mestre da produção para as semanas 1 e 2

O fabricante da cadeira com encosto de travessas a fabrica para estocar e precisa elaborar um MPS para isso. O departamento de marketing previu uma demanda de 30 cadeiras para a primeira semana de abril, mas os pedidos reais registrados do cliente são de 38 cadeiras. O estoque disponível corrente é de 55 cadeiras. Nenhuma quantidade no MPS é prevista na semana 1. A Figura 15.8 mostra um registro no MPS com essas quantidades listadas. Uma vez que os pedidos reais para a semana 1 são maiores que a previsão, o programador usa essa figura de pedidos reais para calcular o saldo de estoque projetado no fim dessa semana:

$$\text{Estoque} = \begin{pmatrix} 55 \\ \text{cadeiras} \\ \text{em} \\ \text{estoque} \\ \text{no} \\ \text{momento} \end{pmatrix} + \begin{pmatrix} \text{Quantidade} \\ \text{no MPS} \\ (0 \text{ para a} \\ \text{semana 1}) \end{pmatrix} - \begin{pmatrix} 38 \text{ cadeiras} \\ \text{já prometidas} \\ \text{para entrega} \\ \text{na semana 1} \end{pmatrix} = 17 \text{ cadeiras}$$

Na semana 2, a quantidade prevista é superior aos pedidos reais registrados, assim, o estoque disponível projetado para o fim de semana 2 é $17 + 0 - 30 = -13$. A escassez sinaliza a necessidade de mais cadeiras a serem fabricadas e disponíveis para a semana 2.

Passo 2 – Determinar o momento e as quantidades no MPS: a meta da determinação do momento e das quantidades no MPS é manter um saldo de estoque disponível projetado não-negativo. Quando são detectadas faltas no estoque, as quantidades no MPS devem ser programadas para cobri-las. A primeira quantidade no MPS deve ser programada para a semana quando o estoque disponível projetado reflete uma falta, como a semana 2 na Figura 15.8.[1] O programador soma a quantidade no MPS ao estoque disponível projetado e investiga o próximo período em que ocorre uma falta. Essa escassez sinaliza uma necessidade de uma segunda programação de quantidade no MPS e assim por diante.

A Figura 15.9 mostra um plano-mestre de produção da cadeira com encosto de travessas para as oito semanas seguintes. A política de pedidos requer tamanhos de lote de produção de 150 unidades. Ocorrerá uma falta de 13 cadeiras na semana 2, a menos que o programador forneça uma quantidade no MPS para esse período.

Uma vez que a quantidade esteja programada no MPS, o saldo de estoque projetado atualizado para a semana 2 é

$$\text{Estoque} = \begin{pmatrix} 17 \text{ cadeiras} \\ \text{em estoque} \\ \text{no fim da} \\ \text{semana 1} \end{pmatrix} + \begin{pmatrix} \text{Quantidade} \\ \text{de de 150} \\ \text{cadeiras} \\ \text{no MPS} \end{pmatrix} - \begin{pmatrix} \text{Previsão} \\ \text{de 30} \\ \text{cadeiras} \end{pmatrix} = 137 \text{ cadeiras}$$

Item: Cadeira com encosto de travessas						Política de pedidos: 150 unidades		
		Abril				Maio		
Quantidade disponível: 55	1	2	3	4	5	6	7	8
Previsão	30	30	30	30	35	35	35	35
Pedidos dos clientes (registrados)	38	27	24	8	0	0	0	0
Estoque disponível projetado	17	137	107	77	42	7	122	87
Quantidade no MPS	0	150	0	0	0	0	150	0
Início no MPS	150	0	0	0	0	150	0	0

Explicação: saldo de estoque disponível = 17 + 150 − 30 = 137. A quantidade no MPS é necessária para evitar uma falta de 30 − 17 = 13 cadeiras na semana 2.

Explicação: o tempo necessário para montar 150 cadeiras é 1 semana. O departamento de montagem deve começar a montar cadeiras na semana 1 para que estejam prontas na semana 2.

Figura 15.9 Plano-mestre da produção para as semanas 1–8

[1] Em alguns casos, novos pedidos serão planejados antes que se depare com uma falta. Dois desses exemplos ocorrem quando estoques de segurança e antecipação são armazenados.

O programador prossegue coluna por coluna através do registro no MPS até alcançar o fim, preenchendo as quantidades como for necessário para evitar faltas. As 137 unidades satisfarão as demandas previstas até a semana 7, quando a falta de estoque na ausência de uma quantidade no MPS é 7 + 0 − 35 = −28. Essa falta sinaliza a necessidade de outra quantidade no MPS de 150 unidades. O saldo de estoque atualizado é 7 + 150 − 35 = 122 cadeiras para a semana 7.

A última linha na Figura 15.9 indica os períodos nos quais a produção das quantidades de MPS deve *começar* de modo que estejam disponíveis quando indicado na linha de quantidade no MPS. Na parte superior direita do registro no MPS, um prazo de entrega de uma semana é indicado para a cadeira com encosto de travessas; isto é, é necessário uma semana para montar 150 cadeiras com encosto de travessas, supondo que os itens B, C, D e E estejam disponíveis. Para cada quantidade no MPS, o programador trabalha em direção oposta ao prazo de entrega para determinar quando o departamento de montagem deve começar a fabricar cadeiras. Por conseguinte, um lote de 150 unidades deve ser começado na semana 1 e outro na semana 6.

Quantidades disponíveis para promessa Além de fornecer à fabricação o momento e a quantidade de produção, o MPS mune o marketing com informações úteis para negociação de datas de entrega com os clientes. A quantidade de itens finais que o marketing pode prometer entregar em datas especificadas é chamada de **ATP** (*Available-to-Promise* — **estoque disponível para promessa**). É a diferença entre os pedidos dos clientes já registrados e a quantidade que o departamento de operações está planejando fabricar. À medida que novos pedidos do cliente são aceitos, o estoque ATP é reduzido para refletir o compromisso da empresa de transportar essas quantidades, mas o estoque real permanece inalterado até que o pedido seja removido e enviado ao cliente. Um estoque disponível para promessa é associado com cada quantidade no MPS porque sua quantidade especifica o momento e a quantidade do novo estoque, que pode ser destinado à satisfação de registros futuros.

A Figura 15.10 mostra um registro no MPS com uma linha adicional para as quantidades disponíveis para promessa. O ATP na semana 2 é a quantidade no MPS menos os pedidos registrados pelos clientes até a próxima quantidade no MPS ou 150 − (27 + 24 + 8 + 0 + 0) = 91 unidades.

Item: Cadeira com encosto de travessas						Política de pedido: 150 unidades		
						Prazo de entrega: 1 semana		
		Abril				Maio		
Quantidade disponível: 55	1	2	3	4	5	6	7	8
Previsão	30	30	30	30	35	35	35	35
Pedidos dos clientes (registrados)	38	27	24	8	0	0	0	0
Estoque disponível projetado	17	137	107	77	42	7	122	87
Quantidade no MPS	0	150	0	0	0	0	150	0
Início no MPS	150	0	0	0	0	150	0	0
Estoque disponível para promessa (ATP)	17	91					150	

Explicação: o total registrado de pedidos dos clientes até que a próxima receita no MPS seja de 38 unidades. O ATP = 55 (disponível) + 0 (quantidade no MPS) − 38 = 17.

Explicação: o total registrado de pedidos de clientes até que a próxima receita de MPS seja 27 + 24 + 8 = 59 unidades. O ATP = 150 (quantidade no MPS) − 59 = 91 unidades.

O Tutor 15.1, disponível no site de apoio do livro, fornece um novo exemplo para praticar a conclusão de um plano-mestre da produção.

Figura 15.10 Registro no MPS com uma linha de ATP

O ATP indica para o marketing que, das 150 unidades programadas para conclusão na semana 2, 91 são livres e o total de novos pedidos até essa quantidade pode ser prometido para entrega já na semana 2. Na semana 7, o ATP é de 150 unidades porque não há pedidos registrados para a semana 7 em diante.

O procedimento para calcular a informação disponível para promessa é ligeiramente diferente para a primeira semana (atual) da programação em relação às outras semanas porque leva em consideração o estoque atualmente armazenado. O estoque ATP para a primeira semana é igual ao *estoque disponível atual* mais a quantidade informada no MPS para a primeira semana, menos o total cumulativo de pedidos registrados até (mas não inclusive) a semana seguinte em quantidade no MPS. Assim, na Figura 15.10, o ATP para a primeira semana é de 55 + 0 − 38 = 17. Essa informação indica ao departamento de vendas que ele pode prometer 17 unidades essa semana, mais 91 unidades em algum momento das semanas 2–6, e mais 150 unidades na semana 7 ou 8. Se as solicitações dos pedidos dos clientes forem superiores às quantidades ATP nesses períodos, o MPS deve ser mudado antes que os pedidos do cliente possam ser reservados ou os clientes recebam uma data de entrega posterior — quando a próxima quantidade no MPS chegar. Veja o problema resolvido 2 deste capítulo para um exemplo de tomada de decisão usando as quantidades ATP.

Congelando o MPS O plano-mestre de produção é a base de todos os itens finais, subconjuntos, componentes e programas de materiais. Por essa razão, mudanças no MPS podem ser dispendiosas, principalmente se forem realizadas nas quantidades do MPS que logo serão concluídas. Aumentos em uma quantidade no MPS podem resultar em faltas de materiais, remessas atrasadas para os clientes e custos de despacho excessivos. Diminuições nas quantidades de MPS podem resultar em materiais ou componentes inutilizados (pelo menos até que surja outra necessidade por eles) e em capacidade valiosa sendo usada para criar produtos desnecessários. Custos semelhantes ocorrem quando datas de necessidades previstas para quantidades no MPS são alteradas. Por essas razões, muitas empresas, especialmente aquelas com uma estratégia de fabricar para estocar (*make-to-stock*) e um foco em operações de baixo custo, *congelam* a visão de médio prazo no MPS ou não admitem alterações nela.

Ajustando o MPS ao plano de vendas e operações
Uma vez que o plano-mestre de produção é baseado tanto em previsões quanto em pedidos reais recebidos, pode diferir dos planos de vendas e operações quando somado ao longo de diferentes períodos em um mês. Por exemplo, na Figura 15.6, se a soma total de quantidades no MPS, dos três modelos de cadeiras no mês de abril foi de 725, em vez de 670, a gerência deve revisar o plano de vendas e operações por meio da autorização de recursos adicionais para estabelecer uma correspondência entre oferta e demanda, ou reduzir as quantidades no MPS para o mês de modo que corresponda ao plano de vendas e operações. Os planos-mestres de produção dirigem a planta e a atividade do fornecedor e, por isso, devem estar sincronizados com o plano de vendas e operações para assegurar que as decisões de planejamento da empresa estejam sendo realmente implementadas de maneira contínua.

REGISTRO DE ESTOQUE

Registros de estoque são o terceiro input principal para o MRP e as transações de estoque são os elementos básicos de registros atualizados (ver Figura 15.4). Essas transações incluem liberação de novos pedidos, a entrada de recebimentos programados, o ajuste das datas de vencimento para os recebimentos programados, as retiradas de estoque, o cancelamento de pedidos, a correção de erros de estoque, a rejeição de remessas, a verificação de perdas por refugo e retornos de estoque. Registrar as transações com precisão é essencial para que os balanços de estoque disponível na empresa sejam corretos e para que seu sistema de MRP opere de modo eficaz.

O **registro de estoque** divide o futuro em espaços de tempo chamados *períodos*. Em nossa discussão, usamos períodos semanais para coerência com nosso exemplo de MPS, embora outros espaços de tempo também pudessem ser usados com facilidade. O registro de estoque indica a política referente ao tamanho de lote do item, ao prazo de entrega e a vários dados planejados em função do tempo do item. O propósito do registro de estoque é manter em dia os níveis de estoque e as necessidades de reposição de componentes. As informações planejadas em fases contidas no registro de estoque consistem em (1) *necessidades brutas*; (2) *recebimentos programados*; (3) *estoque disponível projetado*; (4) *recebimentos planejados;* e (5) *liberação de pedidos planejados*.

Ilustramos a discussão de registros de estoque com o subconjunto de assento, item C, que foi mostrado na Figura 15.5. Ele é usado em dois produtos: em uma cadeira com encosto de travessa e em uma cadeira de cozinha.

Necessidades brutas As **necessidades brutas** são compostas pela demanda total derivada de *todos* os planos de produção de itens de origem. Também incluem demanda que não seria levada em consideração em outras circunstâncias, como demanda por peças de reposição para unidades já vendidas. A Figura 15.11 mostra um registro de estoque para o item C, o subconjunto de assento. Esse item é fabricado em lotes de 230 unidades e tem um prazo de entrega de duas semanas. O registro de estoque também mostra as necessidades brutas do item para as próximas oito semanas, que advêm da programação principal da produção para a cadeiras com encosto de travessa e cadeiras de cozinha (ver Figura 15.6). As quantidades iniciais no MPS para cada item de origem são somadas para se chegar às necessidades brutas de cada semana. As necessidades brutas do subconjunto de assento exibem demanda irregular: o departamento de operações retirará subconjuntos de assento do estoque em apenas quatro das oito semanas.

O sistema MRP trabalha com datas de liberação para programar a produção e a entrega de componentes e subconjuntos. A lógica do programa antecipa a retirada do estoque de todos os materiais solicitados por um pedido de produção do item de origem (produto acabado) no *início* de seu prazo de entrega — ou seja, quando o programador lança pela primeira vez o pedido para a fabricação.

Recebimentos programados Lembremos que *recebimentos programados* (algumas vezes chamados *pedidos abertos*) são pedidos que foram colocados, mas não foram concluídos ainda. Para um item comprado, o recebimento programado pode ocorrer em uma de várias fases: sendo processado por um fornecedor, sendo transportado para o comprador ou sendo inspecionado pelo departamento de recebimento do comprador. Se a empresa está fabricando o item internamente, o pedido pode estar sendo processado no chão de fábrica, esperando por componentes, esperando que uma máquina fique disponível ou que seja transferido para sua próxima operação. De acordo com a Figura 15.11 um pedido de 230 unidades do item C é esperado na semana 1. Dado o prazo de entrega de duas semanas, o planejador de estoque provavelmente lançou o pedido duas semanas antes.

Estoque disponível projetado O **estoque disponível projetado** é uma estimativa da quantidade de estoque disponível a cada semana, depois de as necessidades brutas serem satisfeitas. O estoque inicial, a primeira informação mostrada (37) na Figura 15.11, indica o estoque disponível no momento em que o registro foi computado. Como no caso dos recebimentos programados, as informações são dadas para cada retirada e recebimento real, a fim de atualizar o banco de dados do MRP. Portanto, quando o sistema do MRP gerar o registro revisado, o estoque correto aparecerá.

Outras informações na linha mostram o estoque esperado nas semanas futuras. O estoque disponível projetado é calculado da seguinte forma:

$$\begin{pmatrix} \text{Saldo de estoque} \\ \text{disponível} \\ \text{projetado no fim} \\ \text{da semana } t \end{pmatrix} = \begin{pmatrix} \text{Estoque} \\ \text{disponível} \\ \text{no fim da} \\ \text{semana } t-1 \end{pmatrix} + \begin{pmatrix} \text{Recebimentos} \\ \text{programados} \\ \text{ou planejados} \\ \text{na semana } t \end{pmatrix} - \begin{pmatrix} \text{Necessidades} \\ \text{brutas na} \\ \text{semana } t \end{pmatrix}$$

O cálculo disponível projetado inclui a consideração de **recebimentos planejados**, pedidos ainda não liberados para a fabricação ou o para o fornecedor. Esses recebi-

Item: C
Descrição: Subconjunto do assento
Tamanho de lote: 230 unidades
Prazo de entrega: 2 semanas

		Semana						
	1	2	3	4	5	6	7	8
Necessidades brutas	150	0	0	120	0	150	120	0
Recebimentos programados	230	0	0	0	0	0	0	0
Estoque disponível projetado 37	117	117	117	−3	−3	−153	−273	−273
Recebimentos planejados								
Liberação de pedidos planejados								

Explicação: necessidades brutas são a demanda total pelas duas cadeiras. O estoque projetado disponível na semana 1 é de 37 + 230 − 150 = 117 unidades.

Figura 15.11 Registro de MRP para o subconjunto do assento

mentos planejados não devem ser confundidos com os programados. Recebimentos planejados ainda estão na fase de planejamento e ainda podem mudar de uma semana para outra. Já os recebimentos programados são pedidos reais que estão sendo executados pela fabricação ou pelos fornecedores. Na Figura 15.11, os recebimentos planejados são todos zero. Os cálculos de estoque disponível para cada semana são os seguintes:

Semana 1	$37 + 230 - 150 = 117$
Semanas 2 e 3	$117 + 0 - 0 = 117$
Semana 4	$117 + 0 - 120 = -3$
Semana 5	$-3 + 0 - 0 = -3$
Semana 6	$-3 + 0 - 150 = -153$
Semana 7	$-153 + 0 - 120 = -273$
Semana 8	$-273 + 0 - 0 = -273$

Na semana 4, o saldo cai para –3 unidades, o que indica que uma falta de três unidades ocorrerá, a menos que mais subconjuntos de assento sejam comprados. Essa condição sinaliza a necessidade de um recebimento planejado que chegue na semana 4. Além disso, a menos que mais estoque seja recebido, a falta crescerá para 273 unidades nas semanas 7 e 8.

Recebimentos planejados Planejar o recebimento de novos pedidos impede que o saldo disponível projetado fique abaixo de zero. A linha de recebimento planejado é formulada da seguinte forma:

1. o estoque disponível semanalmente é projetado até que surja uma falta. O término do recebimento planejado inicial é programado para a semana na qual a falta é planejada. A inclusão do novo recebimento planejado deve aumentar o saldo disponível projetado de modo que seja igual ou superior a zero. Será superior a zero quando o tamanho de lote exceder as necessidades na semana em que está planejado para chegar;

2. a projeção do estoque disponível continua até que a próxima falta ocorra. Essa falta sinaliza a necessidade do segundo recebimento planejado.

Esse processo é repetido até o fim do horizonte de planejamento seguindo coluna por coluna através do registro

Item: C Descrição: Subconjunto do assento							Tamanho de lote: 230 unidades Prazo de entrega: 2 semanas		
		Semana							
		1	2	3	4	5	6	7	8
Necessidades brutas		150	0	0	120	0	150	120	0
Recebimentos programados		230	0	0	0	0	0	0	0
Estoque disponível projetado	37	117	117	117	227	227	77	187	187
Recebimentos planejados					**230**			**230**	
Liberação de pedido planejados			**230**			**230**			

Explicação: sem um recebimento planejado na semana 4, ocorrerá uma falta de três unidades: $117 + 0 + 0 - 120 = -3$ unidades. Somar o recebimento planejado traz o saldo para $117 + 0 + \mathbf{230} - 120 = 227$ unidades. Compensar para um prazo de entrega de duas semanas recoloca a liberação de pedido planejado correspondente à semana 2.

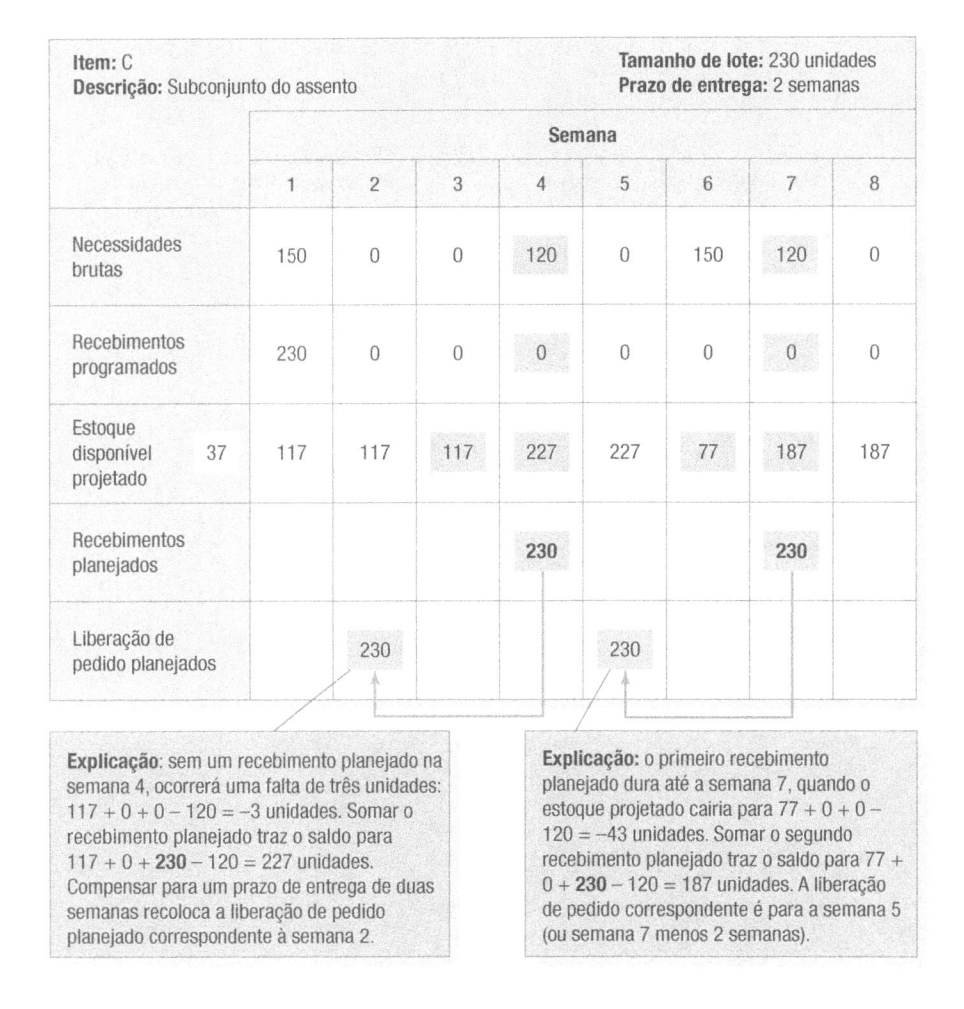

Explicação: o primeiro recebimento planejado dura até a semana 7, quando o estoque projetado cairia para $77 + 0 + 0 - 120 = -43$ unidades. Somar o segundo recebimento planejado traz o saldo para $77 + 0 + \mathbf{230} - 120 = 187$ unidades. A liberação de pedido correspondente é para a semana 5 (ou semana 7 menos 2 semanas).

Figura 15.12 Registro de estoque concluído para o subconjunto do assento

do MRP — preenchendo os recebimentos planejados quando necessário e completando a linha de estoque disponível projetado. A Figura 15.12 mostra os recebimentos planejados para o subconjunto do assento. Na semana 4, o estoque disponível projetado cairá abaixo de zero, assim, um recebimento planejado de 230 unidades é programado para a semana 4. O saldo de estoque disponível atualizado é de 117 (estoque no fim da semana 3) + 230 (recebimentos planejados) – 120 (necessidades brutas) = 227 unidades. O estoque disponível projetado permanece em 227 para a semana 5 porque não há recebimentos programados ou necessidades brutas previstas. Na semana 6, o estoque disponível projetado é de 227 (estoque no fim da semana 5) – 150 (necessidades brutas) = 77 unidades. Essa quantidade é maior que zero, dessa forma, não é necessário nenhum recebimento planejado novo. Na semana 7, entretanto, ocorrerá uma falta, a menos que sejam recebidos mais subconjuntos do assento. Com um recebimento planejado na semana 7, o saldo de estoque atualizado é de 77 (estoque no fim da semana 6) + 230 (recebimentos planejados) – 120 (necessidades brutas) = 187 unidades.

Liberação de pedidos planejados Uma **liberação de pedido planejado** indica quando um pedido de uma quantidade especificada de um produto deve ser emitido. Devemos colocar a quantidade de liberação de pedido planejada no período de tempo adequado. Para tanto, devemos supor que todos os fluxos de estoque — recebimentos programados, recebimentos planejados e necessidades brutas — ocorrem simultaneamente em um período. Algumas empresas supõem que todos os fluxos acontecem no princípio de um período; outras supõem que ocorrem no fim de um período ou na metade de outro. Independentemente de quando se supõe que os fluxos aconteçam, encontramos a data de liberação subtraindo o prazo de entrega da data de recebimento. Por exemplo, a data de lançamento para a primeira liberação de pedido na Figura 15.12 é: 4 (data de recebimento planejada) – 2 (prazo de entrega) = 2 (data de liberação de pedido planejado). A Figura 15.12 mostra a liberação de pedidos planejados para o subconjunto do assento. Se tudo ocorrer de acordo com o plano, liberaremos um pedido de 230 montagens de assento na semana seguinte (na semana 2). Essa liberação de pedido ocasiona uma série de atualizações no registro de estoque. Primeiro, a liberação de pedido planejado para o pedido é removido. Em seguida, o recebimento planejado para 230 unidades na semana 4 também é removido. Por fim, um novo recebimento programado para 230 unidades aparecerá na linha de recebimento programado para a semana 4.

FATORES DE PLANEJAMENTO

Os fatores de planejamento em um registro de estoque do MRP desempenham um papel importante na totalidade do sistema MRP. Por meio da manipulação desses fatores, os gerentes podem ajustar as operações de estoque. Nesta seção, discutiremos planejamento do prazo de entrega, regras de dimensionamento do lote e o estoque de segurança.

Planejamento do prazo de entrega O planejamento do prazo de entrega é uma estimativa do tempo entre a colocação de um pedido para um item e o recebimento do item em estoque. Precisão é importante no planejamento do prazo de entrega. Se um item chega no estoque antes do necessário, os custos de armazenamento aumentam. Se um item chega muito tarde, podem ocorrer faltas de estoque, custos de despacho excessivos ou ambos.

Para itens comprados, o planejamento de prazo de entrega é o tempo considerado para o recebimento de uma remessa do fornecedor depois que o pedido foi enviado, incluindo o tempo normal para se colocar o pedido. Muitas vezes, o contrato de compra estipula a data de entrega. Para itens fabricados internamente, o planejamento de prazo de entrega consiste em estimativas para os seguintes fatores:

- tempo de preparação da máquina (*setup*)
- tempo de processamento
- tempo de manipulação de materiais entre operações
- tempo de espera

Cada um desses itens deve ser estimado para cada operação ao longo do percurso do produto. Estimar os tempos de preparação, processamento e manipulação de materiais pode ser relativamente fácil, mas estimar o tempo de espera por equipamento de manipulação de materiais ou pela execução de uma operação específica por uma máquina pode ser mais difícil. Em uma instalação que utiliza uma estratégia de fabricar sob encomenda, como uma fabricação de máquinas, a carga do setor de fabricação varia consideravelmente ao longo do tempo, fazendo com que os tempos de espera reais para um pedido específico flutuem bastante. Portanto, ser capaz de estimar precisamente o prazo de entrega é especialmente importante quando se trata de estimar o planejamento do tempo de espera. Entretanto, em uma instalação que utiliza uma estratégia de fabricar para estocar, como uma planta de montagem, os percursos do produto são mais padronizados e o prazo de entrega é mais previsível; conseqüentemente, o tempo de espera é, geralmente, uma parte menos preocupante do planejamento dos prazos de entrega.

Regras de dimensionamento de lote Uma regra de dimensionamento de lote determina o momento e a magnitude das quantidades dos pedidos e deve ser atribuída a cada item, antes que as quantidades de recebimentos planejadas e a liberação de pedidos planejados possam ser calculadas. A escolha de regras de dimensionamento de lotes é importante porque elas determinam o número de preparações de máquinas necessárias e os custos de armazenamento para cada item. Apresentamos três regras de dimensionamento de lote: (1) quantidade fixa de pedido; (2) quantidade periódica de pedido; e (3) lote por lote.

Quantidade fixa de pedido A regra **FOQ** (*Fixed Order Quantity* — **quantidade fixa de pedido**) mantém a mesma quantidade de pedido a cada vez que um pedido é emitido. Por exemplo, o tamanho do lote pode ser o tamanho ditado por limites de capacidade de equipamento, como quando um lote completo deve ser carregado em um forno de cada vez. Para itens comprados, a FOQ pode ser determinada pelo nível de desconto por quantidade, capacidade de carga de caminhão ou quantidade de compra mínima. Ou o tamanho do lote pode ser determinado pela fórmula de lote econômico de compra (EOQ). A Figura 15.12 ilustra a regra de FOQ. Entretanto, se a necessidade bruta de um item em uma semana é particularmente grande, a FOQ pode ser insuficiente para evitar uma falta. Nesses casos incomuns, o planejador de estoque deve aumentar o tamanho do lote além da FOQ, geralmente para um tamanho grande o suficiente para evitar uma falta. Outra opção é tornar a quantidade de pedido um número inteiro múltiplo da FOQ. Essa opção é apropriada quando restrições de capacidade limitam a produção para tamanhos de FOQ (no máximo) e os custos de preparação forem altos.

Quantidade periódica de pedido A regra **POQ** (*Periodic Order Quantity* — **quantidade periódica de pedido**) permite uma quantidade de pedido diferente para cada pedido emitido, mas tende a emitir o pedido em intervalos de tempo predeterminados, como a cada duas semanas. A quantidade de pedido é igual à quantidade do item necessária durante o tempo predeterminado entre pedidos e deve ser grande o suficiente para evitar faltas. Especificamente, a POQ é

$$\begin{pmatrix}\text{Tamanho de} \\ \text{lote de POQ} \\ \text{para chegar} \\ \text{à semana } t\end{pmatrix} = \begin{pmatrix}\text{Necessidades brutas} \\ \text{totais para } P \\ \text{semanas, incluindo} \\ \text{a semana } t\end{pmatrix} - \begin{pmatrix}\text{Saldo de estoque} \\ \text{disponível} \\ \text{projetado no fim} \\ \text{da semana } t-1\end{pmatrix}$$

Essa quantidade cobre exatamente o valor das necessidades brutas das P semanas. Isto é, o estoque disponível projetado deve ser igual a zero após P semanas.

Suponha que desejemos alterar a regra FOQ usada na Figura 15.12 para a regra POQ. A Figura 15.13 mostra a aplicação da regra POQ, com $P = 3$ semanas, ao estoque do subconjunto de assento. O primeiro pedido é requerido na semana 4 porque é a primeira semana em que o saldo de estoque projetado cairá abaixo de zero. O primeiro pedido usando $P = 3$ semanas é

$$\begin{pmatrix}\text{Tamanho} \\ \text{de lote POQ}\end{pmatrix} = \begin{pmatrix}\text{Necessidades brutas} \\ \text{para as semanas} \\ 4, 5 \text{ e } 6\end{pmatrix} - \begin{pmatrix}\text{Estoque no fim} \\ \text{da semana 3}\end{pmatrix}$$
$$= (120 + 0 + 150) - 117 = 153 \text{ unidades}$$

O segundo pedido deve chegar na semana 7, com um tamanho de lote de $(120 + 0) - 0 = 120$ unidades. Esse segundo pedido reflete apenas o valor de duas semanas de necessidades brutas — para o fim do horizonte de planejamento.

A regra de POQ não significa que o departamento de operações deve emitir um novo pedido a cada P semanas. Mais exatamente, quando um pedido *é* planejado, seu tamanho de lote deve ser o suficiente para cobrir P semanas sucessivas. Um modo de selecionar um valor P é dividir o tamanho de lote médio desejado, como o lote econômico de compra, ou algum outro tamanho de lote aplicável, pela demanda semanal média. Isto é, expressar o tamanho de lote definido como meta como as semanas desejadas de oferta (P) e arredondar para o número inteiro mais próximo.

Lote por lote Um caso especial da regra de POQ é a regra de **L4L** (*Lot For Lot* — **lote por lote**), sob a qual o tamanho de lote pedido cobre as necessidades brutas de uma única semana. Desse modo, $P = 1$ e a meta é minimizar os níveis de estoque. Essa regra assegura que o pedido planejado seja grande o suficiente para evitar uma falta na única semana que cobre. O tamanho de lote de L4L é

$$\begin{pmatrix}\text{Tamanho} \\ \text{de lote L4L} \\ \text{para chegar} \\ \text{à semana } t\end{pmatrix} = \begin{pmatrix}\text{Necessidades} \\ \text{brutas para a} \\ \text{semana } t\end{pmatrix} - \begin{pmatrix}\text{Saldo de estoque} \\ \text{disponível projetado} \\ \text{no fim da semana } t-1\end{pmatrix}$$

O estoque disponível projetado combinado com o novo pedido será igual a zero no fim da semana t. Seguindo o primeiro pedido planejado, um pedido planejado adicional será usado para corresponder a cada necessidade bruta subseqüente.

Períodos	8								
Item	Subconjunto do assento			Período (P) para POQ		3	Tamanho de lote (FOQ)		
Descrição							Prazo de entrega		2
Regra de POQ		1	2	3	4	5	6	7	8
Necessidades brutas		150			120		150	120	
Recebimentos programados		230							
Estoque disponível projetado	37	117	117	117	150	150			
Recebimentos planejados					153			120	
Liberação de pedidos planejados		153			120				

Figura 15.13 A Regra POQ ($P = 3$) para o subconjunto do assento

O Tutor 15.2, disponível no site de apoio do livro, fornece um novo exemplo para praticar decisões de dimensionamento de lote, usando as regras de FOQ, POQ e L4L.

Dessa vez, queremos passar da regra FOQ para a regra L4L. A Figura 15.14 mostra a aplicação da regra L4L ao estoque do subconjunto do assento. Como antes, o primeiro pedido é necessário na semana 4:

$$\binom{\text{Tamanho}}{\text{de lote L4L}} = \binom{\text{Necessidades brutas}}{\text{na semana 4}} - \binom{\text{Saldo de estoque}}{\text{no fim da semana 3}}$$
$$= 120 - 117 = 3$$

O depósito deve receber pedidos adicionais nas semanas 6 e 7 para satisfazer cada uma das necessidades brutas subseqüentes. O recebimento planejado para a semana 6 é de 150, e para a semana 7, de 120.

Comparando regras de dimensionamento de lote

Escolher uma regra de dimensionamento de lote pode ter implicações importantes para a administração de estoques. As regras de dimensionamento de lote afetam os custos de estoque e os custos de *setup* ou de colocação de pedidos. As regras FOQ, POQ e L4L diferem umas das outras com relação a um ou mais aspectos. Em nosso exemplo, cada regra entrou em vigor na semana 4, quando o primeiro pedido foi colocado. Comparemos o estoque disponível projetado em média ao longo de um horizonte de planejamento entre as semanas 4 e 8. Os dados são mostrados nas figuras 15.12, 15.13 e 15.14, respectivamente.

$$\text{FOQ: } \frac{227+227+77+187+187}{5} = 181 \text{ unidades}$$

$$\text{POQ: } \frac{150+150+0+0+0}{5} = 60 \text{ unidades}$$

$$\text{L4L: } \frac{0+0+0+0+0}{5} = 0 \text{ unidades}$$

O desempenho da regra L4L com respeito aos níveis de estoque médios se aproxima dos custos de um pedido planejado adicional e do tempo e do custo de *setup* que a acompanham. Podemos tirar três conclusões dessa comparação:

1. a regra de FOQ gera um nível elevado de estoque médio porque cria *sobras* de estoque. Uma sobra é estoque armazenado em uma semana, mas é muito pequena para evitar uma falta. As sobras ocorrem porque a FOQ não corresponde exatamente às necessidades. Por exemplo, de acordo com a Figura 15.12, o depósito deve receber um pedido planejado na semana 7, ainda que haja 77 unidades disponíveis no início dessa semana. A sobra são as 77 unidades que o depósito armazenará por três semanas, começando com o recebimento do primeiro pedido planejado na semana 4. Embora aumentem os níveis de estoque médios, as sobras de estoque introduzem estabilidade no processo de produção por meio do amortecimento de perdas inesperadas por refugos, gargalos de capacidade, registros de estoque imprecisos ou necessidades brutas instáveis;

2. a regra de POQ reduz a quantidade de estoque disponível médio porque faz um trabalho melhor de correspondência entre quantidade de pedido e necessidades. Ela ajusta tamanhos de lote à medida que as necessidades aumentam ou diminuem. A Figura 15.13 mostra que na semana 7, quando a regra de POQ entrou completamente em vigor, o estoque disponível projetado é zero — nenhuma sobra;

3. a regra de L4L minimiza o investimento em estoque, mas também maximiza o número de pedidos colocados. Essa regra é mais aplicável a itens caros ou com custos de *setup* ou pedido pequenos. É a única regra que pode ser usada para um item de pequena quantidade fabricado sob encomenda. Também pode se aproximar do lote pequeno de produção de um sistema *lean*.

Evitando sobras, tanto a regra de POQ como a de L4L podem introduzir instabilidade ligando a decisão de dimensionamento de lote muito estreitamente às necessidades. Se qualquer necessidade se alterar, o tamanho de lote também deve se alterar, o que pode desorganizar a programação de componentes. Aumentos de última hora nos pedidos de produtos acabados (itens de origem) podem ser atrasados pela falta de componentes.

Estoque de segurança

Uma decisão administrativa importante é a quantidade de estoque de segurança a ser armazenada. É uma decisão mais complexa para itens de demanda dependente que para itens de demanda independente. O estoque de segurança para itens de demanda dependente com demanda irregular (necessidades brutas) é útil apenas quando as necessidades brutas futuras, o mo-

Períodos	8							
Item	Subconjunto do assento			Período (P) para POQ		Tamanho de lote (FOQ)		
Descrição						Prazo de entrega		2
Regra de L4L ▼	1	2	3	4	5	6	7	8
Necessidades brutas	150			120		150	120	
Recebimentos programados	230							
Estoque disponível projetado 37	117	117	117					
Recebimentos planejados				3		150	120	
Liberação de pedidos planejados			3	150	120			

Figura 15.14 A regra de L4L para o subconjunto do assento

Regra de FOQ						Tamanho de lote		230
						Prazo de entrega		2
						Estoque de segurança		80
	1	2	3	4	5	6	7	8
Necessidades brutas	150	0	0	120	0	150	120	0
Recebimentos programados	230	0	0	0	0	0	0	0
Estoque disponível projetado 37	117	117	117	227	227	307	187	187
Recebimentos planejados	0	0	0	230	0	230	0	0
Liberações de pedidos planejados	0	230	0	230	0	0	0	0

Figura 15.15 Registro de estoque para o subconjunto do assento mostrando a aplicação de um estoque de segurança

mento ou tamanho do recebimento programado e a quantidade de refugo que será gerada são incertos. Quando essas incertezas são resolvidas, o estoque de segurança deve ser reduzido e, em última instância, eliminado. A política habitual é usar estoque de segurança para itens finais e itens comprados para proteger contra a flutuação dos pedidos dos clientes e fornecedores de componentes em que não se pode confiar, mas evitar usá-lo o máximo possível para itens intermediários. Os estoques de segurança podem ser incorporados na lógica do MRP usando a seguinte regra: programar um recebimento planejado sempre que o saldo de estoque disponível projetado cair abaixo do nível de estoque de segurança desejado (em vez de zero, como antes). O objetivo é manter um nível mínimo de estoques planejados igual à quantidade de estoque de segurança. A Figura 15.15 mostra o que acontece quando a necessidade é estabelecida em 80 unidades de estoque de segurança para o subconjunto da assento usando uma FOQ de 230 unidades. Compare esses resultados com a Figura 15.12. O efeito líquido é deslocar a segunda liberação de pedido da semana 5 para a semana 4 a fim de evitar a queda abaixo de 80 unidades na semana 6.

RELATÓRIOS DO MRP

Os sistemas de MRP fornecem muitos relatórios, programas e notificações para ajudar os gerentes a controlar estoques de demanda dependente, como indicado na Figura 15.16. Nesta seção, discutiremos o processo de explosão do MRP, notificações que alertam os planejadores sobre os itens que precisam de atenção, relatórios sobre necessidade de recursos e relatórios de desempenho.

Explosão de MRP O MRP converte, ou *explode*, o MPS e outras fontes de demanda nas necessidades para todos os subconjuntos, componentes e matérias-primas que as empresas precisam para fabricação dos produtos acabados (itens de origem). Esse processo gera o plano de necessidades de materiais para cada item componente.

As necessidades brutas de um item são derivadas de três fontes:

1. o MPS para produtos acabados imediatos que são itens finais;

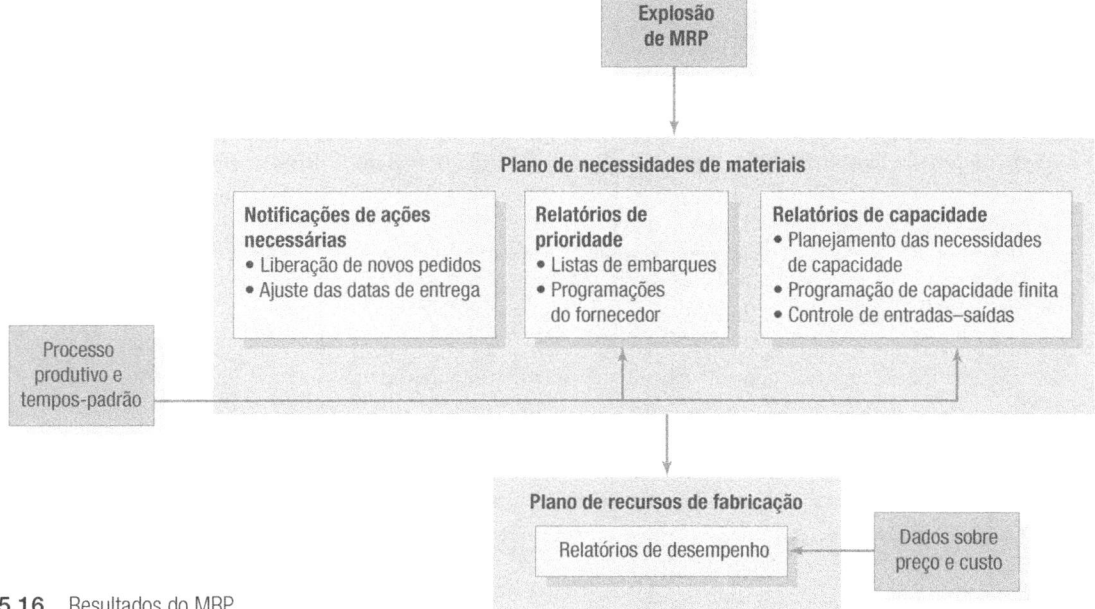

Figura 15.16 Resultados do MRP

2. as liberações de pedidos planejadas para produtos acabados abaixo do nível do MPS;
3. quaisquer outras necessidades que não se originem do MPS, como a demanda por peças de reposição.

Considere o subconjunto do assento e seu registro de estoque mostrado na Figura 15.12. O subconjunto do assento requer uma almofada de assento e uma estrutura de assento, que, por sua vez, precisa de quatro ripas da estrutura de assento. Sua lista de materiais (BOM) é mostrada na Figura 15.17 (ver também Figura 15.5, a qual mostra como a BOM do subconjunto do assento se relaciona ao produto como um todo). Quantas almofadas de assento devemos pedir ao fornecedor? Quantas estruturas de assento devemos fabricar para sustentar a programação do subconjunto do assento? Quantas ripas da estrutura de assento precisamos fabricar? As respostas a essas perguntas dependem dos estoques existentes e dos pedidos de reposição já em desenvolvimento. O MRP pode ajudar a responder essas perguntas por meio do processo de explosão.

A Figura 15.18 mostra os registros do MRP para o conjunto do assento, cujo desenvolvimento já demonstramos, e seus componentes, nos quais nos concentraremos agora. As regras de dimensionamento de lote são um FOQ de 300 unidades para a estrutura de assento, um L4L para a almofada do assento e um FOQ de 1.500 para as ripas da estrutura do assento. Todos os três componentes têm um prazo de entrega de uma semana. A chave para o processo de explosão é determinar o momento e o tamanho adequado das necessidades brutas para cada componente. Depois de tomarmos essas decisões, podemos obter a programação para a liberação de pedido planejado para cada componente usando a lógica já demonstrada.

Em nosso exemplo, os componentes não têm nenhuma demanda independente por peças de reposição. Por conseguinte, na Figura 15.18, as necessidades brutas de um componente advêm das liberações de pedidos planejados de seus produtos acabados. A estrutura de assento e a almofada de assento obtêm suas necessidades brutas do programa de liberação de pedido planejado do subconjunto de assento. Ambos os componentes têm necessidades brutas de 230 unidades nas semanas 2 e 5, as mesmas semanas nas quais lançaremos pedidos de fabricação de mais subconjuntos do assento. Na semana 2, por exemplo, o manipulador de materiais para o departamento de montagem retirará 230 estruturas de assento e 230 almofadas do assento do estoque de forma que o departamento de montagem possa fabricar os subconjuntos do assento a tempo de evitar uma falta de estoque na semana 4. Os planos de materiais para a estrutura de assento e a almofada do assento devem levar isso em conta.

Usando as necessidades brutas nas semanas 2 e 5, podemos elaborar o registro do MRP para a estrutura de assento e a almofada do assento, como mostrado na Figura 15.18. Para um recebimento programado de 300 estruturas de assento na semana 2, uma quantidade disponível de 40 unidades e um prazo de entrega de uma semana, precisamos liberar um pedido de 300 estruturas de assento na semana 4 para cobrir o programa de montagem para o subconjunto do assento. A almofada do assento não tem recebimentos programados nem estoque disponível; por conseguinte, devemos colocar pedidos de 230 unidades nas semanas 1 e 4, usando a regra de L4L com um prazo de entrega de uma semana.

Depois de determinar o programa de reposição para a estrutura de assento, podemos calcular as necessidades brutas para as ripas da estrutura de assento. Planejamos começar a fabricar 300 estruturas de assento na semana 4. Cada estrutura requer quatro ripas, assim, precisamos ter 300(4) = 1.200 ripas disponíveis na semana 4. Por conseguinte, a necessidade bruta para as ripas da estrutura de assento é de 1.200 na semana 4. Não havendo recebimentos programados, 200 ripas em estoque, um prazo de entrega de uma semana nem uma FOQ de 1.500 unidades, precisamos de uma liberação de pedido planejado de 1.500 na semana 3.

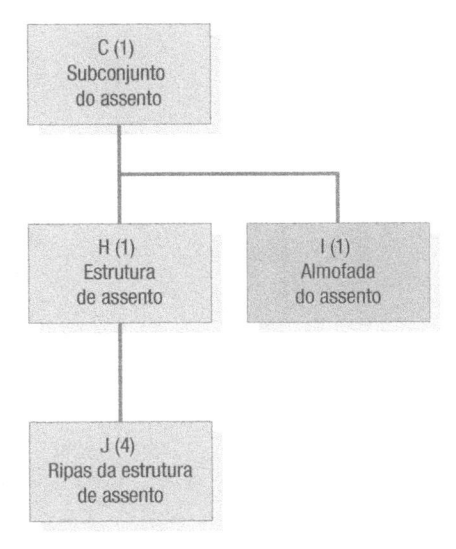

Figura 15.17 Lista de materiais para o subconjunto do assento

Item: Subconjunto do assento
Tamanho de lote: 230 unidades

Prazo de entrega: 2 semanas	Semana							
	1	2	3	4	5	6	7	8
Necessidades brutas	150	0	0	120	0	150	120	0
Recebimentos programados	230	0	0	0	0	0	0	0
Estoque projetado (37)	117	117	117	227	227	77	187	187
Recebimentos planejados				230			230	
Liberação de pedidos planejados		230			230			

Quantidade de uso: 1 — Quantidade de uso: 1

Item: Estruturas de assento
Tamanho de lote: 300 unidades

Prazo de entrega: 1 semana	Semana							
	1	2	3	4	5	6	7	8
Necessidades brutas	0	230	0	0	230	0	0	0
Recebimentos programados	0	300	0	0	0	0	0	0
Estoque projetado (40)	40	110	110	110	180	180	180	180
Recebimentos planejados					300			
Liberação de pedidos planejados				300				

Item: Almofada de assento
Tamanho de lote: L4L

Prazo de entrega: 1 semana	Semana							
	1	2	3	4	5	6	7	8
Necessidades brutas	0	230	0	0	230	0	0	0
Recebimentos programados	0	0	0	0	0	0	0	0
Estoque projetado (0)	0	0	0	0	0	0	0	0
Recebimentos planejados		230			230			
Liberação de pedidos planejados	230			230				

Quantidade de uso: 4

Item: Ripas da estrutura de assento
Tamanho de lote: 1.500 unidades

Prazo de entrega: 1 semana	Semana							
	1	2	3	4	5	6	7	8
Necessidades brutas	0	0	0	1.200	0	0	0	0
Recebimentos programados	0	0	0	0	0	0	0	0
Estoque projetado (200)	200	200	200	500	500	500	500	500
Recebimentos planejados				1.500				
Liberação de pedidos planejados			1.500					

Figura 15.18 Explosão do MRP de componentes de montagem do assento

As perguntas apresentadas anteriormente agora podem ser respondidas. Devemos planejar liberar os pedidos seguintes: 300 estruturas de assento na semana 4, 230 almofadas de assento em cada uma das semanas 1 e 4 e 1.500 ripas de estrutura de assento na semana 3. Se os planos de MRP são atualizados semanalmente, apenas o pedido planejado para a semana 1 deve ser lançado agora. Lançando-o, cria-se um recebimento programado de 230 almofadas de assento que aparecerão no registro de estoque atualizado. Os outros pedidos permanecem na fase de planejamento e podem até mesmo ser revisados pela explosão do MRP realizada na semana seguinte.

Outros relatórios importantes Uma vez computados, os registros de estoque para qualquer item que aparece na lista de materiais (BOM) podem ser impressos em papel ou exibidos na tela. Os planejadores de estoque usam um memorando gerado por computador chamado de **notificação de ação** para tomar decisões sobre a liberação de novos pedidos e o ajuste de datas de vencimento de recebimentos programados. Essas notificações são geradas toda vez que o sistema é atualizado, talvez uma vez por semana. A notificação de ação alerta os planejadores somente para os itens que requerem sua atenção, como os itens que têm uma liberação de pedido planejado no período corrente ou um recebimento programado que precisa de revisão em sua data de vencimento. Os planejadores podem, então, visualizar os registros completos desses itens e agir de acordo com a necessidade. Uma notificação de ação pode ser simplesmente uma lista de números de peças de itens que precisam de atenção ou o registro completo para esses artigos, com uma nota na parte inferior identificando a ação necessária.

Por si mesmo, o sistema de MRP não reconhece limitações de capacidade quando computa pedidos planejados; isto é, ele pode solicitar uma liberação de pedido planejado que seja superior à quantidade que pode ser fabricada fisicamente. Um papel essencial dos planejadores é monitorar as necessidades de capacidade dos planos de necessidades de materiais, ajustando o plano quando ele não puder ser satisfeito. Para facilitar esse processo, vários tipos de relatórios de capacidade podem ser fornecidos. Por exemplo, o **CRP** (*Capacity Requirements Planning* — **planejamento das necessidades de capacidade**) relata projetos de necessidades de capacidade planejados por fases para as estações de trabalho. Eles calculam a carga de trabalho de acordo com o trabalho requerido para completar os recebimentos programados já na fabricação e concluir a liberação de pedidos planejados ainda não liberados. Os gargalos são as estações de trabalho nas quais as cargas projetadas são superiores às capacidades da estação.

Outros tipos de resultados também são possíveis, como relatórios de prioridade sobre pedidos já colocados para a fabricação ou fornecedores. Os relatórios de prioridade começam com as datas de vencimento atribuídas aos recebimentos programados, que os planejadores mantêm atualizados para que continuem a repercutir quando o recebimento for realmente necessário. Em uma escala mais ampla, as informações em um sistema de MRP são úteis para áreas funcionais, exceto o departamento de operações. O MRP evoluiu para um **MRP II** (*Manufacturing Resource Planning* — **planejamento de recursos de fabricação**), um sistema que liga o sistema de MRP básico ao sistema financeiro da empresa e a outros processos essenciais e de apoio. Por exemplo, a gerência pode projetar o valor em dólares das remessas, os custos de produtos, as alocações de despesas, estoques, *backlogs* e lucros usando o plano de MRP junto com preços e produto e custos de atividade do sistema de contabilidade. Além disso, as informações do MPS, recebimentos programados e pedidos planejados podem ser convertidos em projeções de fluxo de caixa, que são divididas em famílias de produtos. Cálculos semelhantes são possíveis para outras medidas de desempenho de interesse para a gerência. De fato, o MRP II evoluiu, em última instância, para sistemas integrados de gestão (ERP), que foram apresentados no princípio deste capítulo.

MRP E O MEIO AMBIENTE

A preocupação dos consumidores e do governo com a detgradação do meio ambiente levou os fabricantes a fazerem uma reengenharia de seus processos para se tornarem mais responsáveis em termos ambientais. A reciclagem de materiais de base está se tornando mais comum e os produtos estão sendo projetados de modo que possam ser manufaturados novamente após suas vidas úteis. Entretanto, os processos de fabricação, muitas vezes, geram diversos materiais residuais que precisam ser descartados corretamente. Os resíduos assumem várias formas:

- efluentes, como monóxido de carbono, dióxido de enxofre e substâncias químicas perigosas provenientes de processos de fabricação do produto;
- materiais, como aparas de metal, tintas a óleo e substâncias químicas associadas com operações específicas;
- materiais de embalagem, como papelão inutilizável e plásticos associados a certos produtos ou itens comprados;
- refugo associado com produtos inutilizáveis ou defeitos de componentes gerados pelo processo de fabricação.

As empresas podem modificar seu sistema de MRP para ajudá-las a rastrear esses resíduos e a planejar seu descarte. O tipo e a quantidade de resíduos associados a cada item podem ser inseridos na lista de materiais (BOM), tratando o resíduo de modo muito semelhante ao modo como trataria um componente do item. Quando o MPS é desenvolvido para um produto, podem ser gerados relatórios que projetam a quantidade de resíduo esperada durante o processo de produção e quando ocorrerá. Embora essa abordagem possa requerer que a lista de materiais de uma empresa seja modificada substancialmente, os benefícios também são substanciais. As empresas podem, em alguns casos, identificar seus problemas de resíduos antes de eliminá-los e, em outros, planejar o descarte adequado. Também oferece à empresa uma maneira de gerar qualquer documentação formal exigida pelo governo para comprovar que obedeceu às leis e políticas ambientais.

SISTEMA TAMBOR-PULMÃO-CORDA

O **DBR** (*Drum–Buffer–Rope* — Tambor–Pulmão–Corda) é um sistema de planejamento e controle que regula o fluxo de materiais em processo no gargalo ou no **CCR** (*Capacity Constrained Resource* — recurso de capacidade restritiva) em um sistema produtivo. O processo com menor capacidade é chamado de gargalo se sua capacidade for menor que a demanda de mercado ou chamado de CCR se for o recurso de menor capacidade no sistema, mas ainda tiver capacidade mais alta que o a demanda de mercado. O sistema DBR é baseado na teoria das restrições (TOC), que discutimos detalhadamente no Capítulo 7, "Administração das restrições".

O programa CCR é o tambor (*drum*) porque estabelece o compasso ou a taxa de produção para a planta inteira e está ligado à demanda do mercado. O *pulmão (buffer)* é um amortecedor de tempo que planeja fluxos iniciais para o CCR e, desse modo, protege-o de interrupção, além de assegurar que o gargalo nunca sofra falta de trabalho. Um *buffer* de estoque de bens acabados também pode ser colocado na frente do ponto de remessa a fim de proteger programas de remessa de clientes. Por fim, a corda (*rope*) representa a ligação da liberação do material com o compasso do *tambor*, que é a taxa em que o gargalo ou o CCR controlam a produção total da planta inteira. É um dispositivo de comunicação para assegurar que a matéria-prima não seja introduzida no sistema a uma taxa mais rápida que aquela com a qual o CCR pode lidar. Completando o circuito, a gerência do pulmão monitora constantemente a execução do trabalho executado pelo CCR. Trabalhando juntos, o tambor, o amortecedor e a corda podem ajudar os gerentes a criar um programa de produção que reduza os prazos de entrega e os estoques, enquanto aumenta, simultaneamente, a produção total e a entrega pontual.

Para compreender melhor o sistema *Tambor–Pulmão–Corda*, considere o layout esquemático mostrado na Figura 15.19. O processo B, com uma capacidade de apenas 500 unidades por semana, é o CCR porque o processo A no início da linha de produção e o Processo C no fim da linha de produção têm capacidades de 800 e 700 unidades por semana, respectivamente, e a demanda de mercado é de 650 unidades por semana, em média. Nesse caso, uma vez que a capacidade do processo B é menor que a demanda de mercado, o CCR também pode ser chamado de gargalo. Um amortecedor (pulmão) de tempo da restrição, que pode estar na forma de materiais chegando antes do necessário, é colocado exatamente na frente do CCR (processo B). Um amortecedor de remessa, na forma de estoque de bens acabados, também pode ser colocado antes do programa de remessa a fim de proteger pedidos dos clientes que sejam firmes. Por fim, uma corda liga o programa de liberação de material para corresponder ao programa, ou compasso do tambor, no CCR. O fluxo de material é puxado adiante pelo compasso do tambor anterior ao CCR, enquanto é empurrado para o final da linha de produção em direção ao cliente subseqüente ao CCR. Por essa razão, o DBR é uma combinação de sistemas *pull* e *push*.

Diferente de um sistema de MRP, os processos de planejamento-mestre da produção e de programação de componentes ocorrem simultaneamente em um sistema de DBR. Embora o MRP não esteja focalizado em nenhum recurso, o DBR se esforça especificamente em melhorar a produção total, utilizando melhor o recurso gargalo e protegendo-o de interrupções por meio do amortecedor de tempo e do amortecedor protetor de capacidade em outros setores. Assim, enquanto o lote de processamento do DBR é de qualquer tamanho, desde que minimize setups e melhore a utilização do CCR, é de lote por lote em outros setores com recursos não-gargalos. O material pode ser, conseqüentemente, lançado em lotes pequenos, conhecidos como *lotes de transferência*, no ponto de liberação, que se combinam em seguida no pulmão da restrição para formar um lote do processo completo no CCR. Os lotes de transferência podem ser tão pequenos, até com uma unidade, ou seja, devem permitir que uma estação de trabalho com capacidade restritiva comece a trabalhar em um lote antes que ele esteja completamente acabado no processo anterior. Usar lotes de transferência normalmente facilita uma redução no prazo de entrega total.

O DBR pode ser um sistema eficaz para se usar quando o produto fabricado pela empresa for relativamente simples, com apenas alguns níveis na lista de materiais e o processo produtivo tiver mais fluxos em linha. O planejamento é muito simplificado nesse caso e gira em torno, principalmente, da programação do recurso gargalo e do acionamento de outros pontos para satisfazer a programação desse CCR. Implementar de modo eficaz um sistema de DBR requer uma compreensão dos princípios da TOC destacados no Capítulo 7, "Administração das restrições". Contudo, esse sistema pode ser utilizado em muitos tipos diferentes de organizações de manufaturas ou serviços, sozinho ou junto com outros sistemas de planejamento e controle como MRP. A seção 'Prática Gerencial 15.2' ilustra como o uso de um sistema DBR dentro de um sistema baseado em MRP II melhorou o desempenho do Centro de Manutenção da Marinha em Albany, Geórgia.

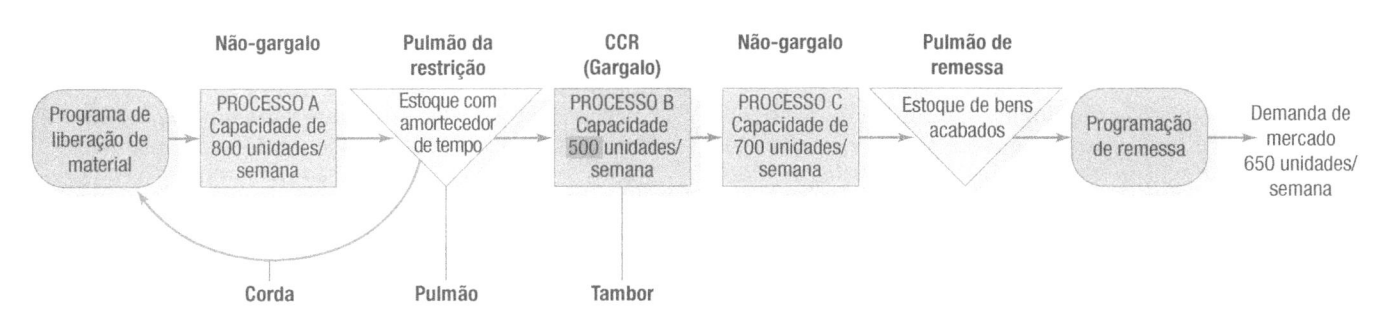

Figura 15.19 Sistema Tambor–Pulmão–Corda com um CCR

PLANEJAMENTO DE RECURSOS PARA FORNECEDORES DE SERVIÇOS

Vimos como empresas manufatureiras podem desagregar um MPS de produtos acabados, o que, por sua vez, deve ser convertido em necessidades de recursos, seja pessoal, de equipamentos, de componentes ou de ativos financeiros. O impulsionador para essas necessidades de recursos é um plano de necessidades de materiais. Fornecedores de serviços, naturalmente, devem planejar seus recursos da mesma maneira que o fazem os fabricantes. Entretanto, diferente de bens acabados, os serviços não podem ser mantidos em estoque. Eles devem ser fornecidos de imediato. Em termos de planejamento de recursos, portanto, as organizações de serviços devem focalizar a manutenção da *capacidade* de atendimento a seus clientes. Nesta seção, discutiremos como os fornecedores de serviços usam o conceito de demanda dependente e uma lista de recursos ao gerenciar a capacidade.

PRÁTICA GERENCIAL 15.2 — O SISTEMA TAMBOR–PULMÃO–CORDA NO CENTRO DE MANUTENÇÃO DA MARINHA DOS ESTADOS UNIDOS

O Centro de Manutenção da Marinha dos Estados Unidos em Albany, Geórgia, inspeciona e conserta veículos usados pelas unidades militares, como navios-tanque de combustível, caminhões, equipamentos de escavadeiras, veículos anfíbios e veículos leves blindados. O processo de inspeção começa com o desmonte de cada veículo para determinar a quantidade e a natureza do trabalho que precisa ser executado. O tipo e a duração do trabalho de conserto podem variar enormemente até para o mesmo tipo de veículo. Defrontando-se com essa incerteza, o centro se esforçou até quatro anos atrás para concluir os reparos de equipamentos pontualmente e acumulou um grande número de pedidos em atraso. Por exemplo, o centro podia consertar apenas cerca de cinco MK-48 (transportadores de carga pesada) por mês, quando duas vezes mais MK-48 — dez por mês — normalmente precisavam de conserto. Unidades militares diferentes estavam ameaçando desviar seus pedidos para empresas de conserto do setor privado.

A programação no centro era baseada em um sistema *push* MRP II, e os princípios da TOC foram usados para identificar os gargalos no chão de fábrica. Depois que as operações do centro foram estudadas a fundo, entretanto, contra as expectativas de todos, descobriu-se que havia capacidade mais que suficiente disponível para consertar e revisar dez MK-48 por mês. O problema não era a capacidade; era o sistema de programação do centro. Os produtos estavam sendo levados ao chão de fábrica sem considerar a condição dos recursos. Desse modo, o que o centro tinha era uma restrição de política relacionada ao processo de programação, não uma restrição real de recursos físicos.

A fim de melhorar o desempenho do centro, os gerentes implementaram uma forma simplificada do sistema Tambor–Pulmão–Corda, como mostrado na Figura 15.19. Uma vez que o Centro de Manutenção da Marinha não era restringido por nenhum recurso interno, o tambor em um sistema tão simplificado foi baseado em pedidos concretos. Quando os pedidos entravam, fazia-se uma verificação rápida para medir a carga total que o recurso menos capaz do centro estava manipulando. Se o recurso não estivesse tão carregado, o pedido era aceito e lançado no chão de fábrica para processamento. A corda ligava a programação de remessa diretamente à programação de liberação de material, em vez da programação do CCR, e o único amortecedor mantido foi o amortecedor de remessa. Um sistema DBR tão simplificado não exigiu nenhum software especializado. Focalizou simplesmente a demanda de mercado por consertos. O sistema MRP II, que foi usado para programação, foi simplesmente facilitado pelas programações DBR.

Consertos de equipamentos como esse veículo de assalto anfíbio podem variar enormemente no Centro de Manutenção da Marinha dos Estados Unidos em Albany, Geórgia. O centro tinha problemas para manter-se em dia com os consertos até que os gerentes implementaram a forma simplificada de um sistema tambor-pulmão-corda mostrado na Figura 15.19. O resultado? Os tempos de conserto caíram de 167 dias para apenas 58 dias em média.

Os resultados do centro após a mudança foram impressionantes. Os tempos de ciclo de conserto foram reduzidos de uma média de 167 dias para 58 dias, os níveis de trabalho em processo foram reduzidos de 550 por cento de demanda para 140 por cento e o custo para consertar produtos caiu de 25 por cento a 30 por cento devido a um aumento do rendimento total. A capacidade do centro de consertar MK-48 se tornou muito mais flexível também. De fato, ele pode, agora, consertar cerca de 23 MK-48 por mês. Efetuar essas melhorias simples tornou o Centro de Manutenção de Albany uma operação de inspeção e conserto muito superior.

Fontes: M. Srinivasan, Darren Jones e Alex Miller, "Corps capabilities", APICS Magazine, mar. 2005, p. 46–50.

DEMANDA DEPENDENTE POR SERVIÇOS

Quando discutimos sistemas de planejamento e controles para fabricantes neste capítulo, introduzimos o conceito de *demanda dependente*, que é a demanda por um item que é função de planos de produção para algum outro item que a empresa fabrica. Para o planejamento de recursos de serviços, é útil definir o conceito de demanda dependente para incluir demandas por recursos que são impulsionadas por previsões de solicitações do cliente por serviços ou por planos para várias atividades em apoio aos serviços que a empresa fornece. Aqui estão alguns exemplos de demandas dependentes para fornecedores de serviços.

Um casal desfruta de uma refeição em um restaurante fino. Cada refeição inicia a necessidade por bens facilitadores, pessoal e equipamento.

Restaurantes Toda vez que você pede o cardápio de um restaurante, você inicia a necessidade do restaurante por certos tipos de bens (itens de comida não cozidos, pratos e guardanapos), pessoal (chefe de cozinha, garçons e lavadores de pratos) e equipamento (fogões, fornos, e utensílios de cozinha). Usando uma previsão de demanda por cada tipo de comida, o gerente do restaurante pode estimar a necessidade desses recursos. Muitos restaurantes, por exemplo, dão destaque a 'pratos especiais' em certos dias — digamos, peixe às sextas-feiras ou costela aos sábados. Os pratos especiais aumentam a precisão das previsões que os gerentes precisam fazer para tipos diferentes de refeições (e os produtos alimentícios que são requeridos para fazê-las) e normalmente sinalizam a necessidade por níveis de pessoal acima da média. O quanto desses recursos será necessário, entretanto, depende do número de refeições que o restaurante espera servir no final das contas. Como tal, esses itens — produtos alimentícios e pessoal — são demandas dependentes.

Linhas aéreas Sempre que uma linha aérea programa um vôo, são necessários certos bens de apoio (bebidas, lanches e combustível), pessoal (pilotos, comissários de bordo e serviços de aeroporto) e equipamentos (avião e terminal de embarque no aeroporto). O número de vôos e passageiros que a linha aérea prevê servirá para determinar a quantidade necessária desses recursos. Assim como um fabricante, a linha aérea pode explodir sua programação principal de vôos para tomar essa decisão.

Hospitais Com a exceção dos serviços de pronto-socorro, os hospitais podem usar suas consultas de admissão para criar uma programação principal, que pode ser explodida para determinar os recursos de que o hospital precisará durante certo período. Por exemplo, quando se programa um procedimento cirúrgico, gera-se uma necessidade por bens facilitadores (medicamentos, aventais cirúrgicos, roupa de cama branca), pessoal (um cirurgião, enfermeiras e anestesiologista) e equipamento (uma sala de operação, instrumentos cirúrgicos e leito de reconvalescença). Quando constróem sua programação principal, os hospitais devem assegurar-se de que certos equipamentos e pessoal não estão sobrecarregados — em outras palavras, que a capacidade seja mantida. Por exemplo, uma consulta para uma importante operação pode ter de ser marcada com antecedência, em um momento em que um cirurgião esteja disponível para realizá-la, ainda que outros recursos do hospital — sala de operações, enfermeiras e anestesista, por exemplo — possam estar disponíveis.

Hotéis Um hóspede que faz uma reserva em um hotel gera demanda por bens facilitadores (sabão e toalhas), pessoal (recepção, administração interna e porteiro) e equipamento (fax, televisão e bicicleta ergométrica). Para determinar suas necessidades de recursos dependentes, um hotel soma o número de reservas já registradas ao número de clientes 'entrantes' previstos. Esse valor é usado para criar a programação principal do hotel. Um recurso que um hotel não pode ajustar facilmente, entretanto, é o número de quartos que tem. Se o hotel enfrenta excesso de reservas, por exemplo, não pode simplesmente acrescentar mais quartos. Se tem poucos hóspedes, não pode 'reduzir' seu número de quartos. Dados os custos de capitais elevados necessários para esse recurso, os hotéis tentam manter a taxa de utilização mais alta possível por meio do oferecimento de tarifas de grupo ou de promoções especiais em certos períodos do ano. Em outras palavras, eles tentam elevar a demanda dependente por esse recurso específico.

LISTA DE RECURSOS

A analogia de serviços para a lista de materiais em uma empresa manufatureira é a **BOR** (*Bill of Resources* — **lista de recursos**), a qual é um registro das relações entre item de origem e componente da empresa de serviço e de todos os materiais, tempo de equipamento, pessoal e outros recursos associados a eles, inclusive quantidades de uso. Uma vez que a empresa de serviços tenha concluído sua programação principal, a BOR pode ser utilizada para determinar de que recursos a empresa precisará, de quan-

CAPÍTULO 15 • Planejamento de recursos **551**

```
                    ┌─────────────────┐
                    │    Nível 1      │
                    │     Alta        │
                    └────────┬────────┘
                             │
                    ┌────────┴────────┐
                    │    Nível 2      │
                    │ Tratamento      │
                    │ intermediário   │
                    └────────┬────────┘
                             │
                    ┌────────┴────────┐
                    │    Nível 3      │
                    │ Tratamento      │
                    │ pós-operatório  │
                    │ (redução gradual)│
                    └────────┬────────┘
                             │
                    ┌────────┴────────┐
                    │    Nível 4      │
                    │ Tratamento      │
                    │ pós-operatório  │
                    │ (intensivo)     │
                    └────────┬────────┘
                             │
                    ┌────────┴────────┐
                    │    Nível 5      │
                    │    Cirurgia     │
                    └────────┬────────┘
                             │
                    ┌────────┴────────┐
                    │    Nível 6      │
                    │ Tratamento      │
                    │ pré-operatório  │
                    │ (angiografia)   │
                    └────────┬────────┘
                             │
                    ┌────────┴────────┐
                    │    Nível 7      │
                    │ Tratamento      │
                    │ pré-operatório  │
                    │ (exames)        │
                    └─────────────────┘
                            (a)
```

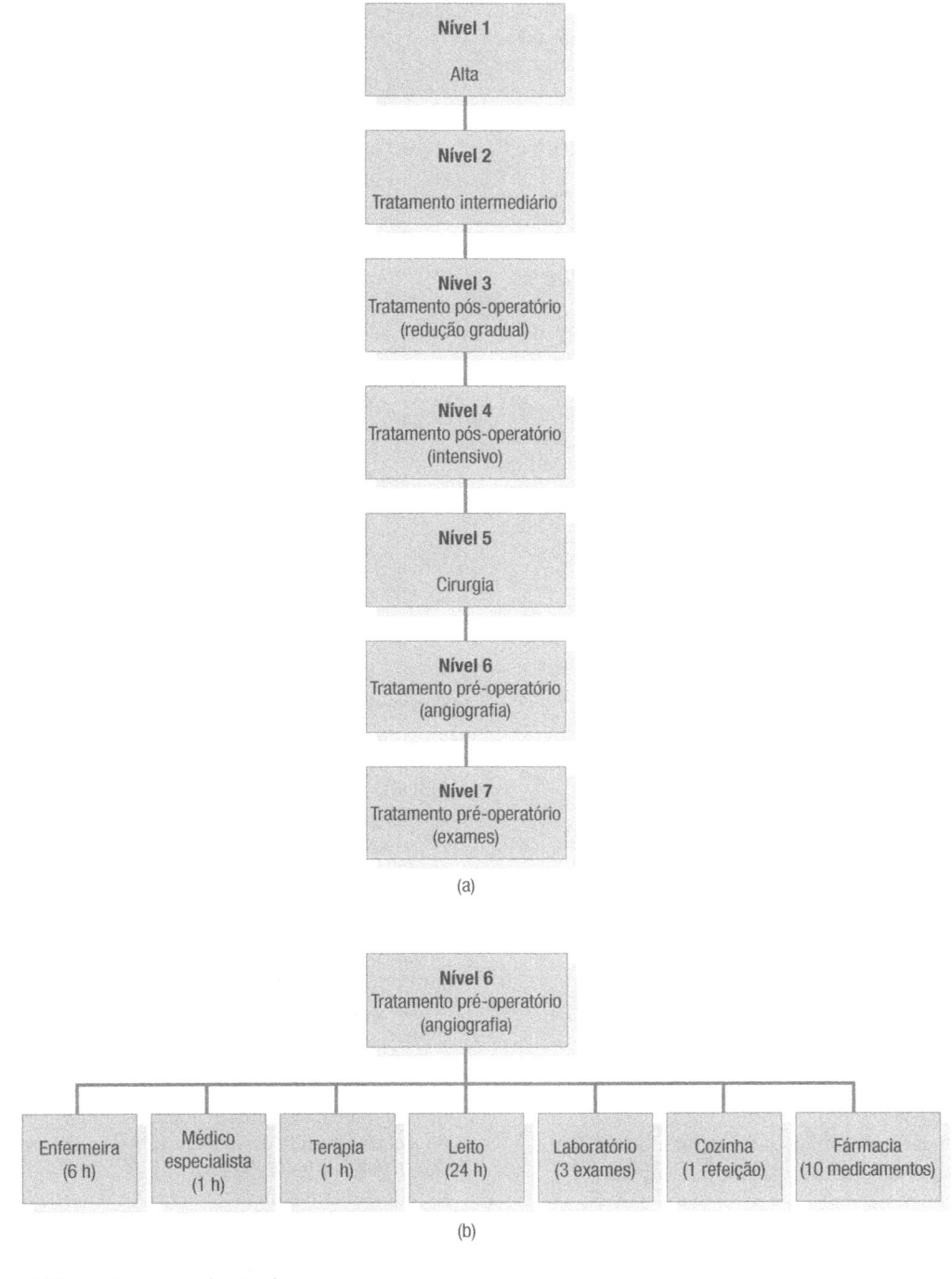

Figura 15.20 BOR para tratamento de aneurisma

to deles precisará e quando. Uma BOR para um fornecedor de serviços pode ser tão complexa como uma BOM para um fabricante. Considere um hospital que acaba de programar o tratamento de um paciente com aneurisma. Como mostrado na Figura 15.20, a BOR para tratamento de um aneurisma tem sete níveis, começando do topo (item final): (1) alta; (2) tratamento intermediário; (3) tratamento pós-operatório (redução gradual); (4) tratamento pós-operatório (intensivo); (5) cirurgia; (6) tratamento pré-operatório (angiografia); e (7) tratamento pré-operativo (exames). Cada nível da BOR tem um conjunto de necessidades de material e recursos e um prazo de entrega vinculado. Por exemplo, no nível 6, mostrado na Figura 15.20(b), o paciente precisa de seis horas do tempo das enfermeiras, uma hora do tempo do médico especialista, uma hora do tempo do pneumologista, 24 horas de tempo de leito, três exames laboratoriais diferentes, uma refeição e dez medicamentos diferentes da farmácia. O tempo de execução para esse nível é de um dia. O prazo de execução para a estada completa para tratamento do aneurisma é de 12,2 dias. Uma programação principal de admissões de pacientes e a BOR para cada enfermidade possibilita que o hospital administre seus recursos críticos. Relatórios análogos aos relatórios MRP II, que discutimos anteriormente no capítulo, podem ser gerados para pessoas que administram as diferentes áreas funcionais do hospital.

Um recurso do qual todo fornecedor de serviços necessita, entretanto, é dinheiro. As organizações de serviços têm de prever o número de clientes que esperam atender para que tenham dinheiro suficiente disponível para comprar materiais que apóiam os serviços — trabalho e outros produtos. A compra desses itens aumenta as contas a pagar da empresa. Quando os serviços são realmente concluídos para os clientes, as contas a receber da empresa aumentam. A programação principal da empresa e suas contas a receber e a pagar ajudam uma empresa a prever a quantidade e o momento de seus fluxos de caixa.

PALAVRAS-CHAVE

compartilhamento de peça
componente
demanda dependente
estoque disponível para promessa (ATP)
estoque disponível projetado
explosão de MRP
interoperabilidade
item acabado
item comprado
item de origem
item intermediário
liberação de pedido planejado
lista de materiais (BOM)
lista de recursos (BOR)
necessidades brutas
notificação de ação
planejamento de necessidades de capacidade (CRP)
planejamento de necessidades de materiais (MRP)
planejamento de recursos
planejamento de recursos de fabricação (MRP II)
plano-mestre de produção (MPS)
processo empresarial
quantidade de uso
quantidade fixa de pedido (FOQ)
quantidade periódica de pedido (POQ)
recebimentos planejados
registro de estoque
regra de lote por lote (L4L)
sistemas integrados
sistemas integrados de gestão (ERP)
subconjunto
Tambor–Pulmão–Corda (DBR)

PROBLEMA RESOLVIDO 1

Recorra à lista de materiais para o produto A apresentada na Figura 15.21.

Se não há estoque existente, quantas unidades dos itens G, E e D devem ser compradas para fabricar cinco unidades do item final A?

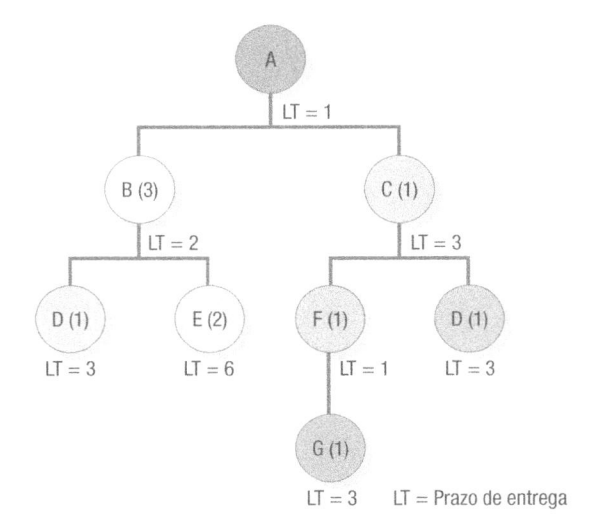

Figura 15.21 BOM para o produto A

SOLUÇÃO

Cinco unidades do item G, 30 do item E e 20 do item D devem ser compradas para fabricar cinco unidades de A. As quantidades de uso mostradas na Figura 15.21 indicam que duas unidades de E são necessárias para fabricar uma unidade de B e que três unidades de B são necessárias para fabricar uma unidade de A; portanto, cinco unidades de A requerem 30 unidades de E ($2 \times 3 \times 5 = 30$). Uma unidade de D é consumida para fabricar uma unidade de B e três unidades de B por unidade de A resultam em 15 unidades de D ($1 \times 3 \times 5 = 15$); mais uma unidade de D em cada unidade de C e uma unidade de C por unidade de A resultam em outras cinco unidades de D ($1 \times 1 \times 5 = 5$). As necessidades totais para fabricar cinco unidades de A são 20 unidades de D ($15 + 5$). O cálculo de necessidades para G é simplesmente $1 \times 1 \times 1 \times 5 = 5$ unidades.

PROBLEMA RESOLVIDO 2

A política de pedidos é fabricar o item A em lotes de 150 unidades. Usando os dados mostrados na Figura 15.22 e a regra de dimensionamento de lote de FOQ, complete as linhas de estoque disponível projetado e de quantidade do MPS. Em seguida, complete a linha de início do MPS compensando as quantidades para o prazo de entrega da montagem final. Por fim, calcule o estoque disponível para promessa para o item A. Se na semana 1, um cliente solicita um novo pedido de 30 unidades do item A, qual é a primeira data em que o pedido inteiro pode ser enviado?

Item: A											
Política de pedido: 50 unidades											
Prazo de entrega: 1 semana											
		Semana									
Quantidade disponível: 5	1	2	3	4	5	6	7	8	9	10	
Previsão	20	10	40	10	0	0	30	20	40	20	
Pedidos dos clientes (registrados)	30	20	5	8	0	2	0	0	0	0	
Estoque disponível projetado	25										
Quantidade no MPS	50										
Início no MPS											
Estoque disponível para promessa											

Figura 15.22 Registro de MPS para o item final A

SOLUÇÃO

O estoque disponível projetado para a segunda semana é

$$\begin{pmatrix}\text{Estoque}\\ \text{disponível}\\ \text{projetado}\\ \text{no fim da}\\ \text{semana 2}\end{pmatrix} = \begin{pmatrix}\text{Estoque}\\ \text{disponível}\\ \text{na}\\ \text{semana 1}\end{pmatrix} + \begin{pmatrix}\text{Quantidade}\\ \text{do MPS}\\ \text{esperada na}\\ \text{semana 2}\end{pmatrix} - \begin{pmatrix}\text{Necessidades}\\ \text{na semana 2}\end{pmatrix}$$

$$= 25 + 0 - 20 = 5 \text{ unidades}$$

onde as necessidades são a maior parte dos pedidos dos clientes registrados, reais ou previstos, para remessa durante esse período. Não são solicitadas quantidades do MPS.

Sem uma quantidade do MPS no terceiro período, ocorrerá uma falta do item A: $5 + 0 - 40 = -35$. Portanto, uma quantidade do MPS igual ao tamanho de lote de 50 deve estar programada para conclusão no terceiro período. Assim, o estoque disponível projetado para a terceira semana será de $5 + 50 - 40 = 15$.

A Figura 15.23 mostra os estoques disponíveis projetados e as quantidades do MPS que resultariam na conclusão dos cálculos do MPS. A linha de início do MPS é completada simplesmente deslocando uma cópia da linha de quantidade do MPS para a esquerda em uma coluna para levar em consideração o prazo de entrega da montagem final de uma semana. Também são mostradas as quantidades disponíveis para promessa. Na semana 1, o ATP é

$$\begin{pmatrix}\text{Disponível}\\ \text{para}\\ \text{promessa}\\ \text{na semana 1}\end{pmatrix} = \begin{pmatrix}\text{Quantidade}\\ \text{disponível}\\ \text{na}\\ \text{semana 1}\end{pmatrix} + \begin{pmatrix}\text{Quantidade}\\ \text{do MPS na}\\ \text{semana 1}\end{pmatrix} - \begin{pmatrix}\text{Pedidos}\\ \text{registrados}\\ \text{até a semana}\\ \text{3 quando}\\ \text{o próximo}\\ \text{MPS chega}\end{pmatrix}$$

$$= 5 + 50 - (30 + 20) = 5 \text{ unidades}$$

O ATP para a quantidade do MPS na semana 3 é

$$\begin{pmatrix}\text{Disponível}\\ \text{para}\\ \text{promessa}\\ \text{na semana 3}\end{pmatrix} = \begin{pmatrix}\text{Quantidade}\\ \text{do MPS na}\\ \text{semana 3}\end{pmatrix} - \begin{pmatrix}\text{Pedidos}\\ \text{registrados}\\ \text{até a semana}\\ \text{7, quando o}\\ \text{próximo}\\ \text{MPS chega}\end{pmatrix}$$

$$= 50 - (5 + 8 + 0 + 2) = 35 \text{ unidades}$$

554 Administração de produção e operações

Tamanho de lote	50															
Prazo de entrega	1															
Quantidade disponível	5	1	2	3	4	5	6	7	8	9	10	11	12	13	14	15
Previsão		20	10	40	10			30	20	40	20					
Pedidos de clientes (registrados)		30	20	5	8		2									
Estoque disponível projetado		25	5	15	5	5	3	23	3	13	43					
Quantidade no MPS		50		50				50		50	50					
Início no MPS			50				50		50	50						
Estoque disponível para promessa (ATP)		5		35				50		50	50					

Figura 15.23 Registro de MPS concluído para o item final A

Os outros ATP são iguais às suas quantidades do MPS respectivas porque não há pedidos registrados para essas semanas. Como no caso do novo pedido de 30 unidades na semana 1, a primeira data em que pode ser enviado é a semana 3, porque o ATP para a semana 1 é insuficiente. Se o cliente aceitar a data de entrega da semana 3, o ATP para a semana 1 permanecerá em cinco unidades e o ATP para a semana 3 será reduzido para 5 unidades. Essa aceitação permite à empresa a flexibilidade para satisfazer imediatamente um pedido de cinco unidades ou menos, se chegar algum. Os pedidos do cliente registrados para a semana 3 aumentariam para 35, para refletir a data de envio do novo pedido.

PROBLEMA RESOLVIDO 3

O MPS para o produto A requer que o departamento de montagem comece a montagem final de acordo com a seguinte programação: 100 unidades na semana 2; 200 na semana 4; 120 na semana 6; 180 na semana 7; e 60 na semana 8. Desenvolva um plano de necessidades de materiais para as próximas oito semanas para os itens B, C e D. A BOM para A é mostrada na Figura 15.24 e os dados dos registros de estoque são mostrados na Tabela 15.1.

SOLUÇÃO

Começamos com os itens B e C e desenvolvemos seus registros de estoque, como mostrado na Figura 15.25. O MPS para o produto A deve ser multiplicado por 2 para gerar as necessidades brutas para o item C, por causa da quantidade de uso. Uma vez que as liberações de pedido planejadas para o item C forem encontradas, as necessidades brutas para o item D podem ser calculadas.

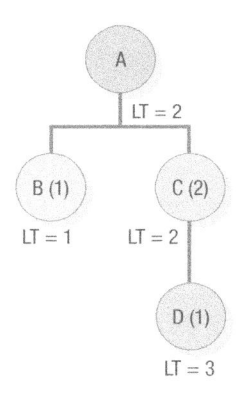

Figura 15.24 BOM para o produto A

TABELA 15.1 Dados de registro de estoque

	Item		
Categoria de dados	B	C	D
Regra de dimensionamento de lote	POQ ($P = 3$)	L4L	FOQ = 500 unidades
Prazo de entrega (LT)	1 semana	2 semanas	3 semanas
Recebimentos programados	Nenhum	200 (semana 1)	Nenhum
Estoque inicial (disponível)	20	0	425

O Active Model, disponível no site de apoio do livro, fornece insights adicionais sobre decisões de dimensionamento de lote para MRP.

Item: B
Descrição:
Tamanho de lote: POQ (P = 3)
Prazo de entrega: 1 semana

		Semana								
		1	2	3	4	5	6	7	8	9	10
Necessidades brutas			100		200		120	180	60		
Recebimentos programados											
Estoque disponível projetado	20	20	200	200	0	0	240	60	0	0	0
Recebimentos planejados			280				360				
Liberação de pedidos planejados		280				360					

Item: C
Descrição:
Tamanho de lote: L4L
Prazo de entrega: 2 semanas

		Semana								
		1	2	3	4	5	6	7	8	9	10
Necessidades brutas			200		400		240	360	120		
Recebimentos programados		200									
Estoque disponível projetado	0	200	0	0	0	0	0	0	0	0	0
Recebimentos planejados					400		240	360	120		
Liberação de pedidos planejados			400		240	360	120				

Item: D
Descrição:
Tamanho de lote: FOQ = 500 unidades
Prazo de entrega: 3 semanas

		Semana								
		1	2	3	4	5	6	7	8	9	10
Necessidades brutas			400		240	360	120				
Recebimentos programados											
Estoque disponível projetado	425	425	25	25	285	425	305	305	305	305	305
Recebimentos planejados					500	500					
Liberação de pedidos planejados		500	500								

Figura 15.25 Registros de estoque para os itens B, C e D

QUESTÕES PARA DISCUSSÃO

1. Escolha uma organização qualquer, pode ser uma na qual você já trabalhou, e discuta como um sistema ERP poderia ser usado e se ele aumentaria sua efetividade.

2. Forme um grupo em que cada membro represente uma área funcional diferente de uma empresa. Forneça uma lista de prioridades de informações que podem ser geradas a partir de um MPS, da mais importante para a menos importante, para cada área funcional. Explique as diferenças nas listas.

3. Considere a programação principal de vôo de uma linha aérea importante, como a Air New Zealand. Discuta os modos em que é análoga a uma programação principal da produção para um fabricante.

4. Considere um fornecedor de serviços que esteja no negócio de entregas, como UPS ou FedEx. Como os princípios de MRP podem ser úteis para essa empresa?

PROBLEMAS

Softwares como o OM Explorer, o Active Models e o POM para Windows são fornecidos no site de apoio do livro. Verifique com seu professor a melhor maneira de usá-los. Em muitos casos, o professor quer que você entenda como fazer os cálculos manualmente. Quando muito, o software pode oferecer uma verificação de seus cálculos. Quando os cálculos são muito complexos e o objetivo é interpretar os resultados na tomada de decisões, o software substitui completamente os cálculos manuais. O software pode ser também um valioso recurso depois que você concluir o curso.

1. Considere a lista de materiais (BOM) na Figura 15.26.

    a. Quantos itens de origem imediatos (um nível acima) o item I possui? E o item E?

    b. Quantos componentes exclusivos tem o item A em todos os níveis?

    c. Quais dos componentes são itens comprados?

    d. Quantos itens intermediários o produto A tem em todos os níveis?

    e. Dados os prazos de entrega (LT) observados na Figura 15.26, com que antecedência em relação à remessa se deve fazer um compromisso de compra para qualquer um dos artigos comprados identificados no item (c)?

2. O produto A é feito dos componentes B, C e D. O item B é uma subconjunto que requer duas unidades de C e uma unidade de E. O item D também é um item intermediário, feito de F. Todas as outras quantidades de uso são 2. Trace a BOM para o produto A.

3. Qual é o prazo de entrega (em semanas) para atender ao pedido de um cliente para o produto A, tendo por referência a BOM mostrada na Figura 15.27, supondo que não haja estoques existentes ou recebimentos programados?

4. O produto A é feito de componentes B e C. O item B, por sua vez, é feito de D e E. O item C também é um item intermediário, feito de F e H. Por fim, o item intermediário E é feito de H e G. Observe que o item H tem dois itens de origem. A seguir estão prazos de entrega dos itens:

Item	A	B	C	D	E	F	G	H
Prazo de entrega (semanas)	1	2	2	6	5	6	4	3

a. Que prazo de entrega (em semanas) é necessário para atender a um pedido de um cliente pelo produto A, supondo que não haja estoques existentes ou recebimentos programados?

b. Qual é o tempo de resposta ao cliente se todos os itens comprados (isto é, D, F, G e H) estão em estoque?

c. Se tivesse permissão para manter apenas um item comprado em estoque, qual você escolheria?

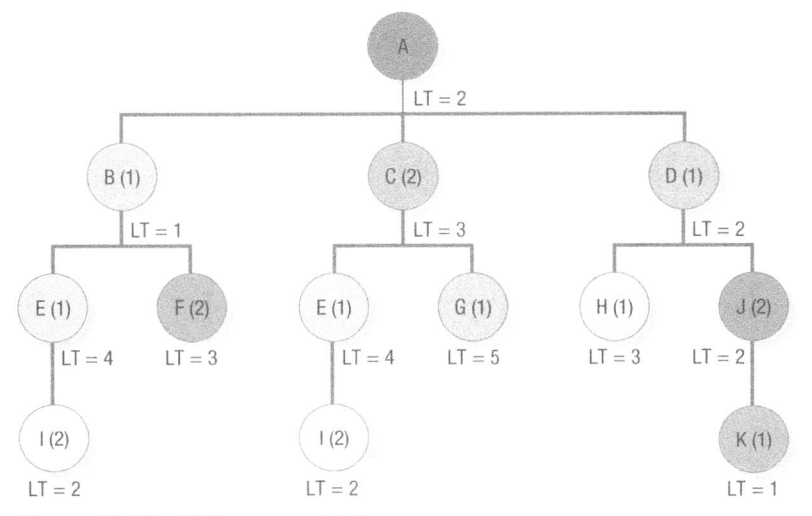

Figura 15.26 BOM para o produto A

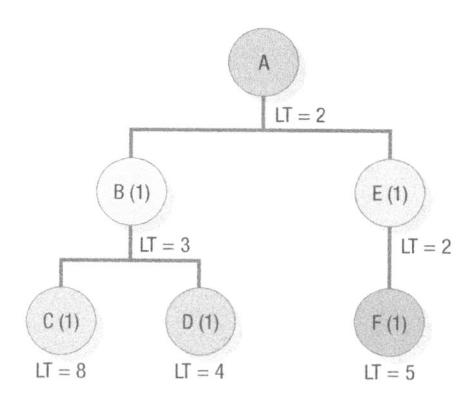

Figura 15.27 BOM para o produto A

5. Recorra à Figura 15.21 e ao problema resolvido 1. Se o estoque consiste em duas unidades de B, uma de F e três de G, quantas unidades de G, E e D devem ser compradas para fabricar cinco unidades do produto A?
6. Complete o registro de MPS na Figura 15.28 para um item único.
7. Complete o registro de MPS mostrado na Figura 15.29 para um item único.
8. As previsões de demanda de um item final para as próximas dez semanas são de 30, 20, 35, 50, 25, 25, 0, 40, 0 e 50 unidades. O estoque disponível atual é de 80 unidades e a política de pedidos é fabricar lotes de 100. Os pedidos registrados do cliente para o item, começando com a semana 1, são 22, 30, 15, 9, 0, 0, 5, 3, 7 e 0 unidades. No momento, não há quantidades no MPS disponíveis para esse item. O prazo de entrega é de duas semanas. Elabore um MPS para esse item final.

9. A Figura 15.30 mostra um registro de MPS parcialmente completado para rolamentos de esferas.
   a. Elabore o MPS para rolamentos de esferas.
   b. Quatro pedidos de clientes chegaram na seguinte seqüência:

Pedido	Quantidade	Semana desejada
1	500	4
2	400	5
3	300	1
4	300	7

Suponha que você deva se comprometer com os pedidos na seqüência de chegada e não possa alterar as datas de remessas desejadas ou suas MPS. Que pedidos você deve aceitar?

10. A Morrison Eletrônica previu a demanda seguinte por um de seus produtos para as próximas oito semanas: 70, 70, 65, 60, 55, 85, 75 e 85. Os pedidos dos clientes registrados para esse produto, começando na semana 1, são 50, 60, 55, 40, 35, 0, 0 e 0 unidades. O estoque disponível corrente é de 100 unidades, a quantidade de pedido é de 150 unidades e o prazo de entrega é de uma semana.
    a. Elabore um MPS para esse produto.
    b. O departamento de marketing da Morrison revisou suas previsões. Começando com a semana 1, as novas previsões são de 70, 70, 75, 70, 70, 100, 100 e 110 unidades. Supondo que o MPS prospectivo que você elaborou no item (a) não se altere, prepare um registro revisado de MPS. Comente a situação que a Morrison enfrenta agora.

Item: A
Política de pedido: 60 unidades
Prazo de entrega: 1 semana
Quantidade disponível: 35

	Semana							
	1	2	3	4	5	6	7	8
Previsão	20	18	28	28	23	30	33	38
Pedidos dos clientes (registrados)	15	17	9	14	9	0	7	0
Estoque disponível projetado								
Quantidade no MPS								
Início no MPS								

Figura 15.28 Registro de MPS para item único

Item: A								Política de pedido: 100 unidades Prazo de entrega: 1 semana	
		Janeiro				Fevereiro			
Quantidade disponível: 75		1	2	3	4	5	6	7	8
Previsão		65	65	65	45	50	50	50	50
Pedidos dos clientes (registrados)		40	10	85	0	35	70	0	0
Estoque disponível projetado									
Quantidade no MPS									
Início no MPS									

Figura 15.29 Registro de MPS para item único

Item: Rolamentos										Política de Pedido: 500 unidades Prazo de Entrega: 1 semana	
		Semana									
Quantidade disponível: 400		1	2	3	4	5	6	7	8	9	10
Previsão		550	300	400	450	300	350	200	300	450	400
Pedidos dos clientes (registrados)		300	350	250	250	200	150	100	100	100	100
Estoque disponível projetado											
Quantidade no MPS		500									
Início no MPS											
Estoque disponível para promessa											

Figura 15.30 Registro de MPS para Rolamentos

11. A Figura 15.31 mostra um registro do MPS parcialmente completado para válvulas de controle pneumático de duas polegadas. Suponha que você receba os seguintes pedidos para as válvulas (mostrados em ordem de chegada). À medida que eles chegam, você deve decidir se os aceita ou rejeita. Que pedidos que você aceitaria para remessa?

Pedido	Quantidade (unidades)	Semana de solicitação
1	15	2
2	30	5
3	25	3
4	75	7

12. As necessidades previstas para uma furadeira elétrica manual para as próximas seis semanas são de 15, 40, 10, 20, 50 e 30 unidades. O departamento de marketing registrou pedidos totalizando 20, 25, 10 e 20 unidades para entrega na primeira (atual), segunda, terceira e quarta semanas. Atualmente, 30 furadeiras manuais estão em estoque. A política é pedir em lotes de 60 unidades. O prazo de entrega é de uma semana.

    a. Elabore o registro de MPS para as furadeiras manuais.
    b. Um distribuidor de furadeiras manuais coloca um pedido de 15 unidades. Qual é a data de remessa apropriada para o pedido inteiro?

13. Uma previsão de 240 unidades em janeiro, 320 unidades em fevereiro e 240 unidades em março foi aprovada para a família de produtos de sensores sísmicos fabricada na instalação de Rockport da Maryland Automatizada, Inc. Essa família consiste de três produtos, A, B e C. O quociente de linha de produtos para esses produtos nos últimos dois anos tem sido de 35 por cento, 40 por cento e 25 por cento, respectivamente. A gerência acredita que as necessidades de previsão mensal estejam uniformemente distribuídas ao longo das quatro semanas de cada mês. Atualmente, dez unidades do produto C estão disponíveis. A empresa fabrica o produto C em lotes de 40 e o prazo de entrega é de duas semanas. Uma quantidade de produção de 40 unidades a partir do período anterior está programada para chegar na semana 1. A empresa aceitou pedidos de 25, 12, 8, 10, 2 e 3 unidades do produto C nas semanas 1 a 6, respectivamente. Prepare um MPS prospectivo para o produto C e calcule as quantidades de estoque disponível para promessa.

14. O registro de estoque parcialmente completado para a subconjunto de tampo de mesa na Figura 15.32 mostra necessidades brutas, recebimentos programados, prazo de entrega e estoque disponível corrente.

    a. Complete as últimas três linhas do registro para uma FOQ de 110 unidades.
    b. Complete as últimas três linhas do registro usando a regra de dimensionamento de lote de L4L.
    c. Complete as últimas três linhas do registro usando a regra de dimensionamento de lote de POQ, com $P = 2$.

Item: Válvula de controle pneumático de duas polegadas
Política de pedido: 75 unidades
Prazo de entrega: 1 semana
Quantidade disponível: 10

	Semana							
	1	2	3	4	5	6	7	8
Previsão	40	40	40	40	30	30	50	50
Pedidos dos clientes (registrados)	60	45	30	35	10	5	5	0
Estoque disponível projetado								
Quantidade no MPS	75	75						
Início no MPS	75							
Estoque disponível para Promessa								

Figura 15.31 Registro de MPS para válvulas de controle pneumático de duas polegadas

Figura 15.32 Registro de estoque para o subconjunto de tampo de mesa

Item: M405—X
Descrição: Subconjunto de tampo de mesa
Tamanho de lote:
Prazo de entrega: 2 semanas

		Semana									
		1	2	3	4	5	6	7	8	9	10
Necessidades brutas		90		85		80		45	90		
Recebimentos programados		110									
Estoque disponível projetado	40										
Recebimentos planejados											
Liberação de pedidos planejados											

Figura 15.33 Registro de estoque para o subconjunto do rotor

Item: Subconjunto do rotor
Tamanho de lote:
Prazo de entrega: 2 semanas

		Semana							
		1	2	3	4	5	6	7	8
Necessidades brutas		65	15	45	40	80	80	80	80
Recebimentos programados		150							
Estoque disponível projetado	20								
Recebimentos planejados									
Liberação de pedidos planejados									

15. O registro de estoque parcialmente completado para a subconjunto de rotor na Figura 15.33 mostra necessidades brutas, recebimentos programados, prazo de entrega e estoque disponível corrente.
   a. Complete as últimas três linhas do registro para uma FOQ de 150 unidades.
   b. Complete as últimas três linhas do registro usando a regra de dimensionamento de lote de L4L.
   c. Complete as últimas três linhas do registro usando a regra de dimensionamento de lote de POQ, com $P = 2$.

16. O registro de estoque parcialmente completado para o subconjunto de eixo acionador na Figura 15.34 mostra necessidades brutas, recebimentos programados, prazo de entrega e estoque disponível atual.
   a. Complete as últimas três linhas do registro para uma FOQ de 50 unidades.
   b. Complete as últimas três linhas do registro usando a regra de dimensionamento de lote de L4L.
   c. Complete as últimas três linhas do registro usando a regra de dimensionamento de lote de POQ, com $P = 4$.

17. A Figura 15.35 mostra um registro de estoque parcialmente completado para o subconjunto de roda traseira. Necessidades brutas, recebimentos programados, prazo de entrega e estoque disponível atual são mostrados.
   a. Complete as três últimas linhas do registro para uma FOQ de 300 unidades.
   b. Complete as últimas três linhas do registro usando a regra de L4L.
   c. Complete as últimas três linhas do registro usando a regra de POQ, com $P = 4$.

Item: Subconjunto do eixo acionador
Tamanho de lote:
Prazo de entrega: 3 semanas

	Semana							
	1	2	3	4	5	6	7	8
Necessidades brutas	35	25	15	20	40	40	50	50
Recebimentos programados	80							
Estoque disponível projetado 10								
Recebimentos planejados								
Liberação de pedidos planejados								

Figura 15.34 Registro de estoque para o subconjunto do eixo acionador

Item: MQ—09
Descrição: Subconjunto da roda traseira
Tamanho de lote:
Prazo de entrega: 1 semana

	Semana									
	1	2	3	4	5	6	7	8	9	10
Necessidades brutas	205		130	85		70	60	95		
Recebimentos programados	300									
Estoque disponível projetado 100										
Recebimentos planejados										
Liberação de pedidos planejados										

Figura 15.35 Registro de estoque para o subconjunto da roda traseira

Item: GF—4
Descrição: Subconjunto do motor
Tamanho de lote:
Prazo de entrega: 3 semanas

	Semana											
	1	2	3	4	5	6	7	8	9	10	11	12
Necessidades brutas		50		35		55		30		10		25
Recebimentos programados		60										
Estoque disponível projetado 40												
Recebimentos planejados												
Liberação de pedidos planejados												

Figura 15.36 Registro de estoque para o subconjunto do motor

18. Um registro de estoque completado parcialmente para o subconjunto de motor é mostrado na Figura 15.36.

    a. Complete as três últimas linhas do registro para uma FOQ de 60 unidades.

    b. Revise a linha de liberação de pedido planejado usando a regra de L4L.

    c. Revise a linha de liberação de pedido planejado usando a regra de POQ. Encontre o valor de P que deve (em longo prazo) gerar um tamanho de lote médio de 60 unidades. Suponha que a demanda semanal média para o futuro próximo seja de 15 unidades.

PROBLEMAS AVANÇADOS

19. A BOM para o produto A é mostrado na Figura 15.37 e os dados dos registros de estoque são apresentados na Tabela 15.2. Na programação principal da produção para o produto A, a linha de início do MPS tem 500 unidades na semana 6. O prazo de entrega para a produção de A é de duas semanas. Desenvolva o plano de necessidades de materiais para as próximas seis semanas para os itens B, C e D. (*Sugestão*: você não pode gerar as necessidades brutas de um item a menos que conheça a liberação de pedidos planejados de todos os seus itens de origem.)

TABELA 15.2 Dados de registro de estoque

Categoria de dados	Item B	Item C	Item D
Regra de dimensionamento de lote	L4L	L4L	FOQ = 2.000
Prazo de entrega	3 semanas	1 semana	1 semana
Recebimentos programados	Nenhum	Nenhum	2.000 (semana 1)
Estoque inicial	0	0	200

20. As listas de materiais para os produtos A e B são mostradas na Figura 15.38. Dados dos registros de estoque são mostrados na Tabela 15.3. O MPS requer que 85 unidades do produto A sejam começadas na semana 3 e 100 unidades na semana 6. O MPS para o produto B requer que 180 unidades comecem na semana 5. Formule o plano de necessidades de materiais para as próximas seis semanas para os artigos C, D, E e F.

21. A Figura 15.39 ilustra a lista de materiais para o produto A. A linha de início do MPS na programação principal da produção para esse produto requer 50 unidades na semana 2, 65 na semana 5 e 80 na semana 8. O item C é produzido para fabricar A e satisfazer a demanda prevista por peças de reposição. A demanda de reposição de peça anterior foi de 20 unidades por semana (some 20 unidades às necessidades brutas de C). Os prazos para os itens F e C são de uma semana e, para os outros itens, o prazo de entrega é de duas semanas. Não há necessidade de estoque de segurança para os itens B, C, D, E e F e a de dimensionamento de lote de L4L é usada para os itens B e F e a de dimensionamento de lote de POQ ($P = 3$) é usada para o item C. O item E tem uma FOQ de 600 unidades e D, de 250 unidades. Os estoques disponíveis são de 50 unidades de B, 50 de C, 120 de D, 70 de E e 250 de F. O item B tem um recebimento programado de 50 unidades na semana 2. Formule um plano de necessidades de materiais para as próximas oito semanas para os itens B, C, D, E e F.

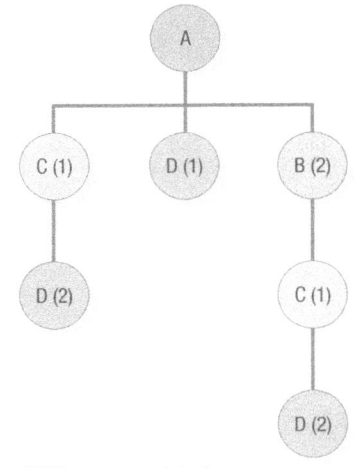

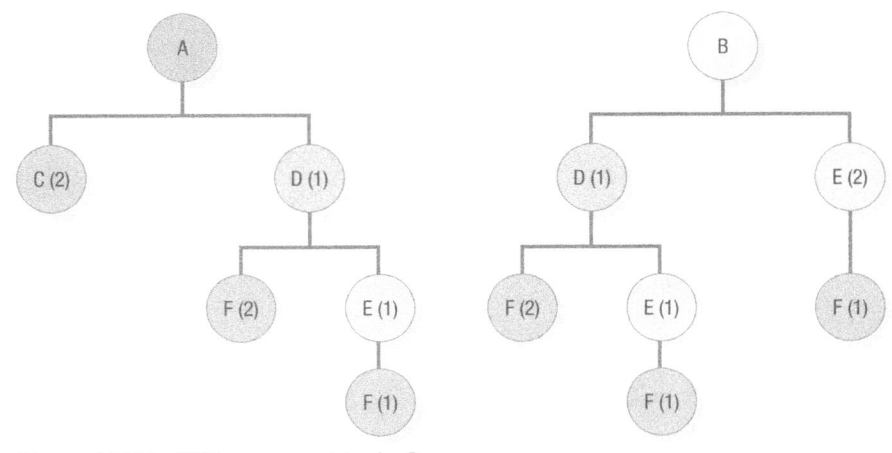

Figura 15.37 BOM para o produto A

Figura 15.38 BOM para os produtos A e B

TABELA 15.3 Dados de registro de estoque

	Item			
Categoria de dados	C	D	E	F
Regra de dimensionamento de lote	POQ = 220	L4L	FOQ = 300	POQ (P = 2)
Prazo de entrega	3 semanas	2 semanas	3 semanas	2 semanas
Recebimentos programados	280 (semana 1)	Nenhum	300 (semana 3)	Nenhum
Estoque inicial	25	0	150	600

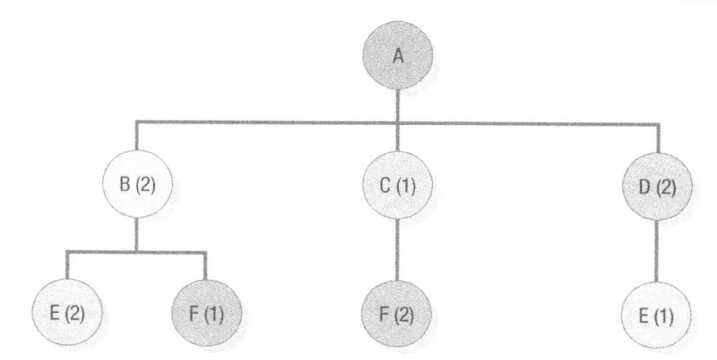

Figura 15.39 BOM para o produto A

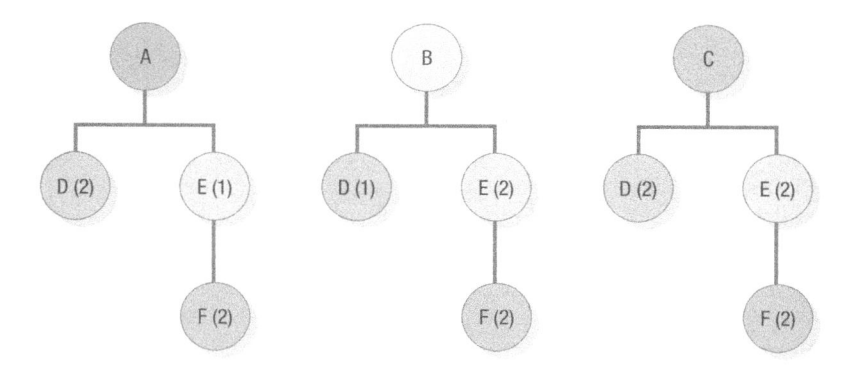

Figura 15.40 BOM para os produtos A, B e C

TABELA 15.4 Dados de registro de estoque

	Item		
Categoria de dados	D	E	F
Regra de dimensionamento de lote	POQ = 150	L4L	POQ (P = 2)
Prazo de entrega	3 semanas	1 semana	2 semanas
Estoque de segurança	0	0	30
Recebimentos programados	150 (semana 3)	120 (semana 2)	Nenhum
Estoque inicial	150	0	100

22. As informações a seguir estão disponíveis para três itens de MPS:

Produto A: pedido de 80 unidades deve ser iniciado na semana 3.
Pedido de 55 unidades deve ser iniciado na semana 6.

Produto B: pedido de 125 unidades deve ser iniciado na semana 5.

Produto C: pedido de 60 unidades deve ser iniciado na semana 4.

Elabore o plano de necessidades de materiais para as próximas seis semanas para os itens D, E e F. As listas de materiais são mostradas na Figura 15.40 e os dados dos registros de estoque são mostrados na Tabela 15.4. (*Sugestão*: uma necessidade de estoque de segurança se aplica ao item F. Certifique-se de planejar um recebimento para qualquer semana em que o estoque disponível projetado se torne menor que o estoque de segurança.)

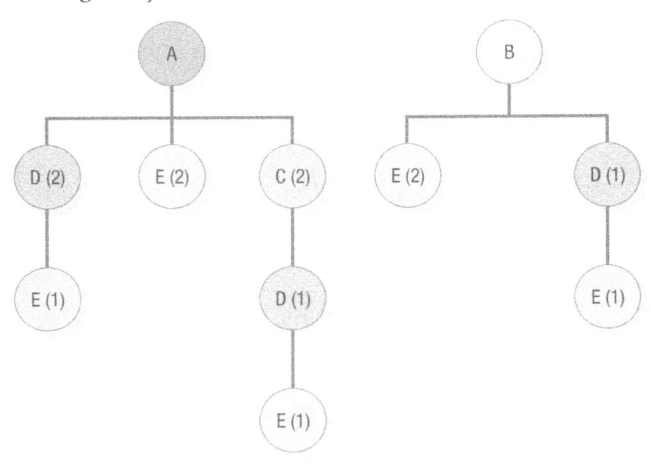

Figura 15.41 BOM para os produtos A e B

TABELA 15.5 Datas iniciais de quantidade no MPS

				Data				
Produto	1	2	3	4	5	6	7	8
A		125		95		150		130
B				80		70		

TABELA 15.6 Dados de registro de estoque

	Item		
Categoria de dados	C	D	E
Regra de dimensionamento de lote	L4L	FOQ = (P = 3)	FOQ = 800
Prazo de entrega	3 semanas	2 semanas	1 semana
Recebimentos programados	200 (semana 2)	Nenhum	800 (semana 1)
Estoque inicial	85	625	350

23. A Figura 15.41 mostra as listas de materiais para dois produtos, A e B. A Tabela 15.5 mostra a data inicial de quantidade no MPS para cada um. A Tabela 15.6 contém dados de registros de estoque para os itens C, D e E. Não há necessidade de estoque de segurança para nenhum dos itens. Determine o plano de necessidades de materiais para os itens C, D e E para as próximas oito semanas.

24. A BOM para o produto A é mostrada na Figura 15.42. O MPS para esse produto requer que 120 unidades sejam iniciadas nas semanas 2, 4, 5 e 8. A Tabela 15.7 mostra dados dos registros de estoque. Desenvolva o plano de necessidades de materiais para as próximas oito semanas para cada item.

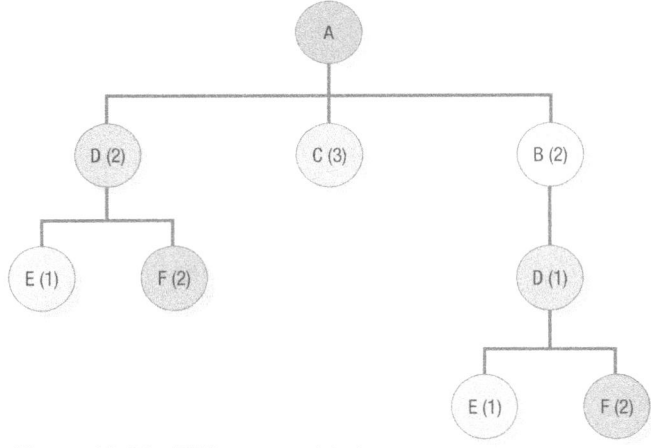

Figura 15.42 BOM para o produto A

TABELA 15.7 Dados de registro de estoque

	Item				
Categoria de dados	B	C	D	E	F
Regra de dimensionamento de lote	L4L	FOQ = 700	FOQ = 700	L4L	L4L
Prazo de entrega	3 semanas	3 semanas	4 semanas	2 semanas	1 semana
Estoque de segurança	0	0	0	50	0
Recebimentos programados	150 (semana 2)	450 (semana 2)	700 (semana 1)	Nenhum	1.400 (semana 1)
Estoque inicial	125	0	235	750	0

25. Elabore o plano de necessidade de materiais para todos os componentes e itens intermediários associados ao produto A para as próximas dez semanas. Recorra ao problema resolvido 1 (Figura 15.21) para a lista de materiais e à Tabela 15.8 para informações de registro de estoque de componentes. O MPS para o produto A requer que 50 unidades sejam iniciadas nas semanas 2, 6, 8 e 9. (*Sugestão*: necessidades de estoque de segurança se aplicam aos itens B e C.)

TABELA 15.8 Dados de registro de estoque

Categoria de dados	Item					
	B	C	D	E	F	G
Regra de dimensionamento de lote	L4L	L4L	FOQ ($P = 2$)	L4L	L4L	FOQ = 100
Prazo de entrega	2 semanas	3 semanas	3 semanas	6 semanas	1 semana	3 semanas
Estoque de segurança	30	10	0	0	0	0
Recebimentos programados	150 (semana 2)	50 (semana 2)	Nenhum	400 (semana 6)	40 (semana 3)	Nenhum
Estoque inicial	30	20	60	400	0	0

CASO — Sabó e a implementação do ERP da SAP[1]

A Sabó Indústria e Comércio de Autopeças Ltda., fundada por José Sabó em 1939, é uma das empresas brasileiras mais admiradas no ramo de autopeças (mangueiras, retentores e juntas). A Sabó está prestes a completar 70 anos de existência e, além de ser líder nacional, é a única multinacional brasileira do competitivo setor de autopeças. A partir de 1975, a empresa entrou no mercado internacional por meio do fornecimento de retentores para a alemã. Opel. Hoje, a Sabó escritórios no mundo todo e fábricas em diversos países europeus, nos Estados Unidos da América e na Argentina. Além disso, possui clientes nos cinco continentes e, no Brasil, está presente em todos os estados. Desde cedo, a empresa percebeu cedo que para ser competitiva em seu mercado, precisaria atuar não somente no Brasil, mas no mundo todo.

O negócio começou com uma bancada alugada em uma oficina no Largo do Arouche, na cidade de São Paulo, e obteve uma notável ascensão. Como uma estratégia de crescimento extremamente agressiva, a Sabó investiu bastante na compra de unidades produtivas em diversos países. Como as montadoras são muito exigentes e demandam uma enorme atenção da empresa, estar próximo dos clientes é um ponto importante para a estratégia da empresa.

A internacionalização da Sabó começou em 1992, com a compra da Todaro, na Argentina. Um ano depois foi a vez de adquirir a Kaco, uma das maiores fabricantes de autopeças alemã. Com a força da aquisição de uma empresa alemã, a companhia entrou na Hungria, Áustria e, mais recentemente, nos Estados Unidos. Atualmente, mais da metade da receita da Sabó vem das operações do exterior e esse percentual tende a crescer ainda mais com as recentes notícias de que a empresa deseja montar unidades fabris na China e na Índia.

A aquisição de diversas empresas em países diferentes, com culturas distintas e práticas internas diferentes, tornava o desafio do gerenciamento mais difícil e desgastante para os gestores da empresa. Os sistemas de informação existentes haviam sido desenvolvidos por especialistas locais e não estavam integrados. Um exemplo disso eram os módulos de estoque, compra e vendas não integrados. A contabilidade precisava consolidar todas as informações em uma verdadeira colcha de retalhos costurada a cada fechamento e a complexidade na gestão logística de estoques, de produtos e de clientes com necessidades globais, que tornavam a tarefa de gerenciar a empresa cada dia mais árdua. Era como gerenciar três empresas distintas: a de retentores, a de juntas e a de mangueiras.

Com o passar do tempo e com o crescimento da competitividade, bem como da empresa, a Sabó necessitava de uma mudança radical na gestão de seus processos, a fim de manter o controle logístico de uma enorme quantidade de itens em produção e de unificar a gestão de suas três unidades de negócios em uma gestão centralizada. A partir disso, a empresa buscou a ajuda da SAP para implementar um sistema integrado de gestão: o SAP ERP.

Os principais objetivos dessa implementação eram: (1) a unificação das unidades de negócio em apenas uma (voltada a processos); (2) o atendimento ao mercado concentrado nas necessidades dos clientes; (3) a obtenção de uma ferramenta para atender aos vários continentes; e (4) a mudança da gestão com foco em produtos para foco no cliente e nos mercados de atuação: exportação, montadoras e reposição.

---
[1] A SAP é líder mundial no fornecimento de softwares com soluções colaborativas de negócios para pequenas, grandes e médias empresas.

Para que a implementação ocorresse, grandes desafios estavam por vir. Seria necessário unificar a gestão das três unidades de negócio, criar condições para que a empresa mantivesse seu ritmo de crescimento acelerado e quebrar os paradigmas de operações locais, especialmente os relacionados à parametrização e à padronização de processos, um dos maiores obstáculos a serem enfrentados pela equipe de implementação. Definir e unificar, dentre as diversas unidades fabris, quais as melhores práticas a serem adotadas é sempre um desafio. Os objetivos estavam claros: unificar as informações e facilitar a gestão das diversas plantas no mundo e reduzir o tempo de análise das informações para tomada de decisões estratégicas, o que aumentaria a sinergia entre as plantas e tornaria a empresa ainda mais competitiva.

A implementação do ERP SAP foi um sucesso e a empresa destacou alguns fatores primordiais para essa realização, como um forte apoio e envolvimento das diretorias, o comprometimento das equipes de trabalho e o rigor no gerenciamento do projeto.

QUESTÕES

1. Quais foram os principais benefícios da implementação de um sistema ERP para a Sabó?

2. Discuta com seus colegas e aponte os principais desafios na implementação de um ERP em empresas multinacionais como a Sabó.

3. Se você fosse implementar um sistema ERP em sua escola, como você planejaria essa implementação? Quais seriam os ganhos para a instituição?

Caso desenvolvido por Antonio César Moreno Annunciato e André Luís de Castro Moura Duarte, do Ibmec São Paulo, baseados em informações disponíveis em <www.sabo.com.br>, 2008; <www.sap.com/brazil/pdf/casos/sabo.pdf>, 2008.

REFERÊNCIAS SELECIONADAS

BLACKSTONE, J. H. *Capacity management*. Cincinnati: South-Western, 1989.

BRUGGEMAN, J. J.; HAYTHORNTHWAITE S. "The master schedule", *APICS — The Performance Advantage*, out. 1991, p. 44–46.

CONWAY, Richard W. "Linking MRP II and FCS", *APICS — The Performance Advantage*, jun. 1996, p. 40–44.

COTTEN, Jim. "Starting from scratch", *APICS — The Performance Advantage*, nov. 1996, p. 34–37.

DAVENPORT, Thomas H. "Putting the enterprise into the enterprise system", *Harvard Business Review*, jul./ago. 1998, p. 121–131.

DOLLRIES, Joseph. "Don't pick a package — match one", *APICS — The Performance Advantage*, maio 1996, p. 50–52.

GODDARD, Walter; CORRELL, James. "MRP II in the year 2000", *APICS — The Performance Advantage*, mar. 1994, p. 38–42.

GOLDRATT, E. M. *Theory of constraints*. Great Barrington, MA: North River Press, 1990.

HADDOCK, Jorge; HUBICKI, Donald E. "Which lot-sizing techniques are used in material requirements planning?", *Production and Inventory Management Journal*, v. 30, n. 3, 1989, p. 53–56.

HOY, Paul A. "The changing role of MRP II". *APICS — The Performance Advantage*, jun. 1996, p. 50–53.

JACOBS, F. Robert; WHYBARK, D. Clay. *Why ERP?* New York: Irwin McGraw-Hill, 2000.

JEMIGAN, Jeff. "Comprehensiveness, cost-effectiveness sweep aside operations challenges", *APICS — The Performance Advantage*, mar. 1993, p. 44–45.

LUNN, Terry; NEFF, Susan. MRP: *Integrating material requirements planning and modern business*. Homewood, IL: Irwin Professional Publishing, 1992.

MELNYK, Steven A. et al. "Integrating environmental issues into material planning: 'green' MRP". *Production and Inventory Management Journal*, 1999, p. 36–45.

ORMSBY, Joseph G.; ORMSBY, Susan Y.; RUTHSTROM, Carl R. "MRP II implementation: a case study", *Production and Inventory Management*, v. 31, n. 4 1990, p. 77–82.

PROUTY, Dave. "Shiva finite capacity scheduling system", *APICS — The Performance Advantage*, abr. 1997, p. 58–61.

PTAK, Carol. *MRP and beyond*. Homewood, IL: Irwin Professional Publishing, 1996.

ROTH, Aleda V.; VAN DIERDONCK, Roland. "Hospital resource planning: concepts, feasibility, and framework", *Production and Operations Management*, v. 4, n. 1, 1995, p. 2–29.

SCALLE, Cedric X.; COTTELEER, Mark J. *Enterprise resource planning (ERP)*. Boston, MA: Harvard Business School Publishing, 1999, n. 9-699-020.

SRINIVASAN, Mandyam; JONES, Darren; MILLER, Alex. "Corps capabilities", *APICS Magazine*, mar. 2005, p. 46–50.

STEELE, Daniel C. et al. "Comparisons between drum-buffer-rope and material requirements planning: a case study", *International Journal of Production Research*, v. 43, n. 15, 2005, p. 3181–3208.

TURBIDE, David A. "This is not your father's MRP!", *APICS — The Performance Advantage*, mar. 1994, p. 28–37.

UMBLE, M. M.; SRIKANTH, M. L. *Synchronous management-profit based manufacturing for the 21st century*, v. 2. Wallingford, CT: Spectrum Publishing Company, 1997.

VOLLMANN, T. E. et al. *Manufacturing planning and control for supply chain management*, 5. ed. New York: Irwin/McGraw-Hill, 2004.

WALLACE, Thomas F. *Sales & operations planning: the how-to handbook*, 2. ed. Cincinnati, OH: T. F. Wallace & Company, 2004.

WALLACE, Thomas F.; STAHL, Robert A. *Master scheduling in the 21st century*. Cincinnati, OH: T. F. Wallace & Company, 2003.

ZDWIRE Plus. "Customization, complexity still dog ERP efforts", *Thompson Dialogue*, 19 jul. 2005.

16

OBJETIVOS DE APRENDIZAGEM

Depois de ler este capítulo, você será capaz de:

1. Definir as principais medidas de desempenho para considerar quando selecionar uma programação.

2. Identificar as situações nas quais as demandas podem ser programadas por meio de agendamentos, reservas ou *backlogs*.

3. Descrever os componentes de sistemas de planejamento avançados que ligam programações de operações à cadeia de suprimentos.

4. Explicar a importância da programação para o desempenho da empresa.

5. Determinar a programação de funcionários que leve em consideração dois dias de folga por funcionário.

6. Determinar programações para uma estação de trabalho e para várias estações de trabalho.

A programação em uma linha aérea como a Air New Zealand é uma tarefa sofisticada. Por lei, permite-se que os membros da tripulação estejam em serviço apenas certo número de horas por dia, o que pode causar complicações se ocorrerem atrasos devido ao mau tempo ou a consertos de última hora.

16 Programação

Air New Zealand

Quanto a programação é importante para uma companhia aérea? Certamente, a satisfação do cliente em relação ao desempenho pontual da programação é crítico em uma indústria altamente competitiva como a de transporte aéreo. Além disso, as linhas áreas perdem muito dinheiro quando um equipamento caro, como uma aeronave, está ocioso. A programação de vôos e tripulação, entretanto, é um processo complexo. Por exemplo, a Air New Zealand tem nove mil funcionários e opera mais de 85 vôos domésticos e 50 vôos internacionais diariamente. A programação começa com um plano de mercado de cinco anos, que identifica os segmentos de vôo novos e existentes que são necessários para se manter competitivo na indústria. Esse plano geral é, mais adiante, refinado para um plano de três anos e, depois, colocado em um orçamento anual, no qual segmentos de vôo têm tempos de partida e chegada específicos.

Em seguida, a disponibilidade da tripulação deve ser combinada com as programações de vôo. Cada um dos dois tipos de tripulação — pilotos e comissários — tem seu próprio conjunto de restrições. Pilotos, por exemplo, não podem ser escalados para mais de 35 horas em uma semana e mais de cem horas em um ciclo de 28 dias. Eles também devem ter um intervalo de 36 horas a cada sete dias e 30 dias de folga em um ciclo de 84 dias. Modelos de otimização sofisticados são usados para projetar programações de custo mínimo genéricas que cobrem cada vôo e reconhecem todas as restrições. Cada turno de serviço do piloto começa e termina em uma base de tripulação e consiste em uma seqüência alternada de períodos de serviço e de descanso, com períodos de serviço incluindo um ou mais vôos. Os turnos de serviço são publicados e os membros da tripulação se oferecem para integrá-los dentro de um período de tempo especificado. As listas reais de escalação da tripulação são, assim, elaboradas a partir das ofertas recebidas. A lista de escalação deve assegurar que cada vôo tenha uma tripulação qualificada e que cada membro da tripulação tenha uma programação factível durante o período da lista de escalação. Do ponto de vista da tripulação, também é importante satisfazer o máximo de solicitações e preferências da tripulação possíveis.

A programação, entretanto, não termina com a finalização das listas de escalação de vôos e da tripulação. Diariamente, interrupções como condições climáticas desfavoráveis ou falhas mecânicas podem causar alterações na programação que afetam os comissários, os pilotos e, até mesmo, os aviões. Os clientes esperam que esses problemas sejam resolvidos rapidamente e a empresa precisa encontrar a solução de custo mínimo. No setor de linhas aéreas, o processo de programação pode determinar a força competitiva de longo prazo da empresa.

Fontes: David M. Ryan, "Optimization earns its wings", *OR/MS Today*, abr. 2000, p. 26–30; "Service scheduling at Air New Zealand", *Operations Management* 8 ed.Video Library, Upper Saddle River, NJ: Prentice Hall, 2007.

Como o exemplo de programação da tripulação na Air New Zealand demonstra, a programação eficaz é essencial para operações bem-sucedidas. A **programação** aloca recursos ao longo do tempo, para realizar tarefas específicas. Até agora, discutimos o projeto de processos, o modo como são ligados para formar cadeias de valor e as principais técnicas de planejamento para administrá-los de modo eficaz. A programação é o recurso que faz com que todas essas atividades e projetos de planejamento sejam realizados. Por exemplo, serviços de proteção policial devem ter qualidade constante, atendimento rápido, variedade e flexibilidade de volume e baixo custo. Decisões devem ser tomadas sobre a localização dos postos policiais e a quantidade de carros de patrulha em cada distrito. A tecnologia da informação deve ser escolhida e métodos de previsão, selecionados, para avaliar os serviços policiais em termos de horas, dias, semanas, meses e anos. Em seguida, deve ser determinado um plano de provimento de pessoal para cada posto.

Todas essas atividades de projeto e planejamento, entretanto, não alcançarão as prioridades competitivas do serviço policial a menos que programas de trabalho

USANDO OPERAÇÕES PARA COMPETIR

Operações como arma competitiva
Estratégia de operações
Administração de projetos

ADMINISTRANDO PROCESSOS

Estratégia de processo
Análise de processos
Desempenho e qualidade do processo
Administração das restrições
Layout do processo
Sistemas de produção enxuta

ADMINISTRANDO CADEIAS DE VALOR

Estratégia de cadeia de suprimentos
Localização
Administração de estoques
Previsão de demanda
Planejamento de vendas e operações
Planejamento de recursos
Programação

eficazes possam ser planejados para os oficiais de polícia. A programação é um vínculo crítico entre o planejamento e as fases de execução de operações. Sem programação eficaz, as cadeias de valor não alcançarão seu potencial. Por essa razão, softwares de gerenciamento de cadeias de valor e sistemas de gestão integrada que incluem aplicações de programação estão se tornando mais comuns.

Embora seja um aspecto importante da administração de cadeia de valor, a programação por si é um processo. Ela requer a coleta de dados de fontes como previsões de demanda ou pedidos de clientes específicos, disponibilidade de recursos do plano de vendas e operações e o ajuste de restrições específicas com funcionários e clientes. Assim, a programação envolve a geração de um programa de trabalho para os funcionários ou de um programa da produção para um processo de fabricação. Ela tem de ser coordenada com funcionários e fornecedores para assegurar de que todas as restrições serão satisfeitas. Como em qualquer indústria, esse processo pode ser medido em comparação com as prioridades competitivas da empresa, que podem incluir operações de baixo custo (quanto custa criar uma programação?), velocidade de entrega (com que velocidade as programações podem ser geradas?), qualidade constante (com que freqüência as programações devem ser revisadas depois de iniciadas?) e flexibilidade de variedade (com quantos funcionários, serviços ou grupos de produtos diferentes pode lidar?).

Começamos este capítulo com uma discussão sobre a programação de processos de serviços e de fabricação, concentrando-nos em medidas de desempenho úteis e na aplicação de gráficos de Gantt. Depois, discutimos a **programação da demanda**, que envolve a designação de clientes para um tempo definido de atendimento aos pedidos. Em seguida, discutimos uma técnica de **programação da força de trabalho**, que envolve a determinação de quando os funcionários trabalham. Por fim, exploramos várias técnicas para **programação de operações**, o que envolve a designação de tarefas para estações de trabalho ou de funcionários para atividades para períodos de tempo especificados. Resolver de modo eficaz esses três problemas de programação ajudará os gerentes a alcançarem o potencial pleno de suas cadeias de valor.

PROGRAMAÇÃO POR TODA A ORGANIZAÇÃO

A programação é importante tanto para processos de serviços quanto para processos de fabricação. Seja o negócio uma companhia aérea, um hotel, um fabricante de computadores ou uma universidade, as programações são parte do cotidiano. Elas envolvem uma quantidade enorme de detalhes e afetam todos os processos de uma empresa. Por exemplo, programações de serviço, produto e funcionários determinam requisitos de fluxo de caixa específicos, ativam o processo de faturamento da empresa e introduzem requisitos para o processo de treinamento de funcionários. O processo de atendimento a pedidos depende do bom desempenho em termos de datas de vencimento para serviços ou produtos prometidos, que é o resultado de um bom processo de programação. Além disso, quando os clientes enviam pedidos usando um processo de entrada de pedidos baseado na Web, o processo de programação determina quando eles podem esperar receber seu pedido. Certamente, não importa a área, as programações afetam todos em uma empresa.

Dados o desenvolvimento de hardware e software e a disponibilidade da Internet, as empresas transformaram o processo de programação em uma arma competitiva. Neste capítulo, veremos como elas usam o processo de programação para reduzir seus custos e aumentar a agilidade de suas cadeias de suprimentos, encontrando um modo de gerar programações complexas rapidamente, que podem afetar as operações no início e no fim da cadeia de suprimentos pelo mundo inteiro.

PROGRAMANDO PROCESSOS DE SERVIÇOS E FABRICAÇÃO

As técnicas de programação que discutimos neste capítulo cobrem os vários tipos de processos encontrados em serviços e fabricação. Muitas empresas de serviços são caracterizadas por um processo de *front-office*, com elevado contato com o cliente, fluxos de trabalho flexíveis, personalização e, conseqüentemente, um ambiente de programação complexo. Os estoques não podem ser usados para amortecer incertezas de demanda, o que incentiva a programação de funcionários para lidar com as necessidades variadas dos clientes. A programação da demanda e da força de trabalho são duas técnicas úteis nas indústrias de serviços. No outro extremo da indústria de serviços, um processo de *back-office* tem baixo envolvimento do cliente, usa mais fluxos de trabalho em linha e fornece serviços padronizados. Os objetos inanimados são processados e esses processos assumem a aparência de processos de fabricação. Nesse caso, programações da força de trabalho são tão importantes quanto as programações das operações.

Processos de fabricação também se beneficiam de técnicas de programação de demanda, da programação da força de trabalho e da programação das operações. Nossa discussão sobre técnicas de programação das operações, neste capítulo, tem aplicação para processos de *job*, lote e linha em serviços, bem como na manufatura. Programações para processos contínuos podem ser elaboradas com *programação linear*. Embora as técnicas de programação deste capítulo forneçam alguma estrutura para a seleção de boas programações, muitas alternativas normalmente precisam ser avaliadas. Antes de explorarmos as técnicas para gerar programações de trabalho e funcionários, examinemos as medidas de desempenho que os gerentes usam para selecionar programações satisfatórias.

MEDIDAS DE DESEMPENHO

Da perspectiva do administrador, identificar medidas de desempenho a serem usadas ao selecionar uma programação é importante. Se as prioridades competitivas de um processo devem ser alcançadas, as programações devem refletir medidas de desempenho administrativamente aceitáveis e coerentes com essas prioridades competitivas. As medidas de desempenho a seguir são comumente usadas para programar tanto processos de serviços quanto de fabricação. Sob esse aspecto, uma *tarefa* é o objeto recebendo o serviço ou sendo fabricado. Por exemplo, uma tarefa pode ser um cliente que espera por atendimento em uma agência de licenciamento estatal ou um lote de pistões que espera por um processo de fabricação.

- *Tempo de fluxo da tarefa*: a quantidade de tempo que uma tarefa gasta no sistema de serviço ou de fabricação é chamada **tempo de fluxo da tarefa**. É a soma do tempo de espera para funcionários ou máquinas; do tempo do processo, inclusive ajustes e preparações (*setups*); do tempo gasto com movimentações entre operações; e de atrasos resultantes de quebras de máquinas, indisponibilidade de bens facilitadores ou componentes e outros. Minimizar o tempo de fluxo da tarefa sustenta as prioridades competitivas de custo (estoque mais baixo) e tempo (velocidade de entrega).

Tempo de fluxo da tarefa = tempo de conclusão − tempo de tarefa que estava disponível para a primeira operação de processamento.

Observe que o tempo inicial é o tempo em que a tarefa estava disponível para sua primeira operação de processamento, não necessariamente quando a tarefa começou sua primeira operação. O tempo de fluxo da tarefa é, algumas vezes, chamado *tempo integral* ou *tempo gasto no sistema, incluindo serviço*.

- *Tempo de processamento total (makespan)*: a quantidade total de tempo requerida para concluir um *grupo* de tarefas é chamada **tempo de processamento total** (*makespan*). Minimizar o tempo de processamento total da programação sustenta as prioridades competitivas de custo (estoque mais baixo) e de tempo (velocidade de entrega).

Tempo de processamento total = tempo de conclusão da última tarefa − tempo inicial da primeira tarefa

- *Pedido vencido*: a medida de **pedido vencido** pode ser expressa como a quantidade de tempo pela qual uma tarefa se atrasou em relação a sua data de entrega (também chamada **atraso**) ou como o percentual de tarefas totais processadas durante algum período que se atrasou em relação às datas de vencimento. Minimizar a quantidade de pedidos vencidos sustenta as prioridades competitivas de custo (multas para o não-cumprimento de datas de entrega), qualidade (percepções de serviço insatisfatório) e tempo (entrega pontual).

- *Estoque em processo*: qualquer tarefa que esteja esperando em fila, movendo de uma operação para a próxima, sendo adiada, processada por alguma razão, ou em estado semi-acabado é considerada **WIP** (*Work-In-Process* — **estoque em processo**). O WIP também é chamado *estoque em trânsito* ou *o número de clientes no sistema de serviços*. Minimizar o WIP sustenta a prioridade competitiva de custo (custos de armazenamento).

- *Estoque total*: essa medida de desempenho é usada para medir a efetividade das programações de processos de fabricação. A soma de recebimentos programados e estoques disponíveis é o **estoque total**.

Estoque total = recebimentos programados para todos os itens + estoques disponíveis de todos os itens

Minimizar o estoque total sustenta a prioridade competitiva de custo (custos de armazenamento). Essencialmente, o estoque total é a soma do WIP e dos estoques de bens acabados.

- *Utilização*: o percentual de tempo do trabalho que é gasto produtivamente por um funcionário ou uma máquina é chamado *utilização*. Maximizar a utilização de um processo sustenta a prioridade competitiva de custo ('folga' de capacidade).

Essas medidas de desempenho, muitas vezes, estão relacionadas. Por exemplo, minimizar o tempo médio de fluxo da tarefa tende a reduzir o WIP e a aumentar a utilização. Minimizar o tempo de processamento total para um grupo de tarefas tende a aumentar a utilização. Compreender como o tempo de fluxo da tarefa, o tempo de processamento total, o pedido vencido, o estoque em processo, o estoque total e a utilização interagem pode tornar a seleção de programações satisfatórias mais fácil.

GRÁFICOS DE GANTT

O *gráfico de Gantt* pode ser usado como ferramenta para monitorar o progresso do trabalho e visualizar a carga nas estações de trabalho. O gráfico assume duas formas básicas: (1) O gráfico de progresso da tarefa ou atividade e (2) o gráfico da estação de trabalho. O *gráfico de progresso* de Gantt exibe a condição corrente de cada tarefa ou atividade em relação a sua data de conclusão programada. Por exemplo, suponha que um fabricante de peças de automóveis tenha três tarefas a caminho, uma para a Ford, uma para a Nissan e outra para a Pontiac. A condição real desses pedidos é mostrada pelas barras na Figura 16.1; as linhas indicam a programação desejada para o começo e para o fim de cada tarefa. Para a data corrente, 21 de abril, esse gráfico de Gantt mostra que o pedido da Ford está atrasado porque o departamento de operações completou apenas o trabalho programado até 18 de abril. Já o pedido da Nissan está exatamente de acordo com a programação; e o pedido da Pontiac está antecipado à programação.

A Figura 16.2 mostra um *gráfico de estação de trabalho* de Gantt das salas de operação de um hospital para um dia específico. Usando a mesma notação da Figura 16.1, o gráfico mostra a carga nas salas de operação e o tempo improdutivo. O horário (período) atribuído a cada médico inclui o tempo necessário para limpar o quarto antes da próxima cirurgia. O gráfico pode ser usado para identificar horários para cirurgias de emergência não-programadas ou para atender às solicitações de alteração da data de cirurgias. Por exemplo, a dra. Flowers pode alterar o começo de sua cirurgia para as 14h trocando horários com o dr. Gillespie na sala de operações C ou pedindo ao dr. Brothers para deixá-la começar sua cirurgia uma hora

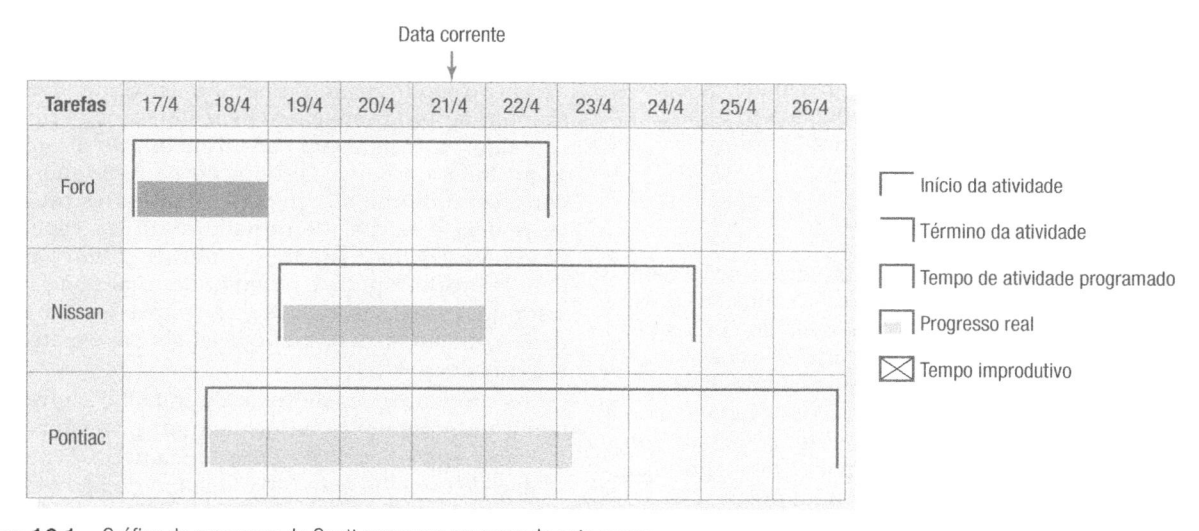

Figura 16.1 Gráfico de progresso de Gantt para uma empresa de auto-peças

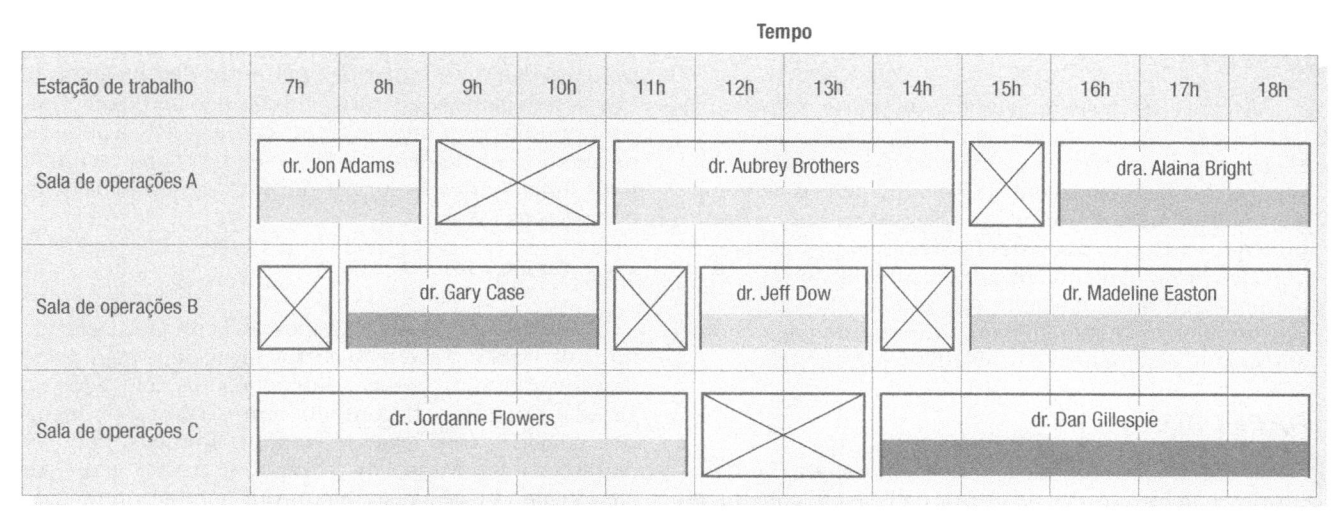

Figura 16.2 Gráfico de estação de trabalho de Gantt para salas de operações em um hospital

mais cedo na sala de operações A e pedindo à dra. Bright para programar sua cirurgia pela manhã na sala de operações C. Em qualquer caso, o administrador do hospital tem de se envolver na reprogramação das cirurgias.

Os gráficos de Gantt podem ser usados para gerar programações para funcionários ou estações de trabalho; entretanto, a abordagem só funciona na base de tentativa e erro. A seguir, estudamos algumas técnicas que podem ser usadas para se chegar sistematicamente a programações satisfatórias.

PROGRAMANDO A DEMANDA DE CLIENTES

A capacidade, que pode estar na forma de funcionários ou equipamentos, é crucial para fornecedores de serviços e fabricantes. Uma maneira de administrar a capacidade em um sistema de programação é programar clientes para períodos definidos de atendimento. Com essa abordagem, supõe-se que a capacidade seja fixa e a demanda seja nivelada, para fornecer atendimento de pedido adequado e utilização de capacidade desejada. Três métodos são geralmente usados para programar a demanda do cliente: (1) agendamentos; (2) reservas; e (3) *backlogs*.

AGENDAMENTOS

Um sistema de agendamentos designa tempos específicos para atendimento aos clientes. As vantagens desse método são o atendimento adequado e a alta utilização do pessoal de serviço. Médicos, dentistas, advogados e oficinas de conserto de automóveis são exemplos de fornecedores de serviços que usam sistemas de agendamentos. Médicos, por exemplo, podem usar o sistema a fim de programar partes de seu dia para visitar pacientes no hospital, e advogados podem reservar tempo para preparar casos. Se se pretende fornecer atendimento adequado, contudo, deve-se atentar para adaptar a duração dos agendamentos às necessidades do cliente individual, em vez de meramente programar clientes em intervalos de tempo iguais.

RESERVAS

Sistemas de reserva, embora bastante semelhantes aos sistemas de agendamento, são usados quando o cliente realmente ocupa ou usa instalações associadas ao serviço. Por exemplo, clientes reservam quartos de hotel, automóveis, assentos de avião e assentos em concertos. A principal vantagem dos sistemas de reserva é o *lead time* que eles proporcionam aos administradores de serviços para planejar o uso eficiente das instalações. Muitas vezes, as reservas requerem alguma forma de pagamento antecipado para reduzir o problema de desistências.

BACKLOGS

Os *backlogs* (filas de pedidos em espera) podem ser de duas formas. Na primeira, o cliente recebe uma *data de entrega* para o atendimento de um pedido de produto. Por exemplo, a oficina de reparos e manutenção de um revendedor de carros pode combinar com um fabricante de peças automotivas para receber um lote de cem trincos de porta para um modelo de carro específico na próxima terça-feira. O fabricante usa essa data de vencimento para planejar sua produção dentro de seus limites de capacidade. O equivalente da data de entrega para serviços é o uso de agendamento ou reservas.

A segunda forma de *backlog* é simplesmente permitir que um *backlog* se desenvolva à medida que os clientes chegam ao sistema. Nesse caso, os clientes podem não saber exatamente quando seus pedidos serão atendidos. Uma solicitação é apresentada a um tomador de pedidos, que a acrescenta na fila de espera de pedidos que já estão no sistema. Oficinas de conserto de televisão, restaurantes, bancos, supermercados ou qualquer situação de fila de espera são exemplos do uso desse sistema de programação de demanda.

PROGRAMANDO FUNCIONÁRIOS

Outro modo de administrar a capacidade com um sistema de programação é especificar os períodos de trabalho e de folga para cada funcionário durante certo período, como na designação de funcionários dos correios, enfermeiras, pilotos, atendentes ou oficiais de polícia para dias de trabalho e turnos específicos. Essa abordagem é usada quando os clientes demandam resposta rápida, e a demanda total pode ser prevista com precisão razoável. Nesses casos, a capacidade é ajustada para atender às cargas esperadas no sistema de serviço.

As programações da força de trabalho convertem o plano de provimento de pessoal em programações de trabalho específicas para cada funcionário. Determinar os dias de trabalho para cada funcionário não torna, por si mesmo, o planejamento de provimento de pessoal operacional. Os requisitos de força de trabalho diários, expressos em termos agregados no plano de provimento de pessoal, devem ser satisfeitos. A capacidade da força de trabalho disponível a cada dia deve satisfazer ou superar os requisitos diários de força de trabalho. Se não o fizer, o programador deve tentar reorganizar os dias de folga até que os requisitos sejam satisfeitos. Se não for possível encontrar uma programação como essa, a gerência pode ter de alterar o plano de provimento de pessoal e contratar mais funcionários, autorizar horas extras ou considerar *backlogs* maiores.

RESTRIÇÕES

As restrições técnicas impostas à programação da força de trabalho são os recursos fornecidos pelo plano de provimento de pessoal e os requisitos colocados no sistema operacional. Contudo, outras restrições, inclusive considerações legais e comportamentais, também podem ser impostas. Por exemplo, é preciso que a Air New Zealand tenha pelo menos um número mínimo de comissários de bordo em serviço o tempo todo. De modo

Quando se trata de serviço como combate a incêndios, os programadores não conseguem gerenciar a demanda do cliente. Incêndios ocorrem a qualquer hora, naturalmente. A capacidade da força de trabalho disponível a cada dia em um posto de corpo de bombeiros deve, portanto, sempre satisfazer ou superar os requisitos diários.

semelhante, um número mínimo de pessoal de segurança e de combate a incêndios deve estar a serviço em um corpo de bombeiros o tempo todo. Essas restrições limitam a flexibilidade da gerência ao elaborar as programações da força de trabalho.

As restrições impostas pelas necessidades psicológicas dos trabalhadores complicam ainda mais a programação e algumas delas são acrescentadas aos acordos trabalhistas. Por exemplo, um empregador pode concordar em dar aos funcionários certo número de dias de folga sucessivos por semana ou em limitar os dias de trabalho sucessivos dos funcionários a um número máximo. Outras cláusulas podem reger a distribuição de férias, dias de folga para feriados ou designações de turnos rotativos. Além disso, as próprias preferências dos funcionários precisam ser consideradas.

Uma maneira de os gerentes lidarem com certos aspectos indesejáveis da programação é usar uma **programação rotativa**, que alterna os funcionários durante uma série de dias de trabalho ou horas. Desse modo, durante um período, cada pessoa tem a mesma oportunidade de ter fins de semana e feriados de folga e de trabalhar durante o dia ou a noite. Uma programação rotativa dá a cada funcionário a programação do próximo funcionário na semana seguinte. Em contraste, uma **programação fixa** requer que cada funcionário trabalhe os mesmos dias e horas a cada semana.

DESENVOLVENDO UMA PROGRAMAÇÃO DA FORÇA DE TRABALHO

Suponha que estamos interessados em desenvolver uma programação da força de trabalho para uma empresa que funciona sete dias por semana e que fornece, a cada funcionário, dois dias consecutivos de folga. Nesta seção, demonstramos um método que reconhece essa restrição.[1] O objetivo é identificar os dois dias consecutivos de folga para cada funcionário que minimizarão a quantidade de 'folga' de capacidade ou excesso de capacidade total, maximizando, dessa maneira, a utilização da força de trabalho. A programação de trabalho para cada funcionário, portanto, são os cinco dias restantes depois que os dois dias de folga foram determinados. O procedimento envolve os seguintes passos:

Passo 1: a partir da programação de requisitos líquidos para a semana, encontre todos os pares de dias consecutivos que excluem os requisitos diários máximos. Selecione o único par que tenha os requisitos totais mais baixos para os dois dias. Em situações incomuns, todos os pares podem conter um dia com os requisitos máximos. Nesse caso, selecione o par com os requisitos totais mais baixos. Suponha que os números de funcionários requeridos sejam

Segunda-feira: 8	Quinta-feira: 12	Sábado: 4
Terça-feira: 9	Sexta-feira: 7	Domingo: 2
Quarta-feira: 2		

O requisito de capacidade máximo é 12 funcionários, na quinta-feira. O par consecutivo com os requisitos totais mais baixos é sábado e domingo, com 4 + 2 = 6.

Passo 2: se ocorrer um empate entre os pares, escolha aquele coerente com as cláusulas acrescentadas ao acordo de trabalho, se houver alguma. O empate também pode ser desfeito pedindo ao funcionário que está sendo programado que faça a escolha. Como último recurso, o empate pode ser desfeito arbitrariamente. Por exemplo, a preferência pode ser dada aos pares de sábado–domingo.

Passo 3: atribua ao funcionário o par selecionado de dias de folga. Subtraia os requisitos satisfeitos pelo funcionário dos requisitos líquidos para cada dia que o funcionário deve trabalhar. Nesse exemplo, são atribuídos ao funcionário sábado e domingo como dias de folga. Depois que os requisitos são subtraídos, o requisito da segunda-feira é 7, o de terça-feira é 8, o de quarta-feira é 1, o de quinta-feira é 11 e o de sexta-feira é 6. Os requisitos do sábado e do domingo não se alteram porque ainda não há nenhum funcionário programado para trabalhar nesses dias.

Passo 4: repita os passos de 1 a 3 até que todos os requisitos tenham sido satisfeitos ou até que certo número de funcionários tenha sido programado.

Esse método reduz a quantidade de folga de capacidade (*slack capacity*) atribuída aos dias com requisitos baixos e determina que os dias com requisitos altos sejam programados primeiro. Além disso, reconhece alguns dos aspectos contratuais e comportamentais da força de trabalho nas regras de desempate. Entretanto, as programações podem *não* minimizar a folga de capacidade total. São necessárias regras diferentes para encontrar os pares de dias de folga e para desfazer empates a fim de assegurar a folga de capacidade total mínima.

---
1 Veja Tibrewalla, Phillippe e Browne (1972) para uma abordagem de otimização.

EXEMPLO 16.1 — Desenvolvendo uma programação da força de trabalho

O Serviço de Remessas Misturado está aberto sete dias por semana. A programação de requisitos é

Dia	Seg	Ter	Qua	Qui	Sex	Sab	Dom
Número requerido de funcionários	6	4	8	9	10	3	2

A gerente precisa de uma programação da força de trabalho que forneça dois dias de folga consecutivos e minimize a quantidade de folga de capacidade total. Para fazer o desempate na seleção dos dias de folga, o programador dá preferência ao sábado e ao domingo, se esse for um dos pares empatados. Se não, ela seleciona um dos pares empatados arbitrariamente.

O Tutor 16.1, disponível no site de apoio do livro, fornece um novo exemplo de prática de programação da força de trabalho.

SOLUÇÃO

A sexta-feira contém os requisitos máximos e o par sab–dom tem os requisitos totais mais baixos. Portanto, o funcionário 1 é escalado para trabalhar de segunda a sexta.

Observe que a sexta-feira ainda tem os requisitos máximos e que os requisitos para o par sáb–dom são transferidos porque esses são os dias de folga do funcionário 1. Esses requisitos atualizados são os utilizados pelo programador para o próximo funcionário. As designações de dias de folga para os funcionários são mostradas na tabela a seguir.

Programação de dias de folga

Seg	Ter	Qua	Qui	Sex	Sab	Dom	Funcionário	Comentários
6	4	8	9	10	3	2	1	O par sab–dom tem os requisitos totais mais baixos. Designe o funcionário 1 para uma programação de segunda a sexta e atualize os requisitos.
5	3	7	8	9	3	2	2	O par sab–dom tem os requisitos totais mais baixos. Designe o funcionário 2 para uma programação de segunda a sexta e atualize os requisitos.
4	2	6	7	8	3	2	3	O par sab–dom tem os requisitos totais mais baixos. Designe o funcionário 3 para uma programação de segunda a sexta e atualize os requisitos.
3	1	5	6	7	3	2	4	O par seg–ter tem os requisitos totais mais baixos. Designe o funcionário 4 para uma programação de quarta a domingo e atualize os requisitos.
3	1	4	5	6	2	1	5	O par sáb–dom tem os requisitos totais mais baixos. Designe o funcionário 5 para uma programação de segunda a sexta e atualize os requisitos.
2	0	3	4	5	2	1	6	O par seg–ter tem os requisitos totais mais baixos. Designe o funcionário 6 para uma programação de quarta a domingo e atualize os requisitos.
2	0	2	3	4	1	0	7	O par sab–dom tem os requisitos totais mais baixos. Designe o funcionário 7 para uma programação de segunda a sexta e atualize os requisitos.
1	0	1	2	3	1	0	8	Quatro pares têm o requisito mínimo e o menor total: sab–dom, dom–seg, seg–ter e ter–qua. Escolha o par sab–dom de acordo com a regra de desempate. Designe o funcionário 8 para uma programação de segunda a sexta e atualize os requisitos.
0	0	0	1	2	1	0	9	Escolha arbitrariamente o par dom–seg para desfazer os empates porque o par sab–dom não tem os requisitos totais mais baixos. Designe o funcionário 9 para uma programação de terça a sábado e atualize os requisitos.
0	0	0	0	1	0	0	10	Escolha o par sab–dom de acordo com a regra de desempate. Designe o trabalhador 10 para uma programação de segunda a sexta.

Nesse exemplo, sexta-feira sempre tem os requisitos máximos e deve ser evitada como um dia de folga. A programação final para os funcionários é mostrada na tabela a seguir.

	Programação final							
funcionário	Seg	Ter	Qua	Qui	Sex	Sab	Dom	Total
1	X	X	X	X	X	folga	folga	
2	X	X	X	X	X	folga	folga	
3	X	X	X	X	X	folga	folga	
4	folga	folga	X	X	X	X	X	
5	X	X	X	X	X	folga	folga	
6	folga	folga	X	X	X	X	X	
7	X	X	X	X	X	folga	folga	
8	X	X	X	X	X	folga	folga	
9	folga	X	X	X	X	X	folga	
10	X	X	X	X	X	folga	folga	
Capacidade, C	7	8	10	10	10	3	2	50
Requisitos, R	6	4	8	9	10	3	2	42
Folga, $C - R$	1	4	2	1	0	0	0	8

Ponto de decisão Com a quantidade significativa de folga de capacidade, a programação não é exclusiva. O funcionário 9, por exemplo, pode ter domingo e segunda-feira, segunda e terça-feira ou terça e quarta-feira de folga sem causar uma falta de capacidade. De fato, a empresa pode ser capaz de passar com um funcionário a menos por causa do total de oito dias de folga de capacidade. Contudo, todos os dez funcionários são necessários às sextas-feiras. Se a gerente estivesse disposta a passar com apenas nove funcionários às sextas-feiras ou se alguém pudesse trabalhar um dia de horas extras de modo rotativo, ela não precisaria do funcionário 10. Como indicado na tabela, o requisito líquido restante para que o funcionário 10 seja necessário corresponde a um único dia, a sexta-feira. Desse modo, o funcionário 10 pode ser usado para substituir funcionários em férias ou doentes.

SISTEMAS COMPUTADORIZADOS DE PROGRAMAÇÃO DA FORÇA DE TRABALHO

A programação da força de trabalho, muitas vezes, impõe restrições e preocupações incontáveis. Em alguns tipos de empresas, como companhias telefônicas, casas de pedidos por catálogo ou agências de linha direta de emergência, funcionários devem estar a serviço 24 horas por dia, sete dias por semana. Algumas vezes, uma parte do pessoal é de meio expediente, o que confere à gerência um grau considerável de flexibilidade, mas acrescenta complexidade considerável aos requisitos de programação. A flexibilidade vem da oportunidade de combinar exatamente as cargas previstas por meio do uso de turnos sobrepostos ou das durações de turno irregulares; a complexidade advém da necessidade de avaliar as numerosas alternativas possíveis. A gerência também deve considerar os horários de almoço e os de períodos de descanso, o número e o tempo inicial das programações de turno e os dias de folga para cada funcionário. Uma preocupação típica adicional é que o número de funcionários a serviço em qualquer momento específico seja suficiente para atender aos chamados dentro de uma quantidade de tempo razoável.

Sistemas de programação computadorizados estão disponíveis para lidar com a complexidade da programação da força de trabalho. Os programas selecionam a programação que minimiza a soma dos custos esperados de excesso ou falta no provimento de pessoal. A Seção Prática Gerencial 16.1 descreve a complexidade da programação da força de trabalho em centrais de atendimento e o modo como sistemas de programação computadorizados podem ajudar.

PROGRAMAÇÃO DE OPERAÇÕES

Programações de operações são planos de curto prazo projetados para implementar a programação principal da produção. A programação de operações focaliza o melhor modo de usar a capacidade existente, levando

PRÁTICA GERENCIAL 16.1 — PROGRAMAR FUNCIONÁRIOS PARA CENTRAIS DE ATENDIMENTO

É tarde da noite e a sua impressora, de repente, começa a saltar várias letras no meio de cada linha. O manual da impressora não esclarece o problema e sacudir a máquina não faz nada além de aliviar um pouco a sua frustração. Então, você se volta para o serviço 24 horas por dia, sete dias por semana do número de telefone de 'ajuda'. Enquanto espera que sua chamada seja atendida, você não se importa onde, no mundo, a pessoa com quem falará vive; você só se importa que a espera seja curta, que obtenha a solução correta e que a pessoa fale seu idioma. Bem-vindo ao mundo das centrais de atendimento.

Como qualquer consumidor com um problema para ser resolvido, você pode não imaginar que ter alguém disponível para resolver seus problemas sempre que você precisar de ajuda é algo que requer muita habilidade. Realmente, administrar uma central de atendimento não é uma tarefa fácil. Boas programações de força de trabalho são críticas para seu êxito. Programar poucos agentes afasta os clientes. Programar agentes em demasia é dispendioso para a empresa. Os gerentes tentam preencher as vagas de suas centrais de atendimento de maneira que satisfaçam certas medidas de desempenho. Essa medida é o PCA (*Percentage of Calls Answered* — percentual de telefonemas atendidos) dentro de um intervalo de tempo especificado, chamado SO (*Service Objective* — objetivo de serviço). Normalmente em uma central de atendimento, o PCA está na faixa de 80 a 90 por cento e o SO é 15 a 30 segundos. Obviamente, quanto mais agentes na equipe em determinado tempo, melhor será o PCA. O problema é que os requisitos para os agentes mudam ao longo do tempo. Por exemplo, uma central de atendimento pode lidar com 4.500 chamadas na manhã de uma segunda-feira de julho, mas se o Ano-novo por acaso cair em uma segunda-feira, o volume pode cair para 60 por cento. As horas totais diárias de tempo de contato também não são constantes. Além disso, é provável que as pessoas que telefonam falem idiomas diferentes. Por exemplo, os clientes falam inglês, espanhol ou alemão, mas a central de atendimento pode ter grupos de agentes que falam inglês e alemão, espanhol e alemão ou inglês e espanhol. Determinar quantos funcionários de cada grupo de agentes ter disponíveis o tempo todo não é fácil.

Felizmente, softwares de gerenciamento da força de trabalho estão disponíveis para ajudar os gerentes a lidar com essa complexidade. Modelos de previsão sofisticados podem estimar volumes de telefonemas, levando em consideração clientes que recebem sinais de ocupado (e, portanto, precisavam de atendimento, mas não o obtiveram), clientes que desligam antes que um agente atenda e padrões de volume de chamada que são dependentes de eventos especiais. Os modelos de previsão também projetam requisitos de habilidade linguística a fim de fornecer uma descrição melhor de agentes com habilidades múltiplas de que o centro precisa para cada turno. Além disso, os agentes podem estipular tempos de início e término ou dias de folga preferidos, e os funcionários podem ser alternados para os turnos menos desejáveis. Os agentes podem, também, usar a Internet para solicitar mudanças em suas programações e até mesmo trocar programações ou turnos com outros agentes, tornando o sistema de gerenciamento da força de trabalho um ambiente interativo. Melhorias recentes também incluem a capacidade de prever e escalar agentes por e-mail ou salas de bate-papo para atendimento na Web. Muitas empresas estão vendo um aumento significativo na comunicação com o cliente por meio desses métodos, mas os agentes geralmente precisam ser treinados antes de ajudarem esses clientes de modo eficaz.

Qual o impacto da programação eficiente da força de trabalho sobre uma central de atendimento? Uma empresa proeminente da *Fortune 500* estima que eles estavam programando 2.500 agentes com 80 por cento de eficiência antes de aperfeiçoar seu sistema de programação. Depois disso, a eficiência aumentou para 94 por cento, para uma economia de cerca de sete a oito milhões de dólares por ano. Embora os resultados para as empresas pequenas sejam menos dramáticos, as alterações no percentual indicam que o impacto será significativo.

Fontes: Dennis Cox, "Darwinian call centers", *Call Center Technology Solutions*. Disponível em: <www.tmcnet.com/articles/ccsmag/0999/0999pipkins.htm>, set. 1999; Jim Hogan, "Workforce management software: a mission-critical call center component", *Call Center CRM Solutions*. Disponível em< www.tmcnet.com/articles>, jul. 2000; "Skill set scheduling". Disponível em: <www.pipkins.com/articles>, 2005.

---

em consideração restrições de produção técnica. Muitas vezes, várias tarefas devem ser processadas em uma ou mais estações de trabalho. Normalmente, diferentes tarefas podem ser executadas em cada estação de trabalho. Se as programações não são planejadas cuidadosamente para evitar estrangulamentos, filas de espera podem ser formadas. Por exemplo, a Figura 16.3 representa a complexidade de se programar um processo de fabricação. Quando uma ordem de produção é recebida para uma peça, as matérias-primas são coletadas e o lote é deslocado para sua primeira operação. As setas mostram que as tarefas seguem itinerários diferentes através do processo de fabricação, dependendo do produto em fabricação. Em cada estação de trabalho, alguém deve determinar a próxima tarefa a ser processada porque a taxa de chegada de tarefas em uma estação de trabalho, muitas vezes, difere da taxa de processamento das tarefas em outra estação de trabalho, criando, dessa maneira, uma fila de espera. Além disso, novas tarefas podem entrar no processo a qualquer momento, criando, assim, um ambiente dinâmico. Essa complexidade pressiona os gerentes para desenvolver procedimentos de programação que dimensionem a carga de trabalho de modo eficaz.

Nesta seção, focalizamos abordagens de programação usadas em dois ambientes: (1) *job shop* ou funcional e (2) *flow shop* ou fluxo linha. Um **job shop** é uma empresa que se especializa em produção de volume baixo a médio e utiliza processos por *tarefa* ou *lote*. As tarefas, nesse tipo de ambiente de fluxo flexível, são difíceis de programar devido à variabilidade dos itinerários das tarefas e da introdução ininterrupta de novas tarefas a serem processadas. A Figura 16.3 representa um ambiente de *job shop*.

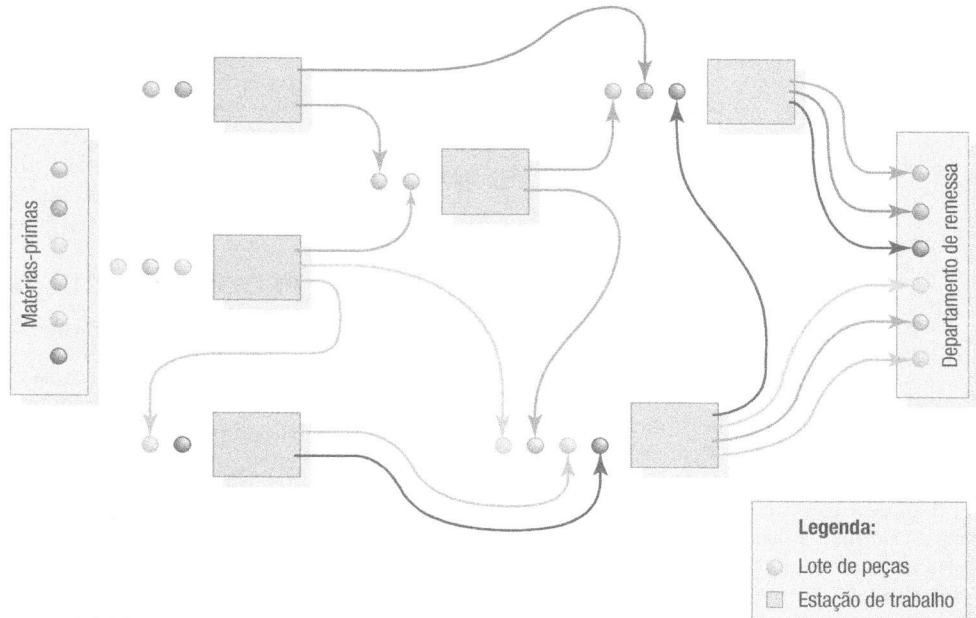

Figura 16.3 Diagrama de um processo de fabricação

Um *flow shop* se especializa em produção de volume médio a alto e utiliza processos em *linha* ou *contínuos*. As atividades são mais fáceis de programar porque as tarefas em uma instalação de fluxo em linha têm um padrão de fluxo comum através do sistema. Entretanto, programar errado pode ser dispendioso nas duas situações.

JOB SHOP DISPATCHING (EXPEDIÇÃO JOB SHOP)

Assim como muitas programações são possíveis para um grupo específico de tarefas em um conjunto de estações de trabalho, vários modos podem ser usados para gerar programações. Eles variam de métodos manuais objetivos, como manipular gráficos de Gantt, a modelos de computador sofisticados para desenvolver programações ótimas. Um modo de gerar programações em unidades de produção é a **expedição** (*dispatching*), que permite que a programação para uma estação de trabalho se desenvolva durante um período. A decisão sobre que tarefa processar em seguida é tomada com regras de prioridade simples, sempre que a estação de trabalho se torna disponível para mais processamento. Uma vantagem desse método é que informações de última hora sobre condições operacionais podem ser incorporadas à programação à medida que ela se desenvolve.

A expedição determina a tarefa a ser processada em seguida com a ajuda de **regras de seqüenciamento**. Quando várias tarefas estão esperando na fila de uma estação de trabalho, regras de prioridade especificam sua seqüência de processamento. Essas regras podem ser aplicadas por um trabalhador ou incorporadas em um sistema de programação computadorizado que gera uma lista de expedição de tarefas e prioridades para cada estação de trabalho. As regras de seqüenciamento a seguir são geralmente usadas na prática.

- *Quociente crítico*: o **CR** (*Critical ratio* — **quociente crítico**) é calculado dividindo o tempo restante até a data de entrega (ou data prometida) pelo tempo total de operação restante para a tarefa, que é definido como tempos de preparação, processamento, deslocamento e de espera aguardados de todas as operações restantes, inclusive a operação sendo programada. A fórmula é

$$CR = \frac{\text{data de entrega} - \text{data do dia atual}}{\text{tempo de operação total restante}}$$

A diferença entre a data de entrega e a data do dia atual deve estar na mesma unidade de tempo que o tempo de operação total restante. Um quociente menor que 1,0 implica que a tarefa está atrasada e um coeficiente maior que 1,0 implica que ela está adiantada em relação à programação. A tarefa com o CR mais baixo é programada em seguida.

- *Data de entrega mais próxima*: a tarefa com a **EDD** (*Earliest Due Date* — **data de entrega mais próxima**) é a próxima tarefa a ser processada.

- *Primeiro a chegar, primeiro a ser atendido*: a tarefa que chegar à estação de trabalho primeiro tem a prioridade mais alta de acordo com a regra FCFS (*First-Come, First-Served* — **primeiro a chegar, primeiro a ser atendido**).

- *Menor tempo de processamento*: a tarefa que requer o **SPT** (*Shortest Processing Time* — **menor tempo de processamento**) na estação de trabalho é a próxima a ser processada.

- *Folga por operações restantes*: folga é a diferença entre o tempo restante até a data de entrega da tarefa e o tempo de operação total restante, inclusive o da operação sendo programada. A prioridade da tarefa é determinada dividindo a folga pelo número de operações que restam, inclusive a que está sendo programada, para chegar à **S/RO** (*Slack per Remaning Operations* — **folga por operações restantes**).

$$S/RO = \frac{\text{data de entrega} - \text{data de hoje} - \text{tempo de operação total restante}}{\text{número de operações restantes}}$$

A tarefa com a S/RO mais baixa é programada em seguida. Os desempates são feitos de diversos modos se duas ou mais tarefas tiverem a mesma prioridade. Uma maneira é escolher arbitrariamente uma das empatadas como a próxima a ser processada.

Embora as regras de seqüenciamento pareçam simples, a atividade real de programar centenas de tarefas através de centenas de estações de trabalho requer manipulação e coleta de dados intensivas. O programador precisa de informações sobre requisitos de processamento de cada tarefa: a data de entrega da tarefa; o itinerário; os tempos-padrão de preparação, o processamento e a espera estimados para cada operação; se estações de trabalho alternativas podem ser usadas em cada operação; e os componentes e as matérias-primas necessários em cada operação. Além disso, o programador precisa conhecer o estágio atual da tarefa: localização (esperando na fila de uma estação de trabalho ou sendo processada em uma estação de trabalho), quanto da operação foi concluída, os tempos de chegada e partida reais em cada operação ou fila de espera e os tempos de preparação e processamento reais. O programador usa as regras de seqüenciamento para determinar a seqüência de processamento de tarefas em uma estação de trabalho, e as informações restantes, para estimar os tempos de chegada de tarefas na próxima estação de trabalho, determinando se uma alternativa deve ser usada quando a principal está ocupada e prevendo a necessidade de equipamento de movimentação de materiais. Uma vez que essas informações podem se alterar ao longo do dia, são necessários computadores para rastrear os dados e manter prioridades válidas.

PROGRAMANDO TAREFAS PARA UMA ESTAÇÃO DE TRABALHO

Qualquer regra de seqüenciamento pode ser usada para programar qualquer número de estações de trabalho com o procedimento de expedição. A fim de ilustrar as regras, contudo, concentramos a programação de várias tarefas em uma única máquina. Dividimos as regras em duas categorias: (1) regras de dimensão única e (2) regras de várias dimensões.

Regras de dimensão única Algumas regras de seqüenciamento (por exemplo, FCFS, EDD e SPT) baseiam a atribuição de prioridade a uma tarefa apenas em informações sobre a espera por processamento na estação de trabalho individual. Chamamos essas regras de **regras de dimensão única** porque determinam prioridades com referência a um aspecto único da tarefa, como o tempo de chegada na estação de trabalho, a data de entrega ou o tempo de processamento. Começamos com um exemplo de regras de dimensão única.

EXEMPLO 16.2 — **Desenvolvendo uma programação da força de trabalho**

A Oficina de Máquinas Taylor faz a retífica de blocos de motor. Atualmente, cinco blocos de motor estão esperando por processamento. Em qualquer momento, a empresa tem apenas um especialista em motores de serviço que possa fazer esse tipo do trabalho. Os problemas com os motores foram diagnosticados e os tempos de processamento para as tarefas foram estimados. Os tempos de conclusão esperados foram combinados com os clientes. A tabela a seguir mostra a situação a partir de segunda-feira de manhã. Como a Oficina de Máquinas Taylor está aberta das 8h às 17h todos os dias úteis, mais horas no fim de semana, se necessário, os tempos de entrega ao cliente são medidos em termos de horário de funcionamento a partir de segunda-feira de manhã. Determine a programação para o especialista em motores usando (a) a regra de EDD e (b) a regra de SPT. Para cada regra, calcule as horas de antecipação médias, as horas de atraso, o WIP e o estoque total. Se os tempos de fluxo de tarefas e os WIP baixos são críticos, qual regra deve ser escolhida?

Bloco do motor	Tempo de processamento, inclusive preparação (horas)	Tempo programado para entrega ao cliente (horário de funcionamento a partir de agora)
Ranger	8	10
Explorer	6	12
Bronco	15	20
Econoline 150	3	18
Thunderbird	12	22

O Active Model 16.2, disponível no site de apoio do livro, fornece insights adicionais sobre o uso de regras de dimensão única.

O Tutor 16.2, disponível no site de apoio do livro, fornece um novo exemplo de prática de regras de EDD e de SPT.

SOLUÇÃO

a. A regra de EDD define que o primeiro bloco do motor na seqüência é o que tem a data de entrega mais próxima. Sendo assim, o bloco do motor da Ranger é processado primeiro e o do Thunderbird, com sua data de entrega mais distante no futuro, é o último a ser processado. A seqüência é mostrada na tabela a seguir, junto com os tempos de fluxo de tarefas, as horas de antecipação e as horas de atraso.

Seqüencia de bloco do motor	Início do trabalho		Tempo de processamento (h)		Tempo de fluxo da tarefa (h)	Tempo programado de entrega ao consumidor	Tempo real de entrega ao consumidor	Horas de antecipação	Horas de atraso
Ranger	0	+	8	=	8	10	10	2	—
Explorer	8	+	6	=	14	12	14	—	2
Econoline 150	14	+	3	=	17	18	18	1	—
Bronco	17	+	15	=	32	20	32	—	12
Thunderbird	32	+	12	=	44	22	44	—	22

O tempo de fluxo para cada tarefa é igual ao tempo de espera mais o tempo de processamento. Por exemplo, o bloco do motor da Explorer teve que esperar oito horas antes de o especialista em motores começar a trabalhar nele. O tempo de processamento para a tarefa é de seis horas, assim, seu tempo de fluxo é de 14h. O tempo de fluxo médio e as outras medidas de desempenho para a programação de EDD para os cinco blocos de motor são

$$\text{Tempo de fluxo médio da tarefa} = \frac{8 + 14 + 17 + 32 + 44}{5} = 23 \text{ horas}$$

$$\text{Horas de antecipação médias} = \frac{2 + 0 + 1 + 0 + 0}{5} = 0,6 \text{ hora}$$

$$\text{Horas de atraso médias} = \frac{0 + 2 + 0 + 12 + 22}{5} = 7,2 \text{ horas}$$

$$\text{Estoque em processo médio} = \frac{\text{soma dos tempos de fluxo}}{\text{duração total da programação}} = \frac{8 + 14 + 17 + 32 + 44}{44}$$

$$= 2,61 \text{ blocos do motor}$$

Você poderia pensar na soma dos tempos de fluxo como as *horas de tarefas* totais gastas por blocos do motor esperando pelo especialista e sendo processadas. (Esse exemplo não contém nenhum componente ou estoque de submontagem. Dessa maneira, o WIP consiste apenas nos blocos do motor esperando ou sendo processados.) Dividir essa soma pela duração total da programação ou o tempo decorrido total requerido para concluir o trabalho em todos os blocos do motor fornece o estoque em processo médio.

Por fim,

$$\text{Estoque total médio} = \frac{\text{soma de tempo no sistema}}{\text{tempo de processamento total}} = \frac{10 + 14 + 18 + 32 + 44}{44}$$

$$= 2,68 \text{ blocos do motor}$$

O estoque total é a soma do estoque em processo e das tarefas concluídas esperando ser entregues aos clientes. O estoque total médio é igual à soma dos tempos gastos por cada tarefa na oficina — nesse exemplo, as horas de tarefa totais gastas esperando pelo especialista, sendo processadas e esperando por entrega — dividida pelo tempo de processamento total. Por exemplo, a primeira tarefa a ser entregue é o bloco do motor da Ranger, que gastou dez horas no sistema. Portanto, o bloco do motor da Explorer é entregue depois de 14h de tarefas gastas no sistema. O tempo gasto por qualquer tarefa no sistema é igual ao tempo de entrega real ao cliente uma vez que todas as tarefas estavam disponíveis para processamento no tempo zero.

b. De acordo com a regra de SPT, a seqüência começa com o bloco do motor que tiver o menor tempo de processamento, o Econoline 150, e termina com o que tiver o tempo de processamento mais longo, o Bronco. A seqüência, junto com os tempos de fluxo de tarefas, as horas de antecipação e as horas de atraso, está contida na tabela seguinte.

Seqüência de bloco do motor	Início do trabalho		Tempo de processamento (h)		Tempo de fluxo tarefa (h)	Tempo programado de entrega ao consumidor	Tempo real de entrega ao consumidor	Horas de antecipação	Horas de atraso
Econoline 150	0	+	3	=	3	18	18	15	—
Explorer	3	+	6	=	9	12	12	3	—
Ranger	9	+	8	=	17	10	17	—	7
Thunderbird	17	+	12	=	29	22	29	—	7
Bronco	29	+	15	=	44	20	44	—	24

As medidas de desempenho são

$$\text{Tempo médio de fluxo de tarefas} = \frac{3 + 9 + 17 + 29 + 44}{5} = 20{,}4 \text{ horas}$$

$$\text{Horas de antecipação médias} = \frac{15 + 3 + 0 + 0 + 0}{5} = 3{,}6 \text{ hora}$$

$$\text{Horas de atraso médias} = \frac{0 + 0 + 7 + 7 + 24}{5} = 7{,}6 \text{ horas}$$

$$\text{Estoque em processo médio} = \frac{3 + 9 + 17 + 29 + 44}{44} = 2{,}32 \text{ blocos do motor}$$

$$\text{Estoque total médio} = \frac{18 + 12 + 17 + 29 + 44}{44} = 2{,}73 \text{ blocos do motor}$$

Ponto de decisão A regra de SPT é claramente superior à regra de EDD em relação ao tempo de fluxo médio de tarefas e ao estoque em processo médio. Se esses critérios forem mais importantes que todos os outros, a gerência deve usar SPT.

Como a solução do Exemplo 16.2 mostra, a programação SPT forneceu um tempo de fluxo de tarefas médio e um WIP mais baixos. A programação EDD, entretanto, ofereceu melhor atendimento ao consumidor, como medido pelas horas médias de atraso e um máximo de horas de atraso mais baixo (22 *versus* 24). Também forneceu um estoque total mais baixo, porque menos horas de tarefas foram gastas esperando que os clientes buscassem seus blocos do motor após a retífica. A regra de seqüenciamento de SPT possibilita uma conclusão mais rápida das tarefas no sistema que as outras regras. A velocidade pode ser uma vantagem — mas somente se as tarefas puderem ser entregues antes do prometido, e a receita, arrecadada mais cedo. Se não puderem, a tarefa concluída deve permanecer em estoque de produtos acabados, anulando a vantagem de se minimizar o estoque em processo médio. Por conseguinte, a regra de prioridade escolhida pode ajudar ou impedir que a empresa satisfaça suas prioridades competitivas.

No Exemplo 16.2, SPT e EDD forneceram programações que resultaram em valores diferentes para os critérios de desempenho; entretanto, ambas as programações têm o mesmo tempo de processamento total (44 horas). Esse resultado sempre ocorrerá na programação de uma única operação para um *número fixo* de tarefas disponíveis para processamento — independentemente da regra de prioridade usada — porque não ocorrem tempos ociosos de estação de trabalho entre duas tarefas quaisquer.

Pesquisadores estudaram as implicações das regras de dimensão única para várias medidas de desempenho. Na maior parte desses estudos, todas as tarefas foram consideradas independentes, e foi feita a suposição de que, geralmente, havia capacidade suficiente disponível. Esses estudos revelaram que a regra de EDD tem bom desempenho em relação ao percentual de tarefas com atraso e à variância de horas de atraso. Para qualquer conjunto de tarefas a serem processadas em uma estação de trabalho única, a regra EDD minimiza o máximo de horas de atraso de qualquer tarefa no conjunto. Trata-se de uma regra popular entre empresas que são sensíveis a mudanças das datas de entrega prometidas, embora não tenha bom desempenho em relação a tempo de fluxo, WIP ou utilização.

Muitas vezes chamada *campeã mundial*, a regra de SPT tende a minimizar o tempo de fluxo médio, o WIP e o percentual de tarefas com atraso e tende a maximizar a utilização da estação de trabalho. Para o caso de uma estação única, a regra de SPT sempre fornecerá o tempo médio de fluxo mais baixo. Entretanto, pode aumentar o estoque total, pois tende a empurrar todo o trabalho para o estado acabado, e a gerar uma grande variação nas horas de atraso porque as tarefas mais longas podem ter de esperar muito tempo por processamento. Além do mais, a regra do SPT não fornece nenhuma oportunidade de ajustar programações quando as datas de entrega são alteradas. Sua vantagem em relação às outras diminui à medida que a carga da estação de trabalho aumenta.

Por fim, embora a regra de FCFS seja considerada satisfatória para as tarefas (ou clientes), tem desempenho insatisfatório em relação a todas as medidas de desempenho. Isso porque a FCFS não reconhece nenhuma das características das tarefas (ou clientes).

Regras de dimensão múltiplas Regras de prioridade, como CR e S/RO, incorporam informações sobre as estações de trabalho restantes em que a tarefa deve ser processada, além do tempo de processamento na estação de trabalho presente ou a data de entrega considerada por regras de dimensão única. Chamamos essas regras de **regras de dimensões múltiplas** porque se aplicam a mais de um aspecto da tarefa. O Exemplo 16.3 demonstra o uso dessas regras para o seqüenciamento de tarefas.

Pesquisas mostraram que a S/RO é melhor que a EDD em relação ao percentual de tarefas com atraso, mas pior

---

EXEMPLO 16.3

Seqüenciamento com regras de CR e de S/RO

O Tutor 16.3, disponível no site de apoio do livro, fornece um novo exemplo de prática das regras de CR e S/RO.

As primeiras cinco colunas da tabela a seguir contêm informações sobre um conjunto de quatro tarefas (ordens de produção) aguardando em um torno mecânico. Várias operações, inclusive a do torno mecânico, ainda precisam ser executadas em cada ordem. Determine a programação usando (a) a regra de CR e (b) a regra de S/RO. Compare essas programações às geradas pelas regras de FCFS, SPT e EDD.

Tarefa	Tempo de operação no torno mecânico (h)	Tempo restante até a data de entrega (dias)	Número de operações restantes	Tempo de operação restante (dias)	CR	S/RO
1	2,3	15	10	6,1	2,46	0,89
2	10,5	10	2	7,8	1,28	1,10
3	6,2	20	12	14,5	1,38	0,46
4	6,2	8	5	10,2	0,78	−0,44

SOLUÇÃO

a. Usando CR para programar a máquina, dividimos o tempo restante até a data de entrega pelo tempo de operação restante para obter o índice de prioridade para cada tarefa. Para a tarefa 1, temos:

$$CR = \frac{\text{tempo remanescente até a data de entrega}}{\text{tempo de operação restante}} = \frac{15}{6,1} = 2,46$$

Organizando as tarefas em seqüência com o quociente crítico mais baixo primeiro, determinamos que a seqüência de tarefas a serem processadas pelo torno mecânico é 4, 2, 3 e, por fim, 1, supondo que não cheguem outras tarefas nesse intervalo de tempo.

b. Usando S/RO, dividimos a diferença entre o tempo restante até a data de entrega e o tempo de operação restante pelo número de operações restantes (por executar). Para a tarefa 1, temos:

$$S/RO = \frac{\text{tempo restante até a data de entrega} - \text{tempo de operação restante}}{\text{número de operações restantes}} = \frac{15 - 6,1}{10} = 0,89$$

Organizando as tarefas a partir da S/RO mais baixa, a seqüência de tarefas é 4, 3, 1, 2.

Ponto de decisão Observe que a aplicação das duas regras de prioridade oferece duas programações diferentes. Além disso, a seqüência de SPT, baseada em tempos de operação (medidos em horas) no torno mecânico somente, é 1, 3, 2 e 4. Não se dá preferência à tarefa 4 na programação de SPT, embora ela não possa ser concluída até sua data de entrega. A seqüência de FCFS é 1, 2, 3 e 4; e a seqüência de EDD é 4, 2, 1 e 3. A tabela a seguir mostra o desempenho comparativo das cinco regras de expedição para o torno mecânico.

Resumo de regra de prioridade

	FCFS	SPT	EDD	CR	S/RO
Tempo de fluxo médio	17,175	16,100	26,175	27,150	24,025
Tempo de antecipação médio	3,425	6,050	0	0	0
Atraso médio	7,350	8,900	12,925	13,900	10,775
WIP médio	1,986	1,861	3,026	3,139	2,777
Estoque total médio	2,382	2,561	3,026	3,139	2,777

A regra de S/RO é melhor que as regras de EDD e CR, mas é muito pior que a regras de SPT e FCFS para esse exemplo. Entretanto, a regra de S/RO tem a vantagem de permitir alterações na programação quando as datas de entrega mudam. Esses resultados não podem ser generalizados para outras situações porque apenas quatro tarefas estão sendo processadas.

que SPT e EDD no que se refere aos tempos de fluxo de tarefas médios. Essas pesquisas também indicam que o CR resulta em tempos de fluxo de tarefas mais longos que o SPT, mas o CR também resulta em menos variação na distribuição de horas de atraso. Por conseguinte, embora o uso das regras de dimensão múltipla requeira mais informações, nenhuma escolha é claramente a melhor. Cada regra deve ser testada no ambiente para o qual é planejada.

PROGRAMANDO TAREFAS PARA MÚLTIPLAS ESTAÇÕES DE TRABALHO

Regras de seqüenciamento podem ser usadas para programar mais de uma operação com o procedimento de expedição, e cada operação é tratada de modo independente. Quando uma estação de trabalho se torna ociosa, a regra de seqüenciamento é aplicada às tarefas que esperam por essa operação, e a tarefa com a prioridade mais alta é selecionada. Quando essa operação é concluída, a tarefa é transferida para a próxima operação em seu itinerário, em que espera até que tenha novamente a prioridade mais alta. Em qualquer estação de trabalho, as tarefas na fila de espera se alteram durante um período e, dessa maneira, a escolha de uma regra de seqüenciamento pode fazer bastante diferença no processo. As programações podem ser avaliadas com as medidas de desempenho já discutidas.

Identificar a melhor regra de seqüenciamento a ser usada em uma operação específica em um processo é um problema complexo, porque o produto de uma operação se torna o insumo de outro. A regra em uma estação de trabalho determina a seqüência de trabalho a ser executada por ela, que, por sua vez, determina a chegada de trabalho na próxima estação no final da linha de produção. Modelos de *simulação* de computador são ferramentas eficazes para determinar quais regras de seqüenciamento funcionam melhor em dada situação. Uma vez que o processo corrente seja modelado, o analista pode fazer alterações nas regras de seqüenciamento em várias operações e medir o impacto de medidas de desempenho, como atraso, WIP, tempo de fluxo de tarefa e utilização. O Exemplo 16.4 demonstra uma simulação usando Extend, um pacote de software de simulação sofisticado. O SimQuick, disponível no site de apoio do livro, também é útil.

EXEMPLO 16.4 — Simulação de operações na Precision Autobody

A Precision Autobody tem uma reputação excelente no mercado local por fazer um trabalho de alta qualidade no reparo de carrocerias. O conserto de uma carroceria consiste em dois passos gerais: o reparo em si e o acabamento. Para o reparo de carrocerias, os veículos são classificados de acordo com o dano (maior ou menor). Os veículos com dano menor requerem, em média, um dia de oito horas para serem finalizados. Dois terços dos veículos atendidos pela Precision entram nessa categoria. Em contraste, veículos com danos maiores requerem consertos mais sistemáticos, que se estendem além da superfície de metal em chapa e, muitas vezes, incluem problemas escondidos que não são evidenciados quando são inspecionados pela primeira vez. Em decorrência disso, esse conserto leva, em média, dois dias. Dos veículos com danos maiores, cerca de metade precisa ter a estrutura de suporte do veículo balanceada com equipamento hidráulico especial, em uma área particular adjacente às seções de reparo. Essa operação adicional tende a acrescentar uma média de um dia ao tempo de conclusão.

Depois do conserto da carroceria, o veículo é transferido para a área de acabamento. Um percentual pequeno de veículos (25 por cento) com danos menores é transferido diretamente para a área de acabamento, onde um aprendiz prepara o veículo fazendo o lixamento final e colocando fita adesiva em áreas que não devem ser pintadas. Em seguida, o veículo é transferido para uma das várias cabines de pintura, onde o pintor mistura a tinta para combinar com a do veículo, levando em conta qualquer desbotamento ocorrido. Praticamente todos os veículos requerem duas demãos de tinta — uma pintura de base colorida seguida por uma pintura clara, aplicada no dia seguinte. Após a conclusão, o exterior e o interior do veículo são completamente limpos para dar ao cliente a impressão de 'novo' quando o veículo for entregue. Os tempos para concluir cada operação são resumidos na tabela seguinte.

	Tempo de processo da Precision Autobody	
	Tempo para executar	
Operação	Média (h)	Desvio-padrão
1. Balanceamento da estrutura*	8	2
2a. Reparo da carroceria, danos maiores*	16	4
2b. Reparo da carroceria, danos menores*	8	2
3. Preparação da pintura	1 1/4	1/3
4. Aplicação de tinta (duas demãos)	1 1/2	1/2
5. Limpeza	3	1/2

*Não é necessário para todos os veículos

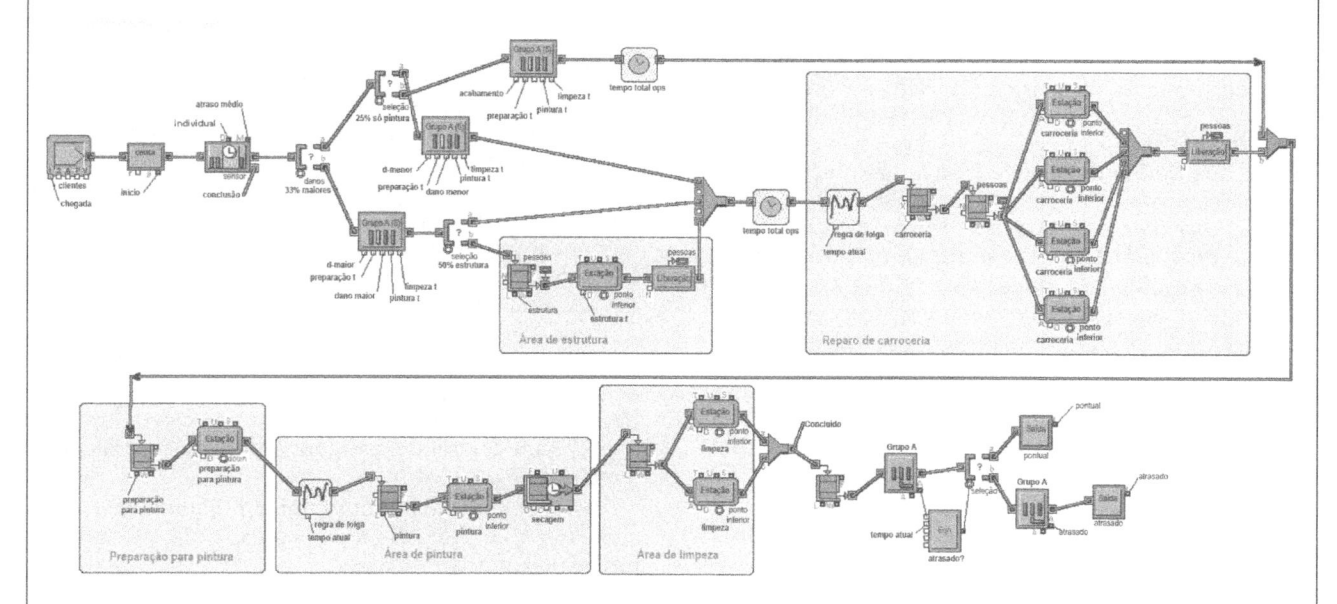

Figura 16.4 Operações da Precision Autobody usando o software Extend

Bill Curtis, gerente da Precision, programa cada veículo no reparo da carroceria e operações de pintura de acordo com a regra do primeiro a chegar, primeiro a ser atendido, com um tempo de entrega cotado em cerca de uma semana (isto é, cinco dias úteis), mais qualquer prazo de entrega necessário para entrega das peças. Uma revisão dos dados do último mês indicou que 18,17 por cento das tarefas foram entregues com atraso e o tempo de execução médio (tempo de fluxo) por veículo foi de 30,49 horas. Além disso, o número médio de veículos no sistema (*work-in-process*) foi de 9,6 carros. Curtis quis saber se a aplicação da regra de SPT ao reparo de carroceria e às operações de pintura melhoraria o desempenho de entrega e reduziria os tempos de fluxo e o estoque em processo.

SOLUÇÃO
O software Extend é usado para modelar e simular as operações da Precision Autobody. A Figura 16.4 mostra o modelo de simulação. As cinco operações são mostradas em caixas no diagrama. À medida que a simulação prossegue, os veículos chegam e requerem reparo para danos maiores com 33 por cento de chance. Se é preciso um reparo para danos maiores, há 50 por cento de chance de que o veículo precise da operação de es-

trutura antes da operação de reparo da carroceria. Se é preciso reparo para danos menores, há 25 por cento de chance de que o veículo vá diretamente para a operação de preparação para pintura. Depois do reparo de chassi, todos os veículos passam pela preparação para pintura, pela própria pintura e limpeza. As atividades após a limpeza são necessárias para coletar as estatísticas para cada veículo antes de ele sair da simulação. A regra de seqüenciamento de SPT para cada operação foi selecionada na caixa de controle (não mostrada).

Os resultados da simulação usando a regra de SPT para a operação de reparo de chassi e as operações de acabamento (preparação para pintura, pintura e limpeza) são mostradas na Figura 16.5. Observe que o percentual de entregas atrasadas, o número médio de veículos no sistema e o tempo de execução médio melhoraram com o uso de SPT. A estatística de lentidão média, mostrada na Figura 16.5, é outra medida de desempenho de atraso: é o número médio de horas que excedem a data de entrega para os veículos que foram entregues com atraso.

Ponto de decisão Os resultados mostram que a regra de prioridade de SPT é superior à de FCFS para a Precision Autobody. Curtis deve considerar mudar a regra de seqüenciamento. Melhorias adicionais no percentual de entregas atrasadas podem ser alcançadas aumentando o prazo de entrega ao definir suas datas ou alterando as regras de seqüenciamento. O modelo de simulação pode ajudar a determinar a melhor solução.

Fonte: Esse caso e experiência de simulação foram fornecidos pelo professor Robert Klassen, Universidade de Western Ontario.

Desempenho de entrega	
Atraso (%)	17,35
Lentidão média (h)	7,896
Desempenho do sistema	
Número médio de veículos no sistema	9,422
Tempo de execução total (h)	
Média	29,67
Desvio-padrão	10,92
Utilização da operação	
Reparo de chassi	0,8338
Operação de pintura	0,7687

Figura 16.5 Resultados da regra de SPT para o reparo de carroceria e operações de acabamento da Precision Autobody

PROGRAMANDO TAREFAS PARA *FLOW SHOP* COM DUAS ESTAÇÕES

Suponha que uma linha de produção tenha várias tarefas prontas para processamento em duas estações de trabalho e que os itinerários de todas as tarefas sejam idênticos. Enquanto em uma estação de trabalho única, a duração total da programação é a mesma, não importando a regra de prioridade escolhida, na programação de duas ou mais estações de trabalho em uma linha de produção, a duração total da programação varia de acordo com a seqüência escolhida. Determinar uma seqüência de produção para um grupo de tarefas para minimizar a duração total da programação tem duas vantagens:

1. O grupo de tarefas é concluído em tempo mínimo.
2. A utilização do *flow shop* com duas estações é maximizada. Utilizar a primeira estação de trabalho continuamente até que ela processe a última tarefa minimiza o tempo ocioso da *segunda* estação de trabalho.

A **regra de Johnson** é um procedimento que minimiza o tempo de processamento total da programação quando se está programando um grupo de tarefas em duas estações de trabalho. S. M. Johnson mostrou que a seqüência de tarefas nas duas estações deve ser idêntica e que a prioridade atribuída a uma tarefa deve, portanto, ser a mesma em ambas. O procedimento é baseado na suposição de um conjunto de tarefas conhecido, cada uma com um tempo de processamento conhecido e disponível para seu início na primeira estação de trabalho. O procedimento é o seguinte:

Passo 1: examinar cuidadosamente os tempos de processamento em cada estação de trabalho e encontrar o menor tempo de processamento entre as tarefas ainda não programadas. Se duas ou mais tarefas estão vinculadas, escolha uma tarefa arbitrariamente.

Passo 2: se o menor tempo de processamento estiver na estação de trabalho 1, programe a tarefa correspondente para ser executada o mais cedo possível. Se o menor tempo de processamento estiver na estação de trabalho 2, programe a tarefa correspondente para ser executada o mais tarde possível.

Passo 3: elimine a última tarefa programada e não a considere mais. Repita os passos 1 e 2 até que todas as tarefas sejam programadas.

EXEMPLO 16.5 — Programando um grupo de tarefas em duas estações de trabalho

A Companhia de Máquinas Morris acabou de receber um pedido para restaurar cinco motores de equipamento de movimentação de materiais que foram danificados em um incêndio. Os motores serão consertados em duas estações de trabalho da seguinte maneira:

Estação de trabalho 1: desmontar o motor e limpar as peças.

Estação de trabalho 2: substituir as peças de acordo com a necessidade, testar o motor e fazer ajustes.

A oficina do cliente ficará fora de operação até que todos os motores tenham sido consertados. Desse modo, o gerente da planta está interessado em elaborar uma programação que minimize sua duração total e tenha operações autorizadas dia e noite até que os motores sejam consertados. O tempo estimado para consertar cada motor é mostrado na tabela a seguir:

O Tutor 16.4, disponível no site de apoio do livro, fornece um novo exemplo de prática da regra de Johnson.

	Tempo (h)	
Motor	Estação de trabalho 1	Estação de trabalho 2
M1	12	22
M2	4	5
M3	5	3
M4	15	16
M5	10	8

SOLUÇÃO
A lógica para a seqüência ótima é mostrada na tabela a seguir:

Estabelecendo uma seqüência de tarefas						
Iteração	Seqüência de tarefa					Comentários
1					M3	O tempo de processamento mais curto é de três horas para M3 na estação de trabalho 2. Portanto, M3 é programado para ser executado o mais tarde possível.
2	M2				M3	Eliminar o tempo de M3 da tabela de tempos estimados. O próximo tempo de processamento mais curto é de quatro horas para M2 na estação de trabalho 1. M2 é, portanto, é programado primeiro.
3	M2			M5	M3	Eliminar M2 da tabela. O próximo tempo de processamento mais curto é de oito horas para M5 na estação de trabalho 2. Portanto, M5 é programado o mais tarde possível.
4	M2	M1		M5	M3	Eliminar M5 da tabela. O próximo tempo de processamento mais curto é de 12 horas para M1 na estação de trabalho 1. M1 é programado para ser executado o mais cedo possível.
5	M2	M1	M4	M5	M3	O último motor a ser programado é M4. Ele é colocado na última posição restante, no meio da programação.

Ponto de decisão Nenhuma outra seqüência de tarefas gerará um tempo total de processamento menor. Para determinar o tempo de processamento total, temos de traçar um gráfico de Gantt, como mostrado na Figura 16.6. Nesse caso, restaurar e reinstalar os cinco motores levará 65 horas. Essa programação minimiza o tempo ocioso da estação de trabalho 2 e fornece o tempo de conserto mais rápido para os cinco motores. Observe que a programação reconhece que uma tarefa não pode começar na estação de trabalho 2 até que tenha sido concluída na estação de trabalho 1.

Estação de trabalho

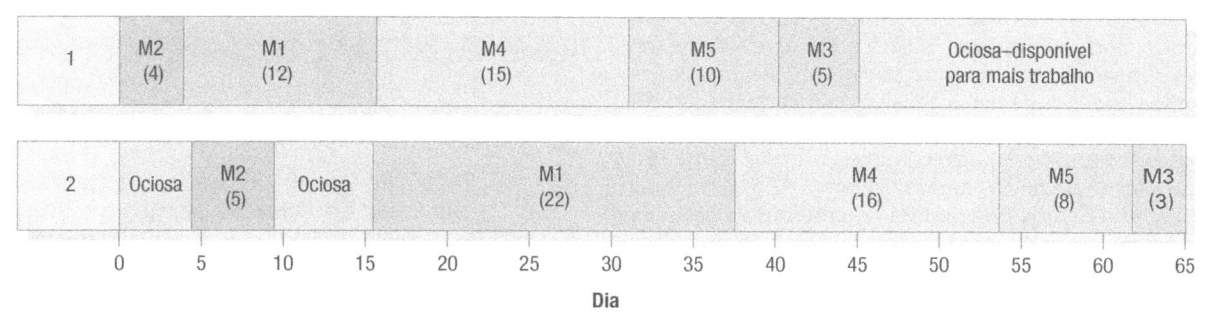

| 1 | M2 (4) | M1 (12) | M4 (15) | M5 (10) | M3 (5) | Ociosa–disponível para mais trabalho |

| 2 | Ociosa | M2 (5) | Ociosa | M1 (22) | M4 (16) | M5 (8) | M3 (3) |

0 5 10 15 20 25 30 35 40 45 50 55 60 65
Dia

Figura 16.6 Gráfico de Gantt para a programação de consertos da Companhia de Máquinas Morris

AMBIENTES COM LIMITAÇÃO DE MÃO-DE-OBRA

Até agora, assumimos que uma tarefa nunca tem que esperar por falta de mão-de-obra. O recurso limitador tem sido o número de máquinas ou estações de trabalho disponíveis. Mais típico, entretanto, é um **ambiente com limitação de mão-de-obra**, no qual a restrição de recursos é a quantidade de mão-de-obra disponível, não o número de máquinas ou estações de trabalho. Nesse caso, os trabalhadores são treinados para trabalhar em diferentes máquinas ou tarefas para aumentar a flexibilidade das operações.

Em um ambiente com limitações de mão-de-obra, o programador não apenas deve decidir que tarefa processar em seguida em uma estação de trabalho específica, mas, também, designar trabalhadores para as próximas estações. O programador pode usar regras de seqüenciamento para tomar essas decisões, como as que utilizamos para programar blocos do motor no Exemplo 16.2. Em ambientes com limitações de mão-de-obra, suas políticas de designação, assim como as regras de prioridade de expedição/atendimento, afetam o desempenho. Os exemplos seguintes fornecem algumas regras de designação de mão-de-obra:

- Designar pessoal para a estação de trabalho com a tarefa que está no sistema há mais tempo.

- Designar pessoal para a estação de trabalho com o maior número de tarefas esperando por processamento.

- Designar pessoal para a estação de trabalho com o maior padrão de conteúdo de trabalho.

- Designar pessoal para a estação de trabalho com a tarefa que tenha a data de entrega mais próxima.

LIGANDO PROGRAMAÇÃO DE OPERAÇÕES COM A CADEIA DE SUPRIMENTOS

No Capítulo 10, "Estratégia de cadeia de suprimentos", discutimos como as empresas projetam e administram os vínculos entre clientes e fornecedores com o conceito de uma cadeia de suprimentos integrada. A integração verdadeira requer a manipulação de grandes quantidades de dados complexos em tempo real porque o fluxo do pedido do cliente deve ser sincronizado com o material requerido, com a fabricação e com a atividade de distribuição. Tentar realizar essa integração com sistemas fragmentados pode ser de uso intensivo de recursos e, em última instância, menos que satisfatório. A Internet, novos softwares e métodos aperfeiçoados de armazenamento e manipulação de dados deram origem a **APS** (*Advanced Planning and Scheduling System* — **sistemas avançados de planejamento e programação**), que buscam otimizar recursos por meio da cadeia de suprimentos e alinhar operações diárias com metas estratégicas. Esses sistemas normalmente têm quatro componentes importantes:

1. *Planejamento de demanda*: essa capacidade possibilita que empresas em uma cadeia de suprimentos compartilhem previsões de demanda, fornecendo, dessa maneira, mais visibilidade de requisitos futuros. Um conjunto amplo de técnicas de previsão é fornecido.

2. *Planejamento da rede de suprimentos*: modelos de otimização baseados em programação linear podem ser usados para tomar decisões de longo prazo, como o número e a localização de plantas e centros de distribuição que a empresa deve ter, os fornecedores que deve usar e a quantidade de estoque que deve estar disponível e onde deve ser localizado.

3. *Disponível para promessa*: as empresas podem usar essa capacidade para prometer entrega aos clientes por meio da verificação da disponibilidade de componentes e materiais de seus fornecedores, que podem estar localizados em qualquer lugar do mundo (veja o Capítulo 15, "Planejamento de recursos"). Variantes dessa capacidade incluem *hábil para promessa* — para fornecedores que fabricam de acordo com o pedido do cliente e têm reserva de capacidade — e *hábil para entrega* — para fornecedores de serviços de transporte.

4. *Programação de produção*: esse módulo tenta determinar um agrupamento e seqüenciamento ótimos de ordens de fabricação baseados em atributos de produtos detalhados, capacidade da linha de produção e fluxos de materiais. Em algumas aplicações, programações para material, mão-de-obra e equipamento podem ser determinadas minuto a minuto. Gráficos de Gantt podem ser usados para visualizar a programação e fazer ajustes (veja as figuras 16.1 e 16.2). As programações são 'baseadas em restrições' e usam a *teoria das restrições* para programar em torno dos gargalos no processo de fabricação.

O processo de programação de produção é um elemento-chave de uma cadeia de suprimentos integrada. Os sistemas APS tentam ligar o processo de programação a dados de demanda e previsões, a decisões de instalação da cadeia de suprimentos e estoque e à capacidade de fornecedores de maneira que a cadeia inteira possa operar do modo mais eficaz possível. A capacidade de a empresa alterar suas programações rapidamente e ainda manter a cadeia de suprimentos fluindo de modo regular fornece uma vantagem competitiva. A Seção "Prática Gerencial 16.2" demonstra a complexidade de se programar uma planta de montagem de automóveis.

EQUAÇÕES-CHAVE

1. Medidas de desempenho:

Tempo de fluxo da tarefa = tempo de conclusão − tempo em que a tarefa estava disponível para a primeira operação de processamento

Tempo de processamento total = tempo de conclusão da última tarefa − tempo inicial da primeira tarefa

PRÁTICA GERENCIAL 16.2 — SEQÜENCIAMENTO DE CARROS NA FÁBRICA DA NISSAN EM SUNDERLAND

Os modos típicos de se fabricar um novo modelo de carro é construir uma nova planta ou acrescentar outra linha de montagem a uma planta existente. Entretanto, quando a Nissan decidiu introduzir o Almera no mercado europeu, sua abordagem não foi nada típica. Para começar, fabricar novos modelos em uma instalação existente no mercado em que devem ser vendidos reduz custos de transporte e de construção de nova planta. Não é de se admirar, portanto, que a Nissan tenha decidido construir o Almera em sua planta de Sunderland, localizada no interior da Inglaterra, próximo a Newcastle. Sunderland é conhecida, há muito tempo, como a instalação de fabricação de automóveis mais produtiva da Europa. Ela ostenta uma proporção de 94 carros fabricados por trabalhador da linha de montagem por ano; uma taxa de produtividade notável. Por que não usar a planta de Sunderland para o Almera?

A gerência tinha duas opções: a primeira seria construir uma linha de montagem dedicada para o Almera, o que levaria um ano e custaria várias centenas de milhões de dólares. A construção ameaçaria a produtividade dos modelos Micra e Primera já fabricados na planta. A segunda opção era fabricar o Almera nas linhas de montagem existentes na planta, o que aumentou as preocupações de programação. Sunderland fabricava o Micra e o Primera em duas linhas de montagem dedicadas. Uma linha de montagem típica consistia em três estações: a estação de carroçaria, onde o chassi inicial é montado; a estação de pintura, consistindo em duas seções de spray; e a estação de acabamento, onde todo acabamento é acrescentado ao chassi pintado. Entre as estações, há uma área de polimento onde os carros esperam pelo próximo passo. Programar uma linha de montagem de automóvel é uma atividade extremamente complexa, pois muitas restrições estão envolvidas. Por exemplo, o processo de pintura é demorado e impõe restrições ambientais relacionadas à necessidade de agrupar carros da mesma cor. Além do mais, requisitos de modelo especiais, como tetos solares, não podem ser programados sucessivamente porque atrasaria a linha inteira no ponto de instalação desse tipo de teto. Acrescentar um novo modelo a uma das linhas existentes ameaçaria a eficiência da planta.

A gerência da Nissan decidiu adotar a segunda opção. Para realizar essa façanha, a abordagem de programação teria de ser alterada. Antes da introdução do Almera, as linhas eram programadas tendo por referência as restrições impostas por cada estação em um dado dia; a gerência resolvia os conflitos em uma sala de controle onde uma solução *ad hoc* seria imaginada. Para incluir o Almera na linha, a abordagem de programação foi alterada para programar todas as três estações de cada linha em um fluxo coordenado único. Um pacote de software sofisticado chamado ILOG Solver, da ILOG, Inc. foi usado para reconhecer as mais de 2.500 restrições possíveis. O novo sistema de fabricação designou o Almera e o Primera para suas próprias linhas e o Micra (o carro mais simples de fabricar) para ambas as linhas com vários pontos de interseção durante o processo de montagem. A nova abordagem de programação foi bem-sucedida. A capacidade aumentou em 30 por cento com pequeno investimento de capital adicional.

A planta de Sunderland continua a ser a estrela brilhante da Nissan na Europa. A planta fabricará o novo veículo *crossover* da Nissan (parte transportador de pessoas, parte *hatchback*) além dos modelos correntes, aumentando o volume total da planta para cerca de 400 mil carros por ano. Embora esse novo modelo apresente seus desafios, dado o histórico da Sunderland com a programação de vários veículos, quem duvidaria que esse será bem-sucedido novamente?

Até nas plantas de montagem de automóveis mais eficientes, como a planta da Nissan de Sunderland no Reino Unido, a programação é complexa em virtude das muitas restrições envolvidas. A parte de pintura da tarefa é particularmente demorada, mas é apenas uma das milhares de tarefas que a planta deve programar de modo eficiente.

Fontes: Denis Sennechael e Iain MacLean, "Car-sequencing challenge at a Nissan Plant Calls for complex scheduling", *APICS — The performance challenge*, mar. 2001, p. 39–40; "Nissan in Europe," *Automotive Intelligence News*. Disponível em: <www.autointell.com/asian_companies/nissan/nissan_europe.htm> 2000; "Nissan announces new model for Sunderland plant," *Automotive Intelligence News*. Disponível em: <www.autointell-news.com/News-2005/Feb-2005/Feb-2005-1/Feb-02-05-p3., htm. Acesso em: 2 fev. 2005.

$$\text{Estoque em processo médio} = \frac{\text{soma de tempos de fluxo}}{\text{tempo de processamento total}}$$

$$\text{Estoque total médio} = \frac{\text{soma de tempo no sistema}}{\text{tempo de processamento total}}$$

$$\text{Estoque total} = \frac{\text{recebimentos programados}}{\text{para todos os itens}} + \frac{\text{estoques disponíveis}}{\text{de todos os itens}}$$

2. Quociente crítico:
$$CR = \frac{\text{data de entrega} - \text{data de hoje}}{\text{tempo de operação total restante}}$$

3. Folga por operações restantes:
$$S/RO = \frac{(\text{data de entrega} - \text{data de hoje}) - \text{tempo de operação total restante}}{\text{Número de operações total restantes}}$$

PALAVRAS-CHAVE

job shop
ambiente com limitações de mão-de-obra
quociente crítico (CR)
data de entrega mais próxima (EDD)
estoque em processo (WIP)
estoque total
expedição
flow shop
folga por operações restantes (S/RO)
menor tempo de processamento (SPT)
atraso
primeiro a chegar, primeiro a ser atendido (FCFS)
programação
programação da demanda
programação de força de trabalho
programação de operações
programação fixa
programação rotativa
regra de Johnson
regras de dimensões múltiplas
regras de dimensão única
regras de seqüenciamento
sistemas avançados de planejamento e programação (APS)
tempo de fluxo da tarefa
tempo de processamento total
pedido vencido

PROBLEMA RESOLVIDO 1

O supermercado Food Bin funciona 24 horas por dia, sete dias por semana. Fred Bulger, o gerente da loja, analisou a eficiência e a produtividade das operações da loja recentemente. Ele decidiu observar a necessidade de funcionários para os caixas no primeiro turno para um período de um mês. No final do mês, ele calculou o número médio de registros de caixa que deve ser aberto durante o primeiro turno todos os dias. Os resultados mostram necessidades de pico nos sábados e domingos.

Dia	Seg	Ter	Qua	Qui	Sex	Sab	Dom
Número de funcionários requeridos	3	4	5	5	4	7	8

Bulger agora tem que elaborar uma programação da força de trabalho que garanta a cada funcionário de caixa dois dias de folga consecutivos, mas ainda cubra todos os requisitos de números de funcionários.

a. Elabore uma programação da força de trabalho que cubra todos os requisitos e ao mesmo tempo conceda dois dias de folga consecutivos para cada caixa. Quantos funcionários são necessários? Suponha que os funcionários não tenham nenhuma preferência em relação a seus dias de folga.

b. Podem ser feitos planos para usar os funcionários em outros serviços se o tempo de folga ou ocioso resultante dessa programação puder ser determinado. Quanto tempo ocioso resultará dessa programação e em que dias?

SOLUÇÃO

	Dia						
	Seg	Ter	Qua	Qui	Sex	Sab	Dom
Requisitos	3	4	5	5	4	7	8*
Caixa 1	folga	folga	X	X	X	X	X
Requisitos	3	4	4	4	3	6	7*
Caixa 2	folga	folga	X	X	X	X	X
Requisitos	3	4	3	3	2	5	6*
Caixa 3	X	X	X	folga	folga	X	X
Requisitos	2	3	2	3	2	4	5*
Caixa 4	X	X	X	folga	folga	X	X
Requisitos	1	2	1	3	2	3	4*
Caixa 5	X	folga	folga	X	X	X	X
Requisitos	0	2	1	2	1	2	3*
Caixa 6	folga	folga	X	X	X	X	X
Requisitos	0	2*	0	1	0	1	2*
Caixa 7	X	X	folga	folga	X	X	X
Requisitos	0	1*	0	1*	0	0	1*
Caixa 8	X	X	X	X	folga	folga	X
Requisitos	0	0	0	0	0	0	0

* Requisitos máximos.

O número mínimo de funcionários é oito.

b. Tendo por referência os resultados no item (a), o número de funcionários em serviço menos os requisitos é o número de funcionários ociosos disponíveis para outros serviços:

	Dia						
	Seg	Ter	Qua	Qui	Sex	Sab	Dom
Número em serviço	5	4	6	5	5	7	8
Requisitos	3	4	5	5	4	7	8
Funcionários ociosos	2	0	1	0	1	0	0

A folga nessa programação deve indicar a Bulger o número de funcionários que ele pode pedir que trabalhem meio expediente (menos de cinco dias por semana). Por exemplo, o caixa 7 pode trabalhar terça, sábado e domingo e o caixa 8, terça-feira, quinta-feira e domingo. Isso eliminaria a folga da programação.

PROBLEMA RESOLVIDO 2

A Oficina de Máquinas Neptune's Den especializa-se na revisão de motores de popa. Alguns motores requerem substituição de peças quebradas, ao passo que outros precisam de uma revisão completa. No presente, cinco motores com problemas variados estão aguardando serviço. As melhores estimativas para os tempos de trabalho envolvidos e as datas prometidas (em número de dias a partir de hoje) são mostradas na tabela a seguir. Os clientes normalmente não buscam seus motores antes da hora.

Motor	Tempo de trabalho estimado	Data prometida (dias a partir de hoje)
Evinrude 50 hp	5	8
Johnson 7 hp	4	15
Mercury 100 hp	10	12
Sportsman 4 hp	1	20
Nautique 75 hp	3	10

a. Elabore programações separadas usando as regras de SPT e EDD. Compare as duas programações tendo por referência o tempo de fluxo de tarefa médio, o percentual de tarefas com prazo esgotado e o máximo de dias de pedido vencido para qualquer motor.

b. Para cada programação, calcule o estoque em processo médio (em motores) e o estoque total médio (em motores).

SOLUÇÃO

a. Usando a regra de SPT, obtemos a seguinte programação:

Seqüência de conserto	Tempo de processamento	Tempo de fluxo da tarefa	Data prometida	Data real de entrega	Dias de antecipação	Dias de atraso
Sportsman 4 hp	1	1	20	20	19	—
Nautique 75 hp	3	4	10	10	6	—
Johnson 7 hp	4	8	15	15	7	—
Evinrude 50 hp	5	13	8	13	—	5
Mercury 100 hp	10	23	12	23	—	11
Total		49		81		

Usando a EDD, obtemos essa programação:

Seqüência de conserto	Tempo de processamento	Tempo de fluxo da tarefa	Data prometida	Data real de entrega	Dias de antecipação	Dias de atraso
Evinrude 50 hp	5	5	8	8	3	—
Nautique 75 hp	3	8	10	10	2	—
Mercury 100 hp	10	18	12	18	—	6
Johnson 7 hp	4	22	15	22	—	7
Sportsman 4 hp	1	23	20	23	—	3
Total		76		81		

O tempo de fluxo da trabalho médio é 9,8 (ou 49/5) dias para SPT e 15,2 (ou 76/5) dias para EDD. O percentual de tarefas atrasadas é de 40 por cento (2/5) para SPT e 60 por cento (3/5) para EDD. A programação de EDD minimiza os dias máximos de atraso, mas tem um fluxo de tempo maior e faz com que mais tarefas sejam entregues com atraso.

b. Para SPT, as médias de estoque são as seguintes:

$$\text{Estoque em processo médio} = \frac{\text{soma de tempos de fluxo}}{\text{tempo de processamento total}} = \frac{49}{23} = 2{,}13 \text{ motores}$$

$$\text{Estoque total médio} = \frac{\text{soma de tempo no sistema}}{\text{Tempo de processamento total}} = \frac{81}{23} = 3{,}52 \text{ motores}$$

Para a EDD, elas são

$$\text{Estoque em processo médio} = \frac{76}{23} = 3{,}30 \text{ motores}$$

$$\text{Estoque total médio} = \frac{81}{23} = 3{,}52 \text{ motores}$$

PROBLEMA RESOLVIDO 3

Os dados seguintes foram relatados pelo sistema de controle do chão de fábrica para processamento de ordens de produção no aparador de arestas. A data atual é dia 150. O número de operações e o trabalho total restantes incluem a operação no aparador de arestas. Todos os pedidos estão disponíveis para processamento e nenhum foi iniciado ainda.

Pedido atual	Tempo de processamento (h)	Data de entrega (dia)	Operações restantes	Tempo de operação restante (dias)
A101	10	162	10	9
B272	7	158	9	6
C105	15	152	1	1
D707	4	170	8	18
E555	8	154	5	8

a. Especifique as prioridades para cada tarefa se o sistema de controle do chão de fábrica usar folga por operações restantes (S/RO) ou quociente crítico (CR).

b. Para cada regra de seqüenciamento, calcule o tempo de fluxo da tarefa médio por tarefa no aparador de arestas.

SOLUÇÃO

a. Especificamos as prioridades para cada tarefa usando as duas regras de expedição.

$$S/RO = \frac{(\text{data de entrega} - \text{data de hoje}) - \text{tempo de operação restante}}{\text{Número de operações restante}}$$

E555: $S/RO = \frac{(154-150)-8}{5} = -0{,}80$ [1]

B272: $S/RO = \frac{(158-150)-6}{9} = 0{,}22$ [2]

A707: $S/RO = \frac{(170-150)-18}{8} = 0{,}25$ [3]

A101: $S/RO = \frac{(162-150)-9}{10} = 0{,}30$ [4]

C105: $S/RO = \frac{(152-150)-1}{1} = 1{,}00$ [5]

A seqüência de produção para S/RO é mostrada nos colchetes precedentes.

$$CR = \frac{(\text{data de entrega} - \text{data de hoje})}{\text{tempo de operação restante}}$$

E555: $CR = \frac{154-150}{8} = 0{,}50$ [1]

D707: $CR = \frac{170-150}{18} = 1{,}11$ [2]

B272: $CR = \frac{158-150}{6} = 1{,}33$ [3]

A101: $CR = \frac{162-150}{9} = 1{,}33$ [4]

C105: $CR = \frac{152-150}{1} = 2{,}00$ [5]

A seqüência de produção para CR é mostrada nos colchetes precedentes.

b. Estamos procurando pelo tempo de fluxo de um conjunto de tarefas em uma única máquina, assim, cada tempo de fluxo da tarefa é igual ao tempo de fluxo da tarefa imediatamente anterior a ela na seqüência mais seu próprio tempo de processamento. Por conseguinte, os tempos de fluxo médios são:

S/RO: $\frac{8+15+19+29+44}{5} = 23$ horas

CR: $\frac{8+12+19+29+44}{5} = 22{,}4$ horas

Nesse exemplo, o tempo de fluxo médio por tarefa é mais baixo para a regra de CR, o que nem sempre é o caso. Por exemplo, os quocientes críticos para B272 e A101 estão empatados em 1,33. Se designássemos arbitrariamente A101 antes de B272, o tempo de fluxo médio aumentaria para $(8 + 12 + 22 + 29 + 44)/5 = 23$ horas.

PROBLEMA RESOLVIDO 4

A Fábrica de Armas Rocky Mountain, antigamente um local de fabricação de substâncias químicas para operações militares, parece ser um dos locais mais poluídos dos Estados Unidos. A limpeza de bacias de armazenamento de lixo químico envolverá duas operações:

Operação 1: drenar e dragar a bacia.

Operação 2: incinerar materiais.

A gerência estima que cada operação exigirá as quantidades de tempo seguintes (em dias):

	Bacia de armazenamento									
	A	B	C	D	E	F	G	H	I	J
Dragar	3	4	3	6	1	3	2	1	8	4
Incinerar	1	4	2	1	2	6	4	1	2	8

O objetivo da gerência é minimizar o tempo de processamento total das operações de limpeza. Primeiro, encontre uma programação que minimize o tempo de processamento total. Em seguida, calcule o tempo de fluxo de tarefa médio de uma bacia de armazenamento do princípio ao fim de duas operações. Qual é o tempo total decorrido para limpar as dez bacias? Exiba a programação em um gráfico de Gantt de máquina.

SOLUÇÃO

Podemos usar a regra de Johnson para encontrar a programação que minimize o tempo de processamento total. Quatro tarefas estão empatadas para o menor tempo de processo: A, D, E e H, sendo que E e H estão empatadas em primeiro lugar, enquanto A e D, em último lugar. Escolhemos arbitrariamente começar com a bacia E, a primeira na lista para a operação de drenagem e dragagem. Os dez passos usados para chegar a uma seqüência são os seguintes:

1. Selecionar a bacia E primeiro (empatada com bacia H); colocar na frente.
   E — — — — — — — — —

2. Selecionar a base H em seguida; colocar próximo da frente.
   E H — — — — — — — —

3. Selecionar a bacia A em seguida (empatada com a bacia D); colocar no final.
   E H — — — — — — — A

4. Colocar a bacia D próxima do final.
   E H — — — — — — D A

5. Colocar a bacia G próxima da frente.
   E H G — — — — — D A

6. Colocar a bacia C próximo do final.
   E H G — — — — C D A

7. Colocar a bacia I próximo do final.
   E H G — — — I C D A

8. Colocar a bacia F próximo da frente.
   E H G F — — I C D A

9. Colocar a bacia B próximo da frente.
   E H G F B — I C D A

10. Colocar a bacia J no espaço restante.
    E H G F B J I C D A

Várias soluções ótimas estão disponíveis para esse problema em virtude dos empates no começo do procedimento de programação. Entretanto, todas têm o mesmo tempo de processamento total. A programação seria a seguinte:

Bacia	Operação 1 Começo	Operação 1 Fim	Operação 2 Começo	Operação 2 Fim
E	0	1	1	3
H	1	2	3	4
G	2	4	4	8
F	4	7	8	14
B	7	11	14	18
J	11	15	18	26
I	15	23	26	28
C	23	26	28	30
D	26	32	32	33
A	32	35	35	36
			Total	200

O tempo de processamento total é de 36 dias. O tempo de fluxo de tarefa médio é a soma dos tempos de conclusão da incineração divididos por 10 ou 200/10 = 20 dias. O gráfico de Gantt de máquina para essa programação é apresentado na Figura 16.7.

QUESTÕES PARA DISCUSSÃO

1. Suponha que duas abordagens alternativas para determinar programações de máquinas estejam disponíveis. Uma é a abordagem de otimização, que pode ser executada uma vez por uma semana no computador. A outra é a abordagem de expedição (*dispatching*) que utiliza regras de seqüenciamento para determinar a programação à medida que ela se desenvolve. Discuta as vantagens e as desvantagens de cada abordagem e as condições sob as quais é provável que cada abordagem seja melhor.

2. Explique por que a gerência deve estar preocupada com sistemas de prioridade em organizações de serviço e de fabricação.

PROBLEMAS

Softwares como o OM Explorer, o Active Models e o POM for Windows estão disponíveis no site de apoio do livro. Verifique com seu professor a melhor maneira de usá-los. Em muitos casos, o professor preferirá que você entenda como fazer os cálculos manualmente. Quando muito, o software pode oferecer uma verificação de seus cálculos. Quando os cálculos são muito complexos e o objetivo é interpretar os resultados na tomada de decisões, o software substitui completamente os cálculos manuais. Além disso, ele pode ser também um valioso recurso depois que você concluir o curso.

1. Gerald Glynn administra o Centro de Distribuição de Michaels. Após examinar cuidadosamente as informações do banco de dados, ele determinou os requisitos diários para pessoal de carregamento de doca de meio expediente. O centro de distribuição funciona sete dias por semana, e os requisitos diários de provimento de pessoal de meio expediente são:

Dia	Seg	Ter	Qua	Qui	Sex	Sab	Dom
Requisitos	6	3	5	3	7	2	3

Encontre o número mínimo de trabalhadores que Glynn deve contratar. Prepare uma programação da força de trabalho para esses indivíduos de maneira que cada um tenha dois dias de folga consecutivos por semana e que todos os

| Dragagem | E | H | G | F | B | J | I | C | D | A |
| Incineração | | E | H | G | F | B | J | I | C | D | A |

Figura 16.7 Base de armazenamento

requisitos de provimento de pessoal sejam satisfeitos. Dê preferência ao par sab–dom em caso de empate.

2. Cara Ryder administra uma escola de esqui em um grande resort e está tentando elaborar uma programação para os instrutores, que recebem um salário baixo e trabalham apenas o suficiente para ganhar quarto e refeições. Eles podem esquiar à vontade, gastando a maior parte de seu tempo livre enfrentando os famosos declives duplos do resort. Conseqüentemente, os instrutores trabalham apenas quatro dias por semana. Um dos pacotes de aulas oferecido no resort é um de quatro dias para iniciantes. Ryder gosta de manter o mesmo instrutor com um grupo ao longo desse período. Assim, ela programa os instrutores para quatro dias consecutivos e, em seguida, três dias de folga. Ryder usa anos de experiência com previsões de demanda fornecidos pela gerência para formular os requisitos de instrutores para o mês seguinte.

Dia	Seg	Ter	Qua	Qui	Sex	Sab	Dom
Requisitos	7	5	4	5	6	9	8

a. Determine quantos instrutores Ryder precisa empregar. Dê preferência ao sábado e ao domingo para folga. (*Sugestão*: Procure o grupo de três dias com menores requisitos.)

b. Especifique a programação de trabalho para cada funcionário. Quanta folga sua programação gera para cada dia?

3. O prefeito de Massillon, Ohio, com o objetivo de ser ambientalmente progressista, decidiu implementar um plano de reciclagem. Todos os habitantes da cidade receberão uma lata de lixo especial de três partes para separar vidro, plástico e alumínio, e a cidade será responsável por coletar os materiais. Um jovem graduado em planejamento urbano e territorial, Michael Duffy, foi contratado para administrar o programa de reciclagem. Após estudar cuidadosamente a densidade populacional da cidade, Duffy decide que serão necessários os seguintes números de coletores de reciclagem:

Dia	Seg	Ter	Qua	Qui	Sex	Sab	Dom
Requisitos	12	7	9	9	5	3	6

Os requisitos são baseados nas populações dos vários conjuntos habitacionais e subdivisões da cidade e nas comunidades vizinhas. Para motivar os habitantes de algumas áreas a fazerem sua programação de coleta nos fins de semana, será concedida uma redução de impostos especial.

a. Encontre o número mínimo de coletores de reciclagem requeridos se cada funcionário trabalhar cinco dias por semana e tiver dois dias de folga consecutivos. Dê preferência ao par sab–dom, quando esse par estiver envolvido em um empate.

b. Especifique a programação de trabalho para cada funcionário. Quanta folga sua programação gera para cada dia?

c. Suponha que Duffy possa regularizar os requisitos ainda mais por meio de maiores incentivos tributários. Os requisitos serão, assim, oito coletores na segunda-feira e sete nos outros dias da semana. Quantos coletores serão necessários agora? Encontre a solução ótima em termos de folga de capacidade total mínima. A regularização de requisitos tem implicações de investimento de capital? Em caso afirmativo, quais são elas?

4. A Companhia Nogueira fabrica escrivaninhas de madeira. A gerência programa horas extras todo final de semana para reduzir o acúmulo (*backlog*) nos modelos mais populares. A máquina de rotina automática é usada para cortar certos tipos de arestas das escrivaninhas. Os pedidos a seguir precisam ser programados para a máquina de rotina:

Pedido	Tempo de máquina estimado (h)	Data de entrega (horas a partir de agora)
1	10	12
2	3	8
3	15	18
4	9	20
5	7	21

As datas de entrega refletem a necessidade de que o pedido esteja em sua próxima operação.

a. Desenvolva programações separadas usando as regras de FCFS, SPT e EDD. Compare as programações tendo como referência o tempo de fluxo médio, o tempo de antecipação médio e as horas de atraso médias para qualquer pedido.

b. Para cada programação, calcule o WIP médio (em pedidos) e o estoque total médio (em pedidos).

c. Comente sobre o desempenho de duas regras em relação a essas medidas.

5. A máquina de furar fixa é uma operação gargalo em um sistema de produção. Atualmente, cinco tarefas estão esperando para serem processadas. Veja a seguir os dados de operações disponíveis. Suponha que a data atual seja a semana R e que o número e o tempo de operação restantes incluam a operação na máquina de furar fixa.

Tarefa	Tempo de processamento	Data de entrega	Operações restantes	Tempo de operação restante (semana)
AA	4	10	3	4
BB	8	16	4	6
CC	13	21	10	9
DD	6	23	3	12
EE	2	12	5	3

TABELA 16.1 Dados de fabricação

Tarefa	Tempo de liberação	Tamanho do lote	Tempo de processamento (h/unidade)	Tempo de preparação (h)	Data de entrega
1	9h Segunda-feira	50	0,06	4	21h Segunda-feira
2	10h Segunda-feira	120	0,05	3	22h Segunda-feira
3	11h Segunda-feira	260	0,03	5	23h Segunda-feira
4	12h Segunda-feira	200	0,04	2	2h Terça-feira

a. Especifique a prioridade para cada tarefa se o sistema de controle de chão de fábrica usar cada uma das regras de seqüenciamento seguintes: SPT, S/RO, EDD.

b. Para cada regra de seqüenciamento, calcule o tempo de fluxo médio por tarefa na máquina de furar fixa.

c. Qual dessas regras de seqüenciamento funcionaria melhor para planejamento de prioridade com um sistema de MRP? Por quê?

6. A oficina de máquinas da empresa Bycraft funciona 24 horas por dia e usa uma máquina de solda controlada numericamente (CN). A carga na máquina é monitorada e não são lançadas mais de 24 horas de trabalho para os operadores de solda em um dia. Os dados para um conjunto típico de tarefas são mostrados na Tabela 16.1. A gerência investigou procedimentos de programação que reduziriam o estoque e aumentariam o atendimento ao cliente na oficina. Suponha que às 8h na segunda-feira, a máquina de solda CN estivesse ociosa.

a. Elabore programações para as regras de seqüenciamento de SPT e EDD e trace um gráfico de Gantt de máquina para cada programação.

b. Para cada programação no item (a), calcule as horas de atraso médias por tarefa e o tempo de fluxo médio por tarefa. Tenha em mente que as tarefas estão disponíveis para processamento em momentos diferentes.

c. Comente sobre o desempenho do atendimento ao cliente e do estoque das duas regras. Que alternativas a gerência deve considerar ao selecionar regras para programar a máquina de solda no futuro?

7. Recorra ao gráfico de Gantt de máquina na Figura 16.8.

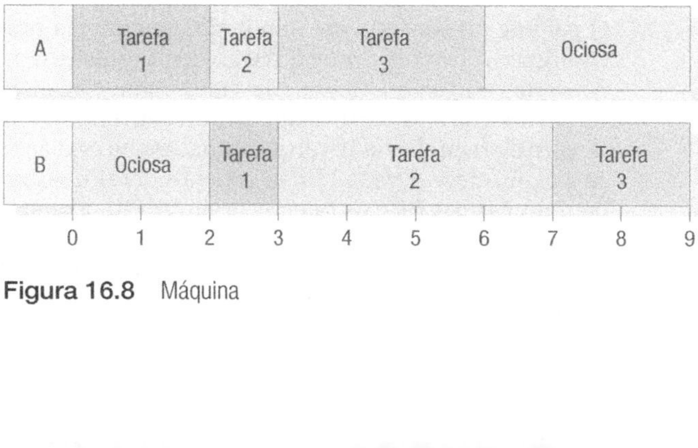

Figura 16.8 Máquina

a. Suponha que um requisito de itinerário seja que cada tarefa deva ser processada primeiro na máquina A. A duração total da programação pode ser melhorada? Nesse caso, desenhe um gráfico de Gantt com a programação aperfeiçoada. Se não, explique por quê.

b. Suponha que a seqüência de máquina não tenha nenhuma restrição de itinerário; em outras palavras, as tarefas podem ser processadas em qualquer seqüência. Nesse caso, o tempo total de processamento do quadro pode ser melhorado? Em caso afirmativo, desenhe um gráfico de Gantt com sua programação. Caso não possa, explique por quê.

8. Um fabricante de velas para barcos pequenos tem um grupo de velas personalizadas aguardando as últimas duas operações de processamento antes de elas serem enviadas aos clientes. A operação 1 deve ser executada antes da operação 2, e as tarefas têm requisitos de tempo diferentes para cada operação. As horas requeridas são as seguintes:

	Tarefa									
	1	2	3	4	5	6	7	8	9	10
Operação 1	1	5	8	3	9	4	7	2	4	9
Operação 2	8	3	1	2	8	6	7	2	4	1

a. Use a regra de Johnson para determinar a seqüência ótima.

b. Desenhe um gráfico de Gantt para cada operação.

9. A Companhia de Peças McGee está sob grande pressão para concluir um contrato governamental para seis pedidos em 31 dias úteis. Os pedidos são de peças sobressalentes para equipamentos de manutenção de estradas. De acordo com o contrato governamental, uma multa por atraso de mil dólares é imposta para cada dia de atraso do pedido. Devido a um aumento de âmbito nacional na construção de estradas, a Peças McGee recebeu muitos pedidos de substituição de peças sobressalentes e a oficina tem ficado extremamente ocupada. Para concluir o contrato governamental, as peças devem ter as rebarbas removidas e tratadas com temperaturas elevadas. O gerente de controle de produção sugeriu a programação seguinte:

	Remoção de rebarbas		Tratamento térmico	
Tarefa	Início	Fim	Início	Fim
1	0	2	2	8
2	2	5	8	13
3	5	12	13	17
4	12	15	17	25
5	15	16	25	30
6	16	24	30	32

a. Use a regra de Johnson para determinar a seqüência ótima.

b. Desenhe um gráfico de Gantt para cada operação.

10. Carolyn Roberts é a gerente de operações da oficina de máquinas da Reliable Manufacture. Ela tem de programar oito tarefas que devem ser enviadas para montagem final a fim de atender ao pedido de um cliente importante. No presente, todas as oito tarefas estão no departamento 12 e, em seguida, devem ser encaminhadas para o departamento 22. Jason Mangano, supervisor do departamento 12, está interessado em manter seu estoque em processo baixo e é inflexível quanto a processar as tarefas através de seu departamento de acordo com o menor tempo de processamento. Pat Mooney, supervisora do departamento 22, chamou atenção para o fato de que, se Mangano fosse mais flexível, os pedidos poderiam ter sido terminados e enviados antes. Os tempos de processamento (em dias) para cada tarefa em cada departamento são os seguintes:

	Tarefa							
	1	2	3	4	5	6	7	8
Departamento 12	2	4	7	5	4	10	8	2
Departamento 22	3	6	3	8	2	6	6	5

a. Determine uma programação para a operação em cada departamento. Use SPT para o departamento 12 e a mesma seqüência para o departamento 22. Qual é o tempo de fluxo de tarefa médio para o departamento 12? Qual é o tempo total de processamento dentro de ambos os departamentos? Qual é o número total de dias de tarefas gastos no sistema?

b. Encontre uma programação que minimize o tempo total de processamento dentro de ambos os departamentos e, em seguida, calcule o tempo de fluxo de tarefa médio para o departamento 12. Qual é o número total de dias de tarefas gastos no sistema?

c. Discuta as alternativas representadas por essas duas programações. Que implicações elas têm para a programação centralizada?

PROBLEMAS AVANÇADOS

11. A Little 6 Inc., uma empresa de contabilidade, prevê a seguinte carga de trabalho semanal durante a época de declaração de impostos:

	Dia						
	Seg	Ter	Qua	Qui	Sex	Sab	Dom
Declarações de imposto de pessoas físicas	24	14	18	18	10	28	16
Declarações de imposto de pessoas jurídicas	18	10	12	15	24	12	4

Cada declaração de imposto de pessoa jurídica requer quatro horas de trabalho de um contador, e de pessoa física, 90 minutos. Durante essa época, cada contador pode trabalhar até dez horas por dia. Entretanto, as taxas de erro aumentam para níveis inaceitáveis quando os contadores trabalham mais de cinco dias consecutivos por semana.

a. Crie uma programação efetiva e eficiente.

b. Suponha que a Little 6 tenha três funcionários de meio expediente disponíveis para trabalhar três dias por semana. Como esses funcionários poderiam ser utilizados de modo efetivo?

12. Retorne ao problema 1 e à programação da força de trabalho para trabalhadores de carregamento de doca de meio expediente. Suponha que cada um deles possa trabalhar apenas três dias, mas os dias devem ser consecutivos. Planeje uma abordagem para esse problema de programação da força de trabalho. Seu objetivo é minimizar a folga de capacidade total. Qual é o número mínimo de funcionários necessários agora e quais são suas programações?

13. O gerente de conserto da Standard Components precisa desenvolver uma programação de prioridade para consertar oito PCs DELL. Cada tarefa requer análises com o mesmo sistema de diagnóstico. Além disso, cada tarefa exigirá processamento adicional após a avaliação de diagnóstico. O gerente não espera nenhum atraso de reprogramação, e as tarefas devem ser transferidas diretamente para o próximo processo depois que o trabalho de diagnóstico for concluído. O gerente coletou o tempo de processamento e os dados de programação a seguir para cada tarefa de conserto:

Tarefa	Tempo de trabalho (dias)	Data de entrega (dias)	Tempo de operação restante (dias)	Operações restantes
1	1,25	6	2,5	5
2	2,75	5	3,5	7
3	2,50	7	4,0	9
4	3,00	6	4,5	12
5	2,50	5	3,0	8
6	1,75	8	2,5	6
7	2,25	7	3,0	9
8	2,00	5	2,5	3

a. Compare o desempenho relativo das regras de FCFS, SPT, EDD, S/RO e CR.

b. Discuta a seleção de uma das regras para essa empresa. Que critérios você considera mais importantes na seleção de uma regra nessa situação?

14. A Sistemas de Suporte Penultimate fabrica alto-falantes e estandes de equipamento de apoio de boa qualidade para grupos musicais. O processo de montagem envolve duas operações: (1) fabricação ou corte de tubulação de alumínio em comprimentos corretos e (2) montagem com prendedores comprados e peças de plástico moldadas por injeção. O tempo de preparação para montagem é insignificante. Seguem o tempo de preparação para fabricação e o tempo de execução por unidade, o tempo de montagem por unidade e a programação de produção para a próxima semana. Organize o trabalho para minimizar o tempo de processamento total e crie um gráfico de Gantt. Esse trabalho pode ser realizado dentro de dois turnos de 40 horas?

		Fabricação		Montagem
Modelo	Quantidade	Preparação (h)	Tempo de execução (h/unidade)	Tempo de execução (h/unidade)
A	200	2	0,050	0,04
B	300	3	0,070	0,10
C	100	1	0,050	0,12
D	250	2	0,064	0,60

15. Oito tarefas devem ser processadas em três máquinas na seqüência M1, M2 e M3. Os tempos de processamento (em horas) são:

	Tarefa							
	1	2	3	4	5	6	7	8
Máquina 1	2	5	2	3	1	2	4	2
Máquina 2	4	1	3	5	5	6	2	1
Máquina 3	6	4	5	2	3	2	6	2

A Máquina M2 é um gargalo e a gerência quer maximizar seu uso. Por conseguinte, a programação para as oito tarefas, através das três máquinas, foi baseada na regra de SPT em M2. A programação proposta é 2, 8, 7, 3, 1, 4, 5 e 6.

a. Agora são 16h da segunda-feira. Suponha que o processamento em M2 deva começar às 7h na terça-feira. Use a programação proposta para determinar as programações para M1 e M3 de maneira que a tarefa 2 comece o processo em M2 às 7h, na terça-feira. Desenhe gráficos de Gantt para M1, M2 e M3. Qual é a duração total da programação para as oito tarefas?

b. Encontre uma programação que utilize M2 melhor e ofereça um tempo de processamento total menor.

16. Os últimos passos de um processo de produção requerem duas operações. Algumas tarefas requerem processamento em M1 antes do processamento em M3. Outras tarefas requerem processamento em M2 antes de M3. No momento, seis tarefas estão esperando em M1 e quatro tarefas estão esperando em M2. Os dados a seguir foram fornecidos pelo sistema de controle de chão de fábrica:

Tarefa	M1	M2	M3	Data de entrega (horas a partir de agora)
1	6	—	4	13
2	2	—	1	18
3	4	—	7	22
4	5	—	3	16
5	7	—	4	30
6	3	—	1	29
7	—	4	6	42
8	—	2	10	31
9	—	6	9	48
10	—	8	2	40

a. Programe essa oficina usando as regras seguintes: SPT, EDD, S/RO e CR.

b. Discuta as implicações operacionais de cada uma das programações que você elaborou no item (a).

CASO

Planejamento e controle da produção para linhas de produtos customizados na Imprensa Oficial do Estado de Minas Gerais

A IOMG (Imprensa Oficial do Estado de Minas Gerais) é uma autarquia responsável pela publicação do Diário oficial de Minas Gerais e pela produção de impressos, documentos técnicos e publicações em geral, para os órgãos e entidades do Governo do Estado de Minas Gerais e para terceiros.

Uma recente aquisição de novas máquinas possibilitou a ampliação do portfólio de produtos disponíveis para o mercado consumidor. Entretanto, essa estratégia de desenvolvimento de novos produtos implicava a reavaliação dos processos produtivos relacionados à integração do processo de vendas ao planejamento e controle da produção. Para tal intervenção, foi contratada uma consultoria que estabeleceu como principal objetivo o desenvolvimento de um modelo de planejamento e controle do processo produtivo factível com sua nova linha de produtos customizados.

Em sua primeira etapa, foi estabelecida a seqüência e a duração das atividades do processo produtivo. Para isso, foram desenvolvidas as seguintes atividades específicas:

- Os produtos foram segmentados em famílias, de acordo com as características comuns do processo produtivo.
- A seqüência das atividades em cada setor da produção foi pesquisada, por família de produtos, e o diagrama de rede foi construído.
- As especificações e a tiragem do produto-padrão para cada família de produtos foram levantados.
- Os tempos necessários para a execução das atividades desempenhadas nos diversos setores produtivos foram estabelecidos, por famílias de produtos, por meio de medições in loco ou de informações obtidas junto à diretoria comercial ou supervisores setoriais.
- Os tempos de processamento totais do processo produtivo do produto-padrão para cada família de produtos foram calculados.

A partir desse levantamento preliminar, estabeleceram-se as bases do gerenciamento do desempenho da produção por meio da elaboração de um modelo de planejamento e controle da produção que atendesse às peculiaridades do processo produtivo. Nessa fase do projeto, o modelo foi construído a partir do desenvolvimento das seguintes etapas:

1. Definição das informações necessárias para a entrada dos dados a partir da OS (Ordem de Serviço).
2. Definição das bases de conversão de chapas, páginas, arquivos e produtos.
3. Elaboração de uma tabela de tempo padrão de produção em horas.
4. Definição e validação dos relatórios gerenciais de ocupação e processamento dos produtos nos diversos setores.

Nessa etapa do trabalho, foram construídos os relatórios gerenciais por meio de uma única planilha, que consolidam informações relacionadas ao tempo de produção e à ocupação no processo produtivo.

Iniciou-se, então, o estudo dos principais produtos ofertados pela empresa com o intuito de se conhecer sua capacidade produtiva e, para isso, levantou-se a demanda histórica relativa ao ano de 2006. A partir desses dados, foram definidas as famílias de produtos, baseadas em critérios relativos à similaridade do processo produtivo que, na IOMG, é composto por três grandes setores: a pré-impressão, a impressão e o acabamento.

O processo de pré-impressão é composto pela 'programação visual', 'CTP (Computer-to-Plate — computador para chapa) — um processo informatizado de criação e impressão de chapas metálicas para impressão')', 'editoração' e 'fotomecânica'. Nesse setor, as OSs são recebidas, os arquivos são analisados, adaptações ou criações são feitas, provas do serviço final são produzidas e enviadas para o cliente a fim de que ele as aprove. Por fim, são confeccionadas as chapas, que são a matriz do produto a ser impresso conforme a OS.

O processo de impressão, por sua vez, é dividido em três áreas:

- Impressão rotativa: que está localizada em uma instalação totalmente dedicada a sua produção e é responsável unicamente pela impressão do Jornal Minas Gerais.
- Impressão off-set: que recebe todos as outras famílias de produtos.
- Impressão digital: que se encarrega de imprimir os números variáveis no produto Loteria mineira, bem como sua embalagem e despacho.

O processo produtivo é finalizado na área de acabamento, que recebe todas as famílias de produtos, com exceção da Loteria mineira e do Jornal Minas Gerais. Nesse setor, os produtos são cortados, costurados, grampeados, alceados, plastificados, colados e embalados, conforme especificado na OS. Após essa fase, os produtos são expedidos para os clientes.

Dependendo do produto, o fluxo no processo produtivo tem diferentes caminhos nos diversos setores produtivos, como pode ser observado na Tabela 1.

FLUXO DE PRODUTOS E PROCESSOS

O estudo dos tempos de processamento dos produtos nos diversos setores compostos de atividades distintas possibilitou identificar caminhos críticos que delimitam o término das atividades de um dado setor, se considerada a produção simultânea de todo o mix de produtos. Dentre os setores, a 'programação visual' e o 'acabamento' são os que demandam mais horas de produção se somados os tempos de todos os produtos que passam por esses setores. Se considerado um único setor, a 'impressão digital' torna-se o maior setor demandante de tempo, totalizando 34,01 horas. (Veja a Figura 1.)

A IMPLANTAÇÃO DOS INDICADORES NOS DIVERSOS SETORES PRODUTIVOS

Com o objetivo de construir indicadores para serem utilizados como parâmetros no processo produtivo, planilhas foram repassadas aos setores da empresa, o que lhes possibilitou a observação de variáveis diversas para cada OS trabalhada em cada um dos setores.

Dentre as variáveis, são comuns a todos os setores o número da OS, sua data e o horário de entrada e saída em cada setor, e as observações. O número da OS é utilizado para que se tenha o registro e o acompanhamento de cada serviço em todos os processos pelos quais ele passa. Já as datas e horários de entrada e saída permitem que seja mensurado o tempo de processamento total de cada produto. E no que diz respeito ao campo para observações, ele é utilizado para que qualquer informação adicional seja registrada. Além disso, cada setor possui suas variáveis exclusivas, que dependem das características existentes no conjunto de atividades desempenhado neles.

Os indicadores foram definidos com base nos trabalhos publicados e nas informações coletadas junto aos gerentes setoriais da empresa. Foram utilizadas variáveis que permitissem estimar os tempos das atividades para cada OS e, por conseqüência, o grau de ocupação dos setores. Além dos tempos de execução das atividades, também foram considerados os tempos com interrupções nos processos, assim como seus motivos Outros indicadores que não envolvem tempo mas sim aspectos referentes à produção, também foram contemplados, como tiragem, especificação do produto, sobras, descartes, devoluções etc. (Veja a Tabela 2.)

Essas variáveis foram agrupadas em uma planilha para que os dados coletados subsidiassem a formação dos indicadores. Para que os dados pudessem ser coletados, foi necessário o apoio dos responsáveis por cada setor. A primeira versão da planilha foi apresentada e, posteriormente, utilizada como teste no setor de impressão off-set. Houve, durante 30 dias, um acompanhamento da utilização da planilha, de forma que modificações foram efetuadas a partir do retorno fornecido pela gerência do setor.

Após o período de testes, os gerentes dos demais setores iniciaram a coleta de dados, que passaram a ser lançados em uma planilha única, junto com as observações diárias, a fim de ilustrar o acompanhamento do tempo de processamento total e as ocorrências das OSs em todos os processos. Para o registro, estão sendo consideradas todas as OSs trabalhadas em um determinado mês, independentemente destas terem ou não suas entradas no mês em vigor. Dessa forma, os dados lançados na planilha ilustram as atividades da IOMG no mês e, junto aos meses posteriores, serão utilizados como parâmetros para definição dos indicadores.

QUESTÕES

1. Elabore uma seqüência de requisitos necessários para o gerenciamento efetivo do desempenho dos processos produtivos da IOMG.
2. Aponte quais outros possíveis critérios, no caso IOMG, poderiam ser utilizados para a definição dos padrões de desempenho.
3. Escreva sobre a importância para a IOMG de se estabelecer procedimentos de levantamento dos indicadores citados.

Caso elaborado por uma equipe do CEPEAD/UFMG, formado pelos professores e consultores Osmar Souza Filho, Sérgio Martins, Letícia Labegalini, Wescley Xavier e Ricardo Martins.

REFERÊNCIAS SELECIONADAS

BAKER, K. R. *Elements of sequencing and scheduling*. Hanover, NH: Baker Press, 2002.

BROWNE, J. J. "Simplified scheduling of routine work hours and days off", *Industrial Engineering*, dez.1979, p. 27-29.

BROWNE, J. J.; PROP, J. "Supplement to scheduling routine work hours", *Industrial Engineering*, jul. 1989, p. 12.

DILLON, Jeffrey E.; KONTOGIORGIS, Spyros. "US Airways optimizes the scheduling of reserve flight crews", *Interfaces*, set./out. 1999, p. 123-131.

HARTVIGSEN, David. *SimQuick: process simulation with Excel*, 2. ed. Upper Saddle River, NJ: Prentice Hall, 2004.

JOHNSON, S. M. "Optimal two stage and three stage production schedules with setup times included", *Naval Logistics Quarterly*, v. 1, n. 1, 1954, p. 61-68.

KIRAN, Ali S.; WILLINGHAM, Thomas H. "Simulation: help for your scheduling problems", *APICS — The performance advantage*, ago. 1992, p. 26-28.

LAFORGE, R. Lawrence; CRAIGHEAD, Christopher W. "Computer-based scheduling in manufacturing firms: some indicators of successful practice", *Production and Inventory Management Journal*, 2000, p. 29-34.

LESAINT, David; VOUDOURIS, Christos; AZARMI, Nader. "Dynamic workforce scheduling for British Telecommunications plc", *Interfaces*, jan./fev. 2000, p. 45-56.

METTERS, Richard; VARGAS, Vincente. "A comparison of production scheduling policies on costs, service levels, and schedule changes", *Production and Operations Management*, v. 17, n. 3, 1999, p. 76-91.

PINEDO, Michael. *Scheduling: theory, algorithms, and systems*, 2. ed. Upper Saddle River, NJ: Prentice Hall, 2002.

PINEDO, M.; CHAO, X. *Operations scheduling with applications in manufacturing and services*. Boston: McGraw-Hill/Irwin, 1998.

PORT, Otis. "Customers move into the driver's seat" *Business Week*, 4 out. 1999, p. 103-106.

RAMANI, K. V. "Scheduling doctors' activities at a large teaching hospital", *Production and Inventory Management Journal*, 2002, p. 56-62.

SURESH, V.; CHAUDHURI, D. "Dynamic scheduling — a survey of research", *International Journal of Production Economics*, v. 32, 1993, p. 52-63.

TIBREWALA, R. K.; PHILIPPE, D.; BROWNE, J. J. "Optimal scheduling of two consecutive idle periods", *Management Science*, v. 19, n. 1, 1972, p. 71-75.

VOLLMANN, Thomas E. et al. *Manufacturing planning and control systems for supply chain management*, 5. ed. Nova York: McGraw-Hill/Irwin, 2005.

APÊNDICE 1 — Distribuição Normal

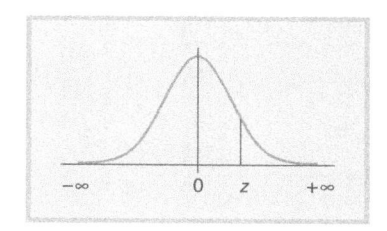

	,00	,01	,02	,03	,04	,05	,06	,07	,08	,09
,0	,5000	,5040	,5080	,5120	,5160	,5199	,5239	,5279	,5319	,5359
,1	,5398	,5438	,5478	,5517	,5557	,5596	,5636	,5675	,5714	,5753
,2	,5793	,5832	,5871	,5910	,5948	,5987	,6026	,6064	,6103	,6141
,3	,6179	,6217	,6255	,6293	,6331	,6368	,6406	,6443	,6480	,6517
,4	,6554	,6591	,6628	,6664	,6700	,6736	,6772	,6808	,6844	,6879
,5	,6915	,6950	,6985	,7019	,7054	,7088	,7123	,7157	,7190	,7224
,6	,7257	,7291	,7324	,7357	,7389	,7422	,7454	,7486	,7517	,7549
,7	,7580	,7611	,7642	,7673	,7704	,7734	,7764	,7794	,7823	,7852
,8	,7881	,7910	,7939	,7967	,7995	,8023	,8051	,8078	,8106	,8133
,9	,8159	,8186	,8212	,8238	,8264	,8289	,8315	,8340	,8365	,8389
1,0	,8413	,8438	,8461	,8485	,8508	,8531	,8554	,8577	,8599	,8621
1,1	,8643	,8665	,8686	,8708	,8729	,8749	,8770	,8790	,8810	,8830
1,2	,8849	,8869	,8888	,8907	,8925	,8944	,8962	,8980	,8997	,9015
1,3	,9032	,9049	,9066	,9082	,9099	,9115	,9131	,9147	,9162	,9177
1,4	,9192	,9207	,9222	,9236	,9251	,9265	,9279	,9292	,9306	,9319
1,5	,9332	,9345	,9357	,9370	,9382	,9394	,9406	,9418	,9429	,9441
1,6	,9452	,9463	,9474	,9484	,9495	,9505	,9515	,9525	,9535	,9545
1,7	,9554	,9564	,9573	,9582	,9591	,9599	,9608	,9616	,9625	,9633
1,8	,9641	,9649	,9656	,9664	,9671	,9678	,9686	,9693	,9699	,9706
1,9	,9713	,9719	,9726	,9732	,9738	,9744	,9750	,9756	,9761	,9767
2,0	,9772	,9778	,9783	,9788	,9793	,9798	,9803	,9808	,9812	,9817
2,1	,9821	,9826	,9830	,9834	,9838	,9842	,9846	,9850	,9854	,9857
2,2	,9861	,9864	,9868	,9871	,9875	,9878	,9881	,9884	,9887	,9890
2,3	,9893	,9896	,9898	,9901	,9904	,9906	,9909	,9911	,9913	,9916
2,4	,9918	,9920	,9922	,9925	,9927	,9929	,9931	,9932	,9934	,9936
2,5	,9938	,9940	,9941	,9943	,9945	,9946	,9948	,9949	,9951	,9952
2,6	,9953	,9955	,9956	,9957	,9959	,9960	,9961	,9962	,9963	,9964
2,7	,9965	,9966	,9967	,9968	,9969	,9970	,9971	,9972	,9973	,9974
2,8	,9974	,9975	,9976	,9977	,9977	,9978	,9979	,9979	,9980	,9981
2,9	,9981	,9982	,9982	,9983	,9984	,9984	,9985	,9985	,9986	,9986
3,0	,9987	,9987	,9987	,9988	,9988	,9989	,9989	,9989	,9990	,9990
3,1	,9990	,9991	,9991	,9991	,9992	,9992	,9992	,9992	,9993	,9993
3,2	,9993	,9993	,9994	,9994	,9994	,9994	,9994	,9995	,9995	,9995
3,3	,9995	,9995	,9995	,9996	,9996	,9996	,9996	,9996	,9996	,9997
3,4	,9997	,9997	,9997	,9997	,9997	,9997	,9997	,9997	,9997	,9998

APÊNDICE 2 — Tabela de Números Aleatórios

71509	68310	48213	99928	64650	13229	36921	58732	13459	93487
21949	30920	23287	89514	58502	46185	00368	82613	02668	37444
50639	54968	11409	36148	82090	87298	41396	71111	00076	60029
47837	76716	09653	54466	87987	82362	17933	52793	17641	19502
31735	36901	92295	19293	57582	86043	69502	12601	00535	82697
04174	32342	66532	07875	54445	08795	63563	42295	74646	73120
96980	68728	21154	56181	71843	66134	52396	89723	96435	17871
21823	04027	76402	04655	87276	32593	17097	06913	05136	05115
25922	07122	31485	52166	07645	85122	20945	06369	70254	22806
32530	98882	19105	01769	20276	59401	60426	03316	41438	22012
00159	08461	51810	14650	45119	97920	08063	70819	01832	53295
66574	21384	75357	55888	83429	96916	73977	87883	13249	28870
00995	28829	15048	49573	65277	61493	44031	88719	73057	66010
55114	79226	27929	23392	06432	50200	39054	15528	53483	33972
10614	25190	52647	62580	51183	31338	60008	66595	64357	14985
31359	77469	58126	59192	23371	25190	37841	44386	92420	42965
09736	51873	94595	61367	82091	63835	86858	10677	58209	59820
24709	23224	45788	21426	63353	29874	51058	29958	61220	61199
79957	67598	74102	49824	39305	15069	56327	26905	34453	53964
66616	22137	72805	64420	58711	68435	60301	28620	91919	96080
01413	27281	19397	36231	05010	42003	99865	20924	76151	54089
88238	80731	20777	45725	41480	48277	45704	96457	13918	52375
57457	87883	64273	26236	61095	01309	48632	00431	63730	18917
21614	06412	71007	20255	39890	75336	89451	88091	61011	38072
26466	03735	39891	26361	86816	48193	33492	70484	77322	01016
97314	03944	04509	46143	88908	55261	73433	62538	63187	57352
91207	33555	75942	41668	64650	38741	86189	38197	99112	59694
46791	78974	01999	78891	16177	95746	78076	75001	51309	18791
34161	32258	05345	79267	75607	29916	37005	09213	10991	50451
02376	40372	45077	73705	56076	01853	83512	81567	55951	27156
33994	56809	58377	45976	01581	78389	18268	90057	93382	28494
92588	92024	15048	87841	38008	80689	73098	39201	10907	88092
73767	61534	66197	47147	22994	38197	60844	86962	27595	49907
51517	39870	94094	77092	94595	37904	27553	02229	44993	10468
33910	05156	60844	89012	21154	68937	96477	05867	95809	72827
09444	93069	61764	99301	55826	78849	26131	28201	91417	98172
96896	43769	72890	78682	78243	24061	55449	53587	77574	51580
97523	54633	99656	08503	52563	12099	52479	74374	79581	57143
42568	30794	32613	21802	73809	60237	70087	36650	54487	43718
45453	33136	90246	61953	17724	42421	87611	95369	42108	95369
52814	26445	73516	24897	90622	35018	70087	60112	09025	05324
87318	33345	14546	15445	81588	75461	12246	47858	08983	18205
08063	83575	26294	93027	09988	04487	88364	31087	22200	91019
53400	82078	52103	25650	75315	18916	06809	88217	12245	33053
90789	60614	20862	34475	11744	24437	55198	55219	74730	59820
73684	25859	86858	48946	30941	79017	53776	72534	83638	44680
82007	12183	89326	53713	77782	50368	01748	39033	47042	65758
80208	30920	97774	41417	79038	60531	32990	57770	53441	58732
62434	96122	63019	58439	89702	38657	60049	88761	22785	66093
04718	83199	65863	58857	49886	70275	27511	99426	53985	84077

Créditos de fotos

CAPÍTULO 1: Dennis MacDonald/PhotoEdit, Dana White/PhotoEdit, Tony Savino/The ImageWorks, CanCan Chu/Getty Images, Inc., Rob Lewine/Corbis Bettmann, Cortesia Starwood Hotels e Aspenleaf Productions.

CAPÍTULO 2: David McNew/Getty Images, Inc., AP Wide World Photos, AP Wide World Photos, Ted Horowitz/© Bettmann/CORBIS Todos os direitos reservados, AP Wide World Photos.

CAPÍTULO 3: © Bechtel Corporation, Cortesia Baxter International, Inc., Cortesia Starwood Hotels, Michael A. Dwyer/Stock Boston.

CAPÍTULO 4: AP Wide World Photos, Bonnie Kamin/PhotoEdit, David Young-Wolff/PhotoEdit, © 2004 The Ritz-Carlton Hotel Company. Todos os direitos reservados. Reimpresso com o consentimento de The Ritz-Carlton Hotel Company, L.L.C. The Ritz-Carlton® é uma marca registrada de modo federal de The Ritz-Carlton Hotel Company, L.L.C., David Young-Wolff/PhotoEdit, ABB, Inc., R.R. Donnelley.

CAPÍTULO 5: Intermarket, © Jim Richardson/CORBIS Todos os direitos reservados, Frank Herboldt/Getty Images Inc.–Stone Allstock, Baptist Memorial Health Care.

CAPÍTULO 6: Crowne Plaza Christchurch Hotel, Corbis Isento de Direitos Autorais, Archer Daniels Midland Company, Cortesia de Robert Wood Johnson University Hospital/National Institute of Standards and Technology (NIST), Reuters NewMedia Inc./Corbis/Bettmann, Corbis Isento de Direitos Autorais; Starwood Hotels & Resorts Worldwide, Inc.

CAPÍTULO 7: Bob Nicholson/Eastern Financial Florida Credit Union, Bal Seal Engineering, Staff Sgt. Tony R. Tolley/U.S. Air Force, Mark Wagner/Aviation-images.com.

SUPLEMENTO C: Robert Brenner/PhotoEdit, Tom Carter/PhotoEdit.

CAPÍTULO 8: Scott McDonald/Hedrich Blessing, © Color Kinetics Incorporated/Scott Goodwin Photography, Steve Niedorf/Getty Images Inc.–Image Bank, ABB, Inc., (esquerda): Pearson Education/PH College, (direita): Pearson Education/PH College, ABB, Inc.

CAPÍTULO 9: Toshifumi Kitamura/Agence France Presse/Getty Images, Owen Franken/Corbis Bettmann, AP Wide World Photos, Hiroyuki Matsumoto/Black Star, AP Wide World Photos, Lester Lefkowitz/Corbis–NY, Cessna Aircraft Company.

CAPÍTULO 10: Ed Kashi/Corbis–NY, Kyodo/Landov LLC, Matthew McVay/Corbis Bettmann, Rich LaSalle/Getty Images Inc.–Stone Allstock, Aspen Leaf Productions/Starwood Hotels & Resorts Worldwide, Inc., Pierre Andrieu/Agence France Presse/Getty Images, © Reuters NewMedia, Inc./Corbis Bettmann.

CAPÍTULO 11: BMW of North America, LLC., AP Wide World Photos, General Electric Corporate Research & Development Center, Getty Images, Inc.

CAPÍTULO 12: Wal-Mart, Michael Newman/PhotoEdit, Macduff Everton/Corbis–NY.

CAPÍTULO 13: AP/Wide World Photos, Mark Peterson/Corbis–NY.

CAPÍTULO 14: Michael Springer/Bloomberg News/Landov LLC, Stephen Chernin/Getty Images, AP Wide World Photos, Starwood Hotels & Resorts Worldwide, Inc., AP Wide World Photos.

CAPÍTULO 15: Todd Gipstein/Corbis Bettmann, VF Corporation, Cpl. Nicholas Tremblay/United States Marine Corps, Jon Feingersh/Corbis/Stock Market.

CAPÍTULO 16: Mark Baker/AP Wide World Photos, Bill Stormont/Corbis–NY, Northpoint/Nissan North America, Inc.

Índice remissivo

A

ABB corporation, transição do layout, 272
Abordagem sistemática da análise de processo, 125-127
Acordo Geral de Tarifas e Comércio (GATT), 11
Activity settings, 271, 272
Administração das restrições, 210-212
    decisões sobre mix de produto usando gargalos, 219-221
    detratégias de momento e tamanho de capacidade, 268–269, 269f
    ferramentas para planejamento de capacidade, 229-230
    identificação e administração de gargalos, 214-218
    no sistema de saúde, 218
    planejamento de capacidade a longo prazo, 221-223
    por toda a organização, 211-212
    teoria das restrições (TOC), 212-214
    uma abordagem sistemática das decisões de capacidade a longo prazo, 224-228
Administração das restrições no sistema de saúde, 218
Administração de cadeia de suprimentos, 311
Administração de estoques
    Amazon.com, 389
    casos, 419-420
    definição, 385
    lote econômico de compra (EOQ), 391-395
    por toda a organização, 385
    sistemas de controle de estoque. *Veja* sistemas de controle de estoque
    Wal-Mart, 384
Administração de operações, 2
    administração de projeto. *Veja* administração de projeto
    como conjunto de decisões, 7-9
    como função, 3
    definição, 2
    lidando com desafios em, 13, 15
    por toda a organização, 2-3
    processos. *Veja* processo(s)
    tendências, 9-13
    tomada de decisão. *Veja* tomada de decisão
Administração de processo
    aplicações de programação linear, 557
    filas de espera. *Veja* filas de espera
Administração de projetos, 58-59
    cadeia crítica, 81-82
    definição e organização de projetos, 60-62
    definição, 59
    monitoramento e controle de projetos, 82-84
    no Phoenician, 71
    planejamento de projetos. *Veja* planejamento de projetos
    por toda a organização, 59-60
Administrando
    cadeia de valor, 15
    processos, 15
    projetos. *Veja* administração de projetos
    restrições. *Veja* administração de restrições
Agregação, 437, 477
Air New Zealand, programação, 566
Ajuste estratégico de processos, 116-118
    ganhando foco, 117-118
    padrões de decisão para processos de manufatura, 116-117
    padrões de decisão para processos de serviço, 116
Alternativas agressivas, Planejamento de vendas e operações, 481
Alternativas reativas, planos de vendas e operações, 7-9
Análise ABC, 391
    aceitação amostragem por, 175
Análise de mercado, 40
Análise de processo, 124-125
    abordagem sistemática, 125-127
    administrando processos, 141
    avaliando o desempenho, 132, 134-139
    definição, 125
    documentando o processos, 127-132
    por toda a organização, 125
    redesenhando o processo, 139-141
Análise de sensibilidade, 22
Análise de valor, 330
    aquisição de serviços ou produtos de uma única fonte, 328
Árvores de decisão, 27-29
    definição, 27
    planejamento de capacidade, 229-230
Atividade, 63
Atividade em nó (*activity-on-node; AON*), 64
Amazon.com, gerenciamento de estoques, 389
Ambientes com limitação de mão de obra, 585
Análise
    análise de sensibilidade, programação linear, 513-514
    criação de novos serviços/produtos, 49
    curva de aprendizagem, *Veja* curvas de aprendizagem
    de processos durante a reengenharia, 119
    estoque, com análise ABC, 391
    financeira. *Veja* análise financeira
    método de séries temporais. *Veja* análise de séries temporais
    método gráfico de programação linear, 508-511
    probabilidades, 79
    simulação, 157-158
    trade-offs entre custo e tempo, 70, 72-75

Análise de probabilidade, 79
Análise de processo durante a reengenharia, 119
Análise de série temporal (previsão), 442
Análise de séries temporais, 442
    definição, 442
        escolha de um método, 451-457
        estimativa da média, 444-448
        inclusão de tendências, 448-449
        padrões sazonais, 449-451
        previsão ingênua, 444
Análise do ponto de equilíbrio, 31-33, 363-364
Aperfeiçoamento do processo, 119
Atrasos, 569
Atributos, gráficos de controle para, 184-187
Automação
    Cinco S, 293
        Processos de fabricação, 114
        Processos de serviço, 114-116
Avaliação de riscos durante o planejamento de projetos, 75-80
Avaliação de desempenho, 132-139
    data snooping, 137-138
        ferramentas de análise de dados, 134-137
        simulação. *Veja* Simulação

B

Backlog, 480-481, 571
Bal Seal Engineering, uso dos princípios da teoria das restrições (TOC), 215
Balanceamento de linha, 273-275
Bavarian Motor Works (BMW), 349
Benchmarking, 141
Bens acabados (BA), 314
Bechtel Group, Inc., 58
Blueprints de serviço, 131
    definição, 131
BMW (Bavarian Motor Works), 349
Bolsas, 329
BOM. *Veja* Lista de materiais, 532
BOR (lista de recursos), 550
Brainstorming, 139-141

C

Cadeia crítica, 81-82
Cadeias de *fast-food*, decisões de localização, 355
Cadeias de suprimentos, 310-311
    definição, 310-311
    dinâmica, 318-321
    fabricação, 313-315
    medidas de desempenho, 315-318
    processo de atendimento de pedido, 322-326
    processo de relacionamento com o cliente, 321-322
    serviços, 312-313
    Seven-Eleven Japan, 313
    virtuais, 339-340
Cadeias de suprimentos virtuais, 339-340
HCL Corporation, 341
Cadeias de valor, 6-7
    administração, 13
    definição, 6
    estratégia de cadeia de suprimentos. *Veja* estratégia de cadeia de suprimentos
    planejamento de recursos. *Veja* planejamento de recursos
    planos de vendas e operações. *Veja* planejamento de vendas e operações (S&OP)
    previsão. *Veja* Previsão
    programação. p
Cálculo de probabilidade, 80
Cálculos de produtividade, 10
    razão da produtividade multifatorial, 17
caminhos, 66, 68
caminhos críticos, 66, 68
    caminhos quase críticos, 80
    definição, 66
Capabilidade do processo, 185
    definição, 185
    definindo, 187-188
    engenharia de qualidade, 190
    utilização de melhoria contínua para determinar, 189
Campbell Soup Company, estratégia de cadeia de suprimentos, 325
Canal, 245
Capacidade, 210
    abordagem sistemática das decisões de capacidade no longo prazo, 225-227
    definição de, 210
    estratégias de momento e tamanho, 224-225
    ferramentas para planejamento de capacidade, 229-230
    medindo usando a teoria das restrições (TOC), 212-213
    planejamento no longo prazo, 221-222
Cargas uniformes de estação de trabalho, 290-291
Caso básico, 228
Catalog Hubs (Centros de Catalogos), 328
CCR (recurso restritivo), 548
Células, layouts híbridos, 262
    um operador, máquinas múltiplas (OWMM), 263-264
Células de um operador, máquinas múltiplas (OWMM), 263-264
Células OWMM (um operador, máquinas múltiplas), 263-264
Centrais de atendimento, programação de funcionários, 575
Centro de atividade econômica, 259
Centro de gravidade, 361
Centro de Manutenção da Marinha dos Estados Unidos, Sistema Drum-Buffer-Rope, 548-549
CEP. *Veja* controle estatístico de processo (CEP)
Certeza, 506
Cessna Aircraft, sistemas de produção enxuta, 303
CFE (soma cumulativa de erros de previsão), 453
Chanel assembly, 336
China Southern Airlines, economias de escala, 223
Ciclo de Deming, 174-175
Ciclo planejar-executar-controlar-agir, 174-175
CIM. *Veja* Fabricação integrada por computador
Cinco S (5S), 293
Círculos de qualidade, 173
Classificações de distância ponderada (dp), 267
Clientes
    contato, 102-103
    matriz de contato, 108
    programação da demanda de clientes, 571
    relacionamentos, 45 571
Clientes externos, 5
Clientes internos, 5
Coleta de dados, 155-156
Compra centralizada *versus* compra localizada, 328
Comércio eletrônico, 321-322
    definição, 321
        e processo de colocação de pedido, 322
        e processo de marketing, 321-322

Índice remissivo

Compartilhamento de peça (Part commonality), 534
Competências competitivas, 41-46
    definição, 41
Competências essenciais, 39
Competição global, 11-12
Complexidade do processo, 108
Componente, 529
Compra, 327
Compra eletrônica, 328-329
Compra localizada *versus* compra centralizada, 328
Compra verde, 327
Compressão de tempo (Time compression), 155
Computadores
    cálculo de erro de previsão, 455-456
    programação da força de trabalho, 574
    solução de programação linear, 514-516
Concorrência
    baseada no tempo, 43
    global, 11-12
    inovação operacional como arma competitiva, 8
Conjunto de teste, 457
Contato ativo com o cliente, 103
Contato passivo com o cliente, 103
Contagem cíclica, 407
Contêineres, sistema kanban, 295-298
Contratação prévia, 330
Controle de projetos, 82-84
Controle estatístico de processo (CEP), 175
    definição, 175
    gráficos de controle para atributos, 184-185
    gráficos de controle para variáveis, 181-184
    gráficos de controle, 179-181
    variação no output, 176-179
Corner point (ponto de quina), 511
Costco, usando operações para obter lucro, 42
C_p, razão de capabilidade do processo, 187-188
CPFR. *Veja* planejamento, previsão e reposição colaborativos
C_{pk}, índice de capabilidade do processo, 188
CPM (método do caminho crítico), 64
CR. *Veja* quociente crítico

CRAFT (técnica computadorizada de alocação relativa de instalações), 269
Criando um diagrama da rede, 63-64
Cronograma de custo mínimo, 73-75
Cross-docking, 326
Crowne Plaza Christchurch, 169
CRP (programa de reposição contínua), 324-325
CRP (planejamento de requisitos de capacidade), 547
CT (TA - tempo de aceleração), 72
Custo(s)
    análise do ponto de equilíbrio, 20-22
    análise dos *compromissos (trade-offs)* entre custo e tempo, 70, 72-75
    cálculo dos custos de sistemas de revisão contínua (q), 399
    cálculo para o sistema P (revisão periódica), 404
    cronograma de custo mínimo, 73-75
    de desempenho e qualidade insatisfatórios, 170-171
    estoque, 386
    medida dos custos das mercadorias vendidas, 318
    operações de baixo custo, 41
    prioridades competitivas, 41
Custo de aceleração (CC), 72
Custo de aceleração (*crash cost*) (CC), 72
Custo de armazenamento, 386
Custo de preparação, 386
Custos de prevenção, 170
Custo do pedido, 386
Custo fixo, 21
Custo normal (NC), 72
Custo variável, 21
Custos de avaliação, 170
Custos de falhas externas, 171
Custos de falhas internas, 170-171

D

DaimlerChrysler, estratégia de cadeia de suprimentos, 335
Data de entrega mais próxima (EDD), 576–579
Data snooping, 137
DBR. *See Drum-Buffer-Rope*
Decisão de fazer ou comprar, 337
Decisões
    administração de operações e, 7-9
    estratégia de operações como um padrão de decisões, 50-52
    padrões de
        para processos de manufatura, 116-117
        para processos de serviço, 116
        principais decisões de processo, 101
Decisões de estoque de período único, 427-429
Decisões sobre mix de produto usando gargalos, 219-221
Defeito, 170
Definição do escopo e dos objetivos de um projeto, 61
Definição do Lote, 387
    regras de dimensionamento de lote, 521-523
Degeneração, 557
Dell Inc.
    estratégia de cadeia de suprimentos, 311
    processo de atendimento de pedido, 322
demanda dependente, 529
Demanda dependente para serviços, 550
Desafios de localização de Serviços de Emergência Médica em Tyler (EMS), 358-359
Desconto por quantidade, 387
Descontos por quantidade, 423, 425
Desdobramento da função qualidade (QFD), 48
Deseconomias de escala, 222
Desempenho e qualidade do Processo, 169
    administração de qualidade total (TQM), 171-175
    capabilidade do processo, 185-193
    controle estatístico de processo (CEP), 175-181
    custos de desempenho insatisfatório, 170-171
    métodos de controle estatístico de processo (CEP), 181-185
    padrões de documentação de qualidade internacional, 193-1995
    Prêmio Nacional de Qualidade Malcolm Baldrige, 195
    seis sigma, 190-192
    Starwood Hotels & Resorts, 194
Desenvolvimento de cronograma, planejamento de projeto, 64-70
Desenvolvimento de novo serviço ou produto, 46-50
    definição de serviço ou produto, 47-48

estratégias de desenvolvimento, 46-47
processo de desenvolvimento, 49-50
Desenvolvimento do cronograma de projeto, 64-70
Desvio absoluto médio (MAD), 453
Desvio padrão, 453
Diagrama de precedência, 273
definição, 273
Diagramas de causa e efeito, 136-137
Diagramas de dispersão, 136
Diagramas de Pareto, 134-136
definição, 135
Diagramas de processo, 131-132
definição, 131
Diagramas de rede, 63-64
Dimensionamento das reservas de capacidade, 224
Dispatching, 576-577
Distância *Manhattan* ou *City Block*, 267-268
Distribuição normal, 707
Distribuições de probabilidade, filas de espera, 245-247
divergência do processo, 108
Diversidade da mão-de-obra, como tendência na administração de operações, 12-13
Documentando os processos, 127-132
blueprints de serviço, 131
diagramas de processo, 131-132
fluxograma, 127-131
Starwood Hotels and Resorts, 133-134
Drum-Buffer-Rope (DBR) (sistema tambor-pulmão-corda), 548
definição, 548
Centro de Manutenção da Marinha dos Estados Unidos, 549
Duke Power, 99

E

Eastern Financial Florida Credit Union, 210
Economias de escala, 221-222
Economias de escopo, 116
EDD. *Veja* data de entrega mais próxima
EDI (troca eletrônica de dados), 328
EF (primeira data de início - PDI), 66-68
Efeito chicote, 318-319

Elementos de trabalho, 273
ELS. *Veja* tamanho de lote econômico de produção
Empowerment, 173
Encerramento, 84
Engenharia de qualidade, 190
Engenharia simultânea, 49
Entrada de informações, planos de vendas e operações, 478-479
Entrega pontual, 42
Envolvimento do cliente na estratégia de processo, 111-112
Envolvimento dos funcionários na administração de qualidade total (TQM), 173-174
EOQ. *Veja* Lote econômico de compra
Equipe autogeridas, 174
Equipe de projeto, 173
Equipes
administração de qualidade total (TQM), 173-174
definição, 173
Equipes com propósitos especiais, 174
Equipes interfuncionais, 119
ERP. *Veja* Sistemas integrados de gestão
Erro quadrado médio (MSE), 453
Erro tipo I, 191
Erros de previsão, 445
definição, 445
faixas, 455
medidas, 452-453
rastreando sinais, 455
suporte de computador, 455-456
ES (primeira data de início - PDI), 66-68
Escolhas de processo, 108-109
Escritório de Administração Orçamentária (EAO), layout, 266
Estado estacionário, 159
Estágio de desenvolvimento, no desenvolvimento de novo serviço/produto, 49
Estágio de lançamento do servio ou produto, no desenvolvimento de novo serviço/produto, 50
Estágio de projeto, no desenvolvimento de novo serviço/produto, 49
Estimando médias, análise de séries temporais, 444-448
Estoque
administração. *Veja* administração de estoque

agrupamento, 323
análise ABC, 391
aplicações de programação linear, 516-517
criação, 315-317
decisões de um período, 427-429
definição, 315
descontos por quantidade, 423, 425
disponível para promessa (ATP), 537
disposição dos, 390-391
estoque de antecipação, 479-480
estoque em processo (WIP), 569
estoque total, 569
estoques geridos pelo fornecedor (VMI), 324
giro de estoque, 317
localização, 323
medidas, 315-317
pedidos em espera, 480-481
precisão do registro, 407-4110
pressões para manter estoques altos, 4388-387
pressões para manter estoques baixos, 385-386
reposição não-instantânea, 422-423
tamanho de lotes econômicos de produção (ELS), 423
táticas de redução, 389-390
tipos, 387-388
Estoque ATP (disponível para promessa; *available-to-promise*), 537
Estoque cíclico, 387
definição 387
estimativa de níveis, 388
Táticas de redução, 389-390
Estoque de antecipação, 479-
Estoque de segurança, 387-388
encontrando, 398-399
Estoque disponível para promessa (ATP), 537
Estoque disponível projetado, 539
Estoque em processo (WIP), 316, 569
Estoque em trânsito (*pipeline inventory*), 388
definição, 388
estimativa de níveis, 388
táticas de redução, 389-390
Estoques geridos pelo fornecedor (VMI), 324
Estoque total, 569
Estratégia corporativa, 38

Estratégia de cadeia de suprimentos, 310
    cadeias de suprimento virtuais, 339-340
    cadeias de suprimentos *lean*, 336-337
    Campbell Soup Company, 325
    casos, 345-347
    definição, 310
    foco estratégico, 330-334
    Outsourcing/Offshoring, 337-339
    personalização em massa, 334-336
    por toda a organização, 311
    processo de relacionamento com o fornecedor, 326-330
    Starwood Hotels & Resorts, 331
    Zara, 333
Estratégia de fabricar para estocar (*make-to-stock*), 110
Estratégia de fabricar sob medida (*make-to-order*), 110
Estratégia de operações, 36
    caso, 54-55
    como um padrão de decisões, 50-52
    definição, 36
    desenvolvimento de novo serviço ou produto, 46-50
    implementação com projetos, 59-60
    orientada para o cliente, 38-41
    por toda a organização, 37-38
    prioridades e competências competitivas, 41-46
Estratégia de processo, 100
    ajuste estratégico, 116-118
    definição, 100
    envolvimento do cliente, 111-112
    estratégias para mudar, 118-119
    estrutura de processo em serviços, 102-107
    estrutura de processo no setor industrial, 107-111
    flexibilidade de recursos, 112-113
    intensidade de capital, 113-116
    por toda a organização, 100
    principais decisões de processo, 101
Estratégia mista, 482
Estratégias de desenvolvimento, 46-47
Estratégia de montar sob encomenda, 110
Estratégia de nivelamento da utilização, 481-482
Estratégia de nivelamento de estoque, 482

Estratégia de operações orientada para o cliente, 38-41
    análise de mercado, 40-41
    estratégia corporativa, 38
    estratégias globais, 39-40
Estratégia de perseguição (*chase strategy*), 481, 488-489
Estratégias globais, 39-40
Estratégias para mudar, 118
    aperfeiçoamento do processo, 119
    reengenharia do processo, 118-119
Estrutura de divisão do trabalho (WBS), 63
Estrutura do processo
    definição, 101
    em serviços, 102-107
    no setor industrial, 107-111
Euclidiana, 267
Excel, simulação com planilhas, 159-161
Excesso, 513
Expedição, 576
Explosão de MRP, 532
Extensão, 137, 161

F

Fábrica da Nissan em Sunderland, programação, 586
Fábricas dentro de fábricas (PWPs), 117
Fábricas focadas, 117-118
Fabricação, 681f
    cadeias de suprimentos, 315-317
    estrutura do processo, 107-111
    fabricação integrada por computador. *Veja* fabricação integrada por computador
    fatores de localização, 351-353
    padrões de decisão para processos, 116-117
    planejamento de recursos, 529
    processos de automação, 114
    processos, 5-6
    programação, 569-571
    ritmo, 275
    sistema de manufatura flexível (FMS), 262
    sistemas de Produção Enxuta (*lean*). *Veja* sistemas de produção enxuta (*lean*)
Faixa preta (Black belt), 192
Faixas verdes, 192
Falta de estoque, 480-481
Famílias de produtos, 477

fase, 245
FCFS (primeiro a chegar, primeiro a ser atendido), 576
FedEx, 2
Ferramentas para análise de dados, 134-137
Ferramentas para tomada de decisão, 9
Filas de espera, 242-243
    áreas de decisão para a gerência, 252-253
    definição, 242
    distribuições de probabilidade, 245-247
    estrutura de problemas, 243-245
    por que filas se formam, 242
    uso da teoria da fila de espera, 243
filosofia de recomeçar (*clean-slate*), 119
Filosofia just-in-time (JIT), 288
    JIT II, 300
    sistemas JIT, 288
Flexibilidade, prioridades competitivas, 43
Flexibilidade de layout, 263
Flexibilidade de recurso, 112-113
    equipamento, 113
    força de trabalho, 113
Flexibilidade dos equipamentos, 113
Flexibilidade de volume, 43
Flow shops, 576
    programação de tarefas para *flow shop* de duas estações, 583-584
Fluxo de caixa, 228, 318
Fluxo de trabalho
    método empurrado (*push*), 289
    método puxado de fluxo de trabalho (*pull*), 289
Fluxo flexível, 109
Fluxo de linha, 109
Sistemas de produção enxuta (*lean*), 293
Fluxogramas, 127-131
    definição, 127
    identificação/administração de gargalos, 216-218
FMS (sistema flexível de manufatura), 262
Foco, 117-118
Foco estratégico, estratégia de cadeia de suprimentos, 330-334
Folga, 68
Folga de atividade, 66, 68
Folga por operações remanescentes (S/RO), 577, 580-581

Folga total, 68
FOQ (quantidade fixa de pedido), 541-542
Forças de trabalho flexíveis, 113
   definição, 113
   sistemas de produção enxuta, 291
Fornecedores externos, 5
Fornecedores internos, 5
Formulação de modelo, 157
Fracasso de iniciativas estratégicas, 59
Função-objetivo, 506
Função de perda de qualidade, 190
Função de perda de qualidade de Taguchi, 190

G

Ganhadores de pedido, 43
Garantia, 170
gargalo flutuante, 216
Gargalos, 211
   decisões sobre mix de produtos usando, 219-221
   definição, 211
   identificação/administração de, 216-218
Gestão da qualidade total (TQM), 171
   ciclo planejar-executar-controlar-agir (Ciclo de Deming), 174
   definição, 171
   envolvimento dos funcionários, 173-174
   melhoria contínua, 174-175
   satisfação do cliente, 171-173
Giros (giro de estoque), 317
Gráfico de barras, 134
Gráfico de c, 187
Gráfico de R, 181
   controle de processos, 181-185
   definição, 181
Gráfico de x, 181-182
   controle de processos, 183-184
   definição, 181
   projeto usando desvio padrão do processo, 185
Gráficos, 137
Gráficos de controle, 179-181
   definição, 179
      para atributos, 184-185
      para variáveis, 181-184
Gráficos de Gantt, 68-69
   Programação de processos de serviço e manufatura, 568-571

Gráficos p, 184
   definição, 184
   processos de monitoramento, 186

H

Hallmark, estratégia de força de trabalho, 483
HCL Corporation, cadeias de suprimentos virtuais, 341
Heurística, 369, 371
Hewlett-Packard, sistema de controle de estoque, 405
Histogramas, 134
Hora extra
   definição, 480
Horizonte de planejamento, 226

I

Identificação de região viável, programação linear, 508-510
Identificação por radiofreqüência (RFID), 324
   administração de estoque no Wal-Mart, 384
Incerteza, tomada de decisão sob, 25
Indicadores, 127
Índice de capabilidade do processo, C_{pk}, 188
Integração a montante (backward integration), 337
iPod da Apple, 50
Intensidade de capital, 113-116
   automação de processos de manufatura, 114
   automação de processos de serviço, 114-116
   economias de escopo, 116
Inter-relacionamentos entre clientes e fornecedores, 7
Interação interfuncional, 61
Internet
   cadeias de suprimentos virtuais, 339-340
   comércio eletrônico 339-340
Interoperabilidade, 529
Integração à jusante, 337
Interrogatório, 139-141
Instalação de serviços, 243
Investigação do ambiente, 38
IP (posição do estoque), 396
iPod, 50
ISO 9000, 193
ISO 14000, 193
ISO 14001, 101

J

JIT. *Veja* filosofia just-in-time
Job shop, 576-577
Jobs, Steve, 50

L

Lacuna de capacidade, 227
Lands' End, personalização em massa, 336
Layouts, 258
   activity settings, 271-272
   armazéns, 269-270
   criando de layouts híbridos, 263-265
   critério de desempenho, 262-263
   escritórios, 270-272
   por toda a organização, 259
   projeto de layouts por prcesso, 265-271
   projeto de layouts por produto, 271, 273-276
   RiverTown Crossings Mall, 258
   tipos, 261-262
Layouts de armazém, 269-270
Layouts de escritório, 270-272
Layouts de posição fixa, 262
Layouts de processo. *Veja* Layouts
Layouts de produto, 261-262
   projeto, 271, 273-276
Layouts flexíveis, 263
Layouts híbridos, 262
   células de um operador, máquinas múltiplas (OWMM), 263-264
   criação, 263-265
   definição, 262
   tecnologia de grupo (GT), 264-265
Layouts por processo, 261
   definição, 261
   projeto, 265-271
Lei de Little, 250-251
Leilões, 329
LF (UDT - última data de término), 66-68
Liberação de pedidos planejada, 541
Linearidade, 506
Lincoln Electric, estratégia da força de trabalho, 483
Lista de materiais (*Bill of materials*; BOM), 532-534
Linhas de modelo misto, 275
Lista de recursos (*Bill of resources*; BOR), 550

Listas de verificação, 134
Localização, 349
    análise do ponto de equilíbrio, 363-364
    aplicações de programação linear, 516-517
    casos, 381
    dentro de uma rede de instalações, 364
    escolha entre ampliação no mesmo local, uma nova localização ou mudança para outro local, 356-359
    fatores que afetam, 351-353
    instalação única, 360-364
    método de carga-distância, 361-362
    por toda a organização, 350
    uso de sistemas de informações geográficas (SIG) na determinação, 354-359
Localização avançada, 323
Localização centralizada, 323
Localização da instalação, 350. *Veja também* Localização
Localização de várias instalações, 364
    heurística, 369-371
    método do transporte, 364, 368-369
    método SIG, 364, 365-368
    otimização, 371
    simulação, 371
Localização de uma única instalação, 360-364
    análise do ponto de equilíbrio, 363-364
    comparação de vários locais, 360
    método carga-distância, 361-362
Lote, 290
Lote econômico de compra (EOQ), 391-392
    cálculo, 392-394
    definição, 391
    efeito das mudanças, 395
    e sistemas de produção enxuta, 395
LS (UDI - última data de início), 66-68

M

m (tempo mais provável), 76
MAD (desvio absoluto médio), 453
Manutenção preventiva, sistemas *lean*, 293-294
MAPE (média absoluta percentual dos erros), 453
Mapeamento do fluxo de valor (MFV), 298-300
Massa crítica, 353
Matérias-primas (MP), 314
Matriz de preferência, 22-24, 33
    definição, 22
Matriz de produto-processo, 108
Matriz de proximidade, 266
McDonald's, 128
Média absoluta percentual dos erros (MAPE), 453
Médias, análise de séries temporais, 444-448
Medida de desempenho, teoria das restrições (TOC), 212-213
Medidas de desempenho, cadeias de suprimentos, 315-318
    ligações com medidas financeiras, 315-317
    medidas de estoque, 315-317
    medidas de processo, 317
Medidas de processo, 317
Medidas financeiras, ligações de cadeia de suprimentos com, 317-318
Medindo a produtividade, 10
    razão da produtividade geral, 16-17
Melhoria continua
    abordagem de sistemas de produção enxuta, 294-295
    administração de qualidade total (TQM), 174-175
Menor tempo de processamento (SPT), 577-579, 687f
    definição, 577
Mentalidade de última hora, 81
Mestre faixa preta (*master black-belt*), 192
Método carga-distância (*load-distance*), 361-362
Método da média móvel simples, 444-446
Método Delphi, 441
Método de distância ponderada, 267
Método de suavizamento exponencial ajustado a tendências, 448-449
Método do caminho crítico (CPM), 64
Método do transporte, 490-494
    localização de instalações, 364-371
Método Empurrado (*push*), 289
Método gráfico de programação linear, 508
    definição, 508
    encontrando a solução algébrica, 511
    encontrando a solução visual, 511
    identificação de região viável, 508-510
    representação gráfica da linha da função-objetivo, 510
    representação gráfica das restrições, 508
    variáveis de folga e excesso, 513
Método Puxado (*pull*), 289
Método Sazonal aditivo, 451
Método sazonal multiplicativo, 451
Método Simplex, 514
Métodos causais (previsão), 438
    definição de, 438
    regressão linear, 441-442
Métodos baseados em julgamento e opiniões, 438
MFV (mapeamento do fluxo de valor), 298-300
Micrografx, 129
Microsoft Excel, simulação com planilhas, 159-161
Microsoft PowerPoint, 129
Microsoft Visio, 129
Mínimo teórico (MT), 273-274
Modelo de fila de espera de servidor único, 249-250
Modelo de linha de espera de múltiplos servidores, 248
Modelo de Período Fixo (POQ), 541-542
Modelo misto de montagem, 291
Modelos da fila de espera, 247
    fonte finita, 247
    lei de Little, 250-251
    planejamento de capacidade, 229-230
    servidor único, 247-248
    servidores múltiplos, 248
Modelo de fila de espera de servidor único, 247-248
Monitoramento de projetos, 82-84
    recursos, 83-84
    status, 82-83
MP (matérias-primas), 314
MPS. *Veja* Programa mestre de produção
MRP. *Veja* Planejamento das necessidades de materiais
MRP II (planejamento dos recursos de fabricação), 547
MSE (erro quadrático médio), 453
MT (mínimo teórico), 273-274
Mudança tecnológica, como tendência na administração de operações, 12
Multitarefas, 81

N

NAFTA (Tratado de Livre Comércio da América do Norte), 11-12
Não-negatividade, 506
NC (custo normal), 72
Necessidade de capacidade, 226
New Balance Athletic Shoe Company, sistemas lean, 295
Newsboy problem, 427
Norma de preferência, filas de espera, 245
Notificação de atividade, 547
Números aleatórios, 156
    atribuição, 156-157, 159
    definição, 156
    solução com o Excel, 159-161
    tabela de, 708t

O

Objetivos, decisões do gerente de operações como apoio a, 9
Offshoring, 337-338
OM Explorer, 9
    gráfico c, 187
    gráfico de $\bar{X}$ e R, 183-184
    ráfico de barra, diagramas de Pareto e de linha, 135-136
    resultados do Solver para análise de sistemas de revisão contínua (Q), 402
    resultados do Solver para lote econômico de fabricação, 424
    resultados do Solver para Previsão de Demanda Sazonal, 451-452
    resultados do Solver para decisões de estoque de período único, 428-429
    resultados do Solver para descontos por quantidade, 426-427
    resultados do Solver para número de contêineres, 358f
    resultados do Solver para Previsão com Séries Temporais, 545f
    resultados do Solver para programação linear, 611f
Omgeo LLC, análise de processos, 124
Operações como arma competitiva, 2, 16
    inovação operacional, 8
    usando operações para competir, 14
Operações de baixo custo, 41
Opinião de executivo, 441
Organização Mundial do Comércio (OMC), 11
Orientação competitiva, 327-328
Orientação cooperativa, 328
Otimização, 371

P

Pacote de serviços, 47
Padrão, 390
Padrões de demanda e previsão, 437
Padrões de documentação de qualidade internacional, 193
    ISO 14000, 193
    ISO 14001, 101
    ISO 9000, 193
    vantagens da certificação ISO, 193-195
Padrões sazonais, inclusive em análise de série temporal, 449-451
Parâmetros, programação linear, 506
Part commonality (compartilhamento de peça), 534
Pedido em espera (backorder), 480-481
Pedidos abertos, 396
Perda por desbalanceamento, 274
Personalização, 43
Personalização em massa, 334-336
    definição, 334
    Lands' End, 336
PERT (técnica de avaliação e revisão de programa), 64
Pesquisa de Mercado, 441
Planejamento
    layouts, 259
    planejamento das necessidades de materiais. *Veja* planejamento das necessidades de materiais (MRP)
    planejamento de requisitos de capacidade (CRP), 547. *Veja também* Capacidade 547
Planejamento, previsão e reposição colaborativos (CPFR), 435, 439
    Wal-Mart, 440
Planejamento da capacidade de longo prazo, 221-222
    abordagem sistemática a decisões de capacidade de longo prazo, 225-227
    ferramentas para, 229-230
Planejamento das necessidades de materiais (MRP), 532
    definição, 532
    e ambiente, 547
    fatores do planejamento, 541-544
    lista de materiais (BOM), 532-534
    produtos, 544-547
    programação mestre de produção (MPS), 534-538
    registro de estoque, 538-541
Planejamento das necessidades de capacidade (CRP), 547
Planejamento das necessidades de materiais (MRP II), 547
Planejamento de estratégias, planos de operações e vendas, 481
Planejamento de projetos, 63-70
    análise de compromissos entre custo e tempo, 70, 72-75
    avaliação de riscos, 75-80
    definição de estrutura de divisão do trabalho (WBS), 63
    desenvolvimento de cronogramas, 64-70
    diagrama da rede, 63-64
Planejamento de recursos, 526
    caso, 665-668
    definição, 527
    demanda dependente, 529
    rum-Buffer-Rope (DBR), 548
    planejamento das necessidades de materiais. *Veja* Planejamento das necessidades de materiais (MRP)
    planejamento e controle de sistemas para fabricantes, 529
    por toda a organização, 527
    sistemas integrados de gestão (ERP), 527-529
Planejamento de recursos (*cont.*)
    provedores de serviços, 549-552
    Starwood Hotels & Resorts, 526
Planejamento de vendas e operações (S&OP), 476
    agregação, 477
    alternativas agressivas, 481
    alternativas reativas, 479-183
    aplicações de programação linear, 516-517
    caso, 502-503
    como um processo, 483-485
    considerações gerenciais, 494
    definição, 477
    entradas de informação, 478-479
    estratégias de planejamento, 481
    ferramentas de apoio à decisão, 485-494
    finalidade, 476-478

Hallmark, 483
Lincoln Electric, 483
por toda a organização, 476
relacionamento com outros planos, 477-478
restrições e custos relevantes, 482-483
Starwood Hotels & Resorts, 486
Whirlpool Corporation, 445
Planilhas
planejamento de vendas e operações, 486-487
simulação do Excel, 159-161
Plano, 477
Plano anual (plano financeiro), 477
Plano de gerenciamento de riscos, 75
Plano de pessoal, 476
Plano de produção, 476
Plano financeiro (plano anual), 477
Plano geral, 266
População de clientes, 243
Posição do estoque (IP), 396
precedentes imediatos, 273
Planejamento de layout, 259-261
Poka-yoke, 290
POM for Windows, 186
regressão linear, 443-444
resultados para filas de espera, 229
Ponto de reposição (R), 396
seleção quando a demanda é certa, 396
seleção quando a demanda é incerta, 396-397
seleção quando a demanda e o tempo de espera são incertos, 399-402
Ponto de quina *(Corner point)*, 511
POQ (modelo de período fixo), 541-542
Postergação, 335
PowerPoint (Microsoft), 129
Prêmio Nacional de Qualidade Malcolm Baldrige, 195
Preparação, 290
Preparação de um dígito, 290
Previsão, 435-436
caso, 471-472
decisão do que prever, 437
definição, 435-436
erros. *Veja* erros de previsão
escolha de técnica, 438
métodos causais, 438, 441-442
métodos de série temporal. *Veja* análise de série temporal

métodos qualitativos de avaliação, 439-444
padrões de demanda, 437
lanejamento, previsão e reposição colaborativos (CPFR), 435-436, 439
por toda a organização, 436
previsão focalizada, 458
previsões combinadas, 458
processo de previsão, 458-459
software, 438
Unilever, 435
Wal-Mart, 440
Previsão focalizada, 458
Previsão ingênua (*naive*), 444
Previsão tecnológica, 441
Previsões combinadas, 458
Previsões com computadores, 438
Primeira data de início(PDI), 66-68
Primeira data de término (PDT), 66-68
Primeiro a chegar, primeiro a ser atendido (FCFS), 576
Prioridades e competências competitivas, 41-46
custo, 41
definição, 41
exemplo de companhia aérea, 45-46
flexibilidade, 43
ganhadores de pedidos e qualificadores, 43-45
qualidade, 41
tempo, 42-43
Problema de mix de produto, 506-507
Processo(s), 3-6
administração, 141
avaliação, 22
cadeia de valor, 6-7
definição, 3
documentação, 127-132
fabricação, 5-6
inter-relacionamentos entre cliente e fornecedor, 5
reprojeto, 139-141
serviço, 5-6
sub-processos, 4-5
Processo de atendimento de pedido, 5
cadeias de suprimentos, 322-326, 385f
Processo de desenvolvimento de novo serviço/produto, 6
Processo de fluxo contínuo, 109
Processo de relacionamento com fornecedores, 7
análise de valor, 330

compra centralizada *versus* compra localizada, 329
compra eletrônica, 328-329
Processo de relacionamento com o fornecedor, estratégia de cadeia de suprimentos, 326
relações com o fornecedor, 327-328
seleção e certificação do fornecedor, 327
Processo em linha, 109
Processo em lote ou batelada, 109
rocesso empresarial, 527
Processo por tarefa ou *job shop*, 109
Processos de apoio, 7
Processos de *back-office*, 106
Processos de distribuição, 326
Processos de *front office*, 105
Processos de hybrid office, 105
Processos de relacionamento com o cliente, 6
cadeias de suprimentos, 321-322
Processos de serviço, 5-6
Produção em massa, 110
Produto especial, 390
Processos essenciais, 6
Produtividade, 10
aperfeiçoamento, 10
cálculo, 10
definição, 10
melhoria contínua usando a abordagem de sistemas *lean*, 294-295
razão da produtividade multifatorial, 16-17
Produtividade multifatorial, 16
Produto/item comprado, 532
Produto final/item acabado, 532
Produto intermediário/item intermédiario, 532
Produtos complementares, 481
Produtos de demanda independente, 395
Programa de projeto de layout automatizado (ALDEP), 269
rograma de reposição contínua (CRP), 324
Programa Mestre de Produção (MPS), 532-538

Programação, 659
  Air New Zealand, 567
  ambientes limitados pela força de trabalho, 585
  aplicações de programação linear, 516-517
  centrais de atendimento, 575
  definição, 567
  demanda do cliente, 571
  Fábrica da Nissan em Sunderland, 586
  funcionários, 571
  gráficos de Gantt, 570-571
  job shop dispatching, 576-577
  ligando programação de operações com a cadeia de suprimentos, 585
  medidas de desempenho, 569-570
  por toda a organização, 568
  processos de serviço e fabricação, 568-571
  programação para duas estações, 583-584
  programação para múltiplas estações de trabalho, 581-583
  programação para uma estação de trabalho, 576-577
Programação da força de trabalho, 567, 572
Programação de demanda, 567
Programação de funcionários, 571-574
Programação de operações, 567, 574
  ambientes limitados pela força de trabalho, 585
  Dispatching, 576-577
  ligando programação com cadeia de suprimentos, 857
  programação para duas estações de trabalho, 583-584
  programação para múltiplas estações de trabalho, 581-583
  programação para uma estação de trabalho, 577-581
Programação fixa, 572
Programação linear, 505-508
  análise de sensibilidade, 513-514
  análise gráfica, 508-513
  aplicações, 516-517
  definição, 505
  formulação de problemas, 506-507
  método simplex, 514
  solução de computador, 514-516
Programação rotativa, 572

Programas, 61
Progressive Insurance, inovações operacionais, 8
Projetos, definição de, 58
ProModel, 137, 161
PWPs (fábricas dentro de fábricas), 117

Q

QFD. *Veja* Desdobramento da função qualidade
Quadros, 369-371
  planejamento de vendas e operações, 585f, 590f
Qualidade, 169, 171
  administração da qualidade total (TQM), 171-175
  mostragem por aceitação. *Veja* Amostragem por aceitação
  capabilidade do processo, 185-193
  controle estatístico do processo (CEP), 175-185
  custos de qualidade insatisfatória, 170-171
  definição, 171
  melhoria contínua usando a abordagem de sistemas *lean*, 294-295
  adrões de documentação de qualidade internacional, 193-195
  Prêmio Nacional de Qualidade Malcolm Baldrige, 195
  prioridades competitivas, 41
  qualidade consistente, 42
  qualidade superior, 41
  eis Sigma, 190-192
  Starwood Hotels & Resorts, 194
Qualidade consistente, 42
Qualidade superior, 41
Qualidade na origem, 173, 290
Qualificadores de pedidos, 43-45
Quantidade de equilíbrio, 21
Quantidade de uso, 532
Quantidade fixa de pedido (FOQ), 541-542
Questões ambientais
  como tendência na administração de operações, 12-13
  padrões de documentação ISO 14000, 193
  planejamento das necessidades de materiais (MRP), 547

  reciclagem de equipamentos de alta tecnologia, 14
Questões éticas, como tendência na administração de operações, 12-13
Quociente crítico (CR), 576, 580-581

R

R (ponto de reposição), 396
  seleção quando a demanda é certa, 396
  seleção quando a demanda é incerta, 396-397
  seleção quando a demanda e o tempo de espera são incertos, 399-402
Rapidez de entrega, 42
Rastreamento de sinais, 453-455
Razão de capabilidade do processo, C_p, 187-188
Recebimentos programados, 539
Recebimentos programados (SR), 396
Reciclagem de equipamento de alta tecnologia, 14
Recurso restritivo (CCR), 548
ecurso restritivo de capacidade (RRC), 211
Rede de AON (atividade em nó, *activity-on-node*), 64
Rede de instalações, localização, 364
  heurística, 369, 371
  método do transporte, 364, 368-369
  método SIG, 364, 365-368
  otimização, 371
  simulação, 371
Redesenho de processos, 139-141
  benchmarking, 141
  gerando idéias por meio de *brainstorming*, 129-141
Reduzindo o estoque, 389-390
Reengenharia de processo, 118-119
Regra de dimensionamento lote por lote (L4L), 542
Regra de Johnson, 583
Regra de prioridade, filas de espera, 243, 245
Regra L4L (dimensionamento lote-por-lote), 542
Regras de dimensão única, 577
Regras de dimensões múltiplas, 580
Regras de sequencimaneto, 576
Regressão linear, 441-442

Registros de estoque, 538-541
    fatores de planejamento, 541-544
Relações com o fornecedor, 46
    entre cliente e fornecedor, 5
Relações de precedência, 64
Repetitividade, 390
Reposição não-instantânea, 422-423
Requisitos brutos, 538
Representação, programação linear
    restrições, 508
    linha da função-objetivo, 510
Reserva de capacidade, 224
Restrições, 210
    Binding constraints, 513
    definição, 210
    programação de funcionários, 571-574
    programação linear, 505
Restrições associadas, 513
Retorno sobre os ativos (ROA), 317
RFID (identificação por radiofreqüência), 324
    administração de estoque no Wal-Mart, 384
Risco
    avaliação durante o planejamento de projeto, 75-80
    tomada de decisão sob, 27
ritmo, 275
Ritz-Carlton Hotel Company, processos de *front* e *back office*, 107
RiverTown Crossings Mall, layout de processo, 258
ROA (retorno sobre os ativos), 317
R.R. Donnelly, 115

S

S/RO. *Veja* Folga por operações remanescentes
Satisfação do cliente, 171-173
    critérios de desempenho de layout, 262-263
Scottsdale Healthcare's Osborn Hospital, aplicação de Seis Sigma, 192
Seis Sigma, 190-192
    aplicação no Scottsdale Healthcare's Osborn Hospital, 192
    definição, 190
    implementação, 192-193
    modelo de melhoria eis sigma, 191

S&OP. *Veja* Planejamento de Vendas e Operações
Semanas de suprimento, 316
Séries temporais, 437
Serviços
    cadeias de suprimentos, 312
    demanda dependente, 550
    desenvolvimento de novos, 46-50
    estrutura do processo em, 102-107
    fatores de localização, 353
    operações de serviço focadas, 117
    padrões de decisão para processos, 116
    planejamento de recursos para provedores de serviço, 550-552
    processos de automação, 114
    programação, 571
    sistemas *lean*, 289-294
Seven-Eleven Japan, cadeias de suprimentos, 316
SIG. *Veja* sistema de informação geográfica
SimQuick, 9, 137
    simulação, 161-162
SIMPROCESS, 137, 161
Simulação, 137-138
    análise, 157-158
    atribuição de número aleatório, 156, 159
    coleta de dados, 155-156
    computador, 159-162
    definição, 154
    formulação de modelo, 157-158
    localização de instalação, 371
    planejamento de capacidade, 229
    razões para utilização, 154-155 371
Simulação de Monte Carlo, 154
Simulação de processo, 137, 154. *Veja também* Simulação
    análise, 157-158
    atribuição de número aleatório, 156, 159
    coleta de dados, 155-156
    computador, 159-162
    definição, 137
    formulação de modelo, 157
    razões para utilização, 154-155
Simulação em computador, 159-162
    planilhas do Excel, 159-161
    SimQuick, 161-162
Síndrome do estudante, 81
Sistema de Assistência Médica da Força Área dos EUA, administração de restrições, 218

Sistema de caixa única, 407
Sistema de ponto de reposição (ROP), 396
Sistema de revisão contínua (Q), 396-403
    cálculo de custos totais, 399
    definição, 396
    encontrando o estoque de segurança, 398-4001
    escolha da política de nível de serviço, 397
    programação do ponto de reposição, 396-403
    sistema de duas caixas, 402-403
    vantagens, 407
Sistema Kanban, 295-298
Sistema P (revisão periódica), 403-407
    vantagens, 407
Sistema ROP (ponto de reposição), 396
Sistema de sugestões, 126
Sistemas APS (sistemas de planejamento e programação avançado), 585
Sistemas B2B (entre empresas; *business-to-business*), 321
Sistemas B2C (entre empresa e consumidor final; *business-to-consumer*), 321
Sistemas de agendamento, 571
Sistemas de comércio eletrônico entre empresas (B2B), 321
Sistemas de controle de estoques, 395
    Hewlett-Packard, 405
    precisão do registro, 407-408
    sistema de revisão contínua (Q), 396-403
    sistema de revisão periódica (P), 403-407
    sistemas híbridos, 407
Sistema de duas caixas, 402-403
Sistema de estoque base (base-stock system), 407
Sistema de informação geográfica (SIG)
    definição, 354
    e decisões de localização, 354-359
    localizando múltiplas instalações, 334
Sistema de manufatura flexível (FMS), 262
Sistema de serviço, 243
Sistemas de planejamento e programação avançados (APS), 585

Sistema de Produção da Toyota (TPS), 287
Sistemas de Produção Enxuta, 296-288
   automação, 292
   caso, 307
   Cessna Aircraft, 303
   cinco S (5S), 293
   definição, 288
   e Lote econômico de compra (EOQ), 395
   fluxos em linha, 292
   força de trabalho flexível, 292
   JIT II, 300
   melhoria contínua, 294-295
   New Balance Athletic Shoe Company, 295
   por toda a organização, 288
   proximidade com fornecedores, 291-292
   questões de implementação, 300-304
   sistema kanban, 295-298
   395
Sistemas de Produção enxuta (*cont.*)
   benefícios operacionais, 300-304
   cadeias de suprimentos, 336-337
   cargas uniformes das estações de trabalho, 290-291
   componentes e métodos de trabalho padronizados, 291
   lotes pequenos, 290
   manutenção preventiva, 293
   mapeamento do fluxo de valor (MFV), 298-300
   método puxado (*pull*) de fluxo de trabalho, 289
   qualidade na origem, 290
   sistema de Produção da Toyota (TPS), 287
   University of Pittsburgh Medical Center, 299
Sistema de reposição opcional, 407
Sistema de revisão contínua (*Q*), 396-403
   calculando custos totais, 399
   definição, 396
   encontrando o estoque de segurança, 398-399
   escolhendo a política do nível do serviço, 397
   programando o ponto de reposição, 396-403
   sistema de duas caixas (*two-bin*), 402-403
   vantagens, 407

Sistema de revisão periódica (*P*), 403-407
   vantagens, 407
Sistema visual, 402
Sistema Tambor-Pulmão-Corda (*Drum-Buffer-Rope*-DBR), 548
Sistemas de reserva, 571
Sistemas entre empresa e consumidor final (B2C), 321
Sistemas integrados de gestão (ERP), 527-529
   definição, 527
   VF Corporation, 530
Sistemas híbridos de controle de estoque, 407
SKU (unidade de estocagem), 437
Slack, 513
SmartDraw, 129
Solução viável, 506
Soluções algébricas, programação linear, 511
Soluções visuais, programação linear, 511
Soma cumulativa de erros de previsão (CFE), 453
South American Airlines, economias de escala, 223
SPT. *Veja* menor tempo de processamento
SR (Recebimentos programados), 396
Starbucks
   desafios de localização, 356
   estratégia de operações, 36
Starwood Hotels & Resorts
   administração de projeto no Phoenician, 71-72
   análise de processo, 133-134
   desempenho e qualidade do processo, 194
   estratégia de cadeia de suprimentos, 330
   operações como arma competitiva, 16
   planejamento de recursos, 526-527
   planejamento de vendas e operações, 486
Suaviazamento exponencial, 446-448
   definição, 446
   estimativa da demanda média, 447
   método de suavizamento exponencial ajustado a tendências, 448-449
Subconjunto, 532
subprocesso(s), 4-5

T

Tabelas de resultado final (*payoff*), 24
Tamanho de lotes econômicos de produção (ELS), 423
   definição, 423
   encontrando, 424
Tamanho pequeno de lotes, 290
TBO (tempo entre pedidos), 394
técnica computadorizada de alocação relativa de instalações (CRAFT), 269
Técnica de avaliação e revisão de programa (PERT), 64
Tecnologia de grupo (GT), 264-265
Tempo
   análise dos compromissos entre custo e tempo, 70, 72-75
   calculando estatísticas de tempo, 76-79
   prioridades competitivas, 42-43
Tempo de aceleração (TA), 72
Tempo de preparação, 216
Tempo de processamento total (*makespan*), 569
Tempo do ciclo, 273
Tempo de espera, 42. *Veja também* sistema de revisão contínua (*Q*)
   planejamento, 541
Tempo de fluxo das tarefas, 569
Tempo de produção total, 216
Tempo entre pedidos (TBO), 394
Tempo mais provável (*m*), 76
Tempo otimista (*a*), 76
Tempo pessimista (*b*), 76
Tempos entre chegadas, filas de espera, 246
Tendências, inclusive em análises de séries temporais, 448-449
Teoria da decisão, 24-27, 33-34
   definição, 24
Teoria das restrições (TOC), 212
   definição, 212
   medida de capacidade, utilização e desempenho, 212-213
   princípios-chave da, 213-214
Terceirização local, 337-339
   definição, 337
The Limited, Inc., layout, 260
Time compression, 155
TOC. *Veja* teoria das restrições
Tolerância, 185
Tomada de decisão
   análise do ponto de equilíbrio, 20-22,
   árvores de decisão, 27-29, 33-34
   matriz de preferência, 22-24, 33
   teoria da decisão, 24-27, 33-34
TQM. *Veja* Administração da Qualidade Total

Tratado de Livre Comércio da América do Norte (NAFTA), 11-12
roca eletrônica de dados (EDI), 328

U

Última data de início (UDI), 66
Última data de término (UDT), 66
Undertime
 definição, 480
União Européia (UE), 11-12
Unidade de estocagem (SKU), 437
Unilever, previsão, 435-436
University of Pittsburgh Medical Center, sistemas *lean*, 299
Utilização
 definição, 212
  medida usando a teoria das restrições (TOC), 212-213

V

Valor médio do estoque agregado, 315
Valor nominal, 185
Variedade, 43
Variáveis, gráficos de controle para, 181-184
Variáveis de decisão, 157, 505-506
Variáveis dependentes, 442
Variáveis incontroláveis, 157
Variáveis independentes, 442
Velocidade de desenvolvimento, 43
Vencido, 569
VF Corporation, Sistemas integrados de gestão (ERP), 530
Visio (Microsoft), 129
VMI (estoques geridos pelo fornecedor), 324

W

Wal-Mart
 administração de estoque, 384
 layout, 260
 previsão, 440
WBS (estrutura de divisão do trabalho), 63
Whirlpool Corporation, planejamento de vendas e operações, 475
WIP (estoque em processo), 314, 569
Witness, 137, 161

Z

Zara varejista de roupas, estratégia de cadeia de suprimentos, 333